목차

■ **한국공인회계사회**	**13**
■ **회계법인(가나다順)**	
BDO성현회계법인	14
대현회계법인	15
딜로이트 안진	16
미래회계법인	17
삼덕회계법인	18
삼일회계법인	20~21
삼정KPMG	22~23
서현회계법인	6~7
신승회계법인	19
예일회계법인	24
우리회계법인	25
재정회계법인	26
정진세림회계법인	27
진일회계법인	28
한울회계법인	29
■ **한국세무사회**	**30~31**
■ **서울지방세무사회**	**32**
■ **한국세무사고시회**	**33**
■ **세무대학세무사회**	**34**
■ **한국여성세무사회**	**35**
■ **세무법인(가나다順)**	
BnH세무법인	39
P&B 세무컨설팅	41
가현택스 이영운 세무사	163, 189
가현택스 임채수세무사	154, 165
가현택스임승룡세무회계	201, 210
광교세무법인	36~38
광교세무법인 스마트지점	160, 203
김익태세무회계	154, 157
대원세무법인	168, 171
삼도 세무회계	155, 197
세림세무법인	181
세무그룹 토은	42, 138
세무법인 T&P	43, 138
세무법인 공감	219
세무법인 다솔	44
세무법인 더택스	45
세무법인 삼륭	46
세무법인 신명 삼성지점	197, 505
세무법인 에이블	47
세무법인 열림 의정부	48
세무법인 택스홈앤아웃	50, 251
세무법인 하나	49
세무법인 화우	67
세원세무법인	51
역삼세무회계	164, 211
예일세무법인	52
이안세무법인	53
이현세무법인	6~7
현석세무회계	165, 211
■ **한국관세사회**	**54**
■ **관세법인(가나다順)**	
세인관세법인	55
신대동관세법인 부산지점	56
■ **로펌(가나다順)**	
김앤장법률사무소	58~59
법무법인 광장	60~61
법무법인 동인	57

Hanwha

법무법인 바른	1
법무법인 세종	62
법무법인 율촌	63
법무법인 지평	64
법무법인 태평양	65
법무법인 화우	66
■ **국회기획재정위원회**	**71**
■ **국회법제사법위원회**	**73**
■ **국회정무위원회**	**75**
■ **감사원**	**77**
■ **기획재정부**	**81**
기획조정실	83
예산실	84
세제실	86
■ **금융위원회**	**100**
■ **금융감독원**	**103**
■ **상공회의소**	**117**
■ **중소기업중앙회**	**119**
■ **국세청**	**121**
본 청 국·실	122
주류면허지원센터	140
국세상담센터	142
국세공무원교육원	144
■ **서울지방국세청**	**147**
지방국세청 국·과	148
강 남 세무서	170
강 동 세무서	172
강 서 세무서	174
관 악 세무서	176
구 로 세무서	178
금 천 세무서	180
남 대 문 세무서	182
노 원 세무서	184
도 봉 세무서	186
동 대 문 세무서	188
동 작 세무서	190
마 포 세무서	192
반 포 세무서	194
삼 성 세무서	196
서 대 문 세무서	198
서 초 세무서	200
성 동 세무서	202
성 북 세무서	204
송 파 세무서	206
양 천 세무서	208
역 삼 세무서	210
영 등 포 세무서	212
용 산 세무서	214
은 평 세무서	216
잠 실 세무서	218
종 로 세무서	220
중 랑 세무서	222
중 부 세무서	224
■ **중부지방국세청**	**227**
지방국세청 국·과	228
[경기] 구 리 세무서	238
기 흥 세무서	240
남 양 주 세무서	242

목차

동 수 원 세무서 244
동 안 양 세무서 246
분　　당 세무서 248
성　　남 세무서 250
수　　원 세무서 252
시　　흥 세무서 254
경기광주 세무서 256
안　　산 세무서 258
안　　양 세무서 260
용　　인 세무서 262
이　　천 세무서 264
평　　택 세무서 266
화　　성 세무서 268
[강원] 강　　릉 세무서 270
삼　　척 세무서(태백지서) 272
속　　초 세무서 274
영　　월 세무서 276
원　　주 세무서 278
춘　　천 세무서 280
홍　　천 세무서 282

■ 인천지방국세청 285

지방국세청 국·과 286
남 인 천 세무서 292
북 인 천 세무서 294
서 인 천 세무서 296
인　　천 세무서 298
고　　양 세무서 300
광　　명 세무서 302
김　　포 세무서 304
동 고 양 세무서 306
부　　천 세무서 308
연　　수 세무서 310
의 정 부 세무서 312
파　　주 세무서 314
포　　천 세무서 316

■ 대전지방국세청 319

지방국세청 국·과 320
[대전] 대　　전 세무서 326
북 대 전 세무서 328
서 대 전 세무서 330
[충남] 공　　주 세무서 332
논　　산 세무서 334
보　　령 세무서 336
서　　산 세무서 338
세　　종 세무서 340
아　　산 세무서 342
예　　산 세무서(당진지서) 344
천　　안 세무서 346
홍　　성 세무서 348
[충북] 동 청 주 세무서 350
영　　동 세무서 352
제　　천 세무서 354
청　　주 세무서 356
충　　주 세무서 358

■ 광주지방국세청 361

지방국세청 국·과 362
[광주] 광　　산 세무서 368
광　　주 세무서 370
북 광 주 세무서 372
서 광 주 세무서 374

[전남] 나 주 세무서	376
목 포 세무서	378
순 천 세무서(벌교지서)	380
여 수 세무서	382
해 남 세무서(강진지서)	384
[전북] 군 산 세무서	386
남 원 세무서	388
북전주 세무서(진안지서)	390
익 산 세무서(김제지서)	392
전 주 세무서	394
정 읍 세무서	396
■ 대구지방국세청	**399**
지방국세청 국·과	400
[대구] 남 대 구 세무서	406
동 대 구 세무서	408
북 대 구 세무서	410
서 대 구 세무서	412
수 성 세무서	414
[경북] 경 산 세무서	416
경 주 세무서(영천지서)	418
구 미 세무서	420
김 천 세무서	422
상 주 세무서	424
안 동 세무서(의성지서)	426
영 덕 세무서(울산지서)	428
영 주 세무서	430
포 항 세무서(울릉지서)	432
■ 부산지방국세청	**435**
지방국세청 국·과	436
[부산] 금 정 세무서	444
동 래 세무서	446
부 산 진 세무서	448
북 부 산 세무서	450
서 부 산 세무서	452
수 영 세무서	454
중 부 산 세무서	456
해 운 대 세무서	458
[울산] 동 울 산 세무서	460
울 산 세무서	462
[경남] 거 창 세무서	464
김 해 세무서(밀양지서)	466
마 산 세무서	468
양 산 세무서	470
진 주 세무서(하동지서,사천지서)	472
창 원 세무서	474
통 영 세무서	476
[제주] 제 주 세무서	478
■ 관세청	**481**
본 청 국·과	482
서울본부세관	485
인천본부세관	489
부산본부세관	493
대구본부세관	497
광주본부세관	499
■ 행정안전부 지방재정경제실	**502**
■ 국무총리실 조세심판원	**504**
■ 한국조세재정연구원	**506**
■ 전국세무관서 주소록	**509**
■ 색인	**513**

성 명	직 책	주요 경력
안만식	서현파트너스 대표	
마숙룡	세무본부 본부장	서울청 · 중부청 조사국 · 중부청 국세심사위원
전갑종	종합서비스본부 본부장	산동 KPMG · 국세청심사위원 · 공인회계사회세무감리위원
배홍기	컨설팅본부 본부장	산동 KPMG · 삼정회계법인 · 기재부 공공기관운영위원회 위원
김진태	감사본부 본부장	삼정회계법인

업무 분야	성명	직책	주요 경력
회계감사 · 재무실사 · IPO 전담	김남국	파트너	삼일회계법인
	김주호	파트너	안건회계법인
	이종인 / 구양훈	파트너	한영회계법인
	김하연 / 이기원 / 신호석	파트너	안진회계법인 · 삼정회계법인
	이기현 / 정인례 / 현명기	파트너	
기업회생 · 구조조정 전담	오윤주	이사	한영회계법인
R&D 관련 사업비 정산	박희주	파트너	하나은행 · 서일회계법인
금융기관 여신거래처 경영컨설팅 전담	강정필	파트너	안진회계법인
국제회계 · 외투기업 전담	옥민석	파트너	산동회계법인 · 한영회계법인
사업구조 Re-Design 및 Value Up	최상권	파트너	안진회계법인
ERM, Audit Analytics 내부감사 · 내부통제 기업지배구조 · 윤리 · 준법경영	권우철	파트너	안진회계법인 · 삼정회계법인
	한주호	이사	안진회계법인 · 삼정회계법인 · 더존
	오영주	이사	안진회계법인 · 삼성SDS
금융기관 전담	박상주	파트너	안진회계법인
내부회계관리제도	김진태	파트너	삼정회계법인
	신호석	파트너	삼정회계법인
재무자문 (M&A, 실사, 가치평가) · 경영컨설팅전담	김병환	파트너	한영회계법인
	안상춘	파트너	삼일회계법인
	박정환	상무	삼일회계법인
법인세 및 세무조사지원	마숙룡	대표	서울청 · 중부청 조사국 · 중부청 국세심사위원
	한성일	파트너	국세청
	송영석	파트너	삼정회계법인
조세불복 전담	송필재	고문	조세심판원 부이사관
	박환택	변호사	세무대학7기 · 국세심사위원 · 사법연수원 33기
	김준동	변호사	법무법인 두현 대표 · 주요 공공기관 자문변호사
재산제세 전담	박종민	전무	국세청 세무서 · 서울청 조사국
국제조세 전담	박주일	파트너	국세청 국조 · 서울청 조사국 · 국세청
	강민하	파트너	
가업승계 전담	왕한길	상무	국세청
· IFRS (17, 6, 9) 컨설팅 · 정보분석 Platform 컨설팅 Digitalization 컨설팅, RPA 컨설팅	김만호	상무	IFRS 컨설팅 · IT컨설팅 · 전략컨설팅 · 전산감사
	백미선	이사	DT · 전략마케팅
	김용승	이사	정보계DW · 데이터모델링

※ 제휴법인 임원 포함

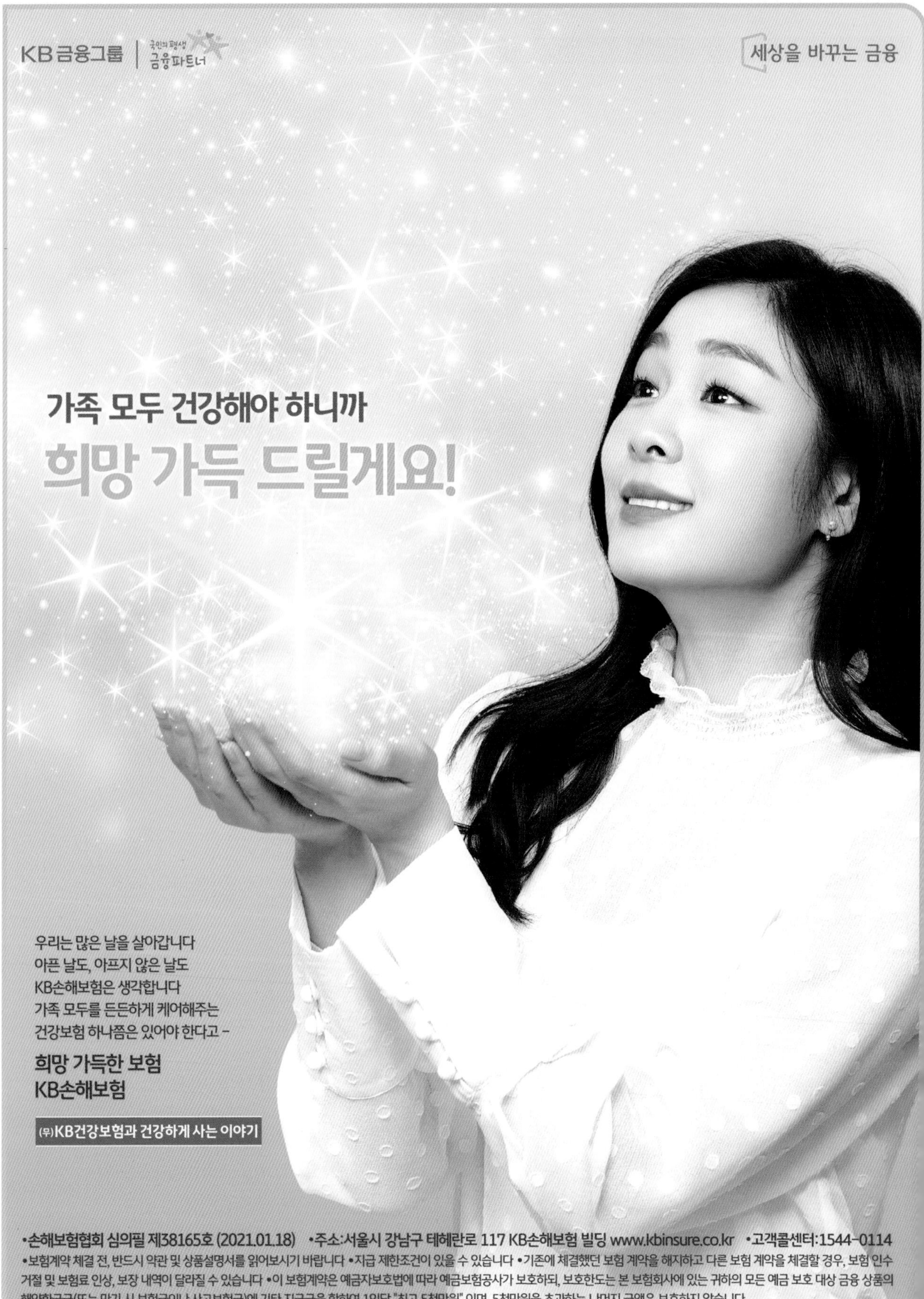
KB금융그룹
국민의 평생 금융파트너
세상을 바꾸는 금융
가족 모두 건강해야 하니까
희망 가득 드릴게요!
우리는 많은 날을 살아갑니다
아픈 날도, 아프지 않은 날도
KB손해보험은 생각합니다
가족 모두를 든든하게 케어해주는
건강보험 하나쯤은 있어야 한다고 -
희망 가득한 보험
KB손해보험
(무)KB건강보험과 건강하게 사는 이야기
•손해보험협회 심의필 제38165호 (2021.01.18) •주소:서울시 강남구 테헤란로 117 KB손해보험 빌딩 www.kbinsure.co.kr •고객콜센터:1544-0114
•보험계약 체결 전, 반드시 약관 및 상품설명서를 읽어보시기 바랍니다 •지급 제한조건이 있을 수 있습니다 •기존에 체결했던 보험 계약을 해지하고 다른 보험 계약을 체결할 경우, 보험 인수 거절 및 보험료 인상, 보장 내역이 달라질 수 있습니다 •이 보험계약은 예금자보호법에 따라 예금보험공사가 보호하되, 보호한도는 본 보험회사에 있는 귀하의 모든 예금 보호 대상 금융 상품의 해약환급금(또는 만기 시 보험금이나 사고보험금)에 기타 지급금을 합하여 1인당 "최고 5천만원" 이며, 5천만원을 초과하는 나머지 금액은 보호하지 않습니다

혼 魂

경고 : 지나친 음주는 뇌졸중, 기억력손상이나 치매를 유발합니다. 임신 중 음주는 기형아 출생 위험을 높입니다.

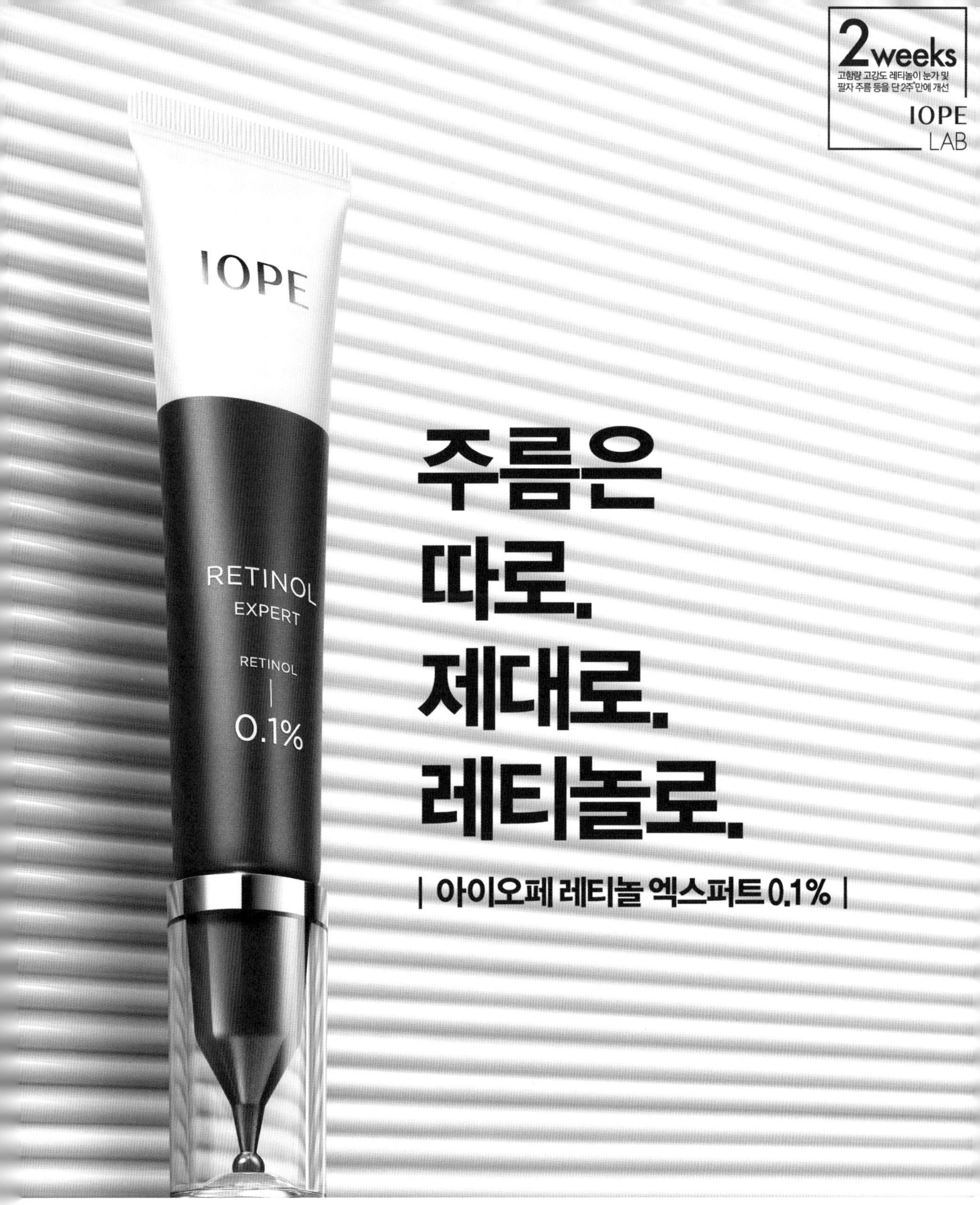
2weeks
고함량 고강도 레티놀이 눈가 및
팔자 주름 등을 단 2주*만에 개선
IOPE
LAB
IOPE
RETINOL
EXPERT
RETINOL
0.1%
주름은
따로.
제대로.
레티놀로.
| 아이오페 레티놀 엑스퍼트 0.1% |

경제성장률
가계비용절감
기업가치
457
KICPA

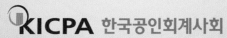

세계 5위 회계법인 네트워크 BDO 인터내셔널의 회원사
「BDO 성현회계법인」

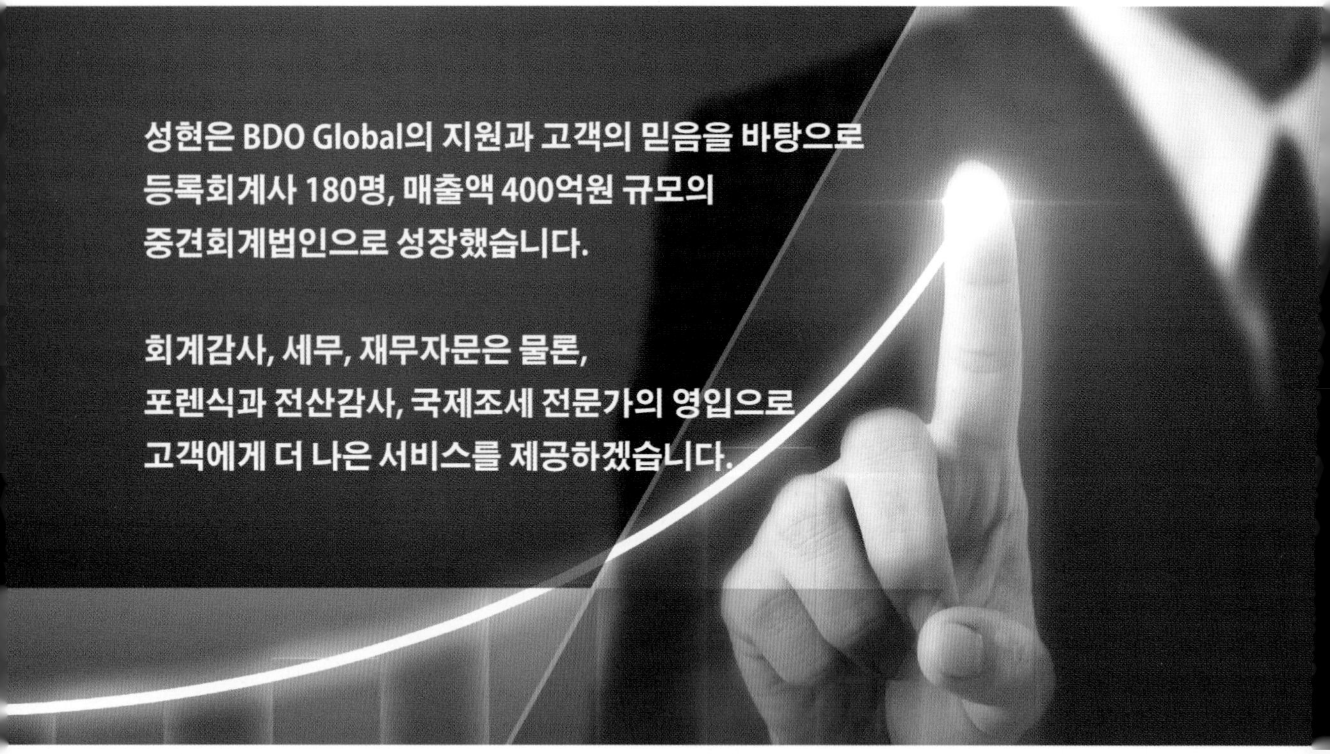

성현회계법인 주요 구성원

박근서	대표이사	T. 02-513-0243	E. john.park@bdo.kr
박재영	품질관리실장	T. 02-513-0288	E. jaeyoung.park@bdo.kr

서울본사 (02)

권태우	517-8333	taewoo.kwon@bdo.kr
김도형	517-8333	Dohyung.kim@bdo.kr
김지현	2183-2412	jihyun.kim@bdo.kr
김학연	2183-2411	harkyeon.kim@bdo.kr
노영우	517-8333	Youngwoo.noh@bdo.k
박일영	513-0258	ilyoung.park@bdo.kr
박주훈	2183-2405	joohoon.park@bdo.kr
서동건	2183-2417	dongkun.seo@bdo.kr
송광혁	513-0281	kwanghyuk. song@bdo.kr
오송민	513-0296	songmin.oh@bdo.kr
윤길배	2183-2404	kilbae yoon@bdo.kr
윤동춘	2183-2415	dongchun.yoon@bdo.kr
이경철	513-0271	kyungchul.lee@bdo.kr
이민재	513-0208	minjae.lee@bdo.kr
이현승	2183-2408	hyunseung.lee@bdo.kr
임영욱	517-8333	Y oungug.im@bdo.kr
장지환	513-0201	jeehwan.jang@bdo.kr
전기현	2183-2422	kihyun.chun@bdo.kr
전상원	513-0238	sangwon.jeon@bdo.kr
최원경	2183-2407	wonkyung.choi@bdo.kr
최종헌	2183-2401	jongheon.choi@bdo.kr
홍득기	513-0214	deukki.hong@bdo.kr

부 산 (051)

예상우	460-4720	sangwoo.ye@bdo.kr
전명환	460-4707	myeonghwan.jeon@bdo.kr
임철준	460-4703	chuljun.lim@bdo.kr

창 원

송선영	055-266-5511	sunyoung.song@bdo.kr

대 구

이동운	070-4492-0506	dongwoon.lee@bdo.kr

성현회계법인 서울특별시 강남구 테헤란로 508 해성2빌딩 12층
T. 02-517-8333 F. 02-517-8399 E. info@bdo.kr

서울 | 부산 | 창원 | 대구

www.bdo.kr

BDO

딜로이트 안진회계법인

서울시 영등포구 국제금융로 **10** 서울국제금융센터 **One IFC 9**층 **(07326)** **Tel : 02-6676-1000**

■ 세무자문본부 (리더 및 파트너 그룹)

본부장	권지원	02-6676-2416

전문분야	성명	전화번호	전문분야	성명	전화번호
법인조세 / 국제조세	한홍석	02-6676-2585	금융조세	최국주	02-6676-2439
	김중래	02-6676-2419		박지현	02-6676-2360
	권기태	02-6676-2415	이전가격	이용찬	02-6676-2828
	Scott Oleson	02-6676-2012		송성권	02-6676-2507
	김지현	02-6676-2434		인영수	02-6676-2448
	민윤기	02-6676-2504		류풍년	02-6676-2820
	박종우	02-6676-2372		이한나	02-6676-2421
	김한기	02-6138-6167		최은진	02-6676-2361
	신기력	02-6676-2519	세무조사대응 / 조세불복	조규범	02-6676-2889
	오종화	02-6676-2598		홍장희	02-6676-2832
	윤선중	02-6676-2455		이호석	02-6676-2527
	이신호	02-6676-2375		정영석	02-6676-2438
	임홍남	02-6676-2336		서일영	02-6676-2425
	최승웅	02-6676-2517		김점동	02-6676-2332
	하민용	02-6676-2404		최재석	02-6676-2509
	신창환	02-6099-4583	Business Process Solutions	박성한	02-6676-2521
	이재우	02-6676-2536		정재필	02-6676-2593
	조원영	02-6099-4445		이용현	02-6676-2355
	김선중	02-6676-2518	해외주재원 세무서비스	서민수	02-6676-2590
지방세	장상록	02-6138-6904		권혁기	02-6676-2840
M&A세무	Scott Oleson	02-6676-2012	개인제세 / 재산제세	김중래	02-6676-2419
	김영필	02-6676-2432		신창환	02-6099-4583
	우승수	02-6676-2452	관세	정인영	02-6676-2804
	이석규	02-6676-2464		정재열	02-6676-2511
	유경선	02-6676-2345		유정곤	02-6676-2561
일본세무	김명규	02-6676-1331		정진곤	02-6676-2508
	이성재	02-6676-1837		신승학	02-6676-2495

삼덕회계법인 주요구성원

법인본부	이름	전화번호	E-mail
대표이사	이용모	02-397-6751	lymcpa@nexiasamduk.kr
경영본부장	유동현	02-397-6852	caspapa11@nexiasamduk.kr
품질관리실장	이기영	02-397-5175	kylee@nexiasamduk.kr
준법감시인	장영철	02-397-6764	ycjang@nexiasamduk.kr
국제부장	권영창	02-397-6654	youngchang.kwon@nexiasamduk.kr
감사	김진수	02-2076-5468	kjssac@nexiasamduk.kr
감사	전용한	02-397-8376	jeonalex@naver.com

감사본부		본부장	전화번호	E-mail
본사	감사1본부	전근배	02-397-6786	kbjeoun@nexiasamduk.kr
	감사2본부	정갑성	02-2076-5401	ksjeong9@nexiasamduk.kr
	감사3본부	이종근	02-397-6752	jkleecpa1@naver.com
	감사4본부	강선기	02-397-6665	seonkee.kang@nexiasamduk.kr
	감사5본부	이재경	02-397-5174	jklee@nexiasamduk.kr
	감사6본부	정창모	02-397-6647	cmjung@kicpa.or.kr
	감사7본부	차국진	02-2076-5578	kukjcha@hanmail.net
	감사8본부	정규석	02-2076-5470	kyusukj@nexiasamduk.kr
	감사9본부	송인석	02-397-6605	isong@nexiasamduk.kr
	감사10본부	정운섭	02-397-5167	wsj90151@naver.com
	감사12본부	송석창	02-397-6879	sscsong@nexiasamduk.kr
	감사13본부	강진화	02-2076-5512	jhkang@samdukcpa.com
분사무소	감사11본부	조용희	02-408-1610	goodtax@nexiasamduk.kr

SHINSEUNG
Accounting Corporation

"신승회계법인은 기업의 성공을 돕고 납세자의 권리를 보호하는 세무 동반자인 세무전문 회계법인 입니다."

www.ssac.kr

□ 임원 소개

김충국 대표세무사

고려대학교 정책대학원 세정학과
중앙대학교 경영학과
중부지방국세청 조사3국장
서울지방국세청 감사관
국세청 심사2담당관
국세청 국제세원관리담당관
서울지방국세청 국제거래조사국 팀장
조세심판원 근무

신승회계법인은 회계사 60명, 세무사 10명 등 200여명의 전문인력이 상근하여 전문지식과 다양한 경험을 바탕으로 고객에 맞춤형 세무 서비스를 제공하는 조직입니다.

□ 주요업무소개

조세불복, 세무조사대응
과세전적부심사 / 불복업무 / 조세소송지원

상속 증여 컨설팅
상속 증여 신고 대행 / 절세방안 자문

병의원 세무
개원 행정절차 / 병과별 병의원 세무 / 교육

Outsourcing
기장대행 / 급여아웃소싱 / 경리아웃소싱

세무 신고 대행
소득세 / 부가세 / 법인세 등 신고서 작성 및 검토

기타 세무 서비스
비상장주식평가 / 기업승계 / 법인청산업무

SHINSEUNG
Accounting Corporation

서울특별시 강남구 삼성로85길 32
(대치동, 동보빌딩 5층)

T. 02-566-8401

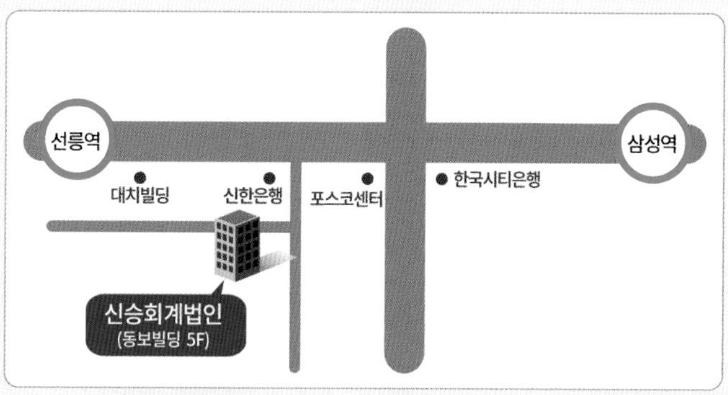

Tax Leader Partner **주정일** (709-0722)

국내 및 국제 조세

Partner

이중현	(709-0598)	**오연관**	(709-0342)	**이영신**	(709-4756)
이상도	(709-0288)	**김상운**	(709-0789)	**김성영**	(709-4752)
정민수	(709-0638)	**남동진**	(709-0656)	**김진호**	(709-0661)
나승도	(709-4068)	**신현창**	(709-7904)	**남형석**	(709-0382)
노영석	(709-0877)	**정복석**	(709-0914)	**오남교**	(709-4754)
이동복	(709-4768)	**박태진**	(709-8833)	**정선흥**	(709-0937)
정종만	(709-4767)	**류성무**	(709-4761)	**조성욱**	(709-8184)
조창호	(3781-3264)	**장현준**	(709-4004)	**차일규**	(3781-3173)
조한철	(3781-2577)	**최혜원**	(709-0990)	**서백영**	(709-0905)
선병오	(3781-9002)	**신윤섭**	(709-0906)	**김광수**	(709-4055)
김영옥	(709-7902)	**성창석**	(3781-9011)	**최유철**	(3781-9202)
박기운	(3781-9187)	**서연정**	(3781-9957)	**허윤제**	(709-0686)

이전가격 및 국제 물류관련 Tax 서비스

Partner

전원엽(3781-2599) | **Henry An**(3781-2594) | **조정환**(709-8895) | **김영주**(709-4098) | **김찬규**(709-6415)

Global Tax Service

Partner **이중현**(709-0598) | **김주덕**(709-0707) | **이동열**(3781-9812) | **김홍현**(709-3320)

금융산업

Partner **정훈**(709-3383) | **박태진**(709-8833) | **박수연**(709-4088)

Private Equity / M&A 세무자문

Partner **탁정수**(3781-1481) | **정민수**(709-0638) | **김경호**(709-7975) | **이종형**(709-8185)

주재원 및 해외파견 소득세 자문

Partner **박주희**(3781-2387)

상속 증여 및 주식 변동

Partner **이현종**(709-6459) | **이용**(3781-9025)

지방세

Partner **조영재**(709-0932) | **양인병**(3781-3265)

산업별 전문가

분류	이름	전화번호
소비재	정낙열	709-3349
헬스케어/제약	서용범	3781-9110
도소매/호텔/레저	오종진	709-0954
화학	이기복	3781-9103
에너지/유틸리티	임지산	3781-9236
철강	김병묵	709-0330
운송/물류	백봉준	709-0657
자산운용	진휘철	709-0624
은행/저축은행/캐피탈	임성재	709-6480
보험	진봉재	709-0349
증권	유엽	709-8721
Private Equity	탁정수	3781-1481
핀테크	김경구	709-0326
자동차/부품	신승일/조동규	709-0648/709-0971
건설/조선	이승환/이정훈	3781-9863/709-0644
방위산업	김태성	709-0221
엔터테인먼트/미디어	한종엽	3781-9598
게임/블록체인	이재혁	709-8882
전자/반도체/전자상거래	홍준기	709-3313
통신	한호성	709-8956
부동산/SoC	신승철	709-0265
공공기관/공기업	윤규섭	709-0313

리더	직위	성명	사내번호
CEO	회장	김교태	02-2112-0401
COO	부대표	이호준	02-2112-0098
감사부문	대표	한은섭	02-2112-0479
세무부문	대표	윤학섭	02-2112-0441
재무자문부문	대표	구승회	02-2112-0841
컨설팅부문	대표	정대길	02-2112-0881

세무부문(Tax)

부서명	직위	성명	사내번호
기업세무	전무	한원식	02-2112-0931
	전무	박근우	02-2112-0960
	전무	이관범	02-2112-0908
	전무	이성태	02-2112-0921
	전무	김학주	02-2112-0908
	상무	김승모	02-2112-0960
	상무	나석환	02-2112-0931
	상무	이상길	02-2112-0931
	상무	장지훈	02-2112-0960
	상무	김병국	02-2112-0931
	상무	유정호	02-2112-0960
	상무	류용현	02-2112-0908
	상무	이근우	02-2112-0911
	상무	조수진	02-2112-0911
	상무	홍승모	02-2112-0911
	상무	최은영	02-2112-0911
	상무	김도경	02-2112-0911
	상무	김진현	02-2112-0921
	상무	이상무	02-2112-0269
상속·증여 및 경영권승계	전무	한원식	02-2112-0931
	상무	이상길	02-2112-0931
	상무	김병국	02-2112-0931

국제조세	부대표	오상범	02-2112-0951
	전무	이성욱	02-2112-2882
	전무	김동훈	02-2112-2882
	상무	조상현	02-2112-0951
	상무	민우기	02-2112-2882
	상무	박상훈	02-2112-2882
	상무	서유진	02-2112-0951
국제조세(일본기업세무)	상무	김정은	02-2112-0269
	상무	이상무	02-2112-0269
	상무	오익환	02-2112-0269
M&A/PEF 세무	부대표	오상범	02-2112-0951
	전무	이성욱	02-2112-2882
	상무	서유진	02-2112-0951
	상무	민우기	02-2112-2882
이전가격&관세	부대표	강길원	02-2112-7953
	전무	백승목	02-2112-6676
	상무	윤용준	02-2112-7953
	상무	김상훈	02-2112-6676
	상무	김태준	02-2112-6676
	상무	김태주	02-2112-0595
	상무	김현만	02-2112-0595
금융조세	상무	계봉성	02-2112-0921
	상무	김성현	02-2112-7401
	상무	박정민	02-2112-7401
	상무	유승희	02-2112-7401
Accounting & Tax Outsourcing	전무	김경미	02-2112-0471
	상무	백승현	02-2112-7911
	상무	홍영준	02-2112-7911
Global Mobility Service (주재원, 해외파견 등)	상무	정소현	02-2112-7911
지방세	전무	이성태	02-2112-0921
	상무	홍승모	02-2112-0911

예일회계법인 주요구성원

구 분	성명	직책	전문분야
서 울 본 사	김 재 율	한국공인회계사	대표이사
	강 현 구	미국공인회계사	NPL / M&A
	권 한 조	한국공인회계사	NPL
	김 현 수	한국공인회계사	회계감사 / 기업구조조정
	김 현 일	세무사	세무조사 / 조세심판
	박 진 수	한국공인회계사	M&A / 투자자문
	박 진 용	한국공인회계사	회계감사 / 인증서비스
	배 원 기	한국공인회계사	NPL
	송 윤 화	한국공인회계사	회계감사 / 기업구조조정
	윤 태 영	한국공인회계사	NPL
	이 수 현	한국공인회계사	회계감사 / 품질관리
	이 재 민	미국공인회계사	M&A / 투자자문
	이 재 영	한국공인회계사	기업구조조정 / 기업회생 / 실사 및 평가
	이 태 경	한국공인회계사	국내외 인프라 부동산 투자자문 / 실사 및 평가
	주 상 철	한국공인회계사/한국변호사	정산감사 / 조세쟁송
	함 예 원	한국공인회계사	세무조정 / 세무자문 / 세무조사
부산 본부	강 대 영	한국공인회계사	회계감사 / 세무자문 / 컨설팅
	하 태 훈	한국공인회계사	회계감사 / 세무자문 / 컨설팅
Indonesia Desk	정 동 진	한국공인회계사	회계감사 / 세무자문
YEIL America LA	임 승 혁	한국공인회계사	회계감사 / 세무자문
YEIL America NY	최 호 성	한국공인회계사	회계감사 / 세무자문

bakertilly

우리회계법인

Now,
for tomorrow

대표전화 : 02-565-1631 www.bakertilly-woori@co.kr
본사 : 서울 강남구 영동대로86길 17 (대치동,육인빌딩)
분사무소 : 서울 영등포구 양산로53 (월드메르디앙비즈센터)

우리회계법인은 230명의 회계사를 포함한 380명의 전문가가 고객이 필요로 하는 실무적이고 다양한 전문서비스를 제공하고 있습니다.

우리는 기업 발전에
이바지한다는 사명감을
가지고 일한다.

우리는 고객의 발전이
우리의 발전임을 명심한다.

우리는 주어진 일을 할 때
항상 최선을 다하여
끊임없이 노력한다.

주요업무

Audit & Assurance
법정감사, 특수목적감사, 펀드감사, 기타
임의감사 및 검토 업무

Taxation Service
세무자문 관련 서비스, 국제조세 관련
서비스, 세무조정 및 신고 관련 서비스,
조세불복 및 세무조사 관련 서비스

Corporate Finance Service
M&A, Due Diligence, Financing(상장자문),
Valuation 업무

Public Sector Service
공공부문 회계제도 도입 및 회계감사,
공공기관 사업비 위탁정산 업무

IFRS Service
Accounting & Reporting, Business Advisory,
System & Process

Consulting Service
FTA 자문 서비스, SOC 민간투자사업 및
PF사업 자문 서비스, K-SOX 구축 및 고도화,
ESG(환경 사회 지배구조) 자문 업무

Business Recovery Service
회생(법정관리)기업에 대한 회생 Process지원,
법원 위촉에 따른 조사위원 업무, 구조조정 자문 업무

Outsourcing Service
세무 및 Payroll Outsourcing 서비스,
외국기업 및 외투기업 One-stop 서비스

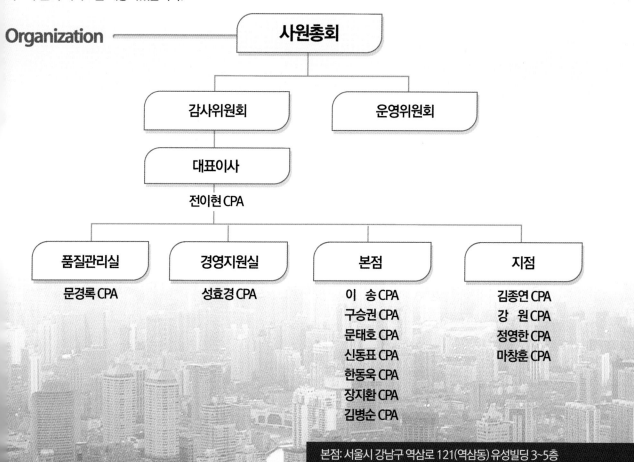

진일회계법인

진일회계법인

[본점] 서울 영등포구 은행로 11 (여의도동 15-15) 일신빌딩 7층 T(02)6095-2137 F(02)6095-2138
[제일지점] 서울 구로구 경인로 661 104-615 (신도림동, 푸르지오) T(02)3439-7070 F(02)3439-7060
[서초지점] 서울 서초구 반포대로 96 석정빌딩 4층 T(02) 588-9501 F(02) 588-9504
[분당지점] 경기도 성남시 분당구 성남대로 925-16, 707호,708호 T 1본부(031) 781-9009, 2본부(031) 742-900
F 1본부(031) 709-7957, 2본부(031) 742-900

진일회계법인은 眞과 一을 추구합니다

업무의 투명성

투명한 업무처리와 신속한 진행상황 전달은 물론 잘못된 정보 제공 및 업무의 지연 없이 고객의 요구를 해결해 드리겠습니다

정확한 정보

기업에게 경영환경의 정확한 분석과 합리적인 의사결정이 중요한 시점에서 신속정확한 정보를 제공하고 변화에 능동적으로 대응할 수 있도록 도와 드리겠습니다

적절한 서비스

다양한 경력을 통해 얻은 전문지식과 경험을 바탕으로 업종별 · 사업별 특성을 고려하여 알맞은 솔루션과 서비스를 제공하겠습니다

고객존중

항상 고객의 요구와 입장을 먼저 생각하고 성실한 자세로 임하며 최상의 서비스를 제공하여 만족시킬 수 있도록 하겠습니다

종합적인 서비스

회계감사, 세무컨설팅, 기업실무, 은행업무 등의 경력을 지닌 회계사들로 구성되어 있어 고객의 요구를 단편적으로 해결하지 않고 향후 발생할 수 있는 시나리오를 분석하여 종합적인 서비스를 제시하겠습니다.

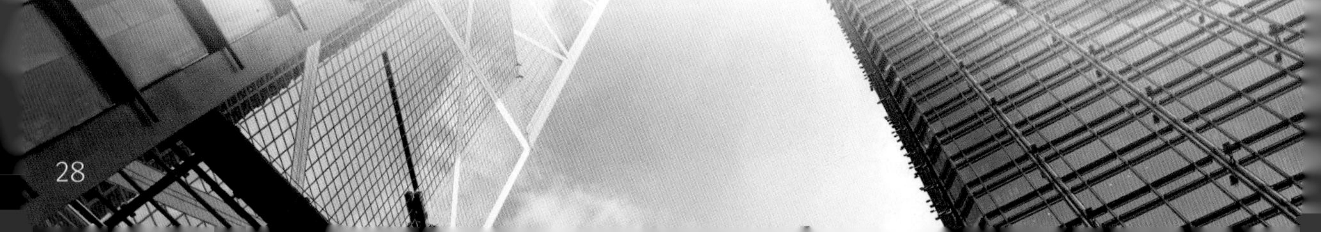

한국세무사회 임원진

원경희 회장

서울시 강남구 강남대로84길 23,
1609호(역삼동, 한라클래식)
TEL : 02-508-3939
FAX : 02-508-3336

장운길 부회장

서울시 서초구 신반포로 339, 402호
(잠원동, 논현빌딩)
TEL : 02-542-4909
FAX : 02-514-1910

고은경 부회장

경기도 군포시 엘에스로182번길
3-15, 601호(산본동, 우경타워)
TEL : 031-477-4144
FAX : 031-477-7458

김관균 부회장

경기도 수원시 영통구 봉영로 1612
301,302호(영통동, 보보스프라자)
TEL : 031-202-0208
FAX : 031-202-5598

이대규 부회장

서울시 영등포구 여의나루로 67,
902호(여의도동, 신송BD)
TEL : 02-3215-1300
FAX : 02-761-6640

박동규 상근부회장

서울시 서초구 명달로 105
TEL : 02-521-9451
FAX : 02-597-2945

한헌춘 윤리위원장

경기도 수원시 팔달구 매산로
56, 2층(매산로2가)
TEL : 031-257-0013/4
FAX : 031-257-0333

김겸순 감사

서울시 영등포구 선유동1로 33,
1층(양평동3가, 성도빌딩)
TEL : 02-2632-4588
FAX : 02-2632-3316

남창현 감사

서울시 도봉구 노해로69길 15,
703호(창동, 세정BD)
TEL : 02-906-8686
FAX : 02-906-8621

이동일 세무연수원장

서울시 영등포구 선유로 254,
402호(양평동4가, 대웅빌딩)
TEL : 02-2678-1727
FAX : 02-2679-4888

정동원 총무이사

서울시 동작구 여의대방로24길
16, 2층(신대방동, 우송BD)
TEL : 02-817-6739
FAX : 02-817-6740

유은순 회원이사

서울시 강서구 화곡로 296, 302호
(화곡동, 강서아이파크)
TEL : 02-2696-2011
FAX : 02-2696-2021

한근찬 연구이사

서울시 강남구 봉은사로 179,
15층(논현동, H타워)
TEL : 02-501-0021
FAX : 02-501-8858

전진관 법제이사

경기도 부천시 길주로 307, 503/4호
(중동, 로얄프라자)
TEL : 032-324-3100
FAX : 032-323-6012

박연근 업무이사

서울시 강남구 삼성로96길 6,
1301호(삼성동, LG트윈텔1)
TEL : 02-3487-4957
FAX : 02-6499-0646

정경훈 전산이사

경기도 고양시 일산동구 호수로
358-25, 203호(백석동, 동문타워2차)
TEL : 070-4420-1840
FAX : 031-906-2920

조진한 홍보이사

서울시 서초구 사임당로1길 10,
2층(서초동, 바우BD)
TEL : 02-585-2111
FAX : 02-585-2777

경준호 국제이사

서울시 영등포구 여의나루로 67,
902호(여의도동, 신송빌딩)
TEL : 02-3215-1300
FAX : 02-761-6640

박충원 감리이사

서울시 성북구 삼선교로 38,
2층(삼선동2가)
TEL : 02-745-8931
FAX : 02-745-8933

전태수 업무정화조사위원장

경기도 시흥시 수인로 3372,
703호(신천동, 신천프라자)
TEL : 031-314-2353
FAX : 031-314-2355

한국세무사고시회

"세무사고시회는 변화와 혁신으로 회원과 함께 하겠습니다."

변화와 혁신의 고시회

- 코로나 시대에 따른 온라인 교육 확대 및 양질의 연수교육실시
- 다양한 분야의 블루오션을 개척하여 업역 확대 및 회원 역량 강화
- 유튜브 등 소셜미디어를 통한 독립적인 비대면 창구 활성화
- 세무사제도 발전과 불합리한 세무사법 개선 위한 공청회 및 세미나 개최
- 청년세무사들의 어려운 환경개선을 위한 실질적인 제도 신설 및 확대

함께하는 고시회

- 세법개정안이나 이슈가 되는 조세문제에 대한 대안제시
- 회원들의 사업현장에서 필요로 하는 자료 제공 및 사업 추진
- 업무수행시 활용 가능한 세무실무편람 및 핵심세무시리즈 지속적 발간
- 소통과 화합을 통해 지방고시회와의 유대관계 강화
- 국제교류 활성화를 통해 국제조세에 대한 회원의 역량 강화

제25대 한국세무사고시회 집행부

회장 이 창 식

감사 백 정 현

감사 천 혜 영

부산고시회장 김 대 현

광주고시회장 김 진 환

대구고시회장 강 태 욱

충청고시회장 김 진 세

총무부회장 이 석 정

기획부회장 최 정 인

연수부회장 김 희 철

연구부회장 장 보 원

사업부회장 하 수 용

지방·청년부회장 강 현 삼

재무·대외협력부회장 박 유 리

조직부회장 김 선 명

홍보부회장 윤 수 정

국제부회장 김 현 준

총무상임이사 심 재 용

기획상임이사 김 순 화

연수상임이사 차 주 황

연구상임이사 배 미 영

사업상임이사 임 희 수

지방·청년상임이사 황 선 웅

재무·대외협력상임이사 박 수 빈

조직상임이사 최 영 환

홍보상임이사 김 조 겸

국제상임이사 김 정 윤

회원연수센터장 김 준 기

국제협력센터장 최 세 영

홍보지원센터장 한 상 희

세제지원센터장 윤 지 영

청년회원지원센터장 김 현 주

조직지원센터장 김 범 석

사무국장 김 현 배

서울시 강남구 봉은사로 516, 307호(삼성동, 미켈란147)
Tel. 02-581-6700 | Fax. 02-581-6800 | E-mail. gosihoi@hanmail.net
www.gosihoi.or.kr | 유튜브 「세무사고시회TV」 | 인스타그램 「gosihoi」

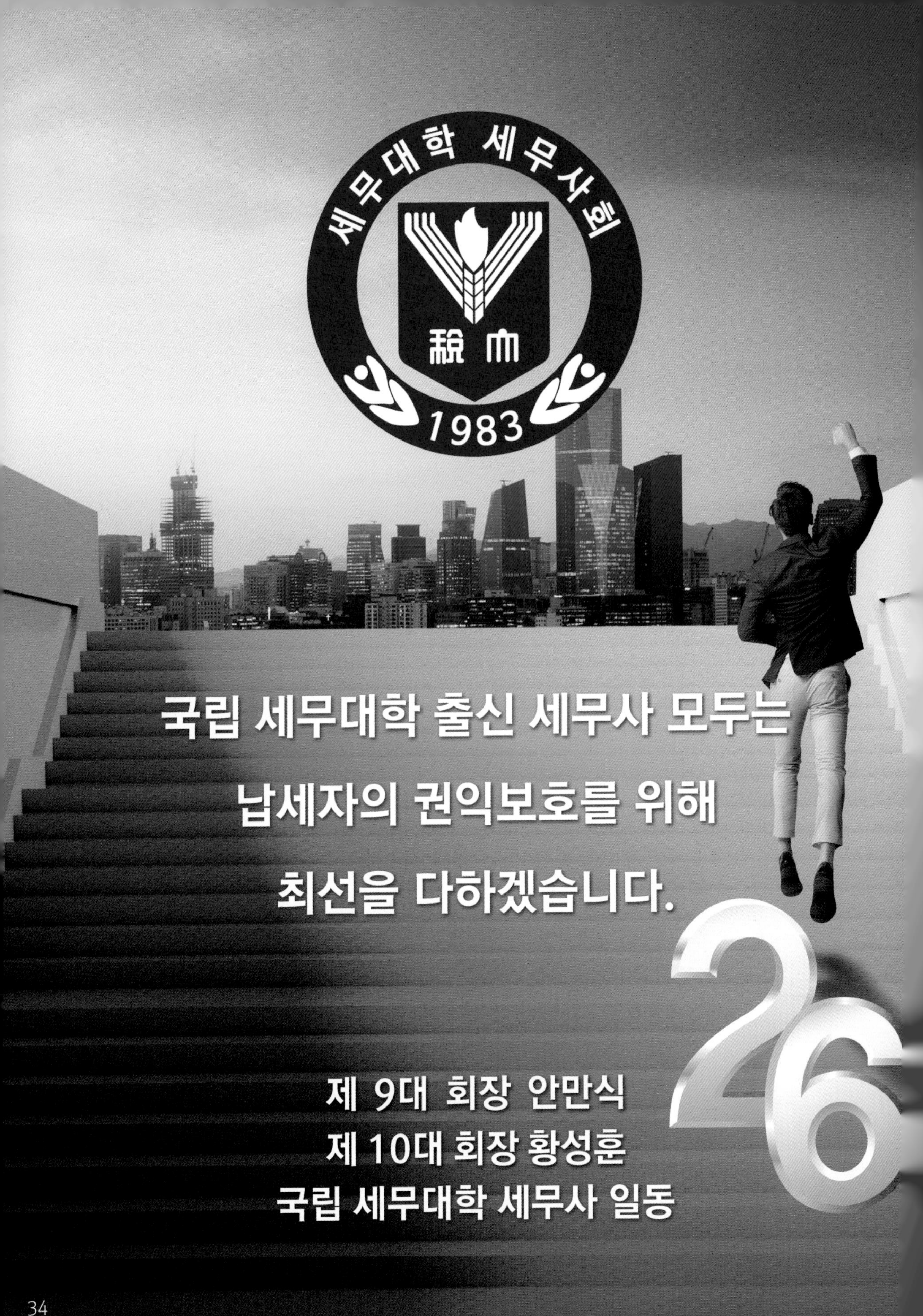
세무대학 세무사회
1983
국립 세무대학 출신 세무사 모두는
납세자의 권익보호를 위해
최선을 다하겠습니다.
26
제 9대 회장 안만식
제 10대 회장 황성훈
국립 세무대학 세무사 일동

한국여성세무사회

“든든하고 따뜻한 동반자”

제19대 한국여성세무사회 집행부

회장 **고경희**

총무부회장 **도보미** / 총무이사 **전은선** / 총무이사 **임여진** / 사업부회장 **하동순** / 사업이사 **이승민** / 사업이사 **신수연**

조직부회장 **김미경** / 조직이사 **김도연** / 조직이사 **최은화** / 재무부회장 **한인숙** / 재무이사 **김민주** / 재무이사 **김금순**

감사 **김경하** / 홍보부회장 **송영주** / 홍보이사 **이항영** / 홍보이사 **이해미** / 연수부회장 **채지원** / 연수이사 **조윤주** / 연수이사 **김명희**

감사 **안혜정** / 기획부회장 **박정현** / 기획이사 **김민경** / 기획이사 **조인정** / 대외협력부회장 **김보남** / 대외협력이사 **하나경**

서울	종로 이경희	중구 조예진	동대문/성동 박정아
	구로/영등포 이혜미	관악/금천/동작 김민주	강남 이준욱
	역삼 안혜정	서초 백하영	강동/송파 이선미

중부	경인 이경희	남부 송금순	동부 배인숙	북부 이승민	강원 최미숙
기타	부산 김윤정	대구 김정미	대전 이순우	광주 김명하	전북지회 이주은

서울특별시 서초구 명달로 105(서초3동 1497-16 한국세무사회관) Tel. 02-522-8313

지점		직책	성명	주요경력	전화번호
서울 지점		회장	전군표	국세청장 / 조사국장 / 대통령직 인수위원회 / 서울청 조사1국장 / 행시20회	02-3453-8004
		세무사	박종성	국무총리조세심판원장 / 조세심판원심판관 / 행시 25회	
		세무사	김영근	대전지방국세청장 / 서울청 납세지원국장 / 광주청 조사2국장 / 행시 23회	
		세무사	김명섭	중부청 조사3국장 / 국세청 조사1과장 / 서울청 조사1국 1과장	
		세무사	장남홍	종로,양천세무서장 / 서울청, 중부청 감사관 / 서울청 조사4국 4과장, 조사2국 1과장	
		세무사	송동복	경인청 국제조세과 / 서울청 이의신청 위원	
		세무사	고경희	한국여성세무사회 회장/ 국세공무원교육원 겸임교수/ 국세청 24년 근무	
		세무사	송우진	고양,동울산세무서장/ 서울청 조사1국,조사4국팀장/ 국세청, 대전청, 부산청 감사관실/ 세무대학 2기	
		세무사	길혜전	KEB하나은행 신탁본부/ 서울시 여성능력개발원 자문위원/ 인하대학교	
		고 문	은진수	부산지방법원 판사/ 서울지방검찰청 검사/ 공인회계사 / 감사원 감사위원	
		변호사	서지현	한양대 법학전문대학원/ 제41회 공인회계사/ 안진회계법인	
서울	삼성	세무사	이용연	국세청 17년 근무/ 하나생명, 기업은행 PB근무/ 세무대학 7기	02-6203-8558
	성동	세무사	김대훈	국세청 법규과장/ 서울청 감사관/ 군산, 성동세무서장	02-462-7301
	금천	세무사	김영춘	한국세무사회 홍보상담위원/ 한국프렌차이즈 경영학회 감사/ 금천세무서 상담위원/ 제39회 세무사	02-804-3411
	광명	세무사	노기원	수원,시흥세무서 / 중부지방국세청 조사국 / 세무대학 7기	02-2683-0303
	경향	세무사	이영득	중부산세무서장/ 서울청 조사1국/ 국세청 심사2과/ 남양주 조사과장/ 서울청 감사관실	02-6959-9911

지점	직책	성명	주요경력	전화번호
화성	세무사	최봉순	화성지역세무사회장 / 중부청 조사국 / 재산제세 소송전문	031-355-4588
흥덕	세무사	유병관	중부청 법인세과, 조사국, 국제조세과 / 국세청 조세범조사전문요원	031-214-9488
상현	세무사	김선득	용인법인세과장/중부청 법인세과/중부청 납보관실/전주세무서 재산법인세과장	031-329-2400
동안양	세무사	이영은	동안양세무서 납세자권익존중위원 / 한국세무사회 법제위원 / 중앙대학교	031-459-1700
안산	세무사	조준익	안산세무서장 / 국세청 감사계장	031-401-5800
안성	세무사	정재권	중부청 조사국 / 법인, 소득, 양도조사 전문 / 세무대학6기	031-674-4701
용인	세무사	김명돌	용인지역세무사회장 / 중부청 / 안동세무서	031-339-8811
이천	세무사	구본윤	이천세무서장/ 홍성세무서장/중부지방국세청 조사2.3국/중부청 인사계장/중부청조사1국	
경기 광주	세무사	정희상	이천세무서장 / 중부청조사2-1과장 / 해남세무서장 / 용인,남양주세무서	031-768-7488
남양주	세무사	정평조	남양주,포천,동울산세무서장/ 중부청 조사1국,조사3국/ 국세청 재산제국, 감사관실/ 세무대학 1기	031-554-3686
평택	세무사	지용찬	인천대학교 경제학과 / 제43회 세무사	031-8094-0016
고양	세무사	신종범	동고양·서대구·김천세무서장/ 중부청 조사3국 팀장 ·소비세팀장 / 세무대학 1기	031-969-3114
부천	세무사	나명수	부천세무서장/ 서울청 국제거래조사국 팀장/ 국세청 역외탈세담당관실/ 국립세무대학2회졸업,한양대학원 석사	032-229-2001
인천	세무사	조명석	남인천세무서 / 중부청 법인세과, 조사국 / 세무대학1기	032-817-8620
파주	세무사	이기철	파주,인천세무서장/ 수원.동래 세무서/ 중부청/ 기획재정부 세제실/ 경상대학교	031-948-8785
원주	세무사	권달오	동안양세무서 조사과장 / 중부지방국세청조사2,3,4국사무관	033-901-5951
울산	세무사	송정복	동울산세무서장 / 서울청조사3국,4국 / 금천세무서 /삼척세무서	052-915-3355
대전	세무사	장광순	예산세무서장 / 대전청조사2국관리과장 / 대전청 조사2국3과장	042-257-2893
광주	세무사	김성철	광주청 세원분석국장 / 광주청 조사1국 2과장	062-385-5017
전북	세무사	정진오	전주세무서 부가세과장/북전주세무서 진안지서장/군산세무서 조사과장/광주청 송무2계장	063-855-2284

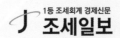

상담전화 02-568-3636·3646

P&B 세무컨설팅 (PARK&BAEK)

세무상담, 불복청구/세무조사 자문 등

- 서울지방국세청장
- 국세청 조사국장
- 서울청 조사4국장
- 국세청 조사1과장
- 구미·용산 세무서장
- 법인세·국제조세·조세심판원 등
- 제18회 세무사고시 합격(1982년)
- **국세경력 38년**

대표세무사 **박 찬 욱**

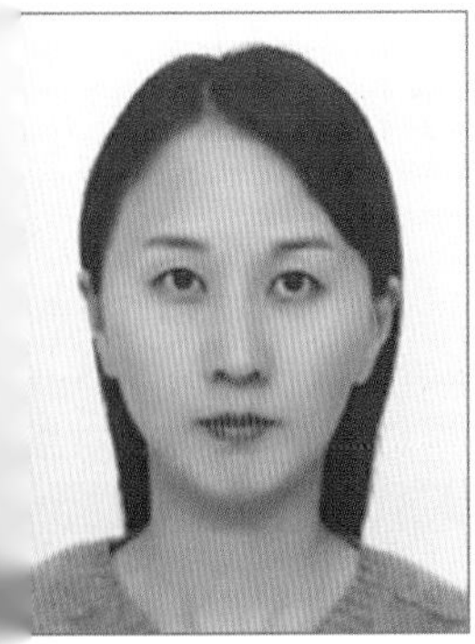

- 경희대 경영학과
- 제45회 세무사시험 합격
- 법인세 세무조정
- 증여세·양도소득세 신고
- **세무사 경력 13년**

세무사 **김 정 유**

- 대구지방국세청 조사국
- 국세청 조사국(서기관)
- 포항·서대구세무서
- 법인세, 조사분야 등
- **국세경력 36년**

세무사 **한 재 화**

전 화 02-568-3636, 3646
팩 스 02-568-3659
이메일 cwp0804@hanmail.net
주 소 서울시 강남구 선릉로86길 31
롯데골드로즈 2차 1201호

세무법인다솔 | www.dasoltax.com

"다솔에 절세의 길을 묻다"

세무법인다솔은 국내 NO.1 세무컨설팅 법인입니다. 업무분야별 최고 전문가와 전국 80개 지점 및 제휴점 100여명의 세무사들이 네트워크를 형성하여 전문지식과 정보 · 인맥을 공유함으로써 세무조사와 조세불복, 세무컨설팅 분야의 맞춤형 서비스 제공을 통해 최선의 결과를 도출합니다.

고객만족! 다솔의 가치입니다.

세무조사 · 세무컨설팅 · 납세자 보호 · 자산관리센터 · 조세불복

- 양도소득세(사전사후컨설팅)
- 중소기업승계전략(가업승계, 가업상속)
- 재산상속(사전사후 컨설팅)
- 사전증여(효율적 모델제시)

▶ 회장 임성균(전, 광주지방국세청장), 왕기현(전, 중부지방국세청장), ▶ 상임고문 서윤식(전, 중부지방국세청 조사1국장), 신봉일(전, 조세심판원 상임심판
강종원 (전, 중부지방국세청 조사3국장) ▶ 부회장 김한식(전, 구미세무서장), 김세한(전, 안산세무서장), 강석원(전, 동대문 세무서장), 김광규(전, 기흥세무
▶ 대표이사 안수남(양도소득세 전문) ▶ 본점 세무사 남상두 본부장, 박정수 팀장 세무사, 이정근 팀장세무사, 이지혜 세무사, 서민혜 세무사, 김란 세무사, 이혜진 세무사, 김혜인 세무
김선준 세무사, 고현식 세무사, 노유 세무사, 유새라 세무사, 유예지 세무사, 박정현 세무사, 홍성환 세무사, 이상웅 세무사, 곽인송 세무사, 류세진 세무사, 범주현 세무사, 조인영 세

전국지점

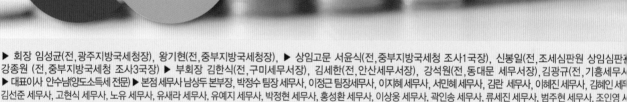

지역	지점명	이름
서울	1지점	김금호
	성북	정해욱
	강남	정노진
	강남중앙	왕기현
	양재	김준호
	서초	노희구
	역삼	양길영
	구로	이진수
	송파	조은영
	신설동	임성균
	마포	오기현
	금천	홍종우
	반포중앙	이윤성
	용답	김덕수
	삼성	윤근호
	G밸리	박병정

지역	지점명	이름
서울	영동	심철수
	교대	김시균
	신용답	유무열
	양재중앙	홍옥진
	가율	문정기
경인	광명	박원진
	기흥	김광규
	남인천	김영인
	북인천	채규산
	동안양	최창수
	동수원	박정수
	수원	김성훈
	동인천	김현옥
	부천중앙	채남희

지역	지점명	이름
경인	분당중앙	배택현
	안산	김세한
	대평원	강석원
	파주	장진화
	일산	김용익
전라	군산	김미화
	순천	박재원
경상	대구	김한식
	구미	강인호
	거제	주영군
	울산	김이곤
	경남	성낙현
	통영	지재영
	거창	조성진

제휴법인

법인명	지점명	대표자
세무법인 다솔 티앤씨	본점	이강오
	청주	이한동
		박창진
	원주	윤태철
	제주	방성혜
세무법인 다솔 누리	본점	정성균
		오용현
		이효정
		전해만
	서부	임태이
	치평	강인식

법인명	지점명	대표자
세무법인 다솔 wm센터	본점	명영준
	1본부	조정운
	2본부	송경학
	3본부	최용준
	분당	이은자
세무법인 다솔 리더스	본점	류형근
	본점	임의준
	본점	김세환
	서울잠실지점	이병안
	성남분당지점	연승현
	인천계양지점	김지원

법인명	지점명
세무법인 다솔 위드	본점
	강서
	신현범
	서서울
	안양
	시흥
	당진

개인제휴점

제휴점명	대표자
세무회계다솔 수영	성창익
다솔세무회계 수원	이효철

제휴점명	대표자
세무회계다솔 문정	이호석
세무사 김기동사무소	김기동
김인수 세무회계사무소	김인수

제휴점명
세무회계다솔 전주
세무회계다솔 문래
세무회계다솔 서서울점

"고객의 권익을 제대로 챙기겠습니다."

김 희 철 회장
- 서울지방국세청장
- 광주지방국세청장
- 서울청 조사 1국장

남 동 국 회장
- 대구지방국세청장
- 서울청 조사 3국장
- 서울청 납세자보호담당관실

김 종 봉 대표
- 서울청 국선세무대리인
- 중부청 국세심사위원
- 법무법인(유)율촌 조세그룹(팀장)

채 희 영 전무
- 서울청 조사 1국(팀장)
- 국세청 국제조세관리관실
- 서울청 조사 3국 등

박 정 기 상무
- 법무법인(유) 율촌
- 서울청 조사 4국 등

이 진 규 이사
- 서울청 조사 2국
- 세무서 조사/법인세과 등

고 대 윤 이사
- 국세청 재산세국/징세법무국
- 세무서 조사/법인세과 등

김 수 진 이사
- 서울청 조사 1국
- 서울청 조사 3국 등

현 한 길 회계사
- S 회계법인
- H 금융투자 등

기 양 호 세무사
- G 세무법인
- P 회계법인 등

강 민 지 세무사
- S세무회계사무소
- 세무법인D 등

THE TAX 세무법인 더택스

서울 강남구 테헤란로 524 삼성대세빌딩 8층

T. 02-567-5858 F. 02-567-5558 www.okthetax.com

"THE TAX를 함께 이끌어 갈 여러분을 기다립니다."

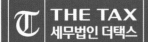

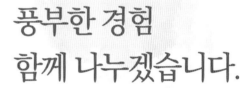

세무법인 열림 의정부

이금주 세무사

- 인천지방세무사회 회장(현)
- 중부지방세무사회 회장(전)
- 중부지방세무사회 부회장(전)
- 의정부지역세무사 회장(전)
- 경기북부지역세무사연합 회장(전)

- 가천대 일반대학원 경영학 박사(세무관리 전공)
- 고려대 정책대학원 경제학 석사(세정학 전공)
- 한국방송통신대 경영학과 학사
- 대진대학교 법학과 조세법 강의
- 한국세무사회 업무정화위원 / 업무침해감시위원 / 조세연구위원
- 중부지방국세청 일선세무서 19년간 근무
  (인천·북인천·광명·안산·중부청조사관실·남양주·중랑·성수·성동·의정부세무서)
- 의정부세무서 정보공개위원
- 이금주세무사사무소 개업(1999년)
- 고려대학교 세정학회 회장
- 한국재정정책학회 부회장·감사 역임
- 1961년, 전남 장흥
- 광주상고 졸업

 인천지방세무사회 서울시 서초구 명달로22길 4, 401호 / 전화 (02)6251-9310 팩스 (02)6251-9311

이안세무법인

IAN TAX FIRM

고객의 가치 창출을 위해
이안(耳眼) 세무법인은
귀 기울여 듣고, 더 크게 보겠습니다

장호강 고문

(전) 영등포세무서장
(전) 중부청 조사1국 조사1과장
(전) 포항세무서장
(전) 서울청 조사 1국·2국 서기관

윤문구 대표세무사

국립세무대학(2기) 졸
경영학박사 / 세무학박사
(현) 서울고검 국가송무상소심의위원
(현) 서울시 지방세 심사위원
(전) 국세청 국세심사위원
(전) 국세청 납세자보호위원
(전) 서울청 조세범칙심의위원

이동선 전무

(전) 서울청 조사1국·2국
(전) 강남·삼성·역삼·서초·
영등포세무서

이경근 상무

국립세무대학(13기)졸
(전) 서울청 조사1국
(전) 국세청 국세상담센터
상속세 및 증여세법 상담관

김태호 이사 (세무사)

경기대학교 경영학과,
경제학과 졸

최은경 이사 (세무사)

서울시립대학교
행정학과 졸

허성구 세무사

서울시립대학교
경영학부 졸

이안세무회계

박만재 대표회계사

(전) 서초세무서 국세심사위원
(전) 충정회계법인
(전) 서울청 국선세무대리인
(전) 서초세무서 납세자보호위원

김대현 회계사/세무사

(전) 한영회계법인

이안세무법인
IAN TAX FIRM
서울시 서초구 서초대로 40길 41 2층 (서초동, 대호IR빌딩)
TEL **02.2051.6800** FAX **02.2051.6006**
www.iantax.co.kr

이안세무회계
IAN TAX ACCOUNTING
서울시 서초구 서초대로 40길 41 2층 (서초동, 대호IR빌딩)
TEL **02.2051.0297** FAX **02.2051.6651**
www.iantax.co.kr

회장
박창언
02-547-8854

상근부회장
제영광
02-547-8854

상근이사
우현광
02-547-8854

부회장
백명륜
031-217-0014

부회장
이상관
051-469-7334

부회장
이재흥
02-540-7691

[감사]

감사
박영준
02-511-8231

감사
이진용
051-464-6001

[지부장]

서울
윤철수
02-540-7867

구로
최성식
02-2672-7272

안양
유연혁
031-462-0303

대전충남
이종호
041-575-2171

충북
권용현
043-266-8311

인천공항
박중석
032-742-8443

부산
김성봉
051-988-0011

경남
김성준
055-293-7604

창원
견주필
055-283-2561

인천
이염휘
032-888-0202

부평
박동기
070-4164-3783

수원
최희인
031-257-2061

안산
황주영
031-484-5272

대구
이종석
053-746-5900

구미
송재익
054-461-5800

울산
이재석
052-272-7543

광주
장희석
061-662-3955

전북
백창현
063-212-0020

평택
구섭본
031-658-1473

한국관세사회
서울시 강남구 언주로 129길 20(논현동) (우) 06104

신대동관세법인 KOREA AEO
The First & The Best

대표관세사

대표관세사 김영칠
인천공항본부 대표관세사

대표관세사 정계훈
서울본부 대표관세사

대표관세사 정영화
부산본부 대표관세사

폭 넓은 업무범위와 Total Service제공

축적된 노하우를 바탕으로 수출·수입·환급과 각종 컨설팅을 통합한 Total Service를 제공

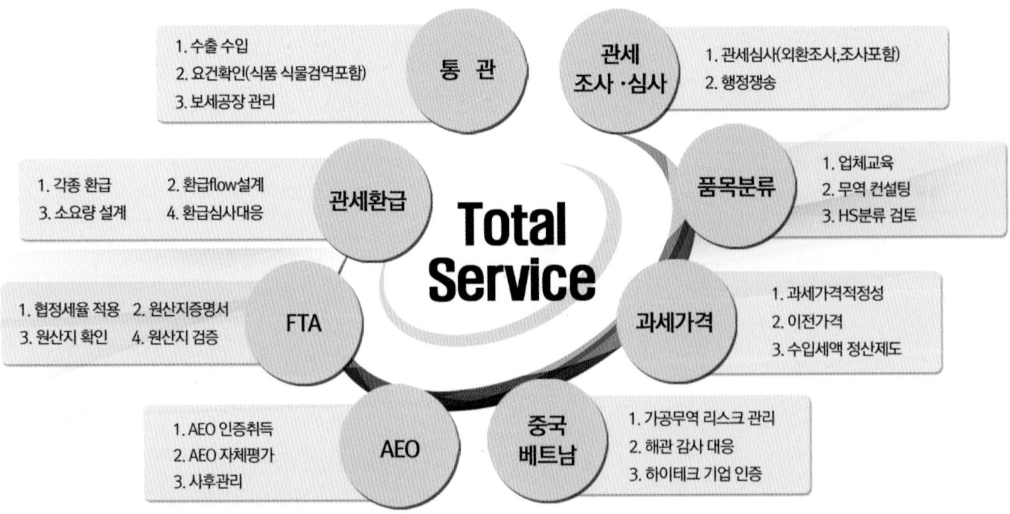

서 울 본 부 (관세사 총 10명)

윤철수 관세사 (컨설팅본부장)
이형동 관세사 (컨설팅본부)
변재서 관세사 (컨설팅본부)
유호근 관세사 (컨설팅본부)
임용묵 관세사 (컨설팅본부)
명재호 관세사 (컨설팅본부)
조성호 관세사 (평택지사장)

부 산 본 부 (관세사 총 21명)

주군선 관세사 (컨설팅본부장)
권도균 관세사 (컨설팅본부)
김설화 관세사 (컨설팅본부)
김종신 관세사 (김해지사장)
이재구 관세사 (거제지사장)

서울본부
T. 02-517-0039
F. 02-517-0389

인천공항본부
T. 032-744-8008
F. 032-744-8033

부산본부
T. 051-988-0123
F. 051-988-0100

컨설팅본부
T. 02-3446-2645
F. 02-3446-2668

평택지사
T. 031-681-1177
F. 031-681-1107

김해지사
T. 051-973-6343
F. 051-972-6371

거제지사
T. 055-682-3691
F. 055-681-4803

KOREA'S PREMIER LAW FIRM
KIM & CHANG
MOST
–
110 experts ranked by Chambers in 2020 - the largest among Korean law firms
BEST
–
Recognized 64 times as "Korea Law Firm of the Year" over the past years
ONLY
–
The only Korean law firm in ALM Global 100
INNOVATIVE
–
Recognized as "Most Innovative Law Firm in Korea" in IFLR Asia-Pacific Awards 2019
ALL
–
"Tier 1" rankings in 15 practice areas in The Legal 500 Asia Pacific 2021
TOP
–
"Band 1" ran
in 18 practice
in Chambe
Asia-Pacific
www.kimchang.com

다양한 조세 전문가들의 시너지를 통한 최적 솔루션 제시

김·장 법률사무소 조세 그룹

조세 분야 Top Tier Rankings 선정

Chambers Asia-Pacific 2021
The Legal 500 Asia Pacific 2021
Asialaw Profiles 2021
World Tax 2021, World Transfer Pricing 2021
Benchmark Litigation Asia-Pacific 2020

조세 일반

한만수 변호사 02-3703-1806	백우현 공인회계사 02-3703-1047	이종국 호주공인회계사 02-3703-1016	조용호 공인회계사 02-3703-1116	최임정 공인회계사 02-3703-1143
권은민 변호사 02-3703-1252	이지수 변호사 02-3703-1123	양규원 공인회계사 02-3703-1298	김요대 공인회계사 02-3703-1436	최효성 공인회계사 02-3703-1281
임송대 공인회계사 02-3703-1088	양승종 변호사 02-3703-1416	정광진 변호사 02-3703-4898	심윤상 미국 변호사 02-3703-1221	Sean Kahng 미국 변호사 02-3703-1694
곽장운 미국 변호사 02-3703-1708	서봉규 공인회계사 02-3703-1015	류재영 공인회계사 02-3703-1529	임양록 공인회계사 02-3703-4543	황찬연 공인회계사 02-3703-1807
전한준 호주공인회계사 02-3703-1770	김해마중 변호사 02-3703-1612	민경서 변호사 02-3703-1277	이종명 변호사 02-3703-1915	이재홍 변호사 02-3703-1917

이전가격

여동준 공인회계사 02-3703-1061	남태연 공인회계사 02-3703-1028	한상익 공인회계사 02-3703-1127	이제연 공인회계사 02-3703-1079	이규호 공인회계사 02-3703-1169
Michael Quigley 미국 변호사 02-3703-1042	Christopher Sung 미국변호사 02-3703-1115	이상묵 공인회계사 02-3703-1278	박재석 공인회계사 02-3703-1160	

금융조세

김동소 공인회계사 02-3703-1013	임용택 공인회계사 02-3703-1089	박정일 공인회계사 02-3703-1040	백원기 공인회계사 02-3703-1659	이평재 공인회계사 02-3703-1156
이성창 조세전문위원 02-3703-1780	임동구 공인회계사 02-3703-1646	박종현 공인회계사 02-3703-1817		

세무조사 및 조세쟁송

정병문 변호사 02-3703-1576	김의환 변호사 02-3703-4601	백제흠 변호사 02-3703-1493	조성권 변호사 02-3703-1968	하상혁 변호사 02-3703-4893
하태흥 변호사 02-3703-4979	김희철 변호사 02-3703-5863	이상우 변호사 02-3703-1571	박재찬 변호사 02-3703-1808	이종광 공인회계사 02-3703-1056
정영민 공인회계사 02-3703-1449	박동희 공인회계사 02-3703-1279	진승환 공인회계사 02-3703-1267	박재홍 공인회계사 02-3703-5439	기상도 공인회계사 02-3703-1330
서재훈 공인회계사 02-3703-1845	안재혁 변호사 02-3703-1953	이은총 변호사 02-3703-4588		

Lee & Ko 법무법인(유) 광장

▪ 주요 구성원

조세쟁송

이상기 변호사
기획재정부 고문변호사
한국조세협회 부이사장
Tel: 02-2191-3005

이인형 변호사
서울행정법원 부장판사
수원지방법원 평택지원장
Tel: 02-772-5990

손병준 변호사
대법원 조세전담 재판연구관
대전지방법원 부장판사
Tel: 02-772-4420

마옥현 변호사
대법원 조세전담 재판연구관
광주지방법원 부장판사
Tel: 02-6386-6280

김성환 변호사
대법원 조세전담 재판연구관(총괄)
춘천지방법원 부장판사
Tel: 02-6386-7900

김경태 변호사
대전지방법원 판사
한국세무학회 부학회장
Tel: 02-772-4414

임수혁 변호사
중부세무서 납세자보호위원
미국 UC Berkeley School of Law 법학석사(LLM)
Tel: 02-772-4973

이건훈 변호사
서울대학교 법과대학 석사과정(조세법 전공)
미국 UCLA School of Law 법학석사(LLM)
Tel: 02-6386-6211

조세자문

박영욱 변호사
국세청 과세품질혁신위원회 위원
변호사시험(조세법) 출제위원
Tel: 02-772-4422

김상훈 변호사
한국지방세연구원 지방세구제업무 자문위원
중부세무서 국세심사위원회 위원
Tel: 02-772-4425

장연호 회계사
국세청 금융업 실무과정 강사
삼일회계법인 금융/보험조세팀 근무
(한국·미국 등록 회계사)
Tel: 02-772-5942

이진욱 회계사
딜로이트 안진회계법인
University of Florida S.J.D. 과정 수료
Tel: 02-2191-3240

금융조세

이인수 회계사
김 · 장 법률사무소
삼일회계법인
Tel: 02-6386-7905

정재훈 회계사
신한금융지주
삼일회계법인
Tel: 02-772-5931

조세예규 및 행정심판

강지현 변호사
국무총리 소속 조세심판원 사무관
기획재정부 세제실 사무관(조세특례제도과)
Tel: 02-772-4975

김병준 세무사
조세심판원 조정팀장
국세청 심사과
Tel: 02-6386-6376

고문

정병춘 고문
국세청 차장
광주지방국세청장
Tel: 02-772-4757

윤영선 고문
제24대 관세청장
기획재정부 세제실장
Tel: 02-6386-6640

원정희 고문
부산지방국세청장
국세청 조사국장
Tel: 02-6386-6229

김재웅 고문
서울지방국세청장
중부지방국세청장
Tel: 02-6386-7890

법무법인(유) 지평
조세팀

지평은 조세, 헌법소송, 행정 등 분야에 탁월한 전문성을 가진 로펌입니다.

지평 조세팀은 조세회계센터를 통해 법인 내 유관 전문서비스팀과
유기적인 결합으로 원스톱 고객서비스를 제공하고 있습니다.

조세쟁송	세무 진단 및 세무조사 대응
조세자문	회계규제
조세형사	관세 및 국제통상

법무법인(유) 지평 조세팀 **주요 구성원**

최현민 고문
부산지방국세청장
조세자문 일반
02-6200-1953

엄상섭 변호사·공인회계사
대법원 재판연구관(조세조)
조세소송
02-6200-1667

박영주 변호사
관세청 고문변호사
조세소송
02-6200-1728

강원일 변호사
상속세 및 증여세, 부동산 세법
성년후견업무(자산관리)
조세소송
02-6200-1951

김강산 변호사
광주지방법원 부장판사
조세형사
02-6200-1903

박성철 변호사
서울시
행정심판위원회 위원
조세위헌소송
02-6200-1777

김태형 변호사
관세청 정기 자문업무 수행
조세소송
02-6200-1767

김형우 변호사·공인회계사
삼일회계법인
금융자문본부
금융조세
02-6200-1839

고세훈 변호사
Texas Instruments
제조사업부(원가담당)
조세자문/해외투자
02-6200-1849

최정욱 공인회계사
경영학박사, 북한학박사
삼정KPMG 세무총괄리더
조세자문 일반
02-6200-1680

구상수 공인회계사
법학박사(조세)
조세자문 일반
02-6200-1738

JIPYONG 법무법인[유] 지평

서울 본사 서울 서대문구 충정로 60 KT&G 서대문타워 10층 TEL. 02-6200-1600 Email. master@jipyong.com

세무법인 화우

YOON & YANG TAX SERVICES GROUP

종합적이고 포괄적인 세무관리 및
법률서비스를 제공하는 세무전문법인

세무법인 화우는 국세청 조사국, 서울청조사1국, 조사4국 등에서 근무한 대표세무사를 비롯해 조세분야 25년 이상의 경력 세무 전문가로 구성돼 종합적으로 포괄적인 세무관리 및 법률서비스를 제공합니다.

앞으로 세무법인 화우는 2019년 ITR '올해의 한국 조세 로펌' 으로 선정된 법무법인(유) 화우 조세그룹과 관세통상분야 관련 전문가들이 포진한 관세법인 화우와의 유기적인 업무협조를 통해 늘 고객의 입장에서 고민하고 함께 해결하겠습니다.

세무법인 화우

이한종 대표세무사
삼성세무서장

정철환 세무사
국세청 기획조정관실

정충우 세무사
서울지방국세청 조사국

조형래 미국회계사
국세청 및 산하 세무서/미국공인회계사

김정운 세무사
서울지방국세청 조사3국

이주환 세무사
서울지방국세청 조사4국

이경진 세무사
서울지방국세청 조사국

김민정 세무사
이현회계법인

임기준 세무사
(주)케이씨씨 회계부 과장

권혁윤 세무사
제51회 세무사

세무법인 화우 서울시 강남구 영동대로 517 아셈타워 23층 우) 06164 | tax.hwawoo.com
T. 02) 6182-8800 F. 02) 6182-8900 E. tax@hwawoo.com

이한종 대표세무사 T. 02) 6182-8800 F. 02) 6182-8900 E. onebell2@hwawoo.com

세무법인 화우
YOON & YANG
TAX SERVICES GROUP

재무인명부

세무법인 | 회계법인 | 관세법인 | 로펌

국회기획재정위원회 | 감사원 | 기획재정부 | 금융위 | 금감원 | 상공회의소

중소기업중앙회 | 국세청 | 지방재정세제실 | 조세심판원 | 한국조세재정연구원

2021.1.20.현재

1등 조세회계 경제신문

조세일보

기관

■ 국회기획재정위원회 71

■ 국회법제사법위원회 73

■ 국회정무위원회 75

■ 감사원 77

■ 기획재정부 80

기획조정실 83

예산실 84

세제실 86

■ 금융위원회 100

■ 금융감독원 103

■ 상공회의소 117

■ 중소기업중앙회 119

국회기획재정위원회

주소	서울특별시 영등포구 의사당대로 1 (여의도동) (우) 07233
대표전화	02-6788-2114
사이트	finance.na.go.kr

위원장 윤후덕

(D) 02-6788-6901

위원회 조직	전화
정연호 수석전문위원 (차관보급)	02-6788-5141
송병철 전문위원 (2급)	02-6788-5142
김충섭 입법조사관 (3급)	02-6788-5147
윤동준 입법조사관 (3급)	02-6788-5143
김신애 입법조사관 (4급)	02-6788-5155
박미정 입법조사관 (4급)	02-6788-5148
이성곤 입법조사관 (4급)	02-6788-5154
김형섭 입법조사관 (4급)	02-6788-5149
최성찬 입법조사관 (5급)	02-6788-5150
한지은 입법조사관 (5급)	02-6788-5151
김지수 입법조사관 (5급)	02-6788-5157
박병규 입법조사관 (5급)	02-6788-5158
길기혁 입법조사관 (5급)	02-6788-5152
윤기영 입법조사관 (5급)	02-6788-5160
양경화 입법조사관 (6급)	02-6788-5153
최윤희 주무관 (6급)	02-6788-5144
임현숙 주무관 (6급)	02-6788-5142
이주광 입법조사관보 (7급)	02-6788-5145
임현숙 주무관 (7급)	02-6788-5141
이미선 주무관 (7급)	02-6788-5146

국회기획재정위원회

DID: 02-6788-OOOO

위원장: **윤 후 덕**
DID: 02-6788-6901

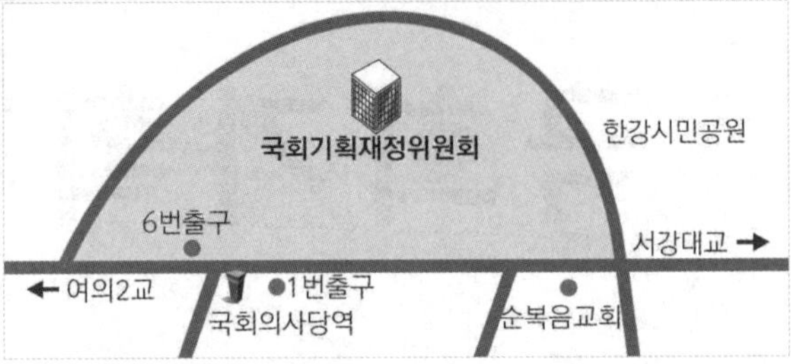

주소	서울특별시 영등포구 의사당대로 1 (여의도동) (우) 07233
홈페이지	finance.na.go.kr

구성	간사		위원			
위원명	 고용진	 류성걸	 기동민	 김경협	 김두관	 김수흥
소속	더불어민주당	국민의힘	더불어민주당	더불어민주당	더불어민주당	더불어민주당
보좌관	여경훈, 홍진옥	손정갑, 황영헌	김형식, 이지백	김민주, 봉재현	임근재, 홍준일	송병욱, 조남혁
전화	6061	6396	6106	6116	6141	6221

구성	위원					
위원명	 김주영	 박홍근	 양경숙	 양향자	 우원식	 이광재
소속	더불어민주당	더불어민주당	더불어민주당	더불어민주당	더불어민주당	더불어민주당
보좌관	이경호, 이정희	김동영, 장석원	김상일, 이윤정	윤미혜, 조근희	박기영, 이지환	김민욱, 서지연
전화	6316	6541	6721	6746	6786	6916

구성	위원					
위원명	 이인영	 정성호	 정일영	 김태흠	 박형수	 서병수
소속	더불어민주당	더불어민주당	더불어민주당	국민의힘	국민의힘	국민의힘
보좌관	장백건, 황훈	서준섭, 정원철	윤영승, 정종석	조중연, 허정환	김상현, 박민구	김성수, 김홍식
전화	7041	7201	7211	6346	6536	6586

구성	위원						
위원명	 서일준	 유경준	 윤희숙	 조해진	 추경호	 장혜영	 용혜인
소속	국민의힘	국민의힘	국민의힘	국민의힘	국민의힘	정의당	기본소득당
보좌관	박용안, 제방훈	이한수, 허남춘	권재필, 권태근	조연경, 차승훈	류희태, 최재훈	김진욱, 박종현	구형구, 장흥배
전화	6606	6796	6906	7306	7386	7156	6776

국회법제사법위원회

주소	**서울시 영등포구 의사당대로 1(여의도동)** **(우) 07233**
대표전화	**02-6788-2114**
사이트	**legislation.na.go.kr**

위원장 **윤호중**

(D) 02-6788-6896

위원회 조직	전화	위원회 조직	전화
박장호 수석전문위원 (차관보급)	02-6788-5041	황성필 입법조사관 (5급)	02-6788-5063
진선희 전문위원 (2급)	02-6788-5042	설그린 입법조사관 (5급)	02-6788-5057
허병조 전문위원 (2급)	02-6788-5044	현서린 입법조사관 (5급)	02-6788-5062
박철호 전문위원 (2급)	02-6788-5043	양성민 입법조사관 (5급)	02-6788-5060
황충연 입법조사관 (3급)	02-6788-5049	김현수 입법조사관 (5급)	02-6788-5065
홍정아 입법조사관 (3급)	02-6788-5055	정광주 입법조사관보 (6급)	02-6788-5064
권아영 입법조사관 (4급)	02-6788-5054	유정분 주무관 (6급)	02-6788-5066
임주현 입법조사관 (4급)	02-6788-5052	이향우 주무관 (6급)	02-6788-5067
조형근 입법조사관 (4급)	02-6788-5048	김란미 주무관 (6급)	02-6788-5041
정지영 입법조사관 (4급)	02-6788-5056	전진향 주무관 (7급)	02-6788-5069
백상준 입법조사관 (4급)	02-6788-5051	권현라 주무관 (7급)	02-6788-5043
조진숙 입법조사관 (5급)	02-6788-5061	장승훈 입법조사관보 (7급)	02-6788-5068
이광전 입법조사관 (5급)	02-6788-5058	김진국 입법조사관보 (8급)	02-6788-5072
이지선 입법조사관 (5급)	02-6788-5059		

국회법제사법위원회

DID: 02-6788-OOOO

위원장: **윤 호 중**
DID: 02-6788-6896

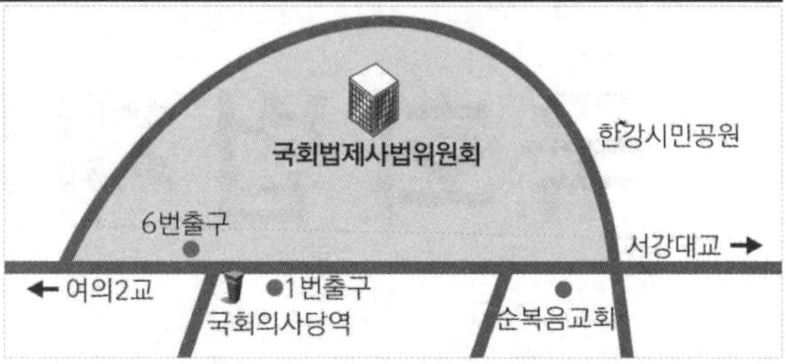

주소	서울특별시 영등포구 의사당대로 1 (여의도동) (우) 07233
홈페이지	legislation.na.go.kr

구성	간사		위원			
위원명	 **백혜련**	 **김도읍**	 **김남국**	 **김용민**	 **김종민**	 **박성준**
소속	더불어민주당	국민의힘	더불어민주당	더불어민주당	더불어민주당	더불어민주당
보좌관	권훈, 전용두	이종환, 최성준	문영재, 장세창	곽상민, 오지상	정운몽, 홍성신	고수석, 윤지열
전화	6566	6136	6131	6271	6311	6476

구성	위원					
위원명	 **박주민**	 **소병철**	 **송기헌**	 **신동근**	 **최기상**	 **유상범**
소속	더불어민주당	더불어민주당	더불어민주당	더불어민주당	더불어민주당	국민의힘
보좌관	김인아, 안진모	김진남, 이정원	김영호, 신수철	이상규, 홍웅표	김성준, 정우윤	김원호, 안중우
전화	6521	6626	6641	6671	7346	6811

구성	위원				
위원명	 **윤한홍**	 **장제원**	 **전주혜**	 **조수진**	 **최강욱**
소속	국민의힘	국민의힘	국민의힘	국민의힘	열린민주당
보좌관	남기석, 박태훈	김민수, 최순영	박영미, 박종진	김춘식, 안준철	김정선, 유능한
전화	6891	7146	7176	7271	7341

국회정무위원회

주소	서울특별시 영등포구 의사당대로 1 (여의도동) (우) 07233
대표전화	02-6788-2114
사이트	policy.na.go.kr

위원장 윤관석

(D) 02-6788-6831

위원회 조직	전화
이용준 수석전문위원 (차관보급)	02-6788-5101
김원모 전문위원 (2급)	02-6788-5103
정환철 전문위원 (2급)	02-6788-5102
장석립 입법조사관 (3급)	02-6788-5109
박주연 입법조사관 (4급)	02-6788-5104
김복현 행정실장 (4급)	02-6788-5105
부길환 입법조사관 (4급)	02-6788-5107
전중인 입법조사관 (4급)	02-6788-5110
심지헌 입법조사관 (4급)	02-6788-5108
김강산 입법조사관 (5급)	02-6788-5111
정수현 입법조사관 (5급)	02-6788-5106
문경미 입법조사관 (5급)	02-6788-5112
정한슬 행정사무관 (5급)	02-6788-5114
황현진 입법조사관보 (6급)	02-6788-5115
이주혁 입법조사관보 (7급)	02-6788-5117
이선희 행정주사 (6급)	02-6788-5102
박금숙 행정주사 (6급)	02-6788-5116
김민옥 행정주사보 (7급)	02-6788-5103
채정현 주무관 (7급)	02-6788-5101

국회정무위원회

DID: 02-6788-OOOO

위원장: **윤 관 석**
DID: 02-6788-6831

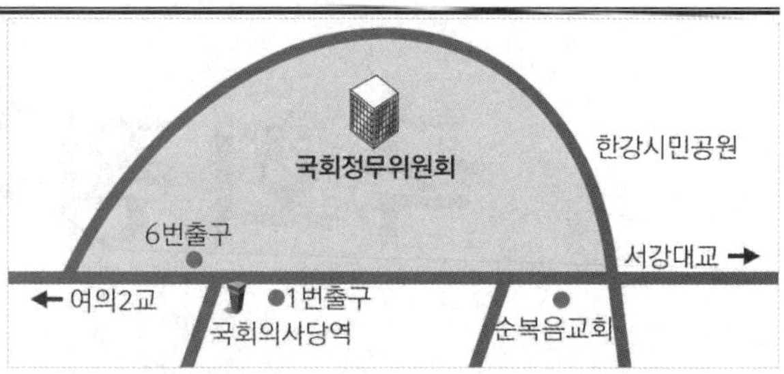

주소	서울특별시 영등포구 의사당대로 1 (여의도동) (우) 07233
홈페이지	policy.na.go.kr

구성	간사		위원			
위원명	 **김병욱**	 **성일종**	 **김한정**	 **민병덕**	 **민형배**	 **박광온**
소속	더불어민주당	국민의힘	더불어민주당	더불어민주당	더불어민주당	더불어민주당
보좌관	왕홍곤, 최현	김태륜, 유봉동	도보은, 최문희	안국형, 이재호	김지성, 이정기	이용국, 이한돌
전화	6171	6621	6351	6421	6426	6436

구성	위원					
위원명	 **박용진**	 **송재호**	 **오기형**	 **유동수**	 **이용우**	 **이정문**
소속	더불어민주당	더불어민주당	더불어민주당	더불어민주당	더불어민주당	더불어민주당
보좌관	박상필, 이시성	강신혁, 윤정배	김종석, 신동림	김기석, 최창열	김성영, 이승현	박종갑, 조기호
전화	6506	6666	6761	6806	7016	7056

구성	위원					
위원명	 **전재수**	 **홍성국**	 **강민국**	 **김희곤**	 **박수영**	 **유의동**
소속	더불어민주당	더불어민주당	국민의힘	국민의힘	국민의힘	국민의힘
보좌관	선용규, 최지훈	임현종, 홍순식	강민승, 박진우	임병국, 진명구	김현태, 박기업	김근용, 이은석
전화	7171	7461	6016	6371	6486	6816

구성	위원				
위원명	 **윤두현**	 **윤재옥**	 **윤창현**	 **배진교**	 **권은희**
소속	국민의힘	국민의힘	국민의힘	정의당	국민의당
보좌관	김시광, 이희동	노병근, 임준홍	문주현, 박필동	안창현, 최승원	곽복률, 김주연
전화	6836	6871	6886	6551	6091

감 사 원

주소	**서울특별시 종로구 북촌로 112 (삼청동 25-23) (우) 03050**
대표전화	**02-2011-2114**
사이트	**www.bai.go.kr**

원장 최재형

(D) 02-2011-2000 (FAX) 02-2011-2009

비 서 실 장

감사위원실
김진국 감사위원
강민아 감사위원
손창동 감사위원
유희상 감사위원
임찬우 감사위원

사무총장		
제1사무차장	**전광춘**	02-2011-2070
제2사무차장	**김명운**	02-2011-2080
공직감찰본부장	**김기영**	02-2011-2300
기획조정실장	**김경호**	02-2011-2171
감사교육원장	**정상우**	031-940-8802
감사연구원장	**마광열**	02-2011-3000

감사원

대표전화 : 02-2011-2114 / DID : 02-2011-OOOO

원장: **최 재 형**
DID: 02-2011-2000

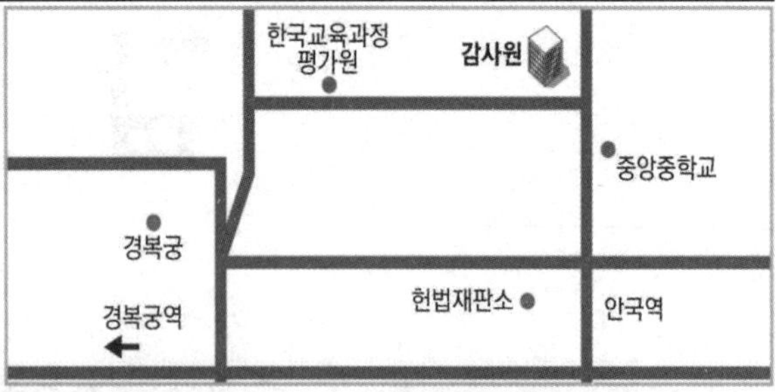

주소	서울특별시 종로구 북촌로 112 (삼청동 25-23) (우) 03050
홈페이지	www.bai.go.kr

국	재정경제감사국				산업금융감사국				국토해양감사국			
국장	이상욱 02-2011-2111				이준재 02-2011-2211				조성은 02-2011-2311			
과	1	2	3	4	1	2	3	4	1	2	3	4
과장	임동혁 2111	이성훈 2121	남수환 2131	남가영 2141	정의탁 2211	박기우 2221	박상순 2231	위응복 2241	김태경 2311	노희관 2321	전형철 2331	권은정 2341

국	공공기관감사국				전략감사단			시설안전감사단		사회복지감사국	
국장	유병호 02-2011-2351				이영하 02-2011-3060			강성덕 02-2011-2601		현완교 02-2011-2411	
과	1	2	3	4	1	2	3	1	2	1	2
과장	김성진 2351	심수경 2361	김병수 2371	염호열 2381	권태경 3060	유동욱 3070	임보영 3080	오준석 2601	조석훈 2602	심재곤 2411	배준환 2421

국	사회복지감사국			행정안전감사국					지방행정감사1국			
국장	현완교 02-2011-2411			김영신 02-2011-2511					박완기 02-2011-2611			
과	3	4	5	1	2	3	4	5	1	2	3	4
과장	우동호 2431	김원철 2441	신형승 2451	정광명 2511	강민호 2521	홍정상 2531	정의종 2541	김만석 2551	최인수 2611	임상혁 2621	구경렬 2631	이상철 2641

국	지방행정감사2국				국방감사단		특별조사국				
국장	장난주 042-481-6731				유인재 02-2011-2501		최달영 02-2011-2701				
과	대전	부산	대구	광주	1	2	1	2	3	4	5
과장	김태성 042-481 -6731	임봉근 051-718 -2320	전우승 053-260 -4300	박득서 062-717 -5900	박경수 2501	안광훈 2502	권오복 2701	엄상헌 2711	권기대 2721	안병준 2731	박용준 2741

1등 조세회계 경제신문 조세일보

국	감사청구조사국					공공감사운영단		민원조사단	
국장	이영웅 02-2011-2751					홍성재 02-2011-2101		김상문 02-2011-2191	
과	1	2	3	4	5	감사정책	감사운영 심사	중앙	수원
과장	김동석 2751	이상혁 2752	이지연 2753	김태석 2754	박성대 2755	강승원 2101	김탁현 2201	최현준 2191	이삼만 031-259- 6580

국	심사관리관		기획조정실					심의실		
국장	02-2011-2291		김경호 02-2011-2171					윤승기 02-2011-2281		
과	1	2	기획	결산	혁신 전략	국제 협력	국제업무 조사	법무	심의지원	감사품질지원
과장	김재신 2291	박성만 2296	김태우 2171	남우점 2156	최일동 2420	조윤정 2186	유영 2646	임승주 2281	김원형 2285	박득서,임경훈, 조성익 2261

국	정보관리단		적극행정지원단		감찰관	대변인		
국장	이수연 02-2011-2401		김종운 02-2011-2736		김현철 02-2011-2676	유병호 02-2011-2491		
과	정보분석 관리	시스템운영	적극행정 지원	재심의	감찰담당	홍보담당	인사혁신	운영지원
과장	이진열 2401	이동규 2403	신영일 2736	배재일 2746	정영채 2676	안광용 2491	장주흠 2582	최익성 2576

실	비서실	원	감사교육원			감사연구원			
실장		원장	정상우 031-940-8802			마광열 02-2011-3000			
과		부장	변영한 8902			조종래 3050			
과장		과	교육지원	교육운영1	교육운영2	연구지원	연구1	연구2	연구3
		과장	손상호 8810	박병호 8830	정진수 8821	전본희 3040	김찬수 3010	오윤섭 3020	신상훈 3030

기획재정부

■ 기획재정부 80

기획조정실 83

예산실 84

세제실 86

기 획 재 정 부

주소	세종특별자치시 갈매로 477 정부세종청사 기획재정부 (우) 30109
대표전화	044-215-2114
팩스	044-215-8033
계좌번호	011769
e-mail	forumnet@mosf.go.kr

부총리 홍남기

(D) 044-215-2114

비서실장	강완구	(D) 044-215-2114
비서관	김경국	(D) 044-215-2114
사무관	전홍규	(D) 044-215-2114
사무관	이홍섭	(D) 044-215-2114
주무관	박새롬	(D) 044-215-2114

차관	전화
김용범 제1차관	044-215-2001
안일환 제2차관	044-215-2002

기획재정부

DID: 044-215-OOOO

부총리 겸 장관: **홍 남 기**
DID: 044-215-2114

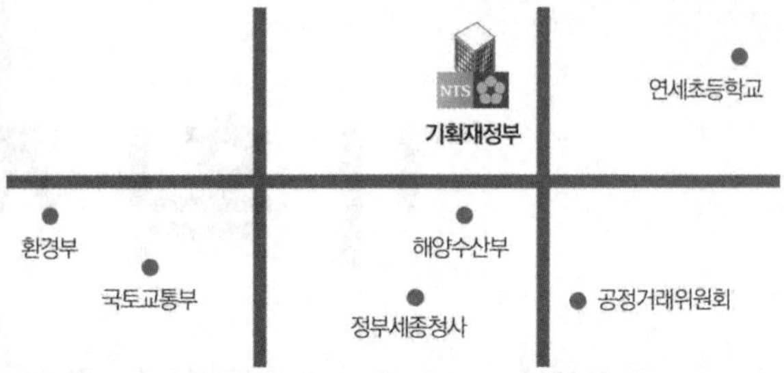

주소	세종특별자치시 갈매로 477 정부세종청사 기획재정부 (어진동16-1) (우) 30109
홈페이지	www.mosf.go.kr

실	대변인				제1차관	
실장	김동일 2400				김용범 2001	
관	홍보담당관	정책보좌관	감사관	감사담당관	차관보	국제경제 관리관
관장	조현진 2410	박준모 2040 강선민 2041 박금철 2090	황순관 2200	민철기 2210	방기선 2003	윤태식 2004
과						
과장						
팀장	임헌정 4960 김정애 2430			김만수 2211		
서기관				조민규 2212		
사무관	이석한 2411 문성호 2412 전광철 2419 홍종민 2413 서지연 2418 이경달 2565 김동원 2431 석란 02-731-1531			김성욱 2213 이철영 2217 이미자 2216 황신현 2215 정성관 2218 박윤우 2214		
주무관	이정훈 2417 김미라 2416 박현우 2564 박재영 2567 황은주 2437 이훈용			남순옥 2208 최현규 2219	이경아 2033	심경희 2004 박준호 2376
직원	김준범 2420 최은영 7982 홍성욱 2568 유다영 7981 전영종(연구원) 2432 정윤정(연구원) 2422 조수연(연구원) 2421 김대현(에디터) 02-731-1537 신동균(에디터) 02-731-1533 박영지(에디터) 02-731-1532	박예나 2041				
FAX	215-8033					

실	제1차관	제2차관	기획조정실			
실장	김용범 2001	안일환 2002	백승주 2009			
관		재정관리관	정책기획관			
관장		강승준 2005	유형철 5501			
과	인사과	운영지원과	기획재정담당관	혁신정책담당관	규제개혁법무담당관	정보화담당관
과장	이승욱 2230	조용수 2310	박성훈(담당관) 5490	박성궐 2530	강병중(담당관) 2570	이돈일(담당관) 2610
팀장	손선영 2290	허진 2330 진강렬 2350		손창범 2550 도종록 02-739-5673 백누리 02-739-5675	박상영 2650	
서기관	김도영 2260	마용재 2370				
사무관	전보람 2270 손장식 2251 김도형 2292	김우태 2351	박경훈 2533 김영돈 김문수 2519 김지수 2512 석상훈 2522 김영욱 2515 김이현 2513 최경순 2529 김정진 2516	신수용 2553 김지선 2541 김민정 2544 김경철 2534	오두현 2571 김영옥 2572 김윤희 2574 이동훈 2573 홍규표 2651 송민익 2657	권성철 2615 허정태 2612 방춘식 2631
주무관	김희운 2252 정재현 2253 이예솔 2254 정휘영 2255 추여미 2257 이승연 2259 현소형 2271 심유정 2258 전수정 2296 김항년 2297 정수진 2299 장윤정 2293	임은란 2372 임유순 2335 박해용 2371 신혜조 2375 강현순 2374 신용순 2334 이종성 2352 유미경 2369 송동춘 2354 연혜정 2353 박민희 2356 차연호 2355 이정학 2358	정해주 2520 최덕희 2514 정명수 2518 황지선 2517 김유빈 정은주 2521	하은선 2559 이소영 2556 권민정 2554 장재용 2532 김리나 2531 공숙영 2545	안윤정 2576 권혁찬 2575 강성준 2577 황윤정 2579 이우철 2656 노은실 2654 양고운 2652	장해영 2619 전준고 2633 도의태 2614 문태웅 2632 구본옥 2635 이영욱 2617
직원	유지혜 2239 천지연 2295	서석제(연구관) 2333 김대원 2373 이혜정 2357 김범순(사회복무) 2349	김희중 2523 임동범 2524	김선정 2542	김종욱 2658	서영수 2618 김영자(연구원) 2616
FAX	215-8033					

DID : 044-215-OOOO

실	기획조정실	예산실				
실장	백승주 2009	안도걸 2007				
관	비상안전기획관	예산총괄심의관				
관장	성인용 2670	최상대 7100				
과	비상안전기획팀	예산총괄과	예산정책과	예산기준과	기금운용 계획과	예산관리과
과장		박준호 7110	박창환 7130	계강훈 7150	고정삼 7170	박정현 7190
팀장	서종해 2680					정성원 7494
서기관		김영임 7111				
사무관	박칠군 2681 안창모 2683 강현정 2685	최연규 7117 김한필 7115 안광선 7116 이성민 7112 이재환 7113 신형진 7119	박상우 7131 구정대 7132 이상희 7133 김정아 7134	이기훈 7151 김영진 7158 전성헌 7152 송성일 7153	정윤홍 7171 임주현 7174 이영훈 7177 최창선 7172	이기웅 7191 김진수 7199 권기환 7492
주무관	한인상 2684	김명옥 7122 천혜린 7120 최항 7118 김세은 7123	김재영 7137 남기범 7135	서혜경 7155 김경연 7156	이성국 7175 오상식 7176	배경은 7194
직원	김성학(경력관) 2682 최희주 2689 조용환(사회복무) 2687	오도영 7121	강화영 7139		강은영 7178	진영범(파견) 7493 나한솔 (에디터) 7196
FAX	215-8033					

실	예산실											
실장	안도걸 2007											
관	사회예산심의관				경제예산심의관					복지안전예산심의관		
관장	김완섭 7200				한훈 7300					이용재 7500		
과	고용 환경 예산과	교육 예산과	문화 예산과	총 사업비 관리과	국토 교통 예산과	산업 중소벤처 예산과	농림 해양 예산과	연구 개발 예산과	정보 통신 예산과	복지 예산과	연금 보건 예산과	안전 예산과
과장	장윤정 7230	박호성 7250	유형선 7270	정동영 7210	임영진 7330	장보영 7310	김위정 7350	육현수 7370	이성원 7390	김태곤 7510	정유리 7530	한재용 7430
서기관												
사무관	안재영 박성준 7236 허성용 7232 이성택 7233 이승우 7237 김진웅 7235	신경아 7251 권혁순 7252 곽인수 7255	성기웅 7271 김낙현 7272 박주선 7273 최동호 7274	김일 7211 노영래 7213 곽민욱 7214 변영환 7212	류재현 7331 윤지원 7332 김남효 7331 김금비 7342 임성빈 7336 공현철 7338	정민철 7312 하치승 7316 김기문 7313	문희영 7351 성석언 7353 이미숙 7352 정주현 7363 장영훈 7354	조병규 7371 김병철 7373 전형용 7374 김다현 7372 조기문 7378	성인영 7391 홍현문 7395 박성현 7397 정석현 7393 정호석 7392	최상구 7511 김형은 7512 박진훈 7514 신민경 7513	정록환 7531 정효상 7532 김형욱 7534 송기선 7535 김정수 7533	유동훈 7431 김종석 7434 손우승 7432
주무관	문근기 7234 김민주 7238 이영미 7239	진선홍 7254 박수현 7258	김희태 7275 정사랑 7276	하승원 7215 김선주 7216	허장범 7337 이용호 7334 임동욱 7341	홍단기 7315 오미화 7314	김성규 7356 윤동형 7355 조효숙 7357	임상균 7375 주상희 7377 연영민 7376	최경남 7398	권동한 7516 천민지 7515 유정미 7517	박형민 7536 송유경 7538	박선영 7433
직원		용혜인 7257	이은화 7277			이후경 7318						
FAX	215-8033											

DID : 044-215-OOOO

실	예산실					세제실						
실장	안도걸 2007					임재현 2006						
관	행정국방예산심의관					조세총괄정책관						
관장	김경희 7400					김태주 4100						
과	법사 예산과	행정 예산과	지역 예산과	국방 예산과	방위 사업 예산과	조세정책과			조세 분석과	조세 특례 제도과	조세법령운용과	
							조세 법령 개혁팀	국제 조세 협력팀				예규 총괄팀
과장	허승철 7470	남동오 7410	김유정 7550	최병완 7450	김장훈 7460	김영노 4110				배정훈 4130	4150	4160
팀장		정희철 7490					이한철 4190	조용래 4440	4120			
서기관						김만수 4111						
사무관	이승도 7471 허영락 7472 강민기 7474 정채환 7476 유이슬 7473	김남희 7411 윤홍기 7413 이지훈 7412 조강훈 7416 이숙경 7495	박혜강 1513 이은숙 7551 박영식 7552 이선호 7554	이만구 7451 김재오 7454 김기동 7455 안준영 7457	김민석 7461 윤인형 7465 김길남 7466 김혜은 7463	강효석 4112 김정 4113 이진수 4114 한민희 4116		박현애 4441 황예진 4445	권순배 4121 김민중 4122 이도회 4123	김현수 4131 고대현 4132 이신영 4133 강재원 4142	권영민 4151 김경수 4152	
주무관	신진욱 7475 장영 7477 유승우 7478	송유민 7415 조성현 7418	양경모 7557 강혜숙 7558	정민기 7459 문강기 7452	홍주연 7462	김철현 4117 오미영 4118			김태경 4126	전효선 4136 윤현미 4138 이혜진 4141	김지석 4154	
직원		임정숙 7417					박종현 (전문 임기제) 4193	서윤정 (연구원) 4448 박춘목 (에디터) 4447	전지영 (연구원) 4125		김서란 (전문 임기제) 4153 전경화 4155	
FAX	215-8033											

실	세제실							
실장	임재현 2006							
관	소득법인세정책관					재산소비세정책관		
관장	고광효 4200					정정훈 4300		
과	소득세제과	법인세제과	금융세제과	국제조세 제도과	국제조세 제도과 디지털세 대응팀	재산세제과	부가가치 세제과	환경에너지 세제과
과장	장영규 4120	이재면 4220	김문건 4230	이영주 4240		변광욱 4310	박상영 4320	양순필 4330
팀장					조문균 4250			
서기관						최시영 4311		
사무관	백경원 4211 이원준 4212 김종완 4213	박준영 4221 김만기 4222	정호진 4231 윤민정 4233 김웅 4237	김성수 4241 박상기 4242 박지영 4243	김윤 4251 김지민 4247	이경숙 4312 서은혜 4314 전동표 4313	김준하 4321 조진희 4322	이석원 4331 남원우 4333
주무관	김진홍 4216 공동준 4217	이주윤 4226 노예순 4228	황혜정 4236	남한샘 4246		강석훈 4316 김순옥 4317 양서영 4318	박재석 4326 노지희 4327	정하석 4336 이희경 4337
직원				왕수안 (연구원) 4245				
FAX	215-8033							

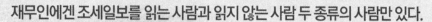

DID : 044-215-OOOO

실	세제실							
실장	임재현 2006, 2306							
관	관세정책관					조세 및 고용보험소득정보연계추진단		
관장	주태현 4400					김병철 4350		
과	관세제도과	산업관세과	관세협력과		자유무역 협정관세 이행과	제도총괄과	소득파악과	소득정보 인프라과
				다자관세팀				
과장	진승하 4410	이주현 4430	이호섭 4450		박지훈 4470	이호근 4360	정형 4370	김범구 4380
팀장				성용욱 4460				
서기관								
사무관	김영현 4411 이영주 4412 최관수 4413	김종락 4431 이찬호 4432 김성채 4433	오미영 4451 백종철 4452 김동현 4453 이태훈 4454		김명환 4474 손아름 4471 김성우 4476	이혜림 4361 이창수 4364	현원석 4371 서범석 4373 성준경 4372	김대연 4383 정하용 4381
주무관	고상덕 4416 이은영 4418 이광태 4417	황영길 4436 김난숙 4438 김세리 4434	박정은 4456	한민구 4462 변유호 4467		윤승필 4363		
직원			이진선 (에디터) 4457					
FAX	215-8033							

국	경제정책국					
국장	이형일 2700					
관	민생경제정책관					
관장	김태경 2701					
과	종합정책과	경제분석과	자금시장과	물가정책과	정책기획과	거시정책과
과장	홍민석 2710	김영훈 2730	심규진 2830	이준범 2770	이차웅 2810	김귀범 4585
팀장	임홍기 2931	박진호				
서기관	이준우 2711	이중진 2731				
사무관	손정혁 2712 신동현 2713 권용준 2715 박필성 2722 신채용 2714 주세훈 2718 이상홍 2932 이유진 2933	김태순 2734 신태섭 2732 오다은 2733 이병준 2736 김경록 2853 이태윤 2851 김애리 2852	김태연 2751 성민혁 2752 이종민 2753 유근정 2755 정영주 2754	진승우 2771 조찬우 2772 송지현 2777 박진숙 2774 신기태 2775	최정빈 2811 윤현곤 2812 김진영 2814 김태경 2813 하다애 2815	김승연 2831 박정상 2832 남기인 2833 김준성 2835 황철환 2836
주무관	김동환 2717 유선희 2719	이지혜 2737 유소영 2739	김동훈 2756 서신자 2759	박소현 2789 정의론 2781	김지수 2818	
직원	최민교 (에디터) 2724	석지원 (연구원) 2854		김민수(파견) 2934 최지훈(파견) 2776	정경옥 2816	유혜정 2839
FAX	215-8033					

DID : 044-215-OOOO

국	경제구조개혁국					정책조정국	
국장	이대희					임기근 4500	
관						정책조정기획관	
관장						김재환 4501	
과	경제구조 개혁총괄과	일자리 경제정책과	일자리 경제지원과	인구경제과	복지경제과	정책조정 총괄과	산업경제과
과장	이병원 8510	김영민 8530	조영욱 8550	김승태 8570	박재형 8590	천재호 4510	김명규 4530
팀장			박민주 8520			박정민 4581	
서기관	이나원 8511						최진광 4531
사무관	김미진 8512 전유석 8513 이수현 8514 김범석 8515 정철교 8516	고영욱 8531 조성아 8532 변재만 8533 유다빈 8534 김주민 8535	김혜련 2771 송혜영 8551 김희준 8552 임순묵 8553 하형철 8521	류소윤 8572 박기오 8573 안건희 8574 이보영 8575	이지은 8591 김형구 8592 이한결 8593 박대열 8594 원종혁 8595	허수진 4511 정지운 4512 장준희 4513 김선아 4515 김상민 4514 성진규 4582	이재홍 4532 박재은 4533 배준혜 4534 권은영 4535
주무관	이영임 8517	한선화 8537	김동욱 8557 박수영 8555	이선영 8576	김지희 8596	신명록 4521 엄지원 4528 이정연 4529	권미경 4539
직원							
FAX	215-8033						

국	정책조정국				국고국			
국장	임기근 4500				허남덕 5100			
관	정책조정기획관				국유재산심의관			
관장	김재환 4501				이승원 5101			
과	신성장 정책과	서비스 경제과	지역경제 정책과	기업환경과	국고과	국유재산 정책과	계약정책과	국채과
과장	이상규 4550	김이한 4610	최영천 4570	안종일 4630	김구년 5150	이명선 5150	김준철 5210	박재진 5130
팀장							김대은 5223 오현경 5640	
서기관					박성창 5111			
사무관	박정주 4551 최연 4555 박여경 4552 오성태 4553 양현정 4559	김태웅 4611 김상엽 4612 이현태 4613 류한솔 4615	이병억 4571 김연미 4573 이동훈 4574 주해인 4572	박정열 4631 류정금 4632 이상원 4634 남궁향 4635	서병관 5113 이상아 5112 심승미 5123 손장우 5121	신동선 5152 김동석 5165 최현화 5153 조윤기 5154 손정준 5155	이윤정 5212 이윤태 5215 장준영 5218 최대선 5224 배병식 5225 안경우 5643 조선형 5642	박찬효 5131 박세웅 5132 김지수 5133
주무관	이해인 4554	이진경 4619	강희진 4576	문명선 4639	윤정민 5114 강진명 5129 안승현 5124	류은선 5166 지혜조 5161	황명희 5226 박지현 5222 한역옥 5228 박양규 5641	이우태 5135 박선영 5139
직원		서혜영 (연구원) 4617			이경연 (에디터) 5137	임재욱(파견) 5157 박성원(파견) 5164	이경원 5227	김권일(파견) 5136
FAX	044-215-8033							

DID : 044-215-OOOO

국	국고국		재정관리국					
국장	허남덕 5100		이호동 5300					
관	국유재산심의관		재정성과심의관					
관장	이승원 5101		한경호 5301					
과	국유재산 조정과	출자관리과	재정관리 총괄과	재정성과 평가과	타당성심사과	민간투자 정책과	회계결산과	재정집행 관리과
과장	노중현 5250	강준희 5170	남경철 5310	박봉용 5370	강대현 5410	권중각 5450	김선길 5430	김완수 044-215-5330
팀장			권기중 8781 나윤정 5470					
서기관			이고은 5311					
사무관	조중연 5254 안영환 5264 손주연 5258 한송이 5262	홍연희 5172 강중호 5171 옥지연 5181 박진영 5175	장시열 5354 이성한 5317 이승민 5352 권순영 5312 김영미 5355 민석기 8782 이재학 8783 민혜수 5471 김지현 5472 김유미 5473	최영진 5371 김형훈 5374 유정아 5376 김성용 5373 송옥현 7375 장유석 5377	서동진 5412 조현두 5416 이지우 5414 김재현 5417 이현주 5415	안성희 5451 구본녕 5455 나원주 5457 김재원 5453 정균영 5454 김종희 5456	이창희 5431 이동각 5432 이남희 5436 최병철 5438	박은미 5331 박철희 5336 박미경 5333 김경중 5339 김유진 5334
주무관	조태희 5256 정혜진 5229	이원재 5177 최성민 5176 심경자 5173	김명실 5316 임영주 5322 정명지 5318 김기홍 5474	이영숙 5378	유은경 5419 이경아 5413	김길문 5459 정재성 5458	김진수 5434 김옥동 5437	김도희 5332 고광남 5335
직원	김주일(파견) 5261 안석원(파견) 5260	양지윤(파견) 5179	이지은 (에디터) 5315					고정희 5337
FAX	215-8033							

1등 조세회계 경제신문 조세일보

국	재정혁신국						공공정책국	
국장	나주범 5700						우해영 5500	
관	재정기획심의관						공공혁신심의관	
관장	유병서 5703						김성진 5501	
과	재정전략과	지출혁신과	재정제도과	재정 건전성과	재정정보과 02-6908 -OOOO	참여예산과	공공정책 총괄과	공공제도 기획과
과장	이제훈 5720	권재관 7900	고정민 5490	강미자 5740	정한 8720	권기정 5480	이상영 5510	오기남 5530
팀장								
서기관	태원창 5721						장용희 5511	
사무관	김영은 5722 윤석규 5727 이수지 5725 이종혁 5723 이금석 5761 유동석 5762	김민형 7901 이주호 7902 권유림 7904 정현미 7905	정민형 5491 김소연 5495 김태식 5493 조혜빈 5494	김영웅 5741 박재홍 5742 강도영 5744	이동석 8726 박준영 8722	이범한 5481 백창현 5486 박선주 5482	함진우 5514 이상협 5513 유연정 5515 전보미 5517	김민규 5531 강준이 5532 고광민 5534 고영록 5536
주무관	황성희 5730 최나영 5729		김서현 5496	김지원 5745 신기환 5748	이경희 8723 김유경 8729 엄승욱 8724		정은주 5529 염보규 5518	장효순 5549
직원		김종임 7906			이영선 8728 김크리스틴 (에디터) 8730	이효진 5484 이혜인 (연구원) 5487		홍성식(파견) 5535
FAX	215-8033							

DID : 044-215-OOOO

국	공공정책국						국제금융국	
국장	우해영 5500						김성욱 4700	
관	공공혁신심의관						국제금융심의관	
관장	김성진 5501						정병식 4701	
과	재무경영과	평가분석과	인재경영과	윤리경영과	공공혁신과	경영관리과	국제금융과	외화자금과
과장	정남희 5630	고재신 5550	이재완 5570	황병기 5620	하승완 5610	강준모 5650	주현준 4710	김동익 4730
팀장			김수영 5580			이철규 5670		
서기관							이재우 4711	
사무관	유영섭 5631 소병화 5632 강동근 5633 이지혜 5636	송윤주 5551 채원혁 5552 주병욱 5553 김숙 5558	권오영 5581 박지혜 5576 김윤희 5573	안형자 5623 이재철 5622	이재석 5611 이승민 5613 가순봉 5612 박춘규 5616	이채영 5651 박준하 5652 권태연 5654 류남욱 5671	김성철 4712 이정아 4714 이용준 4716 도종화 4713	김유이 4732 김민주 4735 박승환 4734 이상민 4733
주무관	어우주 5649 곽정환 5635		윤휘연 5574 이세미 5575	최재원 5624 김민지 5626 변은진 5625	김정란 5617	김태이 5656	이재우 4717 조현 4718 김경애 4719	이원재 4736 민주영 4737 지영미 4739
직원			오재성(파견) 5578				박선경 (에디터) 4728	
FAX	215-8033							

국	국제금융국			개발금융국				대외경제국
국장	김성욱 4700			박일영 8700				류상민 7500
관	국제금융심의관							
관장	정병식 4701							
과	외환제도과	금융협력과	다자금융과	개발금융 총괄과	국제기구과	개발협력과	녹색기후 기획과	대외경제 총괄과
과장	오재우 4750	윤정인 4830	심현우 4810	이대중 8710	지광철 8720	신준호 8770	최지영 8750	문경환 7610
팀장			심승현 4840		하광식 8730			
서기관				황석채 8711				이미희 7611
사무관	홍승균 4751 박수민 4752 홍광표 4754 홍석찬 4753	최은경 4831 김용준 4833 유경화 4832 이은우 4834	고상현 4811 송상목 4813 서민아 4814 박기학 4841	이샘나 8712 안근옥 8714 정동현 8713 정길채 8718 이현지 8715 정다운 8791	박상운 8721 안기용 8722 박중민 8724 이홍석 8727 박준석 8723	이명진 8771 최봉석 8772 윤영준 8773 이상후 8774 박준수 8778	박은결 8751 김연태 8753 김영수 8752 김지영 8754	심수현 7612 어지환 7613 이용호 7615 이창선 7622
주무관	김태호 4756 신호정 4758	김재집 4835 주혜진 4839	김은채 4815 이경화 4817	윤진 8717 봉진숙 8716	정성구 8725 신명숙 8726	김예슬 8775 이영숙 8777	김윤수 8756	성진아 7623 서정훈 7621 안주환 7629
직원	박하나 4759	이택민(파견) 4836	지윤서 (연구원) 4843 송하균(파견) 4818 박혜민 (에디터) 4816	홍에스더 (연구원) 8719 신상훈(파견) 8792	장준혁 (연구원) 8728 김현태(파견) 8736 황재웅(파견) 8734 오유정 (에디터) 8729	이태경(파견) 8776	김예은 (연구원) 8757 김효정 (에디터) 8758	김규훈(파견) 7625
FAX	215-8033							

DID : 044-215-OOOO

국	대외경제국					장기전략국		
국장	류상민 7500					홍두선 4900		
관								
관장								
과	국제경제과	통상정책과	통상조정과	경제협력 기획과	남북경제과	미래전략과	사회적 경제과	협동조합과
과장	최지영 7630	정광조 7670	이종훈 7650	황인웅 7740	홍석광 7750	최재혁 4910	김명선 5910	주평식 5930
팀장	황경임 7710				장의순 7730	류승수 4970	김정훈 4960	
서기관						박은정 4911	박찬규 4961	
사무관	정미현 7631 박재현 7635 유채연 7632 정희진 7636 신승헌 7712	염철민 7671 박상현 7673 김종성 7672 김요한 7674 김혁준 7681 김나윤 7678	홍가영 7651 김동욱 7654 이세환 7659 유경원 7653	최병석 7741 이현준 7746 강성빈 7739	오승상 7731 윤태수 7751 김양희 7752	박효은 4913 김민진 4920 이상윤 4912 김도경 4921 최형석 4975 신영주 4972 임수현 4977	김지은 5911 심지애 5912 황지현 5914 황인환 5913 임다희 4963	김성희 5931 이우석 5932 조용감 5933 위새미 5934 황지은 5935
주무관	선우다스림 7633 채수정 7634 서희원 7716	조선희 7675 이재현 7676		남수경 7743 조하람 7749	김현후 7736	김선영 4916 박은심 4917 최나은 4973	한연지 5916	권미라 5937
직원	김화윤 (에디터) 7637	이성희 7677 정인경 (연구원) 7679	김유미 7658 이태경 (에디터) 7656 문희원 (에디터) 7657	김민지 7748 김인영 (연구원) 7745			이지혜(파견) 5915	김보민(파견) 5936
FAX	215-8033							

1등 조세회계 경제신문 조세일보

국	복권위원회사무처			국고보조금통합관리시스템관리단 02-6312-OOOO			
국장	안병주 7800						
관				국고보조금통합관리시스템관리단 02-6312-OOOO			
관장				조창상 8300			
과	복권총괄과	발행관리과	기금사업과	시스템총괄팀	정보관리 분석팀	재정정보 공개팀	기획법령 지원팀
과장	오은실 7810	정기철 7830	이종수 7850				
팀장				공영국 8313	오상우 044-330-1513		나상률 8310
서기관							
사무관	이병두 7811 김원대 7814 박종석 7812 최성진 7816 정환수 7813	박종훈 7832 구본균 7833 김성희 7831 홍지영 7839	백윤정 7851 박철호 7858 김대훈 7853 임도성 7852	박미경 8344 박원석 8345 이우주 8341	최남오 8327 김수진 8324		강병구 8312 김인아 8314
주무관	배미현 7819 김미선 7818 장수은 7815	김주원 7838 최규철 7837	이혜인 7856 김효경 7857		박정숙(파견) 8326		
직원							김은아 8316
FAX	215-8033						

DID : 044-215-OOOO

관	혁신성장추진기획단 02-6050-OOOO					아시아개발은행 연차총회준비기획단	
관장	김병환 2500						
과	혁신성장 기획팀	혁신투자 지원팀	혁신 산업팀	플랫폼 경제팀	서비스산업 혁신팀	행사기획팀	행사 운영팀
과장							
팀장	김동곤	서규식 2518	김봉석 2512		김태훈 2506 최동일 2510		
서기관							
사무관	김종현 2513 나상민 2516 한유빈 2520	안영훈 2507 정아봉 2526	이성원 2533		박꽃보라 2538 최혜진 2502		
주무관	임선희 2522	권문연 2517					
직원	변종환(파견) 2524 정유현(파견) 2525	박상원 (전문임기제) 2504 김우섭(파견) 2523 이건웅(파견) 2530	김덕현 (전문임기제) 2514 김다혜(파견) 2531 정대현(파견)		정화철 (전문임기제) 2537 정원희 (전문임기제) 2536 최영락 임지호(파견) 2539 문태욱(파견) 2537		
FAX	215-8033						

국	차세대예산회계 시스템구축추진단 044-330-OOOO			한국판뉴딜실무지원단 044-960-6200			
국장	윤정식 5703			정덕영 6200			
과	총괄 기획과	시스템 구축과	재정정보 공개과	기획총괄팀	디지털뉴딜팀	그린뉴딜팀	안전망강화팀
과장	김의택 1510	이용안 1520	이석균 5130				
팀장			김교열 1540	이보인 6160	심규열 6170	양우근 6180	이원주 6190
서기관				신대원 6161 김광제 6164 박효영 6197			
사무관	이정은 1511 김보경 1516 오형석 1512 김창기 1514	김성진 1521 민희경 1523 민동준 1525 장경승 1526 정순연 1522	김현웅 1533 문만수 1536 권순필 1541 정소영 1544 김태중 1542	백승민 6162 박진희 6165	손진철 6174 김보민 6171 이영순 6175 성수지 6172	김진상 6182 정동현 6184 정성규 6185 이상수 6181	이용우 6191 이보배 6192 정재훈 6194 양태영 6195
주무관				오성진 6163			
직원	김민진 1515	윤태호(파견) 1524	이상민(파견) 민홍기(파견) 1543 송석현(파견) 1545	허준혁(파견) 6166			
FAX	215-8033						

금융위원회

주소	서울특별시 종로구 세종대로 209 정부서울청사 (우) 03171
대표전화	02-2100-2500
사이트	www.fsc.go.kr

위원장 은성수

(D) 02-2100-2700 FAX : 02-2100-2715

비 서 관 이동엽 02-2100-2710
사 무 관 양병권 02-2100-2711
주 무 관 윤대열 02-2100-2712
주 무 관 김민들레 02-2100-2713
사 무 원 윤세영 02-2100-2714

부위원장	도규상	02-2100-2800
상임위원(금융위)	심영	02-2100-2704
상임위원(금융위)	최훈	02-2100-2701
비상임위원(증선위)	이상복	02-2100-2704
비상임위원(증선위)	이준서	02-2100-2704
비상임위원(증선위)	박재환	02-2100-2704
사무처장	김태현	02-2100-2900

금융위원회

대표전화: 02-2100-2500/ DID: 02-2100-OOOO

위원장: **은 성 수**

DID: 02-2100-2700

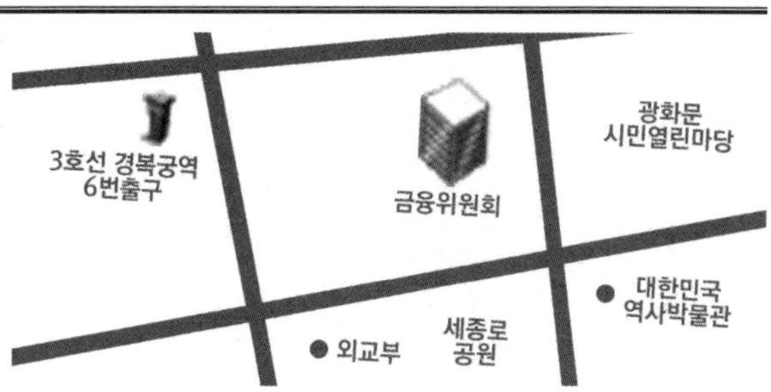

주소	서울특별시 종로구 세종대로 209 정부서울청사 (우) 03171
홈페이지	www.fsc.go.kr

국실	대변인					기획조정관		
국장	서정아 2550					박광 2770		
과	금융공공데이터담당관	행정인사과	자본시장조사단	금융그룹감독혁신단	금융안정지원단	혁신기획재정담당관	규제개혁법무담당관	감사담당관
과장	강석민 2674			김진홍 2823	안창국 1665	남동우 2788	권유이 2818	김대현 2797
FAX						2778	2777	2799

국실	금융정책국				금융소비자국			자본시장정책관		
국장	이세훈 2820				이명순 2980			김정각 2640		
과	금융정책과	금융시장분석과	산업금융과	글로벌금융과	금융소비자정책과	서민금융과	가계금융과	자본시장과	자산운용과	공정시장과
과장	이동훈 2825	이석란 2856	선욱 2873	김수호 2885	윤상기 2633	홍성기 2617	이수영 2512	변제호 2656	고상범 2665	김연준 2685
FAX	2849	2829	2879	2939	4829	2629	2639	2648	2679	2678
팀										
팀장										

국실	금융정보분석원						
	윤창호 1701						
국장	기획행정실				심사분석실		
	전요섭 1733				서정식 1821		
과			제도운영과	정보분석심의회	심사분석1과	심사분석2과	심사분석3과
과장			주홍민 1751	조용한 1548	이태훈 1829	김동이 1881	박희동 1894
FAX			1756		1863	1882	1894
팀							
팀장							

국실	구조개선정책관	
국장	최유삼 2901	
과	구조개선정책과	기업구조개선과
과장	손성은 2915	진선영 2924
FAX	2919	2929
팀		
팀장		

국실	금융산업국		
국장	권대영 2940		
관	은행과	보험과	중소금융과
관장	박민우 2955	김동환 2965	김종훈 2995
FAX	2948	2947	2933
팀			
팀장			

국실	금융혁신기획단		
국장	이형주 2580		
과	금융혁신과	전자금융과	금융데이터 정책과
과장	윤병원 2538	이한진 2977	박주영 2620
FAX	2548	2946	2745
팀			
팀장			

금융감독원

주소	서울특별시 영등포구 여의대로 38 (우)07321
대표전화	02-3145-5114
사이트	www.fss.or.kr

원장 윤석헌

(D) 02-3145-5313 (FAX) 785-3475

감사	감사	김우찬	02-3145-5324
기획·보험	수석부원장	김근익	02-3145-5320
은행·중소서민금융	부원장	최성일	02-3145-5323
자본시장·회계	부원장	김도인	02-3145-5325
금융소비자보호처	처장(부원장)	김은경	02-3145-5328
기획·경영	부원장보	김종민	02-3145-5326
전략감독	부원장보	이진석	02-3145-5330
보험	부원장보	박상욱	02-3145-5329
은행	부원장보	김동성	02-3145-5321
중소서민금융	부원장보	이성재	02-3145-5336
금융투자	부원장보	김동회	02-3145-5332
공시조사	부원장보	장준경	02-3145-5331
회계	전문심의위원	장석일	02-3145-5327
소비자피해예방	부원장보	조영익	02-3145-5333
소비자권익보호	부원장보	김철웅	02-3145-5322

금융감독원

대표전화: 02-3145-5114/ DID: 02-3145-OOOO

원장: **윤 석 헌**

DID : 02-3145-5311

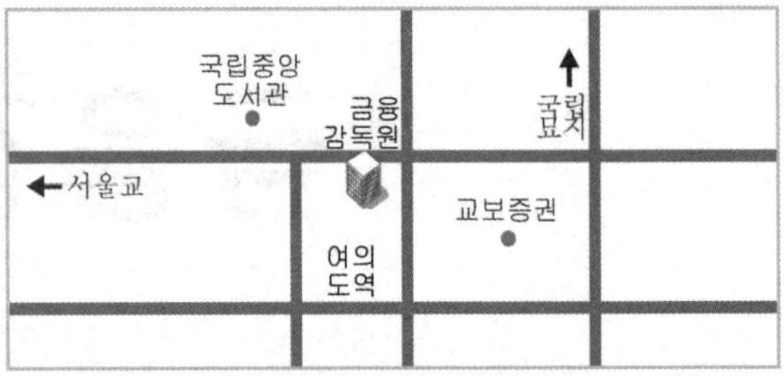

주소	서울특별시 영등포구 여의대로 38 금융감독원 (여의도동 27) (우) 07321
홈페이지	http://www.fss.or.kr

본부	기획·보험										
부원장	김근익 5320										
본부	기획·경영										
부원장	김종민 5326										
국실	기획조정국				총무국				공보실		
국장	5900, 5901				5250, 5251				5780, 5781		
팀	전략기획	조직예산	조직문화혁신	대외협력	급여복지	재무회계	재산관리	업무지원	공보기획	공보운영	홍보
팀장	5940	5898	5890	5930	5300	5270	5280	5290	5784	5785	5803

국실	안전계획실	비서실	국제국(금융중심지지원센터)						
국장	5350	5090	7890, 7891						
팀	안전계획	비서	국제화총괄	금융중심지지원	은행협력	금투협력	보험협력	신남방진출지원	국제업무지원
팀장	5352	5310	7892	7901	7908		7170	7178	7177

국실	인적자원개발실					법무실			
국장	5470, 5471					5910, 5911			
팀	인사기획	인사운영	연수기획	연수운영	직무전문화연수지원	은행	금융투자	보험	중소서민
팀장	5472	5480	6360	6380	6311	5912		5915	5918

본부	전략·감독											
부원장	이진석 5330											
국실	감독총괄국						제재심의국					
국장	8300, 8301						7800, 7801					
팀	감독총괄	검사총괄	검사관리	금융정보보호	금융상황분석	검사지원단	제재심의총괄	은행	중소서민금융	보험	금융투자	조사감리
팀장	8001	8010	8290	8310	7005	8641	7821	7802	7804	7811	7810	7820

국실	거시건전성감독국					자금세탁방지실		
국장	8170, 8171					7500		
팀	거시감독총괄	거시건전성감독	미래금융연구	금융시장	금융데이터·ST	자금세탁방지기획	자금세탁방지검사1	자금세탁방지검사2
팀장	8172	8190	8177	8180	8185	7502	7490	7495

국실	정보화전략국							금융그룹감독실	
국장	5370, 5371							8200, 8201	
팀	정보화기획	정보화운영	섭테크혁신	감독정보시스템1	감독정보시스템2	경영정보시스템	정보보안	지주금융그룹감독	비지주금융그룹감독
팀장	5460	5380	5400	5410	5430	5420	5431	8210	8204

국실	IT·핀테크전략국						핀테크혁신실				
국장	7420, 7421						7120, 7121				
팀	디지털금융감독	검사기획	은행검사	중소서민검사	보험검사	금융투자검사	핀테크총괄	P2P감독	P2P검사	규제샌드박스	핀테크현장자문
팀장	7415	7425	7330	7340	7350	7430	7125	7135	7140	7130	7356

DID : 02-3145-OOOO

본부	보험				
부원장	박상욱 5329				
국실	보험감독국				
국장	7460, 7461				
팀	보험총괄	건전경영	보험제도	특수보험1	특수보험2
팀장	7450	7455	7471	7466	7474

국실	생명보험검사국						손해보험검사국					
국장	7790, 7791						7680, 7681					
팀	검사기획	상시감시	검사1	검사2	검사3	검사4	검사기획	상시감시	검사1	검사2	검사3	검사4
팀장	7770	7780	7795	7785	7950	7955	7510	7660	7671	7527	7689	7675

국실	보험영업검사실			보험리스크제도실			
국장	7270			7240, 7241			
팀	검사기획	검사1	검사2	보험리스크총괄	신지급여력제도	보험국제회계기준	보험계리
팀장	7260	7275	7265	7242	7244	7243	7245

본부	은행·중소서민금융												
부원장	최성일 5323												
본부	은행												
부원장	김동성 5321												
국실	은행감독국					일반은행검사국							
국장	8020, 8021					7050, 7051							
팀	은행 총괄	건전 경영	은행 제도	가계 신용 분석	금융거래지표 감독	검사 기획	상시 감시	검사1	검사2	검사3	검사4	검사5	검사6
팀장	8022	8050	8030	8040	8036	7060	7065	7070	7085	7075	7100	7090	7104

국실	특수은행검사국						외환감독국				
국장	7200, 7201						7920, 7921				
팀	검사 기획	상시 감시	검사1	검사2	검사3	검사4	외환총괄	외환업무	외환분석	외환 검사1	외환 검사2
팀장	7205	7210	7215	7191	7225	7220	7922	7928	7933	7938	7945

국실	신용감독국				은행리스크업무실		
국장	8370				8350, 8351		
팀	신용감독 총괄	신용감독1	신용감독2	신용감독3	은행리스크 총괄	은행리스크 검사	은행리스크 분석
팀장	8380	8390	8382	8372	8360	8345	8356

DID : 02-3145-OOOO

본부	중소서민금융									
부원장	이성재 5336									
국실	저축은행감독국				저축은행검사국					
국장	6770, 6771				7410					
팀	저축은행 총괄	건전경영	저축은행 영업감독	신용정보	검사기획	상시감시	검사1	검사2	검사3	검사4
팀장	6772	6773	6775	6774	7370	7380	7385	7397	7395	7400

국실	상호금융감독실		여신금융검사국							
국장	8070, 8071		8810, 8811							
팀	상호금융 총괄	상호금융 영업감독	검사기획	상시감시	여전업 검사1	여전업 검사2	여전업 검사3	대부업 총괄	대부업 검사1	대부업 검사2
팀장	8072	8080	8805	8800	8816	8830	8822	8260	8267	8272

국실	여신금융감독국			상호금융검사국				
국장	7550			8160, 8161				
팀	여신금융 총괄	건전경영	여신금융 영업감독	검사기획	상시감시	검사1	검사2	검사3
팀장	7447	7552	7440	8168	8763	8776	8793	8788

본부	자본시장·회계											
부원장	김도인 5325											
본부	금융투자											
부원장	김동회 5332											
국실	자본시장감독국						자산운용감독국					
국장	7580, 7581						6700, 6701					
팀	자본시장총괄	건전경영	증권시장	자본시장제도	파생상품시장	투자금융	자산운용총괄	자산운용인허가	자산운용제도	펀드심사	투자자문감독	신탁감독
팀장	7570	7617	7611	7616	7600	7590	6702	6715	6710	6725	6711	6730

국실	금융투자검사국							자산운용검사국				
국장	7010, 7011							7690				
팀	검사기획	상시감시	검사1	검사2	검사3	검사4	검사5	검사기획	상시감시	검사1	검사2	검사3
팀장	7012	7020	7025	7031	7035	7040	7110	7620	7621	7631	7641	7645

본부	감사				
본부장	김우찬 5324				
국실	감사실		감찰실		자본시장특별사법경찰
국장	6060, 6061		5500, 5501		5600, 5601
팀	감사1	감사2	직무점검	청렴점검	특별사법경찰
팀장	6070	6062	5502	5503	5613

DID : 02-3145-OOOO

본부	공시·조사					
부원장	장준경 5331					
국실	기업공시국					
국장	8100, 8101					
팀	기업공시총괄	증권발행제도	전자공시	지분공시	지분공시심사	구조화증권
팀장	8475	8482	8610	8486	8479	8090

국실	공시심사실						조사기획국				
국장	8420, 8421						5550, 5551				
팀	공시심사 기획	특별 심사	공시 심사1	공시 심사2	공시 심사3	공시 조사	조사총괄	조사제도	시장정보 분석	기획조사	시장정보 조사
팀장	8422	8431	8450	8456	8463	8470	5582	5540	5560	5563	5565

국실	자본시장조사국					특별조사국			
국장	5650					5100			
팀	조사기획	조사1	조사2	조사3	파생상품 조사	조사기획	테마조사	복합조사	국제조사
팀장	5663	5635	5637	5636	5640	5102	5105	5106	5107

본부	회계						
위원장	장석일 5327						
국실	회계심사국						
국장							
팀	민원상담전화	회계심사1	회계심사2	회계심사3	회계심사4	감사인감리1	감사인감리2
팀장	7702	7725	7720	7730	7731	7710	7734

국실	회계조사국				
국장	7290				
팀	회계조사기획	회계조사1	회계조사2	회계조사3	회계조사4
팀장	7292	7320	7308	7313	7301

국실	회계관리국				회계기획감리실			
국장	7750, 7751				7860			
팀	회계관리 총괄	기업회계	감사운영	공인회계사 시험관리	기획감리 총괄	기획감리1	기획감리2	기획감리3
팀장	7752	7970	7980	7753	7878	7862	7863	7864

DID : 02-3145-OOOO

본부	금융소비자보호처									
부원장	김은경 5328									
본부	소비자권익보호									
부원장	김철웅 5322									
국실	분쟁조정1국					분쟁조정2국				
국장	5211					8636				
팀	분쟁조정 총괄	생명보험	손해보험	제3보험	보험분쟁 조정	분쟁조정 총괄	은행	여신전문 금융업	중소금융	금융투자
팀장	5212	5200	5243	5221	5234	5712	5722	5736	5729	5741

국실	신속민원처리센터				민원·분쟁조사실	
국장	5760				5530	
팀	은행·금투민원	중소서민민원	생명보험민원	손해보험민원	조사1	조사2
팀장	5762	5768	5772	5775	5532	5526

국실	불법금융대응단			보험사기대응단		
국장	8150, 8151			8730, 8731		
팀	불법금융 대응총괄	불법사금융대응	금융사기대응	조사기획	보험조사	특별조사
팀장	8130	8129	8521	8726	8748	8880

본부	소비자피해예방					
부원장	조영익 5333					
국실	금융소비자보호감독국			금융상품판매감독국		
국장	5700			7530, 7531		
팀	총괄기획	원스톱서비스	소비자보호제도	금융상품 판매총괄	금융상품 판매감독1	금융상품 판매감독2
팀장	5688	8520	5702	7532	7540	7545

국실	금융상품심사국				금융상품분석실		연금감독실	
국장	8220, 8221				8320		5180, 5181	
팀	금융상품 심사총괄	은행·중소 서민심사	금융투자 심사	보험심사	금융상품 분석1	금융상품 분석2	퇴직연금 감독	연금저축 감독
팀장	8230	8225	8236	8240	8322	8331	5190	5199

국실	금융교육국				포용금융실	
국장	5970, 5971				8410, 8411	
팀	금융교육기획	일반금융교육	학교금융교육	금융교육지원단	서민·중소 기업지원	소상공인· 자영업자지원
팀장	5972	5956	5964	6747	8412	8409

지원	부산울산지원			대구경북지원			광주전남지원			대전충남지원			인천지원	
지원장	051-606-1710			053-760-4001			062-606-1610			042-479-5101			032-715-4801	
주소	부산광역시 연제구 중앙대로 1000 국민연금부산회관 12층			대구광역시 수성구 달구벌대로 2424 삼성증권빌딩 7F, 8F			광주광역시 동구 제봉로 225 (광주은행 본점 10층)			대전광역시 서구 한밭대로 797 (캐피탈타워 15층)			인천광역시 남동구 인주대로 585 한국씨티은행빌딩 19층	
전화 FAX	TEL :(051)606-1700~1 FAX :(051)606-1755			TEL :(053)760-4000 FAX :(053)764-8367			TEL :(062)606-1600 FAX :(062)606-1630, 1632			TEL :(042)479-5151~4 FAX :(042)479-5130-1			TEL :(032)715-4890 FAX :(032)715-4810	
팀	기획	검사	소비자 보호	기획	검사	소비자 보호	기획	검사	소비자 보호	기획	검사	소비자 보호	기획	소비자 보호
팀장	1720	1730	1740	4030	4003	4004	1613	1611	1612	5103	5104	5105	4802	4805

지원	경남지원	제주지원	전북지원	강원지원	충북지원	강릉지원
지원장	055-716-2324	064-746-4205	063-250-5001, 5002	033-250-2801	043-857-9101	033-642-1901
주소	경상남도 창원시 성산구 중앙대로 110 케이비증권빌딩 4층	제주특별자치도 제주시 은남길 8 (삼성화재빌딩 10층)	전라북도 전주시 완산구 서원로 77 (전북지방중소벤처기업청 4층)	강원도 춘천시 금강로 81 (신한은행 강원본부 5층)	충청북도 충주시 번영대로 242, 충북원예농협 경제사업장 2층	강원도 강릉시 율곡로 2806 한화생명 5층
전화 FAX	TEL :(055)716-2330 FAX :(055)287-2340	TEL :(064)746-4200 FAX :(064)749-4700	TEL :(063)250-5000 FAX :(063)250-5050	TEL :(033)250-2800 FAX: (033)257-7722	TEL :(043)857-9104 FAX :(043)857-9177	TEL :(033)642-1902 FAX :(033)642-1332
팀	소비자보호	소비자보호	소비자보호	소비자보호	소비자보호	소비자보호
팀장	2325	4204	5003	2805	9102	1902

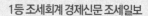

해외사무소	
뉴욕	Address : 780 Third Avenue(14th floor) NewYork, N. Y. 10017 U.S.A. Tel : 1-212-350-9388 Fax : 1-212-350-9392
워싱턴	Address : 1701 K Street, NW., suite 1050, Washington, DC 20006 Tel : 1-202-689-1210 Fax : 1-202-689-1211
런던	Address : 4th Floor, Aldermary House, 10-15 Queen Street, London EC4N 1TX, U.K. Tel : 44-20-7397-3990~3 Fax : 44-20-7248-0880
프랑크푸르트	Address : Feuerbachstr.31,60325 Frankfurt am Main, Germany Tel : 49-69-2724-5893/5898 Fax : 49-69-7953-9920
동경	Address : Yurakucho Denki Bldg. South Kan 1051,7-1, Yurakucho 1- Chome, Chiyoda-Ku, Tokyo, Japan Tel : 81-3-5224-3737 Fax : 81-3-5224-3739
하노이	Address : #13B04. 13th Floor Lotte Business Center. 54 Lieu Giai Street. Ba Dinh District, Hanoi, Vietnam Tel : 84-24-3244-4494 Fax : 84-24-3771-4751
북경	Address : Rm. C700D, Office Bidg, Kempinski Hotel Beijing Lufthansa Center, No.50, Liangmaqiao Rd, Chaoyang District, Beijing, 100125 P.R.China Tel : 86-10-6465-4524 Fax : 86-10-6465-4504

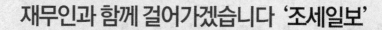

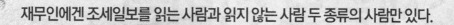

상공회의소

대표전화: 02-6050-3114/ DID: 02-6050-OOOO

회장: **박 용 만**

DID: 02-6050-3520

주소	서울특별시 중구 세종대로 39 상공회의소 회관 (우) 04513
홈페이지	www.korcham.net

부회장실	감사실	홍보실	국실	SGI			제도혁신지원실			
	김태연 3107	조영준 3601	국장	임진 3131			이종명 3491			
			팀	일자리·복지 연구실	신성장 연구실	연구 지원실	제도혁신 지원팀	샌드박스 지원팀	샌드박스 관리팀	서비스 산업 지원팀
			팀장				이종명 3491	박채웅 3181	이상헌 3721	이상헌 3721

국실	규제개선추진단				경영기획본부					
부장	우태희 (02) 6050-3504 이련주 (044) 200-2390 서승원 (02) 2124-3006				박종갑 3401					
팀	총괄기획	규제개선 전략	투자환경 개선	중기소상 공인지원	기획	대외협력	총무	인사	회계	IT지원
팀장	이종민 3291	오종희 3392	신해진 3361	이찬민 3371	김의구 3102	임충현 3101	최은락 3201	진덕용 3402	김종태 3411	구재본 3641

국실	회원본부				경제조사본부			산업조사본부			
부장	박동민 3420				이경상 3441			박재근 3480			
팀	회원CEO	회원복지	회원협력	원산지 증명센터	경제정책	기업정책	규제혁신	산업정책	고용노동 정책	기업문화	지속가능 경영센터
팀장	이강민 3421	진경천 3451	김기수 3871	이문영 3333	김문태 3442	김현수 3461	정범식 3981	강석구 3381	전인식 3481	박준 3471	김녹영 3804

국실	국제본부						
부장	강호민 3540						
팀	아주협력	미주협력	구주협력	글로벌 경협전략	북경사무소	베트남사무소	서울용산국제 학교TF
팀장	이성우 3558	윤철민 3551	추정화 3541	이성우 3358	정일(소장) 86-10-8453-9755	윤옥현(소장) 84-24-3771-3681	추정화 3541 김종태 3411

국실	공공사업본부				
단장	노금기 3737				
팀	산업혁신운영	스마트제조혁신	농식품산업협력TF	사업재편지원TF	인적자원개발지원
팀장	김성열 3276	임철 3850	김진곡 3369	김진곡 3161	정관용 3153

1등 조세회계 경제신문 조세일보

국실	인력개발사업단								
단장	문기섭 3505								
팀	기획 관리실	기획 혁신팀	운영 관리팀	글로벌 사업팀	직업능력 개발실	중소기업지 원팀	능력 개발팀	교육사업팀	민간자율형 일학습 지원센터
팀장	임채문 (실장) 3570	윤상돈 3573	안성호 3575	권혁대 3586	임채문 (실장) 3570	김명규 3531	류형주 3911	김연선 3580	임채문 3570

국실	유통물류진흥원				상공회운영사업단	중소기업복지센터
부장	서덕호 1414				박동민 3420	
팀	유통물류 정책	유통물류 혁신	국제표준	표준보급	상공회운영총괄	
팀장	강명수 1510	임재국 1440	이헌배 1500	김덕연 1480	권오윤 3465	진경천 3451

국실	자격평가사업단		
단장	노금기 3737		
팀	자격평가기획	자격평가운영	기업인재평가사업
팀장	오주원 3735	엄성용 3770	방창률 3771

중소기업중앙회

대표전화: 02-2124-3114 / DID: 02-2124-OOOO

회장: **김 기 문**

DID: 02-2124-3001

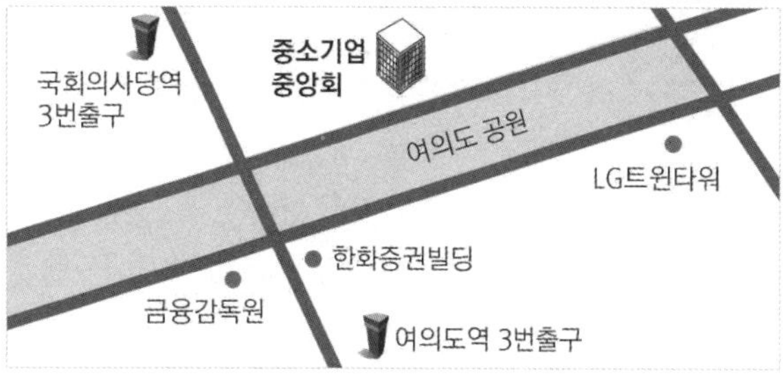

주소	서울특별시 영등포구 은행로 30 (여의도동) 중소기업중앙회 (우) 07242
홈페이지	www.kbiz.or.kr

임원실	감사실	비서실	홍보실	편집국	KBIZ중소기업 연구소	본부	스마트일자리본부			
서승원 (상근부회장) 3006	장경순 3009	김재진 3003	성기동 3060	임춘호 3190	양찬회 4060	본부장	이태희 3015			
						부	인력 정책실	교육 지원	청년희망 일자리	외국인력 지원
						부장	양옥석 3270	정인과 3300	백동욱 4010	손성원 3280

본부	경영기획본부					협동조합본부				
본부장	이재원 3011					조진형 3012				
부	기획 조정실	인사	총무회계	정보 시스템	사회공헌	조합 정책실	조합지원	협업사 업팀	판로지원	공공구매 지원
부장	안준연 3030	서재윤 3040	신상홍 3370	김준영 3070	조준호 3090	최무근 3210	정경은 3180	박철 3220	조동석 3240	김용우 3250

본부	경제정책본부				혁신성장본부				
본부장	추문갑 3013				정욱조 3014				
부	정책총괄실	소상공인 정책부	무역촉진부	조사통계부	제조 혁신실	스마트 산업	상생협력	기업 성장부	단체표준
부장	김희중 3110	고종섭 3170	전혜숙 3114	강지용 3150	강형덕 3120	김영길 4310	심상욱 3130	박화선 3145	박경미 3260

본부	공제사업단						자산운용본부			
본부장	박용만 3016						정두영 3017			
부	공제 기획실	공제운영	공제 마케팅	공제 서비스	PL손해 공제	리스크 관리	투자 전략실	금융투자	실물투자	기업투자
부장	장윤성 4320	이기중 3350	김병수 4080	문철홍 9055	이창희 4350	성기창 3100	윤위상 3340	이응석 3320	노상윤 4040	이동근 3320

국세청 소속기관

■ 국세청 121

본청 국·실 122

주류면허지원센터 140

국세상담센터 142

국세공무원교육원 144

국세청

주소	세종특별자치시 국세청로 8-14 국세청 (정부세종2청사 국세청동) (우) 30128
대표전화	044-204-2200
팩스	02-732-0908, 732-6864
계좌번호	011769
e-mail	service@nts.go.kr

청장 김대지

(직) 720-2811 (D) 044-204-2201 (행) 222-0730

정책보좌관 박근재 (D) 044-204-2202

비 서 관 손종욱 (D) 044-204-2203

차장 문희철

(직) 720-2813 (D) 044-204-2211 (행) 222-0731

비 서 관 김정수 (D) 044-204-2212

국세청

대표전화: 044-204-2200 / DID: 044-204-OOOO

청장: **김 대 지**
DID: 044-204-2201

주소	세종특별자치시 국세청로 8-14 국세청 (정부세종2청사 국세청동) (우) 30128				
코드번호	100	**계좌번호**	011769	**이메일**	service@nts.go.kr

국								기획조정관		
국장								김진현 2300		
과	운영지원과					대변인		혁신정책담당관		
과장	이승수 2241					장신기 2221		김태호 2301		
계	인사1	인사2	행정	복지운영	청사관리	공보1	공보2	총괄	혁신	조직
계장	박광식 2242	황정욱 2252	이화명 2262	김주식 2272	최재균 2282	송평근 2222	조대현 2232	신민섭 2302	연제민 2307	김광대 2312
국세 조사관	최영호 2243 김판준 2244 손재락 2246	이주형 2253 홍정연 2254 송규호 2255	김신흥 2263 윤은지 2264 하성균 2110 정진혁 4618	박상율 2273 황제헌 2274	김병홍 2283 조성훈 2284 김영한 2285 최성호 2286	윤상섭 2223	김용진 2233	염경진 2303 류정모 2304	김성영 2308	노태천 2313 심준보 2314
	이수빈 2245 김동빈 2247 이혜은 2248	권효준 2256 이수진 2257 성현주 2258 서동민 2259	구재흥 2265 김정민 2266 이승은 2118	김태석 2275 이지은 2276 김은아 2277 배명우 2278 이상미 2281	이지희 2287 김정학 2288 이충구 2289	강승현 2224 이영호 2225	정이준 2234		소종태 2309 서정규 2310	최진영 2315
	최명현 2249 강민아 2250	오잔디 2260	한초롱 2267	유명훈 2279	이정주 2290		안민지 2235	박상기 2305		
관리 운영직 및 기타	오수지 2241		김승태 (기록연구) 4641 임은효 2269 김연주 2268	이현희 2280		김태운 (전문경력 관나군) 2190 조래현 (공보보조) 2191		이지원 2311		
FAX	216 -6048	216 -6049	216 -6050	216 -6051	216 -6052	216-6043		216-6053		

국	기획조정관											
국장	김진현 2300											
과	혁신정책 담당관		기획재정담당관				국세통계담당관					비상 안전 담당관
과장	김태호 2301		김정주 2331				이은규 2361					박향기 2391
계	평가	소통	기획1	기획2	예산1	예산2	통계1	통계2	통계3	센터1	센터2	비상
계장	김승하 2317	김현승 2322	강정훈 (4) 2332	박찬주 2337	최재명 2342	박찬웅 2347	이인희 2362	임상헌 2367	이병주 2372	유혜경 (통계) 2377	김형철 (4) 2382	김영주 2392
국세 조사관	김혜정 2318	김남훈 2323	박진혁 2333 최원현 2334	신창훈 2338	강원경 2343	김동훈 2348	김경민 2363	권오평 2368 박만기 (전산) 2369	유은주 2373	김경록 2378	이선준 (전산) 2383	
	김소정 2319	김슬기 2324 하현균 2325	이원형 2335	손기만 2339	최영철 2344	김성한 2349		남봉근 2370		이진희 2379		김철웅 2393
			공유진 2336				안태명 2364					문혜림 2394
관리 운영직 및 기타												
FAX	216-6053											

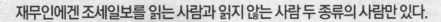

DID : 044-204-OOOO

국	전산정보관리관												
국장	정재수 2400												
과	전산기획담당관					정보화1담당관					정보화2담당관		
과장	송영주 2401					남우창 2451					전지현 2501		
계	정보화 기획1	정보화 기획2	정보화 표준	정보화 지원	정보화 행정	엔티스 관리	엔티스 포털	엔티스 개발	징세 정보화 1	징세 정보화2	홈택스 운영	부가 정보화	전자 세원정 보화
계장	김선수 2402		허일한 2422	김장년 2432	양동훈 2442	김명원 2452	김효진 2462	김경선 2472	장원식 2482	김동윤 2492	박현주 2502	김희재 2512	임기향 2522
국세 조사관	지승환 2403 이현진 2404 이성욱 2405 박승현 2406	임화춘 2413	권용훈 2423 문숙자 2424	정기환 2433 송성호 2434	정재일 2443 임근재 02)958-0541	이정화 2453 김진영 2454 김요한 2455	김은진 2463 최오미 2464 김주영 2465	강봉선 2473	김선희 2483	정의진 2493 최은숙 2494 송유진 2495	배인순 2503 신효경 2506 강태욱 2504 백근허 2505	이상수 2513 라유성 2514	최영미 2523 고현주 2524
	전민정 2407	조광진 2414 김지호 2415 이기업 2416	최근호 2425 김계희 2426	이현도 2435	양선미 2444 문성호 2445 이지선 2446	장광석 2456 최성혁 2458	이시화 2466 라원선 2467	김은기 2474 주현아 2475 장이삭 2476	강명수 2484 최수영 2485 최윤호 2486 주유미 2487	임수현 2496 최상만 2497 성화진 2498 이가연 2490	김은진 2510 하창경 2508 석성윤 2509 최영우 2507	박성은 2515 안도형 2516 주재철 2517	이한임 2525 박성미 2526 이원준 2527
				이해진 2436		황정미 2457		박정남 2477 임종호 2478	곽민혜 2488			박대희 2518 서미연 2519	류재리 2528
			전일권 2427				김태완 2468 임여경 2469	유예림 2479	홍지연 2489	정지영 2491 박성은 2500			이원일 2529 이현우 2530 우지혜 2531
관리 운영직 및 기타	김정남 2408 윤성미 2411, 2499			김정선 2437	권정순 02)958-0542								
FAX													

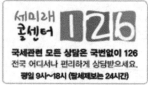

국	전산정보관리관									
국장	정재수 2400									
과	정보화2담당관		정보화3담당관					정보보호팀		
과장	전지현 2501		나향미 2551					조종호 4921		
계	재산 정보화1	재산 정보화2	소득 정보화	법인 정보화	원천 정보화	소득지원 정보화1	소득지원 정보화2	정보보호 정책	정보보호 운영	정보보호 감사
계장	박재근 2532	정기숙 2542	전영호 2552	강지원 2562	윤소영 2572	최윤미 2582	강기석 2592	손유승 4922	성승용 4932	전병오 4942
국세 조사관	정명숙 2533 김민경 2534 이강현 2535	임미정 2543 임채준 2544	장석오 2553 서지영 2554 최학규 2555	김경아 2563 서영삼 2564 최은성 2565 박숙정 2566 나승운 2567 김재현 2568	송영춘 2573 김미연 2574 김세라 2575 강선홍 2576	이홍조 2583 염시웅 2584 김성일 2585 박미경 2586 김병식 2587 정기원 2588	권현옥 2593 조지영 2594	염준호 4923 남현희 4924	이서구 4933 강대식 4934	안형수 4943 손성규 4944
	안승우 2536	김남용 2545 박주환 2546 이무훈 2547	정선균 2556 신은우 2557	최은애 2569 이수연 2570 이현호 2571	이수미 2577 이세나 2578		안혜은 2595 윤기찬 2596	전원석 4925	최광식 4935 박서진 4936	서정운 4945
	김용극 2537 조은지 2538	안상원 2548 김재욱 2549	김유나 2558 윤창인 2559	이성호 2561	오은정 2579 이은정 2580 정지훈 2581	이창욱 2589	박신영 2597	한세영 4926		최진용 4946
	장은석 2539	이소원 2550	김육곤 2560	손효현 2599		김시백 2590 정정민 2591	이지헌 2598			
관리 운영직 및 기타										
FAX										

DID : 044-204-OOOO

국	전산정보관리관								국제조세관리관실				
국장	정재수 2400								김동일 2800, 2811(부속실)				
과	국세청빅데이터센터								국제협력담당관				
과장	강종훈 4501								지성 2801				
계	공통 분석	개인 분석	법인 분석	자산 분석	조사 국조 분석	심층 분석	정보 분석	기술 지원	1	2	3	4	5
계장	우연희 4502	이기각 4512	조현선 4522	이상길 4532	정상진 4542	정현철 4552	오홍수 4562	김재석 4572	김성수 2802	이지민 2812	이예진 2817	김성민 2822	조민경 2827
국세 조사관	임동욱 4503 염주선 4504 전상규 4505	하세일 4513 권진혁 4514	조성희 4523 황규석 4524	김소영 4533 김현하 4534 박진우 4535	조영규 4543 박미숙 4544	김숙희 4553 정은정 4554 임상민 4555	김상숙 4563 조명순 4564	이영미 4573 김태형 4574	이경한 2803	박시후 2813	박용진 2818		오기일 2828
	장희라 4506 김동직 4507 조한솔 4508	조미화 4515 박종현 4516	안수림 4525 오청은 4526	김경민 4536 김건우 4537	정병호 4545 김승국 4546 정현주 4547	전소연 4556 김호영 4557	김인천 4565	조진용 4575 오상훈 4576		이경헌 2814	김범전 2819	김진석 2823	
	유수정 4509	박소연 4517	정세영 4527 전동길 4528	안준수 4538	이규화 4548	유남렬 4558			장원일 2804				
		김태훈 4518					김태원 4566	장경호 4577					
관리 운영직 및 기타	김정희 4510								최영진 (사무) 2805 강민채 (계약직) 2811				
FAX									216-6066				

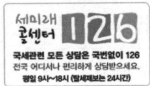

국	국제조세관리관실											
국장	김동일 2800, 2811(부속실)											
과	국제세원관리담당관					역외탈세정보담당관						
과장	최인순 2861					박정열 2901						
계	1	2	3	4	5	1	2	3	4	5	6	7
계장	김성한 2862	김승현 2872	류승중 2877	김주연 2882	김준호 2887	김영하 2902	김정태 2912	김지훈	김종주	이준호 2932	한세온 2937	하명균 2942
국세 조사관	한현섭 2863	김상엽 2873 하진우 2874	김창오 2878	송태준 2883	이정민 2888							
	이수연 2570	안중호 2875	고태혁 2879	고선하 2884	류명지 2889 곽진희 2890							
	고예지 2865											
관리 운영직 및 기타												
FAX	216-6067					216-6068						

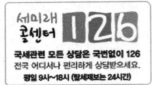

DID : 044-204-OOOO

국	국제조세관리관실						감사관								
국장	김동일 2800, 2811(부속실)						박진원 2600								
과	상호합의담당관						감사담당관				감찰담당관				
과장	장우정 2961						박병환 2601				강영진 2651				
계	1	2	3	4	5	6	감사1	감사2	감사3	감사4	감찰1	감찰2	감찰3	감찰4	윤리
계장	이규성 2962	김정중 2972	성혜진 2977	이재은 2982	김선영 2987	김지우 2992	육규한 2602	정동주 2612	김시형 2622	권우태 2632	권경환 2652	장성우 2662	이정민 2672	최승일 2682	최병구 2692
국세 조사관	조준구 2963	전수진 2978	성아영 2993	김민주 2973	서미네 2988	박철수 2983	박창용 2603 서민성 2604	김민웅 2613 이풍훈 2614	김동원 2623 이지상 2624	고윤하 2633 김종일 2634	이명문 2653 조상현 2654	석영일 2663 이용광 2664	김석모 2673 김수현 2674	김종학 2683 김광용 2684	유성문 2693 김종윤 2694
	박승혜 2964 진평일 2966	이진환 2974	윤지영 2994	안상진 2989	노우정 2984	김상훈 2979	조성수 2605 이주희 2606	이기주 2615 김재현 2616	박창열 2625 김혜정 2626	김신우 2635 김동수 2607	유지현 2655 강유나 2656	신지영 2665 이형원 2666	안지영 2675 허소미 2676	권대영 2685 이태욱 2686	박소영 2695 황치운 2696
	장서라 2965							김수열 2617	이연호 2627		김보근 2657	정재훈 2667			
							김승혜 2611								
관리 운영직 및 기타															
FAX	216-6069						216-6060				216-6061				216-6062

1등 조세회계 경제신문 조세일보

국	납세자보호관											
국장	김영순 2700											
과	납세자보호담당관					심사1담당관						
과장	양동구 2701					박찬욱 2741						
계	납보1	납보2	납보3	납보4	민원	심사1	심사2	심사3	심사4	심사5	심사6	심사7
계장	채규일 2702	김종수 2712	조병주 2717	홍성훈 2722	이호관 2727	최흥길 2742	박광룡 2752	임식용 2762	변영희 2763	김제석 2764	조미희 2765	윤소희 2766
국세 조사관	박상별 2703	채상철 2713 송옥연 2714	최봉수 2718	구문주 2723	이종영 2728	권혁성 2743	정영순 2753					
	신서연 2704	김태준 2715 김봉재 2716	홍소영 2719	박태훈 2724	이상준 2729	김종만 2744						
	김창권 2705		송영진 2720			한규진 2745						
관리 운영직 및 기타												
FAX	216-6063					216-6064						

DID : 044-204-OOOO

국	납세자보호관							징세법무국			
국장	김영순 2700							정철우 3000			
과	심사2담당관							징세과			
과장	류충선 2771							박광종 3001			
계	심사1	심사2	심사3	심사4	심사5	심사6	심사7	징세1	징세2	징세3	징세4
계장	백승권 2772	허준영 2782	박준배 2783	전강식 2784	장성기 2785	손창호 2786	임서현 2787	이병탁 3002	전준희 3012	장은수 3017	윤상봉 3027
국세조사관		권대명 2789						신동익 3003	송지원 3013	김유학 3018 최용세 3019	전중원 3028
	김지영 2773							이승훈 3005	김영환 3014	김윤정 3020 박대경 3021 신민채 3022	백선주 3029 황병광 3030 이승윤 3031
	황지아 2774							서민하 3006			
관리운영직 및 기타								김희영 (계) 3011			
FAX	216-6065										

국	징세법무국									
국장	정철우 3000									
과	징세과			법령해석과						
과장	박광종 3001			윤성호 3101						
계	징세5	징세 정보화1	징세 정보화2	총괄조정	국조기본	부가	소득	법인	재산1	재산2
계장	신현국 3037	장원식(전) 2482	김동윤 2492	임경환 3102	방선아 3112	문병갑 3117	이광의 3122	강삼원 3127	최영훈 3137	최은경 3142
국세 조사관	정정자 3038 우제선 3039	김선희(전) 2483	정의진(전) 2493 최은숙(전) 2494 송유진(전) 2495	조창현 3103 김성호 3104 박재호 3105	김경희 3113	백지은 3118 배영섭 3119	박선희 3123	김성호 3128 이재식 3129 권재효 3130	한정수 3138 김남구 3139	이호필 3143
	안태훈 3040	강명수(전) 2484 최수영(전) 2485 최윤호(전) 2486 주유미(전) 2487	임수현(전) 2496 최상만(전) 2497 성화진(전) 2498 이가연 2490	이채린 3106 최근호(전) 2425	김현석 3114	최태훈 3120	고성희 3124	최수진 3131		남궁민 3144
		곽민혜(전) 2488								
		홍지연 2487	정지영 2491 박성은 2500							
관리 운영직 및 기타										
FAX										

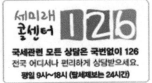

DID : 044-204-OOOO

국	징세법무국									개인납세국			
국장	정철우 3000									박재형 3200			
과	세정홍보과				법무과					부가가치세과			
과장	오규용 3161				강동훈 3071					강상식 3201			
계	홍보기획	디지털소통	홍보콘텐츠	디지털소통	법무1	법무2	법무3	법무4	법무5	부가1팀	부가2팀	부가3팀	부가4팀
계장	이미애 3162	김민수 3172	최병기 3182		안혜정 3072	김도균 3077	조창우 3082	김재휘 3087	박규훈 3092	김은진 3202	강신웅 3212	김성민 3217	박현수 3222
국세조사관	양석범 3163	박진수 3173 장준미 (계) 3175	최현선 3183 김성진 (계) (학예사) 3185	임근재 (전) 0541	신정훈 3073	편무창 3078	강수민 3083	박종주 3088	김영빈 3093	이지영 3203	변유솔 3213 박범진 3214	김종의 3218	변승철 3223 오재현 3224
	구영진 3164	김제민 (계) 3174 황두돈 (계) 3176 현상필 (계) 3177	윤혜민 (계) 3184	양선미 (전) 4945	김지민 3074 조병민 3075 손한준 3076					김준 3204	정현철 3215	주미영 3219	유주연 3225
	한승범 3164				최진남 3079					배우리			
							유예림 (전) 2519						
관리운영직 및 기타	김현지 (계) 3165		김소리 (계) 4646 류계영 (계) 4646										
FAX													

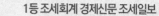

국	개인납세국						
국장	박재형 3200						
과	소득세과				전자세원과		
과장	김대일 3241				반재훈 3271		
계	소득1팀	소득2팀	소득3팀	소득4팀	전자1팀	전자2팀	전자3팀
계장	김일환 3242	박옥임 3252	박해근 3257	김석우 3262	손진호(4) 3272	박형민 3282	문영한 3287
국세 조사관	신지명 3243 이상수 3244	이정범 3253 양미선 3254	임민철 3258 홍준영 3259	김명제 3263	홍소영 3273	최근수 3283 김수한 3284	정승오 3288
		류승우 3255	신동연 3260	최수민 3264	하은지 3274		홍성민 3289 윤정호 3290 정현주 3285
	조윤아 3245						
관리 운영직 및 기타							
FAX							

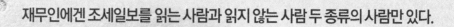

DID : 044-204-OOOO

국	법인납세국									
국장	강민수 3300									
과	법인세과					원천세과				
과장	고근수 3301					이준희 3341				
계	법인1팀	법인2팀	법인3팀	법인4팀	법인 정보화팀 (법인개발)	원천1	원천2	원천3	원천4	원천 정보화팀
계장	임형태 3302	정승태 3312	임경수 3317	유민희 3322	강지원(전) 2562	김동근 3342	김재산 3347	표삼미 3352	전정영 3357	윤소영(전) 2572
국세 조사관	조영빈 3303 최용철 3304	김지윤 3313 김상배 3314	김영건 3318	정지선 3323 이만호 3324	김경아(전) 2563 서영삼(전) 2564 나승운(전) 2567 김재현(전) 2568	전익선 3343	김정열 3348 채웅길 3349	이태훈 3353	이정아 3358	송영춘(전) 2573 김미연(전) 2574 김세라(전) 2575 강선홍(전) 2576
	박양규 3305	남유진 3315	도영수 3319 박금세 3320	강수원 3325	최은애(전) 2569 이현호(전) 2571	김보혜 3345		차지현 3354		이수미(전) 2577 이세나(전) 2578
										오은정(전) 2579 이은정(전) 2580 정지훈(전) 2581
관리 운영직 및 기타										
FAX										

1등 조세회계 경제신문 조세일보

국	법인납세국								자산과세국			
국장	강민수 3300								김태호 3400			
과	소비세과				공인중소법인지원팀				부동산납세과			
과장	김준우 3371				이병오 3901				김길용 3401			
계	주세1팀	주세2팀	소비 세팀	법인 정보화 (소비개발)	지원1팀	지원2팀	지원3팀	지원4팀	1팀	2팀	3팀	4팀
계장	이인우 (4) 3372	서승희 3382	이완희 3392		김지연 3902	원정재 3912	박운영 3917	문한별 3922	위찬필 3402	박재신 3412	박현수 3417	최일암 3422
국세 조사관	이문원 3373 김경애 3374	김기열 3383	정홍석 3393 이은규 3394	최은성(전) 2564 박숙정(전) 2566	권승민 3903	성이택 3913 류진 3914	김성진 3918 정진원 3919	박병진 3923 강관호 3924 이진숙 3926 박철 3927 남민기 3928 윤영일 3929	김상동 3403	고은정 3413 조성래 3414	김석제 3418 홍문선 3419	이영휘 3423 최우성 3424 이은주 3425
	강정희 3375	이영수 3384	권혜정 3395		전현혜 3904	전강희 3915 정동혁 3916	김유정 3920	김택우 3925	이수민 3404	김지민 3415	이창호 3420	박종인 3426 손성탁 3427
				이성호(전) 2561					조영미 3405			
관리 운영직 및 기타												
FAX									216-6081			

DID : 044-204-OOOO

국	자산과세국						
국장	김태호 3400						
과	상속증여세과				자본거래관리과		
과장	한지웅 3441				오상휴 3471		
계	1팀	2팀	3팀	4팀	1팀	2팀	3팀
계장	정영혜 3442	조윤석 3452	김대철 3457	류호균 3462	심정식 3472	김희대 3482	이원주 3492
국세조사관	김상민 3443 김은정 3444	이종민 3453 김선하 3454	김한석 3458 김창희 3459	양창호 3463	김민제 3473	서남이 3483 서유빈 3484 윤영우 3485 심윤성 3486	윤동수 3493 이승찬 3494
		박종찬 3455	김성엽 3460 박찬열 3461	한재영 3464	박승재 3474	양광식 3487	정맹헌 3495
	김다은 3445				박소연 3475		
관리운영직 및 기타							
FAX	216-6082				216-6083		

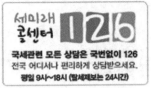

국	소득지원국								
국장	김진호 3800								
과	장려세제운영과				장려세제신청과			학자금상환과	
과장	김승민 3801				강승윤 3841			이명규 3871	
계	운영1	운영2	운영3	운영4	신청1	신청2	신청3	상환1	상환2
계장	천주석 3802	고병재 3812	손혜림 3817	안형민 3822	윤지환 3842	이주석 3852	이승철 3857	진우형 3872	노원철 3882
국세 조사관	김환규 3803	정은주 3813	정종철 3818	오영석 3823	오광철 3843	채양숙 3853	강지성 3858	김향일 3873	최기영 3883 이보라 3884
	이성호 3804	정미란 3819	김지은		조현승 3844 엄상혁 3845	손준혁 3854	전다영 3859	김다민 3874	
	김현지 3805								
관리 운영직 및 기타									
FAX									

국	조사국												
국장	노정석 3500												
과	조사기획과					조사1과				조사2과			
과장	윤승출 3501					윤창복 3551				한경선 3601			
계	1팀	2팀	3팀	4팀	5팀	1팀	2팀	3팀	4팀	1팀	2팀	3팀	4팀
계장	이순민 (4) 3502	이태연 3512	임병훈 3517	황민호 3522	이상언 3527	한상현 3552	김대중 3562	서원식 3572	양영진 3582	정해동 3602	안수아 3612	최치환 3617	김형준 3622
국세 조사관	기노선 3503 권익근 3504 김종각 3505 장준재 3506	이준영 3513 문형진 3514	김현두 3518	전충선 3523	조민영 3528	유동민 3553 이경선 3554 안진수 3555	양용환 3563 전동근 3564	남무정 3573 서영준 3574	이재철 3583 박상민 3584	권순일 3603	김대옥 3613 차광섭 3614	박수영 3618 이원주 3619	엄기황 3623
	김동환 3507 강민종 3508	백성종 3515	윤승미 3519	강성화 3524	오진명 3529	이다영 3556 이기덕 3557	정은수 3565 김희겸 3566	문석준 3575	이도연 3585	차상훈 3604	서보림 3615	이용진 3620	최슬기 3624
	임원주 3509												
관리 운영직 및 기타													
FAX													

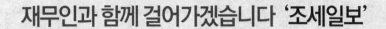

국	조사국											
국장	노정석 3500											
과	조사분석과			국제조사과				세원정보과				
과장	전애진 3751			이성글 3651				최종환 3701				
계	1팀	2팀	3팀	1팀	2팀	3팀	4팀	1팀	2팀	3팀	4팀	5팀
계장	김성범 3752	이우진 3762	전재달 (4) 3767	전일수 3652	홍성미 3662	이규진 3672	김일도 3682	하신행 3702	김병철 3712	정동재 (전) 3722	서철호 3727	안형태 3737
국세조사관	김재광 3753 이수형 3754	엄태선 3763	손영희 3768	민훈기 3653 주민석 3654 진종호 3655	하창수 (전) 3663 김말숙 3664 김치호 3665	임옥규 3673 남상균 3674	이영재 3683 지상준 3684	이종철 3703 조성우 3704 홍영숙 3705	류영상 3713 정진걸 3714		김석훈 3728 이상재 3729	이상민 3738 우창완 3739 윤주호 3740
	이미숙 3755	윤용훈 3764	강성헌 3769	김종욱 3656	이정민 3666 이선우 3667	김성주 3675 정다겸 3676 최강현 3677	전유리 3685 김동욱 3686 유혜리 3687	유경근 3706 문태정 3707	김수재 3715 정재훈 3716	송지원 (전) 3723	김지훈 3730 김태성 3731	이명건 3741
				고은비 3659				이호경 3708				
관리운영직 및 기타												
FAX												

국세청주류면허지원센터

대표전화: 064-730-6200 / DID: 064-7306-OOO

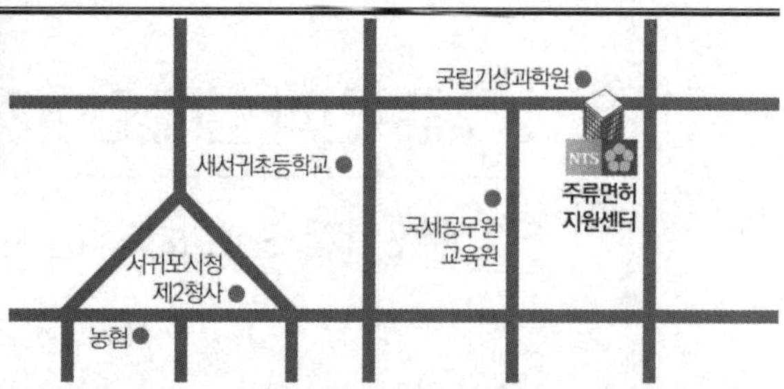

센터장: **김 용 준 (직 무 대 리)**

DID: 064-7397-601, 064-7306-201

주소	제주특별자치도 서귀포시 서호북로 36 (서호동 1514) (우) 63568
팩스	064-730-6211

과	분석감정과 (739-7602)		기술지원과 (739-7603)		세원관리지원과 (739-7604)	
과장	조호철 240		김용준 260		김태영 280	
계	업무지원	분석감정	기술지원1	기술지원2	세원관리1	세원관리2
계장	김종호 241	장영진 251	설관수 261	이충일 271	김시곤 281	진수영 291
6급						
7급	채수필 242	박찬순 252 김나현 253				박길우 292
8급	공선영 243 이호승 244			박장기 272	서연진 282	
9급		문준웅 254	강경하 262	오수연 273		
관리 운영직 및 기타	홍순준(7) 204 최태규(8) 245 김아름(부속) 202	실험실 258	조작실 266 관능실 267	양조실 268 항온실 269	실험실 287	
FAX	730-6212	730-6213	730-6214		730-6215	

국세상담센터

대표전화: 064-780-6000 / DID: 064-7806-OOO

센터장: **유 성 현**

DID: 064-7306-001

주소	제주특별자치도 서귀포시 서호북로 36 (서호동 1514번지) (우) 63568
이메일	callcenter@nts.go.kr

팀	업무지원	전화상담1		전화상담2		전화상담3	
팀장	조중현	현상권		김석찬		김수용	
구분	지원/혁신	종소	원천	부가	기타	양도	상증
6급	배호기 김종일 한미영 이효철 강화동	강도현 최창주 양용석	정승복 하진호	강상길 김지운 서계영	이현정	신경식 박성희 김은영	최천식 천명일 서민철 이철수 이건준
7급	김노섭 윤만성 유인숙 이도헌	문영순 강진성 정종욱 강기덕 박혜선 권석진 오수진 김태호 김주현 양동희	현미정 이영옥 김평화 안소정 허혜정 김선인 김유선 마준호 안동주 유호영	전후영 심은정 주현경 정해연 정동환 정성희 정유정 강정림 김현주 조윤미 김민경	최윤선 김동련	황재원 심혜경 김혜정 황혜윤 장진희 문주경 고근희 김세일 김선정 지장근 김민정 장영태	구인서 이창훈 김태인
8급	유재웅 지석란	김유리 이소진	진승은	김도민 윤현화 이은수		이선주 정경주 김정엽	
사무 방호	김은경(사무) 이상진(방호)						
FAX							

팀	전화상담4		인터넷1		인터넷2	인터넷3
팀장	윤석태		김정남		장훈	김용재
구분	법인	국조	종소/원천	국조/기타	부가/법인	양도/종부/상증
6급	함상봉 이명례 현혜은	박세희 홍명하	천세훈 조병철	옥석봉	천선경 양희재 황일섭 우남구	오승연 박정인 황성원 채경수 김연실
7급	김준용 최영준 최태현 이형구	김남준 김건중	박희선 조남욱 변현영 차호현 6147 김성민 이보영 정택주		이기순 6165 이철용 6166 김보균 6167 이주우 6168	이태호 마준성(파견) 한성민 박원준 오주영 나용선
8급	박민채		이동현	윤지현	김지언	최정은 송준오
사무 방호						
FAX						

국세공무원교육원

대표전화: 064-7313-200 / DID: 064-7313-OOO

원장: **이 현 규**
DID: 064-7313-201

주소	제주교육장: 제주특별자치도 서귀포시 서호중로 19 (서호동 1513) (우) 63568 수원교육장: 경기도 수원시 장안구 경수대로 1110-17 (파장동 216-1) (우) 16206
이메일	taxstudy@nts.go.kr

과	교육지원과		교육기획과		
과장	문준검(4) 210		홍철수(4) 240		
계	지원1	지원2	교육기획	교육운영	교육평가
계장	고동환 211	이승미 331	전종상 241	박병관 251	이선미 261
6급	이상무 212 이규수 213 장원창(전산) 220	이일성 232 전기희 332	고택수 242	변관우 252	김영란 262
7급	김세민 214 박준서 215 함선주(사무) 226	권민철 333	정홍도 243 송호근 244 우나경 245	정인태 253 김선면 254	박중근 263
8급	이동운 216 박연주 217 신현국 218 정영운(시설) 221	최인영 233	김희선 246	조현구 255 김은자 256 박준범 257	
9급	김정훈(방호) 321 박홍립(방호) 322 김반석(방호) 323 송권호(운전) 224 한은표(운전) 225 김영주(공업) 222				
관리운영직 및 기타	박은희(비서) 204	권충숙(사무) 334			
FAX	731-3311	031-250-2340	731-3314		731-3315

과	교수과						
과장	270						
계	교육연구	기본	부가	소득	법인	양도	상증
계장	임형걸 271	김재철 275	김태욱 281	공원택 285	손병양 291	위용 298	김몽경 295
6급	임재주 272	최일환 276 진상철 277 김성균 278 마희영 279 최유원 280	하치석 282 채진우 283 김성근 284	김상섭 286 이윤희 287 조성철 288	김희찬 292 원종호 293 김효경 294	이종준 299 김진석 300	강정호 296 박창오 297
7급	최영현 301 고양숙(전산) 341 김지민(전산) 342						
8급	서민우 302 이효정 273						
9급							
관리운영직 및 기타							
FAX	731-3316						

서울지방국세청 관할세무서

■ 서울지방국세청 147

지방국세청 국·과 148

강 남 세무서 170

강 동 세무서 172

강 서 세무서 174

관 악 세무서 176

구 로 세무서 178

금 천 세무서 180

남대문 세무서 182

노 원 세무서 184

도 봉 세무서 186

동대문 세무서 188

동 작 세무서 190

마 포 세무서 192

반 포 세무서 194

삼 성 세무서 196

서대문 세무서 198

서 초 세무서 200

성 동 세무서 202

성 북 세무서 204

송 파 세무서 206

양 천 세무서 208

역 삼 세무서 210

영등포 세무서 212

용 산 세무서 214

은 평 세무서 216

잠 실 세무서 218

종 로 세무서 220

중 랑 세무서 222

중 부 세무서 224

서울지방국세청

주소	서울특별시 종로구 종로5길 86 (수송동) (우) 03151
대표전화	02-2114-2200
팩스	02-722-0528
계좌번호	011895
e-mail	seoulrto@nts.go.kr

청장 임광현

(직) 720-2200 (D) 02-2114-2201 (행) 222-0780

송무국장	**김용찬**	(D) 02-2114-3100
성실납세지원국장	**민주원**	(D) 02-2114-2800
조사 1국장	**송바우**	(D) 02-2114-3300, 3400
조사 2국장	**최재봉**	(D) 02-2114-3600, 3700
조사 3국장	**김재철**	(D) 02-2114-4000
조사 4국장	**오호선**	(D) 02-2114-4500, 4700
국제거래조사국장	**신희철**	(D) 02-2114-5000

서울지방국세청

대표전화: 02-2114-2200 / DID: 02-2114-OOOO

청장: **임 광 현**
DID: 02-2114-2201

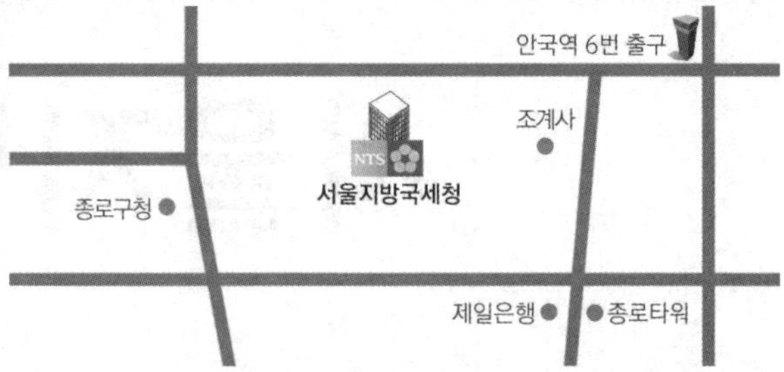

주소	서울특별시 종로구 종로5길 86 서울지방국세청 (수송동) (우) 03151				
코드번호	100	계좌번호	011895	이메일	seoulrto@nts.go.kr

과	운영지원과				감사관			
과장	최경묵 2240				김재웅 2400, 2401			
계	행정	인사	경리	현장소통	감사1	감사2	감찰1	감찰2
계장	박재성 2222	안동숙 2242	정소영 2262	정현미 2282	김동근 2402	윤명덕 2422	신재완 2442	전왕기 2462
국세조사관	정준모 2223 오민숙 2224 김옥환 2225 정희섭 2226	오성택 2243 김윤 2244 이섭 2245 유성엽 2246	노현정 2263 주선영 2264	장대완 2283 정종국 2284 이은정 2292	이준호 2403 문지혁 2404 김란 2405 고성순 2406 황호현 2407	임창빈 2423 노충모 2424 이지영 2425 이애란 2426 심재도 2427	추근식 2443 임종수 2444 장재림 2445 김병성 2447 박동찬 2448 오태진 2449 오대성 2450	이일생 2463 유한진 2464 김병옥 2465 곽동대 2466
	민경훈 2227 김영균 2228 유동균 2229 박현선 2235	정영식 2247 김현철 2248 강호종 2249 이준배 2250	황주연 2265 임유정 2266 서예림 2267 최은주 2271	정혜원 2285 신동호 2286 박진솔 2287	김지영 2408 김인겸 2409	김형정 2428 김숙기 2429	임재현 2446 이영주 2451 김영빈 2452 김대현 2453 명거동 2454	김은아 2467 문성진 2468 송광선 2469 최윤호 2470
	윤희영 2230 최성규 2231 김준영 2232 김정훈 2233	김미나 2251 이혜연 2252 이건구 2253 정해진 2254	이성복 2268 임보라 2269 유민정 2270	정철우 2288 고아영 2289	김재욱 2411			
관리운영직 및 기타					유지영 2400		이보람 2456	
FAX	722-0528				736-5945		734-8007	780-1586

1등 조세회계 경제신문 조세일보

과	납세자보호담당관				징세관							
과장	백승훈 2600, 2601				박종희 2500							
계	납세자 보호1	납세자 보호2	심사1	심사2	징세	체납관리 체납 관리	소액체 납징수 콜센터	추적1	추적2	추적3	추적4	추적5
계장	이성엽 (4) 2602	이동원 2612	이광호 (4) 2622	김정섭 2632	이철 2502	김현호 2512		임숙자 2532	임석규 2542	황인준 2562	박종무 2572	최오동 2582
국세 조사관	장재영 2603 이윤희 2604	박인국 2613 정영희 2614 김정숙 2615 정미경 2616 목완수 2617	김영민 2623 임진옥 2624 문병남 2625	전동호 2633 민현순 2634	이정현 2503 차미선 2504	이재근 2513	정선화 2523	문재창 2533 이세풍 2534 이래하 2536 황찬근 2535 송인춘 2552	임정숙 2544 임창섭 2543	조동혁 2563 유준영 2564 조정화 2566 배정원 2565	권기현 2573 장미숙 2574 안병옥 2575	엄일선 2583 김소영 2584 유탁 2587
	오배석 2605 조혜연 2606	김혜정 2618 윤현숙 2619 임거성 2620 최성일 2621	권혁순 2626 이진영 2627 유종일 2628	이지형 2635 이민경 2636 홍태영 2637 이현 2638	이은경 2505 나진희 2509 임기양 2507	임경태 2514 이정숙 2515 박지영 2516 도창현 2517	김미숙 2525 김희정 2595 김효정 2594 한유경 2530 유경숙 2527	김은숙 2537 염성희 2538 박희달 2539 김화숙 2540	장수안 2546 한세희 2545 김동훈 2548	김원형 2567 유재석 2569 이효진 2568	김영기 2576 강미나 2577 김재한 2578	최선희 2585 이명희 2586 이민재 2589
	박서연 2607 김재호 2608		박철민 2629		김주찬 2508	이건술 2518 기중화 2519 이승준 2520	김지영 2531 김찬웅 2528 황순하 2526	이한배 울 2551 이수민 2541	구현지 2549 김청일 2550 최선균 2547	김제성 2571 홍성준 2570 남현승 2591 황송이 2592	진수환 2580 이지희 2579	권경해 2588 박민서 2590 한충열 2593
관리 운영직 및 기타					나가영 2501							
FAX	720-2202		761-1742		736-5946			2285- 2910				

DID : 02-2114-OOOO

국실	송무국										
국장	김용찬 3100										
과	송무1과									송무2과	
과장	신상모 3101									김휘영 3151	
계	총괄	심판1	심판2	법인1-1	법인1-2	중요사건전담(법인·국제) 1-1	개인1-1	상증1-2	상증1-2	법인2-1	법인2-2
계장	박성기 3102	한관수 3111	최필웅 3116	권영림 3120	황하나 3124	이경태 3127	주은화 3130	정학순 3133	전영의 3136	이권형 3152	이향규 3156
국세조사관	홍석원 3103 이윤희 3104	홍정의 3112	남지연 3117	김근화 3121 백종덕 3122	유은주 3125	박정미 3128 정다원 3129	최은하 3131	전학심 3134		김보윤 3153	강상우 3157
	김지연 3105 김현주 3107 윤범일 3106 황인아 3108 백승혜 3110	김성희 3113 문보라 3114	배순출 3118		정진범 3126			홍성훈 3135	최길숙 3137 김현지 3138	이동곤 3154 이희영 3155	우덕규 3158
	서익준 3109										
관리운영직 및 기타											
FAX	730-9583									780-4165	

국실	송무국														
국장	김용찬 3100														
과	송무2과								송무3과						
과장	김휘영 3151								조상연 3201						
계	중요사건전담(법인·국제) 2-1	중요사건전담(개인) 2-1	개인 2-2	개인 2-3	중요사건전담(상증) 2-1	상증 2-2	상증 2-3	민사 2-1	법인 3-1	법인 3-2	중요사건전담(법인·국제) 3-1	중요사건전담(개인) 3-1	개인 3-2	개인 3-3	중요사건전담(상증) 3-1
계장	서형렬 3159	황종대 3165	권석주 3168	공진배 3162	이정로 3171	임양건 3174	주승연 3177	이진혁 3180	김상원 3202	서영일 3206	송은주 3209	강연성 3212	문경호 3215	권혁준 3218	송지연 3221
국세조사관	심정은 3160 구순옥 3161	추성영 3166	정의재 3169	김철 3163 김성래 3164	계준범 3172	박희정 3175	박준성 3178	김영재 3181 윤자영 3182	차진선 3203	이종훈 3207	손옥주 3210	이지영 3213	임경욱 3216 정주영 3217	강소라 3219 이대건 3220	박동수 3222
		이인숙 3167	이미승 3170		신철승 3173	김민주 3176	정민수 3179		유정미 3204	송선용 3208	정보근 3211	윤석 3214			송정현 3223
								권현서 3183							
관리운영직 및 기타															
FAX	780-4165								780-4162						

DID : 02-2114-OOOO

국실	송무국			성실납세지원국									
국장	김용찬 3100			민주원 2800									
과	송무3과			부가가치세과				소득재산세과				법인세과	
과장	조상연 3201			박달영 2801				권승욱 2861				이봉근 2901	
계	상증 3-2	상증 3-3	민사 3-1	부가1	부가2	부가3	소비세	소득1	소득2	재산	소득 지원	법인1	법인2
계장	홍명자 3224	정봉균 3227	문진혁 3230	노충환 2802	김형래 2812	류오진 2832	김태석 2842	송종철 2862	조민성 2872	김재균 2882	이유강 2892	김덕은 2902	류종성 2922
국세 조사관	양아열 3225		김동엽 3231	한성호 2903 추세웅 2904	김희정 2813 김인수 2814 주세정 2815	정인선 2833 변성욱 2834	정국일 2843 김보경 2844	채혜정 2863 이동백 2864	오윤화 2873 박준규 2874	나민수 2883 박명하 2884	허비은 2893 곽미나 2894	이선우 2903 강정모 2904 우지수 2905	김혜경 2923 박선아 2924 김지연 2925
	김은아 3226	박주현 3228	김정한 3232 박영식 3233	정중호 2805 이지선 2806 박찬민 2807 박원희 2809	최진영 2816 최현정 2817 서지영 2818 김은미 2819	박선규 2835 박종태 2836	오도열 2845 김신우 2846 임영신 2847 문형민 2848	차순조 2865 정진영 2866 이인자 2868	최은영 2875 김원호 2876	정성민 2885 유주민 2886 최성호 2887 김도현 2888	진한일 2895 정희라 2896	민경화 2906 양옥서 2907 최성균 2908 김순영 2909 신봉식 2912	최상연 2926 이남경 2927 박영래 2928 정진환 2929
		김효동 3229		정준호 2808	최은미 2820	김지민 2837	김대희 2849 김성환 2850 안진아 2851 김정우 2852	신성근 2867	김규완 2877	박지영 2889 이우진 2890	남영철 2897	민상원 2910 박현경 2911	강현우 2930 이선아 2931 홍성혜 2932
관리 운영직 및 기타				임경매 3000									
FAX	780-4162			736-1503			3674-7686	736-1501				736-1502	

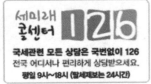

국실	성실납세지원국							
국장	민주원 2800							
과	법인세과			전산관리				
과장	이봉근 2901			최영호 2971				
계	법인3	법인4	국제조세	관리1	관리2	센터1	센터2	센터3
계장	심은진 2942	고성호 3032	곽종욱 2952	전태영 2972	정숙희 3002	강옥희 5302	황윤자 5352	김영수 5392
국세조사관	윤기철 2943 박윤정 2944 위주안 2945	박시용 3033 조수현 3034 구옥선 3035 최준 3036	권혁란 2953 홍미라 2954 정태환 2955 오현정 2956	박찬경 2973 박미정 2975 최연하 2974	김형태 3003 윤영순 3004 박현숙 3005 임영신 3006 정혜영 3007 이경희 3008		김희정 5354	박애경 5394
	장혜경 2946 김지현 2947 김세환 2948 이은상 2949	안혜영 3037 문숙현 3038 강문현 3039 김미영 3040	이정연 2957 이정은 2958 권민수 2959 조유흠 2960	권혜연 2976 정진영 2977 황보현 2978	김보운 3009 김수영 3010	김기숙 5304 박문영 5307 정현주 5308 이지예 5309 이정숙 5310 예미석 5311 김현정 5312 여경숙 5313 강미경 5314 박재희 5315 유병임 5316 육영란 5317 주성옥 5318 엄명주 5319 박애슬 5320 주정희 5321 김지연 5322 이복자 5323 안유희 5324 이선정 5325 왕금좌	이윤희 5355 김윤경 5357 이연미 5358 전미옥 5362 성혜정 5363 천금미 5364 강형미 5365 조일숙 5366 장인숙 5367 김명환 5368 이은영 5369 배문경 5370 김옥분 5371 이은주 5372 엄영옥 5373 김미영 5374 주명화 5375 이경분 배성연 5377 어혜경 유제희 문경옥 김영옥	유상윤 5395 황미경 5398 황인미 5399 주태경 5402 서승숙 5403 오윤이 5404 김영숙 5405 한나영 5406 이현순 5407 정선재 5408 구자율 5409 권묘향 5410 지점숙 5411 이미경 5412 김영미 5413 최종미 5414 김연숙 5415 노정애 5416 이순화 5417 김해숙 최금란 김미희 한경덕
	정준호 2950 최서나 2951		송인형 2961 황보주경 2962 이지민 2963	김민숙 2979	임정호 3011	김경덕 5303		
				민정대 2980			김선화 5353	
관리운영직 및 기타						간종화 이혜정		
FAX	736-1502			738-8783		6929-3793, 3762, 3753		

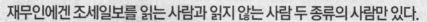

국실	조사1국									
국장	송바우 3300, 3400									
과	조사1과									
과장	이태훈 3301									
계	1	2	3	4	5	6	7	8	9	10
계장	김수섭 3302	김동욱 3322	정필규 3332	구성진 3342	정민기 3352	황연실 3362	이배인 3372	오명준 3382	민강 3392	유지민 3402
반장	문민규 3303	류형대 3323	정진욱 강희경 3333	정광륜 3343	박경인 3353	김영환 3363	박금옥 3373	임인정 3383	박준홍 3393	한순규 3403
국세 조사관	강세희 3304	노파라 3324		이충오 3344	박정순 3354	채은정 3364		이찬 3384		정수진 3404
	이현화 3305 이규웅 3306 박병영 3307 배영진 3308 양미덕	양송이 3325 정용수 3326	윤형석 3334 최가람 3335 손정아 3336	이혜영 3345 정효숙 3346 김민수 3347	김정화 3355 임지영 3356 서지원 3357	나진순 3365 최재덕 3366 강문석 3367	남기훈 3374 윤석주 3375 김푸름 3376	김유혜 3386 김성욱 3385	윤선희 3394 백유영 3395 조근식 3396	김민주 3405 황재민 3406
	김현준 3310 전병진 3311	박광춘 3327 포렌식 백종섭(6) 3312 홍민기(7) 3313 송환용(7) 3314 홍승범(7) 3315	박문수 김규희 3337	박민지 3348	곽지은 3358	최인규 3368	최민경 3377 유미나 3378	이권승 3387	황창연 3397	민경희 3407
관리 운영직 및 기타										
FAX	736-1505									

국실	조사1국									
국장	송바우 3300, 3400									
과	조사2과									
과장	이정희 3421									
계	1	2	3	4	5	6	7	8	9	10
계장	장민근 3422	박성준 3432	최미숙 3442	이병주 3452	강찬호 3462	노정택 3472	이민창 3482	이슬 3492	김진희 3502	김이준 3512
반장	김용현 3423	장인섭 3433	김택범 3443	송수희 3453	김정륜 3463	김갑수 3473	강동진 3483	강준원 3493	강창호 3503	이창우 3513
국세 조사관	민은규 3424	이현주 3434	안형진 3444					박수정 3494		홍지연 3514
	박귀화 3425 박상현 3426 김혜리 3427	이주환 3435 이유정 3436 문정현 3437	박가희 3445 조성용 3446	홍영민 3454 임영은 3455 황성연 3456 고영상 3457	김태우 3464 성주경 3465	이명재 3474 신상은 3475 강성은 3476	오수현 3484 최상 3485 윤홍분 3486	심정보 3496 이혜진 3495	용옥선 3504 임창범 3505 김지영 3506	주희진 3515
	남승규 3428 박준용 3429	민병걸 3438	박서연 3447	이민지 3458	박성희 3466 조민석 3467	김소리 3477	임지영 3487	전아라 3497	염보희 3507	송현호 3516 홍선아 3517
관리 운영직 및 기타										
FAX	736-1504									

DID : 02-2114-OOOO

국실	조사1국								
국장	송바우 3300, 3400								
과	조사3과								
과장	이은장 3521								
계	1	2	3	4	5	6	7	8	9
계장	홍용석 3522	최현창 3532	김항로 3542	이범석 3552	양석재 3562	국우진 3572	정은지 3582	김재백 3592	최승민 3082
반장	원종일 3523	정진혁 3533	이동출 3543	이승훈 3553	김찬 3563	유상욱 3573	손해원 3583	김두연 3593	김미정 3083
국세조사관	이지현 3524	고형관 3534		김영란 3554	이진경 3564	최보문 3574	임종진 3584	권오상 3594	윤동석 3084
	손영대 3525 강재형 3526 김한결 3527 나경아 3528	김성대 3535 정미영 3536	박상봉 3544 박서정 3545 노지형 3546	이창오 3555 김봉재 3556	김철민 3565 김은주 3566	권우건 3575 배주환 3576	안은주 3585 마정윤 3586	심민경 3595 이재성 3596	이은혜 3085 안주영 3086 성우진 3087
	장한별 3529 신근모 3530	송승철 3537	강혜지 3547	백경훈 3557	조성익 3567	임영운 3577	김동욱 3587	양홍석 3597	노영배
관리운영직 및 기타									
FAX	720-1292								

국실	조사2국									
국장	최재봉 3600, 3700									
과	조사관리과									
과장	이종학 3601									
계	1	2	3	4	5	6	7	8	9	10
계장	신현석 3602	박현주 3622	강은호 3632	이인선 3642	조성호 3652	최정현 3662	남궁서정 3672	박재성 3682	최영호 3692	안병태 3702
국세 조사관	고덕환 3603 류현수 3604	류연호 3623	이영석 3633 남기훈 3634	서민정 3643 김선일 3644	박가을 3653 이찬희 3654	하태상 3663 이선하 3664	권정희 3673 김민지 3674	유재연 3683	하태희 3693 송춘희 3694	최현진 3703 신연주 3704
	조은희 3605 고경미 3606 박우현 3607 제갈희진 3608 한진혁 3609 윤미자 3612	신영희 3624 홍진국 3625	주범준 3635 고석춘 3636 김성문 3637 정도희 3638	안효진 3645 김순옥 3646	강종식 3655 김은희 3656	이경아 3665 김민석 3666	엄준희 3675 박지영 3677 조남건 3676	손은정 3684 이성민 3685	성광현 3695 박진영 3696	권경범 3705 임신희 3706 김정윤 3707 김기천 3708 이미라 3709
	이상훈 3610 김난희 3611	서문지영 3626	김소연 3639	김수연 3647 홍민기 3648	정민국 3657	장현진 3667	황은영 3678	박장미 3686	조현진 3697	차동희 3710
관리 운영직 및 기타										
FAX	737-8138									

DID : 02-2114-OOOO

국실	조사2국								
국장	최재봉 3600, 3700								
과	조사1과								
과장	임상진 3721								
계	1	2	3	4	5	6	7	8	9
계장	최행용 3722	이석봉 3732	노구영 3742	정의극 3752	고광덕 3762	김태윤 3772	이양우 3782	김은숙 3792	송찬규 3802
국세 조사관	문건주 3723 김재진 3724	박윤주 3733 이순엽 3734	김기완 3743	진병환 3753	임수정 3763	장희철 3773	김근수 3783	박정민 3793 남정현 3794	류옥희 3803
	이오나 3725 채규홍 3726 전기승 3727	유인혜 3735 이인권 3736	이진수 3744 민근혜 3745 이호연 3748 허은석 3746	백승학 3754 정미란 3755 김민선 3756	김대중 3764 문바롬 3765 김윤미 3766	유영욱 3774 노수정 3775	김선주 3784 조재범 3785	빈수진 3795 박인규 3796	김문경 3804 배진근 3805
	양미선 3728 박범석 3729	안병현 3737 김수현 3738	이애경 3747	정진주 3757	김영석 3767	임성도 3776 박소영 3777	안은정 3786 한광희 3787	서은주 3797	장충규 3806 왕윤미 3807
관리 운영직 및 기타									
FAX	720-9031								

1등 조세회계 경제신문 조세일보

국실	조사2국								
국장	최재봉 3600, 3700								
과	조사2과								
과장	서동욱 3811								
계	1	2	3	4	5	6	7	8	9
계장	김필식 3812	김태수 3822	양희욱 3832	박순주 3842	문정오 3852	오승준 3862	명승철 3872	소섭 3882	정흥식 3892
국세 조사관	김상욱 3813 윤영길 3814	이국근 3823 이성환 3824	박주열 3833 유지은 3834	김묘성 3843 강석종 3844	김주생 3853	윤태준 3863	강기헌 3873	유희준 3883 서명진 3884	김진미 3893
	이윤주 3815 추현종 3816 구명옥 3817	박웅 3825 최수연 3826	박두순 3835 오창기 3836	송화영 3845 전용수 3846	임현진 3854 김도형 3855	송민영 3864 임근재 3865 이재성 3866	김유미 3874 이민욱 3875	박향미 3885 안지현 3886	안미영 3894 문승민 3895
	이현우 3818 조경민 3819	구태경 3827 이재영 3828	이슬린 3837	권재선 3847	박민원 3856 조인정 3857	김별진 3867	정아람 3876 김윤 3877	이명희 3887	이도혜 3896 신영준 3897
관리 운영직 및 기타									
FAX	3674-7823								

국실	조사3국					
국장	김재철 4000					
과	조사관리과					
과장	김동욱 4001					
계	1	2	3	4	5	6
계장	김해영 4002	박재영 4022	안병일 4032	신혜숙 4052	최동일 4072	김광민 4092
반장	임희운 4003	김성진 4023	이창석 4033	박균득 4053	임혜령 4073	이병현 4093
국세조사관	김성진 4004 박용진 4005	김슬기 4024 서민자 4025	이민용 4034 송승미 4035	양현숙 4054 이태경 4055	송지은 4074 이지호 4075	
	박은희 4007 박윤정 4008 서정우 4009 최인옥 4010 노경수 4013	임채두 4026 박서현 4027	최운환 4036 이미영 4037 소연 4038 강진아 4039	임현영 4056 최영봉 4057 전지민 4058 강정구 4059 조혜진 4060	한미경 4076 김은희 4077 진수미 4078 박정례 4079 김선주 4080	구민성 4094 김종협 4095
	송영태 4011	변우환 4028	한선배 4040	배미일 4061 명현욱 4062 임혜빈 4063	임현석 4081 김민아 4082	김인중 4096
관리운영직 및 기타						
FAX	738-3666					

국실	조사3국					
국장	김재철 4000					
과	조사1과					
과장	최회선 4121					
계	1	2	3	4	5	6
계장	박대중 4122	김진영 4132	김태수 4142	심재걸 4152	이종윤 4162	이남기 4172
반장	박상정 4123	김진경 4133	박옥련 4143	최선우 4153	이정민 4163	김인수 4173
	윤솔 4124	강상현 4134	조성용 4144	김상이 4154	최원모 4164	이선민 4174
국세 조사관	고대홍 4125 여호철 4126 조승호 4127 박정현 4130	정의철 4135 권유미 4136	권현희 4145 이경 4146	한은주 4155 박보경 4156	임성찬 4165 김보미 4166	김혜리 4175
	박기태 4128 박정화 4129	장동환 이은미 4137	홍정희 4147	이승하 4157	배진경 4167	남태호 4176 임정석 4177
관리 운영직 및 기타						
FAX	733-2504					

DID : 02-2114-OOOO

국실	조사3국					
국장	김재철 4000					
과	조사2과					
과장	주효종 4211					
계	1	2	3	4	5	6
계장	이관노 4212	최이환 4222	임경환 4232	박기환 4242	염귀남 4252	김성환 4262
반장	서문교 4213	박종렬 4223	김보연 4233	서원식 4243	김기덕 4253	박대현 4263
국세 조사관	황창훈 4214	전현정 4224	최병석 4234	이창준 4244	김형석 4254	권경란 4264
	진혜정 4215 김용민 4216 안신영 4217	하신호 4225 송영석 4226	이상덕 4235 고성헌 4236	김성향 4245 엄기관 4246	최정열 4255	정애정 4265 정상민 4266
	홍은결 4218 이훈 4219	곽희경 4227 박윤수 4228	박수정 4237	권혁 4247	정순임 4256 전승현 4257	김예슬 4267
관리 운영직 및 기타						
FAX	929-2180					

국실	조사3국					
국장	김재철 4000					
과	조사3과					
과장	이주연 4291					
계	1	2	3	4	5	6
계장	박재원 4292	이철경(4) 4302	가완순 4312	이성일 4322	남호성 4332	김하중 4342
반장	안정민 4293	김용선 4303	안태진 4313	신현준 4323	구본기 4333	김태언 4343
국세 조사관	강인태 4294	양인영 4304	김종곤 4314	조주희 4324	김혜미 4334	김창섭 4344
	신정숙 4295 민혜아 4296 이범준 4297	김대준 4305 고태영 4306	윤종현 4315 김미애 4316	정주인 4325 이승철 4326	채현석 4335	류지혜 4345 이건호 4346
	공선영 4298 강현웅 4299	김병현 4307 정보령 4308	장효섭 4317 나명호	김경식 4327	박혜경 4336 홍성천 4337	김준우 4347
관리 운영직 및 기타						
FAX	922-5205					

국실	조사4국										
국장	오호선 4500, 4700										
과	조사관리과										
과장	신재봉 4501										
계	1	2	3	4	5	6	7	8		9	10
계장	김태훈 4502	옥창의 4512	박영준 4522	이용문 4532	손성환 4542	조주환 4552	유진우 4562	임정일 4582		박찬만 4602	김재형 4612
국세 조사관	서유미 4503 김민준 4504 박경근 4505	박진원 4513 김항범 4514 김은선 4515	유영희 4523	이평년 4533 이영옥 4534	민희망 4543 김현정 4544	임태일 4553 이수정 4554	강양구 4563 윤선영 4564	송영채 4583	신영주 4593 오현정 4594	이근웅 4603	권순찬 4613
	박경희 4506 안지혜 4507 김현우 4508 유희정 (사무) 4511	강성권 4516 장소영 4517 고정진 4518	정수인 4524 석지영 4525 문교현 4526 김병휘 4527	김봉찬 4535 공현주 4536 김윤정 4537	정애진 4545 이영우 4546 최민석 4547 한종범 4548 이성애 4549	이은숙 4555 이동희 4556 이숙 4557	황영규 4565 송준승 4566 장원식 4567 차혜진 4568	노계연 4584 장해성 4585 김대호 4586 김용현 4587 신은주 4588	김혜미 4595 서은원 4596 손승진 4597	김성우 4604 조인혁 4605	김경환 4614 박옥진 4615
	정건제 4509 최아현 4510		송안나 4528 정석훈 4529	이지수 4538		정규식 4558	박미정 4569 김도은 4570	장아름미 4589 김민기 4590 김가이 4591		김형욱 4606	김성호 4616
관리 운영직 및 기타											
FAX	722-7119										

국실	조사4국				
국장	오호선 4500, 4700				
과	조사1과				
과장	이임동 4621				
계	1	2	3	4	5
계장	이주원 4622	최창근 4632	장찬용 4642	오창주 4652	박상기 4672
국세 조사관	허진 4623 한준영 4624	손진욱 4633 박수한 4634	문상철 4643	심수한 4653	안수민 4673
	김선미 4625 박준용 4626 조희성 4627 최승영 4628 권해영(사무) 4667	이우석 4635 김정근(파견) 최희정 4636 배은율 4637	이승호 4644 최동혁 4645 유기선 4646 김경호 4647	황경희 4654 김대영 4655 고현호 4656 봉준혁 4657	김충만 4674 홍성일 4675 조보연 4676 윤동규 4677
	라지영 4629 위민국 4630 류신우 4631	김평섭 4638 정수진 4639	최지현 4648	이유리 4658	김기진 4678
관리 운영직 및 기타					
FAX	765-1370				

국실	조사4국							
국장	오호선 4500, 4700							
과	조사2과				조사3과			
과장	김영상 4721				김정윤 4791			
계	1	2	3	4	1	2	3	4
계장	김봉규 4722	주현철 4732	이방원 4742	고만수 4752	이철재 4792	김유신 4802	이명진 4812	박세건 4822
국세조사관	임성애 4723 배경직 4724	강우진 4733 이정은 4734	박상훈 4743 한정희 4744	김대현 4753	홍순영 4793 임영아 4794	강대선 4803 백영일 4804	이옥선 4813	정해인 4823 최동혁 4824
	진수정 4725 최성일 4726 김동환(파견) 이재용 4727	최민희 4735 이재복 4736 민차형 4737	황윤섭 4745 이선진 4746 박초아 4747	김두환 4754 박선주 4755 김형수 4756 최미선 4757	임샘터 4795 변성익 4796 오상훈 4797 조희원(사무) 4830	이지원 4805 한승만 4806 권성훈 4807	강성모 4814 여태환 4815 이대식 4816 김희진 4817	허진 4825 윤여진 4826 정원영 4827
	안소라 4728 안성희 4729	김선장 4738 이해섭 4739	강민호 4748	김미진 4758	박미선 4798 민새울 4799 김주혜 4800	성경진 4808 이지민 4809	하남우 4818	정장군 4828
관리운영직 및 기타								
FAX	762-6751				763-7857			

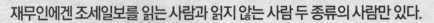

과	첨단탈세방지담당관					
과장	이성진 2700					
계	1	2	3	4	5	6
계장	이세환 2702	고주석 2712	김태형 2722	서미리 3052	김윤정 2752	정성한 2782
국세 조사관	박상돈 2703 박세일 2704 황광국 2705	강하규 2713 민병웅 2714 김광영 2715 윤현숙 2716	신동훈 2723 신영웅 2728 김광수 2724 임창규 2739	최남철 3053 최익성 3054 박은희 6373 송윤호 3055 김상일 3191 원병덕 3194 정현숙 3056	박재홍 2753 권영희 2754 박안제라 2755 이상묵 2756	백경미 2783
	이숙영 2762 황재연 2763 진희성 2764 이동한 2706 안유현 2765 정창우 2766 천해인 2767 정미경 2003	최윤영 2717 이강일 2718 엄정상 2719 김지연 2720 김종석 2721	오다혜 2725 최은수 3192 박정건 2731 김난미 2732 김성필 2737 김수용 3059 손민정 2735 조용석 2741 임다혜 2729 송인용 2742	김성은 3057 김동현 2734 김세훈 3058 김상연 6375 윤상욱 3060 판현미 3061 박원준 3195 박지현 6374 정민화 3062	박정권 2757 오형진 2758 유현 2759 김태희 2760 천근영 2761	안진영 2784 문승진 2785 장희원 2786
	임혜진 2707	유연진 2708 서빛나 2709	임하나 2738 장영훈 2727 박정호 2736 김진식 2740 박대영 2743 김구름 2730 이희령 2726	권민정 3063 정태경 3193 정연웅 3064 안소진 6376 임호진 3065 윤소월 3197 안태일 3196		김수지 2787 김시태 2788
관리 운영직 및 기타	신소라 2701		<포렌식> 수원지원사무소 031-290-3192~6 인천지원사무소 032-718-6373~6			
	문서감정분석실 2114-2795, 2796					
FAX	549-3413	3674-7691	3674-7846		549-3417	

DID : 02-2114-OOOO

국실	국제거래조사국										
국장	신희철 5000										
과	국제조사관리과								국제조사1과		
과장	윤순상 5001								김정수 5101		
계	1	2	3	4	5	6	7	8	1	2	3
계장	김정미 5002	김민 5012	김종국 5022	정규명 5032	김정흠 5042	박수현 5052	배일규 5062	장기웅 5072	장재수 5102	계구봉 5112	김형태 5122
반장	이성호 5003	조준섭 5013	권진록 5023	이임순 5033	예정욱 5043	이석재 5053	권범준 5063	김수원 5073	김진규 5103	오희준 5113	이종우 5123
국세 조사관		설미현 5014 심창현 5015	신상일 5024			이덕화 5054		김영일 5074	이세연 5104	한경화 5114	이은영 5124
	최현옥 5004 한수현 5005 전혜영 5006 차선영 5009	이재연 5016 장동주 5017	이수연 5025 문순철 5026	김명희 5034 윤명준 5035 연지연 5036	이미라 5044 설재형 5045 박진습 양연화 5046	김병기 5055 도상옥 5056	김나연 5064 김호준 5065 송진미 5066	한정희 5075 김영찬 5076	김완수 5105 최연수 5106 김준기 5107 박은선 5109	모두열 5115 이창준 5116 이명희 5117	서승원 5125 최지아 5126
	오세혁 5007 하은혜 5008		이지현 5027	김형섭 5037		김기현 5057 현소정 5058	현재민 5067 여진임 5068	이현아 5077 황희상 5078	김리영 5108 김소희 5110	남창환 5118	홍수현 5127
관리 운영직 및 기타											
FAX	739-9832								3674-5520		

국실	국제거래조사국									
국장	신희철 5000									
과	국제조사1과				국제조사2과					
과장	김정수 5101				최종열 5201					
계	4	5	6	7	1	2	3	4	5	6
계장	오정근 5132	김민광 5142	유하수 5152	문형민 5162	진선조 5202	오성철 5212	양기정 5222	김중헌 5232	최재현 5242	최영환 5252
반장	최영수 5133	조홍기 5143	강새롬 5153	박찬웅 5163	조용수 5203	형성우 5213	구보경 5223	이도경 5233	김은정 5243	윤설진 5253
국세 조사관	이안나 5134	권영승 5144		권혁준 5164	백송희 5204	이정자 5214	최경원 5224	박원균 5234		김지현 5254
	신희웅 5135 김혜린 5136 이윤경 5137	금현정 5145 최수빈 5146 문홍규	김영환 5154 동소연 5155 남송이 5156	이재성 5165	김국진 5205 이이네 5206 박진희 5207 신향식 5210	최종태 5215 우주원 5216	정치중 5225 황은미 5226 송진희 5227	손영란 5235 윤성열 5236	심아미 5244 정석규 5245 이혜인 5246	임강욱 5255 최은혜 5256
	장혜미 5138	박성애 5147	곽영경 5157 김하림 5158	안진환 5166 차유라 5167	심상미 5208 박지숙 5209	이수정 5217 정주희 5218	백승희 5228	이은비 5237	유용근 5247 양국현 5248	박형배 5257
관리 운영직 및 기타										
FAX	3674-5520				3674-7932					

강남세무서

대표전화: 02-5194-200 / DID: 02-5194-OOO

서장: **구 상 호**
DID: 02-5194-201~2

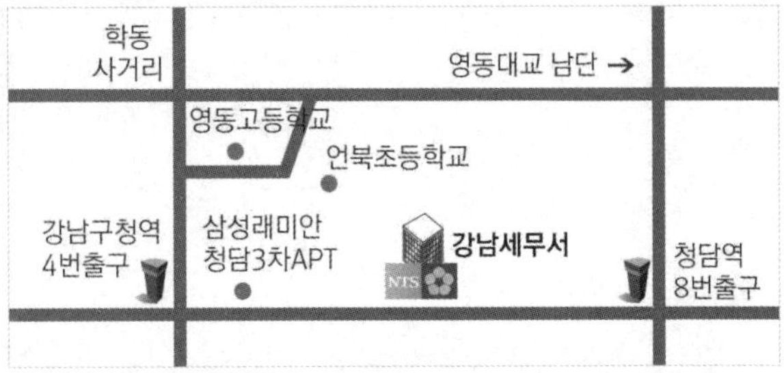

주소	서울특별시 강남구 학동로 425(청담동 45번지) (우) 06068				
코드번호	211	**계좌번호**	180616	**사업자번호**	120-83-00025
관할구역	서울특별시 강남구 중 신사동, 논현동, 압구정동, 청담동			**이메일**	gangnam@nts.go.kr

과	체납징세과				부가가치세과		소득세과		재산세1과	
과장	이우재 240				양진근 280		한예환 360		어기선 480	
계	운영지원	체납추적1	체납추적2	징세	부가1	부가2	소득1	소득2	재산1	재산2
계장	이길형 241	윤미성 601	이지연 621	유은숙 261	김문환 281	이동남 301	김도경 361	최미옥 381	공효정 481	황찬욱 501
국세조사관		김지혜 602			정영건 282	김종현 302	김선율 362		정유미 482 정승원 483 신중현	신이길 502 양철원 503
	전훈희 242 변정기 243 변지아 247 이정화 618	박성근 603 신승애 604 정정희 605 이은영 606 손성진 607 강정구	정상덕 622 김윤정 623 박현정 624 임혜진 625 진정호 626	박경애 262	채혜숙 283 조정미 284 탁정미 강혜월 299	이수안 303 장혜주 304 박규빈 305	박승문 363 도정미 377	홍미숙 382 김은영 383	신복희 484 이승호 485 조용석 486 권명자 495	김해림 504 백정훈 505
	백두열 244 남수진 247	나한결 608 박재성 609	강현주 627 전지연 628	안가혜 264 정승희 263 이승진 265	최병석 285	노미선 306 백설희 307	정영달 364	조서혜 384 박한나 385		안미라 506
	구영민 245 한주연 246 송은우 617		정재영 629		박소미 286 이유영 287 이서영 288	장민경 308 은하얀 309	박진우 365 김현주 366	류현준 386 최인혜 387	유소열 487	김영재 507
관리운영직 및 기타										
FAX	512-3917				546-0501, 0502	546-0501	546-3175		546-3178	

대원 세무법인

대표세무사: 강영중

서울시 강남구 논현2동 209-9 한국관세사회관 2층
전화:02-3016-3810 팩스:02-552-4301
핸드폰:010-5493-4211 이메일:yjkang@taxdaewon.co.kr

과	재산세2과		법인세1과		법인세2과		조사과			납세자보호담당관	
과장	김시영 540		민경하 400		김봉범 440		이학곤 640			김미경 210	
계	재산1	재산2	법인1	법인2	법인1	법인2	조사관리	조사	세원정보	납세자 보호실	민원 봉사실
계장	안진술 541	노기항 561	이재강 401	김선한 421	이문수 441	허효선 461	구상모 641	이준혁 651	김현재 691		김규호 221
국세 조사관	김한성 542	조상현 562 김대환 563	신종훈 402	백연하 422	유정희 442 조수현	이경숙 462		권종욱 657 백성태 654 김소연 661 강명부 662 김선정 660 문지혜 668	김동호 692	박성준 212	
	안수정 543 조재평 544 조정진 545 김현진 546	김현 564	박명희 403 이유진 405 문숙현	임병수 423 김미정 424 홍찬희 425	정미선 443 박민재 445	류순영 463 정화선 464 김수지 465	윤소영 642	정주영 666 안승용 665 권우택 652 최강인 663 박요나 667 김명열 669 허남규 송유승 송인용		김희숙 213 임옥경 214 손재하 215 임진호 217	오현주 223 이진아 224 신윤경 225 장선희 222 이주영 222
	신현영 547	황아름 565	조영탁 406	김종수 426	나영주 447 김희애 446	박진현 467	황서하 643 이동열 644	곽혜원 658 고혁준 655 김미례 653 양기현 646 신지우 656 김보연 659			유호경 226 최정희 230 김수경 222
		정서영 566 최웅 567	김민주 407	홍은기 427 주영석 428	신구호 448 안진모 449	오현석 468 김혜빈 469		정지예 664 이지수 648	김성미 693		강수정 227 지서연 228 선지혜 229
관리 운영직 및 기타											
FAX	546 -3179		546-0505		546-0506		546-0507			546-3181	

강동세무서

대표전화: 02-22240-200 / DID: 02-22240-OOO

서장: **이 승 원**

DID: 02-22240-201, 202

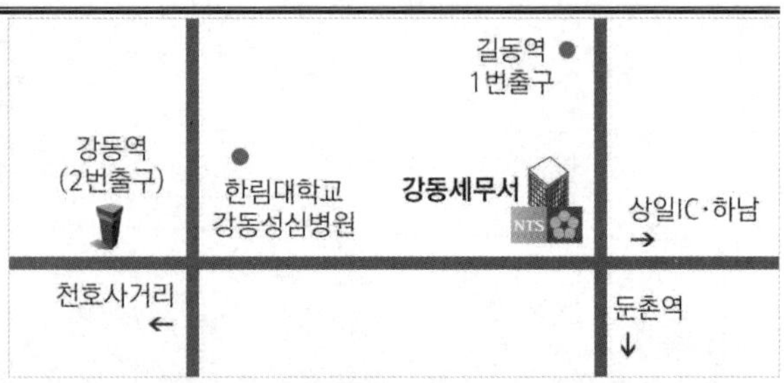

주소	서울특별시 강동구 천호대로 1139(길동, 강동그린타워) (우) 05355				
코드번호	212	**계좌번호**	180629	**사업자번호**	212-83-01681
관할구역	서울특별시 강동구			**이메일**	gangdong@nts.go.kr

과	체납징세과			부가세과		소득세과		법인세과	
과장	박은경 240			홍덕표 280		전순호 360		정광준 400	
계	운영지원팀	체납추적팀	징세팀	부가1	부가2	소득1	소득2	법인1	법인2
계장	김소희 241	김영면 601	고영수 261	김혜랑 281	이영미 301	맹기성 361	신남숙 621	김선봉 401	김민석 421
국세조사관					이준석		이종순 624 이지연 296	홍지성 402	장연근 422 류동균 423
	조범래 242 김희정 243 박성섭 666	송찬미 602 이희라 603 박정희 604 정순삼 605 이상훈 606	강문희 262 박은혜 265	문미라 282 이은경 283 박숙희 284 김정미 295	문여리 302 김연자 303 조성주 564 허지원 304 이은희 305 김대우 295	이상숙 362 이석재 365 기재희 364 문정희 366	엄청분 623 최근창 627 백승범 626	이보배 403 김진희 410	박종화 424 최수미 425
	노정환 244 허윤제 667	김형태 607 이서현 608 서동우 609 임여울 608 김희선 610	김선경 263 정유리 264	한수은 285 정교민 286	김현영 306	신준철 370 이경수 367 조서이 368 이슬기 369 김수정 296	민샘 622 김현진 628 구은주 625 유경원 630	김형주 404 김우성 405	
	김연희 245 이경은 246	원정윤 611		장지우 287 김동현 288 황웅재 289	변혜림 307 박재형 308	조주희 371	하주원 631 문호승 629		
관리운영직 및 기타									
FAX	2224-0267			489-3253		489-3255~56		489-4129	

1등 조세회계 경제신문 조세일보

과	재산세과			조사과			납세자보호담당관	
과장	류동현 480			정재영 640			최용복 210	
계	재산1	재산2	재산3	조사관리	조사	세원정보	납세자 보호실	민원봉사실
계장	김진수 481	김호복 501	이정미 521	배은주 641	이지연 651	안동섭 691	김종삼 211	김승권 221
국세 조사관		김인홍 502		김규환 642	이지숙 652 이성재 653 최영학 654			김나나 222
	김경희 482 김난형 483 김진곤 484 문윤호 485 조영순 488 박정은 550	은지현 503 박순애 504	이영주 522 김현옥 523 정원호 524	변행열 644 윤선화 643	김우정 655 전샛별 656 전병준 659 김덕영 658	정철 692 김성욱 693	최은영 212 오정환 213 이우석 214	이상현 223 이성옥 224 김차남 225 송지선 226
	유주만 486	김수정 505 최여은 550	이여진 525	박효진 645	송지아 657 정수미 660 이호준 663			강현주 228
	최정민 487	안기영 506 장영애 507	박수민 526 박미희 527		이희환 661			이병수 227
관리 운영직 및 기타								
FAX	489-4166			489-4167			489-4463	470-9577

강서세무서

대표전화: 02-26304-200 / DID: 02-26304-OOO

서장: **최 호 재**
DID: 02-26304-201

주소	서울특별시 강서구 마곡서1로 60(마곡동 745-1) (우) 07799				
코드번호	109	계좌번호	012027	사업자번호	109-83-02536
관할구역	서울특별시 강서구 전체			이메일	gangseo@nts.go.kr

과	체납징세과				부가가치세과		소득세과	
과장	권오현 240				김남균 280		양경영 360	
계	운영지원	체납추적1	체납추적2	징세	부가1	부가2	소득1	소득2
계장	이재상 241	김형준 601	김명자 621	이종현 261	김진수 281	김승일 301	남기형 361	한정식 381
국세조사관		김경호 602	정현숙 622 이주한 623		이승준 282	이용석 302 윤미경 303	차순백 362	박경수 382
	김동원 242 남전우 592 안연찬 243	허세욱 603 천명선 604	장재훈 624 강미진 625	박옥희 262	윤성준 283 김지훈 284 홍세진 285 윤난영 286 최은영 287 조우숙 295	박상희 304 천경필 305 임태호 306 장주현 307 박소연 308 김정미 309	이수련 363 최해철 364 임효선 365 이영호 366 이주연 367	윤진희 383 박정순 384 박원영 385 안성진 386 이진호 387 최인영 388
	김정은 244 김지윤 245 이형권 594	주성재 605 이묘환 606 김예린 607 김용정 608	정형진 626 박희진 627	최효진 263 오혜실 264	안정훈 288 안지혜 289	박종일 310 이지혜 311 김민아 311 조미성 314	박유미 368	최은영 389
	김혜빈 247 이원익 246 김규성 594	정경숙 609	방원석 628 김지현 629		이채연 290 김혜정 291 나수정 291 김수진 292 박아름 293 조호준 294	이혜민 312 문성윤 312	양창혁 369 이정림 370 이선아 371 김혜윤 372 김민석 373	이슬기 390 곽민정 391
관리운영직 및 기타								
FAX	2679-8777				2671-5162	2068-0448	2679-9655	2068-0447

과	재산세과			법인세과		조사과			납세자보호담당관	
과장	윤동환 480			신래철 400		이병만 640			최장원 210	
계	재산1	재산2	재산3	법인1	법인2	조사관리	조사	세원정보	납세자 보호실	민원 봉사실
계장	이재원 481	조헌일 501	류중성 521	정운형 401	조성리 421	심종숙 641		권혁노 691	서현문 211	유순복 221
국세 조사관		박평식 502	김종식 522	이경선 402	김우진 422		손상현 651 염지훈 654 조성목 660		김병만 212	
	송병섭 482 이승훈 483 유소정 483 손정욱 484 윤정미 485	허태욱 503 박명훈 504	권정운 523 김대윤 524 박소민 528	신경아 403 김창근 404 강방숙 411	이상헌 423 임엽 424 이진주 425	김영일 642 조원준 643	조현철 652 김병진 655 정규호 661 김형일 663 임수진 664 최형석 666	최용우 692	전민재 213 김경진 214 송지혜 215	김경희 224 이원도 223 황규형 226
	박준영 486	김현경 505 김유진 506	박진희 525 허지연 526	박근식 405 이류기 406	김재현 426 문용원 427	윤병진 644	방형석 658 서승혜 662 박병주 665 김형석 667			박경화 228 윤혜숙 223 김혜원 225
	이윤주 488 박남규 489	김건호 507	백현기 527	허송이 407 이선민 408	이유빈 428		이현욱 653 차원영 656 신동호 659 이주빈 668			김나연 227 송찬양 230 표정범 231
관리 운영직 및 기타										
FAX	2634- 0757	2634- 0758	2634- 0757	2678-3818		2678-6965			2678- 4163	2635- 0795

관악세무서

대표전화: 02-21734-200 / DID: 02-21734-OOO

서장: **신 석 균**
DID: 02-21734-201

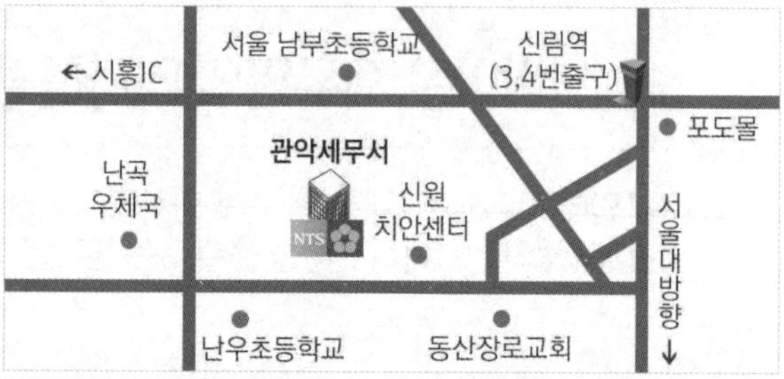

주소	서울특별시 관악구 문성로 187(신림1동 438-2) (우) 08773				
코드번호	145	**계좌번호**	024675	**사업자번호**	114-83-01179
관할구역	서울특별시 관악구 전체			**이메일**	

과	체납징세과			부가가치세과		소득세과	
과장	손상영 240			조가람 270		오인섭 340	
계	운영지원	체납추적	징세	부가1	부가2	소득1	소득2
계장	곽세운 241	황규홍 601	이희경 261	류인철 271	최창경 291	권보성 341	이금란 361
국세 조사관		배현우 602	최미순 268			노재호 342	김남주 362
	이춘근 242 박영임 243	김병수 603 양미선 604 부성진 605 차경하 606 박순희 607 김보경 608	조숙연 262	안성진 272 김익환 273 김경숙 274 김명주 275 박선민 276	구영대 292 김영미 293 김미경 294 김승환 295 권민지 296 한보경 297	전은상 343 박경복 379 노연섭 344 송다은 345	이정욱 363 강금여 364 박정민 365 이규혁 366
	진근식	이희영 609 이화영 610	김새미 263	이영희 277	송호필 298 이송향 299	오덕희 346 김나영 347 이연호 348	정민주 367 박민주 368 감동윤 369
	강수빈 245 오철민 246 최상혁 246 김대희 247	김희지 611 박종필 612 장덕윤 613		김주엽 278 김소영 279 권혜지 280 정미경 281	김세빈 300 조영혁 301 박윤환 302	강민수 349 이다훈 350 정민석 351	안주영 370 양윤모 371
관리 운영직 및 기타							
FAX	2173-4269			2173-4339		2173-4409	

과	재산법인세과			조사과			납세자보호담당관	
과장	맹충호 460			노동승 640			손상영(직무대리) 240	
계	재산1	재산2	법인	조사관리	조사팀	세원정보	납세자 보호실	민원봉사실
계장	강체윤 461	이우성 481	이세주 531	정창근 641		유환문 681	김상길 211	정미원 221
국세 조사관		이광재 482	이승구 533		정현중 651 최혜진 654 오주영 659	윤명희 684	송종범 212	
	송인옥 462 허진화 463	양종선 483 강선영 484 윤혜숙 541	김형진 534 김병윤 535	윤영훈 642	조미영 661	신동혁 682	류한상 213 이은선 214	류기수 222
	박수현 464 안성호 465 이준희 466	현우정 486 최은경 485	김윤미 536 전미례 537	이경민 643	김상선 653 한성일 652 주경섭 655 서경희 662	공기영 683		유소진 223 이민영 224 임진화 225
	권태준 467 박지환 468 최고은 469 이찬 470	최인석 487	이재원 538	송해영 645	장혜미 656			박정연 226 배석준 227 정동욱 228
관리 운영직 및 기타								
FAX	2173-4550			2173-4690			2173- 4220	2173- 4239

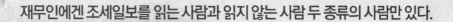

구로세무서

대표전화: 02-26307-200 / DID: 02-26307-OOO

서장: **박 진 하**
DID: 02-26307-201

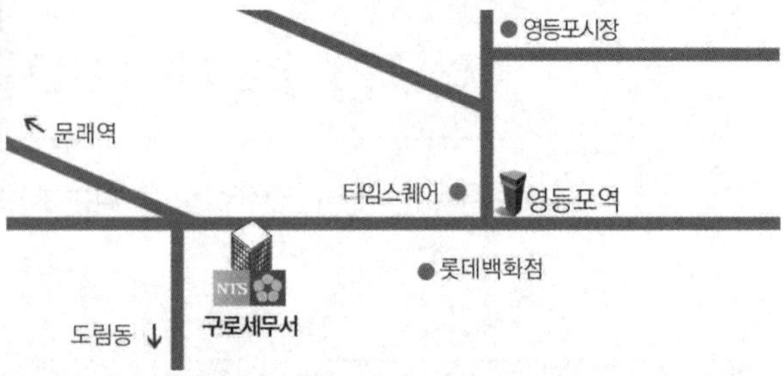

주소	서울특별시 영등포구 경인로 778(문래동 1가) (우) 07363				
코드번호	113	계좌번호	011756	사업자번호	113-83-00013
관할구역	서울특별시 구로구			이메일	guro@nts.go.kr

과	체납징세과				부가가치세과			소득세과	
과장	조구영 240				박주담 280			박상식 360	
계	운영지원	체납추적1	체납추적2	징세	부가1	부가2	부가3	소득1	소득2
계장	이강연 241	이용식 601	안상욱 621	박옥주 261	이영진 281	김용훈 301	김규성 321	박정임 361	류진 381
국세조사관		박범진 602	심선미 622		배진희 282	조민숙 302 정윤미 303	김수연 322	허훈 362 정근우 363	장재원 382
	이서현 242 구미선 243 박경숙 247 주정숙 650	김환석 603 손미량 604 김효진 605 고영숙 606	정기선 623 윤주영 624 정혜영 625 송종호 626	김기은 262 이희진 263	서해나 283 정희원 284 이나영 291	최인귀 304 김윤경 305 강나영 306	장은정 323 정회훈 324	홍현승 364 이창남 365 김민우 366	정기선 383 김영옥 384 심영민 385 송혜원 386
	최선학 244	이지응 607	전지원 627	노영희 264	이정훈 285 정유진 286 박혜진 340 이연실 287	국예름 307 김용 340	천승범 325 최정영 326 이혜인 327 장민영 328	박현혜 367 이혜진 368	구선영 387 최재영 372
	안인엽 245 고병찬 246 도기원 591 심희열 595	한민지 608 장원주 609	정석훈 628		이재연 288 유선애 289	신유경 308 박지은 309	박정민 329	조현경 372 남호진 369	위다현 388 한혜빈 389
관리운영직 및 기타									
FAX	2631-8958				2637-7639	2636-4913		2634-1874	2636-4912

과	재산세과		법인세과		조사과			납세자보호담당관	
과장	김동영 480		김홍렬 400		김성일 640			박만욱 210	
계	재산1	재산2	법인1	법인2	조사관리	조사	세원정보	납세자 보호실	민원 봉사실
계장	송민수 481	이승종 501	장영환 401	신옥미 421	이근석 641		안상현 691	김영종 211	정영진 221
국세 조사관	이진영 482	박성민 502	이기현 402			주경탁 651 최재철 657	성시우 692	김동현 212	정은아 222
	오승필 483 국승원 484 윤영경 485 최승택 486 이민영 490 정난영 487 김남희 489	이수정 503 전우찬 504	이성호 403 권태인 404 김명주 405 박선영 406	김수영 422 임형철 423 조소연 424	김자현 642 장지은 643	김지범 654 강동휘 661 박미연 662 정하늘 664 전인경 665	이준규 693 한윤정 694	송도관 213 한아름	김광현 223 김경희 225 오경자 231 박정순 224
		윤소라 505	최순희 407 조정훈 408 김은호 409	이호은 425 최영아 426 황유성 427	이유선 645	윤현경 652 이은제 658 조인영 655 이병만 656 김주연 663 송창식 666		안성은 214 권현신 215	김보영 233 강정규 227 강유미 229
	정현우 490	김지영 506 정혜림 507	장서현 410	최호윤 428 안수정 429		박종호 653 장연주 660			홍성옥 231 이승현 228 이진아 233
관리 운영직 및 기타									
FAX	2636-7158		2676- 7455	2679- 6394	2632-1498			2632 -7219	2631 -8957

금천세무서

대표전화: 02-8504-200 / DID: 02-8504-OOO

서장: **이 진 우**
DID: 02-8504-201

주소	서울특별시 금천구 시흥대로152길 11-21(독산동) (우) 08536 조사과 : 서울특별시 관악구 남부순환로 1369 (신림동) 관악농협 하나로마트 5층 (우) 08537				
코드번호	119	**계좌번호**	014371	**사업자번호**	119-83-00011
관할구역	서울특별시 금천구			**이메일**	geumcheon@nts.go.kr

과	체납징세과			부가가치세과		소득세과	
과장	배정현 240			신미순 280		김영효 320	
계	운영지원	체납추적	징세	부가1	부가2	소득1	소득2
계장	곽윤희 241	황용섭 601	변성미 261	김미원 281	이수락 301	김현태 321	김현호 341
국세조사관		배옥현 602 김정숙 603		김영웅 282	조준 302		김규인 347
	박용우 242 김주현 243 변유경 248	이성수 604 황상인 605 김주수 606 배주현 607 최은지 608	윤현미 262	송기원 283 최하연 284	박영식 303 김제은 304 함광주 305	주기환 322 김영숙 323	이수정 342 유명옥 343 김용수 344
	김수경 244 이재훈 245 김은석 595	배재홍 609 손준성 610 임태윤 611 김연주 612	김은혜 263 변가람 264	김은희 285 이주선 286 장철성 287	윤수열 306 임미송 307	유혜란 324	
	김준 246 박경렬 595	이명수 613		이윤정 288 임규성 289	정방현 308 김세린 309	박승원 325 고우성 326	여호종 345 문예슬 346
관리운영직 및 기타							
FAX	861-1475			865-5504		850-4359	

세림세무법인

대표세무사 : 김창진

서울시 금천구 시흥대로 488, 701호(독산동, 혜전빌딩)

1본부(701호) T. 02)854-2100 F. 02)854-2120
2본부(601호) T. 02)501-2155 F. 02)854-2516
홈페이지: www.taxoffice.co.kr 이메일: taxmgt@taxemail.co.kr

과	재산법인세과			조사과			납세자보호담당관	
과장	김내리 400			김병로 640			이중호 210	
계	재산	법인1	법인2	조사관리	조사	세원정보	납세자보호실	민원봉사실
계장	조광석 481	이병준 401	김강훈 421	노병현 641		김미순 691	최용규 211	김선도 221
국세조사관	정현식 482	전병천 402	이옥녕 422	변동석 642	이진우 651 유수권 656 정진성 661 윤길성 671			
	이강윤 483 박형우 484 박수지 485	김병준 403 박주철 404 김기선 405 이윤경 406	김성표 423 심진용 424 이수원 425	김수진 643 김미연 644	강은영 652 곽동윤 657 정혜윤 662 전민휘 681	정은하 692	이현희 214 손동영 212 김경희 213	손수정 222 이수란 223 문미경 224
	최나연 486	장일영 407	조영진 426		조한영 653 지원민 658 이충섭 658 이연우 663 김영한 672 박혜미 682			강은실 225 한정아 226
	박혜인 487 유진아 488	강정목 408 김은정 409 정영균 410 문대우 411	황순호 427 노은호 428 김유진 429 이윤수 430					장서윤 227 윤지원 228 김단아 229
관리운영직 및 기타								
FAX	865-5565			855-4671			865-5532	865-5537

남대문세무서

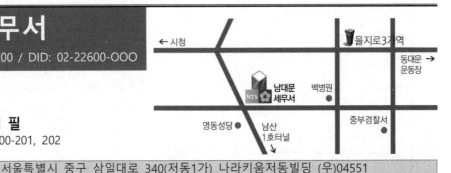

대표전화: 02-22600-200 / DID: 02-22600-OOO

서장: **양 정 필**
DID: 02-22600-201, 202

주소	서울특별시 중구 삼일대로 340(저동1가) 나라키움저동빌딩 (우)04551				
코드번호	104	계좌번호	011785	사업자번호	104-83-00455
관할구역	서울특별시 중구 중 남대문로 1·3·4·5가, 을지로 1·2·3·4·5가, 주교동, 삼각동, 수하동, 장교동, 수표동, 저동 1·2가, 입정동, 산림동, 무교동, 다동, 북창동, 남창동, 봉래동 1·2가, 회현동 1·2·3가, 소공동, 태평로 1·2가, 서소문동, 정동, 순화동, 의주로 1·2가, 중림동, 만리동 1·2가, 충정로 1가			이메일	namdaemun@nts.go.kr

과	체납징세과			부가소득세과			재산법인세과	
과장	백승원 240			박종오 280			배인수 400	
계	운영지원	체납추적	징세	부가1	부가2	소득	재산	법인1
계장	이미경 241	나찬영 601	배철숙 261	김선항 281	정태경 301	송기선 321	김민주 481	엄형태 401
국세 조사관			박영애 264	이동진 282	김수진 302 정수경 303	구옥선	정주연 482	
	장서영 242 황순이 246 이광순 593	김은영 602 김충상 603 김미옥 604	임미영 262 전희경 263	오선지 283 이영경 284	주동철 304 이진 308	박소희 322 이재완 323	이규미 486 정대영 483	유동원 402 윤점희 403 신미선 404
	박대윤 243 양현아 244 윤대이 247	이성진 605 김홍래 606 봉수현 607 김해인 608		윤선민 285 김다원 286	김효정 305		시종원 484	함지영 405 한소라 406 차중협 407
	김효진 245	구자연 609 정지원 610		이은준 287	김소라 306	명인범 324	한정덕 485	이지연 408 진성민 409
관리 운영직 및 기타								
FAX	755-7114	755-0132		755-7145			755-7714	

과	재산법인세과		조사과			납세자보호담당관	
과장	배인수 400		홍혁기 640			박동철 210	
계	법인2	법인3	조사관리	조사	세원정보	납세자보호실	민원봉사실
계장	유극종 421	김진열 441	김유신 641		김주애 691	원한규 211	서숙은 221
국세조사관			양태식 642	김영기 651 김민정 654 이기주 674 장문근 657 이응석 671			김선화 223
	노일호 422 박마래 423 유지영 424	박복영 442 최진 443 박금숙 444	서재필 643 김경숙 644	김경민 652 홍진표 658 김푸름 672	김연신 692 홍승희 693	김준수 212 임상진 213 김창미 214	정민순 224
	이혜란 425 김명화 426	소찬일 445 김화도 446	심지숙 645	장영진 653 한종환 655 조은효 656 송알이 675 오유석 676 박지혜 673			
	박주연 427 박세희 428 김지윤 429	윤혁 447 이재영 448					주아람 225 김별나 226 이선우 227
관리운영직 및 기타							
FAX	755-7714		755-7922			755-7903	755-7944

노원세무서

대표전화: 02-34990-200 / DID: 02-34990-OOO

서장: **이 상 걸**
DID: 02-34990-201

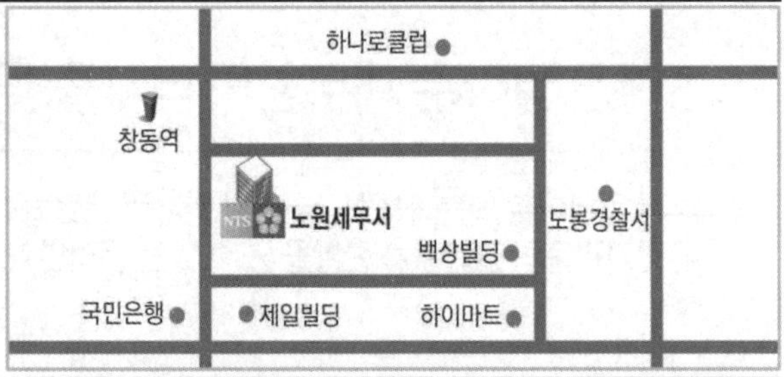

주소	서울특별시 도봉구 노해로69길 14(창4동 15) (우)01415				
코드번호	217	**계좌번호**	001562	**사업자번호**	217-83-00014
관할구역	서울특별시 노원구 전지역, 도봉구 중 창동			**이메일**	nowon@nts.go.kr

과	체납징세과				부가가치세과		소득세과	
과장	조범기 240				류해상 280		박희도 360	
계	운영지원	체납추적1	체납추적2	징세	부가1	부가2	소득1	소득2
계장	윤희관 241	박정곤 601	이상훈 621	이미녀 261	임병일 281	황태건 301	이승철 361	지은섭 381
국세 조사관					이길채 282		배상미 373	조용만 382
	심현희 242 박세진 243 오현순 550	권교범 602 김은화 603 이수인 604 김대연 605	조명기 622 박선희 623 강석순 624	김영옥 262 조은정 263	홍지화 283 이지현 284 김민수 285	동남일 311 한진옥 399 김영아 302 김은화 303 김민지 304	이미영 362 정경택 363 김민경 364 김미영 365 전은지 366 이성준 367 전선화 377	김현숙 383 차은정 384 양희정 385 최은애 386 김선미 387
	이준표 244 김정현 245 유승종 593	유환성 606	김나은 625	한지숙 264	이정윤 286 류기현 287 전성훈 288 안모세 289	이효정 305 변금수 306 안진성 307 정일범 308	강미수 399 이창흠 368 이윤희 369	유지영 388 김채윤 389 김아름 390
	김규리 246 노재윤 593	이윤경 607 김은경 608 이지은 609	최인아 626 이애신 627		강송현 290 이은아 291 한승완 292	편나래 309 임희건 310	현지원 370 원상호 371 윤세진 372	김형래 391 정의범 392 정상열 393
관리 운영직 및 기타								
FAX	992-1485				992-0112		992-0574	

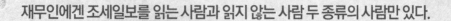

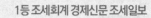

과	재산법인세과				조사과			납세자보호담당실	
과장	문태형 400				김문훈 640			윤종상 210	
계	재산1	재산2	재산3	법인	조사관리	조사	세원정보	납세자 보호실	민원봉사실
계장	정승렬 481	강희웅 501	김종헌 521	박준서 401	어명진 641	황병규 651 김성열 654	정광일 691	채용찬 211	남궁재옥 221
국세 조사관	조규창 482	김광록 502	전정훈 522 정정화 523	이동현 402	백순복 642	김흥곤 657 전종상 660 이윤석		전진수 213 홍혜진 214	
	맹지윤 483 이지혜 484 이미정 411	강현주 503	민정기 524 양신 525	김영숙 403 오현준 404	박은정 643 박영란 644 남용희 645	이동구 661 심주호 692 박세진 655 왕지은 652 배종섭	홍상기 693 윤은숙 692	박성찬 215	김지윤 223 정지혜 228 박은정 228 김준연 226
	양미숙 485 이창언 486	박현수 504 임수연 505	박상미 527	김희정 405 김미경 406		류희정 658 정현진 659 오동석 653 이동규 656 박신해 662			제갈융 238 김안나 224 최선희 227
	김지현 487 홍문기 488	김영기 506 김영호 507	박성하 528 김혁 526	이동건 407					이승주 229 조은기 225 박세환 222
관리 운영직 및 기타									
FAX	992-0188			992-2693	992-2747			992-0272	992-6753

도봉세무서

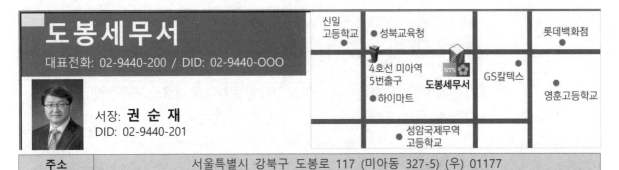

대표전화: 02-9440-200 / DID: 02-9440-OOO

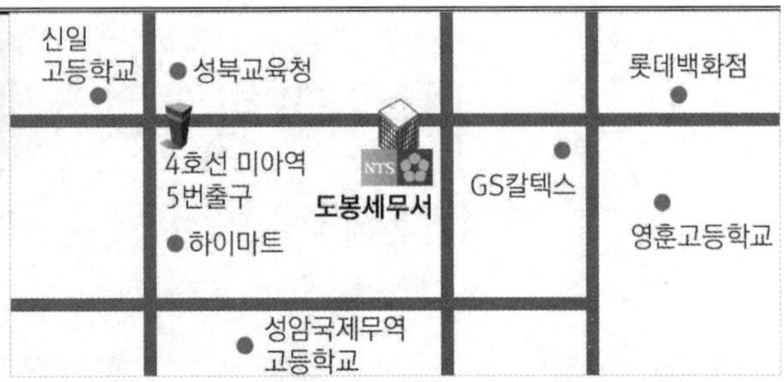

서장: **권 순 재**
DID: 02-9440-201

주소	서울특별시 강북구 도봉로 117 (미아동 327-5) (우) 01177				
코드번호	210	계좌번호	011811	사업자번호	210-83-00013
관할구역	서울특별시 강북구, 도봉구 (창동 제외)			이메일	dobong@nts.go.kr

과	체납징세과			부가가치세과		소득세과	
과장	권오준 240			이원만 280		류장곤 360	
계	운영지원	체납추적	징세	부가1	부가2	소득1	소득2
계장	최환규 241	양동원 601	김병래 261	성기동 281	최경희 301	이봉숙 361	양미영 381
국세조사관		박문철 602 이지선 603	박현영 262		이보현 302		
	이성훈 242 유순희 243 류진규 244 임은주 248 황계숙 258	신정환 604 정동환 605 정주현 606 송설희 607 원정일 608 복은주 609	정수빈 263	김경선 282 김의중 283 윤미희 284 윤은미 285	김미애 303 정경순 304 송유석 305 박성일 306 김경익 307 이계승 308	김영남 362 윤영숙 363 김성진 364 강현정 365 홍지석 366	윤민수 382 채민호 383 정흥자 384 임윤종 385
	권용상 595	김보라 610 최원희 611 하태연 612	이보배 264	유소정 286 유현아 287 이명행 288	유은미 309	김대현 367 박현경 375 이정하 368	심지섭 386 김슬기 387 김선진 388 김재현 389
	박진희 245 안성빈 595	원시열 613		김미연 289 안지은 290 오주한 291	한창우 310 박준우 311 진경화 312 김수민 313	함영은 369 허정희 370 김효상 371	황지영 390 박지혜 391
관리운영직 및 기타							
FAX	944-0247	944-0249		945-8312		987-7915	

1등 조세회계 경제신문 조세일보

과	재산법인세과			조사과			납세자보호담당관	
과장	원윤아 400			박애자 640			이용만 210	
계	재산1	재산2	법인	조사관리	조사	세원정보	납세자 보호실	민원봉사실
계장	한상민 481	양광준 501	조판규 401	정상술 641	서경철 651	이창건 691	조수아 211	이상조 221
국세 조사관	김종현	김수영 502	심상우 402	김우정 642	김상근 655 이봉열 659 길익찬 656		김순중 212	
	김성향 482 김은정 483 박지영 415	황정미 김경원 503 고경수 504	유진희 403 김은경 404		이승필 657 유수경 660 최운식 652	이수연 692 이존열 693	장병국 214	이채아 222 윤지미 223
	최수연 484 이희숙 485		정남숙 405	윤태경 643	최효진 661 심경연 658 표선임 653 변지현 654		이지수 213	조지영 224 박소연 225
	유정현 487 이승민 486 김슬기 489 권예지 488	조동진 505 오대철 506 이장훈 507	주성희 406					김혜영 226 김민영 227 정현숙 223 이현우 228
관리 운영직 및 기타								
FAX	945-8313			984-8057			984-6097	945-6942

동대문세무서

대표전화: 02-9580-200 / DID: 02-9580-OOO

서장: **황 정 길**

DID: 02-9580-201

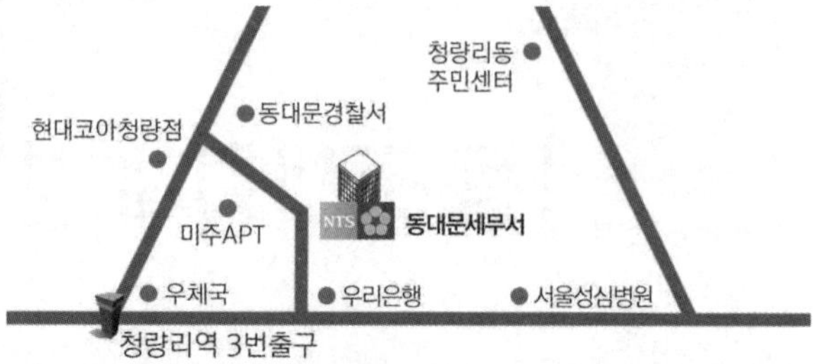

주소	서울특별시 동대문구 약령시로 159 (청량리동 235-5) (우)02489				
코드번호	204	계좌번호	011824	사업자번호	209-83-00819
관할구역	서울특별시 동대문구			이메일	dongdaemun@nts.go.kr

과	체납징세과			부가가치세과		소득세과	
과장	신우교 240			선봉관 280		김덕원 360	
계	운영지원	체납추적	징세	부가1	부가2	소득1	소득2
계장	최태규 241	김용철 601	임정미 261	이희열 281	송희성 301	조동표 361	황호민 381
국세조사관				이지선 141 윤선기 282	이주희 302	정한진 362	김혜숙 382
	이종경 242 최창순 592 강장욱 591 이경애 600	심연택 602 구자옥 603 김태영 604 정도영 605 김은실 606 오화섭 607	홍주현 262	황미영 283 김명숙 284 최문석 285 박근애 286	한예숙 303 홍정민 304 신주령 305 박수현 306	윤순녀 363 이상호 364 신은경 365 오근선 372	김희정 383 김선영 384 이상헌 385
	황순희 243 안혜정 244 박재영 245	이선경 608 김현정 609 류유선	윤혜미 263	이주형 287 이정묵 288	김경자 307 이원나 308 이진우 312	조정미 144 이한나 366	김도연 386 김용관 387
	이융건 246 김성진 247	진선호 610 문영은 611	김기쁨 264	김정인 289 권영주 290 장형구 291	김민경 309 김기선 310 권혁찬 311	최범식 367	박찬규 388
관리운영직 및 기타							
FAX	927-9461			927-9462		927-9464	

과	재산세과		법인세과		조사과			납세자보호담당관	
과장	모상용 480		윤철규 400		이완주 640			이춘식 210	
계	재산1	재산2	법인1	법인2	조사관리	조사	세원정보	납세자 보호실	민원 봉사실
계장	장은정 481	강미순 521	박성국 401	문철주 421	조병준 641		장인수 691	강민석 211	이의태 221
국세 조사관	전혜정 482	전용원 522	이정희 402			전태병 651 이영진 655	김화준 692	조한용 212	
	김재은 483 박미숙 493	김경태 523	성대경 403 최진미 404	신현철 422 김선미 423	임미영 642	김동범 661 이경표 664 고영훈 658 유대근 656 신선 659 김도형 652		고현웅 213	이세정 222 정현진 227 김계영 223
	김미진 484	김범준 524 김성실 525	소민 405 임선영 406	하경아 424	김세빈 643	이중승 662 김하연 665 이소현 663		이화진 214	진성욱 224
	김민성 485 박하송 486 임석민 487			임지민 425		최현영 654 곽수연 657 이예슬 660	김재성 693		이소정 225 노수연 226
관리 운영직 및 기타									
FAX	927-9466		927-9465		927-4200			927- 9463	927- 9469

동작세무서

대표전화: 02-8409-200 / DID: 02-8409-OOO

서장: **이 요 원**
DID: 02-8409-201~2

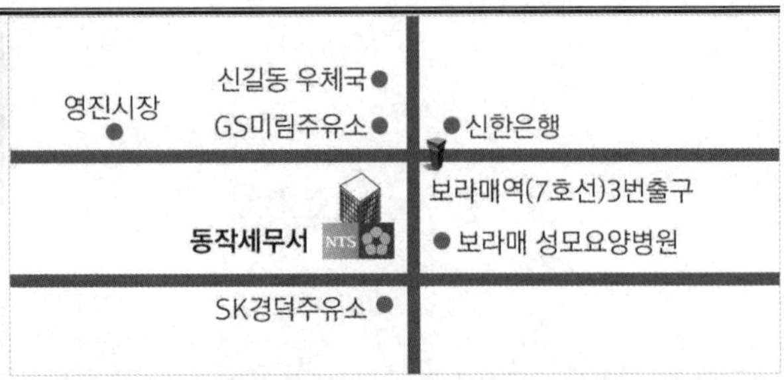

주소	서울특별시 영등포구 대방천로 259 (영등포구 신길동 476) (우) 07432				
코드번호	108	**계좌번호**	000181	**사업자번호**	108-83-00025
관할구역	서울특별시 동작구, 영등포구 중 신길동, 대림동, 도림동			**이메일**	dongjak@nts.go.kr

과	체납징세과				부가가치세과			소득세과		
과장	임용걸 240				조남철 280			김평호 360		
계	운영지원	징세	체납추적1	체납추적2	부가1	부가2	부가3	소득1	소득2	소득3
계장	강정화 241	김성도 601	조병성 621	김은숙 261	박재숙 281	김영도 301	김승호 321	황병권 341	김헌숙 361	강형택 381
국세조사관			이상민 622		정한신 282			최남원 342	송인춘	
	노아영 242 박현정 243 홍건택 591 황미숙 600	이정로 602 홍지혜 603 황희진 604	이인숙 623 김미숙 624 이용규 625	민경은 262 박영숙 263	송순화 394 한누리 283 심민정 284 표옥연 292	이현지 302 남경일 303	이민정 323 최영호 324	권오광 343 오은진 393 공은주 344 김남희 351	부윤신 362 임승하 363 정연경 364 이윤주 393 박찬호 365	송주민 382 김주애 383 이지은 384
	김진환 244	류수현 605 이성혜 606 강남영 607 김솔 608	변수민 626 박범규 627	김화은 264	김현우 285 서보미 394 김고은 286 유미선 287	윤정화 304 오창은 305	김효정 325 곽가은 326	나종현 345 박예림 346	성기영 366	장희정 386 이금희 385
	장건수 246 김나리 245	조대훈 609	강미현 628		이규태 288 박미정 289	오자영 306 김시아 307 김병우 308	김미소 327 신용석 328	이성욱 347 송현수 348 유은지 349	윤영규 367	신지연 387 김정민 388
관리운영직및기타										
FAX	831-4137	831-4136			833-8775			833-8774		

1등 조세회계 경제신문 조세일보

과	재산세과			법인세과		조사과			납세자보호담당관	
과장	유용환 480			서귀환 400		김성용 640			윤경희 210	
계	재산1	재산2	재산3	법인1	법인2	조사 관리	조사	세원정보	납세자 보호실	민원 봉사실
계장	고완병 481	고돈흠 501	황상욱 521	문극필 401	박구영 421	유창성 641	오남임 651	김주현 691	안동섭 211	이은미 221
국세 조사관	조인옥 482	이태순 502	최재현 522	연덕현 402			서은정 655 박정한 658 이경미 661		정상원 212	김은숙 222 박정민 223
	노경민 483	이병옥 503 최상채 504	유수정 523 강규철 524 김기홍 526	김효정 403	김명신 422 박유정 423 이우근 424	손창수 642 송지미 643 금진희 644	이경옥 664 류나리 659 오재헌 652 이광식 656 이현성 662	강화수 692	이선영 213 이상훈 214	김효선 224
	전태원 484	박은희 505 이기영 506	여은수 527 장하용 528	김도연 404 김지혜 405		홍경원 645	장희정 665 장윤희 666 이수지 657 김효진 663 구승민 660	박승희 693	최혜진 215	강형석 225 김선주 227 박수연 228
	조서연 485 최세희 486 장준원 487 임지혜 488	김민수 507	윤지수 529 최효영 530	김영석 406	서정은 425		김은지 654			김유미 229 김민지 226
관리 운영직 및 기타										
FAX		833 -8775		836-1658		825-4398			836- 1643	836- 1626
	836-1445									

마포세무서

대표전화: 02-7057-200 / DID: 02-7057-OOO

서장: **김 남 선**
DID: 02-7057-201

주소	서울특별시 마포구 독막로 234 (신수동 43) (우) 04090				
코드번호	105	계좌번호	011840	사업자번호	105-83-00012
관할구역	서울특별시 마포구			이메일	mapo@nts.go.kr

과	체납징세과				부가가치세과			소득세과	
과장	하치영 240, 250				김현지 280			김미경 360	
계	운영지원	체납1	체납2	징세	부가1	부가2	부가3	소득1	소득2
계장	채종철 241	강경수 601	김영민 621	진성희 261	나정주 281	한석진 301	심현 321	김성덕 361	오해정 381
국세조사관		백동욱 602		채현경 262	김은실 282		김완범 322	김종진 362	
	이윤하 242 조영주 243 권오정 244	김지연 603 고상현 604	박은주 622 이미정 623 박재현 624	조민지 263	홍종복 283 송유정 284 홍근화 285	황태연 302 김유나 303 이봉남 304	이수화 323 이정훈 324 김도영 325	이경숙 363 강다영 365 손승모 366 정세윤 372	윤정선 김종문 382 정미화 383 이형섭 진병훈 384
	정교필 245	배을주 605 박재춘 606 조성문 607	신채영 625 민윤식 626	심호정 264 임수연 265	양인경 286 최윤미 287 윤장원 288 김행순 289 유미성 290	김신자 305 진혜경 306 박순진 307	배이화 여혜진 326	이선미 367	최미경 385 하령주 386
	고민석 247 정민우 248 정준호 591	문현희 608 이혜린 609 오서영 610	차수빈 628 김경록 629 김혜연 630		황현서 291 윤태훈	심연수 308 김은혜 309	장원미 327 조성현	전유나 368 윤혜수 369 권순호 370	구동욱 387 한미현 388 김민정
관리운영직 및 기타									
FAX	717-7255			702-2100	718-0656			718-0897	

과	재산세과			법인세과			조사과			납세자보호담당관	
과장	이진호 480			이준학 400			유원재 640			정관성 210	
계	재산1	재산2	재산3	법인1	법인2	법인3	조사관리	조사1팀~조사6팀	세원정보	납세자보호실	민원봉사실
계장	양정화 481	김미숙 501	김용삼 521	손광섭 401	위승희 421	권오승 441	백은경 641	최병국 651 김혜영 655	유승환 691	김한태 211	설미숙 221
국세조사관	나동일 482	유인용 502	강흥수 522 손성국 526	김용배 402	변영시 422	서기열 442	김은주 642	이세민 671 장동훈 675 김광연 678 서은숙 682		한명민 212	
	김민경 483	소재준 503 이성은 535 최슬기 504	도혜순 524	주혜령 403 김현진 404 김대우 405 송청자 411	백유림 423 김진호 424 홍광식 425	박소연 443 장경주 444 유승규 447	최은숙 643	박민규 652 남경민 656 전윤석 657 배지영 672 곽영미 676 문용식 679 조한덕 683	함두화 692 지성수 693	강선희 213 편상원 214 양은정 215	변애정 222 황혜정 223 지현배 224
	안승현 484 임효정 485 김영주 486	이인재 505	양석진 528 이서희 527 최성미 523 배민정 529	오지은 406 고병석 407 김현정 408	이주미 황선진 426 한지혜 427	김선임 445 백수희 446	황혜란 644	전지원 673 김진영 677	강민정 694 이성진 695		이금옥 226 송은지 225
	최준기 487	이다예 506	김선영 525	오은지 409	정태상 428	양지상 448		김보경 653 이영선 658 김양수 680 이선영 681 강지훈 684			이호정 227 임종희 230 김지혜 229 박지원 231
관리운영직 및 기타											
FAX	718-0264			3272-1824			718-0856		705-7544	718-0126	701-5791

반포세무서

대표전화: 02-5904-200 / DID: 02-5904-OOO

서장: **최 원 봉**
DID: 02-5904-201~2

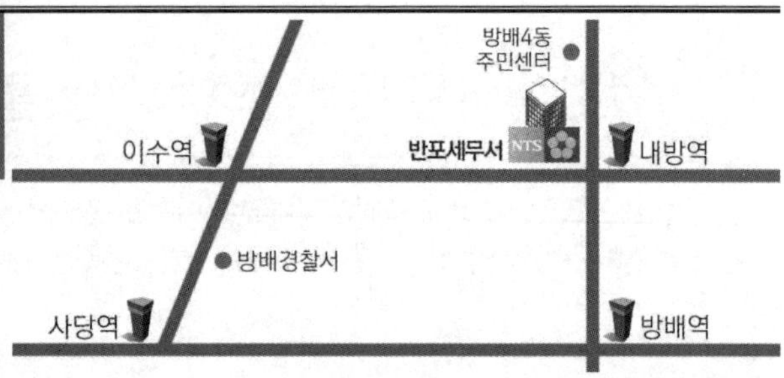

주소	서울특별시 서초구 방배로163 (방배동 874-4) (우) 06573				
코드번호	114	계좌번호	180645	사업자번호	114-83-00428
관할구역	서울특별시 서초구 중 잠원동, 반포동, 방배동			이메일	banpo@nts.go.kr

과	체납징세과				부가가치세과		소득세과		법인세과	
과장	이종현 240				윤일호 280		박노헌 360		박일규 400	
계	운영지원	체납추적1	체납추적2	징세	부가1	부가2	소득1	소득2	법인1	법인2
계장	정상근 241	장민 601	문민숙 621	최미경 261	이찬주 281	김현아 301	김현정 361	이기영 381	곽미경 401	홍창규 421
국세조사관					김태연 282	최숙현 302	김현희 233 정성훈 362	배두진 382 이미선 383	이유진 402	송은정 422
	김현정 242	김정숙 602 이혜성 603 서명진 604	이영빈 622 정인선 623 안희석 624	박은영 262 최린 263	조소희 283 방혜경 284 박연주 285 박정언 286 류광현 287	강미성 303 권미경 304 홍승표 305	한승욱 363 신숙희 364 이가영 365 심효진 366	이영회 233 정은이 384	김윤정 403 편혜란 404	이자연 423 유준호 424
	김주아 243 구재효 244 임담윤 593	이은진 605 서진호 606 이수철 607	박정연 625 이선미 626 박은혜 627	송연주 264		민지은 232	김미림 367	오도훈 385	이영우 405 권순엽 406	정자단 425 김원정 427
	홍다예 245 조재범 246 배정환 594 김현근 582		김선정 628		황정숙 288	이대근 306 김나은 307	이지윤 368 공자빈 369	이신화 386 유로아 387 노혜련 388	심수빈 407 김서현 408	김찬주 428
관리운영직 및 기타										
FAX	536-4083				590-4517		590-4518		590-4426	

과	재산세1과		재산세2과		조사과			납세자보호담당관	
과장	박문규 480		배세영 540		황장순 640			이명기 210	
계	재산1	재산2	재산1	재산2	조사관리	조사	세원정보	납세자 보호실	민원 봉사실
계장	주현식 481	신갑수 501	오창열 541	김진기 561	조선희 641	전영균 651 양희국 655	한승훈 691	범수만 211	김영남 221
국세 조사관	김미주 482 방지연 483	김혜미 조현준 502	남승호 542	임길묵 562	김수진 642	류지현 659 이래경 662 김원종 651	신철원 692		
	김수용 484 강석관 485 주아름 486 박상용 487 장지윤 488	이상하 503 허진혁 504 정현주 곽지훈 505	김기미 543 탁기욱 544 구진영 545 유형래 546 김지현 남꽃별 552 김상은 547	온상준 563 이재혁 564 정해천 565	여인훈 643	김명진 656 진민희 663 정보람 652 손원우 666 김현정 660	최일 693	현지희 212 최미리 213 이해인 214	오경애 222 정봉훈 225 박혜림 226 이현주 224
	문종빈 489 조하나 490	유강훈 506	이진하 548 박지성 549	고완구 566 강이은 567	김수연 644 정명하 645	이재상 661 정금미 664 민호정 667		안중훈 215	이진화 228 임정희 223 윤선용 226
	황하늬 491	박현주 507	이영주 550 김채현 551	박혜진 568		김효정 653 방선우 657		이정표 216	성경옥 227
관리 운영직 및 기타									
FAX	591 -2662		590-4513		523-4339			590 -4220	590 -4685

삼성세무서

대표전화: 02-30117-200 / DID: 02-30117-OOO

서장: **황 남 욱**

DID: 02-30117-201

주소	서울특별시 강남구 테헤란로 114 (역삼1동) 1,5,6,9,10층 (우) 06233				
코드번호	120	**계좌번호**	181149	**사업자번호**	120-83-00011
관할구역	서울특별시 강남구(신사동, 논현동, 압구정동, 청담동, 역삼동, 도곡동 제외)			**이메일**	samseong@nts.go.kr

과	체납징세과				부가가치세과		소득세과		법인세1과	
과장	오규철 240				장영란 280		황효숙 360		강천희 400	
계	운영지원	체납추적1	체납추적2	징세	부가1	부가2	소득1	소득2	법인1	법인2
계장	서광원 241	김영석 601	안복수 621	류명옥 261	문금식 281	최영지 301	김영신 361	권나현 381	경기영 401	염세환 421
국세 조사관		안순호 602	이탁수 622	김임경 262	김병석 282	전민정 302	김수정 362	박란수 382	김희중 402	이한상 422
	김주영 242 이재경 160	전한식 603 양순희 604 이금조 605 김재현 606 강성환 607	최서윤 623 백현자 624 강정수 625	임정희 263 하윤경 264	송현주 283 서승현 284 이경자 291	안혜숙 303 한혜린 304	양명숙 363 이정은 364 임홍숙 365	김미옥 382 권윤희 394 윤민혜 383	홍경헌 403 류호민 404 김주홍 405 김미정 411	이재향 423 이소민 424 구인선 425 이수연 426
	최윤영 243 한상훈 244	염상미 611 김다현 608 어재경 609	이도경 626 홍성희 627 황시연 628	최영현 265	박희경 298 이성현 285 박정화 286	김유미 305 최은영 298 박은정 306	김성율 367 이정아 368	오현숙 384 이석준 385	이정희 406	백윤헌 427
	정영화 245 최재형 247 박래인 249 최치권 250	김나연 610	박지수 629 임광훈 630		박용석 287 최윤희 288	김미정 307 최종호 308	이민희 394 김혁희 369 송대섭 370	박호일 386 박혜민 387 장수원 388	임성영 407 이은실 408	문정혁 428
관리 운영직 및 기타										
FAX	564 -1129	501-5464			552-5130		552-4095		552-4148	

과	법인세2과		재산세1과		재산세2과		조사과			납세자보호 담당관	
과장	박권조 440		이용범 480		고명효 540		정정제 640			민진기 210	
계	법인1	법인2	재산1	재산2	재산1	재산2	조사관리	조사	세원정보	납세자 보호실	민원 봉사실
계장	김주신 441	이춘하 461	정홍균 481	이창한 501	정영훈 541	김춘례 561	김상철 641	이해석 661 정태윤 665	유한순 691	강상모 211	양영경 221
국세 조사관			공효신 482 임정근 483	최태진 502	송기동 542 이난희 543	이병철 563	이윤주 642	이재숙 668 박경오 671 최정규 675 이희태 678 이영진 681 이승호 684	김하늘 692	위주안 고영지 212	장영림 556
	임경남 442 이지숙 443 우형래 444 최지원 445	김한규 462 박용태 463 이지혜 464	유현정 484 윤영순 485 박연주 486 오승준 487 박은영 497	강은실 503 손정빈 504	이세진 544 최유건 545 이정숙 555	김혜성 564 김태현 565	이광성 643 허석룡 644 양승복 645	김동원 662 김정민 666 박정섭 669 서재운 672 안대엽 676 한주진 679 박준식 685 김은영 680	주용호 693	한경석 213 김미영 214 노미현 215	이광수 556 오강재 556 최혜옥 556
	양혜선 446 김영천 447	김희연 465 정효주 466 김가희 467	이은희 488 박준홍 489 이향주 490	박정임 505	홍기연 546 양희승 547	배원만 566		고아라 663 이원영 670 백지혜 674 최은정 682 노소영 686	송명림 694	이솔 216	조정원 556 정혜원 556 김태훈 556 이묘진 556
	김용준 448	박선영 468	이초록 491	고경미 506 조성원 507	송지윤 548 오하경 549 김문경 550	최송아 567 최예은 568		김진희 667 문다영 677 원현수 683			이지은 556
관리 운영직 및 기타											
FAX	564-0588		552-6880	552-4277	564-1127		564-4876		552-4093	569-0287	

서대문세무서

대표전화: 02-22874-200 / DID: 02-22874-OOO

서장: **전 태 호**

DID: 02-22874-201~2

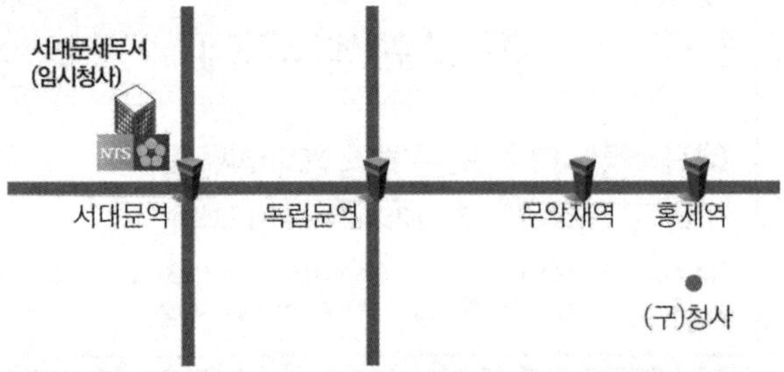

주소	서울특별시 서대문구 충정로 60 (케이티앤지 서대문타워 13,14층) (우)03740				
코드번호	110	**계좌번호**	011879	**사업자번호**	110-83-00256
관할구역	서울특별시 서대문구			**이메일**	seodaemun@nts.go.kr

과	체납징세과			부가가치세과		소득세과	
과장	장성우 240			이은용 280		허선 360	
계	운영지원	체납추적	징세	부가1	부가2	소득1	소득2
계장	김일동 241	박혜정 601	박정우 261	윤용구 281	권영신 301	이병곤 361	황주현 381
국세 조사관		강승구 602 이은영 603		조재영 282			
	강인소 242 진미선 243	오임순 604 손종희 605 이혜리 606 정경진 607	김연홍 262 최미숙 263	김민영 283 백은경 284	이정숙 302 서미애 303	채수민 362 이원복 363	남미라 382 이응찬 383
	박슬기 244 박종현 249	김선아 608 박소희 609		최세라 285 박세현 286	송지우 304 이지영 305	김인호 364 정혜윤 365	안소연 384
	박철우 245 손은태 249	김상걸 610		최민정 287	노지혜 306 제우성 307	송진수 366 김유리 367	김상현 385 김다솔 386
관리 운영직 및 기타							
FAX	379-0552	395-0543		395-0544		395-0546	

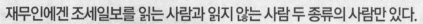

과	재산법인세과			조사과			납세자보호담당관	
과장	김연재 400			이상필 640			이동균 210	
계	재산1	재산2	법인	조사관리	조사	세원정보	납세자 보호실	민원봉사실
계장	윤미영 481	황윤숙 501	서정현 401	하수현 641		문지만 691	최미자 211	김민아 221
국세 조사관	황준성 482		김미경 402 나경영 403 이현영 404		이상열 651			
	오현주 483 권나예 491 백아영 484 장지혜 485	심준 502 김영주 503 최홍서 504	유정선 405 정수용 406 한지영 407	김수민 642	구우형 657 김재성 652 유진우 655 송정화 658	정보기 692	이정화 212 고승모 213	신수영 224 문승현 228 황한수 222
	김태연 486 윤종훈 487 이신혜 488 김은진 489 전형민 490	김승욱 491 김오중 505		김혜림 643	이현석 656	강미영 693	김희진 214	차연주 230
		임종훈 506 주혜영 507	양심영 409 강윤영 410		임영현 653			정현철 225 나환웅 226
관리 운영직 및 기타								
FAX	379-5507			391-3582			395-0541	395-0542

서초세무서

대표전화: 02-30116-200 / DID: 02-30116-OOO

서장: **정 상 배**

DID: 02-3011-6201

주소	서울특별시 강남구 테헤란로 114 (우) 06233				
코드번호	214	**계좌번호**	180658	**사업자번호**	214-83-00015
관할구역	서울특별시 서초구(방배동, 반포동, 잠원동 제외)			**이메일**	seocho@nts.go.kr

과	체납징세과				부가가치세과		소득세과		법인세1과	
과장	김성호 240				김헌국 280		박성신 360		장영서 400	
계	운영지원	체납추적1	체납추적2	징세	부가1	부가2	소득1	소득2	법인1	법인2
계장	장민우 241	이진균 601	정연수 621	양미경 261	조한식 281	이철수 301	이해장 361	이순영 381	양동준 401	이미정 421
국세 조사관		권은영 602	최차영 622		윤경옥 282	정재임 302 송기화 303		정거성 382		예찬순 422
	신성봉 242 정찬진 243 배수일 278 이상진 277	김영준 603 이정학 604 여종엽 606 주용태 605	김보성 623 손영이 624 채용문 625 이진구 626	강혜은 262 박주영 263 유성희 264 노지현 266	박소현 283 이순영 284 강문현 박재현 285	김선아 304 황현주 305 김수연 306	정승호 362 박민정 363 김민경 364	이민순 383 김태훈 387 김남교 384	이동희 402 김은진 403 이현준 404	이강구 423 최금해 424 조혜원 425
		김민래 607 이수진 608 유인성 609	한영수 627 이주선 632 김성현 629		이명선 286 김선화 287 김우석 288	김도영 307 신홍영 308	김태영 365 김은경 366	박명진 385	윤미 405 최원영 406 이은희 407	채정환 426 김소담 427
	김희준 244 황신원 245 류지호 246	이가연 610 유예림 611	박서빈 630 송지훈 631		이환희 289 마민화 290	전진효 309 구진아 310 천혜빈 311	유희민 367	김남희 386	최선호 408 오서주 409 이선아 410	권은지 428
관리 운영직 및 기타										
FAX	563 -8030	0503-111		561 -2365	561 -2610	561 -2682	561 -3202	561 -2948	561 -3230	561 -1647

과	법인세2과		재산세1과		재산세2과		조사과			납세자보호담당관	
과장	금승수 440		박성호 480		박종형 540		남칠현 640			김삼용 210	
계	법인1	법인2	재산1	재산2	재산1	재산2	조사관리	조사	세원정보	납세자 보호실	민원 봉사실
계장	이남형 441	이미경 461	정해경 481	지연우 501	양나연 541	이융희 561	김기태 641	김동원 651 정희은 656	고태일 691		배덕렬 221
국세 조사관	남동훈 442 도미영 443	김민수 462 목완수	신안수 482 전만기 483			박창원 562 윤민오 563	박상준 642 김태현 643	조문현 652 김철민 655 도경민 653 최규식 654	홍인표 692 이병두 693	박현종 212 조은덕 213 권주희 214	한정희 556 박상미 556 윤선익 556 박태구 556
	김종성 444 이경임 445 신동규 446	전인향 463 홍지흔 464	최솔 484 오현식 485 이고훈 495	임홍철 502 이창남 503 성창임 504	이유진 542 박수연 543 김혜수 김민경 544 김오미 549	김호 564 박금지 565	김은수 644 이상미 646	노성모 657 김홍기 666 김진희 658 이은실 675 최태주 659 한승수 660 노원준 677 김재우 669	박은경 694	홍욱기 215 김덕진 216 김은희 217	강기훈 556 양준권 556 황혜조 556 김옥재 556 박정희 556
	이서연 447	김경민 465 이예지 466 한광일 467	박소영 486 이주경 487	정명교 505	오홍희 545	유혜경 566 조아라 567	송경원 645	이현희 663 이주현 672 차현근 673 박세인 674 이상문 671 허준원 661 전보현 679 이윤재 676 김비주 668			장정은 556 설정란 556 최용민 556
	유지숙 448 박용업 449	정형범 468	김미선 488	임종헌 506 정미래 507	김유진 546 박한승 547			윤은지 664 김정주 670 윤지현 680 이건일 678			박수지 556 권오현 556 석승운 556
관리 운영직 및 기타											
FAX	561 -3291	561 -1683	561-3378		561-3750		561-3801	561-3801 , 3974	561-4351	561 -4521	3011 -6600

성동세무서

대표전화: 02-4604-200 / DID: 02-4604-OOO

서장: **김 성 환**
DID: 02-4604-201~2

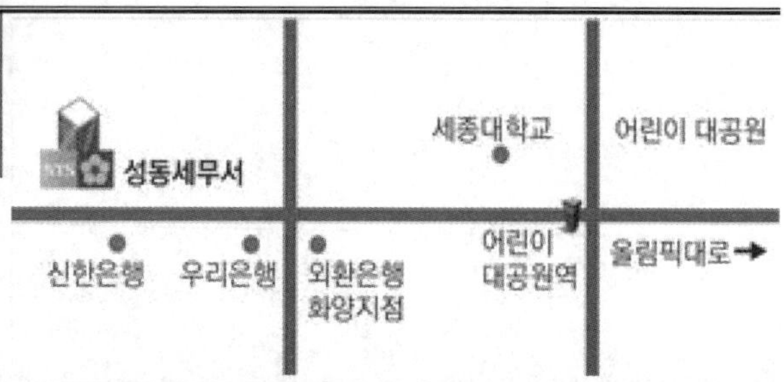

주소	서울특별시 성동구 광나루로 297 (송정동 67-6) (우) 04802				
코드번호	206	**계좌번호**	011905	**사업자번호**	206-83-00561
관할구역	서울특별시 성동구, 광진구			**이메일**	seongdong@nts.go.kr

과	체납징세과				부가가치세 1과		부가가치세 2과		소득세과		
과장	김영수 240				한상교 280		윤기성 320		김형기 360		
계	운영지원	체납추적1	체납추적2	징세	부가1	부가2	부가1	부가2	소득1	소득2	소득3
계장	김종만 241	전경호 601	김진호 621	엄경학 261	임문숙 281	윤진한 301	서인기 321	김영필 341	백오영 361	황병석 374	박영애 387
국세조사관		김재규 602	박승호 622		엄세진 282	윤희정 302		서정연 342		홍규선 375	
	이지현 242 김윤정 243 박희근 244 안태수 245 김명순 249	강경미 603 송미원 604 유은진 605 김혜숙 608	강현철 623 유미경 624 김주현 625 박찬희 626	정화영 262	김숙자 283 전광준 284 박태호 285 김진희 286	서미 303 정승갑 304 김해리 이경호 305	이선경 322 박재현 323 최형화	김미정 343 최정임	강승희 362 이연경 363 한수연 천영환 364 김은하 정형준 365	이선영 376 강혜경 377 박미영 378	곽병길 388 최서우 389 이규현 390
	서혜란 246 주성용 247 윤차용 596	이찬무 607 김소연 606 서하영 608 황시윤 609 양현준 610 전연주 611	백혜진 627 백유진 628 박미진 629 박현규 630 이진실 631	박희윤 263 김수정 264	손선미 신예민 287	박초롱 306 이근우 307	성연일 324 최원화 325	여효정 344 박새미 345	서봉우 366 박혜진 367 조원영 368 조연주 369	정희선 김성균 379 김지영 380 전화영 381 윤준식 382	이경민 391 김지현 392 배원희 393 김대길 394 강혜성 395
	박주희 248 송병희 250	신승연 612 조한경 613	백수경 632 강주은 633	김상천 265	조아라 288 최은희 289	윤민호 308 선희 309 인윤희 310	김용재 330 우성광 327 조경아 328	복권일 346 안승진 347 이지원 348	박지훈 370 채희주 371 최민지 372	이준희 383 최세미 384	이용권 396 곽현주 397 김용호 398
관리운영직 및 기타											
FAX	468-0016	468-8455			497-6719		466-2100		498-2437		

과	재산세1과		재산세2과		법인세과		조사과			납세자보호담당관	
과장	남근 480		김성주 540		이병길 400		김기선 640			이삼문 210	
계	재산1	재산2	재산1	재산2	법인1	법인2	조사관리	조사	세원정보	납세자보호실	민원봉사실
계장	문권주 481	강탁수 501	황대근 541	최한근 561	이봉희 401	구현철 421	김명희 641	김태우 651	이정옥 691		박금배 221
국세조사관	김은중 482 노명희 483 김은정 484 배주섭 485	박정기 502 박종민 507	전종근 542 김기중 543 원희경 544	김율희 562 왕훈희 564 송선태 566	송주현 402 임세창 403	이상기 422		이귀영 654 정민호 657 김요수 660 윤현식 663	고상석 692	이주영 212 이정미 213 김지영 214	주윤숙 222
	이승학 486 윤지혜 487 김은애 488 김한근 489	박지현 505 조예림 503	차양호 545 박명열 546 정현정 547 정유진 548	김낙용 565 조춘원 563	오광선 404 임현정 405 김명희 406 김경옥 407 김인숙 417	김성선 423 박미영 424 이정미 425 남수주 426	유정훈 642 김지현 643	임광열 666 조운학 669 손승희 672 정주영 675 차유경 신현호 658 노현선 653 원대연 664 유동완 652 전정원 655 박민우 673	최미영 693 류관선 694	최연정 215 백승현 216 이영주 217	황연희 223 장혜경 226 오세찬 224
	김태은 490		최지영 549 김희경 550		김수진 408 위진성 409 김상혁 410	김훈구 427 윤석환 428 김신애 429	손기혜 644	정지은 676 김소희 661 김준하 667 조홍준 670 이강상 박광덕 656 최소라 659 이소정 662			엄영진 225 김우주 227 김경하 228 김우호 229
	김상원 491 유동석 492	이한송 508 정준채 506	이지우 551 김혜영 552	우정화 567	김민정 411 조한송이 412	강민정 430 강지수 431	김효섭 645	황인화 665		한준혁 218	김혜현 230 임혜연 231 박소연 232 박현진 233
관리운영직 및 기타											
FAX	468-1663		499-7102		468-3768		469-2120			2205-0919	2205-0911

성북세무서

대표전화: 02-7608-200 / DID: 02-7608-OOO

서장: **김 수 현**
DID: 02-7608-201

주소	서울특별시 성북구 삼선교로 16길 13(삼선동 3가 3-2) (우) 02863				
코드번호	209	계좌번호	011918	사업자번호	209-83-00046
관할구역	서울특별시 성북구			이메일	seongbuk@nts.go.kr

과	체납징세과			부가가치세과		소득세과	
과장	권영진 240			김권 280		장기엽 360	
계	운영지원	체납추적	징세	부가1	부가2	소득1	소득2
계장	이승희 241	박삼채 601	송정희 261	하명림 281	이일영 301	강덕우 361	이인하 381
국세조사관	유경민 242	최진식 602 정성현 603		동철호 282	송주영 302	이영주 362	홍미영 382
	이성애 243 박시춘 207	김영주 604 김나연 605 한만훈 606	김은영 262	최기웅 283 서정이 284 조현은 285 신정아 297 정지혜 286	윤상건 303 임경미 304	정수엽 294 서영순 363 송병호 364 최진원 365 김향숙 371	김은정 294 허정윤 383 김성수 384 김은정 385
	이용우 244	신지숙 607 김영민 608 홍성한 609 김미덕 610	권혜량 263	이미형 287 김은미 288	안경화 305	김혜영 366 염진옥 367 민으뜸 368	박수현 386
	방문용 245 김영환 208	조효진 611 윤동현 612 허지연 613 김수빈 614		강민균 289 김재연 290	우현구 297 길혜선 306 양종열 307	전상현 369 김영주 370	윤서영 387 김영 388 용승환 389
관리운영직 및 기타							
FAX	744-6160		760-8269	760-8672	760-8677	760-8673	760-8678

과	재산법인세과			조사과			납세자보호담당관	
과장	박준석 400			박잠득 640			최학묵 210	
계	재산1	재산2	법인	조사관리	조사	세원정보	납세자 보호실	민원봉사실
계장	최동수 481	강민완 501	노석봉 401	금봉호 641	허천회 651 고무원 659 이권식 655 김진성 652	박상준 691	이응수 211	이성희 221
국세 조사관	한상민 482		이영민 402					
	김찬일 483 이범규 485 김희선 484 윤미숙 509	임지숙 502 이서원 504 김두성 506 주현경 508	김정미 403	신명도 642 김문숙 644	황순영 660 이진호 656 서정호 653 황혜정 661	최향성 692	성혜전 212 여정주 213	권용익 222 정운숙 223
	민용우 486 이미화 488 김윤정 487 윤수향 489	이종룡 503 김해운 507	주윤정 404 양원석 405 박민우 406	강혜지 645 김지은 643			손국 214	최정림 224 조혜리 225 백남훈 226 김세명 227
	이현정 491 노승환 490	정효영 505	채연기 407		이현지 658 이효정 657	양웅 693		정의주 224
관리 운영직 및 기타								
FAX	760-8675	760-8679	760-8419	760-8671, 8674			760-8676	742-8112

송파세무서

대표전화: 02-22249-200 / DID: 02-22249-OOO

서장: **김 진 우**
DID: 02-22249-201~2

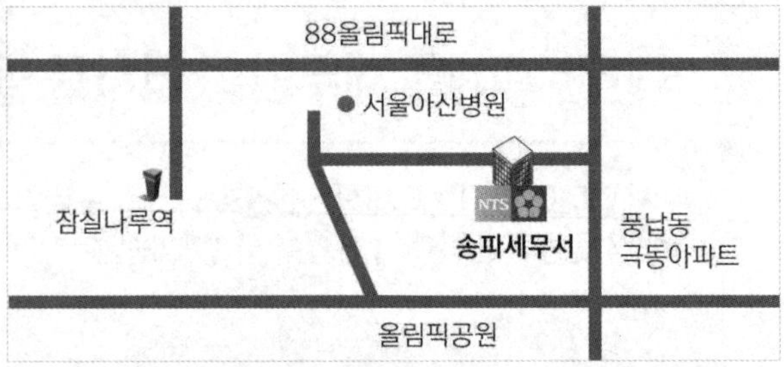

주소	서울특별시 송파구 강동대로 62 (풍납동 388-6) (우) 05506				
코드번호	215	**계좌번호**	180661	**사업자번호**	215-83-00018
관할구역	서울특별시 송파구 중 송파동, 장지동, 거여동, 마천동, 가락동, 문정동, 석촌동			**이메일**	songpa@nts.go.kr

과	체납징세과				부가가치세과		소득세과		재산세과	
과장	윤용우 240				김경곤 280		이귀병 360		이응기 540	
계	운영지원	체납추적1	체납추적2	징세	부가1	부가2	소득1	소득2	재산1	재산2
계장	성준희 241	지상용 601	신영섭 621	최준	전승훈 281	이은정 301	임정은 361	이우철 381	곽봉섭 541	김영수 561
국세조사관		조광래 602	김정연 622		황은주 282	윤은미 302	김상희 362	오주원 143		
	이강경 242 고순임 616 송진호 615 유장혁 594	성혜경 603 김난경 604 김가연 605	신종웅 623 김동훈 624 이은희 625 조아름 626	김명숙 262 한현숙 263 김은희 264	곽주희 283 이지은 284 최민수 285 이미경 292	박미진 304 김지만 303 홍정민 305 박효숙 306	김창범 363 김경아 364	박성탄 382 이영석 383 김민지 배석 384	김양수 542 박아연 543 전종선 544 이난영 549	정성은 562 최혜진 567 김선아 144 신상욱
	안지영 243 김도엽 244	손지나 606 양일환 607	김다솔 627	이기숙 265	이은정 286 신동훈 287	박정란 307 김찬희 141 황정미 308	민성림 143 오아름 365 송고운 366 박준원 367	김은진 385 윤세정 386	이해운 545	이나래 564
	김민우 245 장건식 593	박보화 608	한지운 628		김나영 288 김호진 289	최기웅 309 신유진 310	경지은 368 이고운 369	김지연 387 정혜미 388 신새벽	김영숙 548 김득중 546 김소희 547	이후림 565 이충원 566
관리운영직 및 기타										
FAX	409-8329	483-1925			477-0135		483-1927		472-3742	

과	재산세과	법인세과		조사과			납세자보호담당관	
과장	이응기 540	김정동 400		고임형 640			황미숙 210	
계	재산3	법인1	법인2	조사관리	조사	세원정보	납세자 보호실	민원봉사실
계장	진홍탁 581	김승석 401	권부환 421	안규상 641	황태훈 651 이동주 654	박은주 691	오지철 211	김종국 230
국세 조사관	이정아 582 이승일 584				조성오 657 전제간 660 김경훈 663			
	이동수 586 김경인 588 류승남 583	나정학 402 김갑심 403 홍영선 404 백승호 405 정경순 410	김희윤 422 이종권 423 문정민 424 이혜린 양동규 425	유정림 642 박형선 643	김창명 661 김현민 652 김성덕 655 범정원 658		정미경 212 임형준 213 강선주 214	이평호 231 유정화 233 김지은 232 임선아 236
	하상철 589 안창남 585	양순영 406 김복희 407	김태형 426 남은영 427	이미영 644	강민형 664 민기원 653 김도연 662 석혜조 665	정두레 692		손지선 234 최민정 237
	주재관 587	이명원 408 권보현 409	심현정 428 유영준 429 권민지 430		김세움 659 이수현 656			정부교 235
관리 운영직 및 기타								
FAX	472-3742	482-5495		482-5494			487-3842	409-6939

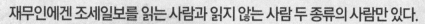

양천세무서

대표전화: 02-26509-200 / DID: 02-26509-OOO

서장: **장 병 채**
DID: 02-26509-201

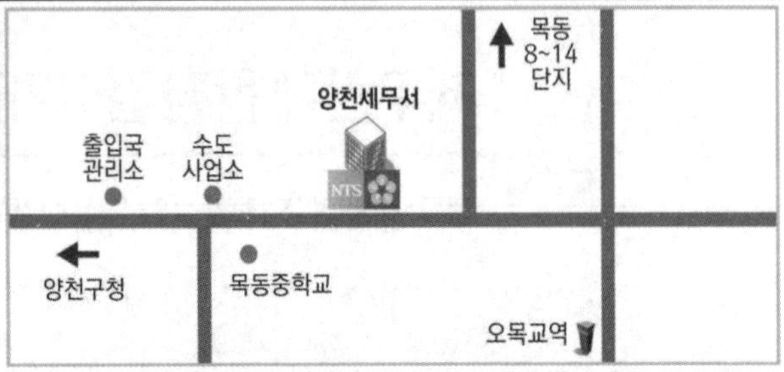

주소	서울특별시 양천구 목동동로 165 (우) 08013 별관(조사과) : 서울특별시 양천구 신목로2길 66(목동 404-16) 씨티프라자 3층 301호 (우)08007				
코드번호	117	**계좌번호**	012878	**사업자번호**	117-83-00505
관할구역	서울특별시 양천구			**이메일**	yangcheon@nts.go.kr

과	체납징세과				부가가치세과			소득세과		
과장	김보석 240				오시원 280			김종두 360		
계	운영지원	체납1	체납2	징세	부가1	부가2	부가3	소득1	소득2	소득3
계장	조상윤 241	김혜영 601	안현록 621	김인숙 261	조형석 281	전성수 301	전경란 321	이선재 361	최영환 381	김문성 461
국세 조사관		최우일 602	박희정 622			박애자 302	김헌규 327	심희선 362		함석광 462
	김미진 243 신영심 242	박승규 603 김재현 604	이용수 623 장경란 624 황선우 625 김지혜 628	노미란 262 안종호 263	박윤진 282 이완배 283 안유라 284	김기남 303 김대관 304	김보연 322 이희영 323	송성철 363 김예원 364 김일두 365 김순근 372	정소영 382 이희행 백연주 383	이언종 463 이명희
	양상원 244 김서이	이보라 605 남성윤 606 양승혜 607	김민희 626 이병도 627		최은영 313	이유정 306 최하나 307	조진숙 324	남현주 366 서미리 367	유태우 384 안성민 385	이선미 464 박소영 465 강다영 466
	박혜신 245 이재열 246 김덕기 591	정지영 608		임수진 264	정수연 285 이지영 286	서여진 308	류승현 325 정문희 326	이다영 368	김소정 386 정샛별 387	빈효준 467 김선아 468
관리 운영직 및 기타										
FAX	2652-0058				2654-2291	2654-2292		2654-2294		

과	재산세과			법인세과		조사과			납세자보호담당관	
과장	이석동 480			양희상 400		최순용 640			임형수 210	
계	재산1	재산2	재산3	법인1	법인2	조사관리	조사	세원정보	납세자 보호실	민원 봉사실
계장	신명숙 481	정순욱 501	최영실 521	윤영식 401	유성영 421	신만호 641		이경모 691	이승훈 211	한숙향 221
국세 조사관	김창수 482	곽은정 502	임소영 522				김치곤 651 조병만 654 전선영 657 부혜숙 660	임희원 692		김태윤 226
	박현아 483 박희상 484 이은정 485 남정화 490	김경희 503 최효임 김동은 504	문소진 523 김경미 524 장수환 525	이영수 402 장현성 403	최정훈 422 오민석 423	안미선 642 정주영 643 이금자 646	박치원 652 손경진 655 박상언 658		고은주 212	박상훈 224 박선례 223
	박재홍 조가을 486	이정윤 505	최민규 526 이은희 527	이선유 404	지성은 424		김수현 653 강은혜 659 이재욱 서운용 661	이선 693	남윤정 213 윤우찬 214	남경자 228 이미현 222
	김나래 487	박수진 506 최선주 507	송종훈 528 최봉렬 529	오푸른 405			임수기 656		김수현 215	김지연 229 이주현 229 박진아 225
관리 운영직 및 기타										
FAX	2654-2295			2654-2296		2650-9601			2654- 2297	2649- 9415

역삼세무서

대표전화: 02-30118-200 / DID: 02-30118-OOO

서장: **강 역 종**
DID: 02-30118-201

주소	서울특별시 강남구 테헤란로 114(역삼동 824) (우) 06233				
코드번호	220	계좌번호	181822	사업자번호	220-83-00010
관할구역	서울특별시 강남구 역삼동, 도곡동			이메일	yeoksam@nts.go.kr

과	체납징세과				부가가치세과		소득세과		법인세1과	
과장	김오곤 240				김성남 280		양형란 360		강석구 400	
계	운영지원	체납추적1	체납추적2	징세	부가1	부가2	소득1	소득2	법인1	법인2
계장	김태균 241	김강훈 601	이재하 621	정하덕 261	이병철 281	정완수 301	이규원 361	김현보 371	이용진 401	전용찬 421
국세조사관		변정 602	유기무 622 이성진 623		김상목 282	천영현 302	김윤희 362		이상식 402	손길진 422
	이승연 242 방현정 243	이경현 603 김윤호 604 곽민정 605	전은수 624 조지원 625	손민자 262 양문희 263 박배근 264	유은주 283 김서연 296 최상임 284	박한상 303 정우선 304 안재희 305		오동문 372 최해원 373	문주란 403 손선화 404 이지숙 405	이지현 423 은진용 424 최유진 425
	정용관 244 윤상용 245 김수연 246	김소희 606 성지연 607 김선규 608	박승현 626 임희정 627	김진주 265	박숙영 285 함다정 286	이지윤 306	한영규 363 강유미 364	박성혜 374	제현종 406	이조은 426 박민수 427
	이창훈 595 정인수 592	정재희 609	최진규 628 박은지 629		김용우 287 박정현 288 조예훈 289	이지헌 307 이승희 308	한석영 365 김민진 366	홍나경 375 김태경 376	최주연 407 우신애 408 이윤진 409	고윤정 428 박승호 429
관리운영직 및 기타										
FAX	561-6684				501-6741		564-0311	565-0314	552-0759	

과	법인세2과		재산세과			조사과			납세자보호담당관	
과장	이동현 440		강희 480			풍관섭 640			김은경 210	
계	법인1	법인2	재산1	재산2	재산3	조사관리	조사	세원정보	납세자 보호실	민원 봉사실
계장	임한균 441	고재국 461	김지성 481	유근조 501	안정섭 521	윤진고 641		민진기 691	홍효숙 211	정봉철 221
국세 조사관	송원배 442	박찬욱 462 임미라 463 정수인 464			최미리 522 이현숙 524 황성훈 526	이전봉	한정식 651 장창복 656 김진아 660 김치헌 663 정호형 670 조은희 673	최형식 693		
	임종민 443 이수진 444 김재형 445 양은영 446	문은진 465	염훈선 482 황명희 장희숙 483 김양근 484	임경섭 502 서강현 503 김채원 504 홍유종 507	김현정 528 김재하 527	김미경 642 조원철 최승혁 643 김태현 645	정수민 653 김성욱 658 마경진 661 이수연 664 최준웅 671 강동효 674 손가희 677 서은철 678	정여명 694	류훈민 212 신미라 213 박신애 214	윤서진 556 정민철 556 정민섭 556
	김세하 447	최광신 466 김서연 467	이슬기 485	이혜진 506		김혜인 644	이원희 654 주성진 659 이보름 662 이광은 672 권현식 675 이송화 679		김광미 215	이승민 556 홍유정 556 김화숙 556 김수연 김지선 556
	정현진 448 백태훈 449	황찬연 468	손상익 486 박선영 487		진윤지 523 김혜진 529 고재민 525		주영상 665			김고은 556
관리 운영직 및 기타										
FAX	561-0371		539- 0852	561- 4464	3011- 8535	501-6743			552- 2100	3011- 6600

영등포세무서

대표전화: 02-26309-200 / DID: 02-26309-OOO

서장: **김 학 선**
DID: 02-26309-201, 202

주소	서울특별시 영등포구 선유동1로 38(당산동3가 552-1) (우)07261				
코드번호	107	계좌번호	011934	사업자번호	107-83-00599
관할구역	서울특별시 영등포구 (신길동, 도림동, 대림동 제외)			이메일	yeongdeungpo@nts.go.kr

과	체납징세과				부가가치세1과		부가가치세2과		소득세과	
과장	김익남 240				안영선 280		김기석 320		이성규 360	
계	운영지원	체납추적1	체납추적2	징세	부가1	부가2	부가1	부가2	소득1	소득2
계장	권지은 241	유선종 601	김유군 621	최영현 261	양찬영 281	최연희 301	홍창호 321	이승호 341	김웅 361	김유미 381
국세조사관				유은희 262					조채영 362	조명상 382
	권혜영 242 이옥희 206 김동완 618	소영석 602 정수영 603	유제근 622 김광현 623	양윤선 263 김지선 264	박현자 282 박문숙 283 이선영 552	강문자 302 유수현 303	양영동 322 김민주 323	이순희 342 손현숙 343	배수진 363 장명숙 364 김라영 551	임은형 383
	김유진 243 정화승 244 김지영 245 김대권 591	이경하 604 김석규 605 문지영 606 송의미 607	김지연 624 이정민 625 김상호 626		안선희 284 남기연 (출산) 이규형 285 여주연 286	이익훈 304	고유나 324 송예체 325	김진옥 552 박샛별 344 조성광 345		김지현 384
	강민규 246 강동우 247	박선우 608 김보미 609 박형호 610	심윤보 627 한예슬 628 이다경 629	최수인 265	조소현 287	임유진 305		김충현 346	김치우 365	이승훈 385 김영아 386
관리운영직 및 기타										
FAX	2678-4909				2679-4971		2679-4977		2679-2627	

과	재산세과		법인세1과		법인세2과		조사과			납세자보호 담당관	
과장	김영동 480		신용범 400		서재기 440		한만준 640			전경원 210	
계	재산1	재산2	법인1	법인2	법인1	법인2	조사 관리	조사	세원정보	납세자 보호실	민원 봉사실
계장	권오성 481	박봉기 501	정중원 401	민승기 421	남동균 441	안상순 461	김영수 641	전준일 651	김성두 691	김명도 211	이수경 221
국세 조사관		김창호 502	오대창 402	정영선 422	윤석준 442	정진학 462		홍창호 655 김기만 659 박미연 663 심재광 666 정주영 669	서정석 692	김미연 212 임은철 213	박우성 222 이동연 223
	변성구 482 황정화 483 남호철 484 황선화 485 임은미 486	임지형 503 정경화 504	권혜정 403 박세하 404 이성준 405 송숙희 412	이영신 423 한윤숙 424 박성찬 425	이지현 443 노수경 451	김영신 463 김명진 464	김재련 642 조수빈 643	이진주 673 정선영 664 강남진 652 위경환 660 이상곤 665 심재희 674 최원준 656 이선주 670 송노용 675 임길수 674	장혜진 693 장은영 694	김우수 214	황진하 224 심란주 225 이미선 223 김소연 226
	이채곤 487 원지혜 488	사혜원 505 남윤종 506	고희선 406 김유나 407 박지희 408	박성준 426 김소나 427 김경혜 428	한지예 444 임보람 445 허미영 446 안진경 447	정안석 465 박주영 466 김윤미 467	이시은 644	김정선 653 김소연 661 위경진 657 박다슬 658 손태욱 671	유민수 695	유병창 215	김예주 227 김현경 226 주나라 228
	임동영 489 조길현 490	구훈모 507	이지영 409 권용학 410 윤정은 411	이혜승 429 서미래 430	한덕윤 448 이경수 449	이주희 468 차유미 469					김혜진 229 황정선 230 김종만 231
관리 운영직 및 기타											
FAX	2679-4361		2633-9220		2679-0732		2679-0953, 0185			2631- 9220	2637- 9295

용산세무서

대표전화: 02-7488-200 / DID: 02-7488-OOO

서장: **공 준 기**
DID: 02-7488-201~2

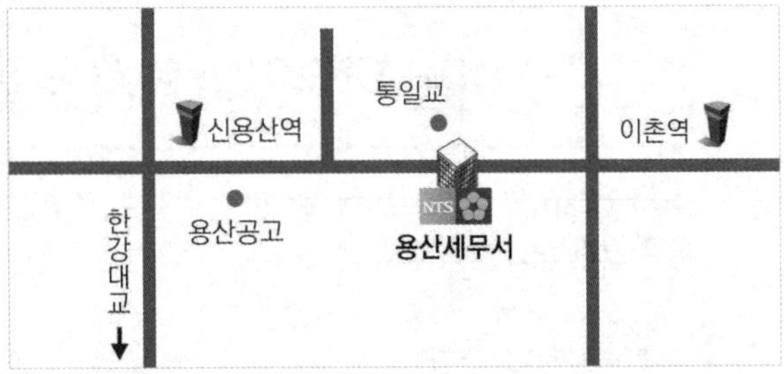

주소	서울특별시 용산구 서빙고로24길 15 (한강로3가 65-342) (우)04388				
코드번호	106	**계좌번호**	011947	**사업자번호**	106-83-02667
관할구역	서울특별시 용산구			**이메일**	youngsan@nts.go.kr

과	체납징세과				부가가치세과		소득세과		재산세과		
과장	정지용 240				이철 280		구정서 360		강효숙 480		
계	운영지원	체납추적1	체납추적2	징세	부가1	부가2	소득1	소득2	재산1	재산2	재산3
계장	최현석 241	이정노 601	문태흥 621	최창수 261	서윤식 281	천진해 301	김승룡 361	정승태 381	서승원 481	정희숙 501	진정록 521
국세조사관		김용만 602	한수현 622		양선욱 282		황태영 손병석 362		전대웅 482	정건 502	김영준 522
	이금숙 243 김대훈 242 이세인 244	유민희 603	한지민 623	임은화 263 노인선 262	채수향 283 노승옥 284	정인월 302 이진재 303 김준우 306	송진영 363 주수미 364 정혜영 365	조은희 382 문광섭 383 이경애 384 유지희 385	한윤숙 483 박은미 484 천영수 485	이언양 503 김상희 504 김도희 505	류병호 523 이중훈 524 최도석 525
	배진호 246 배상철 206	윤진우 604 박주혜 605 김지학 606	조현아 624 방예진 625	김보미 264	권오석 285 유정화 299 김지미 286 유지수 287	전세정 305 박영 299 안영채 307 이솔 308	김미란 366	박선영	이은정 486 김미경 487	김유진 506	윤슬기 526 이현지 527 김대용 528 유주희 489
	최세진 245 김동민 614	이가령 607	유휘곤 626		이지영 288	유이슬 309	윤정민 367 김서은 368	백은실 386 조영주 387	이성규 488	김효수 507 구세진 508	김민영 529
관리운영직 및 기타											
FAX	748-8269	792-2619			748-8296		748-8160	748-8169	748-8512	748-8515	

1등 조세회계 경제신문 조세일보

과	법인세과		조사과								납세자보호담당관	
과장	홍영국 400		전병두 640								선석현 210	
계	법인1	법인2	조사관리	1팀	2팀	3팀	4팀	5팀	6팀	세원정보	납세자보호실	민원봉사실
계장	김동찬 401	홍장희 421	최선이 641	이성복 651	양재영 655	고정수 658	김제우 661	문근나 664	박광용 667	최선호 691	김남균 211	김현경 221
국세조사관	임봉숙 402	정대수 422		김태오 652								김민선 228
	김성숙 403 서경원 404	이성구 423 박자영 424	노기주 642	황아름 653	이영훈 656	박지영 659	구선영 662	이현정 665 김은정 666	한재식 668	윤청연 692 오연호 694	이수경 212 황지혜 213	임석봉 224 김승구 225
	윤소윤 405 이주협 406	박규미 425		유경은 654	차유해 657		신지혜 663		최윤정 669		김서은 215	서은파 222
	조선희 407 최지수 408	이재석 426 허지희 427 김희경 428	권호용 645 심지은 643			김기철 660						황선화 226 우미라 227
관리운영직 및 기타												
FAX	748-8604	748-8190	748-8651~69							748-8691~4	748-8217	796-0187

은평세무서

대표전화: 02-21329-200 / DID: 02-21329-OOO

서장: **안 민 규**
DID: 02-21329-201~2

주소	서울특별시 은평구 서오릉로7 (응암동 84-5) (우)03460				
코드번호	147	**계좌번호**	026165	**사업자번호**	
관할구역	서울특별시 은평구			**이메일**	

과	체납징세과			부가가치세과		소득세과	
과장	이승훈 240			박종흠 280		김형일 360	
계	운영지원	체납추적	징세	부가1	부가2	소득1	소득2
계장	강장환 241	강태호 601	오혜란 261	사명환 281	손명수 301	김성묵 361	옥혁규 381
국세 조사관		김광미 602		염미정 282			
	최웅 242 윤순옥 243 김원화 207 함상율 593	임금자 603 노하진 604 유진옥 605 임현우 606	안소영 262	노현숙 283 이계승 284 정혜정 288	황윤숙 302 조혜정 김현우 303	김병찬 362 채현진 363	이용호 382 이재일 383
	김철현 244	정미영 607 이화선 608 김나형 609	김미소 263	권은경 285	윤주영 304 이지혜 305 배지민 306	박정민 364 정대혁 365 강성훈 366 박현아 367	윤지윤 384 최기남 385 김현희 386 김동진 387 김수진 388
	김경복 245 최종인 246	심수연 610 조은희 611 장규복 612	남화영 264	이명구 286 맹선애 287	최익영 307 이나경 308	윤민아 368 김윤성 369 강명은 370	문선영 389 권윤회 390 공윤선
관리 운영직 및 기타							
FAX	2132-9571	2132-9575		2132-9572		2132-9573	

과	재산법인세과			조사과			납세자보호담당관	
과장	이호용 400			정동훈 640			박성수 210	
계	재산1	재산2	법인	조사관리	조사	세원정보	납세자 보호실	민원봉사실
계장	김지원 481	김령도 501	유탁균 401	김고환 641	배장완 651 심영일 654 이문환 657	김지태 691	김필종 211	김정삼 221
국세 조사관	이동일 482	전태훈 502		김영미 642		장성하 692		장창환 222
	최영숙 483 박세웅 484 이수민 485 박지숙 486 심정석 490	최현석 503 이대근 504	임미선 402 배성한 403 진동훈 404	김선희 643 이정순 644	한지원 652 한재희 655 박지혜 658	전철 693	이유영 212 김영찬 213	전확 223 김선량 노민정 도영림
	김형후 487	변혜정 506	신영빈 405		차무중 653 박치현 656		박유미 214	김여진 224 이지원 225
	이찬 488 나영미 489	박희수 505 박으뜸 507	홍혜진 407 하민영 408		이정주 659			이민경 226 김하연 227
관리 운영직 및 기타								
FAX	2132-9574			2132-9505			2132 -9576	

잠실세무서

대표전화: 02-20559-200 / DID: 02-20559-OOO

서장: **전 승 배**
DID: 02-20559-201

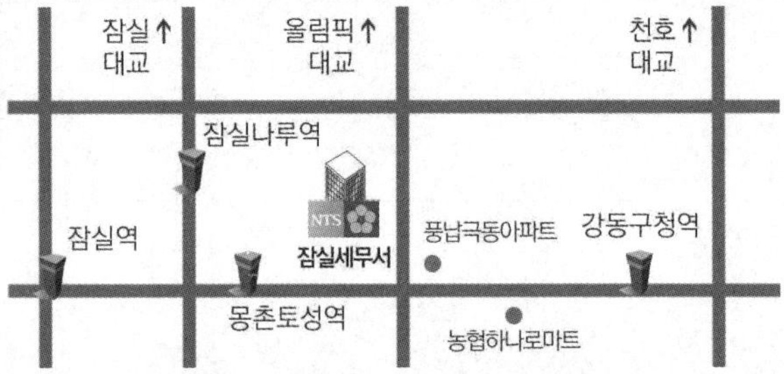

주소	서울특별시 송파구 강동대로 62 (풍납2동 388-6) (우)05506				
코드번호	230	계좌번호	019868	사업자번호	230-83-00017
관할구역	송파구 중 잠실동, 신천동, 삼전동, 방이동, 오금동, 풍납동			이메일	

과	체납징세과			부가가치세과		소득세과		법인세과	
과장	양한철 240			임병국 280		이선구 360		최용근 400	
계	운영지원	체납추적	징세	부가1	부가2	소득1	소득2	법인1	법인2
계장	신경수 241	안정미 601	김성호 261	이용제 281	이유상 301	정미경 361	안연숙 381	정승식 401	김영미 421
국세조사관			김영규 262	손선아 282	김희정 302	진민정 강용석 362		최소영 402	
	신현삼 242 권혜미 243 손현신 595	윤철민 605 윤정재 608 박창현 611 김진동 613 이경옥 603	황은옥 263 마선희 265	반미경 283 이중재 284 정재희 285 오주희	이미숙 303 이종성 304	정미영 363 안종임 정경옥 364 김춘경 379	이혜정 382 박현준 383	노강원 403 김주옥 404 이진규 405	정민호 422 허송 423 김성미 424
	이진 244 이상천 599	조아라 606 김미희 610 송수현 612 조윤정 604	고은지 264	김은미 287	권오남 305	최종수 365 노한나 366 임경준 367	정석훈 384 노하나 385 전정화 386	최두이 406	심예진 425
	김지수 245 박건웅 246 류경탁 596	한은정 614 용연훈 615 임하경 609		임지현 288	김희선 306 권정훈 307	윤기숙 368 이지은 369	민경상 387 박해원 388	황현섭 407	윤현미 426
관리운영직 및 기타									
FAX	475-0881			483-1926		475-7511		486-2494	

과	재산세과			조사과			납세자보호담당관	
과장	이상익 480			이종민 640			임경미 210	
계	재산1	재산2	재산3	조사관리	조사	세원정보	납세자 보호실	민원봉사실
계장	신지성 481	기정림 501	권용준 521	김용원 641	김영승(6) 651 한기준(6) 652 김경국(6) 653	윤재헌 691	곽정은 211	김명호 221
국세 조사관	곽용은 482 김동진 483	정한욱 502	김민경 522	김희정 642			위종 212	
	정소영 김효정 484 이철호 485 김옥단 491	이상목 503 안성준 504 정세연 오정민 505	손혜정 523 곽승현 524 박찬욱 525 이주한 526	김효영 643	최경호(6) 윤재길(6) 656 황정현(7) 657 홍범식(7) 658		류선주 213 이문미 214 김민정 215	박정숙 222 이해미 223 강선미 228 김정배 224
	김인화 486 곽주권 487	이현주 506	최창호 527 김진희 528	오수진 644	신민경(8) 김선호(8) 661 강지선(8) 662 염예나(8) 663	심윤정 693		김주영 226 정수지 225
	송채원 488	이원기 507	허재연 529 민혜선 530 조영현 531		윤정민(8) 664 양근성(9) 665 이유정(9) 666			임지남 223 임예지 227
관리 운영직 및 기타								
FAX	476-4587			475-6933			485-3703	2055-9690

종로세무서

대표전화: 02-7609-200 / DID: 02-7609-OOO

서장: **김 광 칠**

DID: 02-7609-201

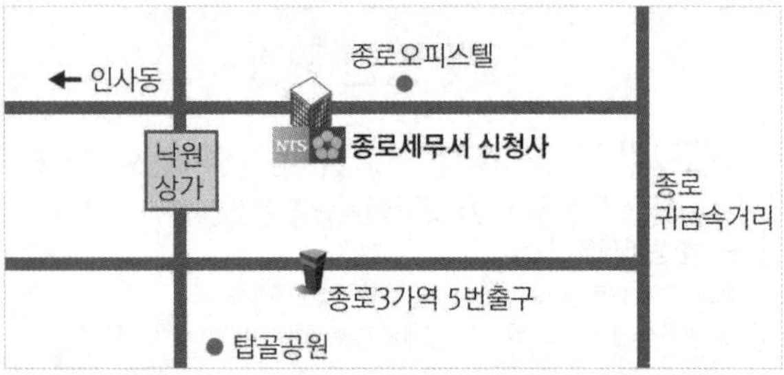

주소	서울특별시 종로구 삼일대로 30길 22 (우)03133				
코드번호	101	**계좌번호**	011976	**사업자번호**	101-83-00193
관할구역	서울특별시 종로구			**이메일**	jongno@nts.go.kr

과	체납징세과				부가가치세과			소득세과	
과장	나재섭 240(4층), 220(3층)				오봉신 280			이명섭 360	
계	운영지원	체납추적1	체납추적2	징세	부가1	부가2	부가3	소득1	소득2
계장	김세종 241	이필 601	이은길 621	이경호 261	김시욱 281	김호영 301	장진욱 321	심규연 361	김효상 381
국세조사관		김성덕 602	유후양 622	김혜란 262	김기환 282			이원정 362	
	황다검 242 엄익춘 243 김진몽 593 조천령 620	김진수 603 김봉희 604 배은아 605 고미순 609	이지훈 623 김혜원 624	임영선 263 김영하 264	이부창 283 오은경 284 김영주 293	김정희 302 윤공자 303	강주은 322 이은정 323 이상민 324	김수미 363 조연상 364 박혜경 367	문형빈 382 강은숙 383
	김지연 244 고아라 245	조다현 606	안정수 625		한혜은 285 박근영 286 고경진 297	김철권 304 김한일 305 지신영 306	이창민 325 김민지 326		김정희 384
	김동환 246	박효진 607 이정웅 608	조한아 626 정다영 627		정희연 287 김보송 288	정연주 307 오지훈 308	고현준 327	김진달래 365 이선주 366	고민지 385
관리 운영직 및 기타									
FAX	744-4939			760-9601	760-9600			747-4253	

1등 조세회계 경제신문 조세일보

과	재산세과		법인세과			조사과			납세자보호담당관	
과장	정일선 480		전명진 400			이운형 640			김장근 210	
계	재산1	재산2	법인1	법인2	법인3	조사관리	조사	세원정보	납세자 보호실	민원 봉사실
계장	윤권욱 481	최성순 501	신진균 401	김삼중 421	김준연 441	이상길 641	김희락 651	김태훈 691	유진 211	정은하 221
국세 조사관	도형우 482	최원석 502 박기범 503 이영석 504	박인홍 402	이혜전 422		주현아 642	이영채 656 김은자 661 이수미 671		이은 212	
	이찬형 483 한장혁 484 정지현 493	한민희 505 이인하 506	공태운 403 이현수 404	최성화 423 박가은 424	권정기 442 방은정 443 원대로 444	김영화 643 이복순 646	최영진 676 한이수 681 김기연 652 김현준 662 황태연 677	장혜경 692 이동우 693 윤민정 694	이윤희 213 조희진 214 박세민 215	이기헌 222 이세진 223 김지선 224
	여주희 485 임의순 486 김영무 487	이미정 507 김수형 508	전유민 405 서인숙 406 허문정 407	강지현 425 정우도 426	김승혜 445 이계호 446	문창환 644 황세은 645	이영민 672 박은지 682 조민성 657 박혜근 653 안다경 663			이영미 225 김보라 228 박유미 228
	김규리 488	강가윤 509	이규은 408	이은정 427 박하니 428	임소연 447		황다빈 658 김효림 678 윤창용 673			한아름 226 박한빛 227 장희정 229
관리 운영직 및 기타										
FAX	747-9154		760-9454			747-9156			747- 9157	

중랑세무서

대표전화: 02-21700-200 / DID: 02-21700-OOO

서장: **강 대 일**
DID: 02-21700-200

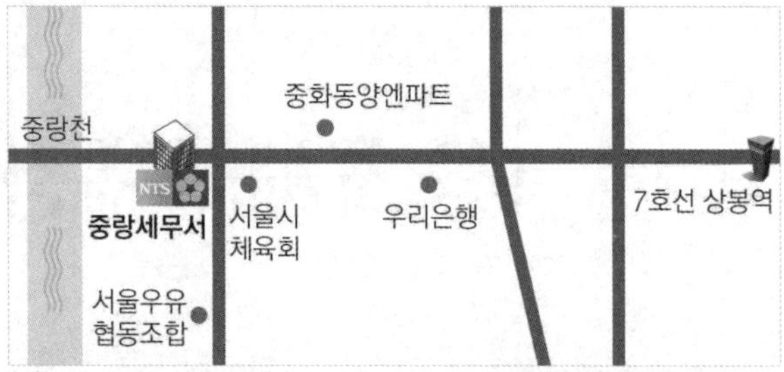

주소	서울특별시 중랑구 망우로 176 (상봉동 137-1) (우) 02118				
코드번호	146	계좌번호	025454	사업자번호	454-83-00025
관할구역	서울특별시 중랑구			이메일	jungnang@nts.go.kr

과	체납징세과			부가가치세과		소득세과	
과장	박종석 240			서영상 270		신상연 340	
계	운영지원	체납추적	징세	부가1	부가2	소득1	소득2
계장	김현숙 241	하행수 601	이은영 261	정오현 271	조세영 291	김봉조 341	김종학 361
국세조사관		박기정 602		김윤선 272 최은정 701		유성두 342	장인영 362
	김윤이 242 신동한 243 김학영 595 유동철 595	김현선 603 이홍욱 604 서금석 605 오경민 606 강지은 607	신주현 262	류기수 273 이지혜 274 황숙현 280	강대규 292 신정현 293 김주희 701 진덕화 294	강주영 343 최윤진 344 김세환	박준호 363 신명수 364 양희석 702
	함지훈 244	정일영 608 조민현 609 박성수 610	정강미 264	최미경 275 윤영민 276 강소연 277	이상윤 신보미 295 이후건 296 허수진 297 홍영실 298	윤용 345 이윤정 702	
	김광환 245	장두영 611		홍기선 278 이유진 279	임윤택 299 강건희 300	고종우 346 도명준 347	이진문 365 문윤정 366 지상근 367
관리운영직 및 기타							
FAX	493-7315			493-7313		493-7312	

과	재산법인세과			조사과			납세자보호담당관	
과장	이승현 460			이병주 640			전우식 210	
계	재산1	재산2	법인	조사관리	조사	세원정보	납세자 보호실	민원봉사실
계장	김동만 461	허영수 481	이은배 531	김미나 641	김재훈 651 양재중 654 최용진 657	김건웅 691	신현근 211	서성일 221
국세 조사관	이진욱 462	유덕현 482	최정원 532			남형철 692	박성호 212	
	강복길 703 안승화 463 소재연 468	김재완 483 장수진 484	정아름 533 남윤수 534	김영선 642	김원필 652 이재호 658 이은영 655		임아름 213	정은정 222
	박성준 464			송도영 643	조해영 659		정미희 214	안소영 223 박인희 224 양영철 225 강지은 226
	김지원 465 안정은 466	이태현 485	최경철 535 장철현 536		김채원 653 황성필 656			노종옥 227
관리 운영직 및 기타								
FAX	493-7316			493-7317			493-7311	493-7310

중부세무서

대표전화: 02-22609-200 / DID: 02-22609-OOO

서장: **박 성 학**

DID: 02-22609-201~2

주소	서울특별시 중구 소공로 70 (충무로1가 21-1) (우) 04535				
코드번호	201	**계좌번호**	011989	**사업자번호**	202-83-30044
관할구역	중구 중 광희동 1,2가, 남대문로 2가, 남산동 1,2,3가, 남학동, 명동 1,2가, 무학동, 묵정동, 방산동, 신당동, 쌍림동, 예관동, 예장동, 오장동, 을지로 6,7가, 인현동 1,2가, 장충동 1,2가, 주자동, 초동, 충무로 1,2,3,4,5가, 필동 1,2,3가, 황학동, 흥인동			**이메일**	jungbu@nts.go.kr

과	체납징세과			부가가치세과		소득세과	
과장	노수현 240			최선숙 280		조성식 360	
계	운영지원	체납추적	징세	부가1	부가2	소득1	소득2
계장	이희현 241	김재희 601	이유선 261	진인수 281	윤경희 301	김수현 361	나우영 381
국세조사관			서민자	김진홍	이응선 302	정진영 362	
	김문영 242 김정미 243 김성주 244 하륜광 593	엄태자 602 이세진 603 장병수 604	김영신 262	김현지 282 정재윤 283 용수화 284 조은비 285	이수란 303 임보현 304 기은진 305 이희창 306	최연희 363 김보연 150	박하란 382
	김동철 595 정희진 245	권기홍 605 김혜경 606 손주희 607 김효진 608 조은희 609	신이나 263	권정인 286 윤민지 287	강영묵 307	김광호 364	이정은 383
	이민철 246	김현민 610 정현지 611 임승명 612 진재경 613		전인영 288 유성안 289 김세현 290 김보라 291	강혜연 308 김지은 309 김지현 310 김미연 311	김은지 365 장재영 366	허진수 384 배은경 385
관리운영직 및 기타							
FAX	2268-0582		2260-9583	2260-9582		2260-9583	

과	재산법인세과			조사과			납세자보호담당관	
과장	이재호 400			김동재 640			임준빈 210	
계	재산	법인1	법인2	관리	조사	세원정보	납세자 보호실	민원봉사실
계장	김미정 481	권기수 401	하기성 421	박선영 641	이민규 651 정명주 661 전광현 655 강혜림 658	한상범 691	오상욱 211	서명남 221
국세 조사관	이지호 박은화 482	부명현 402 김형진 403	김재현 422			박용관 692 김영종 693		
	홍광원 483 진관수 484 이민정 488	정여원 404 배현정 405 장혜영 409	고정란 423 배상윤 424	윤동숙 644	김소연 664 김경달 666 정혜진 662 최명준 652 백기량 657 박종익 659 김지헌 665		유선화 212 홍경옥 213 이수정 214	황선익 223 정유진 224 최수진 229 유원형 227
	황재홍 485 김지혜 486 박민중 487	조광호 406 오유빈 407	이유경 425 이상미 426	김가연 642	서경진 667 김동하 656 정유정 660 전미라 653			신미영 228 김영성 226
		김혜빈 408	박미주 427 박소은 428	이정은 643	박대광 663			송현화 229 송지혜 225
관리 운영직 및 기타								
FAX	2260-9584			2260-9586			2260- 9581	2260- 9585

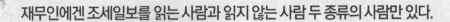

중부지방국세청 관할세무서

■	중부지방국세청	227
	지방국세청 국·과	228
[경기]	구 리 세무서	238
	기 흥 세무서	240
	남 양 주 세무서	242
	동 수 원 세무서	244
	동 안 양 세무서	246
	분 당 세무서	248
	성 남 세무서	250
	수 원 세무서	252
	시 흥 세무서	254
	경기광주 세무서	256
	안 산 세무서	258
	안 양 세무서	260
	용 인 세무서	262
	이 천 세무서	264
	평 택 세무서	266
	화 성 세무서	268
[강원]	강 릉 세무서	270
	삼 척 세무서[태백지서]	272
	속 초 세무서	274
	영 월 세무서	276
	원 주 세무서	278
	춘 천 세무서	280
	홍 천 세무서	282

중부지방국세청

주소	경기도 수원시 장안구 경수대로 1110-17 (파장동 216-1) (우) 16206
대표전화 & 팩스	031-888-4200 / 031-888-7612
코드번호	200
계좌번호	000165
사업자등록번호	124-83-04120
e-mail	jungburto@nts.go.kr

청장 김창기

(D) 031-888-4201

부 속 실 031-888-4201
비 서 관 문창전 (D) 031-888-4202

성실납세지원국장	**이동운**	(D) 031-888-4420
징세송무국장	**김지훈**	(D) 031-888-4340
조사1국장	**안덕수**	(D) 031-888-4660
조사2국장	**김국현**	(D) 031-888-4480
조사3국장	**양동훈**	(D) 031-888-4080

중부지방국세청

대표전화: 031-888-4200 / DID: 031-888-OOOO

청장: **김 창 기**
DID: 031-888-4201

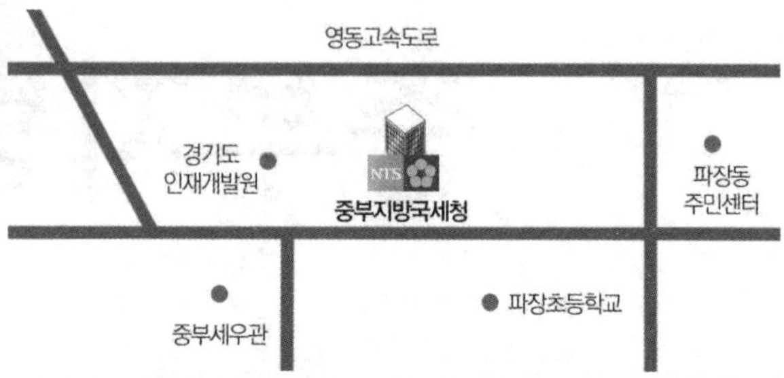

주소	경기도 수원시 장안구 경수대로 1110-17 (파장동 216-1) (우) 16206				
코드번호	200	계좌번호	000165	사업자번호	124-83-04120
관할구역	경기도 일부, 강원도(철원군 제외) [중부지방국세청 관내 22개 세무서 : 안양, 동안양, 안산, 수원, 동수원, 화성, 평택, 성남, 분당, 이천, 남양주, 구리, 시흥, 용인, 춘천, 홍천, 원주, 영월, 삼척(태백지서), 강릉, 속초, 경기광주(하남지서), 기흥]			이메일	jungburto@nts.go.kr

과	운영지원과				감사관			
과장	김민기 4240				이응봉 4300			
계	인사	행정	경리	현장소통	감사1	감사2	감찰1	감찰2
계장	우병철 4242	허양원 4252	김희숙 4262	정성영 4272	성병모 4302	천병선 4312	이연선 4322	박병남 4290
국세조사관	김도영 4243 정진원 4244 김원경 4245 김홍균 4246	전동철 4253 민현석 4254 하재봉(시설) 4255 전형원(방호)	한미자 4263	이은경 4273	이남진 4303 노광수 4304 주용석 4305 손세종 4306 박진흥 4307	최동주 4313 이현무 4314 남선애 4315	김완종 4323 천만진 4327 이종우 4328 공석환 4329	김훈 4291 이준성 4292 김도원 4293
	곽호현 4247 김지원 4248 이유진 4249	배원준 4256 이은실(기록) 4257 최상운 4259 김기식 4260 최삼영(공업) 4237 강복남(전화) 박종일(방호)	윤지영 4267 김혜령 4264 박준영 4266 오은경 4268	송정숙 4274 전진우 4275 고영필 4276	정재상 4308 유미영 4309 임원아(사무) 4310	최성용 4316 박진규 4317 양성봉 4318	장경일 4330 윤동호 4324 문경 4325 전영준 4331 김여경 4332	고영철 4294 김태용 4295
	최승훈 4250 김유경 4285 오광현 4251	조용재 4234 한혜선 4261 윤도란 4235 천진호(운전) 신정무(운전) 장연택(방호)	윤송희 4265 최연욱 4269 이승수 4270	김현진 4278 김다람 4279			하준찬 4333	
		정현(시설) 4238 황영훈(운전) 김용선(운전)						
관리운영직 및 기타	우희영 4240 박지은 4284				정인순 4300			
FAX	888–7613	888–7612	888–7614	888–7615	888–7616		888–7618	888–7617

1등 조세회계 경제신문 조세일보

국				징세송무국					
국장				김지훈 4340					
과	납세자보호담당관			징세과		송무과			
과장	강성팔 4600			김기완 4341		정순범 4011			
계	납세자보호 1	납세자보호 2	심사	징세	체납관리	총괄	심판	법인	국제거래
계장	임상훈 4601	장승희 4621	정성우 4631	이승규 4342	김근수 4352	김주원 4012	홍필성 4016	허영섭 4022	고승욱 4032
국세 조사관	황인하 4602 김향미 4603	김성호 4622	조금식 4632 강지윤 4633 임희경 4634 임하연 4635	이현혜 4343 신효경 4344	표석진 4353 윤혜진 4354	박효서 4013		윤경림 4023 황보영미 4024 송현동 4025	최진석 4033 박준형 4034 김성훈 4035
	최연주 4604	김광태 4623 김미경 4624	김태훈 4636 이현석 4637 강소라 4638	김백규 4345 김은진 4346 최연희(사무) 4348	황인범 4355 정현주 3122 김정림 3123 김미나 3128	윤대호 4014	김진우 4017 조창국 4020	배재학 4026 하유정 4027	김형선 4036
	장석만 4605	이은경 4625	이동엽 4639	정현준 4347	설수미 4356 서형민 4357 정현수 4358 안지영 3124 김광혜 3125 박미경 3126 노현서 3127 이문희 3129 이미나 3130 박지혜 3131	임민경 4015			
관리 운영직 및 기타	임보화 4600			박성은 4340					
FAX	888–7619			888–7621		888–7624			888–7624

DID : 031-888-OOOO, 031-8012-OOOO (징세송무국 체납추적과)

국실	징세송무국						성실납세지원국					
국장	김지훈 4340						이동운 4420					
과	송무과			체납추적과			부가가치세과			소득재산세과		
과장	정순범 4011			안진흥 8012-7901			김상철 4451			이길용 4381		
계	개인1	개인2	상증	추적1	추적2	추적3	부가1	부가2	소비	소득	재산	소득지원
계장	김은수 4042	윤진일 4052	용환희 4062	전정호 7902	박상일 7922	김시정 7932	정윤길 4422	김성미 4452	허상엽 4872	함명자 4430	주재현 4460	오현미 4382
국세조사관	이경숙 4043 이선의 4044	오수연 4053 한청용 4054	고병덕 4063 김희선 4066	강인욱 7903 김명숙 7904 나송현 7905 이희완 7910	윤호연 7923 김주란 7924	이응찬 7933 박미숙 7934	장석준 4423 황상진 4425	최고은 4453 이준용 4454	박정민 4873 황신영 4874 고은선 4875	박중기 4431 방미숙 4432	박성배 4461 이영주 4462 곽혜정 4463	이재혁 4383
	정영욱 4045	남기현 4055	박상우 4065 김미나 4064	김중삼 7906 박희경 7907 이상민 7908	서윤희 7925 진재화 7926 권기정 7927	임관수 7935 박영실 7936 박승욱 7937 손희정 7938	김수현 4424 최상재 4426 김순영(사무) 4428	신승수 4455 김선영 4456 석장수 4370 김용철 4371	최진규 4876 이연석 4877	나형욱 4433 최미옥 4434 전은영 4435 남명기 4436	유정희 4464 문세련 4465 라영채 4466	곽병철 4384
	김석준 4046	선민준 4056		김예솔 7909	박찬익 7928 임혜영 7929 김선근 7930	윤지혜 7939 박희영 7940	김희연 4427	정효민 4457	김재민 4878 노정윤 4879	김다영 4437 이상국 4438	윤경현 4467	한윤희 4385 주에나 4386
관리운영직 및 기타							최정은 4420					
FAX				888–7622, 7623			888–7633		888–7630	888–7631	888–7629	

국실	성실납세지원국				
국장	이동운 4420				
과	전산관리팀				
과장	이승신 4401				
계	관리1	관리2	정보화센터1	정보화센터2	정보화센터3
계장	전용훈 4402	배향순 4412	이문원 290-3002		이홍구 290-3102
국세 조사관	이은정 4403	오진숙 4390 권오진 4413 정윤희 4391			
	김현숙 4404 송미원 4405 안순주 4406 박병훈 4407	최재성 4414 조수연 4392	이해진 3003 <사무> 이윤숙 3017 김홍남 3014 고은희 3004 장용자 3020 서미숙 3015 김숙영 3013 윤석숙 3006 이윤정 3008 박명숙 3021 정희정 3005	<사무> 맹송섭 3067 김유경 3054 박회숙 3064 최미경 3062 노은복 3069 정복순 3071 최명숙 3066 강미애 3056 배윤숙 3065 장문경 3058 이성훈 3061	<사무> 이정애 3112 이현이 3104 김옥연 3115 박주현 3106 추정현 3108 고희경 3114 윤인경 3105 조정희 3111
		정병창 4415 이민선 4393 유주희 4416	김현주 3011 박세라 3019 최하나 3018 김선화 3023	이경수 3053 신수령 3059 김새봄 3063	문지환 3117 황보주연 3116
	이철원 4408		이용재 3007	최홍열 3057	
관리 운영직 및 기타					
FAX	888-7627		290-3148	290-3099	

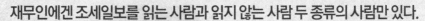

DID : 031-888-OOOO,
031-8012-OOOO(국제거래조사과 조사4~6팀)

국실	성실납세지원국					조사1국					
국장	이동운 4420					안덕수 4660					
과	법인세과					조사1과					
과장	박인호 4831					이상원 4661					
계	법인1	법인2	법인3	법인4	국제 조세	조사1	조사2	조사3	조사4	조사5	조사6
계장	이수형 4832	조일훈 4840	서영미 4851	이태균 4962	이경순 4952	이용안 4662	김송경 4672	전봉준 4682	구본수 4692	유상화 4702	심희준 4712
국세 조사관	조규상 4833 이인숙 4834 김지현 4835	정선현 4841	박형주 4852 김진우 4853	이민수 4963 김용진 4964 이주연 4965	임승섭 4953 박수안 4954	이현규 4663	강주연 4673	최찬규 4683 안연광 4684	김정관 4693	김현호 4703 정경진 4704	조병옥 4713 박선영 4714
	김수진 4836 김주란 (사무) 4838	이창원 4842 장수정 4843 이경열 4844 이효경 4845	박종호 4854 김학송 4855	김희화 4966 임승수 4967 유홍재 4968 박은아 4969	최영주 4955 손지아 4956	조해일 4664 김동호 4665 마정훈 4666 임향자 (사무) 4669	채혜인 4675 김강주 4676	이혜림 4685 최동기 4686	염유섭 4694 백수빈 4695 심민정 4696	김윤주 4705 이준무 4706	이정 4715 송인우 4716
	강병수 4837	오유나 4846	최강원 4856		양이지 4957	김지민 4667 오아람 4668		구자호 4687	김광현 4697	엄지희 4707	신민아 4717
관리 운영직 및 기타						홍주연 4660					
FAX	888– 7635					888– 7636					

국실	조사1국										
국장	안덕수 4660										
과	조사2과					국제거래조사과					
과장	김왕성 4741					남아주 4801					
계	조사1	조사2	조사3	조사4	조사5	조사1	조사2	조사3	조사4	조사5	조사6
계장	박지원 4742	오수빈 4752	이상용 4762	엄인찬 4772	김천수 4782	임수현 4802	문홍승 4812	남용우 4822	정광용 1802	조성인 1812	오성필 1822
국세 조사관	유재복 4743 김성문 4744	조원희 4753	구홍림 4763 이윤주 4764	김현미 4773 한순근 4774	김지현 4783	김태진 4803	정윤석 4813 송영석 4814	임승빈 4823	박진혁 1803	김주연 1813 박종석 1814	이연화 1823 김승훈 1824
	민규홍 4745 이예림 4746	유경훈 4754 임철우 4755	김태진 4765 남상준 4766	국경호 4775	박용훈 4784 백인희 4785 김국성 4786	백일홍 4804 김찬섭 4805 김나영 4806 김영석 4807	김도윤 4815 김병주 4816	이범주 4824 김효일 4825 강성구 4826	김중현 1804 조미진 1805 이성재 1806	장민재 1815	김경일 1825
	이아름 4748 김인겸 4747	서홍석 4756 류재희 4757	천혜미 4767	안현수 4776 장재영 4777	박관중 4787	김도연 4808	김은주 4817	이정현 4827	박하늬 1807	차은영 1816	강성우 1826 이현택 1827
관리 운영직 및 기타	김민정 4749										
FAX	888-7640					888–7643					

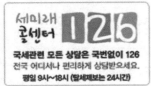

DID : 031-888-OOOO (조사2국 조사1과 1~3팀),
031-8012-OOOO (조사2국 조사1과 4~5팀, 조사2국 조사2과)

국실	조사2국							
국장	김국현 4480							
과	조사관리과							
과장	장철호 4481							
계	관리1	관리2	관리3	관리4	관리5	관리6	관리7	관리8
계장	이창수 4482	한보미 4492	장석진 4502	김진숙 4512	이강석 4522	최찬민 4532	김종민 4542	오승찬 4552
국세 조사관	김기은 4483 김동현 4484 정애라 4485	최현주 4493 김영희 4494	하광열 4503 강수미 4504	최선미 4513 윤재연 4514	이창열 4523	정경화 4533 강지원 4534	김신덕 4543 서경원 4544	김정건 4553 이민희 4554
	이은주 4486 전범철 4487	서은화 4495 이순복 4496	문은하 4505 서현준 4506 김지혜 4507	이정윤 4515 장성환 4516	하경종 4524 정재윤(파견) 김동우 4525	김승미 4535 윤연광 4536 최혜진 4537	문승덕 4545 오수경 4546 최인영 4547	
	이유리 4488 양성욱 4489		박보영 4508	정대환 4517	김민정 4526	윤장원 4538 전하돈 4539	남유승 4548 박형기 4549	김문기 4555
관리 운영직 및 기타	안기회 4480							
FAX	888-7654							

1등 조세회계 경제신문 조세일보

국실	조사2국								
국장	김국현 4480								
과	조사1과					조사2과			
과장	강영구 4571					최성영 1861			
계	조사1	조사2	조사3	조사4	조사5	조사1	조사2	조사3	조사4
계장	왕춘근 4572	문도형 4582	남수진 4592	정준 1842	김승욱 1852	안병진 1862	맹환준 1872	김종운 1882	강찬종 1892
국세 조사관	노신남 4573 김교성 4574	전기석 4583 박희경 4584	이선옥 4593 곽재승 4594	인찬웅 1843 이수연 1844	이원섭 1853	양용선 1863 임희정 1866	이주희 1873 정현덕 1876	김재형 1883 엄선호 1886	강영구 1893 박정미 1896
	김미라 4575 최락진 4576	박건준 4587 오민선 4586	이은주 4595 박현준 4596	양재우 1845 이은형 1847	유기성 1854	최성도 1864 박경수 1867	김봄 1874 임혜란 1877	양명호 1884 한유정 1887	이학승 1897 이재택 1894
	안재현 4578 정혜영 4577	장형보 4588 김현주 4585	장재민 4598 이예지 4597	정성호 1848 이호수 1846	이동훈 1856 최재진 1855	김한선 1865 윤종율 1868	김정진 1878 이은성 1875	박성용 1888 한진아 1885	정종원 1898 강주현 1895
관리 운영직 및 기타	김영경 4579					원지현 1869			
FAX	888-7644								

DID : 031-250-OOOO (조사3국 조사2과)

국실	조사3국									
국장	양동훈 4080									
과	조사관리과					조사1과				
과장	이세협 4081					장권철 4151				
계	관리1	관리2	관리3	관리4	관리5	조사1	조사2	조사3	조사4	조사5
계장	김영기 4082	이수빈 4092	최교학 4102	김성근 4112	이민철 4122	김정현 4152	김호현 4162	윤종현 4172	장현주 4182	김성기 4192
국세 조사관	이소영 4083 편대수 4084	장해순 4093 백승우 4094 박주효 4095	지선영 4103 윤영상 4104 장창하 4105	이순철 4113 고은미 4114	이낙영 4123 강선희 4133 이재진 4124	채칠용 4153	조숙연 4163	김은숙 4173	오항우 4183 임치성 4184	임재승 4193
	이상영 4085 박기우 4086		이준 4106 신미리 4107 임재미 4108	박제웅 4115 강선경 4116 정윤선 4117 남정휘 4118 신유미 4119 유승천 4147	이남곤 4134 황순진 4125 유기연 4126 이유라 4135	도주희 4154 조선미 4155 김민호 4156 양월숙 (사무) 4158	양시범 4164 김경랑 4165 서기원 4166	지영환 4174 홍지우 4175 정웅교 4176	최청림 4185	조용진 4194 이원구 4195 이주미 4196
	정은솔 4087 임장섭 4088 최기영 4089	박찬승 4096	이슬비 4109 현병연 4110	이원진 4148 유현정 4120 여진혁 4149	최우석 4136 김예지 4127	차선주 4157	고재윤 4167	양현모 4177	권소현 4186	전은정 4197
관리 운영직 및 기타	원유미 4080									
FAX	888-7673					888-7678				

국실	조사3국				
국장	양동훈 4080				
과	조사2과				
과장	최진복 5601				
계	조사1	조사2	조사3	조사4	조사5
계장	송명섭 5602	조수진 5612	박영인 5622	장영일 5632	권순락 5642
국세 조사관	원진희 5603 고영욱 5604	함은정 5613	강문자 5623	박선범 5633	유승현 5643
	최성희 5605 정치권 5606	조경호 5614 이동호 5615 강경식 5616	김경진 5624 김서정 5625 정휘섭 5626	이시연 5634 이충환 5635	기두현 5644 우해나 5645
	김도헌 5607	김보미 5617	양시준 5627	송민숙 5636	김민표 5646
관리 운영직 및 기타	이지연 5608				
FAX	888-7683				

구리세무서

대표전화: 031-3267-200/DID: 031-3267-OOO

서장: **장 태 복**
DID: 031-3267-201

주소	경기도 구리시 안골로 36 (교문동736-2) (우) 11934		
코드번호	149	**계좌번호**	027290
사업자번호	149-83-00050		
관할구역	경기도 구리시, 남양주시(별내면, 별내동, 퇴계원읍, 다산1,2동, 양정동, 와부읍, 조안면)	**이메일**	

과	체납징세과				부가가치세과		재산법인세과		
과장	이서행 240				전종희 280		이해중 480		
계	운영지원	체납추적1	체납추적2	징세	부가1	부가2	재산1	재산2	법인
계장	노동렬 241	박찬정 441	윤희만 461	우정은 261	정용수 281	황기오 301	김정범 481	이종하 491	김용곤 401
국세 조사관					한주희 282			송윤식 492	이용배 402
	김수진 242 장혜진 243 서승경 (사무) 612	조영미 442	유진희 462 음홍식 463	김미선 262	홍선영 283 김민섭 284	강계현 302 김동희 303	김민철 482 송지선 483	정희정 493 한영준 494	김경호 403 김민정 404
		김민성 443 김지현 445 박진성 446	신지연 464 여길동 465	이은진(시) 263 김나윤 264	서승화 285 오은희 286	노은지 304 김민수 305	홍종은 484 이우정 485	정소연 495 정현희(시) 정영미(시)	조효신 405 김유나 406
	김동현 (방호) 245 이승범 244	안광인 447 박미리 448	정예원 466 노혜선 467		강순택 287 김호영 288 손은하 289 김혜영(시)	홍세미 306 표다은 307 황지영 308 박경민 309	김수진 486 김선웅 487	이유민 496 배정현 497	우지영 407
관리 운영직 및 기타	최홍인 (비서) 손혜자 (환경) 박지현 (환경)								
FAX	566-1808, 555-8199				555-8388		555-8196, 8197		

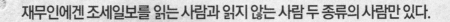

과	소득세과		조사과			납세자보호담당관	
과장	유상화 360		양동구 640			김상문 210	
계	소득1	소득2	조사관리	조사1	세원정보	납세자보호실	민원봉사실
계장	서동옥 361	오주해 381	황민 641	이은수 651	허승 691	유철 211	황정만 221
국세조사관			윤혜정 642	김민태 654		이지연 212	
국세조사관	곽훈 364 이형민 362	하재분 382 김주애 383		류호정 658 김건우 652 정성훈 655 김영석 659			안지은 222
국세조사관	허진혁 366 박나영 363	김민주 384 조재훈 386 김도형 385 전다인(시)	김미선 643	유윤희 656 고유영 660	한희자 692	석호정 213 윤수빈 214	임부선 223 방선미(시) 심선희(시) 226 강선희(시) 김혜정(시) 227
국세조사관	조현주 367 신승현 368 양지현 365	김수영 389	김나영 644	황윤정 653			전은지 224 김두수 225
관리운영직 및 기타							
FAX	555-8388		555-8389			555-8380, 554-2100	

기흥세무서

대표전화: 031-80071-200/DID: 031-80071-OOO

서장: **김 진 갑**
DID: 031-80071-201

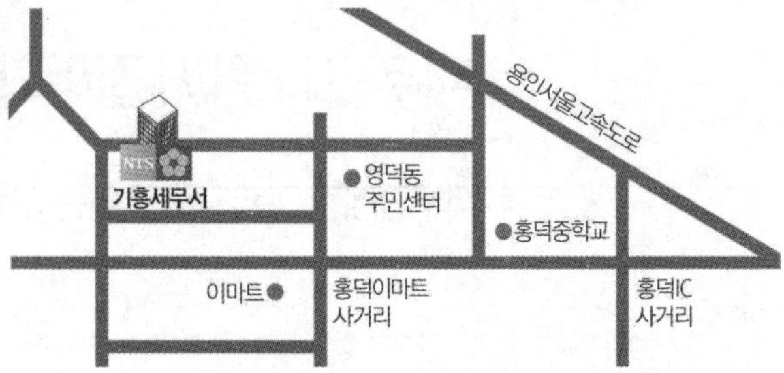

주소	경기도 용인시 기흥구 흥덕2로117번길 15(영덕동974-3) 광장프라자 1~4층 (우) 16953				
코드번호	236	계좌번호	026178	사업자번호	
관할구역	경기도 용인시 기흥구			이메일	giheung@nts.go.kr

과	체납징세과			부가소득세과		재산법인세과		
과장	이금동 240			김연일 280		김현철 400		
계	운영지원	체납추적	징세	부가	소득	재산1	재산2	법인
계장	김영환 241	오경택 441	강윤숙 261	이성진 281	서병식 301	전채환 481	소기형 501	이봉형 401
국세조사관		문영건 442					김덕규 502	배유진 402
	박준희 242 이순임(사무) 244 박천왕(방호) 246 김은령 243 김현진(시)	채성희(사무) 452 이지원 443 최재광 444 권선화 445 한민수 446		김국현 282 조행순 283 정원석 284 정상화 285 정용선 286	황보람 302 설종훈 303 김창우 304 정해란(시)	김현미 482 정지홍 483 지용권(시) 김준희 484 고은별 485	반흥찬 503	이정언 403 최병화 404 김동욱 405 박정민 406
		남현정 447 강지은 448 이수빈 449 이다솔 450	곽은선 262 김미란 263	허채연 287 이지우 288 노현주(시) 하태욱 289 조혜정 290	최현숙 305 양승민 306 김가혜 307	김민정 486 윤주영 487 서진 488	오진선 504	원희정 407 박소현(시) 408
	편수진 245 이도현(운전) 247	최영진 451		류예림 291	윤주희 308 조해정 309 정성민 310	김환희(시) 민경미 492	송휘종 505	여지수 409 김수진 410
관리운영직 및 기타	신은숙(비서) 202							
FAX	895-4902	895-4903		895-4904		895-4905		

과	조사과			납세자보호담당관	
과장	박진영 640			안장열 210	
계	조사관리	조사	세원정보	납세자보호실	민원봉사실
계장	박정용 641	이승호 651	조일제 691	정직한 211	연제열 221
국세 조사관		구응서 652			김동수 222
		김인숙(시) 655 김명환 653 고빛나 654		선승아 212 김윤희 213	박순영(시) 226 윤수경 223
	박은주 642	박지혜 657 류혜영 658	홍주희 692	신문정 214	이세미 224
		송혜인 659			이원자(시) 226 최충의 225
관리 운영직 및 기타					
FAX	895-4907			895-4908	895-4950

남양주세무서

대표전화: 031-5503-200 / DID: 031-5503-OOO

서장: **류 지 용**

DID: 031-5503-201

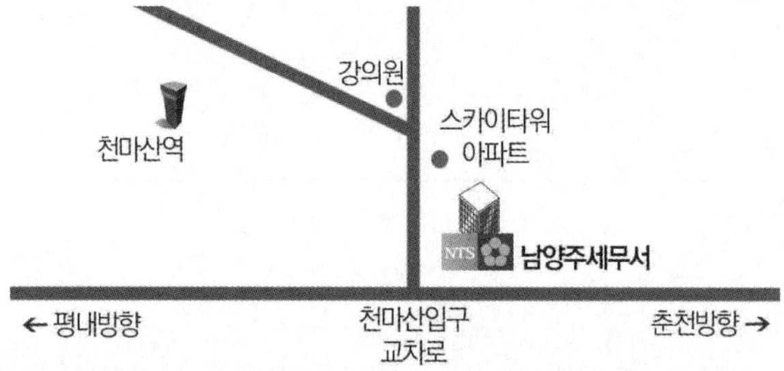

주소	경기도 남양주시 화도읍 경춘로 1807(묵현리) 쉼터빌딩 (우) 12167 가평출장소: 경기도 가평군 청평면 은고개로 19 (청평리) 금곡 민원실: 경기도 남양주시 금곡로 1037(금곡동) 남양주시 제1청사 세무민원실내				
코드번호	132	**계좌번호**	012302	**사업자번호**	132-83-00014
관할구역	경기도 남양주시(별내면, 별내동, 퇴계원읍, 다산1,2동, 양정동, 와부읍, 조안면 제외), 가평군			**이메일**	namyangju@nts.go.kr

과	체납징세과			부가가치세과		소득세과	
과장	박경은 240			권영춘 280		박승규 360	
계	운영지원	체납추적	징세	부가1	부가2	소득1	소득2
계장	박윤석 241	박상선 441	임시형 261	이동기 281	김영호 301	김형우 361	손영균 381
국세조사관		진영한 442				최세영 362	변대원 382
	김은순 242	서지민 443 임병석 445 박준범 446 이주성 447	김주형 262	김철호 282 임현구 283 홍정욱(시) 김동근 284 주미진 285	엄주원 302 박진우 303 김연정 304 민백기 309 방민식 305	박민규(시) 368 엄영석 363 황세웅 364 태종배 365	이기현 383 조성문 384 조형구 385
	장재호 243	조나래 448 김경민 449 이정형 450 김민정 451 정호식 452 김훈기 453 전윤아 454	장정수 263	한봉수 286	정하미 306 진주원(시)	권현회 366	주향미 386
	조영수 244	유예림 455		황한나 287 고경아 288	강선이 307 원대희 308	오경미 367	이진희 387
관리운영직 및 기타	홍영남(비서) 202 박선옥(환경)						
FAX	566-1808, 555-8199			555-8388			

과	재산법인세과			조사과			납세자보호담당관	
과장	정병진 480			이정원 640			남중경 210	
계	재산1	재산2	법인1	조사관리	조사	세원정보	납세자 보호실	민원봉사실
계장	이환운 481	박병연 501	김한수 401	신영철 641	손병중 651	이승현 691	이관열 211	차윤중 221
국세 조사 관	김상우 482				최인규 654 오승철 657			이영(가평) 585-2100
	이대웅 483	이상민 502 서래훈 503	오동호 402 김영식 403 오현수(시) 407 최지원(사무) 408	조윤영 642	김세진 652 이정훈 655		권은정 212 정시온 213	이우경 222
	주태웅(시) 김민희 484 김강 485 박성훈 486		윤도식 405 조은수 404 정다은 406	이미령 643	김상혁 653 양영진 656 원종훈 658	김성우 692	인정덕 214	김경원 223 이동현 224 유완 225
	조연우 487	최효임 504 박병헌 505			이세란 659			박혜인 225 안지영(시) 585-2100
관리 운영직 및 기타								
FAX	555-8196, 8197						555-8380, 554-2100	

동수원세무서

대표전화: 031-6954-200 / DID: 031-6954-OOO

서장: **한 인 철**
DID: 031-6954-201

주소	경기도 수원시 영통구 청명남로 13(영통동) (우) 16704 오산민원실: 오산시 성호대로 141 오산시청 1층 민원실 내				
코드번호	135	계좌번호	131157	사업자번호	
관할구역	경기도 수원시 영통구, 오산시, 화성시 일부			이메일	dongsuwon@nts.go.kr

과	체납징세과				부가가치세과		소득세과		법인세과	
과장	이양원 240				최은주 280		마동운 360		조영록 400	
계	운영지원	체납추적1	체납추적2	징세	부가1	부가2	소득1	소득2	법인1	법인2
계장	이종남 241	이방훈 441	임영교 461	성수미 267	강문성 281	박제상 301	이광희 361	안창희 381	손세희 401	
국세조사관	박요철		이주영 462	윤광섭 261	연명희 284		최종훈 362			이승택 421 김민선 422
	한은정 245 안정민 246 이영은 242 김병조(방호) 613 김정숙(전화) 600	김유성 444 김수인 442 조민성 443 조주현 445 이지현 446	변성용 463 최은수 464 권익성 465 류지연(시) 466	오현정 265 김순아 262 장성민 남미정(사무) 263	김현미 282 박서연 285 윤윤숙 283 하효연 287 차송근 288 허진이 286 강정호 290 백정화(사무) 298 김경향(시)	전민재 302 신미애 303 한대희 304 진다래 305 김병환 307 임혜미 306 김건호 308 서현영 309	추경호 372 김남중 363 김상옥 364	박하홍 382 이해자 383 윤주휘	이창훈 402 김태영 403 정기호 404 김소연(시) 409	임정은 423 이다솜 424 이준영 425 한상영 426
	이하나 247 유구현(운전)	곽경미 447 장지혜 450 윤현경 448 박윤수 449	권영빈 467 이도헌 468 김경미 469 고영상(시) 470	김태은 264	고지현 289 안광민 최주현(시)	이소원 310 박수용 311 성유미 312	성광민 365 지민경 368 이수지 366 유진호 369	민애희 385 박홍규 386 박주연 원설희 391 이현경 389 정현정 388 조정은 390	김민선 405 한수정 406 반승민 407	김대원 427
	손미옥 243 민재영 244	강지현 451 김아람 452			김다솜 292 이주현 293 박지성 294	김성룡 313 김린 314 이강희 315	문가은 370 오지현 371 임아사(시) 367	박일주 387	서수아 408	
관리운영직 및 기타	이혜원 201 김경자 조미경									
FAX	273-2416				273-2427		273-2388		273-2437	

1등 조세회계 경제신문 조세일보

과	재산세과			조사과			납세자보호담당관	
과장	권춘식 480			김규주 640			정명순 210	
계	재산1	재산2	재산3	조사관리	조사	세원정보	납세자 보호실	민원봉사실
계장	한종우 501	윤희철 481	최인범 521	이정걸 641	윤경 652	구규완 691	노승진 211	김대성 221
국세 조사관	김기훈 502	임교진 482	한종훈 522	조창권 642	김광수 655 김현승 658 김성길 661	정호성 693	김영민 212 김병훈	홍준만 221 고경아 227
	주기영 503 이진희(시) 508	김종만 483 김정희 484 박수경(시) 488	백남현 523	양서진 643 김지윤 644	구태환 659 정희 656 김선 653 허용 654 임수정 662 오나현 663	이범수 694	권대웅 213 김남영 214 이대훈 215	최민혜 227 김선희 227 이문희 223 김해진 228 김은숙(시) 222 차영석(시) 224 김영미(시) 230
	김병호 504 최용태 505 황정미 506 문지은(시) 508	김여진 485 김소연 487 안대엽 486	이진규 526 김진영 524	최현정 645	오상택 664 장윤정 660	김수종 692	김윤희 216 윤일한 217	김준이 228 김민경 226 김정화(시) 225 박원경(시) 230
	김예슬 507		박수진 527 강민재 525	박경진 646	김효진 665 한상화 657			오병관 229 이현정 229 정상아(시) 230 안의진(시) 225
관리 운영직 및 기타								
FAX	273-2429			273-2454			273-2461	273-2470

동안양세무서

대표전화: 031-3898-200 / DID: 031-3898-OOO

서장: **김 학 관**

DID: 031-3898-201

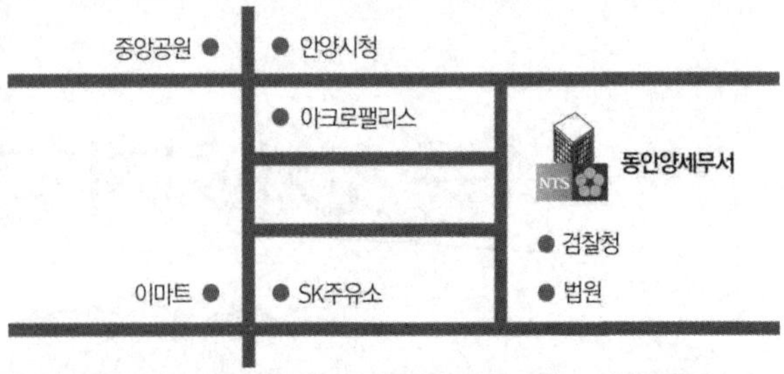

주소	경기도 안양시 동안구 관평로 202번길 27 (관양동) (우) 14054				
코드번호	138	**계좌번호**	001591	**사업자번호**	138-83-02489
관할구역	경기도 안양시 동안구, 과천시, 의왕시			**이메일**	donganyang@nts.go.kr

과	체납징세과				부가가치세과		소득세과	
과장	윤용일 240				황선택 280		이재규 360	
계	운영지원	체납추적1	체납추적2	징세	부가1	부가2	소득1	소득2
계장	김태우 241	하용홍 551	김선미 571	정을영 261	전익표 281	이종복 301	김남호 361	성익수 381
국세 조사관					전유림 282		남상웅(파견)	
	임종순 242	서경자 552 서승화 553 박찬민 554	류미순 572 박재훈 573	안현자(시) 김용숙(사무)	김반디 283 송민철 290	김수정 302 권경훈(시) 이미연 303	정은순 362 신요한 363	김철호 382 한아림 383
	김진아 243 소유섭(운전) 이남길(방호)	최소영 560 서가현 556 박형규 559	이나훔 574 하한울 575 박미성 576 이현정 577	박주영(시) 김양희 262	이정현 286 정은아 287 강기수 288 김경은(시) 정선민 284 김지언 289	오효정 304 이미진 305 황종욱 306 이지헌 307 신민규 311 구진선 308 우현주 309	김효영 364 장지연(시) 박혜진 365 이노을 366 최경진(시)	이경민 384 김주영 385 김수지 386
	한아름 244 이창수 245	강태경 558 최해영 555	박범석 578 강혜진 579		김찬우 291	권구성 312 양소영 310	한지희 367 이주연 368	신무성 387 강수빈 388 한수민 389
관리 운영직 및 기타	이정화(비서) 202 김성희 이용성 정재양							
FAX	476-9787				383-0428,476-9784		383-0429, 0486	

과	재산세과			법인세과		조사과			납세자보호담당관	
과장	정휴진 480			박금철 400		이삼기 640			양동석 210	
계	재산1	재산2	재산3	법인1	법인2	조사관리	조사	세원정보	납세자 보호실	민원 봉사실
계장	한민규 481	김영세 501	윤기철 521	박선열 401	강대성 421	김용환 641	박기택 651	이상욱 691	최인환 211	이봉림 221
국세 조사관	송지은 482 김애숙 483	조아라 502	권창위 522 유경진 523	성창화 402	김남헌 422		김성곤 657 이병희 654			
	허인순 (사무)	황주성 503 김나영 504	박현우 524 인한용 525	박병선 403 정가희 404 이삼섭 405 김보성 406	송은호 423 홍솔아 424 김문희(시) 정예린 425	채호정 642	박다빈 658 조수영 655 박홍자 663 이정수 660	김정훈 692	나덕희 212	인경훈 222 최명화 (사무)
	송은희 484 김기환 485 채상윤 (시)	권영인 505	김정효 526 박지수 527 김지암 528 이수영 529	이미진 407		최다예 643 이은종 644	김하영 652 김가인 659 최지연 664 차유나 661	윤준호 693	김원중 213 고윤석 214 장인영 215	하민지 223 유소희(시) 한지우 224 박은희 225 최세은 226
	강현 486 김예원 487	김상아 506		임우영 408 신유하 409	조성원 426 권민경 427 박지은 428		이혜규 653 김다이 656 소재준 662			송미나 228 김동윤(시)
관리 운영직 및 기타										
FAX	383-0435~7			476-9785		476-9786, 383-1795			476- 9782	389- 8629

분당세무서

대표전화: 031-2199-200 DID: 031-2199-OOO

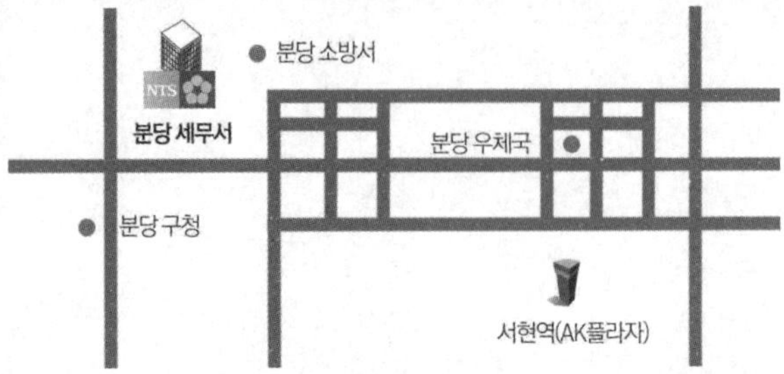

서장 : **장 길 엽**
DID : 031-2199-201

주소	경기도 성남시 분당구 분당로 23 (서현동 277) (우) 13590				
코드번호	144	**계좌번호**	018364	**사업자번호**	
관할구역	경기도 성남시 분당구			**이메일**	bundang@nts.go.kr

과	체납징세과				부가가치세과		소득세과		재산세과		
과장	이봉숙 240				장혁배 280		김진삼 360		이진우 480		
계	운영지원	체납추적 1	체납추적 2	징세	부가1	부가2	소득1	소득2	재산1	재산2	재산3
계장	이규완 241	최은창 441	이진호 461	심용훈 261	김만식 281	김기철 301	김훈태 361	송신호 381	허두영 481	김기동 501	강병구 521
국세 조사관		김현희 442				김진수 304	강덕수 362			김종호 502	정창근 522
	최보영 242 심선화 243 김금자 (전화)	이환수 444	김승국 462 장익성 464 강동석 466	최영혜 262	양혜민 283 이기혁 282 김윤희 (시)	이은교 302 황혜선 306 강한수 317	박상우 363 한유진 364 이기섭 (시) 369	오연경 382 김은호 383	조희정 482 이석화 483 차순화 (사무) 525	장혜심 503	송원기 532 이정균 526 주재명 530 박재윤 528 강경진 523 채성호 534
	안태준 244	홍서연 445 박영종 443 이승환 446 문유선 448	신수정 463 최명식 465 이현진 467	김송이 263 김단비 264	신유미 (시) 이지연 288 김용일 285	최혜승 307 조영준 303	석진영 365 박민선 366 강동인 367	이윤정 384 지상선 385	송현철 486 김혜연 485 조아라 484	김도희 506 송민섭 504 김병섭 505	신혜민 529 정현빈 533 나혜영 535 김현지 531
	조성수 245 박병철 (방호) 247	원계연 447 진향미 449	현진희 468		오정현 286 김정은 297	최정인 308 박은비 305	조윤영 (시) 이태훈 368	정태식 386 강화리 387 이미정 388	김신애 488 남지윤 (시) 윤보람 487 박성은 489	오윤경 507 김현서 509 황지영 508	정슬아 527 류민하 524
관리 운영직 및 기타	김기수 조혜정 박명화 박순남 손금주										
FAX	718-6852				718-8961		718-8962		718-6849		

과	법인세과		조사과			납세자보호담당관	
과장	이호길 400		이종록 640			이상무 210	
계	법인1	법인2	조사관리	조사	세원정보	납세자보호실	민원봉사실
계장	배병석 401	주성태 421	김석원 641	정종원 651	경재찬 691	황범석 211	김성은 221
국세조사관	김일국 402			김해옥 652 이복식 653 윤윤식 656	조종하 692	이현주 212	
	유민정 403 권규종 404	이건석 422 강민주 423 최우신(시) 424 구본균 425 김창윤 426		강신국 654 배진 661 조민희 657 김종선 659	구아현 693	김송이 213	윤찬균 222
	강혜인 405 최진화 406	최혜정 427 유가현 428	최안나 642 남다미 643	정경민 655 강혜연 660 장지은 664		조은상 214 박용현 215 홍문희 216	김해경(시) 228 이민의(시) 227 이재룡(시) 229 조호령(시) 227 이선희(시) 230 최수정 223 이정표 225 최수진 224
	강준 407 황혜진 408	임지혜 429 이상윤(시) 430	이혜민 644	노주호 663 김지수 662 윤효준 658 이재원 665			송오은 226
관리운영직 및 기타							
FAX	718-4721		718-4722			718-4723	718-4724

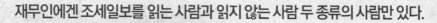

성남세무서

대표전화: 031-7306-200 / DID: 031-7306-OOO

서장: **채 중 석**
DID: 031-7306-201

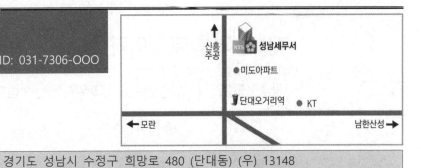

주소	경기도 성남시 수정구 희망로 480 (단대동) (우) 13148				
코드번호	129	계좌번호	130349	사업자번호	129-83-00018
관할구역	경기도 성남시 수정구, 중원구			이메일	seongnam@nts.go.kr

과	체납징세과			부가가치세과		소득세과	
과장	이기연 240			이성만 280		조성경 360	
계	운영지원	체납추적	징세	부가1	부가2	소득1	소득2
계장	오세정 241	양동규 441	이수종 261	윤명로 281	양동길 301	권흥일 361	류두형 381
국세조사관		김수정 442		최윤기 282	강명준 302 진윤영 303	이세정(시)	
	이경란 242	신준규 443 홍순호 445	도유정 262 박성순(사무) 263	강근영 283	방경섭 김경희(사무) 310	박은진 362 김동진 363 조아라 364	정선이 382 김준호 383
	박영은 243 권민수 244	안진희 446 김진태 447 이우현 448 김은성 449 명경자 450	양은지(시)	최민애 284 심새별 285 박혜진(시)	이혜연 304 정연주 305	주은미 365 유지환 366	이희정 384 김아영 385 이준우 386 윤희경(시)
	이정구(운전) 박주열(방호)	김유리 451 정예지 452 신소희 453		김효미 286 강다현 287 송보섭 288 박소현 289	정현위 306 유재상 308 이지수 307 윤민경 309 김진주(시)	조윤희 367	이명욱 387
관리운영직 및 기타	유은정 245 박윤이 202 윤인자 667						
FAX	736-1904			734-4365		743-8718	

과	재산법인세과		조사과			납세자보호담당관	
과장	이교진 400		이필규 640			박충열 210	
계	재산	법인	조사관리	조사	세원정보	납세자보호실	민원봉사실
계장	노수진 481	노영인 401	김용민 641	양종훈 651	이헌식 691		박주원 221
국세조사관	김병일 485			유병욱 654		박세민 212	
	김종영 483 배정숙 484 한수현 488 권혜영(시) 오연우(시)	염선경 402 전운 403 이용진 404 최현정 405	이현주 642	박은정 657 김한상 655 천혜진 652	안문철 692	최효진 213	최영조 222
	정지환 487	공선미 406 임영수 407 정상오 408	김민정 643	이승철 659 이승희 658 이다운 653		이명용 214	박현정 224 박금찬 223
	황지연 486 김예연 489 이수빈 490	신동희 409 김형묵 410		최혜림 656			유어진 225 이수진 226 김순옥(시) 송유란(시) 김수정(시)
관리운영직 및 기타							
FAX	8023-5836	8023-5834	736-1900, 1905		721-8611	745-9472	732-8424

수원세무서

대표전화: 031-2504-200 / DID: 031-2504-OOO

서장: **이 법 진**
DID: 031-2504-201

주소	경기도 수원시 팔달구 매산로61(매산로3가 28) (우) 16456				
코드번호	124	**계좌번호**	130352	**사업자번호**	124-83-00124
관할구역	경기도 수원시 장안구, 팔달구, 권선구			**이메일**	suwon@nts.go.kr

과	체납징세과				부가가치세과			소득세과	
과장	김국현 240				김무수 280			양근우 360	
계	운영지원	체납추적1	체납추적2	징세	부가1	부가2	부가3	소득1	소득2
계장	정봉석 241	강경근 441	박준현 461	신종무 261	최연구 281	이승용 301	왕관호 321	박훈수 361	문창수 381
국세조사관		최종호 442			정규남 282	홍성권 302	윤종근 330	최경초 362	안지은(시)
	서영춘 242 김미애 243 김창주 (방호) 611 이상규 (열관리) 685 박득란 (전화) 259 최광석 (운전)	조한정 443 정현정(시) 451 한영임(시) 452 윤창 453	이현정 462 민덕기 463	정미애 262 이경심 (사무) 265	박지윤 283 곽준옥 284 김유현 291 장혜주 (사무) 290	서정훈 303	김미향 322 김재희 323 한동훈 324 정혜정(시)	김대환 363 고진숙 364 오동석 365 유혜리 366	홍윤선 382 김성미 383 한소연 384 김수연 390
	김고희 244	이수민 444 유소연 445 임석준 446	홍세정 464 이현지 465 문혜미 466 김가연 470	박은주 263	박윤배 285 장유리(시)	김성현 304 윤아름 305 선수아 306 오혜미 307 이미현 310	이화진 325 황현희 326 한승우 327 김햇님 328 신지연 331	최인경 367 송승재 368 김보경 369 김수아 370 김현석 372	박경민 385 문정희 386 함태희 387 노태경 388
	정연득 245	손해리 447 석혜원 448 양예람 449 한상범 450 최준환 454	홍진기 467 이푸르미 468 진솔 469		박수진 286 정지수 287 허수정 288	송현정(시) 김재인 308 박의현 309	정다솔 329	서태웅 371 창보라(시)	서지선 이은수 389 장유정 391
관리운영직 및 기타	이주화 202 소선희 고미애								
FAX	258-9411				258-9413			258-9415	

과	재산법인세과			조사과			납세자보호담당관	
과장	장대식 400			유제연 640			연규천 210	
계	재산1	재산2	법인	조사관리	조사	세원정보	납세자보호실	민원봉사실
계장	송은영 481	김택근 501	조일형 401	변인영 641	강여정 651	이재준 691	임효선 211	문태범 221
국세조사관	박은숙(전) 482 김영민 483	최명진 502 정효중 503		정진영 642	유성주 654 윤석배 666 엄태영 667	이상훈 692 박제효 693		소수정 223
	김신애 484 곽정수 485 정현주 486 전경선 492	이철환 504 홍현기 505 김혜란 506	오선경 402 이은경(시) 이향선 403 송흥철 404 백민웅 412		신현중 652 어윤제 655 유득렬 657 성지은 658 차성수 660 최수미 661 정태형 663		박근용 212 김태연 213 김정은 214	정영희(시) 232 박연미 224
	박소영(시) 김창욱 487 김동희 488 김경훈 493	문희원 507 송기순 508	신민수 405 윤한미 406 신영호 407	정인경 643 김동민 644	안지훈 653 이송이 656 양수원 662 황동형 664		안현준 215	함용식 226 오진욱 225 윤혜원 228
	오현주 489 곽미송 490 최용호 491	조하나 509	이윤선 408 정하나 409 유진선 410		강주영 659 김수진 665			백해정(시) 231 김수진 230 이루안 227 김상혁 229 김수지 233
관리운영직 및 기타								
FAX	258-9475		258-0457	258-0453, 0454			248-1596	256-4376

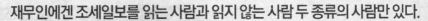

시흥세무서

대표전화: 031-3107-200 / DID: 031-3107-OOO

서장: **이 진**
DID: 031-3107-201

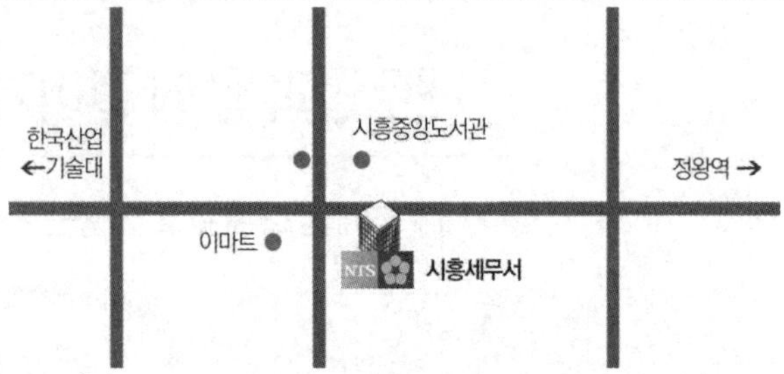

주소	경기도 시흥시 마유로 368 (정왕동) (우) 15055 대야동 민원실: 시흥시 비둘기공원7길 51(대야동,대명프라자) 대명프라자 3층 (우) 14912				
코드번호	140	**계좌번호**	001588	**사업자번호**	140-83-00015
관할구역	경기도 시흥시			**이메일**	siheung@nts.go.kr

과	체납징세과				부가가치세과			소득세과	
과장	정흥진 240				김경호 280			박경용 360	
계	운영지원	체납추적1	체납추적2	징세	부가1	부가2	부가3	소득1	소득2
계장	문선우 241	강성필 441	백금실 461	진승호 261	강성현 281	김유미 301	이영환 321	하광무 361	서원상 381
국세조사관	김종오	김혜원 442				석용훈 302		권옥기 362	
	신정환 242 박유신 (전화) 609	정민재 443 신철주 444	한상범 462	김춘화 (사무) 262 남경희 263 이은경 264	김문환 282 임신욱 283 손영대 284 김선중 285	김은경 303 이수빈 304	박경휘 322 박혜경 323 채거환 324		최제범 382 서동경 383
	임소영 243 김선희 244 백진원 (운전) 246 박순웅 245	강성현 445 김진형 446 김지연 447 유명한 448	서기영 463 최용준 464 김민균 465 이효정 466		최소영(시) 김미희 286 유혜영 287	이재남 305 최완규(시) 김준호 306	김진아 325 이재홍 326 김영진 327	신미식(시) 심현수 363 이은성 364 김운중 365	안병용 384 배정민 385
	홍성훈 (방호) 247	이명길 449	김보희 467 김서미 468 채민재 469		한민우 288 문시현 289	정윤정 307	장소연 328 김인혜 329	박도훈 366	이민규 386 최유영 387
관리 운영직 및 기타	안명순 (비서) 202			수납창구 268	상담창구 632, 3				
FAX	310-7551				314-2174, 313-6900			314-3979	

1등 조세회계 경제신문 조세일보

과	재산법인세과				조사과			납세자보호담당관	
과장	지승남 400				허오영 640			김형준 210	
계	재산1	재산2	법인1	법인2	조사관리	조사	세원정보	납세자 보호실	민원 봉사실
계장	엄남식 481	김성호 501	최명상 401	최영일 421	신영수 641	안미경 651	인길식 691	김현경 211	류천호 221
국세 조사관				이영호 422		황영희 661 곽만권 671 김란주 652 김은혜 672			
	김경이 482 박관준 483 김의동(시) 윤지은 484	길미정 502 조윤호 503	김재일 402 이해영 403	공정민 423 유현상 424	박정옥 642	박수열 653 염정식 654 박미현 662 이승찬 663	최병국 692	안중현 212	한세훈 224
	김정준 485 이종원 486	박진수 504 김혜진 505	임건아 404 나희선 405 김기송 406	손윤정 425	이도은 643	안재현 674	김진옥 693	정명기 213 김상훈 214	김재곤 윤소현 정강영 227 박기현 222 이윤경 225 정유진 223
			김서경 407	정은재 426					이빛나 226
관리 운영직 및 기타	상담창구 490							대야동민원실 T.8041-3221, 2 F.8041-3226	
FAX	314-2178		314-3975		314-3977, 3978			314- 3971	314- 3972

경기광주세무서

대표전화: 031-8809-200 / DID: 031-8809-OOO

서장: **최 재 호**
DID: 031-8809-201

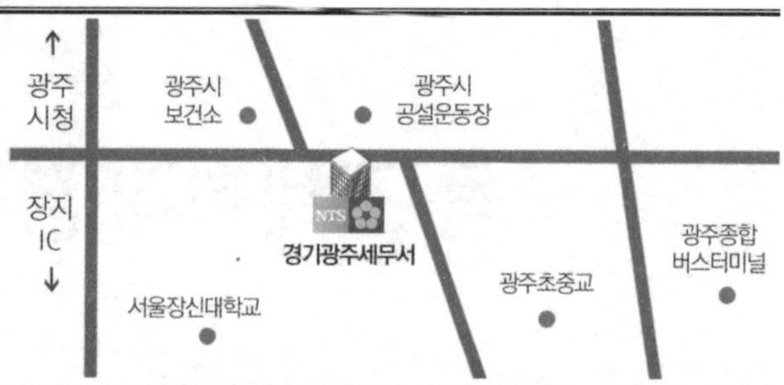

주소	경기도 광주시 문화로 127 (경안동) (우) 12752 하남지서: 경기도 하남시 하남대로 776번길 91 (경기도 하남시 신장동 521-4) (우) 12947				
코드번호	233	**계좌번호**	023744	**사업자번호**	
관할구역	경기도 광주시, 하남시			**이메일**	singwangju@nts.go.kr

과	체납징세과				부가소득세과		재산법인세과	
과장	박순준 240				현창훈 280		허성원 480	
계	운영지원	체납추적1	체납추적2	징세	부가	소득	재산	법인
계장	박길대 241	정상용 441	최승복 461	이현준 261	황영진 281	박동균 361	김정래 481	최민석 401
국세 조사관				이승재 262	김경훈 282 이하나 283		장소영 490 박주리 482	박종화 402
	이명수 242	윤영진 442 김종우 443 손정희 444	이병진 463 박성은 465	김경란 263 이진명 264	유영근 284 이영미 285 권민선 286	이미희 362 김구호 363 한승기 364 조요한 365 김중근 366	박주열 492 안지은 486 박건우 489 강태길 485 양승우 483 조희정 484 김현철 487	강은영 403 전범수 404 김수현 405 권미애 406 이평재 407 이두원 408
	민천일 244 조혜원 245 박완식(방호) 246	최선경 445 김미정 446	손영미 466 나영수 464 김지윤 462		이창한 287 이창희 288 박은지 289 김찬수 290 윤혜원 291 박민욱 295	박미영 367 이성민 368 강미영 369 박지영(시)	하윤희 491 박상훈 493 정윤희(시)	주소희 409
	김승철(운전) 247	허진주 447 박지예 448	김인애 467 김경연 468		이소연 292 최한솔 293 권이혁 294			
관리 운영직 및 기타	윤미경 202							
FAX	769-0416	769-0417			769-0746		769-0773	

과	조사과			납세자보호담당관		하남지서 (031-790-3OOO)				
과장	양덕열 640			이정윤 210		이미진 790–3400				
계	조사 관리	조사	세원 정보	납세자 보호실	민원 봉사실	체납 추적	납세자 보호실	부가	소득	재산법인
계장	박경옥 641	노태순 651	김경열 691	박종환 211	조대회 221	최상림 461	이준표 410	이상희 421	최용 431	김규한 441
국세 조사관		황현철 657 김수현 660 김혜령 663 오경선 662		김숙경 213		하희완 463 윤주영 462		송종민 422		김헌우 450
	곽은희 642	김도훈 652 최새록 661 두영균 658 한승철 655 손인준	김재일 692	박진수 212 장우인 214	이훈기 222 장주아 226	장민기 465 송선영 467 김봉수 464	서윤석 412	김현석 423 최나영 424 박지현 425 이현주	이용욱 남궁준 432 김형규 433 유희태 조현수(시) 451	강승조 443 박기봉 452 윤정환 447 강석원 445 박동일 457 김문길 김난영 453
	반아성 643	강혜진 653 김경린 유형진 661 강미정 박진호 665				주진선 466	고민경 413 이길호 (방호) 홍혜영(시) 416 육현수(시) 414	이수현 426 이미림 윤나래 427 서정우 428 이현진 429 권승희(시)	최우영 436 조은빈 435 정영현 437	권정석 444 조선영 455 배상원 448 조지현 449
		이민우 664			도혜정 223 심규민 225	유태호 468	윤미경 414	허영렬 430		임재혁 446 김규희 456
관리 운영직 및 기타										
FAX	769-0685			769- 0842	769-0768 , 0803	790- 2097	793- 2098	791-3422		795-5193

안산세무서

대표전화: 031-4123-200 / DID: 031-4123-OOO

서장: **김 운 걸**
DID: 031-4123-201

주소	경기도 안산시 단원구 화랑로 350(고잔동 517) (우) 15354		
코드번호	134	**계좌번호**	131076
사업자번호	134-83-00010		
관할구역	경기도 안산시	**이메일**	ansan@nts.go.kr

과	체납징세과				부가가치세과			소득세과	
과장	장현기 240				백정훈 280			정민양 360	
계	운영지원	체납추적1	체납추적2	징세	부가1	부가2	부가3	소득1	소득2
계장	주경관 241	김성열 441	김종태 461	이길녀 261	박봉철 281	오영철 301	손정숙 321	하영태 361	박동현 381
국세조사관		김세훈 442				천미진 302	주진아 322	임현주 362	전원실 382
	김용덕 242 김강미 243 양재홍(운전) 247	백승화 443 안지현 444 오승연 445 이재영 446 김정태 447	김지은 462 정순남 463 송창용 양준석 464 황진숙 465 양서용 466	박훈미 262	송승한 282 김하강 283 이소영 284 김명선 285	김소영 303 최미영 304 송창훈 305 이범주 306	박명수 323 김주옥 324 차연수 325	박종호 363 이경아 364 정경인 365 박현정 366 김종훈 367	조창일 383 이상범 384 박양숙 385 이강원 한미영 386
	김진호 244	문현경 448 소규철 449 김성수 450 강아람 451	김서은 467 김수현 468 이진호 469 허지은 470		김묘정 286 이순아 287 김영대 288 강유진 289	임유진 307 유창인 308 김동준 309	하민정 326 임원경 문희제 327 이현주 328 노재희 329	손태영 368 김나리(시) 이다운 369	최지현 387 이미연 388 김수연 389
	이소연 245 이현익 246 서동천(방호) 248	이지수 452 주하나 453	김유진 471 조민영 472	황다영 263 최명 264 김은서 265	김충모 290 이재욱 291	신지혜 310 박광태 311 현덕진 312	최명호 330 하나임 331	강소희 조혜민 370	예성민 390 박수지 391
관리 운영직 및 기타	김희현 202 안미수 정지우 유화진	상담창구 459		수납창구 269	상담창구 377				
FAX	412-3268				412-3531			412-3550, 3380	

과	재산세과			법인납세과		조사과			납세자보호담당관	
과장	박수용 480			이재영 400		최욱진 640			임정호 210	
계	재산1	재산2	재산3	법인1	법인2	조사관리	조사	세원정보	납세자 보호실	민원봉사실
계장	조성수 481	전상훈 501	윤영택 521	김영선 401	한창희 421	김예숙 641	이영재 651	이범희 691	이수인 211	나유빈 221
국세 조사관	정아영 482	권중훈 502		박민규 402	박수홍 422		윤영진 654 양금영 657 윤성식 660 강보경 663 최돈희 함영수		임선희 212	
	김현준 483 최선 484 우희정 485	천해령 503	고경진 522 김기배 523 임주현 524	임우현 403 윤준호 404 문지선 405 백은혜 406	이미선 423 이현진 424 이령조 425	이민희 642	한경태 666 반정원 669 김준호 672 김완 652 정재욱 665 정희경 673	손선영 692 전진무 693	원호선 213 이여성 214	최윤정 222 김용연 223 박재우 224 구명희 225 서유식 226 성은정(사무) 227
	홍성현 (시)	박현옥 504	김진석 525 현미선 526	박원경 407 김지언 408	장원용 426 이명하 427 강진영 428 고은혜 429	현은영 643	김나현 653 고다혜 656 김상록 658 김준영 661 최석종 664 김별아 667 김재욱 670 박주미 659 김송이 662 박성준 665 이동수 668		손택영 215	우보람 228 이한솔 229
		서연지 505	박승철 527	옥경민 409 김준태 410		홍지민 644	양혜령 671 조정환 674			어영준 230 조한우 231 박선화 232 최은선 233
관리 운영직 및 기타	상담창구 341									
FAX	412-3470			412-3350		412-3580, 3540			412-3340, 487-1127	

안양세무서

대표전화: 031-4671-200 / DID: 031-4671-OOO

서장: **최 지 은**
DID: 031-4671-201

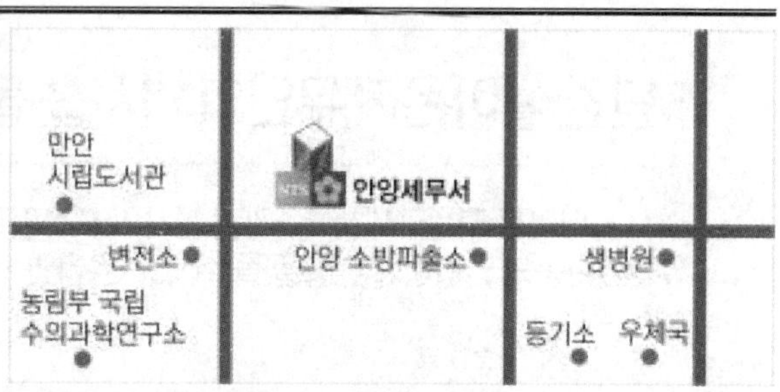

주소	경기도 안양시 만안구 냉천로 83 (안양동) (우) 14090				
코드번호	123	**계좌번호**	130365	**사업자번호**	123-83-00010
관할구역	경기도 안양시 만안구, 군포시			**이메일**	anyang@nts.go.kr

과	체납징세과			부가가치세과		소득세과	
과장	양재준 240			김동언 280		권기창 360	
계	운영지원	체납추적	징세	부가1	부가2	소득1	소득2
계장	양정주 241	조성훈 441	지정인 261	신지훈 281	선기영 301	김대혁 361	전국휘 381
국세 조사관		박인철 442				최성민 362	유정은 382
	김현정 243 김학진 242 조숙의(전화) 620	김 민 443 최정심 444 김민수 445 김효숙 446	이영아 262 김지영(시)	김보미 282 진영상(시) 양주원 283 권영호 284 장경애 285	김 환 302 최미란 303 박미라 304 송우락(시)	남혜윤 363 홍경희(사무) 370	양승규 383
	최다영 244 윤창식(운전) 628	김은주 447 이혜민 448	안미환(시)	박정혜 286 김지혜 287 김지영 288 최석원 289	김아영 305 이은미 306 박정배 311 서두환 307	정진형 364 김은혜(시) 박선영 365	임정경 384 신정민(시) 김다희 385 윤가연 386
	나윤수 245 정지용(방호) 625	우동희 449 권설진 450 노시인 451 김시홍 452 배윤진 453		권채윤 290 김남이 291	박해란 308 오수영 309	연송이 366 채희원 367	이승배 387 한수현 388
관리 운영직 및 기타	한경희(사무) 246 김예림(비서) 203						
FAX	467-1600	467-1300		467-1350		467-1340	

과	재산법인세과			조사과			납세자보호담당관	
과장	김송주 400			이성호 640			주원숙 210	
계	재산1	재산2	법인	조사관리	조사	세원정보	납세자 보호실	민원 봉사실
계장	김수진 481	김정훈 501	이영태 401	박광석 641	김옥진 651	이형경 691	남중화 211	김경태 221
국세 조사관	이정민 482	김성길 502 남숙경 503	송윤섭 402		이오섭 654 방치권 657 허필주 660			
	이종근 483 박준규 484 배수영 485 이선미 486		신은정 403 유근만 404 김경애(사무) 411	최영윤 642	전주현 661 김정은 655 최설희 652 이계숙 658	최병우 692	강미애 212 신영두 213	류문환 222
	배자강(시) 안성선 487 조재완 488	김슬아 504 정유진 505 김세식 506	이윤옥 405 최현영 406 이관희 407	구현영 643 황수빈 644	정은주 662 이희정 656		안소현 214	유신아(시) 정지나 223 박현수 223
	최효원(시)	김재윤 507	노주아 408 홍다임 409		천상현 653 여진동 659			송보혜 224 박선양(시) 이지연 224
관리 운영직 및 기타								
FAX	467-1419		467-1510	469-9831		467-1696	469-4155	467-1229

용인세무서

대표전화: 031-329-2200 / DID: 031-329-2000

서장: **윤 영 일**
DID: 031-329-2201

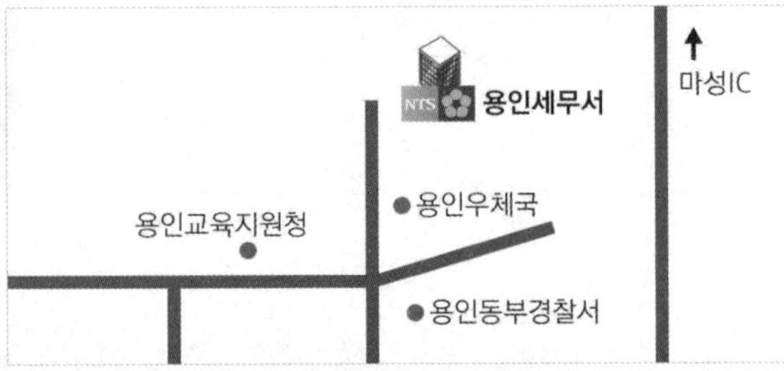

주소	경기도 용인시 처인구 중부대로 1161번길 71 (삼가동) (우) 17019 수지민원실 : 용인 수지구 문인로54번길2 수지하우비상가 214호 (동천동 887)				
코드번호	142	계좌번호	002846	사업자번호	142-83-00011
관할구역	경기도 용인시 처인구, 수지구			이메일	yongin@nts.go.kr

과	체납징세과				부가가치세과		소득세과	
과장	박정훈 240				정석현 280		이강무 360	
계	운영지원	체납추적1	체납추적2	징세	부가1	부가2	소득1	소득2
계장	이규환 241	황순영 441	정용석 461	최옥구 261	정지영 281	조미옥 301	황용연 361	임세실 381
국세조사관			김유진 462					
	고현숙 242 김환진 243 신현일(운전) 246	이기언 442	나기석 463 김도경 464	김유리(사무) 264 황연주 262	조희숙 282 박진영 283 심우택 284 안유진 285 박정현(시)	조미영 302 조은비 303 한수현 304 신정아(시) 박동민 305	김상현 362 박시현 363 윤미영 364	이동관 382 김소정 383 조숙영 384
	이해남 244 한경란 245 남덕희(방호) 247	정지현 443 이재혁 444 김수지 445 김나래 446	성은경 465 이보라 466	김경민 263	이지현 286 이은애 287	서덕성 306 조해리 307 문지선 308 한종문 309	최정연 365 최윤성 366 김윤희 367 홍근배 368 이경이(시)	김지영(시) 박진희 385 김상덕 386 강병극 387
		권영진 447 한준희 448 윤지예 449	전영지 467 김봄 468		박지혜 288 전재형 289		조혜진 369	남유현 388
관리운영직 및 기타	김윤희(비서) 202							
FAX	329-2328	336-3502			321-1627		321-1251	321-1628

1등 조세회계 경제신문 조세일보

과	재산법인세과				조사과			납세자보호담당관	
과장	조환연 400				최형진 640			권오직 210	
계	재산1	재산2	재산3	법인	조사관리	조사	세원정보	납세자 보호실	민원봉사실
계장	최윤희 481	조흥기 501	신승수 521	김윤용 401	곽임섭 641	한은우 651	이점수 691	강부덕 211	윤용호 221
국세 조사관	김지향(시)	김선아 502	김진덕 522 강경아 523			이상현 654 구한석 657 이신화 660		김은주 212	김경숙(시) 이강석(시)
	김영근 482 박유정 483 이동준 484	권현정(시) 정수일 503 민경석 504	정성은 524 이준홍 525	원은미 402 이하나 403 이재곤 404 이은선 405 이현정 406 남도영 407	우성식 642 이은정 643	강정선 652 강윤경 655 김진광 661	조희진 692	정신영 213 김선이 214 백경모 215	이철우 222 박민정 223 김용선(시) 김성미(시)
	황용택 485 나선 486	임정혁 505 오지현 506	이장환 526	장세리 408 최지은 409		김은실 653 이현주 658			문성운 224 최유연 225 김도연 226
	이다은 487 여원선 488	김도현 507	양다희 527	장은심 410 권지용 411		천소현 656 전혜영 659			허미림 227 <수지민원실> 896-8165 ~ 7
관리 운영직 및 기타									
FAX	321-1641			321-1626	321-1643		321-1644	321-1645	336-2390

이천세무서

대표전화: 031-6440-200 / DID: 031-6440-OOO

서장: **우 원 훈**
DID: 031-6440-201

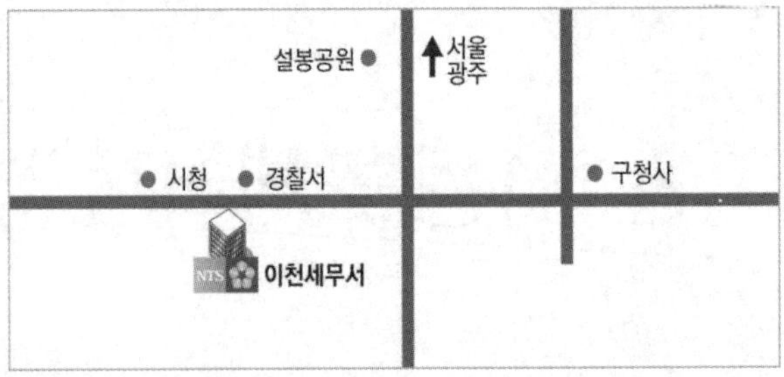

주소	경기도 이천시 부악로 47 이천세무서 (중리동) (우) 17380 여주민원실: 경기도 여주시 세종로10 여주시청 2층 (우) 12619 양평민원실: 경기도 양평군 양평읍 군청앞길2(양평군청1층) (우) 12554				
코드번호	126	계좌번호	130378	사업자번호	
관할구역	경기도 이천시, 여주시, 양평군			이메일	icheon@nts.go.kr

과	체납징세과				부가가치세과		소득세과		재산법인세과	
과장	김동우 240				현진호 280		이재현 520		박영건 400	
계	운영지원	체납추적1	체납추적2	징세	부가1	부가2	소득1	소득2	재산1	재산2
계장	심미현 241	이성훈 441	백문순 461	권희숙 261	박병민 281	박양희 301	고한일 521		김준오 481	이경식 501
국세조사관		허정무 442			금도미 이승훈 282		최경식 522		이현균 482	임승원 502 박재홍 503
	윤희상 242 이대희 243 김은경 (사무) 245	변한준 443 노수창 444	백규현 462 김영환 463	김안순 (사무) 263	남기선 283 김아름 284	이중한 302 연근영 303	박수태 523	문민호 542 김지훈 543	문전안 483 유인식 484 김민규 485 이경식 486 김유창 487	
	박준원 (운전) 246	고현재 445 고운지 446	오정환 464 김윤한 465 류승혜 466	이상근 262	김도윤 285 선승민 286 박영훈 287	김기홍 304 조상희 305 류대현 306	조경화 524 박희창 525	최혁진 544 한명수 545		송미연 504
	이준서 244 김영삼 (방호) 597	도주현 447 정주리 448	윤병현 467 전인지 468		권은희 288 김태범 289 지창익 290	우지수 307 김충배 308 김기덕 309	남현두 526 장미진 527	윤준웅 546 서지민 547	강수림 488 임경수 489 임한섭 490	장보수 505
관리 운영직 및 기타	이민영 이서현 태혜숙 문묘연				이현숙					
FAX	634-2103				637-3920, 638-0148		637-4037, 0144		638-8801	

과	재산법인세과		조사과			납세자보호담당관			
과장	박영건 400		노중권 640			박철규 210			
계	법인1	법인2	조사관리	조사팀	세원정보	납세자 보호실	민원봉사실	여주민원실	양평민원실
계장	이오혁 401	이수은 421	김경숙 641	이충인 651	정태영 691	남윤현 211	이만식 221		
국세 조사관		김정희 422		신호균 654					
	배인희 402 채상조 403 최을선 (사무) 406	이상윤 423 손석호 424	박종국 642	최재천 657 김경현 652 조희정 653	박원규 692	최영임 212 강다은 213	조광제 222 박연숙 (사무) 223	김효정 883-8551	
	황계순 404 나예영 405		이준규 643	권오교 658 신영민 655			이수정(시) 224	이석임 883-8551	이우성 773-2100 이상덕 773-2100
		김형준 425		문현경 659 진주연 656		이철원 214	이송이 225 박지용 226	김재홍 883-8551	전수연 773-2100
관리 운영직 및 기타									
FAX	634-7377, 2115		637-4594			632-8343	638-3878 633-2100	883-8553	771-0524

평택세무서

대표전화: 031-6500-200 / DID: 031-6500-OOO

서장: **홍 성 표**

DID: 031-6500-201

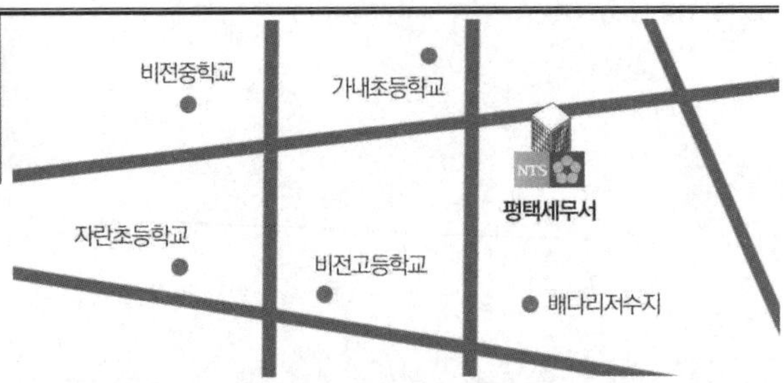

주소	경기도 평택시 죽백6로 6 (죽백동 796) (우) 17862 안성민원실: 안성시 보개원삼로1(봉산동) (우) 17586		
코드번호	125	**계좌번호**	130381
사업자번호	125-83-00016		
관할구역	경기도 평택시, 안성시	**이메일**	pyeongtaek@nts.go.kr

과	체납징세과				부가가치세과		재산세과		
과장	박영문 240				이재성 280		이원남 500		
계	운영지원	체납추적1	체납추적2	징세	부가1	부가2	재산1	재산2	재산3
계장	김현 241	오길춘 441	김병기 461	박래용 261	윤희경 281	정병록 301	김진오 481	유달근 501	임병일 521
국세조사관		이호광 442	이명훈 462		김종훈 282 박은정 283	정회창 312	박종성 482		이우섭 522 변종희 523
	김민정 242 유준호 243	김혜선 443 장영욱 444 김경만 445 장경희 (사무) 453	홍경 463 송주한 464 이지원 465	이경희 262 이지혜 263	황지유 284 신지선 285 이승수 286	장인섭 302	최복기 483 윤미진 484 김수진(시)	김기영 502 김동구 503	김선애 524 유홍선 525
	유시은 244	정준영 446 이진서 447 공영은 448 김훈민 449	진동욱 466 이정환 467 정태윤 468 배지원 469	우세진 264	이규선(시) 김숙희 287 정영석 288 위성호 289 이유진 290 우원준 291	이빈 303 김초희 304 김근한 305 서준 306 강상희 307 박은비 308 우한솔 309	강다희 485 조영래 486	정세미 504 임승용 505	심주영 526 전소희 527
	김준호 245 정승기 (운전) 246	박경일 450 정다은 451 김준범 452	임인혁 470 이상은 471 심윤미 472		이재훈 292 김소리 293 강보라 294 신혜정 295	오병걸 313 김진환 310 이슬이 311	채희준 487 김민경 488 김의영 489	조소현 506 이솔지 507	
관리운영직 및 기타	임순이 (전화) 680 김주희 (비서) 202								
FAX	658-1116				652-8226		655-4786, 7103		

과	소득세과		법인세과		조 사 과			납세자보호담당관	
과장	김태섭 360		서동선 400		김영진 640			송지은 210	
계	소득1	소득2	법인1	법인2	조사관리	조사	세원정보	납세자 보호실	민원봉사실
계장	정희석 361	최동근 381	민성원 401	한일수 421	류종수 641	지재홍 651	최송엽 691	우만기 211	한상윤 221
국세 조사관	최상미 362	성기원 382	송기원 402	이상우 422	김요왕	서용석 652 이민호 653 이창현 654 박병관 655		진수진 212	이지숙 227
	정택준 363 강혜영 (시) 김하림 364 강희호 365	나정아 심완수 383 박상민 384 김지현 385	김인철 403 조희근 408 위장훈 404	황우오 423 김정우 425	이유미 642 박영진 643	허병덕 656 정인교 657 김주원 658 정경화 659 이용문 660 박영규 661	도종호 692	최용화 213	황지환 223 김혜경 225 주자연 226 송우람 228 정승용 222
	김동욱 366 이화경 367 이연지 368	표성진 386 이대훈 (시) 이초롱	김서연 405 김영훈 406	서정아 429 엄인영 426	서혜수 644	조강우 662 최소영 663	박유천 693	이상현 214	박혜영 229 한근자 224
	김단비 389 최누리 369	정훈 387 홍다원 388	고진효 407 김지연 409	이혜인 427 유선아 424		진나현 664 황효경 665 김주환 666 김형민 667 김은정 668		문창환 215	손형미 222 김소연(시) 김민경 230
관리 운영직 및 기타									
FAX	618-6234		656-7113		655-7112			655-0196	656-7111

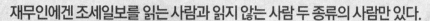

화성세무서

대표전화: 031-80191-200 DID: 031-80191-OOO

서장 : **김 상 경**
DID: 031-80191-201

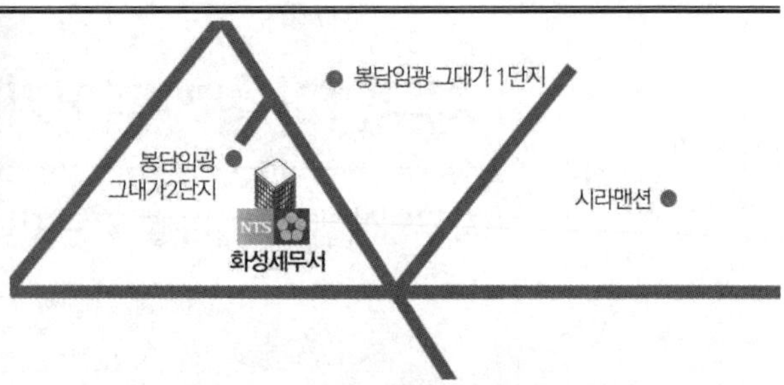

주소	경기도 화성시 봉담읍 참샘길 27(와우리 31-16) (우) 18321 남양민원실(031-369-6527) 화성시 남양읍 시청로 159 (화성시청 1층 세정과 내)				
코드번호	143	**계좌번호**	018351	**사업자번호**	
관할구역	경기도 화성시 (기배동, 화산동, 진안동, 반월동, 병점1,2동, 동탄1~8동 제외)			**이메일**	hwaseong@nts.go.kr

과	체납징세과				부가소득세과			재산세과	
과장	최동락 240				박주범 280			박종완 480	
계	운영지원	체납추적1	체납추적2	징세	부가1	부가2	소득	재산1	재산2
계장	김강산 241	이남주 441	윤재웅 461	최성례 261	주충용 281	이수용 291	장현수 301	김동열 481	김영철 501
국세 조사관		박순철 442	한효숙 462			정성곤(시) 이정미 299		박영웅 482	서성철 502
	김원택 242 권혜민 243 김은애 (전화) 258	임대근 443 이준희 444 박현수 (파견) 문혁 445 김진희	박남숙 463 김영애 464 한수철 465	윤기순 262	문선희 282 이은정 283 최우성 284 박미혜 (사무) 289	김찬 292 장종현 293 한성미 294 윤연주 295 이현진 296	최근영 302 좌현미 303 이국성 304 김보미 305	문혜경 483 이원락 484 한범희 485 김미영 488	이재현 503 김보미 504
	김보미 244 이종영 245	고운이 446 송상우 447 노현민 448	박원규 466 나경태 467 정예은 468 한선희 469	이재희 263 전형정 264	박수범 285 김승원 286 김주옥(시) 민경진 287 한비룡 288	전선희 297 이상일 298 김미래 300	한용석 306 정혜정 307 박미선 308 김선영 309	강유나(시) 김주연 486 윤일주 487 박세진(시)	김다은 505
	정광현 (운전) 248	김우경 449 주평하 450	한그루 470 신아름 471				박지선(시) 전병우 310		
관리 운영직 및 기타	양승희 (비서) 205								
FAX	8019-8211				8019-8257		8019-8202	8019-8229	

과	법인세과		조사과			납세자보호담당관	
과장	최환영 400		이동진 640			이민병 210	
계	법인1	법인2	조사관리	조사	세원정보	납세자보호실	민원봉사실
계장	권영진 401	김광복 421	김강록 641	정현표 651	윤환 681	최미정 211	한기석 221
국세 조사관	이광철 402			이재성 654 유병선 657 황춘식 660			
	장희진 403 우주연 404 원종민 405 김옥경(사무) 409	송주희 422 김성진 423 이오형 424 박창선 425 김태현(시) 428 유승우 429	남경희 642 기민아 643	조현성 658 최원열 663 박수련 664 김수연 652 김상민 655 이치웅 661	박성현 682	선화영 212 윤상목 213	홍보희(시) 222 김승범
	김정혜 406 장연숙 407	배수지 426 복지민 430	오지혜 644	고도경 656 최민서 653 지영환 665 안유미 659 임수현 662	정재훈 683	김규혁(시) 215 김수상 214	김근경 223 방은미 224 공신혜 225
	한다은 408	정다운 427					오인택(시) 226 염관진 227
관리 운영직 및 기타							
FAX	8019-8227	8019-8270	8019-8251			8019-8245	8019-8231

강릉세무서

대표전화: 033-6109-200 / DID: 033-6109-OOO

서장: **김 상 범**
DID: 033-6109-201

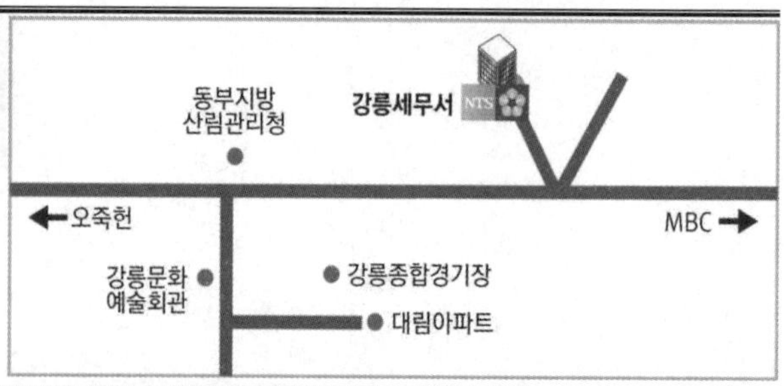

주소	강원도 강릉시 수리골길 65 (교동) (우) 25473				
코드번호	226	계좌번호	150154	사업자번호	
관할구역	강원도 강릉시, 평창군 중 대관령면, 진부면, 용평면, 정선군 중 임계면			이메일	gangneung@nts.go.kr

과	체납징세과			부가소득세과		
과장	김형국 240			정국교 280		
계	운영지원	체납추적	징세	부가1	부가2	소득
계장	홍학봉 241	최돈섭 441		우창수 281	정창수 301	홍석의 361
국세조사관		탄정기 442 박을기 261				
	홍승영 242 최정원(사무) 244	손영락 443 김현정 444 김민선 445		노용승 282 김태효 283	함영록 302	박혜진 362 김연지 363 서동원 364
	홍영준(운전) 245 강태규(방호) 246	정나영 262		이진영 284 김다영 285 유가량(시) 286	김시윤 303 정하나 304	
	홍요셉 247 유미선 243	김희재 446		김경아 287	배설희 305 곽성준 306 윤민경 307	채연식 365 김지영 366
관리운영직 및 기타	최유성 202 김현정 박희숙 666 박성자 699 조미선					
FAX	641-4186		646-8915	646-8914		

1등 조세회계 경제신문 조세일보

과	재산법인세과		조사과		납세자보호담당관	
과장	신민호 400		김재호 650		송찬주 210	
계	재산	법인	조사	세원정보	납세자보호실	민원봉사실
계장	최병용 481	최덕선 401	김진희 651	조영경 661	공영원 211	안상영 221
국세 조사관	강병성 482 이정식 483	김동윤 402	김광식 652 정봉수 653			신명진 222
	김형수 484	조상미 403	정원석 655 함인한 654	김영숙 662		
	이신정 485				박승훈 212	권택만 223
		류지훈 404	신나영 657 최경락 656			권진솔 224 양가은 225
관리 운영직 및 기타						
FAX	648-2181	641-4185			641-2100	648-2080

삼척세무서

대표전화: 033-5700-200 / DID: 033-5700-OOO

서장: **정 연 주**
DID: 033-5700-201

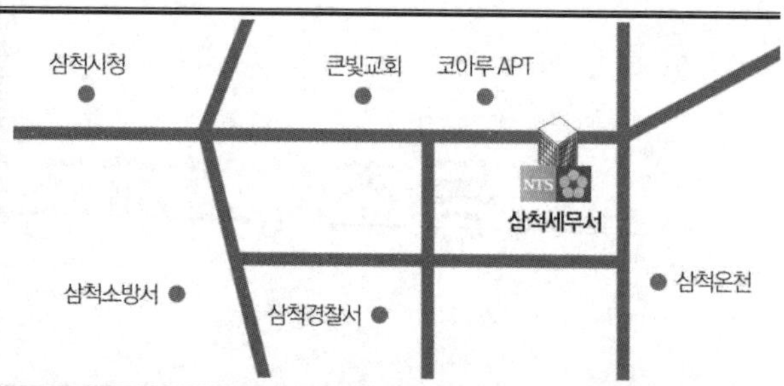

주소	강원도 삼척시 교동로 148 (우) 25924 태백지서: 태백시 황지로 64 (우) 26021 동해민원봉사실: 강원 동해시 천곡로 100-1 (천곡동) (우) 25769				
코드번호	222	**계좌번호**	150167	**사업자번호**	142-83-00011
관할구역	강원도 삼척시, 동해시, 태백시			**이메일**	samcheok@nts.go.kr

과	체납징세과			세원관리과		
과장	이성종 240			신규승 280		
계	운영지원	체납추적	조사	부가	소득	재산법인
계장	안용 241	김억주 441	임무일 651	조해원 281	양준모 361	김용철 401
국세조사관		서의성 442 김옥선 443	김정희 652	신영승 282	양태용 362	김범채 402 주선규 481
	전대진 242 전수만(운전) 247 윤하정 244	황보승 444 육강일 445	김원명 653 김광식 654 윤한수 655 박남규 656	정홍선 283 박미정 284	조현숙 363	김연화 482 이현숙 483
	안태길(방호) 246	이남호 446		이덕종 285	장호윤 364 김두찬 365	차지훈 403
	신예슬 243	백진현 447	나환영 657	김소윤 286	최우석 366	
관리 운영직 및 기타	이정옥(비서) 203 김필선 626 이정옥 242					
FAX	574-5788	570-0668	570-0640	570-0408		

과	납세자보호담당관		태백지서 033-5505-200		
과장	황보영곤 210		황용연 550-5201		
계	납세자보호실	민원봉사실	납세자보호	부가소득	재산법인
계장		정성주 221	조예현 221	심영창 281	
국세 조사관		안용수(동해) 김태경(동해) 532-2100			김영주 401
	유경진 211	김범수 222		형비오 283	박상언 482
			김산 222 김유영(방호) 242	김두영 284 유봉석 282	최훈 481
		김도헌 223 금동화(시)(동해) 532-2100	임정환 223	김동석 285	
관리 운영직 및 기타			조영미 364		
FAX	본서 : 574-6583 동해지서 : 532-2161		552-9808	553-5140	552-2501

속초세무서

대표전화: 033-6399-200 / DID: 033-6399-OOO

서장: **장 종 식**
DID: 033-6399-201

주소	강원도 속초시 수복로 28 (교동) (우) 24855		
코드번호	227	**계좌번호**	150170
사업자번호			
관할구역	강원도 속초시, 고성군, 양양군	**이메일**	sokcho@nts.go.kr

과	체납징세과		
과장	배종복 240		
계	운영지원	체납추적	조사
계장	이동화 241	김은영 441	김재형 651
국세조사관		최현 442	
	김한기 242 김민정(사무) 244	황재만 443	박정수 652 오원정 653
	임진묵 243 김성수(운전) 245	안승현 444	박원기 654
	신종수(방호) 246	이경현 446 김주찬 445	권미경 655
관리운영직 및 기타	김수미 203 백귀숙		
FAX	633-9510		

과	세원관리과				납세자보호담당관	
과장	안응석 280				김명규 210	
계	부가	소득	재산법인		납세자보호실	민원봉사실
			재산	법인		
계장	박동훈 281	박래용 361	장익순 401			
국세조사관	김창억 283 조해윤 282	정의성 362	김진관 482	진봉균 402 유인호 403		
	최승철 284 서지상 285	김진만 363	박상태 483 조윤방 484		이성희 212	서승원 222 임미숙(사무) 223
	박기태 286 김태훈 287					조민경(시) 224
	이형석 288 조은희 289 진영석 290	이소라 364 장세원 365		김주현 404		강혜수 225
관리운영직 및 기타						
FAX	632-9523		631-9243		631-7920	632-9519

영월세무서

대표전화: 033-3700-200 / DID: 033-3700-OOO

서장: **김 선 주**
DID: 033-3700-201

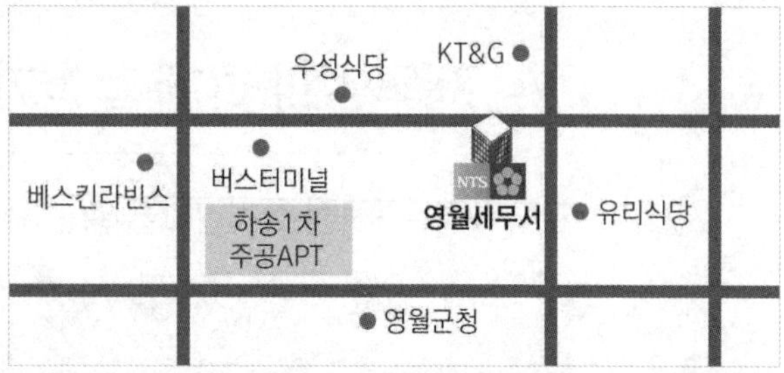

주소	강원도 영월군 영월읍 하송안길 49 (하송3리) (우) 26235				
코드번호	225	**계좌번호**	150183	**사업자번호**	
관할구역	강원도 영월군, 정선군(임계면 제외), 평창군(평창읍, 미탄면)			**이메일**	yeongwol@nts.go.kr

과	체납징세과		
과장	김효상 240		
계	운영지원	체납추적	조사
계장	김해년 241	남찬환 441	김재영 651
국세조사관		김성훈 442	박태진 652
	당만기 242 엄은주(사무) 243 지경덕(운전) 245	김광묵 443 이순정(사무) 445	정재훈 654
	정의남(방호) 244		
	이지수 246		박상현 655
관리운영직 및 기타	신미정(비서) 203 우청자(환경)		
FAX	373-1315		374-4943

과	세원관리과			납세자보호담당관	
과장	신상희 280			강기영 210	
계	부가소득	재산법인 재산	법인	납세자보호실	민원봉사실
계장	한종훈 281	김무영 401		김태범 211	
국세조사관	임영수 282 김정식 283		반병권 402		
	김재용 284 김보미 285	장광식 482 태석충 483			박재국 221 박순천(시) 221 백준호(시) 221 이영미(사무) 223
			조인태 403		
	이채원 286 이예지 287 신승훈 288	서진혜 481	이자영 404		김찬규 591-0102 안수민 222
관리운영직 및 기타					
FAX	373-1316	373-2100		374-2100	

원주세무서

대표전화: 033-7409-200 / DID: 033-7409-OOO

서장: **고 현 호**
DID: 033-7409-201

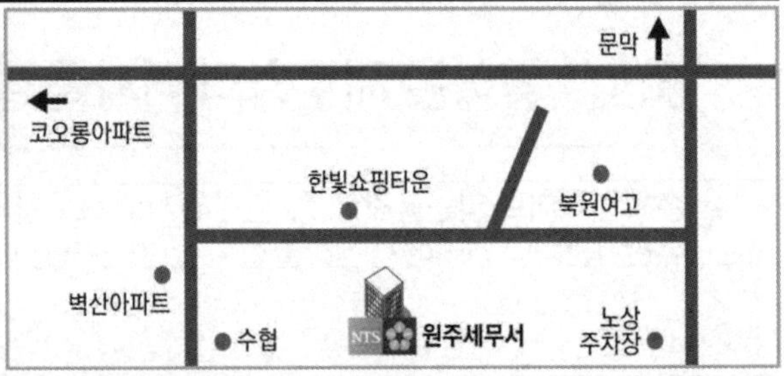

주소	강원도 원주시 북원로 (단계동) 2325 (우) 26411				
코드번호	224	계좌번호	100269	사업자번호	
관할구역	강원도 원주시, 횡성군, 평창군 중 봉평면, 대화면, 방림면			이메일	wonju@nts.go.kr

과	체납징세과			부가소득세과		
과장	한명숙 240			김재준 280		
계	운영지원	체납추적	징세	부가1	부가2	소득
계장	최중진 241	윤재량 441	박덕수 261	임성혁 281	원영일 361	하창균 621
국세조사관		권혁찬 442 이호근 443		서효우 282	노경민 362	함주석 622
	김경란 242 강양우 244 김병구 (열관리) 248 박미옥 (사무) 251	정의숙 444 최호영 445 나동욱 446	백애숙 262	백윤용 283 박혜정 284	이우현 363 이영균 정재영 364	강명호 623 문주희 624
	박현주 243 김세호 (운전) 246 홍성대 (방호) 613	김기완 447 이종민 448		천승현 285 최자연 286	진보람 365	강태진 625 이원희 626 한승일 627
		김경록 449 방민주 450 김보람 451 김형준 452 강민지 453	이찬송 263	이문형 287 신원정 288	박지애 366 장해성 367 우문연 368	손재원 628 이연주 629 김소현 630 이걸 631 조정연 632 최형권 633
관리운영직 및 기타	권태희 247 최돈순 202 장현옥 박봉순		박란희 264			
FAX	746-4791			745-8336, 740-9635		

1등 조세회계 경제신문 조세일보

과	재산법인세과		조사과			납세자보호담당관	
과장	권혁용 480		이성협 650			최경화 210	
계	재산	법인	조사관리	조사	세원정보	납세자보호실	민원봉사실
계장	심종기 481	주태영 401		이부자 651	문병대 691	윤영순 211	이수빈 221
국세조사관	김석일 482			홍기남 653		김경숙 212	김남주 222
	김광섭 483 원진희 484 이지혜 485	윤상락 402 권유경 404 이형근 403		박선미 656 주승철 660 임채문 654	백상규 692	장지환 213	윤정도 223 김종묵(시) 224 송희정(시) 224 이정희(사무) 225
	장현진 486	이동욱 405		안인기 661 홍기범 657 박애리 655 강정민 662 최연우 658			김민주 226
	조현우 487 정병호 488 부나리 489 전가람 490 박인희 491 변민영 492	김현재 406 박승연 407 원효정 408		장유진 652			송일훈 227 정민수 228 이현문 229
관리운영직 및 기타							
FAX	740-9420	740-9204	743-2630			740-9659	740-9425

춘천세무서

대표전화: 033-2500-200 / DID: 033-2500-OOO

서장: **김 종 복**
DID: 033-2500-201

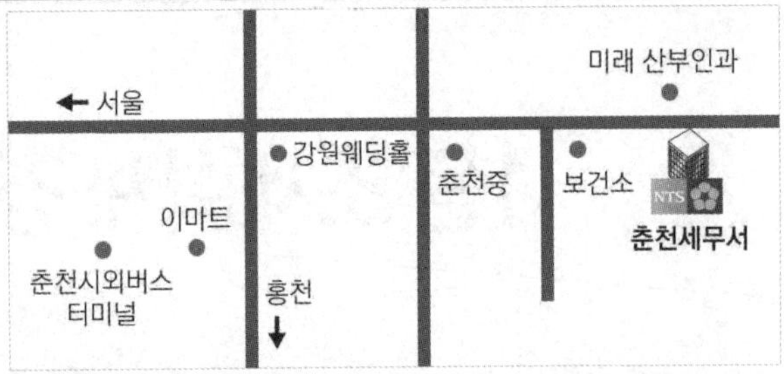

주소	강원도 춘천시 중앙로 115 (중앙로3가) (우)24358 화천민원실: 강원도 화천군 화천읍 중앙로 5길 5 (우) 24124 양구민원실: 강원도 양구군 양구읍 관공서로 14 (우) 24523				
코드번호	221	**계좌번호**	100272	**사업자번호**	142-83-00011
관할구역	강원도 춘천시, 화천군, 양구군			**이메일**	chuncheon@nts.go.kr

과	체납징세과			부가소득세과		
과장	한재영 240			이춘호 280		
계	운영지원	체납추적	징세	부가1	부가2	소득
계장	김경돈 241	안종은 441	심우홍 261	홍후진 281	김진성 301	박승주 361
국세조사관		유광선 442 조성구 483		남정임 282 남호규 283	강동훈 302 김두수 303	김화완 362
	이성삼 242 강영화 243	박찬영 444		노정민(시) 295 최혁 284	이창호 304 홍재옥 305	정석환 363 함귀옥 364 이재만 365
	김미경 244 민영규(운전) 245	곽락원 445	유현정 262	전영훈 285	박경미 306	
	권재서(방호) 246 윤한철 247	최우현 446 추근우 447 권영은 448 조계호 449	신재희 263	이성수 286 조소영 287	이후돈 307 이현정 308	박일찬 366 박제린 367 하정민 368 최수현 369 박태윤 370
관리운영직 및 기타	이문숙 203 백진주 202 오점순 이명숙					
FAX	252-3589			257-4886		

과	재산법인세과		조사과		납세자보호담당관	
과장	엄종덕 400		이철형 640		허곤 210	
계	재산	법인	조사	세원정보	납세자보호실	민원봉사실
계장	이택호 481	박형철 401	진종범 651	유동열 691	박춘석 211	김정길 221
국세조사관	정호근 482	정영훈 402 김진수 403	박동균 652 김형욱 653 최형지 654			전소현 222
국세조사관	방용익 483 조준기 484 김진영 485		신정미 655 정유진 656	김호국 692	황정태 212	박형주(양구) 이병규(화천)
국세조사관	이은규 486		홍석민 657		김달님 213	김민비(시) 223
국세조사관	이송희 487 송현주 488 어이슬 499	강지안 404 정수길 405	김두리 658			정슬기 224 김석주 225 윤선수 226
관리운영직 및 기타						
FAX	244-7947		254-2487		252-3793	252-2103

홍천세무서

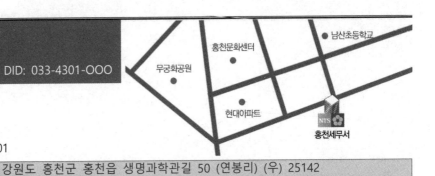

대표전화: 033-4301-200 / DID: 033-4301-OOO

서장: **권 석 현**
DID: 033-4301-201

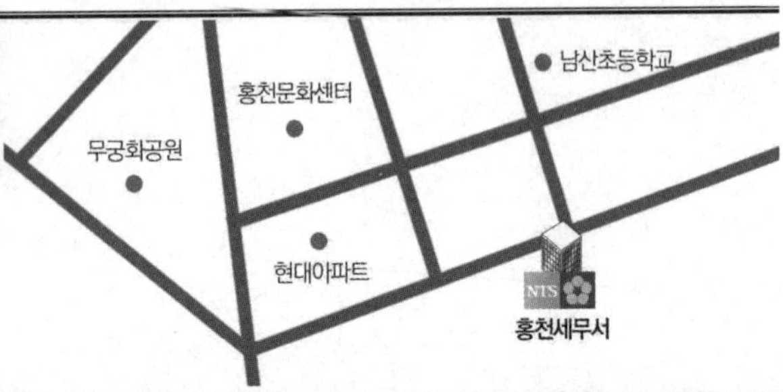

주소	강원도 홍천군 홍천읍 생명과학관길 50 (연봉리) (우) 25142 인제지서: 강원도 인제군 인제읍 비봉로 43 (인제종합터미널 내) (우) 24635				
코드번호	223	**계좌번호**	100285	**사업자번호**	
관할구역	강원도 홍천군, 인제군			**이메일**	hongcheon@nts.go.kr

과	체납징세과		
과장	김선재 240		
계	운영지원	체납추적	조사
계장	이경자 241	박은희 441	류재경 651
국세 조사관			신재화 652
	최병용 242	유원숙 442	
	임재영(방호) 244 이종호(운전) 245	김성현 443	
	오소라 243	박정현 444	최원익 654
관리 운영직 및 기타	허미경(비서) 202 허옥란(미화) 246		
FAX	433-1889		433-1889

과	세원관리과				납세자보호담당관	
과장	윤동규 280				유호정 210	
계	부가소득		재산법인		납세자보호실	민원봉사실
	부가	소득	재산	법인		
계장	이순옥 281		엄봉준 401			
국세조사관					이종완 211	
	김태경 286	김은희 301	박연수 482 이종훈 483	장민수 402		이금연 221 이하나 223
	권상원 282 이창우 283	정재용 302		이우영 403 최경준 404		
	권다혜 287 남경민 284 강수현 285	이유안 303	김지혜 484			안양순 222 김성민(인제) 461-2105
관리운영직 및 기타	신고창구 287					
FAX	434-7622				435-0223	

인천지방국세청 관할세무서

■ 인천지방국세청 285

지방국세청 국·과 286

남 인 천 세무서 292

북 인 천 세무서 294

서 인 천 세무서 296

인 천 세무서 298

고 양 세무서 300

광 명 세무서 302

김 포 세무서 304

동 고 양 세무서 306

부 천 세무서 308

연 수 세무서 310

의 정 부 세무서 312

파 주 세무서 314

포 천 세무서 316

인천지방국세청

주소	인천광역시 남동구 남동대로 763 (구월동) (우) 21556
대표전화 & 팩스	032-718-6200 / 032-718-6021
코드번호	800
계좌번호	027054
사업자등록번호	1318305001
e-mail	incheonrto@nts.go.kr

청장 오덕근

(D) 032-718-6201

부 속 실

비 서 관 최유미 (D) 032-718-6202

성실납세지원국장	**박 광 수**	(D) 032-718-6400
징세송무국장	**양 경 렬**	(D) 032-718-6500
조사1국장	**오 상 훈**	(D) 032-718-6600
조사2국장	**김 태 우**	(D) 032-718-6800

인천지방국세청

대표전화: 032-7186-200 / DID: 032-7186-OOO

청장: **오 덕 근**
DID: 032-7186-201

주소	인천광역시 남동구 남동대로 763 (구월동) (우) 21556				
코드번호	800	**계좌번호**	027054	**사업자번호**	1318305001
관할구역	인천권(인천, 김포, 부천, 광명), 경기 북부권(의정부, 양주, 포천, 동두천, 연천, 철원, 고양, 파주) 관내 세무서 : 인천, 북인천, 서인천, 남인천, 김포, 부천 의정부, 포천, 고양, 동고양, 파주, 광명			**이메일**	incheonrto@nts.go.kr

과	운영지원과				감사관		납세자보호 담당관		
과장	이정태 240				윤재원 310		이현범 350		
계	인사	행정	경리	현장소통	감사	감찰	보호	심사	공항납세지원
계장	최진선 242	정철화 252	배성심 262	박성호 272	박인수 312	김명수 322	송영인 352	최미영 362	우인식 162
국세조사관	이동훈 243	정종천 253 김선화(기록) 257	신희명 263	이광용 273	조성덕 313 김민수 314	문삼식 323 김성준 324	이진아 353	고선혜 363 송영우 364	
	송충호 244 임석호 245 김기훈 246 최수지 247	김미선 254 차수빈 255 백동훈(시설) 258 한재영 256	김미정 264 조영기 265	김근영 274 강석훈 275	김무남 315 임태호 316 오경택 317 박진아 318 이영선 319	김훈 325 김훈 326 남기인 327 서보림 328 심주용 329	고배영 354 윤애림 355	이병용 365 정필규 366 용진숙 367	
	김혜진 248 이근호 249	오영 259 윤형식 260	임욱 266 강혜인 267 이미애 268	성상현 276 김유미 277		박성태 330	송재성 356 서창덕 357	김정효 368	이영숙 163 정선재 164
관리운영직 및 기타		구대현(운전) 이영도(방호) 이창희(운전) 강태헌(방호) 282 양승훈(운전) 287							
FAX									

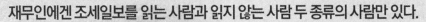

국	징세송무국								
국장	양경렬 500								
과	징세과		송무과					체납자재산추적과	
과장	이율배 501		우철윤 541					조국환 571	
계	징세	체납관리	총괄	법인	개인1	개인2	상증	추적1	추적2
계장	길수정 502	김봉섭 512	공희현 546		정선아 550	이기수 555	성종만 560	조현관 572	김광천 582
국세 조사관	이기련 503	구수정(시) 525 신영선(시) 527 방윤희 513		박종수 547	이창현 551 문일식 552	고재민 556 김한진 557	박순영 561	이병로 573 허재영 574	최요환 584 장윤호 583
	김혜진 504 김혜은 505	최현 523 채미옥 524 유현수 514 김복래(시) 528 최은정(시) 529 박노승 515	한송희 542 김동열 543	이주영 548 오세민 549	황진영 553 양홍철 554	홍성걸 558	김명준 562	박창환 575 김순석 576 이상민 577	하두영 585 고명훈 586
	하태완 506	김보람 516 김영진 517 이주은 525	인윤경 544			박태완 559	김인희 563	김현경 578	노세영 587 노상우 588
관리 운영직 및 기타									
FAX									

DID : 032-7186-OOO

국	성실납세지원국									
국장	박광수 400									
과	부가가치세과			소득재산세과			법인납세과			
과장	서기열 401			김월웅 431			김민 471			
계	부가1	부가2	소비	소득	재산	소득지원	법인1	법인2	법인3	법인4
계장	유경원 402	김화정 412	최연지 422	송인규 432	임덕수 452	안성경 462	김은기 472	이기병 482	김영노 489	양숙진 495
	김은정 403				오수미 453		문현 473		고은희 490	
국세 조사관	현선영 404	선봉래 413 백찬주 414 이준희 415	황미영 423 나찬주 424 조준영 425	김종훈 433 정성은 434 변성경 435	주승윤 454 조지현 455	조진동 463 이현준 464 정현정 465	박지암 474 홍준경 475	이은섭 483 김진교 484 윤지희 485	남도경 491	류수현 496 김혜윤 497 이규호 498
	이광희 405 박예람 406	이규종 416 김성재 417	한상재 426	이현민 436 배경은 437	한인표 456		정성익 476 장수영 477 백장미 478	강지수 486	박준식 492	송보라 499
관리 운영직 및 기타										
FAX										

국실	성실납세지원국				조사1국				
국장	박광수 400				오상훈 600				
과	전산관리팀				조사관리과				
과장	김영준 101				양순석 601				
계	관리1	관리2	정보화1	정보화2	관리1	관리2	관리3	관리4	관리5
계장	김용우(전) 102	박용태(전) 6112			강세정 602	이유미 612	김재호 622	조민영 632	이영길 642
국세 조사관		김형미(전) 113	김경민(전) 123		배성수 603	황인범 613	황창혁 623	박병곤 634	박수정 643
	김선영 103 최광민 104	신의현(전) 114	이지숙 124 임해숙 125 <사무> 채재덕 129 송해숙 130 이미경 131 정미경 132 한연주 133 김복임 134 김진희 135	김은주 143 고봉균 144 <사무> 황정숙 150 김용분 151 최명순 153 김정희 154 권정숙 155	임흥식 604 임준일 605 박좌준 606 김민희 607	김인숙 614 박종석 615	임석현 624 신기주 625 임명규 626	이경석 633 김승희 635 김보나 636	김병규 644 정홍주 645 이동락 646
	이택수 105	신채영 115	김영숙 126 전혜정 127 김은향 128	김은영 145 이송이 146 정미영 147 김관우 148 안민희 149	박미소 608	주선정 616 홍세희 617	배성혜 627 홍혜인 628	노아령 638 정기선 637 이창학 639	정구휘 647
관리 운영직 및 기타									
FAX									

DID : 032-7186-OOO

국실	조사1국									
국장	오상훈 600									
과	조사1과				조사2과			조사3과		
과장	임기성 651				전주석 701			이규열 741		
계	조사1	조사2	조사3	조사4	조사1	조사2	조사3	조사1	조사2	조사3
계장	이지훈 652	이용재 662	이지선 672	김동진 682	강석윤 702	서명국 712	류송 722	정현대 742	고현 752	박병민 762
국세 조사관	이진호 653			박범수 683	최명석 703		김생분 723		남정식 753	이영진 763
	고정주 654 전준호 655 김명경 656	박진석 663 김진우 664 이미진 665 김재석 666	김대범 673 전연주 674 전현정 675	박지원 684 고영주 685	민종권 704 김치호 705 임세혁 706	허광규 713 박윤지 714 오명진 715 조원석 716	김은태 724 이은송 725 김가람 727	김하성 743 신기룡 744 조태익 745 이규의 746	조윤경 754 조영진 755 노남규 756	황규봉 764 이태한 767
	윤다영 657	장정엽 667	손종대 676 강현주 677	서경석 686 이윤애 687	양지윤 707	조윤주 717	구표수 726	정승기 747	최정명 757	천재도 765 송신애 766
관리 운영직 및 기타										
FAX										

국실	조사2국													
국장	김태우 800													
과	조사관리과				조사1과					조사2과				
과장	윤성태 801				류진수 851					윤광진 901				
계	관리1	관리2	관리3	관리4	조사1	조사2	조사3	조사4	조사5	조사1	조사2	조사3	조사4	조사5
계장	김성동 802	양성철 812	배인수 822	공용성 832	김민완 852	허준용 862	윤경주 872	권창호 882	엄의성 892	정은숙 902	박정준 912	설환우 922	김종률 932	정은정 942
국세 조사관	박형민 803	허성민 813	김학규 823	김경숙 833								권성미 923		김병찬 943
	김경진 804	박상영 814 이재훈 815	김해아 824 김재철 825	장원석 834 박인제 835 전영출 837 최경아 836	김미옥 853 곽재형 854	이진선 863 김한나 864	노명환 873 이재우 874	정동욱 883 성재영 884	이종우 893 엄일해 894	박창수 903 백선애 904 김재중 905	안세연 913 이익진 914	신창영 924	김영미 933	이미영 944
	노일도 805 윤재현 806 여현정 807	김민경 816	조재희 826 박예린 827	국봉균 838 김효정 839	박미래 855 김제헌 856	박영호 865	조현지 875	안은정 885	전세림 895	박지현 906	이선행 915	임진혁 925	장성진 934 김영호 935	이은진 945
관리 운영직 및 기타														
FAX														

남인천세무서

대표전화: 032-4605-200 / DID: 032-4605-OOO

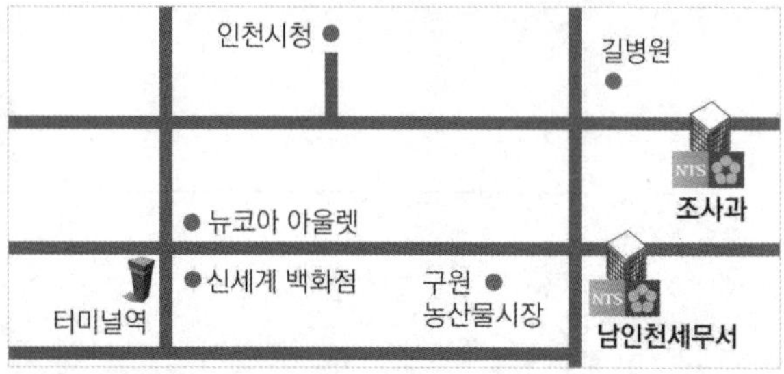

서장: **전 성 구**
DID: 032-4605-201

주소	인천광역시 남동구 인하로 548(구월동 1447-1) (우) 21582				
코드번호	131	**계좌번호**	110424	**사업자번호**	131-83-00011
관할구역	인천광역시 남동구			**이메일**	namincheon@nts.go.kr

과	체납징세과				부가가치세과		소득세과	
과장	김종무 240				민철기 280		이철우 360	
계	운영지원	체납추적1	체납추적2	징세	부가1	부가2	소득1	소득2
계장	임용주 241	여우주 441	김창호 461	우상용 261	곽한능 281	정현준 301	홍성기 361	이양래 381
국세조사관					박상주 282		이창수 362	
	홍예령 242 이태곤 243	김보균 442 이미경 443 조인호 444	김선희 462	김효진 262	손현지 283 권기완 284 신동배 285 이아연 286 송성심(사무) 293	권은경(시) 297 배효정 302 김명진 303 전유광(시) 297	이영권 363 김향주 364	김정동 382 박정진(시) 298
	최보령 244 김용국(방호) 612 이현채(운전) 613	엄연희 445 방미경 446 하현정 447 문찬웅 448	조해동 463 임순길 464 안소연 465 신현진 466	이지연 263 조연화 264	이온유 287 박서우 288	김유경 304 남은영 305 최윤주 306	한승협 365 임인혜 366 강유진(시) 298	서주현 383 홍석희 384 김주아 385
	김유철 245	박현우 449	진경 467 민예지 468		김민애 289 이성훈 290 문진희 291 최창열 292	안태균 307 노종대 308 이민정 309	김민정 367 조종수 368	강한얼 387 김소연 386 지수 388
관리운영직 및 기타	장정순(비서) 202 이미영(교환) 616 박은주 489 김귀희 정화자							
FAX	463-5778				461-0658		461-0657, 3291, 3743	

과	재산법인세과			조사과			납세자보호담당관	
과장	강기석 480			최준성 640			이미진 210	
계	재산1	재산2	법인	조사관리	조사	세원정보	납세자 보호실	민원 봉사실
계장	고진곤 481		노영훈 401	안성호 641	이민철 657	김주섭 691	예상국 211	한덕우 221
국세 조사관	이영태 482	조용식 522	문규환 402 서용훈 411		한덕우 654 김동현 652			염철웅(시) 222
	강정원 483 김동현 484	도영만 523	김민형 412 진승철 403 조아라 404 성현진 413		임재석 665 김명진 658	배재호 692	김윤희 212 양정미 213 우진하 216	박미영 223 조세원(시) 222
	주소미 485	박영수 524	송찬빈 414	임채경 642 최영환 643	손효정 655 이혜선 656 김승희 663 최석운 668			이지안 230 김주희(시) 228 이현애 224
	김민정 486 황선화 487 김혜정 488	김인정 525	김태용 405 이종훈 415 김선우 406 조은빛 416 신예원 417		이민지 659 이성훈 668		유승현 218	소서희(시) 228 이주환 225 김봉호 226 전지현 227
관리 운영직 및 기타								
FAX	464-3944, 461-6877			462-4232, 471-2101			463-7177, 461-2613	

북인천세무서

대표전화: 032-5406-200 / DID: 032-5406-OOO

서장: **구 종 본**
DID: 032-5406-201

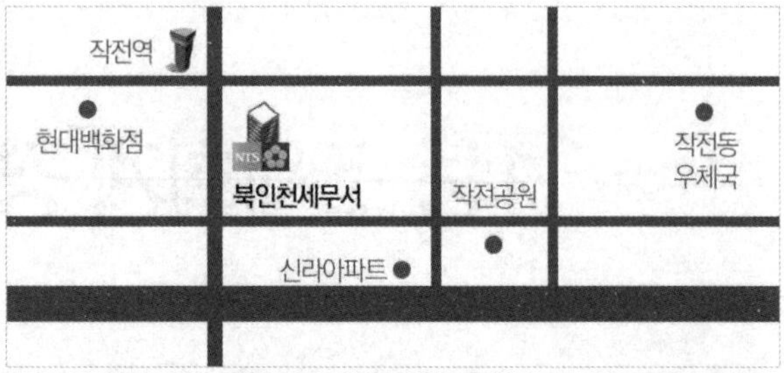

주소	인천광역시 계양구 효서로 244 (작전동 422-1) (우) 21120				
코드번호	122	**계좌번호**	110233	**사업자번호**	122-83-01942
관할구역	인천광역시 계양구, 부평구			**이메일**	bukincheon@nts.go.kr

과	체납징세과				부가가치세과			소득세과		
과장	김을령 240				이광 280			정구수 360		
계	운영지원	체납추적1	체납추적2	징세	부가1	부가2	부가3	소득1	소득2	소득3
계장	유은주 241	안병철 441	천현식 461	김지아 261	유재식 281	문종구 301	임형수 321	김정원 361	이두근 381	함광수 621
국세 조사관					강신준 282	강경덕 302		박성구 심형섭 362		
	양지선 242 최주광 245	유환동 442 박소혜 443 이도영 444	임선옥 462 김광식 463	이루리 262 박순득 (사무) 264	박미경 (사무) 294 정다운 285 최종욱 288 신나리 291	임광섭 305 홍형주 308 윤은 310	민성기 322 한인정(시) 330 김정한 339 전영무 325	최예숙 (사무) 370 양이곤 363	박대협 382 홍은지(시) 393 김재준 383	신상훈 622 한지원(시) 393 이아름 623
	이선아 243	최형준 445 신지수 446 김지숙 447 최연주 448	연정현 464 김상균 465 나민지 466	남기은 263	서지우 292 이승호 289 박경완 286	김수원 311 길은영(시) 313 정효성 309 홍다영 306	안지선 326	이민훈 364 양현식 365	김성혜 384	김재권 624 정신애 625 김영은 626
	황성묵 244 선유정 246 정기열 (방호) 247 서현석 (운전) 614	권오방 449 최지웅 450 조현종 451	최승규 467 황경서 468 김회연 469		신동준 290 신혜란 287 오준영 293 김예슬 283	이민지 303 김은송 312 서혜림 304 정기주 307	최희란 328 이은정 330 백다정 329 이상곤 323 최이진 327	장형원 366 이동석 367 김혜빈 368 황태희 369	강현진 385 정현지 386 박병태 387 김영훈 388	박지해 627 김예준 628
관리 운영직 및 기타	최수정 (비서) 202 심광식 전순화 유미정									
FAX	545-0411, 548-4329				543-2100			721-8103, 542-5012		

과	재산세과			법인세과		조사과			납세자보호담당관	
과장	조민호 480			국중현 400		조일성 530			고종관 210	
계	재산1	재산2	재산3	법인1	법인2	조사관리	조사	세원정보	납세자 보호실	민원 봉사실
계장	전민균 481	서흥원 501	김한진 521	이병인 401	김중재 421	오민철 531	유대현 541	김정대 591	이영휘 211	서위숙 221
국세 조사관							김순영 551 김재석 561			
	김효진 482 문진희 483 이영례(시) 490	이선미 502 전유영 503	이현석 522 박용범 523	정영무 402 문성희 403	김정이 422 서유진 423	이슬비 532	김태완 571 박미진 542 서소진 552 김민상 562 공민지 572		김민정 213 유미연 216	조혜진(시) 230 신동진 222
	윤지현 484 김수아 485	범지호 504 김한범 505	오지혜 524 송지훈 525	정지명 404 이수정 405	김경태 424 손현명 425	김다영 534	최석윤 553 최성열 573	김봉식 592 어정아 593	박상규 215	박미나 223 정근영 224 박보경 225 김지은 226
	박종성 486 박민희 487			이종관 406	강오라 426		김도형 543 김혜성 544 이하연 554 박혜선 563		김향숙 214	조경화(시) 230 조강희 229 이유영 231 이은기 232 김가연
관리 운영직 및 기타					이은설 410					
FAX	542-6175 546-0719			542-6173 542-6176		551-0666			545-0132	549-6766

서인천세무서

대표전화: 032-5605-200 / DID: 032-5605-OOO

서장: **김 용 재**
DID: 032-5605-201

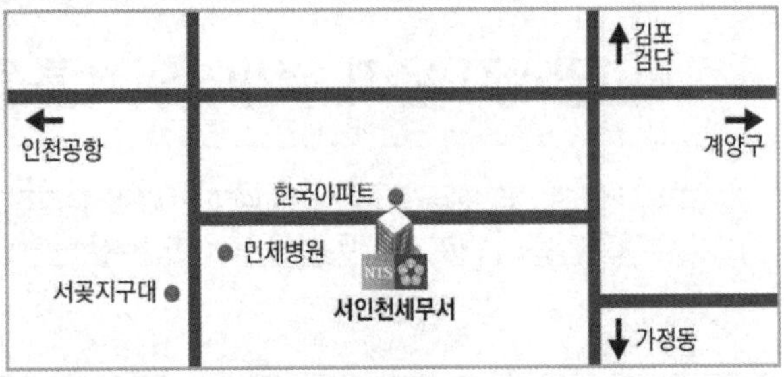

주소	인천광역시 서구 서곶로 369번길 17 (연희동) (우) 22721				
코드번호	137	계좌번호	111025	사업자번호	137-83-00019
관할구역	인천광역시 서구			이메일	seoincheon@nts.go.kr

과	체납징세과				부가가치세과		소득세과	
과장	오태진 240				강용 280		장필효 620	
계	운영지원	체납추적1	체납추적2	징세	부가1	부가2	소득1	소득2
계장	권창호 241	유의상 441	민경삼 461	조미현 261	김혜령 281	장기승 301	전우식 361	박현구 621
국세 조사관		이순모 442			채송화 282		최장영 362	
	김준호 242 신연희 243 최은경(사무) 244 한복수(방호) 황선길(운전)	최규태 450 이현희 443	전창선 462	최은옥 262	서원식 283 조재웅 284 이상왕 285 장예원 286 박주현 287	김대영 302 윤미경 303 유성훈 304 권병묵 310	신경섭(시) 김대관 363	김수민 622 김지혜 623
	정종우 245	정근욱 444	김상민(시) 469 김효은 463 양정인 464	박상아 263	김혜인 293 박소연(시) 292 김인환 288	설병환 313 이상용 305	박종주 364 윤지영 365	권혜화 624 홍영호 625
	김지동 246	홍슬기(시) 449 김진희 445 김은영 446 김민상 447 권효정 448	임종우 465 곽유진 466 김형식 467 나태운 468		김대연 289 안수지 290 이하림 291	김소윤 306 전소윤 307 서은지 308 김웅 309	백정하 366 허정인 367 현유진 368	윤미정 626 김동수 627 박정원 628
관리 운영직 및 기타	노현주(비서) 202 송창인(교환) 616							
FAX	561-5995				561-4144		562-8213	

과	재산법인세과			조사과			납세자보호담당관	
과장	민종인 400			복용근 640			양희석 210	
계	재산1	재산2	법인	조사관리	조사	세원정보	납세자 보호실	민원 봉사실
계장	최석률 481	조대규 501	권영균 401	김은오 641	이민철 651	박용호 691	김육노 211	황광선 221
국세 조사관					조종식 654 고석철 657 고덕상 660	강선영 692		
	임경순 482 이수덕 483	김영조 502	최정완 402 김재선(시) 412 김종태 403 신기섭 404	이선아 642	이태상 652 김봉완 658 전현민 661		장선영 212	강소여(시) 226 이춘주 222
	추은정 484 김진희 485 조다인 486 이은경 487 박다영 488	송주형 503 오인화 504	봉현준 405 김보경 406 김이섭 407	김라희 643	송채영 고은비 653 김미영 655 김도협 656 이진우 659 김선아 662		박성민 213	정지은(시) 225 김미연 228
	현종원 489	곽동훈 505	윤지현 408 박효은 409 홍수지 410 김자림 411	황지환 644	권서영 663			이영재 227 김지혜 223 이동균 224
관리 운영직 및 기타			김미선 430					
FAX	569-8033		561-4423	561-4145			569-8031	569-8032

인천세무서

대표전화: 032-7700-200 / DID: 032-7700-OOO

서장: **박 수 금**
DID: 032-7700-201

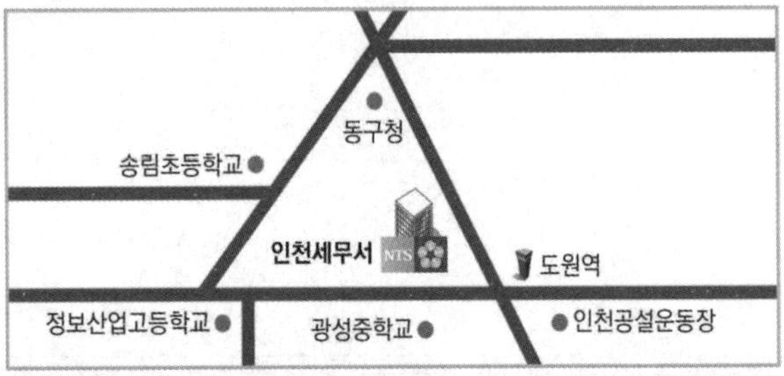

주소	인천광역시 동구 우각로 75 (창영동) (우) 22564 별관 : 인천 미추홀구 인중로 22, 2층 조사과(숭의동, 용운빌딩) (우) 22171 영종도민원실 : 인천시 중구 신도시남로 142번길 17, 301호 (운서동) (우) 22371				
코드번호	121	**계좌번호**	110259	**사업자번호**	121-83-00014
관할구역	인천광역시 중구, 동구, 미추홀구, 옹진군			**이메일**	incheon@nts.go.kr

과	체납징세과				부가가치세과			소득세과	
과장	윤영현 240				강의순 280			황영남 340	
계	운영지원	체납추적1	체납추적2	징세	부가1	부가2	부가3	소득1	소득2
계장	양현열 241	황경숙 441	안태동 461	양숙진 (동원)	이영숙 281	고민수 301	공원재 321	강경렬 341	김상만 361
국세 조사관				진경철 262 윤난희 263	정경돈 282				
	전지연 242 김휘태 (방호) 이일환 (운전)	배은상 442 조성연 444	김인성 467 서돈영 462		이상희 (사무) 292 이승우 283 차세원 284	송충종 302 이재우 303	이충원 322 이혜영 323	김창현 342 박명순 343 박혜기 344 민소윤 345	양경애 362 함상현 363 이아영 364 김희진 365
	김지은 244 김동우 245	노재훈 448 박신우 447 박지민 451	정은아 463 엄장원 465 최호현		박정윤 285 차일현 286 김아름 287	오경선 304 최보미 305 허지영 306 김지현 307	이연수 330 남관덕 324 정소연 325	이진영 346 유길웅 오로지 347	박소희 366 김정아(시)
	김태희 243	최윤정 445 박수미 446 구아림 449 김다형 450 정도연 452	박현정 468 김태희 469 이우남 471 최은진 464 김민주 470	오정은 263	손현진 288 이관재 289 황민희 290 강현창 291	정호영 308 기영준 309 이경혜 310 민정원 311	전하준(시) 이다혜 326 원가영 327 이명주 328 임광빈 331	채진병 348 윤정욱 349	이명훈 367 이연서 368 이채현 369
관리 운영직 및 기타	정지혜 202 정아가다 안금순								
FAX	763-9007	765-1603				765-1604		777-8105	

과	재산세과		법인세과		조사과			납세자보호담당관	
과장	정철 480		이건도 400		황길식 640			윤성양 210	
계	재산1	재산2	법인1	법인2	조사관리	조사	세원정보	납세자 보호실	민원 봉사실
계장	최미숙 481		송준현 401	길요한 421	권오영 641	박기룡 671	송승용 691	문소웅 211	임권택 221
국세 조사관	천미영 482					이승환 674 김상천 677 유상호 681 황태영 684	최병재 692	김성연 212	김현수 224
	임은영 (사무) 488 최용선 483 이소영 484	박광욱 522 강성민 523	김용철 402 손민 403 박장수 404 김우환 405	최창현 422 한지연 423 이하경 424	이상수 642 박채원 643	정정섭 681 이선 박일수 672		김지은 213	유금숙 227 김정기 (영종) 이경록 (영종) 032-747-02 90
	홍근표 485 이다영 486 유정훈 501	김송정 524 조유영 525		임유화 425	조하나 644	이혜경 675 장은용 682 김지선 688 김동우 685 제병민 678 이예슬 673 한혜진 679	남은빈 693	고명현 214 배윤정 215	노연숙(시) 222
	박혜인(시) 509 문주희 502 김영재 503		손연진 406	최윤석 426		오수진 686 조윤영 676 김민정 689 안종근 683			윤미라(시) 229 서지형(시) 222 김득화 226 김미미 231 고설민 223 진누리 225 복지현 228
관리 운영직 및 기타									
FAX			777-8109		885-8334, 888-1454			765-6044	765-6042

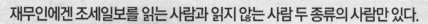

고양세무서

대표전화: 031-9009-200 / DID: 031-9009-OOO

서장: **황 동 수**
DID: 031-9009-201

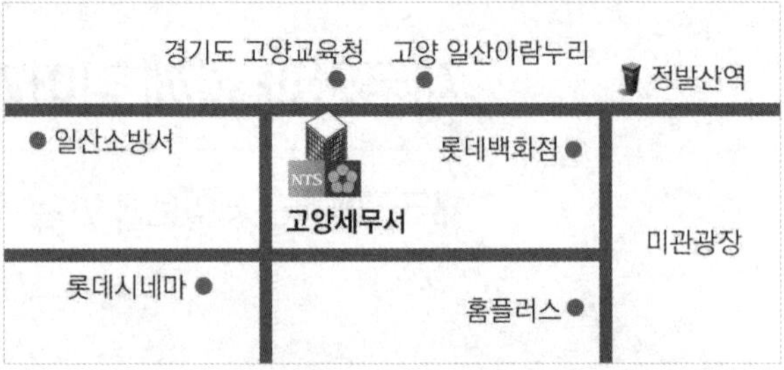

주소	경기도 고양시 일산동구 중앙로1275번길 14-43 (장항동774) (우) 10401				
코드번호	128	계좌번호	012014	사업자번호	128-83-00015
관할구역	경기도 고양시 일산동구, 일산서구			이메일	goyang@nts.go.kr

과	체납징세과				부가가치세과		소득세과		재산세과		
과장	이창준 240				황재선 280		박현서 360		한철희 480		
계	운영지원	체납추적1	체납추적2	징세	부가1	부가2	소득1	소득2	재산1	재산2	재산3
계장	장주열 241	오승필 441	이강일 461	강승룡 261	박찬택 281	배욱환 301	임순하 361	강태완 381	황영삼 481	전대섭 491	여종구 501
국세조사관			전미영 463		신혜주 282					신해규 492	김세영 502
	임형우 242 황창기 (운전) 613	박종진 442 유종현 444 고경만 451	윤양호 462 기아람 469	주경희 262	김민욱 283 송경령 284 김경욱 285 신지은 (시) 임경석 (시)	공진하 302 김은정 304 권혁준 305 민수진 (시)	허은성 362 문정우 (파) 김진기 363 이영옥 364 정정우 (시)	최회윤 382 김극돈 383 여지현 384 송명진 (시)	박우영 482 안동민 484 김종화 (시)	허인규 493	윤영섭 503 송선주 504
	최유진 243 오종민 245	김명규 449 백한나 심한보 448	남용휘 465 박지원 468	김주희 263 송호연 265	이난희 286 길미정 287 이동찬 288 한송이 289	남기홍 303 홍정수 306 남보영 307	신수범 365 허세미 (시)	심재일 385 김민조 386	곽윤정 483 윤성귀 486	김범석 495 윤현정 494	김예진 506
	남궁훈 246 유창수 (방호) 614	황인태 443 최서윤 446 이득규 450	채민정 470 조송화 466 이혜미 471 이수현 467		이주현 290 김지영 291 최혜원 292	박소현 308 김상균 309 신명섭 310	배형은 366 오지연 367 이승형 368 박예은 369	김수빈 387 차수빈 388 장일웅 389	손경선 485 백소이 487	안지영 496 최다혜 497	박미연 505 이민아 507
관리운영직 및 기타	김지현 (교환) 258 유수진 (비서) 201, 202										
FAX	907-0678				907-0677		907-1812		907-0672		

과	법인세과		조사과			납세자보호담당	
과장	김동연 400		조혜정 640			안재홍 210	
계	법인1	법인2	조사관리	조사	세원정보	납세자 보호실	민원 봉사실
계장	김욱진 401	김종완 421	김연수 641	정승원 651	이창현 691	박건우(임) 211	이정균 221
국세 조사관				박정완 655 최헌순 660 신거련 663		김광수 212	
	이영욱 402 김완석 403	이성원 422 윤정현 423	강인행 642	김정식 656 김혁 664	이근희 692	김영선 214 박일수 213	박윤경 226 현양미 228 김경아(시) 232
	최유나 404 조가영 405	최은유 424 박선희 425	전혜윤 644 최희경 643	김영재 661 신화섭 653 박용 665	안슬비 693	조정은 215	이혜옥(임) 230 봉선영 233
	강유림 406 최현성 407	신유라 426 전승헌 427		김하얀 657 김승희 662 김종주 666 이슬 658			곽승훈 223 이정욱 227 박정호 225 김준철 229 이승리 224 우수정(시) 231
관리 운영직 및 기타			장점선 645				
FAX	907-0973		907-0674			907-7555	907-9177

광명세무서

대표전화: 02-26108-200 / DID: 02-26108-OOO

서장: **우 창 용**

DID: 02-26108-201

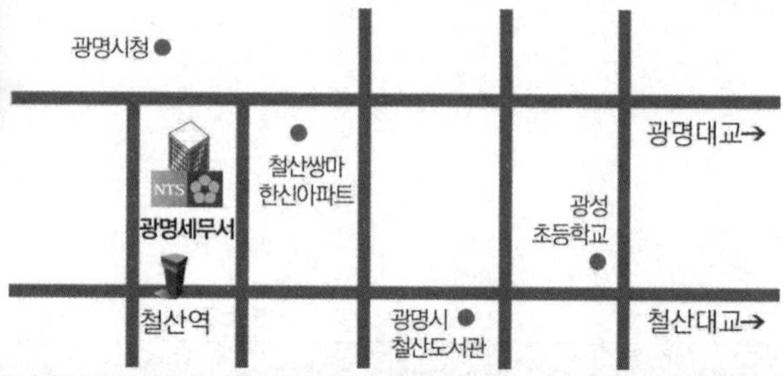

주소	경기도 광명시 철산로 3-12(철산동 251) (우) 14235 별관: 경기도 광명시 철산로 5 (철산동 250) (우) 14235				
코드번호	235	계좌번호	025195	사업자번호	702-83-00017
관할구역	경기도 광명시			이메일	

과	체납징세과			부가소득세과	
과장	최정희 240			조춘옥 300	
계	운영지원	체납추적	징세	부가	소득
계장	남영우 241	박창길 441	박경은 261	장동은 301	신범하 351
국세 조사관			이형원 262	곽민성 302 홍경일 303	
	박영민 242	김선애 442 송민진 443	임현정(시) 264 박미영 263	오유미 304 박은정(시) 319 정지운 305 이현주(사무) 319	김영숙 352
	오경환 243	엄희진 444 최성환 445 홍성준 446		안미진 306 정지훈 307 신수창 308	김소영(시) 319 강경호 353 복경아 354
	한수지 244 이다민(운전) 245 김용희(방호) 631	이해나 447 박규빈 448		신아영 309 이예지 310 이우재 311	진혜진 355 이정상 356 이희수 357 정수진 358
관리 운영직 및 기타	손다솜(비서) 201 박은순 전종순			조수정 320	
FAX	3666-0611			2617-1486	2610-8441

1등 조세회계 경제신문 조세일보

과	재산법인세과		조사과		납세자보호담당	
과장	장태성 500		김전창 640		장경숙 210	
계	재산	법인	조사	세원정보	납세자보호실	민원봉사실
계장	김동수 401	김정남 501		박미연 682	소본영 211	이경수 221
국세 조사관		김재중 502	이대일 647 박종경 641 정형주 643 선연자 645		김영근 212	
	김경희 402 고현숙 403 이소정 404	조재윤 503	장선정 644 임은식 646			이용주 222
	김동선 405 한상희 406	박진아 504 전예은 505	백하나 642 김지엽 642 이민희 648		임상록 213	
	이서은(시) 654 이도희 407 김태훈					김유나 223 김지현 224 최주희 225 정해시 226
관리 운영직 및 기타						
FAX	2617-1487	2610-8629	2685-1992		2617-1485	2615-3213

김포세무서

대표전화: 031-9803-200 / DID: 031-9803-OOO

서장: **나 교 석**
DID: 031-9803-201

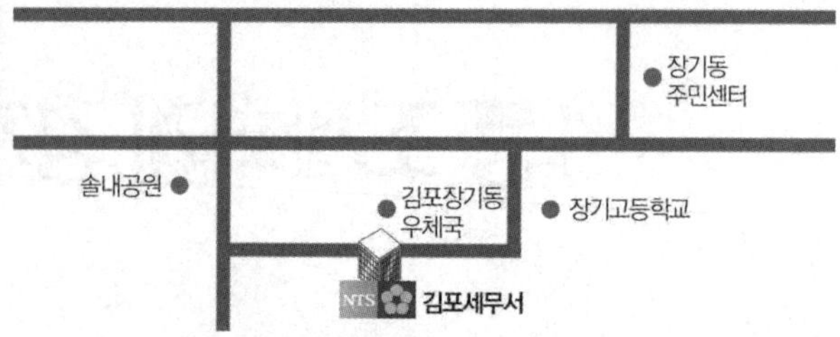

주소	경기도 김포시 김포한강1로 22 장기동 (우) 10087 강화민원봉사실 : 인천광역시 강화군 강화읍 강화대로 394 (우) 23031				
코드번호	234	**계좌번호**	023760	**사업자번호**	
관할구역	경기도 김포시, 인천광역시 강화군			**이메일**	gimpo@nts.go.kr

과	체납징세과				부가가치세과		소득세과	
과장	권충구 240				최동균 280		김민수 340	
계	운영지원	체납추적1	체납추적2	징세	부가1	부가2	소득1	소득2
계장	정태민 241	손동칠 441	최원석 461	이혜경 261	정선례 281	김성준 301	고영환 341	조은희 361
국세조사관					김태승(시) 원범석 282			
	임지혁 242 주성숙 243 조용호(운전) 611 신용섭(방호) 611	윤혜영 442 이용우 443 남석주 445	송우경 462 오기철 463	이인이 262	최지현 283 정형석 284	김진도 302 박상선 303 김동휘 304 김희창 305	이준년 342 김만덕 343 박찬우(시)	신선주 362 이병노 363
	염정은 244	박수춘 446 태영연 447 이주한 448	이윤수 464 차지연 465 이민규 466 이동훈 467 하수정 468	박아름별 263	박종원 285 태대환 286 나유림 287 이보라 288 최재혁 289	최기옥(시) 민경원 306 이연주 307 강혜진 308 강효정 309	김동준 344 이재식 345 손윤섭 346	이미란(시) 진주희 364
	윤태인 245	지대진 449 반재욱 450	한승구 469	박경란(시) 264	이희정 290 이소형 291 한진규 292	김인기 310 박형준 311 이서연 312	전건모 347 강지수 348	윤유라 365 윤하영 366 장정현 367
관리운영직 및 기타	최지선(비서) 202 김옥분 김문자 이견희							
FAX	987-9932				983-8028		998-6973	

과	재산법인세과				조사과			납세자보호담당관	
과장	이희섭 400				성봉진 600			구정환 210	
계	재산1	재산2	법인1	법인2	조사관리	조사	세원정보	납세자 보호실	민원봉사실
계장	김기식 401	한세영 421	이윤우 501	이기정 521	이상락 601	김선주 621	이정민 641	한성삼 211	김승임 221
국세 조사관			김영수 502			김항중 624 박민규 627 김동진 630		김영국 212	
	김지연(시) 장근식 402 김민정 403 김우현 404	김익왕 422 박성혁 424	김주홍 503 김건영 504	안준 522 이종현 523 조현국 524		김용학 625 채연학 631 변진형 633	유은선 642		배인애 (강화) 이정문 222
	정다이 406 배상용 407 박은미(시) 장진아 408	구지은 423	오상준 505 류영리 506	배휘정 525	신동욱 602 김푸른솔 603	이종현 622 박하연 626 고상권 628	김동엽 643	김수영 213 김희진 214	정진숙 223 정지영 224
	박지혜 409 유준상 410 이윤호 411	손주영 425	한무현 507 윤지원 508 정지윤 509	유환일 526 김보원 527	김민선 604	김한올 623 장정욱 629 김지수 632 김민석 634			최우정(시) 225 노익환 226 강소라 227 홍지안 (강화), (시) 김현민 228
관리 운영직 및 기타									
FAX	998-6971			986-2801	986-2769		986-2805	986-2806	983-8125 982-8125

동고양세무서

대표전화: 031-9006-200 / DID: 031-9006-OOO

서장: **한 성 옥**

DID: 031-9006-201

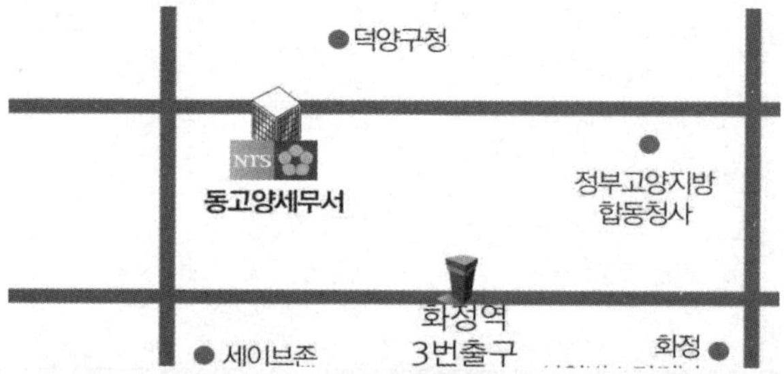

주소	경기도 고양시 덕양구 화중로104번길 16 (화정동) 화정아카데미타워 3층(민원실), 4층, 5층, 9층 (우) 10497				
코드번호	232	**계좌번호**	023757	**사업자번호**	
관할구역	경기도 고양시 덕양구			**이메일**	

과	체납징세과			부가소득세과		
과장	윤만식 240			강창식 280		
계	운영지원	체납추적	징세	부가1	부가2	소득
계장	나선일 241	오병태 441	안무혁 261	유현인 281	신재평 301	유은주 321
국세조사관		김태환 442		박용주 282	윤현경 302	
	이경빈 242 정연철(운전) 246	공태웅 443 김선미 444 박윤하 445	김태두(시) 263 한은숙(사무) 262	박재홍 283 한창규 284 박혜진(시) 285 노규현 286	임진연 303 김현정 304	남영우 322 강경인 323 조정은 324 한주성 325 이철형 326
	박민준 243	김빛누리 446	이지은 264		이호정 305 안윤미 306	이수경 327 김대일 328 김정섭 329 김미경(시) 330
	김복현(방호) 245 구종현 247	박재현(시) 447 박상봉 448 박송이 449 김혜숙 450 선경식 451		이지영 287 박수지 288 이보미 289	김경업(시) 307 이혜련 308 노재원 309	이현주 331 홍서준 332 정슬기 333 윤새롬 334
관리운영직 및 기타	최민혜(비서) 202 손영례 오영금					
FAX	963-2979			963-2089		

과	재산법인세과			조사과			납세자보호담당관	
과장	양태호 400			김재민 640			윤성중 210	
계	재산1	재산2	법인	조사관리	조사	세원정보	납세자보호실	민원봉사실
계장	김춘동 481	서광열 501	정윤철 401	김동식 641	최길만 651	권영칠 691	홍정은 211	이경권 221
국세조사관					이지훈 661 이미애 671			
	박진수 482 이준영 483 어원경 484	송영욱 502	윤희선 402 이현규 403		손승희 672	류승진 692	이혜영 214	여선(시) 223 김혜숙 223
	장희숙(시) 485 박종률 486 이여경 487 김지훈 488	주애란 503	김보성 404	백수진 642 안선 643	이준영 662 민경준 652	유래경 663	방혜선 212	하명선 227 김진원 224 김지현 225 섭지수 226
	채예지 489 김희영 490	이권희 504	고지환 405 황지혜 406		조정훈 693 문서윤 653			김근우 227
관리운영직 및 기타								
FAX	963-2983			963-2972			963-2271	

부천세무서

대표전화: 032-3205-200 / DID: 032-3205-OOO

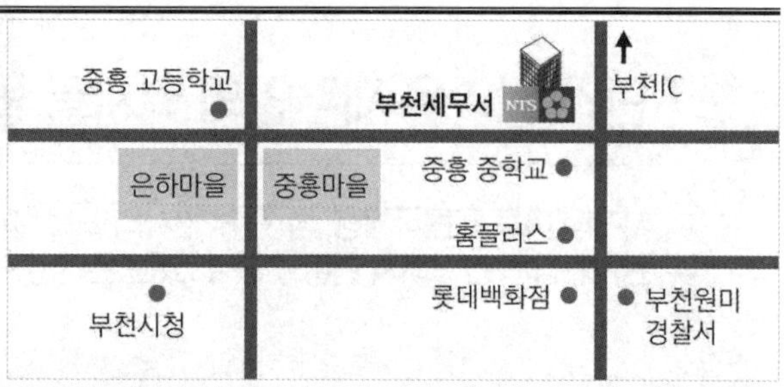

서장: **함 민 규**
DID: 032-3205-201

주소	경기도 부천시 원미구 계남로 227 (중동) (우) 14535				
코드번호	130	**계좌번호**	110246	**사업자번호**	130-83-00022
관할구역	경기도 부천시			**이메일**	bucheon@nts.go.kr

과	체납징세과					부가가치세1과		부가가치세2과		소득세과	
과장	김분희 240					정용하 280		박문수 320		전경옥 360	
계	운영지원	체납추적 1	체납추적 2	체납추적 3	징세	부가1	부가2	부가1	부가2	소득1	소득2
계장	박영길 241	유현석 441	김원욱 451	서동욱 461	한원찬 261	조인찬 281	박은희 301	유영복 321	김형봉 341	장남식 361	이정인 371
국세 조사관	이형봉		현근수 452	추원욱 462	하미숙 264			송석철 322		박수현 362	
	이선기 김수정 242 류연엽 (방호)618 최옥미 (교환) 252 서은미 (사무) 246	조명희 442 나영 443 윤영식 444	김성기 453 신미경 454 김동준 455	이종섭 463 김우리 464	오은희 262 주민희 265 현보람 (시) 서은미 (사무) 607	황성윤 282 이영숙 (시)	김호 302 이진례 (시) 민경준 (시) 김성록 303 안선미 304	진호범 323	김명선 342 이태용 343	홍준영 363	이수아 (시) 구혜란 372
	김가영 김준영 박지은 243	박인선 445	김경애 456	김봉재 465 이재민 466 김규호 467	백승윤 263	정윤경 (시) 남일현 283 임순종 284 곽진우 285 고유경 286	이주희 305 신준호 306 박미진 307	김재경 324	배희경 344	김주명 (시) 우형기 364 박건규 365	차인혜 373 기승호 374 문경은 375
	채희문 244 박유라 김한솔 245 이성엽 (운전) 259	남명균 446	황순우 467		박해리 266	김지애 287 이규석 288 한유진 289 김한솔 290	김용희 308 박주영 309 채유진 310	박주호 325 신지은 326 장소영 327 장은경 328	전원진 345 채명훈 346 박지은 347	심희정 366 김은하 367	이현선 376 이재한 377
관리 운영직 및 기타	양은혜 202 김후희 문선미 이은경										
FAX	328-6931					328-6432		328-6429		320-5476	

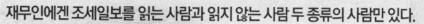

과	소득세과		재산세과			법인세과		조사과			납세자보호담당관	
과장	전경옥 360		김홍식 480			고정선 400		양구철 640			김선일 210	
계	소득3	소득4	재산1	재산2	재산3	법인1	법인2	조사 관리	조사	세원 정보	납세자 보호실	민원 봉사실
계장	정삼근 381	강혜련 391	정진욱 481	장현수 501	김민양 521	김유경 401	정연섭 421	박미란 641	이정걸 651	김진석 691	이주일 211	송주규 221
국세 조사관					박한중 526 이종기 522 곽진섭 527			양영규 644	탁경석 654 김상윤 657 안형선 660 강옥향 663	김용석 693	이신규 215	조양선 223
	이준우 382	이형배 392	이승환 482 류민경 (시)	김희환 502 가성원 503	김정민 523 이영수 603	김지수 402 임명숙 (사무) 409	박두원 422	이승아 642 이은수 645	이수진 652 박민아 655 김상진 658 조용권 659 정승철 661	김지영 692	신현원 216 이정원 212	박미선 224 홍종훈 225
	김상경 383 조남명 384	유진영 393	조가람 483 박준영 484 정민혜 485 김소현 486	허원석 504 박경은 505	박세라 529 박용운 524 김희경 530	백우현 403 우정희 404 천현창 405 김민지 406	오미정 423 현민웅 424 김하원 425	최아라 646 김다은 643	최애련 653 박호빈 662 정승훈 604	전유완 694	정혜수 217 차연아 213	김유진 226 임기문 227 계현희 228
	문영미 385 박명아 386 유희근 387	최은진 394 강유정 395 차준형 396	신지환 487	가준섭 506	정혜인 525	방미경 407 강인한 408	성해리 426		김재호 656 박슬기 665	권혜련 695	강민정 218 황연성 214	형유경 229 김경해 230 황정록 231 김철홍 232 이은지 233 정희수 234
관리 운영직 및 기타												
FAX	320-5476		328-6425			320-5431		328-6935			328-5941 328-6428	

연수세무서

대표전화: 032-6709-200 / DID: 032-6709-OOO

서장: **강 백 근**
DID: 032-6709-201

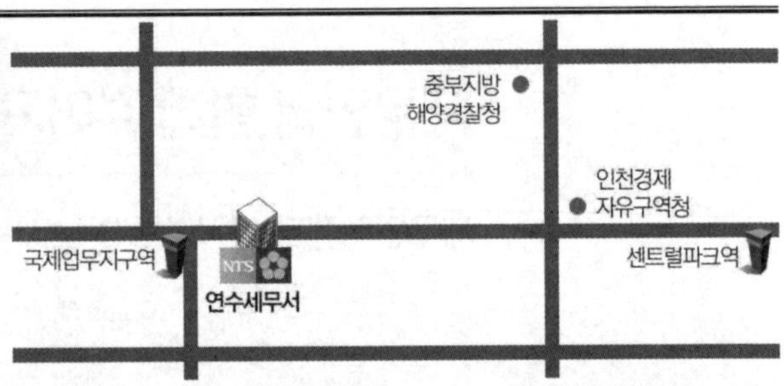

주소	인천광역시 연수구 인천타워대로 323(송도동, 송도센트로드A동 1층~5층) (우) 22007				
코드번호	150	**계좌번호**	027300	**사업자번호**	
관할구역	인천광역시 연수구			**이메일**	

과	체납징세과			부가가치세과		소득세과	
과장	김기석 240			김용웅 280		임석원 360	
계	운영지원	체납추적	징세	부가1	부가2	소득1	소득2
계장	방성자 241	정종오 441	이용희 261	신민철 281	황용철 301	신주철 361	이왕재 381
국세조사관						박성찬 362	
	신연순 242 최종묵 243	권희갑 442	정선영 262	이영민 282 하정욱 283	장재웅 302	유선정(시) 599 이민표 363	이진숙 382
		진영근 443 임자혁 444 배준용 445 유선영 446 장유정 447		안세은(시) 599 이재영 284 양성철 285	최은영(시) 599 최영환 303 최민경 304	선종국 364 유지현 365	오규진 383
	정혜린 244 조효원(방호) 247 박지훈(운전) 248	김혜은 448 안애선 449 홍유민 450	이재민 263	박진실 286 유선영 287	오재경 305 한승민 306	서민지 366 김혜정 367	김성진 384 서문영 385 이민지 386 서경덕 387
관리운영직 및 기타							
FAX	858-7351	858-7352		858-7353		858-7354	

과	재산법인세과			조사과			납세자보호담당관	
과장	이영학 480			이석원 640			한수길 640	
계	재산1	재산2	법인	조사관리	조사	세원정보	납세자 보호실	민원봉사실
계장	강흥수 481	최호상 501	오정일 401	정성일 641	신정훈 651	서현희 691	손의철 211	강상식 221
국세 조사관	이정희(시) 299 윤장현 482	박근엽 502			정병숙 653 전미애 656			
	유정아 483 김은주 484		이광환 402 최미희 403 이동광 404	박진서 642	최세운 657	김경미 692	문인섭 212 박경은 213	
	신나혜 485 박주연 486	김현진 503	김경미 405	여의주 643	한완상 652 이정혜 655			하윤정 222 김영아 223
	윤혜미 487 채혜미 488	송지원 504 문은진 505	박주희 406 김홍경 407		이슬비 655		주보영 214	최상연 224 김영규 225
관리 운영직 및 기타								
FAX	858-7355			858-7356			858-7357	858-7358

의정부세무서

대표전화: 031-8704-200 DID: 031-8704-OOO

서장: **김 재 환**
DID: 031-8704-201

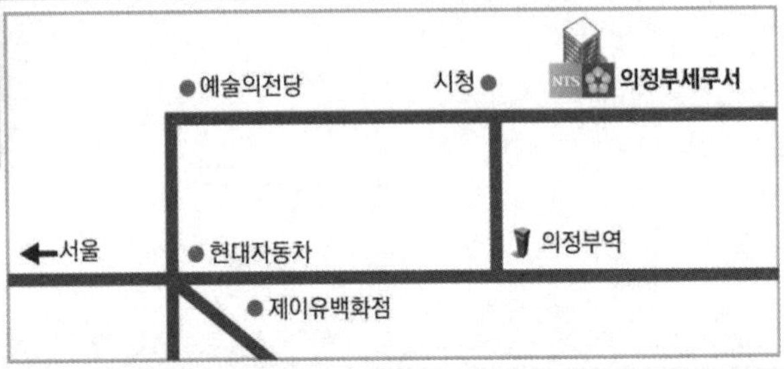

주소	경기도 의정부시 의정로 77 (의정부동) (우) 11622				
코드번호	127	**계좌번호**	900142	**사업자번호**	127-83-00012
관할구역	경기도 의정부시, 양주시			**이메일**	uijeongbu@nts.go.kr

과	체납징세과				부가가치세과			소득세과	
과장	유재철 240				오관택 280			김동조 360	
계	운영지원	체납추적1	체납추적2	징세	부가1	부가2	부가3	소득1	소득2
계장	정용석 241	고미경 441	이유원 461	강신걸 261	반종복 281	이성 301	양종렬 321	백영선 361	이철민 381
국세조사관			정해란 462	박신영 262	박영용(시)		김윤주 322		
	김영문 242 김황경 (운전)	김대정 442 오승배 443 석종훈 444	윤희수 463 김주연 464	박미영 263	박대순 282 박애심 283 정미경 284	이상선 302 현정용 303	오우진 323	류자영 362 허형철 363 최은복 363 정민재(시) 전보원 364	나선회 382 방정기 383 강재원 384
	강민지 245 김주헌 243 고민경(시) 246	조다혜 445 이승재 446	전승필 465 이성준 466		강정민 285 김진아 286	허승호(시) 신동영 304 최재림 305	최서진 324 손성수 325 이신숙 326 곽성용 327	장엄지 365 이미소 366	이용희(시) 문성은 385 이정현 386 이윤영 387
	최용진 244 김홍영 (방호)	이정민 447 이은지 448 김유리 449	박인배 466 김재훈 467 정지연 468	박보경 264 홍은아(시) 112	최경화 286 임재은 287 최보라 288	김지현 306 이송하 307 김도희 308 김은설 309	강민주 328 박미진 329	황인환 367 강희정 369 김윤서 370 이주희 371	최성욱 388 이정기 389
관리 운영직 및 기타	이영자 (교환) 100 이은미 (비서) 203 이길자 김영심								
FAX	875-2736				870-4150, 874-9012			871-9012, 9013	

1등 조세회계 경제신문 조세일보

과	재산법인세과			조사과			납세자보호담당관	
과장	윤광현 400			장성재 640			김소연 210	
계	재산1	재산2	법인	조사관리	조사	세원정보	납세자 보호실	민원봉사실
계장	윤지수 481	이호 521	강신태 401	박홍배 641	장미선 661	김진섭 691		김범재 221
국세 조사관	백두산 482		김상곤 402	노은영 642	추순호 671 고준석 651 송숭 681		장경화 212	박회경(양주)
	류경아 483 김영찬 483 김희선 484 안정호 485	권혁빈 522 이현철 523	천광진 403 유진우 404 박선용 405	박창우 643	김계정 652 심별 682 오경훈 683 강민수 662 김혜연 672	김희정 692	박유광 213	김정호 223 김지혜(양주) 이서연 224
	황지영 486	유재은 524 채정석 525	김희영 406 김주하 407 이재준 408	안진영(시) 644	김지인 673 이성혜 653 박정현 663	김경라 693	이효재 214	서아름 225 한길택(임기) 231 허유미 226 박노준 227
	조영진 487 정지연 488 김민희 489		이성인 409		최유성 654			박정혜 228
관리 운영직 및 기타								
FAX	871-9014, 878-9014		871-9015	837-9010, 871-9017			871-9018	877-2104

파주세무서

대표전화: 031-9560-200 / DID: 031-9560-OOO

서장: **이 은 성**
DID: 031-9560-201

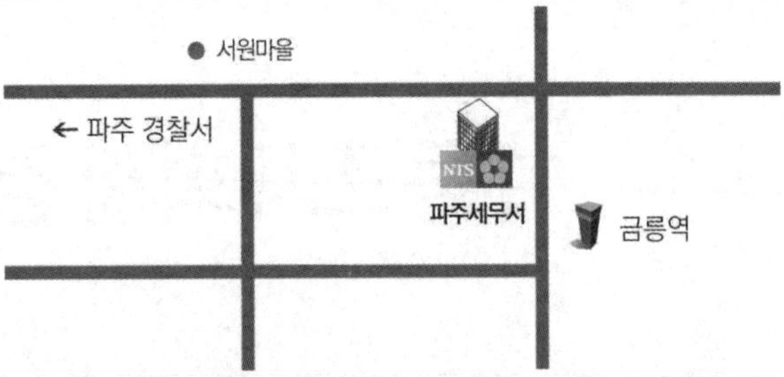

주소	경기도 파주시 금릉역로 62 (금촌동) (우) 10915				
코드번호	141	계좌번호	001575	사업자번호	
관할구역	경기도 파주시			이메일	paju@nts.go.kr

과	체납징세과				부가소득세과		
과장	김병규 240				전태규 280		
계	운영지원	체납추적1	체납추적2	징세	부가1	부가2	소득
계장	선창규 241	김봉섭 441	김성기 461	이규석 261	왕태선 281	최준재 301	신동훈 361
국세조사관							
	이한택 242	안재학 442 이은옥 443	김가영 462	유영숙 262	황은희(시) 291 오상엽 282 박지선 283 조안나 284	박인순 302 오현지 303	조영호 362 구성민 363 오상현 364 김선영(시) 373 장미향 365
	양강진 243 추연우(방호) 613	송효선 444 김찬우 445	김성희 463 최보윤 464	조미애 263	이희영 285 이현아 286 김경환 287	이해옥 304 김병수 305 박윤미 306 전은선(시) 291 김선혜 307	신선미 366 최한뫼 367 김상철 368 박은미(시) 373
	이강혁 244 장우석 245 김현철(운전) 613	안미영 446 이민지 447 정소정 448	김중규 465 지영주 466 김수지 467 송승한 468		조병덕 288 송선영 289 신은지 290	마재정 308 김민아 309	신치원 369 김연지 370 배명선 371 윤재원 372
관리운영직 및 기타	김지선(비서) 202 윤경선 성미숙						
FAX	957-0315	956-0450		957-0315	957-0317, 946-6048		

과	재산법인세과				조사과			납세자보호담당관	
과장	정문현 400				조원섭 640			정한청 210	
계	재산1	재산2	법인1	법인2	조사관리	조사	세원정보	납세자 보호실	민원봉사실
계장	장제영 481	이찬희 501	김태영 401	남형주 421	김재욱 641	박종규 651	서석천 691	권영훈 211	조영순 221
국세 조사관		이재수 502		정환철 422		이문영 671 전상호 661 박태훈 681		최완규 212	
	박수진 482 김윤경(시) 489 심소영 483 강유진 484	이정현 503 김현서 504	이동근 402	장설희 423	우은혜 642 윤지연 643	유래연 672	김태형 692 김정혁 693	백진화 213 정다혜 214	안지은(시) 227 유정식 222 김승태(시) 227
	이슬기(시) 489 전홍근 486 윤주영 487	송인화 505 이효정 506	안주희 403 김용민 404 정인선 405 윤선영 406	김지혜 424 오신형 425		장승원 652			이은영 223
	김아정 488		최우녕 407	오고은 426		모충서 682 최은경 662 김대범 653			김일용 224 문지현 225 민윤선 226
관리 운영직 및 기타									
FAX	957-3654				957-0319			957-0313	943-2100

포천세무서

대표전화: 031-5387-200 / DID: 031-5387-OOO

서장: **홍 재 필**

DID: 031-5387-201

주소	경기도 포천시 소흘읍 송우로 75 (우) 11177 동두천지서: 경기도 동두천시 중앙로 136 (우) 11346 별관(철원민원실) : 강원도 철원군 갈말읍 명성로 158번길 85 (우) 24039				
코드번호	231	**계좌번호**	019871	**사업자번호**	
관할구역	경기도 포천시, 동두천시, 연천군, 철원군			**이메일**	pocheon@nts.go.kr

과	체납징세과			부가소득세과		재산법인납세과	
과장	박광진 240			김형근 280		김철수 400	
계	운영지원	체납추적	징세	부가	소득	재산	법인
계장	안홍갑 241	임정현 441	장정환 261	임상규 281	오동구 301	박선수 481	박양희 401
국세 조사관			최명선 262		탁용성 302	김정태 482	
	조태욱 242 이명희 243	박찬희 442 남동환 443	이정기 263	김제봉 282 박용원 284 송윤정 285	장연경 303	김두수 483	양재호 402 이재균 403
	장건후 244 최병문 613 전주환 612	송현권 445 명경철 447 김도애 446		한희정 286 이창민 283 배성진 287	김재훈 304 홍윤석 305	안지윤 484 손명 485 김시은 486 김인찬 487	
	이재환 245	정은주 447 정유빈 448 이정한 449		김지연 288 권오찬 289 전지형 290 김영익 291	박정린 306 경지수 307	김혜수 488	강슬기 404 오현경 405
관리 운영직 및 기타	최영자 장복동						
FAX	544-6090			544-6091		544-6093	544-6094

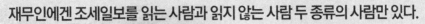

과	조사과			납세자보호담당관		동두천지서장			
과장	임행완 640			신성철 210		손호익 201			
계	조사관리	조사	세원정보	납세자보호실	민원봉사실	체납추적	납세자보호	부가소득	재산법인
계장	노광환 641	한문식 651	박형진 691	오용주 211		송정금 271		김병래 300	이근호 250
국세조사관		성정은 652 신성환 한창훈 653				김종문 272	한희수 230		
	정영화 642	문성인 655 고상용 654	남명규 692	권세혁 212	김중화 조건희 이효진 (철원) 033-452-2100			김영환 301 조석균 302 김희명 303	김태우 252 오정식 251 오진택 253
		이소진 656 양동혁 660		채정화 213	김태훈 224 신용규 225 강지현 222	김광준 273 김병희 274	유현진 231	임칠성 305 채문석 306 강연우 307	김병현 254 양향임 257
	김진주 643	정은아 658 이설아 657			김준형(시) 033-452-2100 임수현 223		지정훈 232 나경훈 233 김한별 234	박민서 308 유솔리 309 김미정 310 곽지수 311	고동현 255
관리운영직 및 기타									
FAX	544-6095		544-6096	544-6097	544-6098				

대전지방국세청 관할세무서

■ 대전지방국세청		319
	지방국세청 국·과	320
[대전]	대 전 세무서	326
	북대전 세무서	328
	서대전 세무서	330
[충남]	공 주 세무서	332
	논 산 세무서	334
	보 령 세무서	336
	서 산 세무서	338
	세 종 세무서	340
	아 산 세무서	342
	예 산 세무서[당진지서]	344
	천 안 세무서	346
	홍 성 세무서	348
[충북]	동청주 세무서	350
	영 동 세무서	352
	제 천 세무서	354
	청 주 세무서	356
	충 주 세무서	358

대전지방국세청

주소	대전광역시 서구 한밭대로 809 사학연금회관 (우) 35209
대표전화 & 팩스	042-615-2200 / 042-621-4552
코드번호	300
계좌번호	080499
사업자등록번호	102-83-01647
관할구역	대전광역시 및 충청남・북도, 세종특별자치시

청장 이청룡

(D) 042-6152-201~2

성실납세지원국장	최청흠	(D) 042-6152-400
징세송무국장	정성훈	(D) 042-6152-500
조사1국장	정용대	(D) 042-6152-700
조사2국장	오미순	(D) 042-6152-900

대전지방국세청

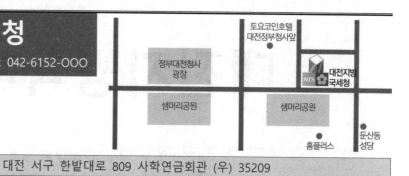

대표전화: 042-6152-200 / DID: 042-6152-OOO

청장: **이 청 룡**
DID: 042-6152-201~2

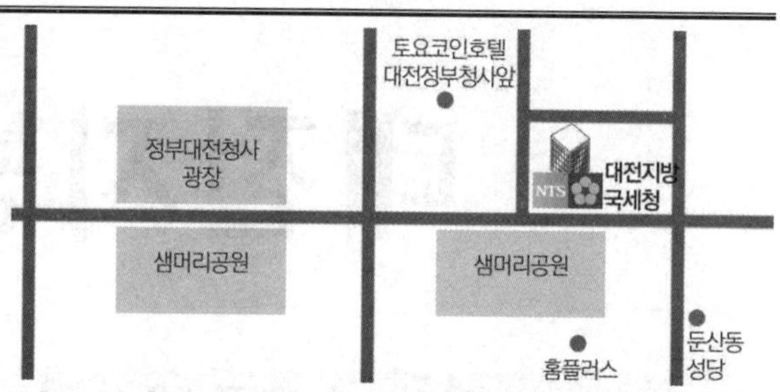

주소	대전 서구 한밭대로 809 사학연금회관 (우) 35209				
코드번호	300	계좌번호	080499	사업자번호	102-83-01647
관할구역	대전광역시 및 충청남·북도, 세종특별자치시			이메일	

과	감사관		운영지원과				납세자보호실	
과장	김현종 300		오원화 240				이영준 330	
계	감사	감찰	행정	인사	경리	현장소통	보호	심사
계장	변문건 302	강덕성 312	최해욱 252	김순복 242	신혜선 262	정필영 272	조연숙 332	유인숙 342
국세조사관	김원덕 303 곽형신 304	임상빈 313 조복환 314 김구봉 315	지대현 253	최시은 243 정성진 244	이병용 263		한수이 333	박찬희 343
	이동구 306 김명진 305 김승주 307 김현응 308	김운주 316 김지웅 317 이정운 318 김재철 319	김대진 254	전윤희 245 지슬찬 246	여인순 265	이호 273 김태환 274	김영지 334	김선자 344 조강희 345 이성민 346
	조민정 309		김동현 255 허정필 256	유하선 247 장기원 248	이건흥 267 이가희 268	유가연 275 이동기 276	권원호 335	
관리운영직 및 기타								
FAX	634-5098		626-4511				636-4727	

1등 조세회계 경제신문 조세일보

국실	성실납세지원국									
국장	최청흠 400									
과	부가가치세과			소득재산세과			전산관리팀			
과장	이수영 401			선의현 431			정승태 131			
계	부가1	부가2	소비	소득	재산	소득 지원	관리1	관리2	정보화센터 1	정보화센터 2
계장	이광자 402	전옥선 412	이한성 422	김영선 432	정인숙 442	성보경 452	이영구 132	김재융 142	최영둘 152	이정미 172
국세 조사관	강민석 403			이미영 433			장윤석 133 정주희 135	김은희 147 문동배 148		
	안지영 404 정선군 405	이두원 413 이현상 414 강희수 415	채홍선 423 안선일 424 원대한 425	전혜영 434 김태서 435	최인옥 443 최상형 444 정윤정 445 김홍근 446	배문수 453 김영기 454	염문환 134 송향희 136	이채윤 149 김상진 150 윤은택 143 박준형 144	이택근 153 문영임 164 최은혜 163	이선우 181
									<사무운영> 윤명희 154 이화자 157 김광순 162 박진숙 165 천은영 167 전병순 161 신선희 156 송인희 168 안은향 158 김홍란 159 강영자 160	한도순 173 김영선 179 김태순 184 신상례 176 최금년 185 김연숙 186 유수향 183 권인숙 174 김양미 177 김명순 180 김수영 178
		김현태 416	선명우 426	이준탁 436			장영석 137		이정아 155	김혜원 182 이은숙 175
관리 운영직 및 기타										
FAX	625-9751			634-6129			625-8472			

DID : 042-6152-OOO

국실	성실납세지원국			징세송무국					
국장	최청흠 400			정성훈 500					
과	법인세과			징세과		송무과		체납추적과	
과장	김종일 461			양용산 501		이완표 521		마삼호 541	
계	법인1	법인2	법인3	징세	체납관리	송무1	송무2	추적1	추적2
계장	박일병 462	송형희 472	이우용 482	이정선 502	김미자 512	박소영 522	황경애 532	류성돈 542	여미라 552
국세 조사관	한숙란 463 조대연 464		윤홍덕 492	허충회 503	정상천 513	성삼옥 523 권준경 524	김인호 533 금동희 534 양정아 535		
	박정숙 465 이봉현 466	김민정 473 강정숙 475	장은주 483 강윤학 484 임현철 494 박병주 495	전명진 504	양희연 514 서민경 516 임한준 515 권혁희 517	심재진 525 한상원 526 신방인 527 최선미 528	고의환 536 윤여용 537 안재진 538	박지혜 543 고일명 544 이상봉 545	최영권 553 황지은 554 노용래 555
	송재윤 468	최민 474		유영주 505	박미정 518 오희정 519			박범수 546	박홍기 556
관리 운영직 및 기타									
FAX	632-7723			632-1798		626-4512		625-9758	

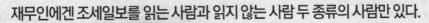

국실	조사1국								
국장	정용대 700								
과	조사관리과					조사1과			
과장	김완구 701					표순권 751			
계	1조사관리	2조사관리	3조사관리	4조사관리	5조사관리	1조사	2조사	3조사	4조사
계장	서문석 702	최승식 712	이윤우 719	조선영 732	권민형 742	김삼수 752	김진술 762	김용보 772	배은경 882
국세 조사관	이준현 703	김승환 713 조재일 717	김수진 724	박대은 733	신열석 743 정진희 744	주명진 753			
	박미진 704 양종혁 705 김지현 706 김승태 708	김희영 714	박은정 725 이제현 726 김다연 728 박주오 727 강경묵 720	이수진 734 손정은 735	김남훈 745 박성룡 746 윤수환 747	정진성 754 안세식 755	김기준 763 김두섭 764	김정섭 773 고혜진 774	이미경 883 김대용 884
	유석모 709	문병권 715	주환욱 721 연소정 729	이재명 736		조현희 756	성지환 765	박웅 775	사현민 885
관리 운영직 및 기타									
FAX	634-6325								

DID : 042-6152-OOO

국실	조사1국						조사2국		
국장	정용대 700						오미순 900		
과	조사2과			조사3과			조사관리과		
과장	김영찬 781			오승호 811			이정순 901		
계	1조사	2조사	3조사	1조사	2조사	3조사	1조사관리	2조사관리	3조사관리
계장	이호 782	박주항 792	이주영 802	유재원 812	연경태 822	조현준 832	유경룡 902	홍성자 912	조재규 922
국세 조사관		김영교 793					박종인 903		조은애 923
	이태희 783 이정일 784 김선미 785	노영하 794	송인용 803 김현종 804	이종신 813 장덕구 814 신광철 815	박종호 823 노영실 824	손신혜 833 이재명 834	박혜진 904	오민경 913 오세윤 914 최미숙 915 장시찬 916	박지수 924 이종호 925 최성호 926
	한기룡 786	오건우 795	박진숙 805	강병수 816	이진희 825	최동찬 (파견) 김근환 835	추원득 905	육정섭 917	윤희민 927 박범석 928
관리 운영직 및 기타									
FAX	634-6325						626-4514		

국실	조사2국					
국장	오미순 900					
과	조사1과			조사2과		
과장	임영미 931			왕성국 961		
계	1조사	2조사	3조사	1조사	2조사	3조사
계장	김상태 932	김경철 942	박영주 952	윤승갑 962	김관오 972	문상균 982
국세 조사관						
	장준용 933 김미선 934	이명해 943 이정훈 944	이원근 953 이현진 954	조영혁 963 한경수 964	김효순 973	하정우 983 신상훈 984
	이철우 935			오백진 965	오수진 975	
관리 운영직 및 기타						
FAX	626-4514					

대전세무서

대표전화: 042-2298-200 / DID: 042-2298-OOO

서장: **박 민 후**
DID: 042-2298-201

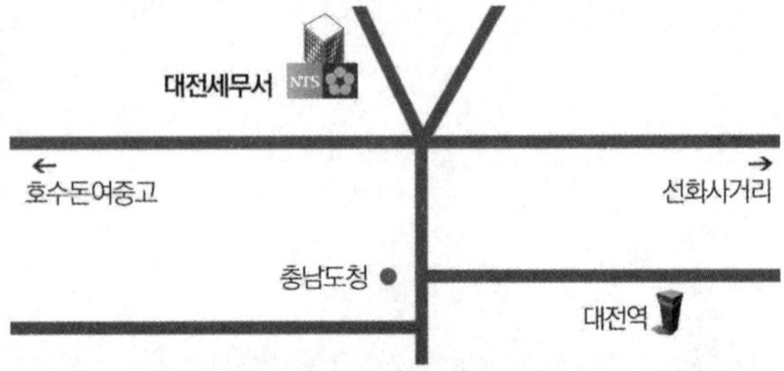

주소	대전광역시 중구 보문로 331 (선화 188) (우) 34851 금산민원실 : 충청남도 금산군 금산읍 인삼약초로 42 (중도리 16-1) (우) 32739		
코드번호	305	계좌번호	080486
사업자번호	305-83-00077		
관할구역	대전광역시 동구, 중구, 충청남도 금산군	이메일	daejeon@nts.go.kr

과	체납징세과			부가가치세과			소득세과	
과장	차은규 240			유관희 280			조종연 360	
계	운영지원	체납추적	징세	부가1	부가2	부가3	소득1	소득2
계장	신광재 241	백오숙 551	문지영 261	육영찬 281	이재일 301	민준식 321	오세열 361	임인택 381
국세조사관		고주석 552 박영선 553	김현숙 262	신원영 282 최민우 283	김년호 302 강재근 303	유병민 322 이충근 323	신미영 362 홍창표 363	이성도 382
	이순영 242 고철호 243 황순금(교환) 250 안형식 (열관리) 616	윤석창 554 김경환 555 황승미 556	박정연 263	이기수 284 이호영 285	장명화 304 최미진 305 안영희(시간) 306	최은희 324	박현정 364 황승현 365	안은경 383 이영 384
	이재열 244 김병훈(방호) 614	김초혜 557 송인우 558 위태홍 559 송재호 560 김석현 561	최혜지 264	오미영 286 김윤희 287 강현영 288 임수민 290 박승권 291	전시영 307 이가희 308 이승택 309	이명한 325 김선애 326 정금희 327 허성민 328	최혜경 366 김중규 367 김재완(시간) 368	이수연 385
	장문수 245 박동규(운전) 247	김유진 562 임지혜(수습) 563		김세욱(수습) 292	김보미 310	백민열 329	양세실리아 369	김아영 386 김유빈 387
관리운영직 및 기타								
FAX	253-4990		253-4205	257-9493, 3783			257-3717	

1등 조세회계 경제신문 조세일보

과	재산법인세과				조사과			납세자보호담당관	
과장	신현서 400				안승호 640			김정범 210	
계	재산1	재산2	법인1	법인2	조사관리	조사	세원 정보	납세자 보호실	민원봉사실
계장	김만래 481	김완주 501	조영우 401	이명환 421	이상현 641	<1팀> 정헌호(6) 651 이주영(7) 652 문진영(9) 653	김용호 691	송경선 211	김재구 221
국세 조사관	김정수 482	전영 502 신대수 503	김병일 402		오부성 642		탁현희 692	박한석 212	김필수 222 김진희 223
	김용기 483 태상미 484	정영석 504	이선영 403	조명상 422 김수정 423	박유자 643	<2팀> 두진국(6) 661 유태응(7) (파견) 662 심만식(7) 663		윤상호 213 안현정 214 정판균 215	송인광 224 정광호 225 홍진영 226 박민호 227 박소연 228
	한정민 485	서연주 505	조영주 404 고병준 405	이선림 (동원) 한원주 424	오현민 644	<3팀> 이한승(6) 671 금기태(8) 672			
	이정은 486 임유리 487 정윤수 (수습) 488			조유진 425		<4팀> 차정환(6) 681 김수호(7) 682			임진영 229
관리 운영직 및 기타									
FAX	254-9831		252-4898		255-9671			253-5344	253-4100

북대전세무서

대표전화: 042-6038-200 / DID: 042-6038-OOO

서장: **조 성 택**
DID: 042-6038-201

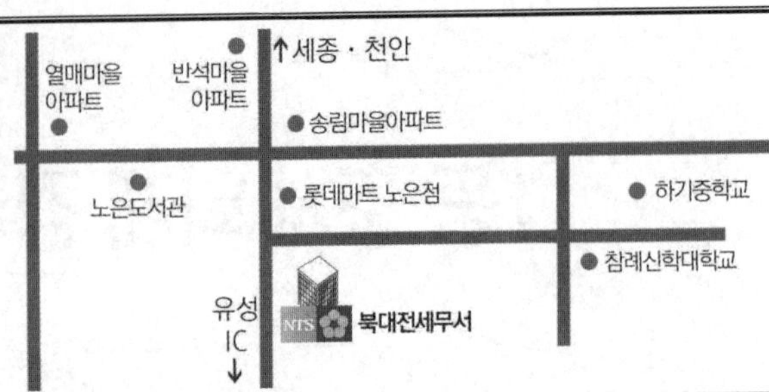

주소	대전광역시 유성구 북유성대로 188 (죽동) (우) 34097				
코드번호	318	계좌번호	023773	사업자번호	
관할구역	대전광역시 유성구, 대덕구			이메일	Bukdaejeon@nts.go.kr

과	체납징세과				부가가치세과		소득세과	
과장	신동우 240				김범철 280		김동형 360	
계	운영지원	체납추적1	체납추적2	징세	부가1	부가2	소득1	소득2
계장	김용철 241	임창수 551	문찬식 571	신수남 261	임국빈 281	배효창 301	맹창호 361	유운홍 381
국세조사관		박미숙 552 김동일 553	유장현 572		최승오 282 신명식 (시간선택) 283	양주희 302 신영천 303	이석원 362	홍순원 382
	김응남 242 김은경 243 주관종(방호) 244 정근선(운전) 245	이재승 554 이홍순 555 박세환 556	엄태성 573 이정길 574 박효신 575	이화진 262	황성희 284 이재희 285 여중구 286	전인복 304 양지현 305 강병희 306 이은숙 307	배준 363 이미희 364 임안나 365	양병문 383 김수옥 384 박금숙 385 안은경 386
	김학진 246 공기성 247	이원경 557	이신영 576	안슬기 263	서승의 287 전현아 288 고영임 289	박인선 308 조윤민 (시간선택) 309 이상요 310	김복선 366 강현정 367	유부형 387 서나윤 (시간선택) 388
	이주엽 (사회복무)	나유진 558	이진수 577	정은아 264	성은영 290 정계승 291 이지은 (실무수습) 291	이재원 311 박미리 312	김경오 368 김수현 369	이수연 389 송민우 390
관리운영직 및 기타								
FAX	823-9662	603-8560			823-9665		823-9646	

과	재산세과		법인세과		조사과			납세자보호담당관	
과장	박추옥 480		최수종 400		정진호 640			김종문 210	
계	재산1	재산2	법인1	법인2	조사관리	조사	세원정보	납세자 보호실	민원봉사실
계장	류세현 401	남광우 501	정규민 401	최갑진 421	오승훈 641	<1팀> 이정우(6) 651 안지연(7) 652 박윤주(8) 653 <2팀> 김성오(6) 654 여윤수(8) 655 임슬기(8) 656 <3팀> 이경선(6) 657 이동근(7) 658 이안수(8) 659 <4팀> 조석정(6) 660 김주선(8) 661 <5팀> 김창영(6) 655 노기우(7) 664	한광우 691	양응석 211	정종룡 221
국세 조사관	우창제 482	주구종 502 정창훈 503	윤명한 402	윤태경 422	고영경 642			정정화 212	이병철 222 원광호 223
	이창권 483 황연주 484 김기미 485	곽문희 504	남 경 403	오수연 423	이종태 (탈세제보 전용) 643		구명옥 692	박소연 213 김수월 214	이영재 224 문미란 (시간선택) 225 이혜경 (시간선택) 226
	문미영 486 손경숙 487 박수아 488	안재문 505	한효경 404 이진수 405 이수민 406	최민지 424 윤용화 425	김리아 644				권영선 (시간선택) 227 고유경 228
	최지연 489 송연서 490 한송이 (실무수습) 491		김용석 407 이미현 408	김보영 426 김민준 (실무수습) 427					이상금 (시간선택) 226 심현이 (시간선택) 225 송선경 229
관리 운영직 및 기타									
FAX	823-9648		823-9616		823-9617			823-9619	823-9610

서대전세무서

대표전화: 042-4808-200 / DID: 042-4808-OOO

서장: **김 종 성**
DID: 042-4808-201

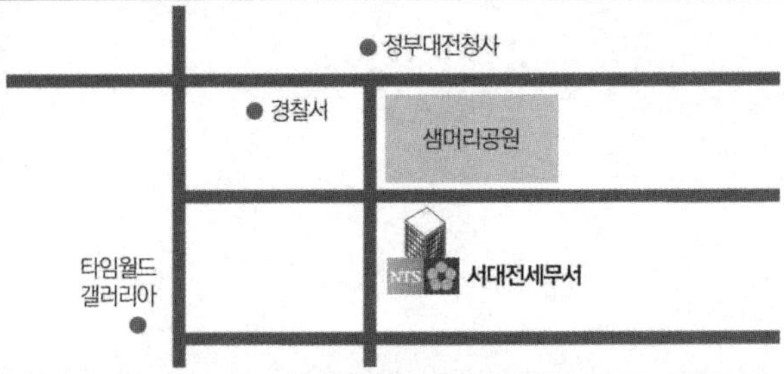

주소	대전광역시 서구 둔산서로 70 (둔산동) (우) 35239				
코드번호	314	**계좌번호**	081197	**사업자번호**	314-83-01385
관할구역	대전광역시 서구 전체			**이메일**	seodaejeon@nts.go.kr

과	체납징세과			부가가치세과		소득세과	
과장	서민덕 240			김규완 280		한태임 360	
계	운영지원	체납추적	징세	부가1	부가2	소득1	소득2
계장	이용환 241	서병권 551	염기분 261	김은철 281	이선태 301	조대서 361	윤태요 381
국세조사관		이동환 552 임정미 553		백인억 282 오연균 283	국윤미 302	전현정 362	
	이미영 242 이주성 243 천선희(사) 244	양해숙 554 이안희 555	권경미 262 백민정 263	양선숙 284 이한기 285	이영락 303 이인숙 304 서명옥 305	이영호 363 이미주 364 최경인 365 김주희 366	강지연(시) 395 이경숙 382 홍창화 383 정상남 384 하현균(동원) 이희종 385
	김정훈 245	조하영 556 이돌신 557 김병철 558 이다원 559 황윤철 560		엄소정 286 백은미 287 황후용 288	최임규 306	김지현 367 유혜민 368	이미선 386 이형섭 387
	박상준(방) 611 배형기(운) 246	이미정 561		김이현 289 고석희(수습)	강민구 307 이진주 308 백송이 309 고정연 310	김병주 369	정예지 388
관리운영직 및 기타							
FAX	486-8067	480-8687	480-8681	472-1657	480-8682	480-8683	

과	재산법인세과			조사과			납세자보호담당관	
과장	김병식 400			이인근 640			이종길 210	
계	재산1	재산2	법인	조사관리	조사	세원정보	납세자 보호실	민원봉사실
계장	이미숙 481	황수문 501	고상기 401	황규용 641		유양현 691	김창환 211	최종현 221
국세 조사관	유승원 482	이상훈 502	전지현 402	엄태진 642 이정선 643	<1팀> 이호중(6) 651 박지윤(7) 652 최유리(8) 653		오정탁 212	권영조 222 이용철 223 강성대 224
	강금숙 483 박희정 484 김현중 485 공주희 486		강기진 403 조항진 404 박지영 405		<2팀> 배재철(6) 661 강현애(8) 662 정성모(8) 663			이채민(사) 225 김진환(시) 226 조혜민(휴직) 임선영 227 황은지 228
		성창미 503 김재민 504	오현석 406 이석재 407 옥진경 408	김혜리 644			송지영 213 변다연 214	
	이수빈 487 한미현 488				<3팀> 송인한(6) 672 신헌철(7) 673 허남주(8) 673	김미라 692		신혜인 229 백선아 230 전혜진 231 이건우 231
관리 운영직 및 기타								
FAX	480-8685		480-8684	480-8686			486-8062	486-2086

공주세무서

대표전화: 041-8503-200 / DID: 041-8503-OOO

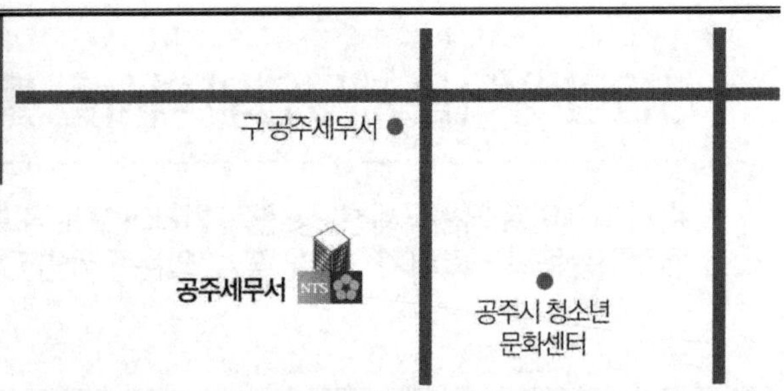

서장: **이 창 남**
DID: 041-8503-201

주소	충청남도 공주시 봉황로 87 (반죽동) (우) 32550				
코드번호	307	**계좌번호**	080460	**사업자번호**	
관할구역	충청남도 공주시			**이메일**	gongju@nts.go.kr

과	체납징세과			부가소득세과	
과장	남은숙 240			양회수 280	
계	운영지원	체납추적	조사	부가소득	
				부가	소득
계장	문성호 241	길웅섭 551	강남규 671	조준수 281	
국세조사관					
	이상석 242 최지영 243	권경숙 552	윤지희 672	정명하 282 김대운 283	
		정주연 553 이가연 최동훈 554	김은경 673 허재혁 674	이학련 284 김주영 (시간)	김덕영 291 한정희 292
	이우람(운전) 244 이주환(방호) 245	한송희 555		임소현(실무수습)	김세연 293
관리운영직 및 기타					
FAX	850-3692			850-3691	

과	재산법인세과		납세자보호담당관	
과장	한희석 400		이용후 210	
계	재산법인		납세자보호실	민원봉사실
	재산	법인		
계장	강인성 421		박세국 211	노태송 221
국세조사관	강한영 422	서대성 521		
	양전옥 423 김정근 424	황남돈	표미경(시간) 212	정민영 222 한상훈 223
		황미화 522		
	이연희 425	최서진 523		
관리운영직 및 기타				
FAX	850-3693		850-3690	

논산세무서

대표전화: 041-7308-200 / DID: 041-7308-OOO

서장: **박 영 건**
DID: 041-7308-201

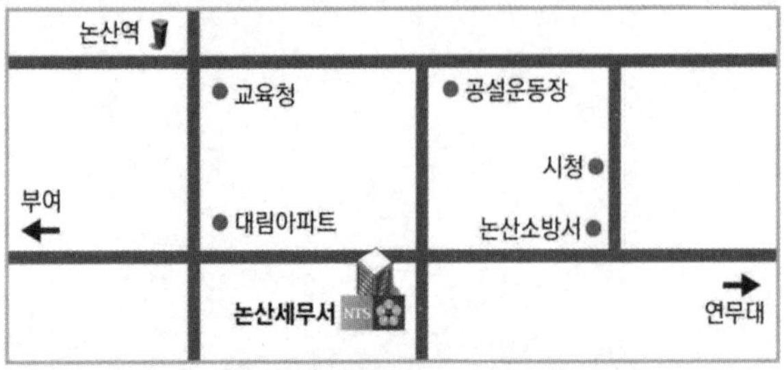

주소	충청남도 논산시 논산대로 241번길 6 (강산동) (우) 32959 부여민원실 : 충남 부여군 부여읍 사비로 41 (동남리) (우) 33153 계룡민원실 : 충남 계룡시 장안로 46 (금암동) (우) 32823				
코드번호	308	**계좌번호**	080473	**사업자번호**	
관할구역	충청남도 논산시, 계룡시, 부여군			**이메일**	nonsan@nts.go.kr

과	체납징세과			부가소득세과	
과장	정길호 240			김상인 280	
계	운영지원	체납추적	조사	부가	소득
계장	김관용 241	심영찬 551	종만 651	백운효 281	박선영 361
국세조사관			김균태 652	임경숙 282 이은주(시간) 292	김은경 362
	임유란 242 신상수 243	박태구 554	이원규 653 엄지은 654 김경미 655	한석희 283 백귀순 285 이신열 284	최현정 363 최희경 364
		김자경 552 한누리 553 김근하 555 진승환 556 조현구 557		신주현 286	정희남 366
	홍동기(운전) 244 이재강(방호) 245	최지은 558		고민철 287 안제은 288 강민정 289	이요셉 365
관리운영직 및 기타					
FAX	730-8270	733-3137	733-3140	733-3139	

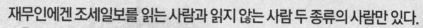

과	재산법인세과		납세자보호담당관	
과장	지영진 400		박미란 210	
계	재산	법인	납세자보호	민원봉사
계장	송채성 481	김선학 401	황인자 211	이정룡 221
국세조사관	김미경 482 강희석(시간) 486	최진옥 402		변상권(부여) 836-7348
	장미영 483	주진수 403		원지연 222
		최민정 404 조정진 405 유희수 406		유은혜 223
	유승아 484 김문수 485			양소라 224 이근수(계룡,시간) 042)551-6014 임세희(부여, 시간) 836-7349
관리운영직 및 기타				
FAX	735-7640	730-8630	733-3136 042-551-6013(계룡) 832-7932(부여)	

보령세무서

대표전화: 041-9309-200 / DID: 041-9309-OOO

서장: **조 성 철**
DID: 041-9309-201

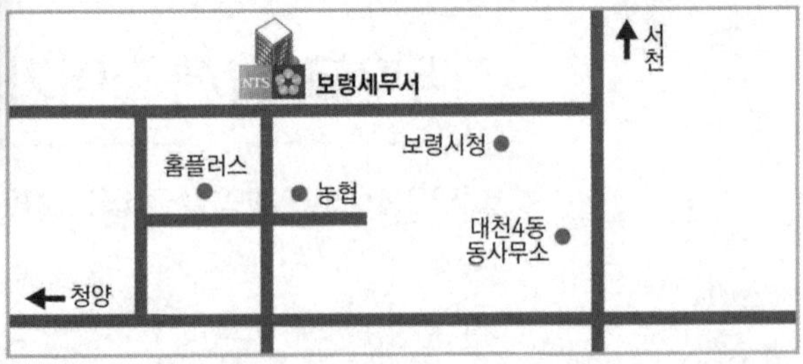

주소	충청남도 보령시 옥마로 56(명천동) (우) 33482 장항민원실 : 충남 서천군 장항읍 장항로 193 (창선2리) (우) 33674				
코드번호	313	**계좌번호**	930154	**사업자번호**	
관할구역	충청남도 보령시, 서천군			**이메일**	boryeong@nts.go.kr

과	체납징세과			세원관리과	
과장	김민규 240			김양래 205	
계	운영지원	체납추적	조사	부가	소득
계장	이은영 241	박경균 551	김성엽 651	주연섭 281	우인제 290
국세조사관		박종호 552	심용주 652	신상현 282 이명석 283 김은주 284	
	양영진 242 박종필(방호) 658	이선화 553 백인정(징세) 261	최환석 653		
	문안전(운전) 245	심세라 554	김유태 654 박성원 655	김진아 285 이지윤 286	박현아 291 이성윤 292 장수진 293
	임형빈 243 김효근 244	김재현 555		노주연 287	이민규 294
관리운영직 및 기타					
FAX	936-2289	936-7289		930-9299	

과	세원관리과		납세자보호담당관	
과장	김양래 205		김우성 210	
계	재산법인		납세자보호실	민원봉사실
	재산	법인		
계장	전치성 401			성호경 221
국세 조사관		안남진 402	나명균 211	박현배 222
	윤기송 482 박기정 483	윤영준 403 박한수 404		박은수 (사무7, 장항민원실) 956-2100 이영주 222
	문호영 484			이송미 223
	정은지 485			김미경(장항민원실) 956-2100
관리 운영직 및 기타				
FAX	934-5160	930-9570	931-0564 956-5292(장항)	

서산세무서

대표전화: 041-6609-200 / DID: 041-6609-OOO

서장: **오 철 환**

DID: 041-6609-201

주소	충청남도 서산시 덕지천로 145-6 (우) 32003 태안민원실 : 충남 태안군 태안읍 후곡로 121 (우) 32144				
코드번호	316	**계좌번호**	000602	**사업자번호**	
관할구역	충청남도 서산시, 태안군			**이메일**	seosan@nts.go.kr

과	체납징세과			부가소득세과	
과장	권오봉 240			송익범 280	
계	운영지원	체납추적	조사	부가	소득
계장	박종영 241	도해구 551	이왕수 651	박순규 281	정승재 361
국세 조사관		김형건 552	정현원 652 오관택 653		김경호 362
	이순길 242 백연심(사무) 245 최정현(운전) 244	강인근 553 박민우 554	한란 654	이석기 282 박준규 283 김진아 284 송재하 285	양대식 363
	김선돌 243	송미나(징세) 555 김수민 556	이준석 655	유연우 286 방재필 287	송승호 364 김유정 365
	이인기(방호) 246	김정숙 557 김영길 558 최연정 559	이남영 656	김근아 288 이주연 289	유경모 366 이주형 367
관리 운영직 및 기타					
FAX	660-9259	660-9569	660-9659	660-9299	

1등 조세회계 경제신문 조세일보

과	재산법인세과		납세자보호담당관	
과장	국태선 400		210	
계	재산	법인	납세자보호실	민원봉사실
계장	박광수 481	이성영 401	이정기 211	조덕휘 221
국세 조사관	조연 482	오현 402		김기성 222
	윤재두 483 김훈수 484 육재하 485	서창완 403 유미숙 404		
			김택창 212	조식 (태안) 윤숙영(사무) 223
	김종빈 486	박영일 405 백경령(실무수습) 406		홍성희(태안, 시간선택제) 박정민 224
관리 운영직 및 기타				태안민원실 041)672-1280
FAX	660-9499		660-9219 675-1281(태안)	

세종세무서

대표전화: 044-8508-200 / DID: 044-8508-OOO

서장: **이 인 섭**
DID: 044-8508-201

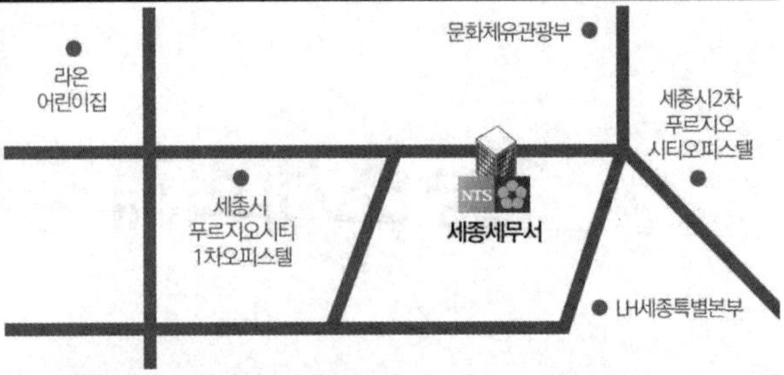

주소	세종특별자치시 가름로 232(어진동 657), SBC빌딩 B동 6층 (우) 30121 조치원민원실 : 세종특별자치시 조치원읍 충현로 193 (침산리 256-6) (우) 30021				
코드번호	320	**계좌번호**	025467	**사업자번호**	
관할구역	세종특별자치시			**이메일**	

과	체납징세과			부가가치세과	소득세과
과장	안주훈 240			임지아 270	박춘자 340
계	운영지원	체납추적	징세	부가	소득
계장	박태정 241	주정권 551	백선자 261	이형훈 271	금기준 341
국세조사관		이관순 552		최윤선 272	김경만 342
	최서현 242	천명길 553 박지은 554		정유리 273 김유림 274 고종철 276 나경미	이효진 343 박미진 344
	김유경 243	김혜미 555 이휴련 556	최우경 262	박성희 278 김민영(전) 277	차지원 345
	박민수 244	박길원 557	임지은 263	고재우 279 한혜미 280 박철한 281 김태연 282	성민지 346 이정인 347
관리운영직 및 기타					
FAX	850-8431	850-8443	850-8432	850-8433	850-8434

과	재산법인세과			조사과			납세자보호담당관	
과장	김영걸 460			최찬배 640			한명수 210	
계	재산1	재산2	법인	조사관리	조사	세원정보	납세자 보호실	민원봉사실 본서 222~225 조치원 228~229
계장	권오훈 461	성창경 491	박학일 531	최은미 641		소병권 691	한정미 211	김남중 221
국세 조사관		김창희 492	하정영 532 박병화 534	박승원 644	<1팀> 권순일(6) 651 김한민(6) 652 강지은(7) 653		이상용 212	
	민옥자 463 박미경 462 최지선 464		현정아 533	정소라 643		김구호 692	김소민 213	김희태 246 채상희 222 강혜경 223 김한용 224 황영이 225
	김영간 465 신미라 466 유세곤 467	김두연 493	허숙영 535 임보라 536 김선주 537		<2팀> 신승태(6) 661 이환규(7) 662 송주은(9) 663			정미현 225
	이나미 468	강진선 494	이병욱 538					손경식 225
관리 운영직 및 기타								
FAX	850-8435	850-8441	850-8436	850-8437			850-8438	850-8439 (본서) 850-8440 (조치원)

아산세무서

대표전화: 041-5367-200 / DID: 041-5367-OOO

서장: **박 우 용**
DID: 041-5367-201

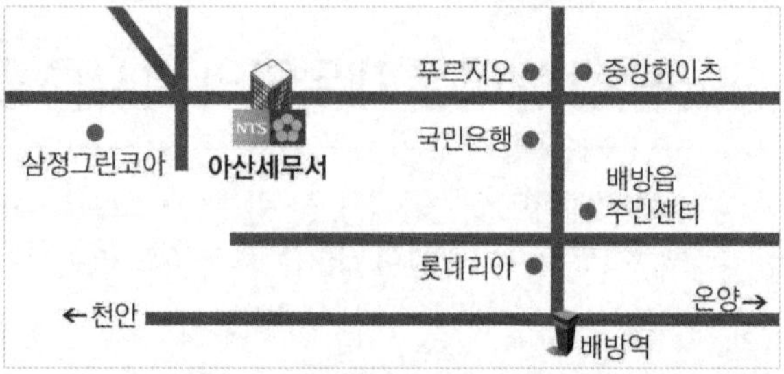

주소	충청남도 아산시 배방읍 배방로 57-29(공수리 282-15) 토마토빌딩 (우) 31486				
코드번호	319	계좌번호	024688	사업자번호	
관할구역	충청남도 아산시			이메일	asan@nts.go.kr

과	체납징세과			부가소득세과		재산법인세과	
과장	최봉섭 240			김희봉 280		이관수 400	
계	운영지원	체납추적	징세	부가	소득	재산	법인
계장	박영민 241	유범상 551	박수경 261	김동현 281	김대규 301	서용하 481	
국세조사관	김희란 242	연수민(동) 노학종 552		김은하 282 김정수	이무황 401	오재경 482	진소영 402 이승환 403
	가재윤 243 김영남(운) 244	권철균 553 이대연 554 오서진 555	이영순 262 강은실 263	최기순 284 이진석 285	윤여중 302 김양수 303	차보미(시) 489 박선미 483 장현하 484	최영숙 404 최충일 405 홍상우 406
	한상철(방) 245	안세영 486 김은주 556 유성운 557		김준익 286 신보경(시) 299 이상재 287	신순영 304 김민정 305	최우영 485 양상원 487	진현정 407
	손권호 246	정예슬 558 김현지 559 김세령 560		박찬오 288 박요안나 289 이다연 290 김유나 291 류원석 292 최유정 293 임형은 294	이민경 306 이설이 307 김진웅 308	이수민 488	박원진 408 이다빈 409
관리운영직 및 기타							
FAX	533-7770	533-1352		533-1325	533-1326	533-1327	533-1328

과	조사과			납세자보호담당관	
과장	최창원 640			송경덕 210	
계	조사관리	조사	세원정보	납세자보호실	민원봉사실
계장	장석안 641		이계홍 691	조명준 211	조준영 221
국세 조사관	이정희 642	<1팀> 변종철(6) 651 최민애(6) 652 한동희(7) 653		신현일 212	
		<2팀> 김미애(6) 661 이은숙(6) 662 박지은(7) 663	임재철 692	송현희 213	유지희 222 윤상동 223
	유관호 643				
		<3팀> 유재남(6) 671 지상수(7)(동) 송지은(8) 672			김기동 224 정인영 225
관리 운영직 및 기타					
FAX		533-1353	533-1354	533-1385	533-1383~4

예산세무서

대표전화: 041-3305-200 / DID: 041-330-5OOO

서장: **김 기 수**
DID: 041-3305-201

주소	충청남도 예산군 오가면 윤봉길로 1883(좌방19-69) (우) 32425 당진지서 : 충남 당진시 원당로88 (원당동 790-4) (우) 31767				
코드번호	311	**계좌번호**	930167	**사업자번호**	
관할구역	충청남도 예산군, 당진시			**이메일**	yesan@nts.go.kr

과	체납징세과			세원관리과		납세자보호담당관	
과장	박종빈 240			김만복 280		정두영 210	
계	운영지원	체납추적	조사	부가소득	재산법인	납세자보호실	민원봉사실
계장	조치상 241	서동근 551	송태정 651	윤성규 281	권수중 481		이성호 221
국세 조사관	남택원 242	박규서 552	현주호 652	이영찬(부가) 282			
	지은정 243 김상현 244	유미숙 553 백승민 554 이재욱 555	이화용 653	김효정(부가) 286 전병헌(소득) 285 임정혜(부가) 283	홍성준(재산) 482 양세희(재산) 483 함미란(법인) 402 우준식(법인) 403		전영신(사무) 222 김영아 223
	강태곤(방호) 245		홍은정 654	최인애(소득) 287			
	양동현(운전) 246		조한민 655	김진슬(부가) 284	김민정(법인) 484	한종태 212	
관리 운영직 및 기타							
FAX	330-5305	330-5302		334-0614	334-0615	334-0612	

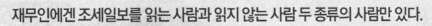

과	당진지서 DID : 041-3509-OOO					
과장	최용섭 201					
계	체납추적	부가	소득	재산	법인	민원봉사
계장	이철효 451	김찬규 281	이창홍 361	소병혁 481	정용협 401	이화용 221
국세 조사관		황진구 282	염태섭 362			
	김영균 452 권윤구 453	김봉진 283 곽한민 284 윤상탁 285		안태유 482	김상린 402	
	김진화 454 홍혜령 455	변상미 286		육경아 483 김수현 484	전창우 403	이경아 222
	최슬기 456 유수지 457	강정현 287 조지훈 288	전호남 363 안호진 364 박연진 365	강기철 485	황정민 404 박성재 405	박민아(오전) 223 홍충(오후) 224
관리 운영직 및 기타						
FAX	350-9424	350-9410		350-9369		350-9229

천안세무서

대표전화: 041-5598-200 / DID: 041-5598-OOO

서장: **이 용 균**
DID: 041-5598-201~2

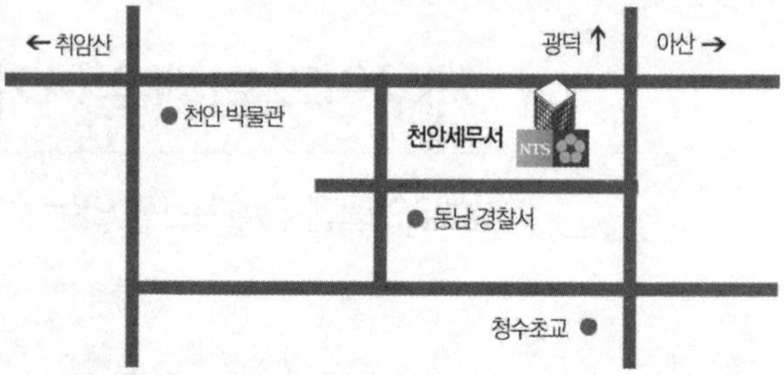

주소	충청남도 천안시 동남구 청수14로 80 (우) 31198				
코드번호	312	**계좌번호**	935188	**사업자번호**	312-83-00018
관할구역	충청남도 천안시			**이메일**	cheonan@nts.go.kr

과	체납징세과				부가가치세과		소득세과	
과장	박연희 240				박매라 280		하상진 360	
계	운영지원	체납추적1	체납추적2	징세	부가1	부가2	소득1	소득2
계장	최영준 241	권순근 551	강선규 571	백성옥 261	장우영 281	박순정 301	기회훈 361	이모성 381
국세조사관	윤동규(파견) 000				윤영재 282 이주한 283	박현석 302 라기정 303	임윤섭 362 이성호 363	노은아 382
	김성연 242 박동일 243	이건호 552 유경열 553 염미숙 554 이윤숙 555	우창영 572 신계희 573 이공후 574 손민영 575 이선미 576	황규명(사무) 265 김은옥 262 박혜경 263	이효성 284 안승연 285 안재욱(시) 296 임지훈 286 이혜민 000 강지연 287	이만준 304 권혁수 305 오승희 306 박미경 307	김영희 364 김진기(시) 374 도미선 365	손화승 383 강미영 384
	강현주 244 이재성 245	김은규 556 이양로 557 조성빈 558	신우열 577		이지민 288	이유정 308	권진영 366	최서영 385 김유라(시) 374 조한규 386
	김민정 246 조지훈(운전) 614	정인형 559	김용진 578 김성민 579	이헌진 264	김이수 289 홍은경(시) 296 이규림 290 문정현 291 홍성수 292	박재곤 309 박수빈 310 이후인 311 우재은 312	김태균 367 정현민 368	이지은 387 김소연 388 방수민 389
관리 운영직 및 기타								
FAX	559-8250			559-8699	551-2062		555-9556	

과	재산세과		법인세과		조사과			납세자보호담당관	
과장	형병창 480		정한영 400		김재천 640			강표 210	
계	재산1	재산2	법인1	법인2	조사관리	조사	세원정보	납세자 보호실	민원봉사실
계장	박상욱 481	김종진 521	이현찬 401	김진문 421	김영두 641	<1팀>	유은영 691	장건형 211	채정훈 221
국세 조사관	이광섭 482	이정우 522 문강수 523 민양기 524	장정우 402 류다현 403	오용락 422	최길상 642	남성우(6) 661 김문수(7) 662 배진령(8) 663	이경숙 692	최한진 212 문미희 213 박신정 214	오승진 222 김장수 223
	신경희 483 정재경 484	이현상 525 권혜원 526	손진이 404 김태건 405	주란 423 남기범 424	정영웅 643 임송빈 000	<2팀> 박인수(6) 654 김보혜(7) 655 박노훈(8) 656		이규완 215	장세연 224
	이동은 485 이혜연 486	이한나 527	신동주 406	신진아 425 추원규 426		<3팀> 이응구(6) 657 연제석(7) 658 오하라(9) 659			왕수현 225
	지충환 487 홍지혜 488		이의신 407 이규민 408	김병철 427 장소영 428	강수지 644	<4팀> 김장용(6) 660 강안나(7) 661 신용식(9) 662			장민환 226 조세희 227 조우진 228 어경윤 229 유나연 230 신은주 231
관리 운영직 및 기타									
FAX	563-8723		553-7523		561-2677 551-4175			551-4176	553-4356 562-4677

홍성세무서

대표전화: 041-6304-200 / DID: 041-6304-OOO

서장: **김 민 제**
DID: 041-6304-201

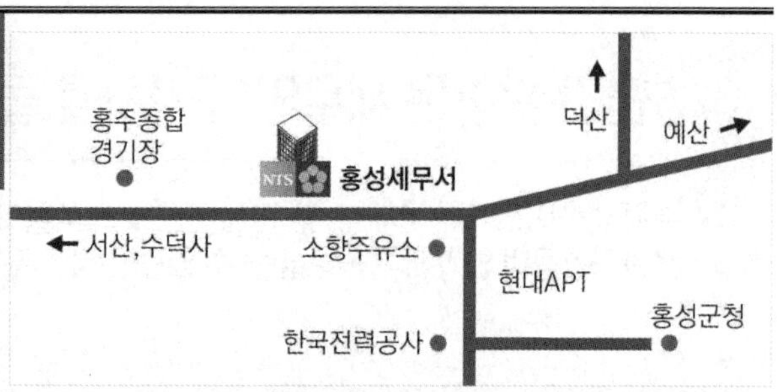

주소	충청남도 홍성군 홍성읍 홍덕서로 32 (우) 32216 청양민원실 : 충남 청양군 청양읍 중앙로 158 (우) 33327				
코드번호	310	**계좌번호**	930170	**사업자번호**	
관할구역	충청남도 홍성군, 청양군			**이메일**	hongseong@nts.go.kr

과	체납징세과			세원관리과	
과장	정효근 240			김영근 280	
계	운영지원	체납추적	조사	부가소득	
				부가	소득
계장	박인국 241	주형열 551	김국진 651	최근호 281	
국세 조사관			이주한 652	석혜숙 282	
	김정일(방) 244 김지연(사) 243	이기순 553 윤철원 552 조미자(사) 555 류성권 554	박성경 653	김진식 283	홍성도 292 이상욱 293
	이진희(운) 245			구은숙 284 서규호 285 김영삼 286	
	이병권 242	정류빈 556		황재승 287	신성호 294
관리 운영직 및 기타					
FAX	630-4249	630-4559	630-4659	630-4335 0503-113-9173	

과	세원관리과		납세자보호담당관	
과장	김영근 280		김봉기 210	
계	재산법인		납세자보호	민원봉사
	재산	법인		
계장	김상훈 481		강신혁 211	
국세조사관		차건수 402		장찬순(청) 944-1050 서옥배 221
	김황경 482	김현아 403		우은주(사) 222
	성기오 483			김정옥 223
	이상민 484 박혜숙 485	정재남 404		박은영(청, 시) 944-1050
관리운영직 및 기타				
FAX	630-4489 0503-113-9173		630-4229, 0503-113-9172 944-1060(청양)	

동청주세무서

대표전화: 043-2294-200 / DID: 043-2294-OOO

서장: **임 지 순**
DID: 043-2294-201

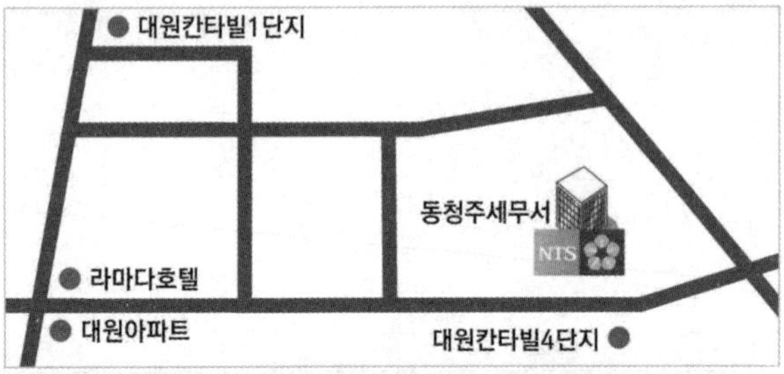

주소	충청북도 청주시 청원구 1순환로 44 (율량동 2242) (우) 28322 괴산민원실 : 충북 괴산군 괴산읍 임꺽정로 90(서부리 125)괴산군청 1층 민원과 내 위치 (우) 28026 증평민원실 : 충북 증평군 증평읍 광장로 88(창동리 100번지) 증평군청내 종합민원실 (우) 27927				
코드번호	317	**계좌번호**	002859	**사업자번호**	301-83-07063
관할구역	청주시 상당구, 청원구, 증평군, 괴산군			**이메일**	dongcheongju@nts.go.kr

과	체납징세과			부가가치세과		소득세과
과장	이영호 240			엄희권 280		진정욱 360
계	운영지원	징세	체납추적	부가1	부가2	소득
계장	오세덕 241	박연 261	고수영 551	김영식 281	이규흥 301	김영복 361
국세 조사관	하병욱 이정훈 242		원순영(시간) 552 허인범 553	한상배 282 정년숙 283	손경아 302	남현우 362
	이종희 243 곽노일(방호) 244	윤현숙 262	김도연 554 윤연심 555 김민정 556 이원종 557 전선빈(시간) 558	신승우 284 배정화 285 심정규 286	정성무 303 김지원 304 옥지웅 305 권윤희	김종현 363 김은기 364 최윤정 365
			오광석 559	진순자 287 이한나 288	정준희 306 염나래 307	장성미 366 남보라 367
	황석규 245 이익중 246	마숙연 263	백고은 560 김지윤 561	손규리 289 전현주 290	송수인 308 이보라(수습) 309	정상원 368 김민영 369 문보경 370
관리 운영직 및 기타						
FAX	229-4601			229-4605		229-4602

1등 조세회계 경제신문 조세일보

과	재산법인세과			조사과			납세자보호담당관	
과장	김진배 400			김원호 640			김선문 210	
계	재산1	재산2	법인	조사관리	조사	세원정보	납세자 보호실	민원봉사실
계장	윤낙중 481	최진숙 501	이양호 401	임헌진 641		박병문 691	김관수 211	남혜경 221
국세 조사관	오철규 482	신진우 502 이정임 503	조현경 402		<1팀> 박인환(6) 651 김현숙(8) 654 김채린(9) 657		김아경 212	김영신 222
	백영신 483 박선영 484 허지혜 485 오세민 486		오상은 403 정연경 404 안진영 405	박상욱 642	<2팀> 임현수(6) 652 허승열(8) 655 박재우(9) 658		이승석 213	최경하 (시간) 223
		김연이 504 윤보배 505	이동욱 406 윤정민 407	김희원 643		엄채연 692		남기태 224 박현정 (시간) 225 조미겸 226 이재봉 227
	나정현 487		조태희 408 진영희 409		<3팀> 박성우(6) 653 조정주(6) (파견) 권명윤(9) 656			이주형 228
관리 운영직 및 기타								
FAX	229-4609		229-4606	229-4607			229-4603	229-4604, 4133

영동세무서

대표전화: 043-7406-200 / DID: 043-7406-OOO

서장: **이 호 범**
DID: 043-7406-201

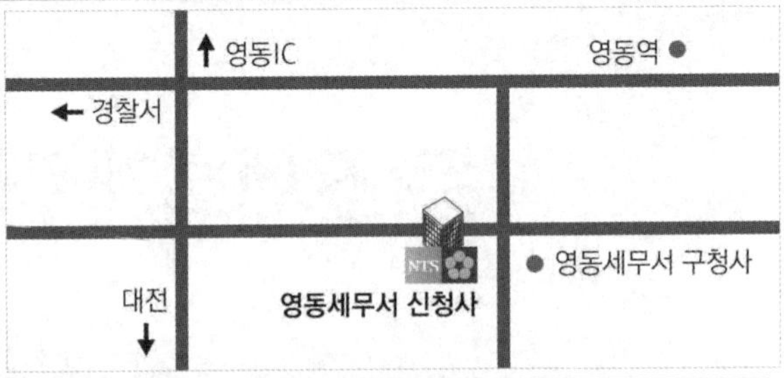

주소	충청북도 영동군 영동읍 계산로2길 10 (계산리 681-4) (우) 29145 옥천민원실 : 충북 옥천군 옥천읍 동부로 15 옥천읍사무소 청사 내 3층 (우) 29040 보은민원봉사실 : 충북 보은군 보은읍 삼산로 50 보은읍사무소 청사 내 2층 (우) 28947				
코드번호	302	**계좌번호**	090311	**사업자번호**	306-83-02175
관할구역	충북 영동군, 옥천군, 보은군			**이메일**	yeongdong@nts.go.kr

과	체납징세과			세원관리과	
과장	이기활 240			나정희 280	
계	운영지원	체납추적	조사	부가소득	
계장	김인태 241	김용전 551	금영송 651	윤문수 281	
국세조사관		오수복 557 박승효	임진규 652		
	오진성 242 최연옥(사무) 243 이지호(운전) 244	김기숙 552 황현순 553 이재숙 554	김선기 653	신용직 282	김창순 288
				정미현 283 금종희 284 김수량 285 김난경 286	이신정 289
	정성관(방호) 245	임돈희 555 신승환 556		김유식 287	전재령 290
관리운영직 및 기타					
FAX	740-6250	740-6260		740-6600	

과	세원관리과		납세자보호담당관	
과장	나정희 280		오문수 210	
계	재산법인		납세자보호실	민원봉사실
계장	강영기 481			고영춘 222
국세조사관				이성기(보은) 542-2400 임달순(옥천) 733-2157
	강병조 482 윤문원 483	유은주 402 윤순영 403	구승완 211	보은신고창구 543-9067
		안승희 404		나혜진 221
	이호제 484	장형준 405		김준영 733-2157
관리운영직 및 기타				
FAX	743-5283		영동 743-1932 옥천 731-5805 보은 543-2640	

제천세무서

대표전화: 043-6492-200 / DID: 043-6492-OOO

서장: **홍 순 택**
DID: 043-6432-107

주소	충청북도 제천시 복합타운1길 78 (우) 27157				
코드번호	304	계좌번호	090324	사업자번호	
관할구역	충청북도 제천시, 단양군			이메일	jecheon@nts.go.kr

과	체납징세과			세원관리과	
과장	안기호 240			김건중 280	
계	운영지원	체납추적	조사	부가	소득
계장	신기철 241	연태석 551	김영일 651	박일환 281	김한종 361
국세조사관	노정환 242	허원갑 552			송연호 362
	전현숙 244 박익상(운전) 245	심수현 553 오진용 557 허순영(사무) 554	권석용 652 양해만 653	김용진 282 이상봉 283 김용현 284	박상옥 363
		류희식 555	석원영 654	김유라 285 정희정 286	
	성현일 246 정무현(방호) 247	박영임 556	손정연 655	한성경 287 이석영 288	김정현 364 김보람 365
관리운영직 및 기타					
FAX	648-3586		653-2366	645-4171	

과	세원관리과		납세자보호담당관	
과장	김건중 280		임일훈 210	
계	재산법인		납세자보호실	민원봉사실
	재산	법인		
계장	김영달 401		이세호 211	이미정 221
국세조사관				황은희 222
	김문철 486 최광식 482 유지현 483			김동현 223
	이철주 484	김석채 403 김종필 404		
	김명희 485	정미화 405		김소윤 224
관리운영직 및 기타				
FAX	652-2495		652-2630	

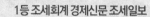

청주세무서

대표전화: 043-2309-200 / DID: 043-2309-OOO

서장: **오 원 균**

DID: 043-2309-201

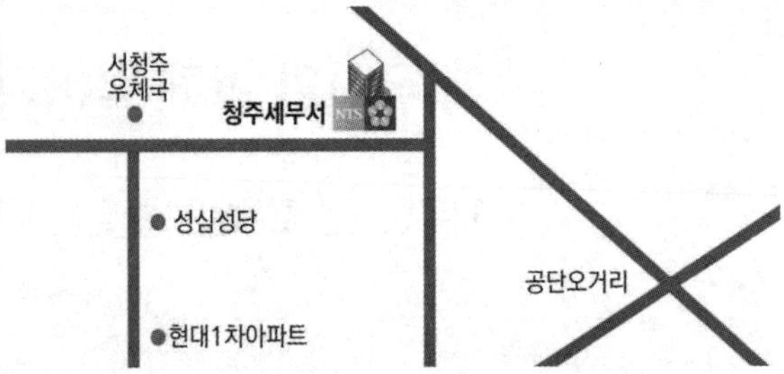

주소	충북 청주시 흥덕구 죽천로 151 (복대동 262-1) (우) 28583				
코드번호	301	계좌번호	090337	사업자번호	301-83-00395
관할구역	청주시 흥덕구, 서원구			이메일	cheongju@nts.go.kr

과	체납징세과				부가가치세과		소득세과	
과장	박재광 240				이희범 280		이상학 360	
계	운영지원	추적1	추적2	징세	부가1	부가2	소득1	소득2
계장	고당훈 241	김붕호 551	엄황용 571	서혜숙 261	유영복 281	김진영 301	김용련 361	한정준 381
국세조사관	우근중 242	이영정 552	이선영 572	서정원 262	박예규 282			송경진 382
	임성옥 243 이동준 244 김태훈 245	김약수 553 최서진 554 박제영 555	이재현 573 박나정 574	이경순 263	박현희 283 김은경 284 김아름 285 양유미 286 정인애 287	김진주 302 강혜윤 303 마승진 304 권예리 305	송석중 362 유경희 363 김선용 364	진수민 383 박종경 384
	김민선 246	배경희 556	손현정 575 박시형 576		정영철 288 김세호 289	한서희 306 신형원 307 노준호 308	권오성 365	서은영 385
	김두환 247 김승훈 249	김태은 557	송혜리 577		황선유 290	이채민 309 김태규 310	왕지영 366 심진영 367	성진혁 386
관리운영직 및 기타								
FAX	235-5417	235-5410			235-5415		235-5414	

과	재산법인세과			조사과			납세자보호담당관	
과장	차용철 400			김영덕 640			전성준 210	
계	재산1	재산2	법인	조사관리	조사	세원정보	납세자 보호실	민원봉사실
계장	정영순 481	김창미 501	엄기봉 401	송영찬 641			소재성 211	윤건 221
국세조사관	김세희 482	전서동 502 조위영 503		이평희 642	<1팀> 김진형(6) 651 송영화(6) 655 박노욱(9) 659	유현준 691	송칠선 212	정재학 222
국세조사관	임인택 483 지소영 484		최성한 402 차회윤 403 전광희 404	백수아 643, 645	<2팀> 조남웅(6) 652 김연화(6) 654 유장현(7) 656		김보경 213	박은정 223 김주미 224
국세조사관	박두용 485 정영은 486	최하나 504	심준석 405 조아연 406 김다현 407			최준영 692		박소영 225
국세조사관	조영종 487 최영 488	김태헌 505	방아현 408 이하경 409 주은경 410		<3팀> 김호근(6) 653 신숙희(7) 657 노건호(8) 658			전지은 226 이은지 227 주현민 228
관리운영직 및 기타								
FAX	235-5419		234-6445	234-6446			235-5412	235-5418

충주세무서

대표전화: 043-8416-200 / DID: 043-8416-OOO

서장: **정 희 진**
DID: 043-8416-201, 2

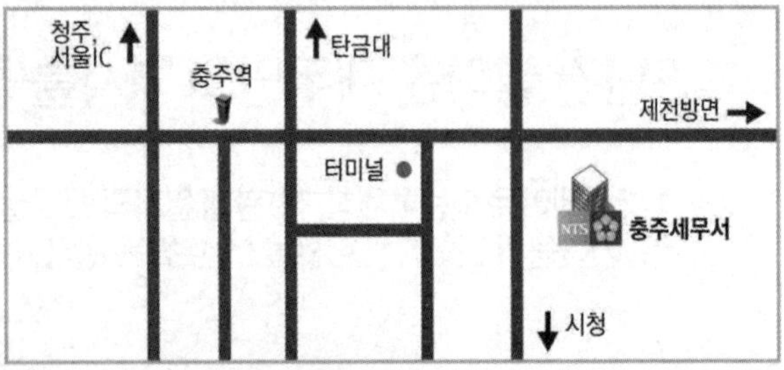

주소	충청북도 충주시 충원대로 724 (금릉동) (우) 27338 충북혁신지서:충북 음성군 맹동면 대하1길10 센텀CGV타워3층 (우) 27738		
코드번호	303	**계좌번호**	090340
사업자번호	303-83-00014		
관할구역	충청북도 충주시, 음성군, 진천군	**이메일**	chungju@nts.go.kr

과	체납징세과			부가소득세과		재산법인세과	
과장	정지석 240			김진범 280		한구환 400	
계	운영지원	체납추적	징세	부가	소득	재산	법인
계장	이덕형 241	이영직 551	홍순진 261	유병호 281	김명호 361	김대식 481	신혁 401
국세조사관				문정기 282	최병분 362	손영진 482	권오찬 402
	박승권 242 이상욱(방호) 613	강윤정 552 최성찬 553	임수정(사무) 263	최용복 283 최파란 365 박재욱 284 이동규 285	오재홍 363 인길성 364	김기태 483 이현재 484	이연주 403
	이솔 243 김종민 244 허천일(운전) 245	심혜정 554 이강원 555	김효선 262	박선민 286 안수용 287		성은숙 485	
		최상선 556 나유숙 557		이지윤 288 정희도 289 김나리아(수습) 290	이경원 366 장한울 367		황지연 404 송용호 405
관리운영직 및 기타							
FAX	845-3320			845-3322		851-5594	

과	조사과			납세자보호담당관		충북혁신지서 8719-200					
과장	조병길 640			임종수 210		박광전 201					
계	조사관리	조사	세원정보	보호	민원봉사실	체납추적	부가	소득	재산	법인	납세자보호실
계장	나용호 641	<1팀> 유선우(6) 651 이경욱(7) 652 양수미(9) 653	김미애 691	성백경 211	박병수 221	황재중 551	변현수 281	이정근 361	이경자 481	임인수 401	신언순 221
국세조사관				김은혜 212	고용국 222	이태훈 552 박정수 553		김영철 362	정대영 482	황대림 402	
	강희웅 642 강소령 643	<2팀> 이승재(6) 654 이선민(7) 655 권대근(8) 656	홍기오 692		정명숙 (사무) 223		임종혁 282 손정화 283			이은혜 403 최희권	임종화 222 이남정
		<3팀> 장경수(6) 657 최지훈(7) 658		김희창 213	유송희 (임기) 224	윤희창 554 박승욱 555 장동환 556 이단비	한인수 284 오소진 285 박은실 286	김은덕 363	최우진 483 나은주 484	홍석우 404 김국현 405	
					이오령 225		이수영 287 황은서 288	김수인 364 김승현 365 고주연 366	송수빈 485	전세연 406 신원철 407 권유빈 408	박수연 223 이혜진 224
관리운영직 및 기타											
FAX	845-3323			851-5595	847-9093	871-9631	871-9632		871-9633		871-9634

광주지방국세청 관할세무서

■	광주지방국세청	361
	지방국세청 국·과	362
[광주]	광 산 세무서	368
	광 주 세무서	370
	북광주 세무서	372
	서광주 세무서	374
[전남]	나 주 세무서	376
	목 포 세무서	378
	순 천 세무서[벌교지서]	380
	여 수 세무서	382
	해 남 세무서[강진지서]	384
[전북]	군 산 세무서	386
	남 원 세무서	388
	북전주 세무서[진안지서]	390
	익 산 세무서[김제지서]	392
	전 주 세무서	394
	정 읍 세무서	396

광주지방국세청

주소	**광주광역시 북구 첨단과기로 208번길 43 (오룡동 1110-13) (우) 61011**
대표전화 & 팩스	**062-236-7200 / 062-716-7215**
코드번호	**400**
계좌번호	**060707**
사업자등록번호	**102-83-01647**
e-mail	**gwangjurto@nts.go.kr**

청장 송기봉

(D) 062-236-7200

징세송무국장	**민회준**	(D) 062-236-7500
성실납세지원국장	**정학관**	(D) 062-236-7400
조사1국장	**최영준**	(D) 062-236-7700
조사2국장	**최재훈**	(D) 062-236-7900

광주지방국세청

대표전화: 062-2367-200 / DID: 062-2367-OOO

청장: **송 기 봉**
DID: 062-2367-200

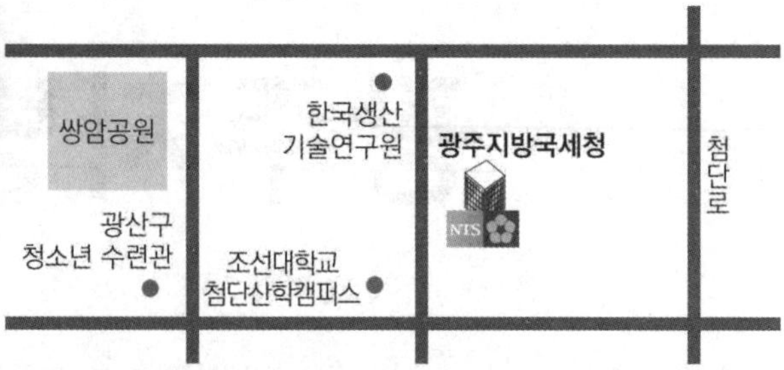

주소	광주광역시 북구 첨단과기로 208번길 43 (오룡동) (우) 61011 별관: 광주광역시 서구 월드컵4강로 101길(화정4동 896-3) (우) 61997				
코드번호	400	계좌번호	060707	사업자번호	410-83-02945
관할구역	광주광역시, 전라남도, 전라북도 전체			이메일	gwangjurto@nts.go.kr

과	운영지원과				감사관		납세자보호담당관	
과장	장영수 240				진남식 300		이상준 330	
계	행정	인사	경리	현장소통	감사	감찰	납보	심사
계장	김민후 252	기연희 242	백홍교 262	오상원 272	이필용 302	이규 312	한동석 332	염삼열 342
국세 조사관	전복진 253	강채업 243	남자세 263	조종필 273	공대귀 303 윤연자 304 한원윤 305	손충식 313 신용호 314	신은화 333	박소현 343
	나승창 254 정만복 255 김미해 620 김성부 614 김세곤 615 최철승 618	이일재 244 한유현 245 이재남 246	선경미 264 이호남 265	김성민 274 박성정 276	허진성 306 박홍범 307 정철기 308	임수경 315 서우석 316 권상일 317 정유성 318	유희경 334	원두진 344 김대일 345
	양진호 256 김현성 257 김환 617	최보람 247 장시원 248	최원정 266 한정용 267	김종화 275	한다정 309		정현아 335	김수희 346
관리 운영직 및 기타	이혁재(기록) 259 김진 202 박혜현 258 정홍섭	배슬지 249						
FAX	716-7215	371-4911			376-3102		376-3108	

국실	성실납세지원국									
국장	정학관 400									
과	부가가치세과			소득재산세과			전산관리팀			
과장	이진재 401			손오석 431			박진찬 131			
계	부가1	부가2	소비	소득	재산	소득지원	전산관리1	전산관리2	정보화센터1	정보화센터2
계장	김영민 402	문주연 412	이용혁 422	박연서 432	최태전 442	김정임 452	김보현 132	김종문 142	정기중 152	김옥희 172
국세조사관	염지영 403		이정민 423	박미선 433			정현호 133 김운기 134	김미애 147 이성 143 박상희 148		
	장수연 404	심현석 413 김태원 414 유진선 415	최정이 424 최환석 425	송봉선 434	추지연 443 배민예 444 강종만 445	배은선 453	윤여관 136 한아름 135	김영오 144	조선경 153 오인자 165 안정심 160 황경숙 157 김희숙 158 김경례 156 이향화 159 김영미 154 윤희경 164 정영숙 155 유희경 161 김은자 167	박금단 180 박향숙 176 김은희 185 이혜경 181 김경임 177 염현주 182 이승희 175 박귀자 186 강진 179 신미숙 183 김혜영 184
	최수현 405 윤희겸 406	박지언 416	신명희 426	박지호 435 송미소 436		김명희 454 김은영 455		송재윤 149		김미경 173
관리운영직 및 기타	주선미 400									
FAX	236-7651			236-7652			716-7221			

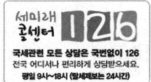

DID : 062-2367-OOO

국실	성실납세지원국			징세송무국					
국장	정학관 400			민회준 500					
과	법인세과			징세과		송무과		체납추적과	
과장	정장호 461			손재명 501		설경양 521		오길재 541	
계	법인1	법인2	법인3	징세	체납관리	송무1	송무2	추적1	추적2
계장	이강영 462	정경일 472	김명숙 482	조상옥 502	김옥현 512	김진재 522	박선화 532	박후진 542	민동준 552
국세 조사관	임철진 463		최영임 483	최영주 503		설진 523 석지혜 526	이동현 534	문식 543	
	박종근 464 정필섭 465 강희정 466	박홍균 473 강이근 477 박상범 474 정미진 475	이승환 486 성동연 484	강성기 504 노미경 505	위지혜 513 이장원 514	한길완 524 이영훈 527 박은영 528	박남주 535 황동욱 537 나인엽 536	전종태 544 송재중 546 최문영 545	정희섭 553 김성준 554
	박형민 467	조정효 476	김형경 485		박지혜 518 이성민 515 이정화 517 김예진 516	윤형길 525			장슬미 555 노동균 556
관리 운영직 및 기타				김여진 500					
FAX	716-7224			716-7219		716-7220		716-7223	

국실	조사1국				
국장	최영준 700				
과	조사관리과				
과장	백계민 701				
계	1	2	3	4	5
계장	함태진 702	송경희 712	이성근 722	김엘리야 732	김은미 742
국세 조사관	김철호 703 오수진 619	최정욱 713 양승정 714	이승현 723	임주리 735	김준석 743
	박은재 704 곽미선 705 정경종 706	김형주 716	임미란 724 이영은 726 윤정익 725	이지영 734 최향미 733	김현주 744 서영우 745
	박진웅 707 이지은 708		배주애 727	유판종 736	양용희 746
관리 운영직 및 기타	김아람				
FAX	716-7225				

DID : 062-2367-OOO

국실	조사1국					
국장	최영준 700					
과	조사1과			조사2과		
과장	김훈 7751			박성열 7781		
계	1	2	3	1	2	3
계장	이호 752	김용주 762	임선미 772	방정원 782	김민철 792	김근우 802
국세 조사관	윤경호 753		박준선 773	강성준 783		
	윤길성 754	조광덕 763 문영권 764 배제섭 765	신정용 774 정상미 775	송윤민 784	하봉남 793 김혜란 794 장성필 795	윤승철 803 박석환 804 문윤진 805
	김지혜 756			이진택 785		
관리 운영직 및 기타						
FAX	236-7653			236-7654		

국실	조사2국								
국장	최재훈 900								
과	조사관리과			조사1과			조사2과		
과장	진용훈 901			홍영표 931			박순희 961		
계	1	2	3	1	2	3	1	2	3
계장	강경진 902	조호형 912	이정관 922	김정운 932	박기호 942	김성희 952	최권호 962	선희숙 972	이수진 982
국세조사관		강미화 913	변재만 923			김만성 953			
	이창주 903 박민주 904	강혜린 914 유춘선 915	나채용 924 민혜민 925 문홍배 926 차경진 927	류호진 933	최연수 943		한정규 963	임진아 973 이경환 974	김용태 983
		윤은미 916 이하현 917	최창욱 928	김정진 934	주온슬 944	박인 954	김민석 964		안재형 984
관리운영직 및 기타	김수연								
FAX	716-7228			716-7229			716-7230		

광산세무서

대표전화: 062-9702-200 /DID: 062-9702-OOO

서장: **박 강 수**
DID: 062-9702-201

주소	광주광역시 광산구 하남대로 83(하남동 1276, 1277) (우) 62232				
코드번호	419	계좌번호	027313	사업자번호	
관할구역	광주광역시 광산구, 전라남도 영광군			이메일	

과	체납징세과			부가가치세과		재산법인세과		
과장	최창서 240			이유근 280		김경곤 400		
계	운영지원	체납추적	징세	부가1	부가2	재산1	재산2	법인1
계장	박정환 241	남상훈 511	이형용 261	류제형 281	손삼석 301	남왕주 481	유태정 501	김종명 401
국세조사관		이백용 512 김선진 513	윤민숙 262	안래본 282 전용현 283	한동환 303 정영천 302	최석승 482 김성렬 625 박상을 625	김기옥 502	이혜경 402 현경 403 김규표 404
	문해수 242 오혜경 243 박선미 245 정현태 246	송은주 514 한주성 515 이은광 516		김은미 284 김영순 285 박창용 286 심명진 622	이영민 305 정미라 304	강혜미 483 이승훈 484	김미화 503	정우철 405 김서형 407 남도욱 406
	조성재 244	오승협 517 임강혁 518	박지혜 263	김영심 622 이정호 287	김기아 305	강길주 485	이은진 504	박상일 408 김미리 409 이승준 410
		박상은 519 제민지 520 정연선 521	안자영 264	김효희 288 음지영 289 안상언 290 정보현 291	강성현 309 이동엽 306 피연지 307	김효근 486 정호연 487	채우리 505	임수미 411
관리운영직 및 기타	정혜진 202 김현숙							
FAX	970-2259	970-2269		970-2299		970-2419		

과	소득세과		조사과			납세자보호담당관	
과장	엄호만 360		임채동 640			차지훈 210	
계	소득1	소득2	조사관리	조사	세원정보	납세자보호실	민원봉사실
계장	오민수 361	이상준 381	김회창 641	오두환 651	정채규 691	김영호 211	박봉선 221
국세 조사관	박인수 362	박선숙 382		임종안 654 신승훈 657			국승미 222 정혜경 223
	민지홍 363 진혁환 623	박무수 383 박해연 384	김용일 642	송원호 652 김광성 655 김현진 658	김도형 692	진문수 212	김옥천 224 김재은 225 선경숙 226
	최은영 364	지혜림 385		이서정 656 강용명 659		김필선 213	정다희 227
	임미희 367 윤수연 366	김희창 386 노우성 387	한나라 643	윤다희 653			이지영(영광) 서은지 228
관리 운영직 및 기타							
FAX	970-2379		970-2649			970-2219	970-2238~9

광주세무서

대표전화: 062-6050-200 /DID: 062-6050-OOO

서장: **임 진 정**
DID: 062-6050-201

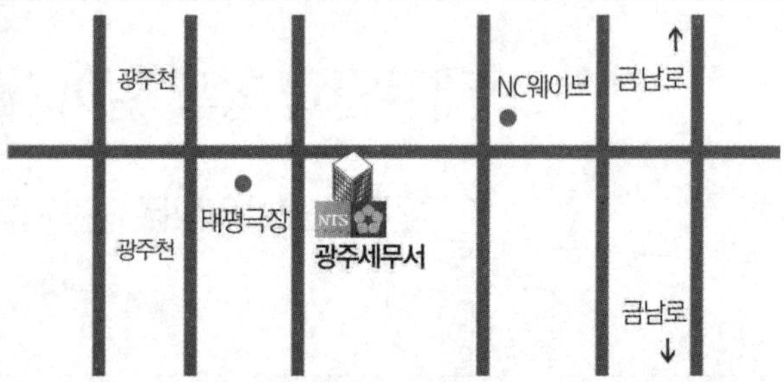

주소	광주광역시 동구 중앙로 154 (호남동 39-1) (우) 61484				
코드번호	408	계좌번호	060639	사업자번호	408-83-00186
관할구역	광주광역시 동구, 남구, 전라남도 곡성군, 화순군			이메일	gwangju@nts.go.kr

과	체납징세과			부가가치세과			재산법인세과		
과장	이성묵 240			진중기 280			양옥철 400		
계	운영지원	체납추적	징세	부가1	부가2	부가3	재산1	재산2	법인
계장	김남수 241	한규종 511	손선미 261	윤성두 281	이송연 301	김동일 321	천경식 481	손경근 501	노정운 401
국세조사관		장미랑 512 우영만 513 장재영 514	유수호 262		이정미 302	최형동 322 박종수 323	전홍석 482	조영두 502	남기정 402 이창근 403
	최신호 242 김민경 243 김정진 246	양창헌 515 이화섭 516 이애님 517 윤조아 518		김미애 282 오종호 283	임경선 303 정재원 397 김가람 304	조만호 324	이인숙 483 양은정 431 서경무 484 정호영 485 김진영 486	김인중 503 김승범 504 한상춘 505	고수영 404 박봉주 405 정혜화 406
	김아람 244			오세철 284		김서현 397	오종수 487 김규태 431		송진희 407 박유미 408
	이은정 245 조재연 247	송은선 519 한수현 520 이아라 521	홍해라 263	서경하 285 황유솔 286 황선우 287	정시온 305 고혜진 306	양환준 325 이정석 326	도하정 488 최다혜 489		김혜은 409 김다혜 410
관리운영직 및 기타	김수민 202 김은주 620 김황식 614 이현 안구임								
FAX	716-7232			716-7233~4			716-7236~7		

과	소득세과		조사과			납세자보호담당관	
과장	이장근 360		곽명환 640			정창렬 210	
계	소득1	소득2	조사관리	조사	세원정보	납세자 보호실	민원 봉사실
계장	박원석 361	박준선 381	김광섭 641	심동순 651	김진식 691	김성호 211	백인숙 221
국세조사관		김희석 382	김요환 642	박형희 652 신갑상 653 서삼미 654 정찬성 655 심재운 660 박수인 664		김영하 212	민경옥 222 박경미 223
	조규봉 362	김은수 383	김윤식 643	정영현 656 한송이 658 성명재 662	송정선 692	박미숙 213 김주현 215	신영아 224 이승주 226
	김주일 363 박성용 398 김은정 364 김자희 365	송용기 398 고석봉 384	문경애 644	문영규 657 유주미 659 하경아 661			정건철 225
	노현정 366 정서빈 368 박유나 367	최현진 385 이로아 386		김재경 663 김화영 665		강윤지 214	오현창 228 지혜연 227
관리운영직 및 기타							
FAX	716-7235		716-7238			716-7239	227-4710

북광주세무서

대표전화: 062-5209-200 / DID: 062-5209-OOO

서장: **강 병 수**
DID: 062-5209-201

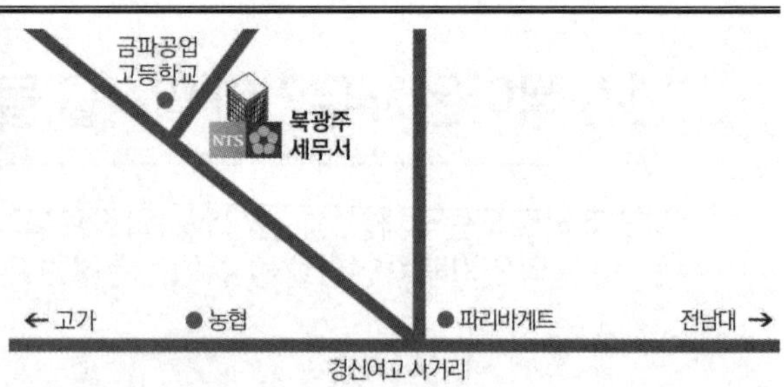

주소	광주광역시 북구 금호로 90 (운암동 104-3) (우) 61114				
코드번호	409	계좌번호	060671	사업자번호	409-83-00011
관할구역	광주광역시 북구, 전라남도 장성군, 전라남도 담양군			이메일	bukgwangju@nts.go.kr

과	체납징세과				부가가치세과			소득세과	
과장	양길호 240				정청운 280			남애숙 360	
계	운영지원	체납 추적1	체납 추적2	징세	부가1	부가2	부가3	소득1	소득2
계장	강용구 241	최문자 511	최인광 531	김은숙 261	장기영 281	남궁화순 301	김철호 321	조명관 361	김선희 381
국세 조사관		김명선 512	신미자 532	정은연 262	홍용길 282	김미선 302	오금홍 322 백광호 323 박병일 324	정란 362 박준규 363	김재만 382 최승재 383
	오은주 242 한용철 243 이주현 244 고순용 245 김문희 610	이정복 513 기남국 514	정미선 533 박정환 534 정성오 535		최성배 283 오근님 284 강경희 318	김은영 303 정기종 304 김미영 305	김종훈 325	최순옥 364 강문승 365 김정아 319	신우영 384 윤미옥 385 윤한슬 386
	민호성 246 김유정 247 방해준 249 서영조 248	조호연 515 허경숙 516	기금헌 536	김공해 263 이다미 264	김정은 285 방영화 318 양재훈 286	박봉현 306 박소영 307		정세훈 366 한자람 319	김효원 387
		강나영 517 윤준영 518	강임현 537 정예슬 538		이수연 287 오가원 288 조가윤 289	김태서 308 이수진 309 최종민 310	문보라 326 나선영 327 강기호 328	유현경 367 김예원 368 김재은 369	최장균 388 양시은 389 김인제 390
관리 운영직 및 기타	최지현 203 박건혜 251 정년숙 249 안봉임 249 윤명자 249								
FAX	716-7280				716-7282~3			716-7287	

과	재산세과		법인세과		조사과			납세자보호담당관	
과장	조상현 480		서영철 400		심종보 640			김성수 210	
계	재산1	재산2	법인1	법인2	조사관리	조사	세원 정보팀	납세자 보호실	민원 봉사실
계장	이동진 481	박태훈 501	박득연 401	마현주 421	김준성 641	강춘구 671	구성본 691	황희정 211	박희정 221
국세 조사관	조영숙 482	백남중 502 김윤희 503			채남기 642	임일택 675 김재춘 679 나한태 683 한기청 686 김용우 672 김완주 684		김현성 212 이윤호 213 박정일 214	이재현 222 조윤경 223 박경란 226 김현정 225
	고부경 483 김명희 484 최기환 485 엄하얀 486 양승범 487 신영남 488 최창무 510	기대원 504	고복님 402 김재경 403 이호석 404 백철주 405	정태호 422 김정호 423 정초희 424 전태현 425	박상준 643	김원주 673 김상민 676 박신아 680 한채윤 687 김예준 674 강경완 681	박지은 692 김우성 693	홍정기 215	김송심 231 주선영 229
	박새봄 510	김인승 505	조혜선 406 정주희 407	류진영 426	송희조 644 오자은 645	문은성 677 정한록 685 이건호 688			
	문준규 489 양한별 490 장수희 491		조유정 408	나유민 427					나진희 228 장지민 230 최하나 224 권도열 227
관리 운영직 및 기타									
FAX	716-7286		716-7285		716-7289			716-7284	716-7291

서광주세무서

대표전화: 062-3805-200 / DID: 062-3805-OOO

서장: **김 태 열**
DID: 062-3805-201

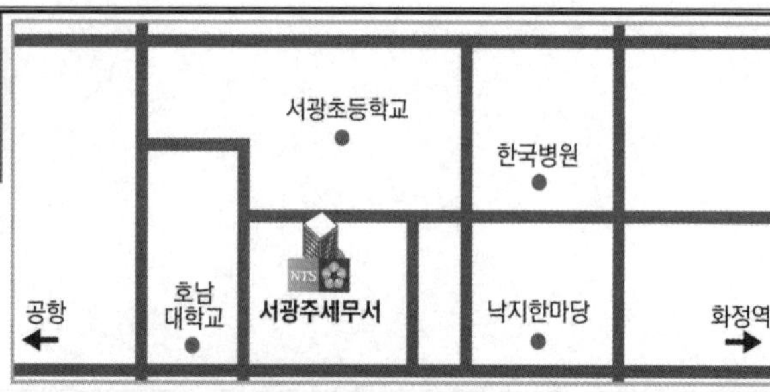

주소	광주광역시 서구 상무민주로 6번길 31 (쌍촌동 627-7) (우) 61969				
코드번호	410	**계좌번호**	060655	**사업자번호**	410-83-00141
관할구역	광주광역시 서구			**이메일**	seogwangju@nts.go.kr

과	체납징세과			부가가치세과		재산법인세과		
과장	김균열 240			장충길 280		서한도 400		
계	운영지원	체납추적	징세	부가1	부가2	재산1	재산2	법인1
계장	김봉재 241	나형채 511	김애심 261	서근석 281	권영훈 301	최재혁 481	강형탁 501	이환 401
국세조사관		이환성 513	홍수경 262					구대중 402 윤여찬 403
	홍완표 242 강정희 243 장형재 248 전은상 247 최상연 246	김근형 515 선양기 518	정은숙 263	김상훈 441 김혜정 282 모성하 283	박선영 302 박남중 305	고서연 482 박은영 483 김영숙 484	손광민 502 강윤성 503	소찬희 404 홍연희 405 최진이 406
	김영하 245 박현준 244	한국일 519 조민서 516		차은정 284 하지영 285 박혁 441	윤정호 303	박금옥 485 송은영 486		채화영 407
		윤채린 517 정혜진 514 김동신 520		한송이 286 최고든 287 한도흔 288	정새하 304 이수라 306 김정선 307 최예린 308	김재원 487 김다예 488	김태진 504 박시원 505	박형지 408
관리운영직 및 기타	장경화 201 박금아 610 김현자 이미자 김정숙 유미자							
FAX	716-7260	716-7264		371-3143		716-7265		

과	소득세과		조사과			납세자보호담당관	
과장	박정훈 360		최인욱 640			정일상 210	
계	소득1	소득2	조사관리	조사1	세원정보	납세자보호실	민원봉사실
계장	정은영 361	권정용 381	김현철 641	임광준 655	박삼용 691	김자회 211	이송희 221
국세조사관	김광현 362		김대현 642	박철순 658 배진우 661			김아란 222
	민순기 442 정선태 363	조성애 382	최석 643 노민경 644	김병기 656 황선태 659	이정 692	이정환 212 김영준 213	김현지 223 허선덕 224 양동혁 225 박병민 226 김정화 227 김민정 228
	한일용 364	정수자 383 정리나 384					정지운 229
	김남이 365 김형연 366	홍영준 386 박지현 387		노순정 663 이아림 660 박유라 657			박혜민 230 이소연 227
관리운영직 및 기타							
FAX	376-0231		716-7266			716-7267	

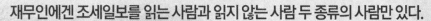

나주세무서

대표전화: 061-3300-200 / DID: 061-3300-OOO

서장: **나 종 선**
DID: 061-3300-201

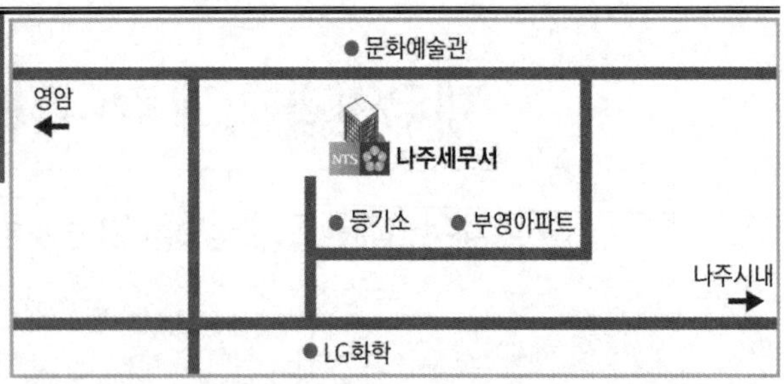

주소	전라남도 나주시 재신길 33(송월동 1125) (우) 58262				
코드번호	412	계좌번호	060642	사업자번호	412-83-00036
관할구역	전라남도 나주시, 영암군(삼호읍 제외), 함평군			이메일	naju@nts.go.kr

과	체납징세과			부가소득세과	
과장	이철웅 240			최종호 280	
계	운영지원	체납추적	조사	부가	소득
계장	장민석 241	조희성 511	양하섭 651	전해철 281	송창호 212
국세조사관		최완숙 519 우재만 512	박기홍 652 박인환 361 김기정 653 오금선 654		하철수 362
	김윤주 243 김선유 245	이철승 513 구윤희 514 김민수 515 양명희 516 이지연 517 정숙경 518	강병관 242 안진영 657	유관식 283 이동훈 284 정명숙 285 최효영 655	김도연 363 서정숙 364
	고문수 247		박지현 658	이성진 286	이경희 365
	이주현 244		유광호 656	이정우 287 김보경 288 이수빈 289	이재민 366
관리운영직 및 기타	나유선 248 이혜민 201 조은향 338 최세희 338				
FAX	332-8583	333-2100		332-8581	

1등 조세회계 경제신문 조세일보

과	재산법인세과		납세자보호담당관	
과장	김형숙 400		민준기 210	
계	재산	법인	납세자보호실	민원봉사실
계장	김영호 481	윤석헌 401	방양석 211	장행진 221
국세 조사관	오종식 482	박종현 402	윤한표 282	이미자 222 노은주 223
	박복심 483 안요한 484 김민정 485 정수현 486	신종식 403 김영미 404 김은정 405 설영석 406 오영우 407	박시연 213	이재완 225
	정미선 487			
	김영지 488	박종근 408		최미혜 224
관리 운영직 및 기타				
FAX	332-2900		332-8583	332-8570

목포세무서

대표전화: 061-2411-200 / DID: 061-2411-OOO

서장: **선 규 성**
DID: 061-2411-201

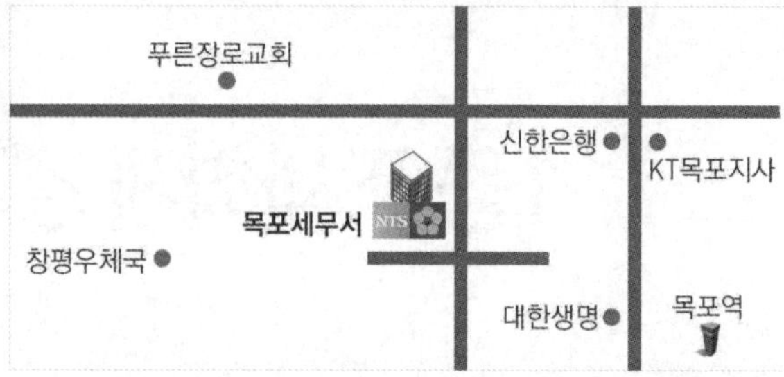

주소	전라남도 목포시 호남로 58번길 19 (대안동 3-2) (우) 58723				
코드번호	411	계좌번호	050144	사업자번호	411-83-00014
관할구역	전라남도 목포시, 무안군, 신안군, 영암군 중 삼호읍			이메일	mokpo@nts.go.kr

과	체납징세과			부가가치세과		소득세과	
과장	임종찬 240			정완기 280		박상현 360	
계	운영지원	체납추적	징세	부가1	부가2	소득1	소득2
계장	곽현수 241	박기혁 511	이창언 261	손정흠 281	박철성 301	설영태 361	장동규 621
국세조사관		정명근 512 정유경 522		서병희 282	이은경 302	김종일 362 이선화 363	오성실 622 양행훈 623
	박정순 243 이성률 242	이남희 513 정미연 514 임남옥 515 김태성 516 최영임 517 김화경 518 조영란 519	강희정 262	심상원 283 박용희 284 이은아 285 박현화 287 구혜숙 286	최제후 303 박은영 306 김동구 304 임치영 305	나소영 364 오재란 365	박향엽 624 황원복 625
	김대호 244 지행주 246 권혁일 247		윤지현 263		정미향 307		
		임정민 520 양현진 521		김득수 288 이보람 289 정인혜 291	조지윤 308 이혜지 309	김단 366 오동화 367	한정관 626
관리운영직 및 기타	홍은실 202 이맹이 242 조미 242						
FAX	244-5915			247-2900		241-1349	

과	재산법인세과			조사과			납세자보호담당관	
과장	오금탁 400			김용길 640			김성웅 210	
계	재산1	재산2	법인	조사관리	조사	세원정보	납세자 보호실	민원 봉사실
계장	김종숙 481	김재석 491	김안철 401	김태호 641	박철우 651	공병국 691	김덕호 211	문기조 221
국세 조사관	오춘택 482	고재환 492		정선옥 642	김진호 654 최종선 657 한상룡 652 한수홍 658	은희도 692	최전환 212	한윤희 222
	안유정 483 국명래 484 문지원 485	윤현웅 493 임창관 494	목영주 402 이상훈 403 박미애 404 지은호 405		나혜경 655 조해정 656			이기순 223 정미선 224
	곽새미 486	정기온 495	유민희 406 정형필 407	정진아 643	배성관 653 한창균 659		최지혜 213	최원선 224 장기현 225 박지은 226
			정지원 408					김영석 227 천서정 228
관리 운영직 및 기타								
FAX	241-1602			245-4339			241-1214	

순천세무서

대표전화: 061-7200-200 / DID: 061-7200-OOO

서장: **이 승 래**
DID: 061-7200-201

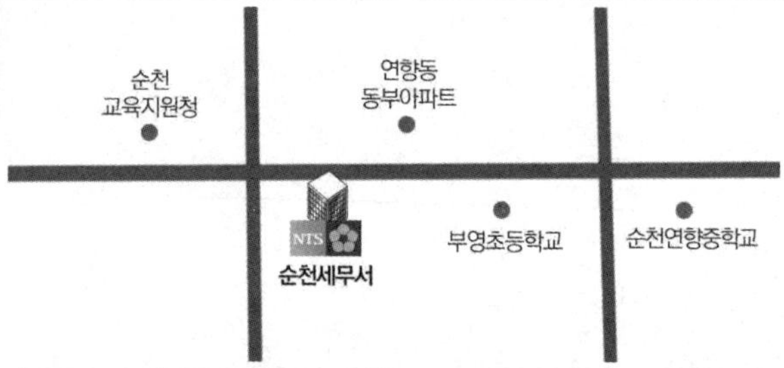

주소	전라남도 순천 연향번영길 64 (연향동 1379) (우) 57980 벌교지서 : 전라남도 보성 벌교 채동선로 260 (우) 59425 광양지서 : 전남 광양 중마중앙로 149 (우) 57785				
코드번호	416	**계좌번호**	920300	**사업자번호**	416-83-00213
관할구역	전라남도 순천시, 광양시, 구례군, 보성군, 고흥군			**이메일**	suncheon@nts.go.kr

과	체납징세과			부가가치세과		소득세과		재산법인세과			납세자보호담당관	
과장	이호열 240			조명완 280		서순기 360		김상철 400			고대영 210	
계	운영지원	체납추적	징세	부가1	부가2	소득1	소득2	재산1	재산2	법인	납세자보호실	민원봉사실
계장	박귀숙 241	황교언 511	이정철 261	김종운 281	전세영 301	정형태 361	류영길 381	박용우 541	김일석 561	서동정 401	고길현 211	정준갑 221
국세조사관	심성환 245		김혜경 262	이건주 282	김정아 302	정오영 362		이종필 542	김영선 562 김태훈 563	이재갑 402 나미선 403	심성연 212	나윤미 222
	서미순 246 이세라 242 김성진 248	홍미라 513 김상훈 514 김정희 515	김임순 263	최병윤 283 한귀숙 284 황승진 285	정일 307 박홍일 303	임현택 363	김진희 382 오인철 383 박종현 384	조혜진 543 배인자 544	윤경희 564	박민국 404	김동선 213	김태영 223 곽용재 228 손명희 225 김현정 224
	김소망 243			김종율 287 박설희 286	최현아 304 김윤정 305	김지영 364	채명석 385	김보람 546		강경수 405		한은정 227
	서광기 247 임채영 244	한용 516 차유곤 517		장지선 288	김태원 308 천지은 306	김우정 365	주소연 386		김한림 565	손세민 406		김대희 226
관리운영직 및 기타	한지호 202 김지현 200 김순자 김순자											
FAX	723-6677			723-6673		720-0330		720-0320			723-6676	

과	조사과			벌교지서 (061-8592-OOO)			광양지서 (061-7604-OOO)			
과장	박권진 640			배종일 2201			노현탁 4201			
계	조사관리	조사	세원정보	납세자 보호실	부가 소득	재산 법인	납세자 보호	부가	소득	재산 법인
계장	이양원 641	정성수 651	윤종호 691	서한원 211	임승모 301	정성일 401	김현수 211	김강수 281	천병희 361	정종대 401
국세 조사관	임성민 642	임수봉 656 김정현 661 김경주 666 강현아 652 최연희 657	이창현 692	강성원 212		최연희 402 김영순 403	이용화 212	류성주 291 홍은영 282		김영자 481 백기호 482
	김문희 643 이상철 644	최원규 653 강중희 658 송창녕 662 이아름 663 이윤경 667	양윤성 693	한성주 213	김학수 302 강태민 305 문형일 303 이철 306	배숙희 404 하성철 450 이용욱 451	장영희 215	홍성표 214 김영목 512 이성창 292 이창훈 293 류성백 294 이성실 295	박용문 362	김혜정 402 정찬조 545
		명국빈 654 이호철 668		박유진 214	남상진 310 유영근 304 허미나 311	강성식 452	김주현 213	신솔지 283	이수연 363 형신애 364	이진우 403 박설화 404 이은행 483
				손수아 215	유상원 307		정찬우 214	안지섭 284 류은미 285 배지영 286 김상현 287	김경현 365	
관리 운영직 및 기타				김명엽						
FAX	720-0420			857-7707			760-4238			

여수세무서

대표전화: 061-6880-200 / DID: 061-6880-OOO

서장: **김 상 구**

DID: 061-6880-201

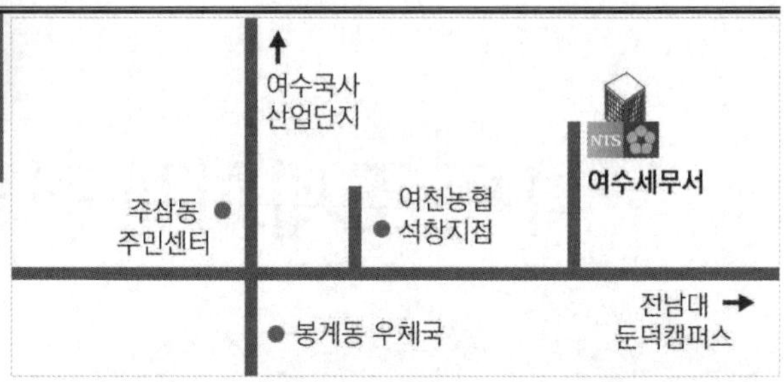

주소	전라남도 여수시 좌수영로 948-5 (봉계동 726-36) (우) 59631				
코드번호	417	**계좌번호**	920313	**사업자번호**	417-83-00012
관할구역	전라남도 여수시			**이메일**	yeosu@nts.go.kr

과	체납징세과			부가소득세과		
과장	노남종 240			김창현 280		
계	운영지원	체납추적	징세	부가1	부가2	소득
계장	공성원 241	이용철 511	이재운 261	박이진 281	오용호 301	허재옥 361
국세조사관		윤정필 512 노시열 513 오경태 514	정희경 262	박영수 282	이옥현 302 윤병준 303	김경주 213
	황숙자 244 이순민 245 김승수 242 김재찬 246	이성호 515 안민숙 516 홍미숙 517		최인효 288 이경환 283 신상덕 284	김미영 304 강혜정 305	주상욱 362 김종철 363 정현미 364 김상호 365 신수정 366
	이재아 243	김효정 518 우남준 519		최상영 285	이선민 306	김금영 367
			곽재원 263	김혜원 287 이민희 286	김강진 307 문한솔 308	조근비 368
관리운영직 및 기타	박누리 203 김유선 620					
FAX	688-0600	682-1649		682-2070		682-1652

과	재산법인세과		조사과			납세자보호담당관	
과장	이성필 400		정영곤 640			신명곤 410	
계	재산	법인	조사관리	조사	세원정보	납세자보호실	민원봉사실
계장	오창옥 481	박진갑 401	임향숙 651	이탁신 661	황인철 691	하상진 211	박행진 221
국세조사관	주재정 482 신찬호 483	정찬일 402	정성문 652	위석 671		박도영 212	진정 222 윤유선 223
	박문상 484 류숙현 485	차지연 403 박광천 404 이은진 405		박천주 662	정경식 692	강선대 213	주연봉 224
	강구남 486 백지원 487 박민 488	주송현 406	임정미 653	한용희 672			김은진 225
		박태준 407		강소영 663			박상민 226
관리운영직 및 기타							
FAX	682-1656		682-1653			682-1648	

해남세무서

대표전화: 061-5306-200 / DID: 061-5306-OOO

서장: **오 대 규**

DID: 061-5306-201

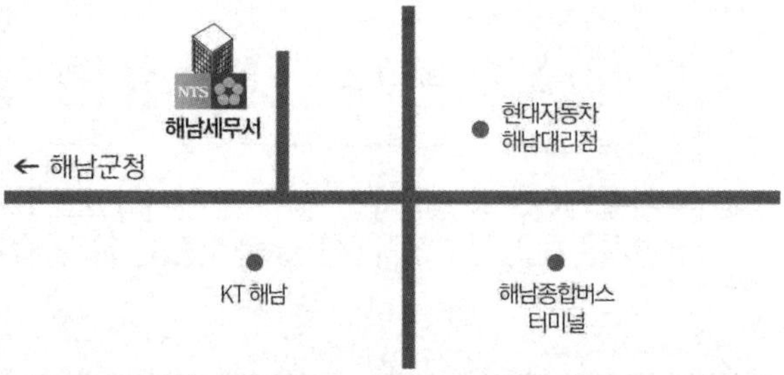

주소	전라남도 해남군 해남읍 중앙1로 18 (우) 59027 강진지서: 전남 강진군 강진읍 사의재길 1 (우) 59226 / 완도민원실: 전남 완도군 완도읍 중앙길 11, 4층 (우) 59123 / 진도민원실: 전남 진도군 진도읍 남문길 13, 2층 (우) 58922				
코드번호	415	계좌번호	050157	사업자번호	415-83-00302
관할구역	전라남도 해남군, 완도군, 진도군, 강진군, 장흥군			이메일	haenam@nts.go.kr

과	체납징세과			세원관리과		
과장	문미선 240			박정국 280		
계	운영지원	체납추적	조사	부가	소득	재산법인
계장	박병환 241	강석제 511	한영수 651	조경윤 281	이수창 361	이성용 401
국세조사관		배현옥 512 황득현 513	문형민 652	정성의 282	김수영 362	박경단 482 정형준 483
	김광현 242 박지연 243 문승식 245 유승철 246	강지만 514 이승준 515 손상필 516	전진철 653 김영보 654	이점희 283 박소영 284 김희관 285	김진영 363 손승재 364	유성진 402 남승원 484
			이승근 655	조현국 290 윤해진 286	김현철 365	김창훈 485 고재성 403 김세린 486
	허지혜 244	황선진 517		박희원 287		류지윤 404 송희진 405
관리운영직 및 기타	조희주 202 함용숙 200 서정애 200					
FAX	536-6249		536-6132	536-6131		534-3995

과	납세자보호담당관		강진지서	
과장	허남승 210		서옥기 201	
계	납세자보호실	민원봉사실	납세자보호팀	세원관리
계장		유준 221	김준수 210	이정훈 300
국세 조사관	김승진 211			고균석 481 남연규 511 정병철 401 정소영 321
		신덕수 222 오윤정 223	강석구 211	김진우 361 박민원 482 김경연 362 김우신 402 김재환 322
		박명식 552-2100		장형욱 512
		배정주 224 강희다 544-5997 안혜정 552-2100	강정님 212	조상진 323
관리 운영직 및 기타			마진우 213 윤길남 200	
FAX	534-3540	534-3541	433-0021	434-8214

군산세무서

대표전화: 063-4703-200 / DID:063-4703-OOO

서장: **김 태 성**
DID: 063-4703-201

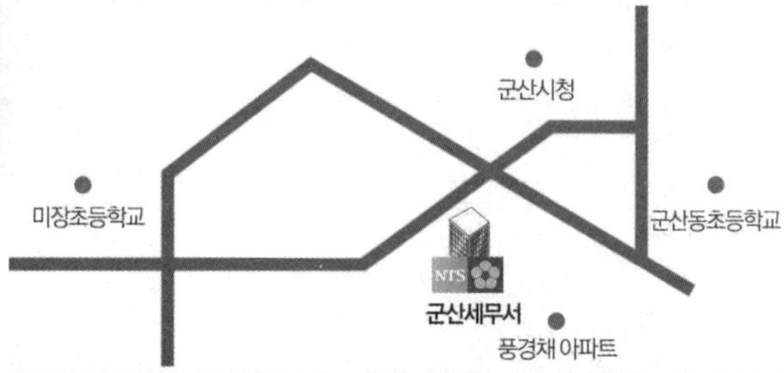

주소	전라북도 군산시 미장13길 49(미장동 525) (우) 54096				
코드번호	401	계좌번호	070399	사업자번호	401-83-00017
관할구역	전라북도 군산시			이메일	gunsan@nts.go.kr

과	체납징세과			부가소득세과		
과장	최홍신 240			백운영 280		
계	운영지원	체납추적	징세	부가1	부가2	소득
계장	이현주 241	이기웅 511	김성근 261	한권수 281	신규용 291	최미경 361
국세조사관		강원 512	공미자 262	노도영 282	채희영 292	이민호 362 박성란 363
	강석 242 전요찬 243 구판서 244 유행철 245	이승훈 513 박지명 514 문은수 515 소윤섭 516	정금자 263	박인숙 283 박효진 284 고의환 285 김은옥 286	백종준 293 박동진 294 황병준 295	조근호 507 최성관 364 김영철 365
	이보영 246	박선영 517 강수성 518 안정은 519		김중휘 287		허유경 366 장영주 367
				전지선 288 유정환 289	유재룡 296 홍서윤 297	임수현 368 문가나 369
관리운영직 및 기타	최지선 202 손미홍 이현주					
FAX	468-2100			467-2007		

과	재산법인납세과		조사과			납세자보호담당관	
과장	조혜영 400		이종운 640			한광인 210	
계	재산	법인	조사관리	조사	세원정보	납세자보호실	민원봉사실
계장	김동하 481	고진수 401	오기범 651	정용주 654	방성훈 691	정병관 211	김영관 221
국세조사관	김열호 482 이병재 483	전수현 402	이수현 652	박명원 657		정한길 212	최재일 222
	안형숙 484 이광열 485	이정애 403	배영태 653	장형준 655 강준천 658	노화정 692	황현주 213	이현임 223 문은희 224
	김지호 486 조성현 487	이다현 404 박미진 405		장현정 656 김보미 659			이경진 226 김남덕 225
	김미향 488	임아련 406 장준엽 407			문희원 693		김유진 226
관리운영직 및 기타							
FAX	470-3636		470-3344			470-3214	470-3441

남원세무서

대표전화: 063-6302-200 / DID: 063-6302-OOO

서장: **심 상 동**
DID: 063-6302-201

주소	전북 남원시 동림로 91-1(향교동) (남원시 향교동 232-31) (우) 55741				
코드번호	407	계좌번호	180616	사업자번호	407-83-00015
관할구역	전라북도 남원시, 순창군, 임실군, 장수군 일부			이메일	namwon@nts.go.kr

과	체납징세과			세원관리과	
과장	김행곤 240			김애숙 280	
계	운영지원	체납추적	조사	부가	소득
계장	손현태 241	송만수 511	양철민 651	이영태 281	박미선 361
국세조사관		김진수 512 양용환 513	최재섭 652	신동용 282	
	김철수 244 유훈식 242 강소정 243	김희진 514 박찬후 515 박란영 516	천우남 653	이근재 283 김용태 284	김광성 362 위광환 363
		안기웅 517	한은정 655 노유선 654 채숙경 656	최윤주 285 조은지 287 박재환 288 박정욱 286	
	윤영원 245				김재욱 364
관리운영직 및 기타	박소현 201 김봉임 모옥순				
FAX	632-7302			631-4254	

과	세원관리과		납세자보호담당관	
과장	김애숙 280		문경준 210	
계	재산·법인		납세자보호실	민원봉사실
계장	박숙희 401			백찬진 221
국세조사관	오선주 482		김창진 211	유영훈 222
	한연식 483 노성은 484 이성 485	곽민호 402 이춘형 403		안치영 223
				이경화 224 강선양 225
	조연종 486	이옥진 404 이다혜 405 김태화 406		
관리운영직 및 기타				
FAX	630-2419		635-6121	

북전주세무서

대표전화: 063-2491-200 / DID: 063-2491-OOO

서장: **정 경 철**
DID: 063-2491-201

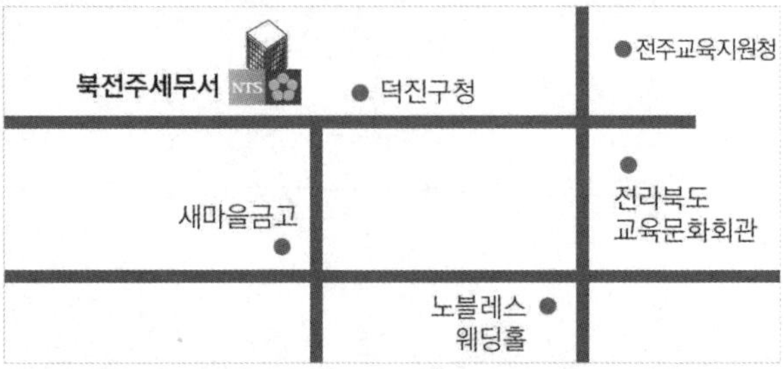

주소	전라북도 전주시 덕진구 벚꽃로 33 (우) 54937 진안지서 : 전북 진안군 진안읍 중앙로 45 (우) 55426				
코드번호	418	**계좌번호**	002862	**사업자번호**	402-83-05126
관할구역	전주시 덕진구, 진안군, 무주군, 장수군 중 일부			**이메일**	bukjeonju@nts.go.kr

과	체납징세과			부가소득세과			재산법인납세과	
과장	장상우 240			도예린 280			김병성 400	
계	운영지원	체납추적	징세	부가1	부가2	소득	재산	법인
계장	조형오 241	장현량 511	장미자 261	전동현 281	김영규 301	백인원 361	최남규 481	송방의 401
국세조사관			정숙자 262		노동호 302 김정원 311		박연 482	이동규 402
	이철호 242 이은경 243	최복례 512 문영준 513 최순희 514 유종선 515	안춘자 263	장완재 282 이훈 283 유지화 554 이현정 284 최재규 285 이두호 289	박종호 312 이수현 303 한성희 304	강인석 362 허경란 363 한숙희 364 허정순 365 이성식	이동영 492 박승훈 483 박성수 484	문정미 403 김희태 404
	이성준 244	이주은 516 임재성 517 김병주 518 유현수 519		서보경 286	이원교 305	남주희 366 김기동 367	장지안 485 고석중 486	진실화 405 이승훈 406
	김종인 245 최경배 246 조준철 247			민효정 287	박현진 306	임지훈 368 최진현 369 노명진 370	김은지 487	홍현지 407
관리운영직 및 기타	최지영 202 정금순 김상욱							
FAX	249-1680			249-1682			249-1681	249-1687

1등 조세회계 경제신문 조세일보

과	조사과			납세자보호담당관		진안지서 (430-5200)	
과장	윤영호 640			양천일 210		안선표 201	
계	조사관리	조사	세원정보	납세자보호실	민원봉사실	납세자보호실	세원관리
계장	소병인 641	한상민 651	홍기석 691	양정희 211	김복기 221	김선호 211	이정운 300
국세 조사관	이명준 642 강지선 648	유세용 661 허윤봉 671	류장훈 692 이광선 693	김은정 212	조미옥 222		한병민 302 박정재 511 백원철 501
		이영민 652 안호정 662 이승완 663 이종호 672		김병삼 213	김미라 223 최미란 224 임소미 222	김준석 212 김이영 214	정홍엽 502 김정은 301 손현주 304 김의철 512 박현수 401
		이윤정 653			한설희 박성주 225		이성은 303
					손정현 226	송송이 215	김세연 402 김귀종
관리 운영직 및 기타						<무주출장소> 김광희 322-2100 유영은 322-2100 정진미 322-2100 F) 322-2022	
FAX	249-1683			249-1684		433-5996	432-1225

익산세무서

대표전화: 063-8400-200 / DID: 063-8400-OOO

서장: **나 종 엽**
DID: 063-855-1211

주소	전라북도 익산시 익산대로52길 19 (남중동352-98) (우) 54619 김제지서 : 전라북도 김제시 신풍길 205 (신풍동 494-20) (우) 54407		
코드번호	403	**계좌번호**	070425
사업자번호	403-83-01083		
관할구역	전라북도 익산시, 김제시	**이메일**	iksan@nts.go.kr

과	체납징세과			부가소득세과			재산법인납세과	
과장	이민구 240			라용기 280			박영수 400	
계	운영지원	체납추적	징세	부가1	부가2	소득	재산	법인
계장	조준식 241	하태준 511	정준 261	김웅진 281	이사영 301	김승영 621	홍근기 481	최병하 401
국세조사관		서명권 512 진경숙 513 이명하 514	오은영 262	정균호 282	채수정 302 배기연 303	이현기 622	양성철 482	김명숙 402 이정수 403
	조용식 242 조영숙 243 황호혁 244	최영근 515	김애령 263	김은미 283 전봉철 284	금윤순 304 김복선 305 조홍수 306 정필경 307	이미선 623 김수경 624 김진철 625	오미경 483 채아름 484 허현 485	김효진 404 김새롬 405
	김태환 245	최지희 516		김민재 285 손세영 286 신지수 287 유항수 288	류지호 308	양영훈 626 오신영 627 박소미 628 이지희 629	문미나 486	심미선 406 박수진 407 홍윤기 408
	최정연 246	송진용 517 김찬미 518		이현주 289	조성우 309	반장윤 630 박효정 631		
관리운영직 및 기타	변영자 장정실							
FAX	851-0305			840-0447	840-0448		840-0549	

과	조사과			납세자보호담당관		김제지서		
과장	차현숙 640			장용희 210		고대식 201		
계	조사관리	조사	세원정보	납세자보호	민원봉사	납세자보호	부가소득	재산법인
계장	김덕수 641	정명수 651 이경섭 661 김삼원 671	박영민 691	이권명 211	김용례 221	이서재 210	박금규 280	김대원 400
국세조사관				이선경 212	박정아 222 양향열 223 소태섭 224		기승연 511	문교병 401
	이한일 642	이용출 652 강이슬 653 김민지 662 염보름 672	강태진 692	임완진 213	정진화 227 심재옥 225	김재영 221 김경희 222 이학승 224	윤성준 512 조성훈 281 오지숙 621 최지인 282 김유나 622	최칠성 481 유제석 402
	김현주 643	김해강 663 최연평 673	백연비 693				이정호 283	박태신 482 박지은 483 김성용 403
	심혜진 644				이세리 226	박가영 224 김광괄 223	이하은 623 최은비 284	
관리운영직 및 기타						송이순		
FAX	840-0509			851-3628		540-0202		

전주세무서

대표전화: 063-2500-200 / DID: 063-2500-OOO

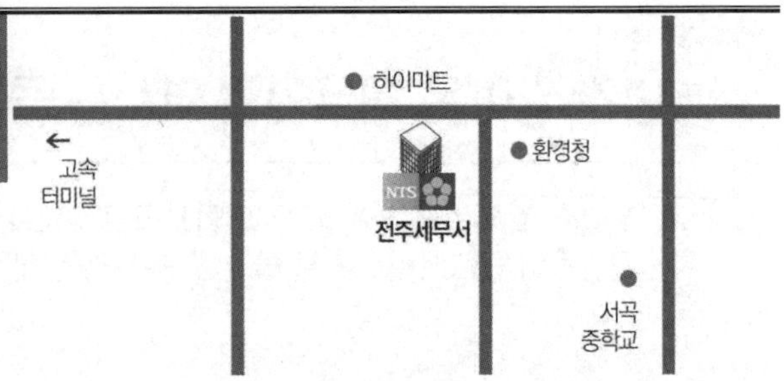

서장: **황 영 표**
DID: 063-2500-201

주소	전라북도 전주시 완산구 서곡로 95 (효자동3가 1406) (우) 54956				
코드번호	402	계좌번호	070438	사업자번호	418-83-00524
관할구역	전라북도 전주시 완산구, 완주군			이메일	jeonju@nts.go.kr

과	체납징세과			부가가치세과		소득세과	
과장	장영철 240			이승곤 280		양종명 360	
계	운영지원	체납추적	징세	부가1	부가2	소득1	소득2
계장	박윤규 241	백승학 511	유근순 261	김상욱 281	정수명 301	한재령 361	김춘배 621
국세조사관		김지홍 512 차상윤 513		김춘광 282 김준연 283	권도영 302 박인숙 303	정애리 362	윤석신 622 조기정 623
	박지원 242 권은경 243 김학수 244 정미정 245 박상종 425 권미자 620 김경환 425	이수복 514 류종규 515 조상미 516 김소영 517 정성택 518 문찬영 519 김용남 520	박봉근 262 김환옥 263	이정은 284 박종원 285 백종현 286 김중석 287	이상순 311 유현순 312 박환 304	허문옥 363 김선영 364 김주현 583 김재만 365 진동권 366	장현숙 624
	설진원 259	박정숙 521 한수경 522 성미경 523		강성희 582 소수혜 582 최현영 288 이기원 289 박소희 290	박수정 305 김희숙 306 김태준 307		민경훈 625 차영준 626
				김혜린 291 오유진 292	장용준 308 유민설 309 전유진 310	이청하 583 고준석 367 전이나 368	고유나 627 이승하 628
관리운영직 및 기타	정서연 421 이현정 421 정금태 421						
FAX	277-7708			277-7706		250-0449	250-0632

과	재산법인세과			조사과			납세자보호담당관	
과장	신진규 400			김진환 640			이상수 210	
계	재산1	재산2	법인	조사관리	조사	세원정보	납세자 보호실	민원실
계장	박성종 481	장해준 491	안윤섭 401	임기준 641	문동호 651	김대수 691	한재원 211	최원택 221
국세 조사관	김용수 482 조경제 483	이종현 492	구순옥 402	김은영 642	염대성 661 최지훈 662 이승일 671	이상두 692	이승용 212 손안상 213	배정훈 222 황성기 223
	백원길 484 배종진 485 김세웅 486 이채현 487	이주형 493 추명운 494	김회광 403 권은숙 404 서동진 405 소수현 406	진경준 643 이서진 644	김재실 652 오문탁 653 지승룡 672 손종현 673	정우성 693	방귀섭 214	김윤환 224 장현준 225 이선림 226
	이경선 488 김혜인 489 김지유 581	류필수 495	조길현 407 정우진 408 김예슬 409		안이슬 654 김학민 663		김용선 215	류아영 227 이소은 228 전주화 227
	최건희 490		최수연 410					나진주 229
관리 운영직 및 기타								
FAX	250-0505	250-7311		250-0649			275-2100	

정읍세무서

대표전화: 063-5301-200 / DID: 063-5301-OOO

서장: **최 영 철**
DID: 063-5301-201

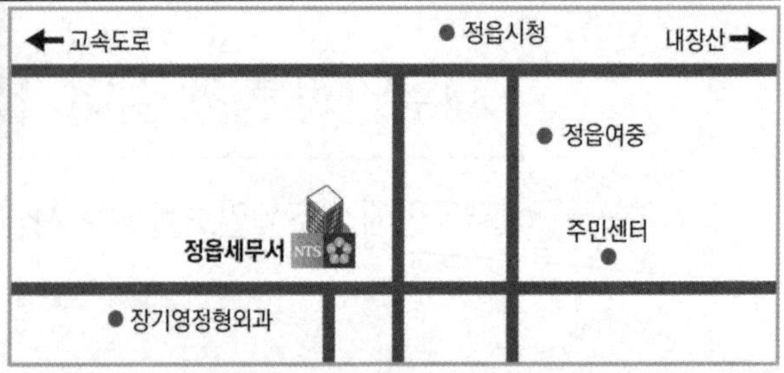

주소	전라북도 정읍시 중앙1길 93 (수성610) (우) 56163				
코드번호	404	계좌번호	070441	사업자번호	404-83-01465
관할구역	전라북도 정읍시, 고창군, 부안군			이메일	jeongeup@nts.go.kr

과	체납징세과			부가소득세과	
과장	백성기 240			박정식 280	
계	운영지원	체납추적	조사	부가	소득
계장	배삼동 241	나양선 511	김석춘 651	박정희 281	정종필 361
국세조사관		박성진 512	이재희 652	박정애 282 임양주 283	고선주 362
	서범석 242 박진규 243	김미진 513 정옥진 514	남덕현 653 김다혜 654	김수경 284 김덕진 285 양은진 286	이연희 363 최방석 364
	김종호 244	이승재 515 오한솔 516 이소영 517	김지민 655 최보영 656	양아름 287	박명철 365 유훈주 366
	박새얀 245	박태완 518		이윤선 288 박상우 289 채준석 290 이지연 291	박은지 367 임한솔 368
관리운영직 및 기타	나영희 202 김태춘 김영례				
FAX	533-9101		535-0040	535-0042	535-0041

1등 조세회계 경제신문 조세일보

과	재산법인세과		납세자보호담당관	
과장	김창연 400		강현주 210	
계	재산	법인	납세자보호실	민원봉사실
계장	이정길 481	이시형 401	김환국 211	서현순 221
국세 조사관	박경수 482	정병주 402		
	전수영 483 이숙경 484			박영석 222 김용범 223
	박지희 485 이호승 486	김현진 403 이재성 404	양정숙 212	
	김은솔 487 안소연 488	하주희 405 박정민 406		전찬희 224 김경은 225
관리 운영직 및 기타				
FAX	535-0043	535-6816	535-5109	530-1691

대구지방국세청 관할세무서

■	대구지방국세청	399
	지방국세청 국·과	400
[대구]	남대구 세무서	406
	동대구 세무서	408
	북대구 세무서	410
	서대구 세무서	412
	수 성 세무서	414
[경북]	경 산 세무서	416
	경 주 세무서[영천지서]	418
	구 미 세무서	420
	김 천 세무서	422
	상 주 세무서	424
	안 동 세무서[의성지서]	426
	영 덕 세무서[울진지서]	428
	영 주 세무서	430
	포 항 세무서[울릉지서]	432

대구지방국세청

주소	**대구광역시 달서구 화암로 301 (대곡동) (우) 42768**
대표전화	**053-661-7200**
코드번호	**500**
계좌번호	**040756**
사업자등록번호	**102-83-01647**
e-mail	**daegurto@nts.go.kr**

청장 조정목

(D) 053-6617-201

징세송무국장	**이동찬**	(D) 053-6617-500
성실납세지원국장	**김문희**	(D) 053-6617-400
조사1국장	**박수복**	(D) 053-6617-700
조사2국장	**고영일**	(D) 053-6617-900

대구지방국세청

대표전화: 053-6617-200 / DID: 053-6617-OOO

청장: **조 정 목**
DID: 053-6617-201

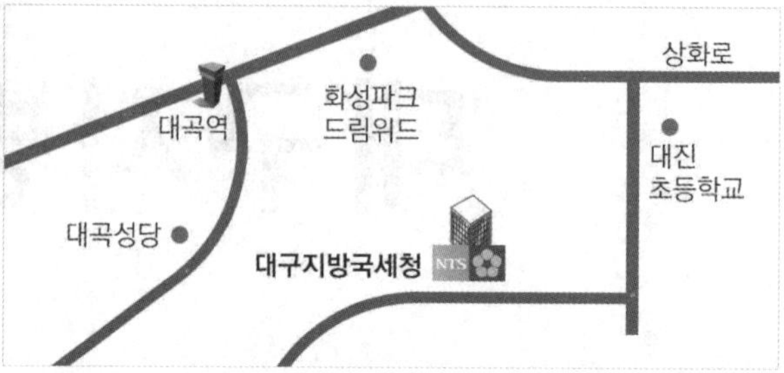

주소	대구광역시 달서구 화암로 301(대곡동) (우) 42768				
코드번호	500	계좌번호	040756	사업자번호	102-83-01647
관할구역	대구광역시, 경상북도			이메일	daegurto@nts.go.kr

과	운영지원과				감사관실		납세자보호담당관실	
과장	박수철 240				김부한(4) 300		이하철 330	
계	행정 252-8	인사 242-8	경리 262-7	현장소통 272-7	감사 302-8	감찰 312-9	납세자보호 332-5	심사 342-7
계장	조범제	성한기	김재섭	성낙진	이종우	김종근	장은경	이선영
국세조사관	최기영	배재홍	최남숙	정환동	문효상 김진건 명기룡	최지숙 김정환 박주현	김영인	한재진
	김경한 이상원 황길례 (기록)	김대훈 남동우 이경아	전영현 김주영	권순형 이영주	정성호 우영재 이승훈	황은영 김동욱 박윤형 정중현	박무성 조영태	서은혜 최재혁 박지연
	박수현 김우리	박재형 이수영	임정훈 권효은	유주상 김태희				김태형
관리운영직 및 기타	이가영(부) 150 백지혜(부) 155 조민국(사회복무) 268							
	행정팀: 김윤옥(교환실) 120 김성은(통신실) 110-1 백종열, 김정목, 권기봉(기사실) 122-5							
FAX	661-7052				661-7054		661-7055	

국실	징세송무국						성실납세지원국		
국장	이동찬 500						김문희 400		
과	징세과		송무과		체납추적과		부가가치세과		
과장	조승현(4) 501		임종철 521		은경례 541		이범락(4) 401		
계	징세 502-5	체납관리 512-5 141-6	송무1 522-8	송무2 532-6	추적1 542-7	추적2 552-5	부가1 402-7	부가2 412-6	소비세 422-7
계장	안병수	이경민	전익성	황병록	이미숙	김정철	이문태	권용덕	이상호
국세 조사관	이동곤		김종수 김부자	한주성	김인덕		이소영		
	이도경	강경미 엄경애 (콜센터) 박현하 (콜센터) (오후) 김정환 (콜센터) (오전)	김상우 정수호 최현주	최재화 변지흠	배익준 이성훈	김구하 안성엽	김규진	김재환 임정관	김도숙 황성만 최민석 정대석
	최기용	김재락 김대영 박자임 (콜센터)	박수정	김이레	김예빈 이태희	서소담	손윤령 채주희	유현숙 이상협	김경해
관리 운영직 및 기타	배금숙(부) 152						한은라(부) 151		
FAX	661-7060		661-7061		661-7062		661-7056		

DID : 053-6617-OOO

국실	성실납세지원국									
국장	김문희 400									
과	소득재산세과			법인세과			전산관리팀			
과장	이승괄 431			최원수 461			이강훈 621			
계	소득 432-6	재산 442-6	소득지원 452-5	법인1 462-8	법인2 472-6	법인3 482-5	관리1 622-6	관리2 632-8	센터1 642~659	센터2 662~678
계장	배세령	도해민	황재섭	권대훈	이영철	고재근	최상복	송재준	서계주	곽명숙
국세 조사관		권태혁			김지인		손동민 손윤숙 김연숙	박경미 정지양 (서비스) 전현정 (서비스) 서영지 (서비스)		김은진
	도인현 김효삼 김민정	곽민경 석종국 신아영	장현기 조은경	정성희 임치수 김완섭 신은정	손은숙 우승하	정승우 권현목	최은영	박경련 김미량 이은주 (서비스)	강지용 김수현	
	이혜란		정현민	김현섭 안우형	권순모	박성현 배진우			황주미	장현정 양혜진
										김윤호
관리 운영직 및 기타										
FAX	661-7057			661-7058			661-7059			

국실	조사1국							
국장	박수복 700							
과	조사관리과					조사1과		
과장	이동희(4) 701					윤재복 751		
계	제1조사관리 702-10	제2조사관리 712-6	제3조사관리 722-9	제4조사관리 732-6	제5조사관리 742-7	제1조사 752-5	제2조사 762-5	제3조사 772-5
계장	유종호	이명주	류재무	이정남	허재훈	유창석	이중구	조재일
국세 조사관		조혜경 이장환		이승명				
	정윤철 주명오 윤근희 박진희		김경훈 이준익 김득수 우상준	정은주	류상효 최윤영 김연희 권소연	김종훈 오세민 심재훈	김대업 이채윤 서상범	최인우 서민수
	배진희 김성호 신성용	윤태영 이호열	전혜진 이현영 정현준	김혁동 김진영	김재홍	이충호		권순홍
관리 운영직 및 기타	성주연(부) 153					정소영 756		
FAX	661-7063					661-7065		

DID : 053-6617-OOO

국실	조사1국			조사2국		
국장	박수복 700			고영일 900		
과	조사2과			조사관리과		
과장	이훈희 801			김진업(4) 901		
계	제1조사 802-5	제2조사 812-5	제3조사 822-4	제1조사관리 902-5	제2조사관리 912-6	제3조사관리 922-7
계장	이민우	김혁준	이재혁	송명철	손정완	김봉승
국세 조사관	김정석				김성제	
	최영윤 장해탁	김미애 박영호 하헌욱	황왕규	최종운 황보정여 민갑승	민은연 김민호	이홍규 오춘식 송시운
			김도연 박소정		하승범	박선혜 이진욱
관리 운영직 및 기타	서지나 806			김현숙(부) 154 김애영 906		
FAX	661-7066			661-7067		

1등 조세회계 경제신문 조세일보

국실	조사2국					
국장	고영일 900					
과	조사1과			조사2과		
과장	장원국 931			한채모 961		
계	제1조사 932-5	제2조사 942-5	제3조사 952-4	제1조사 962-5	제2조사 972-4	제3조사 982-4
계장	김명경	서지훈	정규삼	한청희	이현수	김진환
국세 조사관						
	이기동 김지윤	권갑선 박종원	우병재	김희정 박순출	배민경 손정훈	구근량 배건한
	정휘언	배재현	김소희	서동원	정다운	
관리 운영직 및 기타	김현정 936					
FAX	661-7068			661-7069		

남대구세무서

대표전화: 053-6590-200 / DID: 053-6590-OOO

서장: **김 상 현**

DID: 053-6590-201

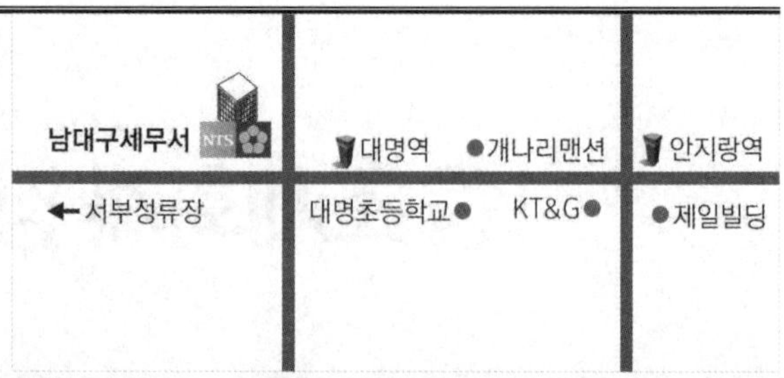

주소	대구광역시 남구 대명로 55 (대명10동1593-20) (우) 42479				
코드번호	514	**계좌번호**	040730	**사업자번호**	410-83-02945
관할구역	대구광역시 남구, 달서구 중(월성동, 대천동, 월암동, 상인동, 도원동, 진천동, 대곡동, 유천동, 송현동, 본동), 달성군			**이메일**	namdaegu@nts.go.kr

과	체납징세과				부가가치세과장			소득세과장		
과장	신용석 240				이창민 280			강정석 360		
계	운영지원	체납추적 1	체납추적 2	징세	부가1	부가2	부가3	소득1	소득2	소득3
계장	김병석 241	박동호 441	김이원 461	이성효 261	장철 281	하철수 301	정이천 (전산) 321	신석주 381	김경자 621	하원근 361
국세조사관		김영섭 442 김영숙 (오전) 443	이동준 462 김명규 463 이완식 464 손예정 465			이경희 302	이상걸 322 김하영 323	이제욱 382	이창근 622	여제현 362 손민지 363
	양미례 242 박수선 (사무) 243 민재영 (방호) 246 최태용 (열관리) 245	백경엽 444 강정화 445 강승묵 446		조은영 263 최춘자 (사무) 264	김상무 282 이명수 283 윤희범 284 김효경 285 김송연 286 서미정 (오후)	정현규 303 도명선 304	이민지 324 천정희 325	조수길 383 장형순 384	정동철 623 김광현 624 장근철 (오전)	장명진 363 정형태 364
	김덕환 247	조화영 447 장한슬 448 서현지 449	윤강로 466		구광모 287 박은영 288	박현정 305 장진욱 306 김수경 307	박준욱 295 권민규 326	이예지 385		김미연 (휴직)
	이범철 (운전) 248 장정혜 (수습)		김송원 467 노현진 468 문혜령 469	박해정 264	이현탁 289 김호경 290	성도현 308 하상우 309	박효임 327 김성민 328 허성혁 329	오영빈 386 송주현 387	김혜림 625 안재근 626	박현주 366 이보람 367
관리운영직 및 기타	이숙희 (교환) 200 차은실 (부속) 202									
FAX	627-0157	625-9726			627-7164			627-5281		

과	재산세과		법인세과		조사과			납세자보호담당관	
과장	오재환 480		변호춘 400		서명숙 640			김기형 210	
계	재산1	재산2	법인1	법인2	조사관리	조사	세원정보	납세자보호실	민원봉사실
계장	김종욱 481	박서규 501	이대희 401	김황 421	소현철 641		강전일 691	김화영 211	전미자 221
국세조사관	박찬노 482 정재기 483 조현덕 484	박정길 502	배한국 402 김혜진 403	이준건 422 황수진 423		1팀 오재길(6) 651 김상온(8) 652 옥수진(8) 653 2팀 신상우(6) 654 신재은(7) 655 임효신(8) 656		김동환 212	이희영 222 김현두 (달성민원) 617-2100
	이재욱 485 이미남 486 강은진 487	이백춘 503 박근윤 504 이한샘 505	김동훈 404 이슬 405	정승우 424 유수현 425 김성식 426	이동균 642 양철승 643	3팀 김진한(6) 657 이선영(7) 658 김민수(8) 659			황영숙 (달성민원) 617-2116 백종민 223 이선이 224 김서희 (오전) 225
	박원돈 488 신우용 489 박고은 (오후)	최재우 506	배태호 406		홍현정 644	4팀 김태겸(6) 660 김민주(7) 661 이영수(9) 662 5팀 정창근(6) 663 김인자(7) 664 허정미(9) 665	황석현 692	김혜정 213 장희정 214 이순임 215	신진우 226 이주안 227
	채미연 490	신지연 507	박기호 407	권현지 427		6팀 김종현(7) 666 박종연(7) 667 안지민(9) 668			추영언 228
관리운영직 및 기타									
FAX	626-3742		627-0262		627-0261			627-2100	622-7635

동대구세무서

대표전화: 053-7490-200 / DID: 053-7490-OOO

서장: **김 만 헌**
DID: 053-7490-201

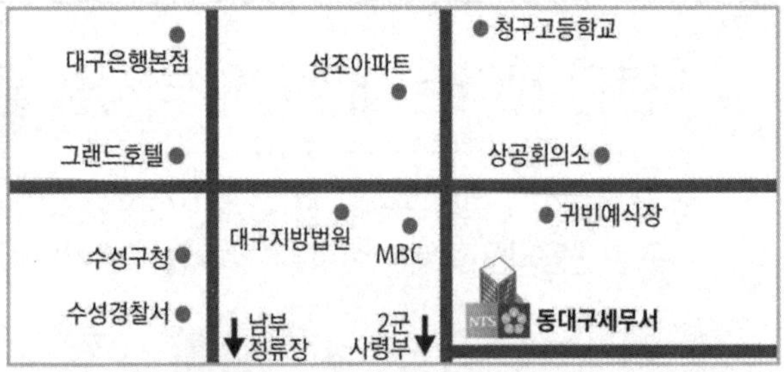

주소	대구광역시 동구 국채보상로 895 (우) 41253				
코드번호	502	계좌번호	040769	사업자번호	410-83-02945
관할구역	대구광역시 동구			이메일	dongdaegu@nts.go.kr

과	체납징세과			부가가치세과		소득세과	
과장	최지안 240			김석수 280		김희진 360	
계	운영지원	체납추적	징세	부가 1	부가 2	소득 1	소득 2
계장	박형우 241	이용균 441	장광범 261	이재근 281	박재진 301	남정근 361	한용섭 381
국세 조사관	오향아 242	박환협 442 이금순 443 장수정 445		길성구 282	김성수 302	이도영 362	
	양희정 243 김상균 245	이춘복 446 김상분 447 서은호 448	송혜정 262	이은정 283 박현주 배경순	이선미 303 진민혜 304	박현경 363 오승훈 364	정미연 386 여창숙 383 김경현 384
	최현희 244	이대호 449	최은영(오전) 268 김현희	이현정 284 정쌍화(오전) 313 정인회	최지은 305	박춘영	조정혜(오전) 373
	강홍일 246 박판식 247 김진규 248		노한가람 263	박윤정 287 안진우 286	노동영 306 정혜원 307	김동현 365	하은석 385
관리 운영직 및 기타	김은정(비서) 202 김승희(교환) 542	김보성(공익) 최계옥(환경) 박준수(공익) 김정란(환경)					
FAX	756-8837			754-0392		756-8106	

과	재산법인세과		조사과			납세자보호담당관	
과장	정상암 400		김영중 640			권용우 210	
계	재산	법인	조사관리	조사	세원정보	납세자보호실	민원봉사실
계장	정창수 481	조철호 401	정현조 641		서영교 691	최정미 211	전상련 221
국세조사관	신윤숙(오후) 안영길	정재현 402	전영호 642	1팀 김규수 656 권순식 657 복현경 658		박정성 212 김광렬 213	황일성 222 이경옥(오후)
	김태호 484 김현정 485 이근애 483 박정화 486	김미현 403 하경숙 404	전종경 643	2팀 강덕우 651 성옥희 652 신지애 653		정경미	김태우 223
	황준순 488	박수범 405		3팀 정호용 654 김재민 655	박미정 692		조라경 224 김남연 227 서혜경(임기제) 228
	김병준 487	박정희 406 강은비 407					김정훈 225
관리 운영직 및 기타							
FAX	744-5088	756-8104	742-7504			756-8111	

북대구세무서

대표전화: 053-3504-200/ DID: 053-3504-OOO

서장: **백 종 찬**
DID: 053-3504-201

주소	대구광역시 북구 원대로 118 (침산동) (우) 41590				
코드번호	504	계좌번호	040772	사업자번호	410-83-02945
관할구역	대구광역시 북구, 중구			이메일	bukdaegu@nts.go.kr

과	체납징세과				부가가치세과			소득세과		
과장	엄기범				석용길			김경식		
계	운영지원	체납추적1	체납추적2	징세	부가1	부가2	부가3	소득1	소득2	소득3
계장	윤희진	고기태	장진식	김제대	김근우	홍동훈	박병권	유병성	박규철	황윤수
국세 조사관	최성실	신동식 이원 석수현 윤원정	신근수 변재완 이동호 전규태	이기연	고재봉	허두열 남상호	임창수 정현중 임주환	황성진	이선희	고성렬
	이형준 김태환 (운전) 백효정 (사무)	성준범	배현숙 노은미	배소영 박동열	엄유섭 윤석천 김정국 이정영 (오전) 조준환 김병모	송재민 추시은 장창호 신미영	박미주 강인순	신정연	박남진	김정옥 강형규
	남지원 여소정	김혜영 (오전) 손준표 권은진		남미숙	손소희	김나영	도성희 이치욱	강현구 최미나 이동민 (오전)	정중수	
	이창현 (공업) 김윤수 (방호)	조윤정	백지혜		김진경 김영미	조성민 조재범 변민정	김완태 백종헌	윤중호	김현주 최도영	박시현
관리 운영직 및 기타	이은지(비서) 202 박복수(환경) 최명자(환경) 오현경(환경)									
FAX	354-4190			354-4190	356-2557	신고지원: 354-4075		355-2105		

과	재산세과		법인세과		조사과			납세자보호담당관	
과장	박상호		조재원		백종규			신영진	
계	재산1	재산2	법인1	법인2	조사관리	조사	세원정보	납세자 보호실	민원 봉사실
계장	이명희	조래성	배대근	김창구	권성구		이유조	이해은	양필희
국세 조사관	김영화	정재호 이종현	강대호		문창규	1팀 김진숙(6) 허성길(7) 이나영(8) 2팀 이원희(6) 백유정(7) 주홍준(9)		정영진	송기익
	이경향 (오후) 배영옥 손세규 안지연	윤일식	정소영 김선영 최지영	박양규 김민철 서상순	황성희	3팀 장종철(6) 이기철(7) 하수진(8) 4팀 김현수(6) 정현정(8) 배혜진(8)	성현성		김은주 임수경 김동원 최은선 김상조
	채명신 김종한 임향원 (오전)		김병욱	윤지연	김수진	5팀 유현종(6) 도선정(7) 이지민(8)		김소연 윤성욱 최혜경 (오전) 고병열 (오후)	김아영 권민정
		심소윤	이혜영	정은진		6팀 김성대(6) 김진희(7)			
관리 운영직 및 기타						7팀 이춘희(6) 정현모(7) 이보라(8)			
FAX	356- 2556		356- 2030		357- 4415	351-4434		356-2016	358-3963 356-2009

서대구세무서

대표전화: 053-6591-200 / DID: 053-6591-OOO

서장: **남 영 안**
DID: 053-6591-201

주소	대구광역시 달서구 당산로38길 33 (두류동) (우) 42645				
코드번호	503	**계좌번호**	040798	**사업자번호**	410-83-02945
관할구역	대구광역시 서구 전체, 경상북도 고령군 전체, 대구광역시 달서구 갈산동, 감삼동, 두류동, 본리동, 성당동, 신당동, 용산동, 이곡동, 장기동, 장동, 죽전동, 호산동, 파호동, 호림동			**이메일**	seodaegu@nts.go.kr

과	체납징세과				부가가치세과			소득세과		
과장	김성협 240				박현신 280			이영길 360		
계	운영지원	체납추적1	체납추적2	징세	부가1	부가2	부가3	소득1	소득2	소득3
계장	차종언 241	이광희 441	최보학 461	박진선 261	정재용 281	김홍태 301	김상희 321	이정식 361	김상태 381	박상열 621
국세 조사관		이동민 442 강태윤 443	권성우 462 이정선 463	이종숙 262 이덕원 263	김준우 282	정현종 302	전현진 322 박명우 323	이정노 362	조호연 382	마명희 622
	공성웅 242	김영희 448 김순희 444 최혜영 445 구혜림 446	김주원 464 김미재 465 정운월 466	김순자 264	배영환 283 김민주 284 나현숙 285 손춘희 289	손경수 303 박영주 304 이연숙 305	이효진 324 안미경 325	김경택 363 김애진 364	전은미 383	이영애 623
	류성주 (운전) 247 유보아 243 이안섭 (열관리) 248	김현숙 447	오현직 467		최선희 286	이재홍 306 이주석 307 김현주 (오후) 314 정유나 308	윤태희 326 이경준 329	오형주 365	최유진 384 이동하 385	배은경 624 황선정 (오전) 389
	최현석 (방호) 249 도민지 244 전지영 245		손명주 468		김재연 287 양서안 288	정미금 (오전) 314 박정현 309	성완유 327 조남철 328	진미란 366	최은애 (오후) 389 엄수민 385	김세온 625 이승휘 626
관리 운영직 및 기타	석미애 (비서) 202 최지연 (교환) 200 이성숙 오미숙 박옥연									
FAX	627- 6121				622-4278, 653-2515			629-3642		

1등 조세회계 경제신문 조세일보

과	재산법인세과				조사과			납세자보호담당관	
과장	윤혁진 400				오주석 640			황동율 210	
계	재산1	재산2	법인1	법인2	조사관리	조사	세원정보	납세자 보호실	민원 봉사실
계장	곽봉화 481	김진도 501	신경우 401	오찬현 421	김순석 641		이동우 691	김은희 211	김태룡 221
국세 조사관	백미주 482	정영일 502	김태영 402	추은경 422	김명진 642	1팀 임병주(6) 651 김용한(6) 652 유미나(8) 653		조남규 212 김재국 (오전) 213	
	이은영 483 오주경 484 김지숙 (오전) 492 김석호 485 구병모 (오후) 492 정진웅 486	강대일 503 김미현 504 박홍수 505	이규태 403 고영석 404	신정석 423 정순재 424 김지연 425	이은영 643	2팀 박민호(6) 654 정영주(7) 655 김혜진(8) 656 3팀 배창식(6) 657 이종휘(8) 658 김다미(9) 659	김형욱 692	이미영 214	장연숙 222 김연희 223 권현주 224 김혜영 225
			하영미 405		임중균 644	4팀 류재현(6) 671 이경숙(7) 672			김선미 (오후) 우병호 226
	김선경 487		송민준 406	이연경 426		5팀 유병길(6) 674 허성은(8) 675 임성훈(8) 676			이진규 (오후) 배정인 227 이도현 228 이수경 229
관리 운영직 및 기타									
FAX	624-6003, 629-3643				629-3373, 624-6002			627-5761 625-2103	

수성세무서

대표전화: 053-7496-200 / DID: 053-7496-OOO

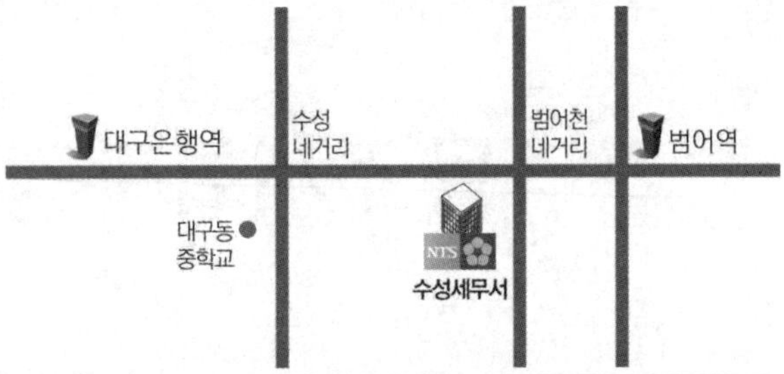

서장: **정 규 호**

DID: 053-7496-201~2

주소	대구광역시 수성구 달구벌대로 2362 (수성동3가5-1) (우) 42115				
코드번호	516	계좌번호	026181	사업자번호	
관할구역	대구광역시 수성구			이메일	suseong@nts.go.kr

과	체납징세과			부가가치세과		소득세과	
과장	박원서 240			김기무 280		김윤용 360	
계	운영지원	체납추적	징세	부가1	부가2	소득1	소득2
계장	이병주 241	구종식 441	이원상 261	정인현 281	정재성 301	이성환 361	박영진 381
국세조사관		박연수 442 이해봉 443 김재윤 444 이지안 445 김삼규 446	백경은(오전) 262	박정환 282	최점식(소비) 306	김광석 362 박정수 363	전승조 382 강성훈 383
국세조사관	유영숙 243 최진 242 도세영(사무) 244 김경림 245	조준서 447	김정숙 263	이재복 283	변영철 302 이동규 303 정수현 304	권혁도 364 서대영(오전) 272 장외자 365 최선근 366	손인권 384 이혜경 385 안성덕 386
국세조사관	최용훈 246	이승준 448	임준 264	김도유 284 박석흠 285 이지연(오전) 271	임종호 305	김여경 367	이준식 367
국세조사관	이형욱(운전) 247 장수연 248	김세현 449 최혜원 450		이윤정 286 송인준(수습)	김유진 307		최수정 388 배민정 389
관리운영직 및 기타	김채율(비서) 202 권모순(환경) 김봉애(환경) 윤현재(공익)						
FAX	7496-602 7496-623(체납)			7496-603		7496-604	

과	재산법인세과			조사과			납세자보호담당관	
과장	백희태 400			박유열 640			김석주 210	
계	재산1	재산2	법인	조사관리	조사	세원정보	납세자보호실	민원봉사실
계장	정문제 501	채성운 541	김도광 401	진준식 641		김종인 691	임채현 211	정경일 221
국세 조사관	임상진 502	조수양 542 정호태 543	박근열 402		1팀 임용규(6) 651 권영대(6,파견) 신영준(7) 652 박지민(8) 653		이승환 212	이재경 222 우명주(오전) 223 권영숙(오후) 224
	이승은 503 정호선 504 김자헌 505 주우성 506	황순영 544	윤성아 403 이병영 404 김수민 405		2팀 김현수(6) 654 이정호(7)(파견) 하효준(8) 655 박주언(9) 656			
	이재락 507	정지환 545		백승훈 642 이향옥 643	3팀 남상헌(7) 657 윤상아(9) 658	양준호 692	강덕주 213	배유리 225
	정학기 508 이선영 509		김정미 406 김영엽 407					박민정 226 여정현 227
관리 운영직 및 기타							국세신고안내센터 271~4	
FAX	7496-605			7496-606			납세자보호실 7496-607 민원실 7496-608 민원인팩스 7496-670 국세신고안내센터 7496-609	

경산세무서

대표전화: 053-8193-200 / DID: 054-8193-OOO

서장: **서 영 윤**
DID: 053-8193-201

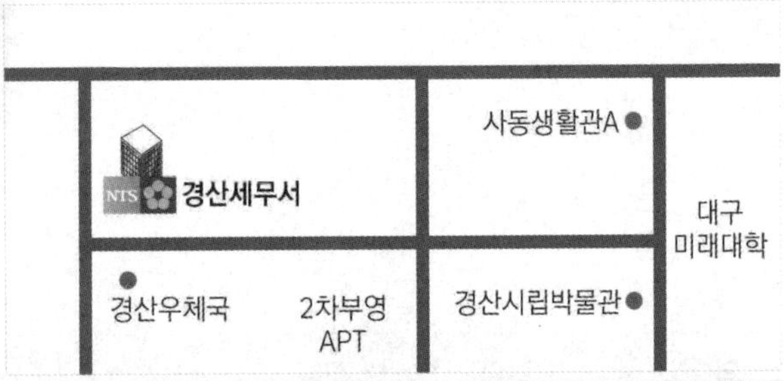

주소	경상북도 경산시 박물관로 3 (사동 633-2) (우) 38583				
코드번호	515	**계좌번호**	042330	**사업자번호**	410-83-02945
관할구역	경상북도 경산시, 청도군			**이메일**	gyeongsan@nts.go.kr

과	체납징세과			부가소득세과	
과장	최병달 240			안동상 280	
계	운영지원	체납추적	징세	부가	소득
계장	장현미 241	신옥희 441	한교정 261	여동구 281	이영조 301
국세조사관	장경희 242	이정희 442		김정섭 282 김훈 294	장현우 302
	김홍경 243 박명익(사무) 247	김병욱 443 황보웅 444 이재원 445 신승현 446	박지연 262	천해자 (고지숙 311) 장훈 283 이승엽 284 이유진 285 김영하 286	김상철 303 안미숙 이경옥 304 조현준 305 박해영 306
	배시환(운전) 248		구수목 263	윤상환 287 천혜정	
	염길선(방호) 245	박주현 447		서용준 288 김규식 289 손은식 290 장호우 291	김상운 307 권동민 308
관리운영직 및 기타	배가야(비서) 202 신영미(행정) 244 임수연(교환) 523 김중남(미화) 강순열(미화) 우창연(공익) 이웅희(공익)			안내 311	
FAX	811-8307	802-8300	811-8307	802-8303	

과	재산법인세과		조사과			납세자보호담당관	
과장	윤윤오 400		김성열 620			황하늘 210	
계	재산	법인	조사관리	조사	세원정보	납세자보호실	민원봉사실
계장	오재억 481	김영도 401	연상훈 621		배우철 661	김호원 211	임한경 221
국세조사관	이호 482 김진도 483	김태형 402	박승용 622	1팀 김상균(6) 631 윤종훈(7) 632 박재규(8) 633			윤호현 2100 이영우 222
	박정길 484 (최유일 493)	이연경 403 이지영 404	김보정 623	2팀 정이열(6) 634 우제경(7) 635		최장규 212	
	전수진 485 노종영 486	김은경 405 손태우 406		3팀 정효근(6) 636 장희준(7) 637 김지향(8) 638	이창구 662		박금옥 224
	정종권 487 김년성(수습)	배수민 407 김길영 408					박가람 225
관리운영직 및 기타	안내 493						
FAX	802-8305	802-8304	802-8306			802-8301	802-8302

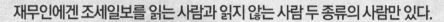

경주세무서

대표전화: 054-7791-200/ DID: 054-7791-OOO

서장: **전 정 일**

DID: 054-7791-201

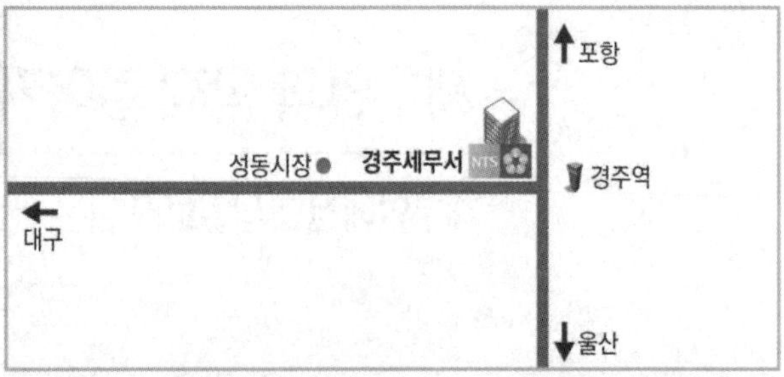

주소	경상북도 경주시 원화로 335 (성동동180-4) (우) 38138 영천지서: 경상북도 영천시 강변로 12 (성내동 230) (우) 38841 (영천지서 대표전화:054-330-9200)			
코드번호	505	**계좌번호** 170176	**사업자번호**	410-83-02945
관할구역	경상북도 경주시, 영천시		**이메일**	gyeongju@nts.go.kr

과	체납징세과			부가소득세과			재산법인세과	
과장	김자영 240			홍경란 280			최종기 400	
계	운영지원	체납추적	징세	부가1	부가2	소득	재산	법인
계장	이길석 241	김춘만 441	양정화 261	이춘우 281	김성희 301	이동일 361	김현숙 481	전갑수 401
국세 조사관		조석보(퇴) 송기삼 442 하태운 443 이광재 444		정대섭 282				이형우 402
	박경남 242 김병훈 243 이재경 244 설진우 611	류기환 445 박노진 446	최윤형 262	이동욱 283 김윤경 288	김형국 302 오규열 303 나상일(오전) 311 김영훈 304	이인원 362 은종온(오후) 311 공윤미 363 정주영 364	우형수 482 이상건 483 최정혜(오전) 491 이강석 484 박서형 485	전창훈 403 전승현 404
		김재현 447	임지원 263	류승윤 284	박시현 305	임재학 365		정유철 405 배리라 406
	이승훈 245 유재현 246	안초희 448 임완수 449		홍은지 285 김혜리 286 나지윤 287	정지헌 306	김애진 366 권은경 367	박청진 486 양예주 487	채민화 407 김혜지 408
관리 운영직 및 기타	정미애(교환) 523 한휘(부속실) 202 전명선(환경) 최정화(환경) 고영호 (사회복무) 이도현 (사회복무)							김혜지(수습)
FAX	743-4408	742-2002		749-0917, 0918			749-0913	745-5000

과	조사과			납세자보호담당관		영천지서			
과장	최은호 640			김기훈 210		이동훈 201			
계	조사관리팀	조사팀	세원정보팀	납세자보호실	민원봉사실	체납추적	납세자보호실	부가소득	재산법인
계장	이창규 641		이재훈 691	김현철 211	이유상 221	이원복 261		김영주 231	장시원 241
국세조사관	구정숙 642 황지영 643	1팀 김용민 651 박상곤 652			류희열 222				정경남(재) 245
		2팀 윤판호 653 황지영 654 3팀 김성균 655 강한솔 656		이승재 212	김정희 223	김상범 262	이승아 251	이현수(부) 232 박자윤(시) 236 김경희(부) 233 박재찬(소) 237 석진안(소) 238 이미선(소) 239	이승택(법) 242
		4팀 한창수 657	배윤제 692			최경화 263			강동호(재) 246 손신혜(재) 247 서장은(법) 243 김지수(법) 244
	임지은 644	예동희 658		김종석 213	이은진 224 조언혜 225		김정영 252 정연훈 253	조민제(부) 234 이시형(부) 235	
관리운영직 및 기타						조우영 (부속실) 202 임부돌 (환경)			최숙희 (사무) 250 이시형 (수습)
FAX	771-9402			773-9605	749-9206	338-5100	333-3943	338-5100	331-0910

구미세무서

대표전화: 054-4684-200 / DID: 054-4684-OOO

서장: **이 영 철**
DID: 054-4684-201~2

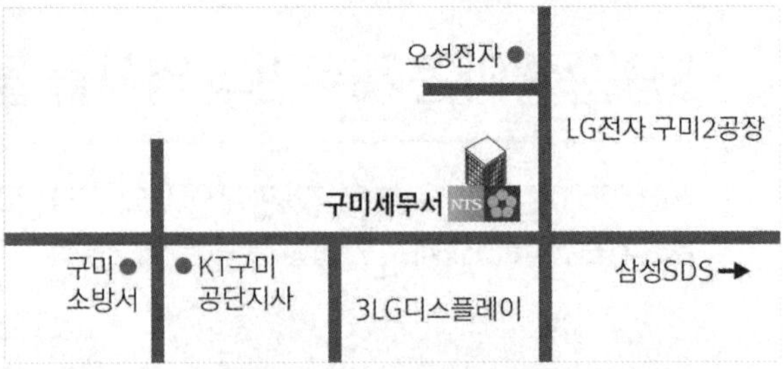

주소	경상북도 구미시 수출대로 179 (공단동) (우) 39269 선산민원실: 경상북도 구미시 선산읍 선산중앙로 83-2 (우) 39119 칠곡민원실: 경상북도 칠곡군 왜관읍 공단로1길 7 (우) 39909				
코드번호	513	**계좌번호**	905244	**사업자번호**	410-83-02945
관할구역	경상북도 구미시, 칠곡군			**이메일**	gumi@nts.go.kr

과	체납징세과				부가가치세과		소득세과	
과장	김춘경 240				손준호 280		황지원(元) 360	
계	운영지원	체납추적1	체납추적2	징세	부가1	부가2	소득1	소득2
계장	이성환(桓) 241	강상주 441	이희걸 461	강하연 261	민태규 281	이동훈 301	정석철 361	김정열 381
국세조사관		윤종현 442			박기호(소비) 293	김창환 302 김병훈 303	황윤식 362	박기탁 382
	박진영 242 김안나 245	김선영 443 김경동 444 서정은 445	이경순 463 박정용 464 남영호 465	강미진 262	김진우 282 박규진 283 고광현 284 이상희 285 강용수 286	이광민 304 이미선 305 김신규 306	김용기 363	곽철규 383 윤미은(사무) 389 양세영 384
	이찬우 243 서이현 244 (전산실 258)	최윤영 446	문호영 466	박선희 (시간제오전) 263	안수진 287 강미화 288 빈승주 289 이유지 290	신혜경 307 이은정 308 이민해 309	도연정 364 최용훈 365	김민준 385
	김은석(방호) 446	정은영 447 윤웅희 448	홍경표 467 김동범 468	성종호 265	도이광 291 이예슬 292 송효주 293	이병욱 310 남정민 311	박민주 366 김세철 367 복소정 368	강덕훈 386 오은비 387 장인영 388
관리운영직 및 기타	김미숙(비서) 202 박지숙(교환) 205 전필숙(환경) 최말숙(환경) 김광호(공익) 이찬석(공익) 현관안내 612 구내식당 204			수납 265	통합신고센터 318 전자신고창구 671, 687		통합신고센터 375	
FAX	464-0537				461-4057		461-4666	

과	재산법인세과				조사과			납세자보호담당관	
과장	이광무 400				김성진 640			변월수 210	
계	재산1	재산2	법인1	법인2	조사관리	조사	세원정보	납세자 보호실	민원봉사실
계장	변정안 481	천상수 501	김창신 401	전근 421	이현종 641		김준식 691	나효훈 211	노진철 221
국세 조사관	이재현 482 성영순 483	김경남 502	이상헌 402 이선호 403	김익태 422 이성환(煥) 423		1팀 김승년(6) 651 조명석(7) 652 강지현(8) 653		시진기 212	
	장병호 484	김민창 503 한성욱 504	서경영 404 정경희 405	심상운 424	김상헌 642 김종민 643	2팀 김민국(6) 654 이상훈(7) 655 안진희(7) 656	김세권 692	서영국 213	이희옥 222 조미경 223 김선중 224 정민주(칠곡)
	김상희 485 최주영 486	송성근 505		정해진 425		3팀 조용길(6) 657 김경수(7) 658 황지성(7) 659			전양호 225 신주영 226 황지원(湲) (임기제) 227
	이지영 487		함희원 406 우상훈 407	천민근 426	황지원(援) 644	4팀 김태운(7) 660 김영은(7) 661 장성주(8) 662			주현정(칠곡) (시간제오후)
관리 운영직 및 기타	통합신고센터 494								
FAX	461-4665				461-4144			463-5000	민원 463-2100 선산 481-1708 칠곡 972-4037

김천세무서

대표전화: 054-4203-200 / DID: 054-4203-OOO

서장: **조 성 래**
DID: 054-4203-201

주소	경상북도 김천시 평화길 128 (평화동) (우) 39610 성주민원실: 경북 성주군 성주읍3길 57 (예산리 334-1) (우) 40026				
코드번호	510	**계좌번호**	905257	**사업자번호**	410-83-02945
관할구역	경상북도 김천시, 성주군			**이메일**	gimcheon@nts.go.kr

과	체납징세과			세원관리과	
과장	김사성 240			박경춘 280	
계	운영지원	체납추적	조사	부가	소득
계장	민택기 241	김준연 441	최상규 651	장재형 281	최재영 361
국세조사관		유세은 442	정석호 652 하성호 653	이윤태(소비) 292 안진용 282	
	김명국 242	오호석 443 정동준 444 박미숙(징세) 263 마성혜(징세) 262	이주형 654	장철현 283 박선옥 284 방미주 285 유병모 286	박세일 362 김정수 363
	권희정 243	이영지 445 이선정 446	노은진 655	김도훈(반일) 287	김남희 364 김정협 365
	서석태(방호) 246 손동진(운전) 247			김하나 288	진언지 366
관리운영직 및 기타	강미정(교환) 244 김순열(환경) 245 전상미(비서) 202 신동엽(사회복무) 신경열(식당) 665			2층민원창구 670 3층신고창구 681	
FAX	430-6605	433-6608		430-8764	

과	세원관리과		납세자보호담당관	
과장	박경춘 280		전찬범 210	
계	재산법인팀		납세자보호실	민원봉사실
	재산	법인		
계장	정성민 481			권호경 221
국세조사관	김혜경 482	최승필 402	임광혁 211	
	이창한 483 김정숙 484	최수진 403 전성우 404 전지희 405		백성철 222 안정환(성주)
	김태완 485	김지민 406		김소연 223
관리운영직 및 기타				
FAX	430-8763		432-2100	432-6604 933-2006(성주)

상주세무서

대표전화: 054-5300-200 / DID: 054-5300-OOO

서장: **정 부 용**

DID: 054-5300-201

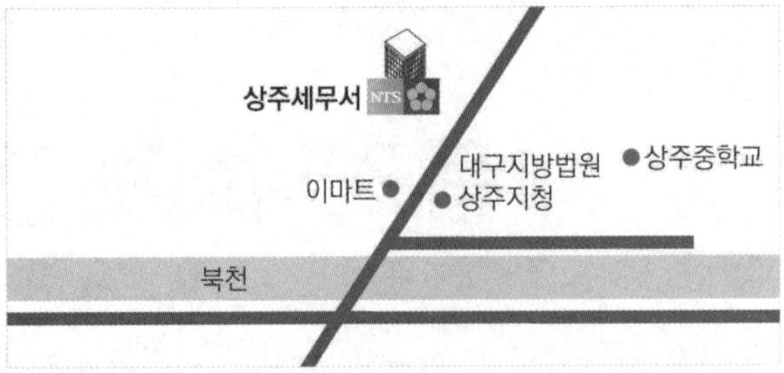

주소	경상북도 상주시 경상대로 3173-11 (만산동) (우) 37161 문경민원실: 문경시 당교로 225(모전동) 문경 시청내 문경지역민원봉사실 (우) 36982				
코드번호	511	**계좌번호**	905260	**사업자번호**	410-83-02945
관할구역	경상북도 상주시, 문경시			**이메일**	sangju@nts.go.kr

과	체납징세과			세원관리과	
과장	이광오 240			김광래 280	
계	운영지원	체납추적	조사	부가	소득
계장	박성학 241	박재갑 441	김두곤 651	이인수 281	김성우 361
국세조사관		정환주 442	박만용 652	신건묵(시간제) 287	조원영 362
	이선육 242 김강인(시간제) 244 김인 243	이수미(징세) 261 김성순 443	최우영 653	김영아 282 이정훈(소비) 291 이인우 283 이승엽 284	문지현 363 이주미 364
	최화성(방호) 245	강진영 444 우용민 445	양지혜 654 이인호 655		
	권익찬(운전) 246			손가영 286 권재영 287	
관리 운영직 및 기타	김채현(비서) 202 임남숙(환경) 695 석진훈(공익) 247				
FAX	534-9026		534-9025	535-1454	534-8024

과	세원관리과		납세자보호담당관	
과장	김광래 280		박정숙 210	
계	재산법인		납세자보호실	민원봉사실
	재산	법인		
계장	박성규 401			곽춘희 221
국세 조사관	김철연 482	이석진 402 조강호 403	이순기 211	안홍서 222
		강성철 404		박금희 223 구태훈(문경) 553-9100
	이상민 483	권승비 405		김난주(문경, 반일) 552-9100
	김세훈 484 임지현 485			문지윤(문경, 반일) 552-9100
관리 운영직 및 기타				
FAX	530-0234	535-1454	534-9017	536-0400 문경 553-9102

안동세무서

대표전화: 054-8510-200 / DID: 054-8510-OOO

서장: **권 영 명**
DID: 054-8510-201

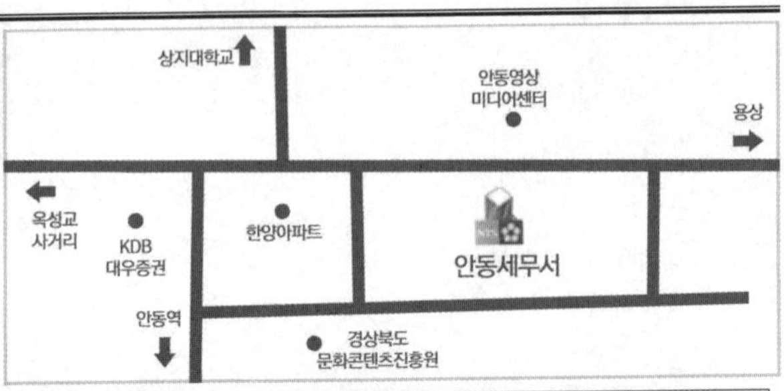

주소	경상북도 안동시 서동문로 208 (우) 36702 의성지서: 경북 의성군 의성읍 후죽5길 27 (우) 37337				
코드번호	508	계좌번호	910365	사업자번호	410-83-02945
관할구역	경상북도 안동시, 영양군, 청송군, 의성군, 군위군			이메일	andong@nts.go.kr

과	체납징세과			세원관리과	
과장	이영규 240			신유환 280	
계	운영지원	체납추적	조사	부가	소득
계장	허노환 241	배석관 441	이재성 651	김동찬 281	박병희 361
국세조사관		김진모(징세) 261 송영진 442	우정호 652	박철순 282	권오규 362
	이미자 242 이문한(운전) 244 강순원(방호) 245	노현정(징세) 262 하경섭 443	남효주 653 정지원 654	안수경 283 김진희 284 유혜진 285	유성춘 363
	김연희 243	임희인 444	이현정 655 박상혁 656	최재광 290	
		권수현 445 이기훈 446		김주완 286 강승훈 287 김소정 288 유재랑 289 변정연 291	유효진 364 박주성 365 김상근 366
관리운영직 및 기타	권영란(비서) 202 양미경(교환) 246 박말남(환경) 송금란(환경)				
FAX	859-6177	852-9992	857-8411	857-8412	857-8414

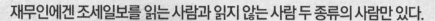

과	세원관리과		납세자보호담당관		의성지서		
과장	신유환 280		송재천 210		이상경 601		
계	재산법인팀		납세자보호실	민원봉사실	납세자보호	부가소득	재산법인
	재산	법인					
계장	배동노 401, 481			김수정 221	서정우 210	배웅준 300	김동춘 400
국세조사관	이범구 482	정용구 402	이기동 211	남해용(시간) 224 김찬태 222	김영만 군위) 382-2103 FAX) 383-3110	김중영(소득) 301 손증렬(부가) 302 백유기(체납) 303 조한규(부가) 304	권혁규(재산) 401 박문수(법인) 471
	성원용 483 조세흠 484	황상준 403 조순행 404	권영한 212			김은경(소득) 305 배건한(부가)	임채홍(법인) 472
	이호인 487 조현진 485	김태헌 405		김윤정(임기) 225		이윤주(시간)(체납) 307 이창우(부가) 306	소충섭(재산) 402
	장진영(수습) 486			김지은 223	이현란(시간) 212 임진환(방호) 211		
관리운영직 및 기타				진보민원실 873-2100 fax) 873-2101	황말선(환경)		
FAX	857-8413	857-8415	852-7995	859-0919	832-2123	832-9477	832-7334

영덕세무서

대표전화: 054-7302-200 / DID: 054-7302-OOO

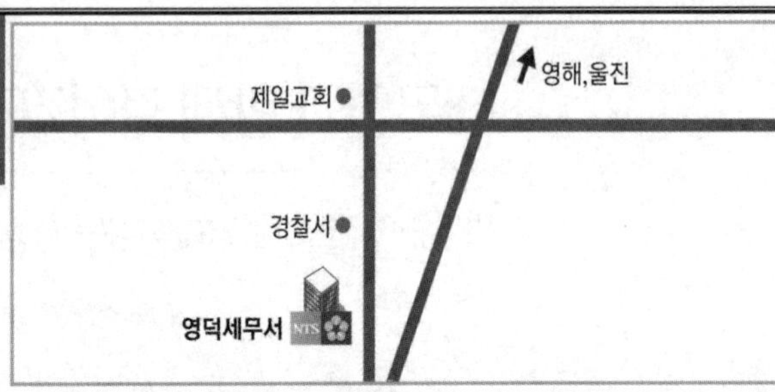

서장: **유 영**
DID: 054-7302-201

주소	경상북도 영덕군 영덕읍 영덕로 35-11(남산리61-1) (우) 36441 울진지서: 울진군 울진읍 월변2길 48 (읍내리 346-2) (우) 36326				
코드번호	507	**계좌번호**	170189	**사업자번호**	410-83-02945
관할구역	경상북도 영덕군, 울진군			**이메일**	yeongdeok1@nts.go.kr

과	체납징세과			세원관리과	
과장	이동범 240			이원우 280	
계	운영지원	체납추적	조사	부가소득	
계장	한종관 241	금경래 441	권준혁 651	조금옥 281	
국세 조사관	이건옥 242	이경철(체납) 442			
	최미애 243 박만기(운전) 244	이순남(징세) 262	박지철 652	김관태 282	조윤주 284 김재형 285
	박영우(방호) 245	한상국(체납) 443	허소영 653		
		김찬희(체납) 444		배서현 283	
관리 운영직 및 기타	전은현(비서) 202 용경희(교환) 246 김경미(환경) 246				
FAX	730-2504		730-2695	730-2314	

1등 조세회계 경제신문 조세일보

과	세원관리과		납세자보호담당관		울진지서	
과장	이원우 280		김성종 210		김종석 101	
계	재산법인		납세자보호실	민원봉사실	납세자보호실	세원관리
계장	최준호 401				강정호120	김병철 140
국세조사관	김하수 482	양병열 402				박상희(재) 161
			마일명 212			이승모(부) 141 여세영(소) 151 이광용(법) 171
				이광정(임기제) 221	이보영 123	김병수(재) 162
	이성한 483			안소형 222	변명미(시간제) 121	이종민(법) 172 전호종(부) 142
관리운영직 및 기타					장명자(사무) 122 홍춘자(환경) 122	
FAX	730-2314		730-2625 민원인용 734-2323		780-5181	780-5182 780-5183

영주세무서

대표전화: 054-6395-200 / DID: 054-6395-OOO

서장: **윤 재 갑**
DID: 054-6395-201

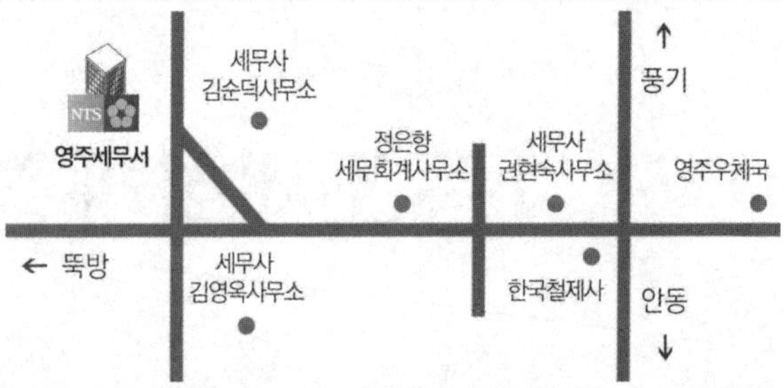

주소	경상북도 영주시 중앙로 15(가흥동 2-15) (우) 36099 예천민원실: 경북 예천군 예천읍 충효로 111(대심리 353) (우) 36826 봉화민원실: 경북 봉화군 봉화읍 봉화로 1111(내성리) 봉화군청 민원실내 (우) 36239				
코드번호	512	**계좌번호**	910378	**사업자번호**	410-83-02945
관할구역	경상북도 영주시, 봉화군, 예천군			**이메일**	yeongju@nts.go.kr

과	체납징세과			세원관리과	
과장	박규동 240			김일우 280	
계	운영지원	체납추적	조사	부가	소득
계장	송윤선	권오형	김시근	엄세영	권상빈
국세조사관		이내길 김성하	박성욱	임종철 김태훈 김미경	김용석
	권은순 우운하 권일홍(방호)	김영남(사무)	이복남 전상주 고인수	김옥자 김순남	이대영 김화숙
	이준석(운전)	김수정	김동준	최미란 김종혁	
		이지현 김천섭		김좌근 채만식	최승훈
관리운영직 및 기타	박성희(비서) 202 김수진(사무) 246 고순섭(환경) 246			부가.소득 통합안내창구: 620	
FAX	633-0954			635-5214	

과	세원관리과		납세자보호담당관	
과장	김일우 280		임재규 210	
계	재산·법인		납세자보호실	민원봉사실
계장	오조섭			옥승
국세조사관	안재훈 장덕진	장혁민	금대호	
	장현주	김현욱 김종택		우희정(사무) 최은숙 김인경(예천) 654-2100
	전우정 김혜림(오전)			
		김지현		조경숙(시간제)(봉화) 673-2100
관리운영직 및 기타				
FAX	635-5214		634-2111 예천 : 654-0954 봉화 : 674-0954	

포항세무서

대표전화: 054-2452-200 / DID: 054-2452-OOO

서장: **공 창 석**
DID: 054-2452-201

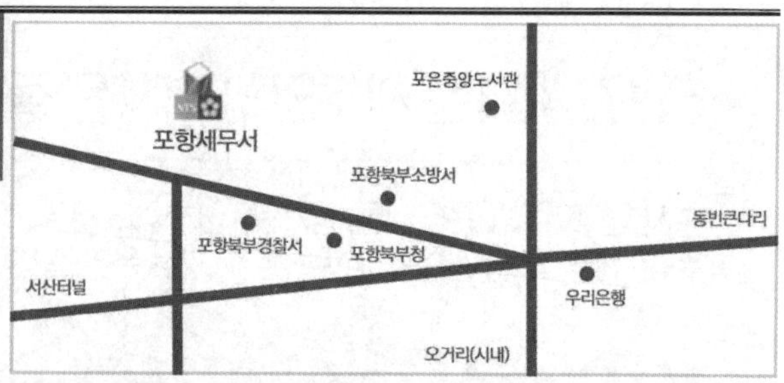

주소	경상북도 포항시 북구 중앙로 346 (덕수동46-1) (우) 37727 울릉지서: 경북 울릉군 울릉읍 도동2길 76(도동266) (우) 40221 오천민원실: 경상북도 포항시 남구 오천읍 세계길5 (오천읍주민센터 별관) (우) 37912				
코드번호	506	**계좌번호**	170192	**사업자번호**	410-83-02945
관할구역	경상북도 포항시, 울릉군			**이메일**	pohang@nts.go.kr

과	체납징세과				부가가치세과		소득세과	
과장	이재영 240				이충형 280		김복성 360	
계	운영지원	체납추적1	체납추적2	징세	부가1	부가2	소득1	소득2
계장	김영기 241	이종국 441	문성찬 461	박종욱 261	김용제 281	김동환 301	우병옥 361	이춘희 381
국세조사관		배형수 442	박현주 462	박기영 262	이규활 282	채충우 302	배재호 362	김태성 382 이정국 383
	정연옥 242 최병구 243 조병래(운전) 611	박점숙 443 박필규 444 김강훈 445 이상욱 446	남옥희 463 전윤현 464 이원형 465		김봉수 283 김월하 284 천기문 285 서은우 286 이은호 287 김은윤 288 김지웅 289	이원명 303 박종국 304 하지민 305 김민식 306 엄준호 307	최재협 363 김형준 364 유승헌 365 권경희(사무) 369	우인호 384 김도형 385 박준영 386
		김형준 447 김주원 448	정혜진 466	김명선 263	정은정 290 이미선 291 오미선(오전) 314	정성윤 308 김성홍 309	박귀영 366	
	김태훈 244 장준환(공업) 245			손근희 264		김은영 310 이정임 311	이근혁 367 백지원 368	이승익 387
관리 운영직 및 기타	김정근(교환) 200 김정아(비서) 202 안금숙 524 백순옥 524 김형찬(공익) 조익수(공익)				민원 314		민원 315	
FAX	248-4040	241-0900			249-2665		246-9013	

과	재산법인세과				조사과			납세자보호담당관		울릉지서
과장	이동원 400				김두현 640			최현민 210		조현진
계	재산1	재산2	법인1	법인2	조사관리	조사	세원정보	납세자보호실	민원봉사실	세원관리
계장	박원열 481	김장수 501	박경호 401	이병희 421	이향석 641		이창수 691	김재연 211	문성연 221	손삼락 8582-602
국세조사관		박상국 502 정수연 503	이상훈 402 이동희 403	이주형 422		1팀 이주환(6) 652 고순태(6) 653 손태욱(8) 654 정정하(8) 655			임유선 222	김옥현 8582-606 신연숙 8582-603
	김 미 482 신대환 483 강수련 484 김재미 485 추혜진 486		손동우 404		서우형 642 이은희 643 김상련 644	2팀 유성만(6) 656 장창걸(8) 657 박미희(8) 658	이성호 692	류승우 212	박주연(오전) 231 송인순 223 이도현 224	박용우 8582-604 이창관(방호) 8582-605
	양유나 487		임경희 405 최경미 406	권지숙 423		3팀 최경애(6) 659 최병준(8) 660 홍준혁(9) 661		강주원 213	김윤우 225	
	오정훈 488	장유민 504 장은영 505		배재호 424 고기석 425		4팀 이종훈(6) 662 김현진(7) 663 이영재(8) 664			이아름(오후) 231 박승호 226	
관리운영직 및 기타	민원 492									이명자
FAX	249-2549, 242-9434				241-3886			248-2100		791-4250

부산지방국세청 관할세무서

■ 부산지방국세청 435

지방국세청 국·과 436

[부산] 금 정 세무서 444

동 래 세무서 446

부산진 세무서 448

북부산 세무서 450

서부산 세무서 452

수 영 세무서 454

중부산 세무서 456

해운대 세무서 458

[울산] 동울산 세무서 460

울 산 세무서 462

[경남] 거 창 세무서 464

김 해 세무서[밀양지서] 466

마 산 세무서 468

양 산 세무서 470

진 주 세무서[하동지서, 사천지서] 472

창 원 세무서 474

통 영 세무서[거제지서] 476

[제주] 제 주 세무서 478

부산지방국세청

주소	부산광역시 연제구 연제로 12 (연산2동 1557번지) (우) 47605
대표전화 & 팩스	051-750-7200 / 051-759-8400
코드번호	600
계좌번호	030517
사업자등록번호	607-83-04737
e-mail	busanrto@nts.go.kr

청장 임성빈

(D) 051-750-7200

비 서 관 이호상 051-750-7205

징세송무국장	**공석**	(D) 051-750-7500
성실납세지원국장	**이경열**	(D) 051-750-7370
조사1국장	**공석**	(D) 051-750-7630
조사2국장	**박해영**	(D) 051-750-7800

부산지방국세청

대표전화: 051-7507-200 / DID: 051-7507-OOO

청장: **임 성 빈**
DID: 051-7507-200

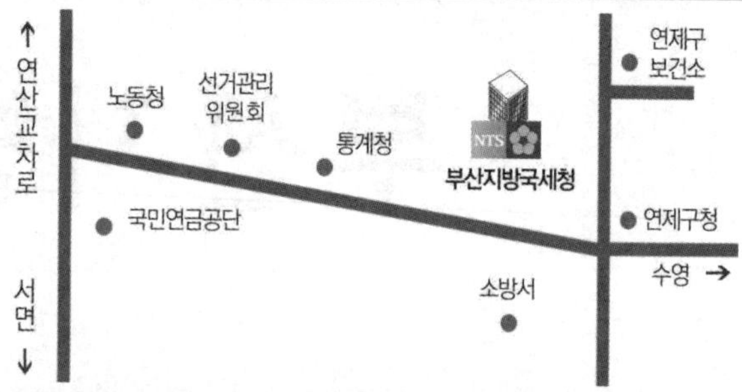

주소	부산광역시 연제구 연제로 12 (연산2동 1557) (우) 47605 별관: 부산광역시 연제구 토곡로 20 (연산동) (우) 47586								
코드번호	600	계좌번호	030517		사업자번호	607-83-04737			
관할구역	부산광역시, 울산광역시, 경상남도, 제주도				이메일	busanrto@nts.go.kr			

과	운영지원과				감사과		납세자보호		
과장	손해수 240				유병철 300		공석 330		
계	행정	인사	경리	현장소통	감사	감찰	납세자보호1	납세자보호2	심사
계장	신관호 252	송진호 242	김종웅 262	윤남식 272	성병규 302	감경탁 322	정도식 332	김서영 342	최강식 352
국세조사관	차상진 253 이혁섭 254	김일한 243 임정섭 244 황정민 245	김형래 263	노영일 273	한상수 303 이동혁 304 김경태 305 김호 306 박정하 307	임정환 323 김무열 324 김형걸 325 이종건 326 최윤겸 327	이지하 333 박은주 334	김기중 343 김지현 344	제상훈 353 이준우 354 김대희 355 김문정 356
	정성만 255 정은영 256 강지연 258 김묘연 200 손성자 200 금도훈 611 박두제 625 금병호 628	허태민 246 이강식 247 이성재 248	박미연 264 손석민 265 임영섭 269	이민희 274 하서연 275 심영주 276	이혜정 308 김성철 309 이주영 310 서현주 311	허성은 328 원성택 329 김현성 320 변민석 321		문서연 345 이용정 346	황동일 7357 정유영 7358
	조강훈 257 백영규 259 김남희 260 서종율 184 김동신 627 김종월 629 김철 627 이도경 620	허유정 249 최수현 250	박경희 266 김지은 267 박지우 268	이재식 277 안지연 278			주보은 335 박재우 336		김민재 7359
관리운영직 및 기타									
FAX	3116-9001	711-6446	711-6455	711-6427	758-2747	754-8481	711-6456		751-4617

1등 조세회계 경제신문 조세일보

국	징세송무국 051-7507-OOO										
국장	공석 500										
과	징세과			송무과					체납추적과		
과장	신영재 501			지임구 521					천용욱 551		
계	징세	체납관리		총괄	법인	개인1	개인2	상증	추적1	추적2	추적3
계장	황순민 502	주종기 512		김경필 522	정승환 526	이재춘 532	전지용 536	정창원 542	박기식 552	시현기 562	권민정 572
국세 조사관	류용운 503 이동준 504	임종진 513 정수진 514	임동욱 191	김주완 523	배영호 527 이진 528	김민수 533		황민주 543 최진호 544	진유신 553 이미주 554	김경무 563 방유진 564	장원대 573
	이은정 505	우성현 515 김고은 516 김성진 517	노근석 192 강정연 196 김도연 194 정영호 195	송미정 524	오쇄행 529 고명순 530	권지은 534	지만 538 배달환 539	정재효 545	김성준 555	오정임 565 허준영 566	박수경 574 임경주 575
	김시현 506 이한빈 507		심서현 193 김동욱 197	조태성 525		최창호 535					조선영 576
관리 운영직 및 기타											
FAX	758- 2746										

국	성실납세지원국 051-7507-OOO									
국장	이경열 370									
과	부가가치세과			소득재산세과			법인세과			
과장	표진숙 371			배창경 401			손병환 431			
계	부가1	부가2	소비세	소득	재산	소득지원	법인1	법인2	법인3	법인4
계장	김창수 372	황진하 382	조성용 392	심정미 402	이상명 412	조성훈 422	이석중 432	최만석 442	정준기 452	임주경 462
국세조사관	김태우 373	봉지영 383	김봉진 393	신정곤 403	허남현 413 김준평 414	지연주 423	이동욱 433 안수만 434	홍민표 443	김태은 453 한창용 454	이진경 463
	최연덕 374 김동일 375 안창현 376	장덕희 384 장두진 386	김방민 395 박정의 396 김영숙 397	윤달영 404 김보석 405	장재윤 415 배재연 416	박성민 424	배진만 435 이현동 436 최우영 437 김영경 438	백신기 444 유홍주 445 박미영 446	유지현 455 김민석 456	조현 464 정원대 465
	설전 377 하이레 378	곽상은 387 김경숙 388	김진홍 398 김슬지 399	하원경 406 제홍주 407	권성준 417	최윤미 425	김유리 439 최정훈 440	이해웅 447 김혜진 448	김태호 457	
관리운영직 및 기타										
FAX	711-6451			711-6461			711-6432			

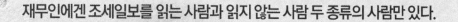

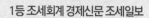

국	성실납세지원국 051-7507-OOO				
국장	이경열 370				
과	전산관리과				
과장	허종 471				
계	전산1	전산2	정보화센터1	정보화센터2	정보화센터3
계장	정학식 472	박상구 482	김영주 102	한희석 132	제일한 162
국세조사관	문승구 473 남창현 474	이한준 483 이동면 486 최윤실 484	장석문 103		
	김현진 475 주지홍 476 이영신 477	김경선 487 김지현 488			
		정미리 485 정전화 489	김록수 105 김희경 113	최정운 133 송창훈 138	김지현 163 이혜란 167
			배미애 114 허윤진 106 류미경 109 김애란 112 박선애 111 정정희 110 석이선 107 장은경 108 이복재 104	김영미 144 예성미 139 장인숙 134 조외숙 142 임태순 143 이정애 140 임미선 136 김정남 135 최진민 141 이진경 137	염환이 174 송영아 165 허수정 173 손명숙 168 최진숙 164 이주연 169 정의지 171 김은주 172 김소연 170 김외숙 166
관리운영직 및 기타					
FAX	711-6457		711-6592	711-6590	711-6597

국	조사1국 051-7507-OOO										
국장	공석 630										
과	조사관리과						조사1과				
과장	이민수 631						정영배 711				
계	관리1	관리2	관리3	관리4	관리5	관리6	조사1	조사2	조사3	조사4	조사5
계장	박민기 632	최진혁 652	김형기 662	차무환 672	김창일 682	백종복 702	권상수 712	손완수 717	곽한식 722	심희정 726	성인섭 730
국세 조사관	이종호 633 박주현 634 이상운 641 정석우 642	최세영 653 구수연 654 박시윤 655	현경민 663	김평섭 673 여지은 674 김병찬 677	우미라 683 김재중 684 김동우 685	김환중 703 김용태 704	박미회 713	송창희 718	박웅종 723	정성훈 727	이상훈 731
	김형수 635 이나영 636 류혜미 637 강기모 643	조재승 656 정창재 657	이영주 664 김정주 665 정민경 666 김상현 667	김이규 675 이주경 676 이은주 678	정해영 686 김영진 687 정경미 688	서재은 705 박상용 706 성환석 707	김종헌 714 김경화 715	황재민 719 이재영 720	임창섭 724	최병철 728	박재철 732
	추종완 638 김혜진 639 박장훈 640 서보연 644			김형섭 679 홍민지 780	김수창 689 최신애 690	신수미 708 김봉준	서기원 716	손다영 721	박준현 725	민병려 729	신혜진 733
관리 운영직 및 기타											
FAX	711- 6442			711- 6429	711- 6433		711-6454				

국실	조사1국 051-7507-OOO									
국장	공석 630									
과	조사2과					조사3과				
과장	김종진 741					임경택 771				
계	조사1	조사2	조사3	조사4	조사5	조사1	조사2	조사3	조사4	조사5
계장	백선기 742	박혜경 747	윤종식 752	한현국 756	김홍기 760	이동규 772	김지훈 777	조형주 781	강경보 785	신세용 792
국세 조사관	서정균 743	심우용 748	강선미 753	홍윤종 757	전성화 761	윤영근 773	김형훈 778	손석주 782	이현희 786	김명렬 793
	유영진 744 최해성 745	이용진 749 정원석 750	허영수 754	하은미 758	강성민 762	김태훈 774 김종길 775	강보경 779	김지윤 783	한동훈 787	신연정 794 김세진 795
	이지은 746	최지영 751	김성진 755	윤홍규 759	김형종 763	이진화 776	김태근 780	안재원 784	조정목 788	김홍석 796
관리 운영직 및 기타										
FAX	711-6435					0503-116-9019				

국실	조사2국 051-7507-OOO								
국장	박해영 800								
과	조사관리과						조사1과		
과장	이용규 801						김선미 861		
계	관리1	관리2	관리3	관리4	관리5	관리6	조사1	조사2	조사3
계장	이창렬 802	안광원 812	곽귀명 822	이웅진 832	이상헌 842	정상봉 852	조현진 862	홍석주 866	유승명 872
국세 조사관	정승우 803 하지경 804	김재열 813 박지혜 814	하복수 823	강은아 833 박영곤 834	강동희 843 배영애 844	김헌국 853	김병삼 863	김익상 867	주광수 873
	김도영 805	조희정 815	이지민 824 남경호 825 이보은 826 신민혜 827	한석복 835 최숙경 836	이성재 845 김일권 846 박지훈 847 정수연 848	남성식 854 김정호 855	김진석 864	강정환 868	강회영 874
	권오신 806 하승민 807		이상묵 828	서자원 837 이선규	조영일 849		송민정 865	박재희 869	이정화 875
관리 운영직 및 기타									
FAX	711- 6443						711- 6462		

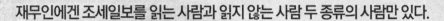

국	조사2국 051-7507-OOO						
국장	박해영 800						
과	조사2과			조사3과			
과장	정규진 881			주맹식 901			
계	조사1	조사2	조사3	조사1	조사2	조사3	조사4
계장	이강욱 882	현은식 886	구경식 892	김봉수 902	서재균 906	유성욱 912	양순관 916
국세 조사관	조경배 883	박선영 887	김도연 893	김난희 903	정회영 907	노운성 913	최명길 917
	박성훈 884	강민규 888	김미아 894	김지훈 904 유상선 905	김재준 908	서효진 914	김태정 918
	박진영 885	임득균 889	이규형 895	최인실 910	우윤중 909	최민식 915	이민우 919
관리 운영직 및 기타							
FAX	711-6434			711-6444			

금정세무서

대표전화: 051-5806-200 / DID: 051-5806-OOO

서장: **이 종 현**
DID: 051-5806-201

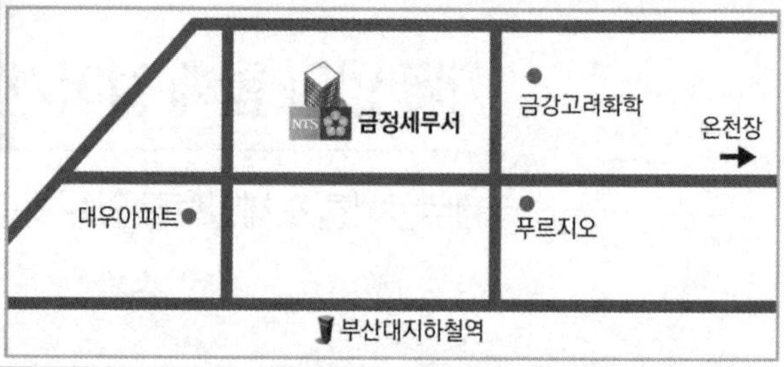

주소	부산광역시 금정구 중앙대로 1636 (부곡동 266-5) (우) 46272				
코드번호	621	계좌번호	031794	사업자번호	621-83-00019
관할구역	부산광역시 금정구, 기장군			이메일	geumjeong@nts.go.kr

과	체납징세과			부가가치세과		소득세과	
과장	홍강표 240			이순주 280		신승환 320	
계	운영지원	체납추적	징세	부가1	부가2	소득1	소득2
계장	김수영 241	서규은 441	신미정 261	김주수 281	이명용 301	이현기 321	정순애 341
국세조사관		김정태 442 정혜원 443		노세현 282	손연숙 302	윤태우 322	
	홍정수 242 김지연 243 박혜란 244 권용승 245 박성재 246	유문희 444 이혜경 445 박주범 446 김민진 447 이성철 448 주형석 449	이연숙 263 이수영 262	신동훈 283 곽현숙 284 서수현 285	진훈미 303 임혜정 304	김숙희 323 고호석 324	박종무 342 윤한 343 추원희 344
	김소영 247	전세현 450 박영순 451	이경재 264	김은주 286 박민영 287	박종훈 310 박정우 305 신은숙 306 이창인 307	유승주 325	신미경 345
		이정민 452		박준영 288 오혁기 289	김지민 308	박소정 326	송희진 347 박경원 346
관리 운영직 및 기타							
FAX	516-8272			516-9928		516-9364	

과	재산법인세과			조사과			납세자보호담당관	
과장	김현길 480			진우영 640			양기화 210	
계	재산1	재산2	법인	조사관리	조사	세원정보	납세자 보호실	민원봉사실
계장	김경대 481	조민래 501 이기태 502	지재기 401	김윤완 641	이광섭 651 이현진 655	이재열 691	조인국 211	하성준 221
국세 조사관	손보경 482		이재원 402 천태근 403			조정민 692		
	윤금남 487 이상훈 483	김준연 503 김민경 504	박건 404 김병윤 405 정하선 406 이승현 407	김숙례 642 배기윤 643	장노기 658 김민석 652 박용진 656		이상덕 212 박성우 213	전경숙 724-0700 문경희 222 강은선 226 이지석 724-0701
	서유희 484 박영훈 485 여수민 486		정희선 408		홍경은 653 임부은 657 박승찬 659			구세현 223 박재한 226 이효현 227
			최태영 409 배수진 410					박원호 224 오주하 724-0701 추수연 225
관리 운영직 및 기타								
FAX	711-6418			711-6421		516-9549	516-9377	516-0667

동래세무서

대표전화: 051-8602-200 / DID: 051-8602-OOO

서장: **홍 성 훈**
DID: 051-8602-201

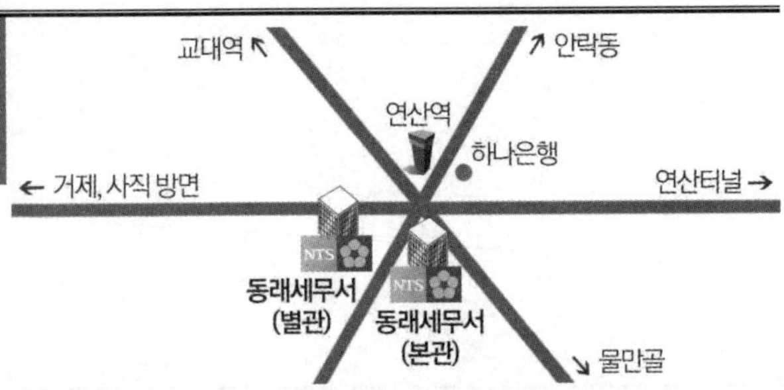

주소	(본관) 부산시 연제구 월드컵대로 125 (우)47596 (별관) 부산시 연제구 중앙대로 1091 (우)47540				
코드번호	607	**계좌번호**	030481	**사업자번호**	607-83-00013
관할구역	부산광역시 동래구, 연제구			**이메일**	dongnae@nts.go.kr

과	체납징세과			부가가치세과			소득세과	
과장	김대옥 240			오은경 280			김동현 360	
계	운영지원	체납추적	징세	부가1	부가2	부가3	소득1	소득2
계장	이태호 241	김덕성 441	김미경 261	최현택 281	성미라 301	이재수 321	최재우 361	김제성 381
국세조사관		박필근 455 박정수 442 김병활 443 안양후 444 최민준 445		이옥임 282	김지현 김은영 302 전영심 291	백순종 322 이미향 323	이인권 362	신현우 382
	이동우 242 최소윤 245 강경민 616 백상현 247 정효주 243 천원철 244	김정미 446 장지영 447 정현우 448	김오순 262 차윤주 263	임정훈 283 김남영 284	박혜원 303 이세호 304	노희옥 324 이수경 325	구경임 363 박경수 364 권선주 375 이지수 365	이선자 383 김학욱 375 최성희 384
	설도환 249	노윤주 449 송현주 450 강재희 451 김동겸 452 정혜진 453		이하경 285 박선연 291 김민정 286	김슬아 305 이미연 306	김현범 326	이동민 366	임성미 385 김명미 386 이승진 387
	권성주 248	유동준 454	김민주 264	오주영 287	안대호 307	유창경 327 구승현 328	강양욱 367 김가령 368	이준혁 388
관리운영직 및 기타								
FAX	866-6252			711-6574			866-1182	

과	재산법인세과				조사과			납세자보호담당관	
과장	정철규 400				이준호 640			정진주 210	
계	재산1	재산2	법인1	법인2	조사관리	조사	세원정보	납세자 보호	민원 봉사실
계장	손희영 481	김연종 501	이수용 401	이재철 421	한면기 641	홍원의 651	이정훈 691	박정호 211	심태석 221
국세 조사관	박정태 482 조수동 483		엄병섭 402			서정희 654 도현종 657		박지숙 212	전봉민 222
	백상순 484 김현숙 485 김해영 486 성혜리 487	성상진 502 이혜진 503	백은주 403 김태영 404	조홍섭 422 김상엽 423	마순옥 642 신진호 643	김동수 660 유세명 663 김정현 652 김종호 658 문희진 661 이성재	우을숙 692 구태효 693	서순연 213 박욱현 214	이자원 231 이영옥 223 김은희 224 임혜경 225
	김솔 488	이상훈 504		김수연 424 서미영 425	김민영 644	위부일 653 이동형 655 이주혜 659 이성준 664 백아름 665			이신애 226 한상명 225
	박진하 489		정소윤 405 신지혜 406	이윤서 426		양호정 656 양기혁 662			조학래 227 박경화 229 이예담 228 이동환 230
관리 운영직 및 기타									
FAX	711-6577				866-5476(조사), 866-3571(정보)			711-6572(납보) 866-2657(민원)	

부산진세무서

대표전화: 051-4619-200 / DID: 051-4619-OOO

서장: **유 수 호**
DID: 051-4619-201

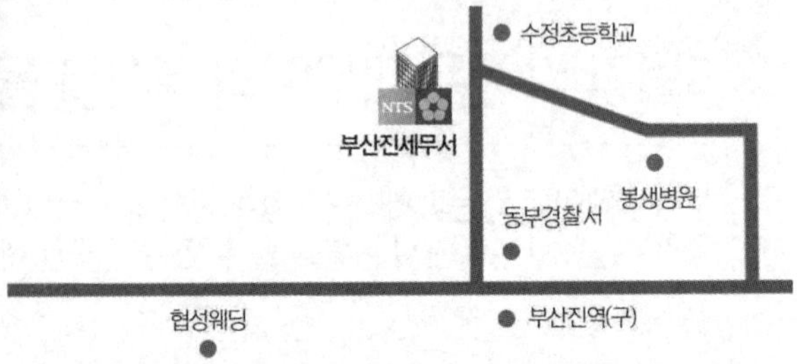

주소	부산광역시 동구 진성로 23 (수정동) (우) 48781				
코드번호	605	계좌번호	030520	사업자번호	605-83-00017
관할구역	부산광역시 부산진구, 동구			이메일	busanjin@nts.go.kr

과	체납징세과				부가가치세과				소득세과	
과장	이형오 240				조환준 280				장재선 320	
계	업무지원	체납추적1	체납추적2	징세	부가1	부가2	부가3	부가4	소득1	소득2
계장	안창한 241	박영철 441	박효근 461	윤혜경 261	홍정자 281	백정숙 381	전병국 301	김성진 361	전병도 321	박유경 341
국세 조사관	박형호 242		강병철 263	김은경 262	이준길 282		김대철 302	김승철 362		박선영 342
	조인순 243 이상도 244 김진상 613	김진우 442 이태형 443 강지훈 444 이영란 468	양규복 462 이상조 463 김성이 464 성봉준 465	권선재 265	문상영 283 박진희 284	김언선 382 손성락 383	이동철 303	민영선 295	서미선 322 노정하 323 이지은 324 박상준 325 허순자 330	정준영 343 이승주 344
	정민영 245 김동욱 247	구선희 445 서주희 446 이탁희 447	남윤석 466 정진학 467	정원미 264	윤종환 285 유화윤 286	김병인 384 한은숙 385	윤가영 295 박정화 304 이하니 305	서자영 295 배현경 364 김영권 365 심창훈 366	정미연 326 하소영 392	정영희 392 송민국 345
	이희정 246	윤지영 448			이혜정 287	김문재 386 김은비 387	허재호 306 정지연 307	박은영 367	장주환 327	김성훈 346 임도훈 347 이현승 348
관리 운영직 및 기타										
FAX	467- 9552			466- 9097	465- 0336				711- 6478	

과	법인세과		재산세과		조사과			납세자보호담당관	
과장	류재탁 400		최해수 480		백정태 640			손미숙 210	
계	법인1	법인2	재산1	재산2	조사관리	조사	세원정보	납세자보호	민원봉사
계장	최창배 401	박상현 421	최용국 481		김기환 641		김용문 691	박동진 211	박행옥 221
국세 조사관	이동목 402	서명준 422		정용찬 501 이수임 502	예종옥 642	신호철 651 정은성 654 장효영 657	임윤영 692	김영숙 212	박미영 222
	김종철 403 이혜령 404 김판신 405 박희경 406	노윤희 423 오승현 424	박건대 482 강은순 483 김찬희 484 박문주 485 하정란 486 이정숙 491	장광웅 503 김도헌 504	허순미 643 고현주 644	박종국 660 정준용 661 안재필 655 양소라 658	김성환 693	김도윤 213	신도현 223 오영주 224 박경주 225
	박윤희 407	박동철 425 박가영 426	강영희 487	송우진 505	박진호 645	이경훈 652 윤노영 659 오서영 662 이상준 653 김서현 663 강남호 656		추지희 214	
		박미화 427	이소정 488						김지안 226 유명헌 227 하승훈 228 양현황 229 손민정 230
관리 운영직 및 기타									
FAX	466- 8538		468- 7175		466- 8537			466-2648	

북부산세무서

대표전화: 051-3106-200 / DID: 051-3106-OOO

서장: **김 성 철**
DID: 051-3106-201

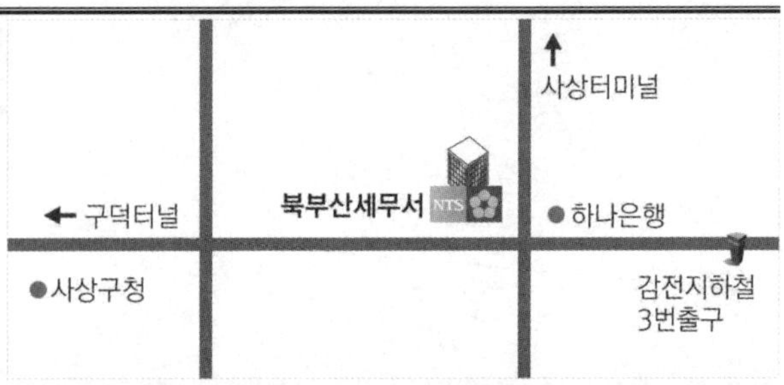

주소	부산광역시 사상구 학감대로 263 (감전동) (우) 46984				
코드번호	606	계좌번호	030533	사업자번호	606-83-00193
관할구역	부산광역시 강서구, 북구, 사상구			이메일	bukbusan@nts.go.kr

과	체납징세과				부가가치세1과		부가가치세2과		소득세과	
과장	이봉선 240				조관운 280		조희선 320		이창용 360	
계	운영지원	체납추적1	체납추적2	징세	부가1	부가2	부가1	부가2	소득1	소득2
계장	김석환 241	박병철 441	허윤태 461	김인화 261	강승묵 281	장준영 301	정창후 321	박경숙 341	이상훈 361	윤상필 381
국세조사관		주종휘 442 김대연 452	맹수업 462 전병일 465	조은하 262	이남범 282	김후영 302 유치현 303	문원수 322 전영욱 323	김정욱 342	엄상원 362	강성문 382 윤성기 383
	주철우 242 정미현 243 김선이 601 최두환 246	김용주 447 정숙희 449 류임정 446 김순정 450 김도년 448	송재경 463 김미영 469 김경진 471 신성일 467 이경희 466	송인숙 263 강유신 264	윤성훈 283 이순영 292 이미애 284 성태선 291	배명한 304 문하윤 305	공을상 324 김인숙 325 배선미 330	박인혁 343 손선희 344 조소현 345 정은희 346	제정임 363 이성호 364 송은영 365 조현우	정준모 384 이근환 385
	손성웅 244 정현옥 245 양승철 247	김주영 443 우성락 445	오애란 468		송윤희 285 이영희 286 최원진 287 박시현 288	신병전 306 정수영 307 송보경 308	문진선 326 안영서 327	정건화 347 김화선 348	곽희원 366 임나경 367 신진영 368	엄미라 386 문강민 387 김혜진 388 정세미 389
	김승용 248	이혜미 453	조준우 470 배성원 464		이민정 289 배형철 290	박희진 309 방준석 310	황미진 328 박영규 329	장홍정349	박민주 369 정효주 370	박현주 390 김소영 391
관리운영직 및 기타										
FAX	711-6389				711-6377		711-6386		711-6379	

1등 조세회계 경제신문 조세일보

과	재산세과		법인세과		조사과			납세자보호담당관	
과장	권성호 480		박희술 400		조용택 640			한정홍 210	
계	재산1	재산2	법인1	법인2	조사관리	조사	세원정보	납세자 보호실	민원 봉사실
계장	이봉기 481		우창화 401	이진홍 421	김현도 641	김병선 651	정호원 691	정인택 211	이재선 221
국세 조사관	류진수 482 최갑순 483 정훈 494 박종민 484	김철태 501 강종근 502	강신충 402 이진영 403	김태희 422	전희원 642	정권 655 전지현 659 신용하 663 원욱 667 이구현 671 이병택 675 전용진 678	강호창 692	주자환 212 김진삼 213	
	우경화 485 은기남 486 하정욱 487 김영경 488	오종민 503	박진수 404 오승현 405 조하연 406 전경일 407	엄애화 423 오익수 424 박진영 425 이한아 426 김정환 427	정민석 643 하승희 644 이윤금 646	김상우 664 이철호 656 강동희 668 이성민 679 안병만 652 경수현 676 이태호 660 정재철 672 최정주 665 정성욱 661 김선경 673	허도곤 693	이문호 214 주미균 215 장선우 216	김재철 222 이호성 223 전문숙 225 정해선 224
	전영현 489	박승희 505	제갈형 408 윤지연 409	송주은 428 서은혜 429	정상훈 645	송향기 669 이미영 657 김민숙 권나영 677 서준영 653	서주영 694		김대원 226 고정애 227 안언형 228 조연수 229
	박수진 490 김윤정 494	정도영 504	김동길 410 박보중 411	김사라 430 민규홍 431		조홍규 654 김은수 680 구화린 658 윤숙현 662 전영우 666 주명진 670 조민희 674			
관리 운영직 및 기타									
FAX	711-6381		711-6380		314-8143			711-6385	314-8144

서부산세무서

대표전화: 051-2506-200 / DID: 051-2506-OOO

서장: **이 준 홍**
DID: 051-2506-201

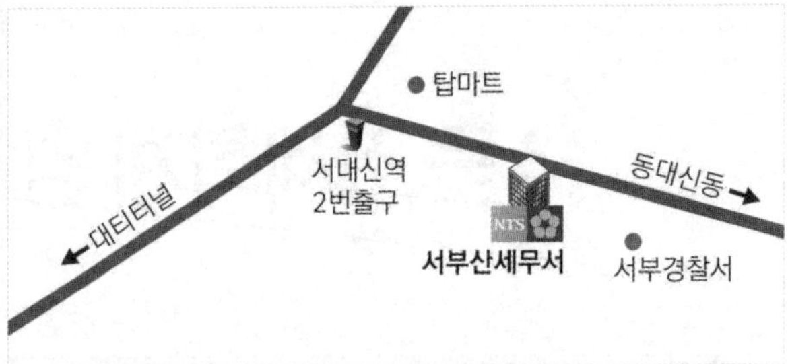

주소	부산광역시 서구 대영로 10 (서대신동2가 288-2) (우) 49228				
코드번호	603	계좌번호	0322571	사업자번호	603-83-00535
관할구역	부산광역시 서구, 사하구			이메일	seobusan@nts.go.kr

과	체납징세과			부가가치세과		소득세과	
과장	조명익 240			채한기 280		조성준 360	
계	운영지원	체납추적	징세	부가1	부가2	소득1	소득2
계장	조홍우 241	이영근 441	정광조 261	강성태 281	남성현 301	김종배 361	노아영 381
국세 조사관	류정희 242	양봉규 442 성기일 443 김점준 444	천효순 262	정창성 282	유민자 302	이지영 362 김찬일 363	전인석 382
	조병녕 243 백용태 246	윤경출 445 박종욱 446 명상희 447	유지혜 263 강지선 264	이영진 283 박지영 284 박정현 285 민필순 312	이미숙 303 김형섭 304 김태민 309	이민경 364 최아라 365 허현 366 권희숙 379	김혜영 383 최은태 384
	선은미 244 이승민 245 최정훈 247	김용제 448 김미희 449		백운기 286 박희령 341 박선애 287 배주원 288	임은미 341 류영선 305	박판기 367 노종근 342	이훈희 385 임윤정 342 오보람 386
		성민주 450 최미녀 451		윤주련 289	이영재 306 이은희 307 박수영 308	김정대 368	박소영 387 신민기 388
관리 운영직 및 기타							
FAX	241-7004			253-6922	256-4490	256-4492	

과	재산법인납세과				조사과			납세자보호담당관	
과장	오이탁 400				엄인성 640			고인영 210	
계	재산신고	재산조사	법인1	법인2	조사관리	조사팀	세원정보	납세자 보호실	민원봉사실
계장	박경석 481	조재성 501	이승준 401	박성진 421	이상만 641	성대경 651	김성찬 691	주오식 211	김기랑 221
국세 조사관			강호인 402			강준오 654 안준건 657		변환철 212	하인선 222
	김성민 482 전하윤 483 김영은 484 이일구 488 김미지 412	전태호 504 배인성 502	김은애 403 김호승 404	김정인 422 임성준 423 박태훈 424		최임선 661 임완진 655 정지현 659 최지윤 652 이정웅 653 박승종 662	정성주 692	박노성 213	김덕원 223 강영미 224
	김지혜 485 최혜윤 486 이윤경 488	박창준 505	조혜윤 405	최기원 425	유연숙 642 이수영 643 박재형 644	김재형 658 이남호 656	김미숙 693	양서영 214	
			김경진 406		민선희 645	권혜수 663			감다예 226
관리 운영직 및 기타									
FAX	256-7147		253-2707		257-0170		255-4100	256-4489	256-7047

수영세무서

대표전화: 051-6209-200 / DID: 051-6209-OOO

서장: **조 풍 연**

DID: 051-6209-201

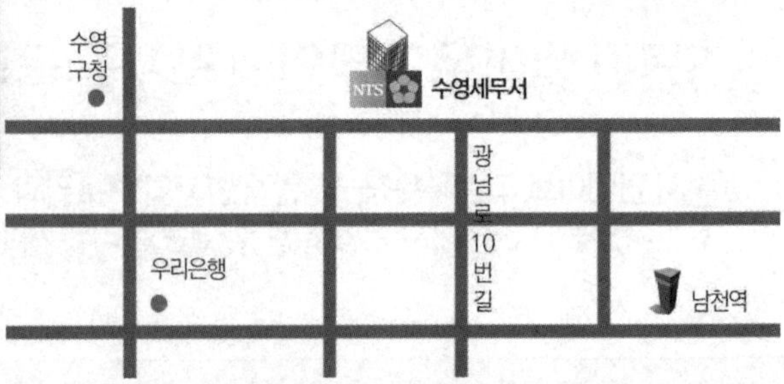

주소	부산광역시 수영구 남천동로 19번길 28 (남천동) (우) 48306				
코드번호	617	계좌번호	030478	사업자번호	
관할구역	부산광역시 남구, 수영구			이메일	suyeong@nts.go.kr

과	체납징세과			부가가치세과		소득세과		납세자보호담당관	
과장	손희경 240			손현숙 280		백승한 360		차 규 상 210	
계	운영지원	체납추적	징세	부가1	부가2	소득1	소득2	납세자보호	민원봉사실
계장	고영준 241	박찬만 441	서귀자 261	이장환 281	김광수 301	권영규 361	김건중 381	김동건 211	최영호 221
국세조사관	김민수 242	박성민 442 이시호 443		이은정 282	김필곤 302				
	신주영 243	주연신 444 김인경 445 최보경 446	심은경 262 최윤실 263	홍영임 380 양승민 283 안영준 284 김희범 285	최선경 303 안정민 304 금인숙 305 이현지 306	이치권 362 김언희 363 김현희 364 김민정 365	김승환 382 황진희 383 최순봉 384	정우영 212	김영자 227 한준희 225
	손동주 246 김정혜 244 백광민 616	김종철 447 손채은 448 이지현 449 최미르 450		조세영 286 김용현 287	엄지환 307	배지원 366 오경란 380 허태구 367	고광철 385 황상준 386 김수연 387	이정은 213	전현주 222 김소연 226 김민진 224 김성준 229
	홍수민 245	김인재 451 정대화 452		이강욱 288 박주희 289	백승옥 308 김동한 309	한정호 368 최영철 369	도주연 388 이고은 389		이미경 223 공휘람 228
관리운영직 및 기타									
FAX	711-6152			711-6149		622-2084, 626-2401		711 -6148	626 -2502

과	재산법인세과				조사과				
과장	정용민 400				윤광철 640				
계	재산1	재산2		법인	조사관리	조사팀			세원정보
		1팀	2팀			1팀	2팀	3팀	
계장	서세우 481			조석권 401	남관길 641				조용희 691
국세조사관	전제영 482 김정호 483	전소연 502	엄지명 501		강희경 642	엄지원 651	김성연 661		
	김경애 490 이원호 484 박헌숙 485 문소원 486	이종국 504	손진락 503	박용남 402 박수민 403 조영진 404 이지민 405	김규한 643	김금순 652	최원태 662	강일용 671 김태순 672 최한호 673	최상덕 692
	윤석미 487 임하나 493	심상형 505		배용현 406 정성용 407 정권술 408 최혜진 409		최낙상 653			
	정다윗 488 천보건 489						김수현 663		
관리 운영직 및 기타									
FAX	재산1,2팀 711-6153 신고 620-9493			623- 9203	711-6154				

중부산세무서

대표전화: 051-2400-200 / DID: 051-2400-OOO

서장: **김 시 현**
DID: 051-2400-201

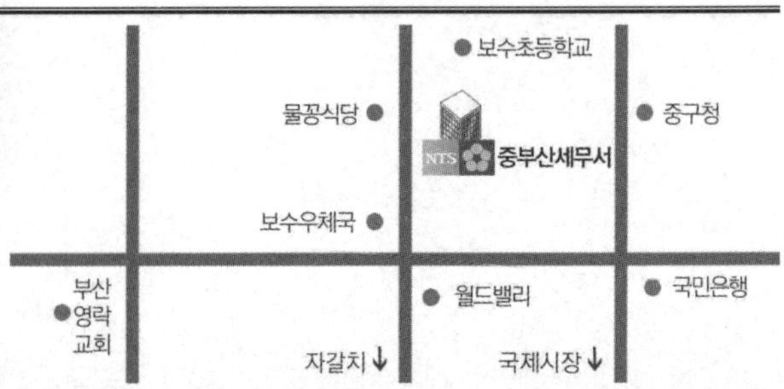

주소	부산광역시 중구 흑교로 64 (보수동1가) (우) 48962				
코드번호	602	**계좌번호**	030562	**사업자번호**	602-83-00129
관할구역	부산광역시 중구, 영도구			**이메일**	jungbusan@nts.go.kr

과	체납징세과			부가소득세과		
과장	조준호 240			서주원 280		
계	운영지원	체납추적	징세	부가1	부가2	소득
계장	송성욱 241	박현지 441	박정신 261	이상표 281	박정이 301	정석주 361
국세조사관		김현배 442		송진욱 282	최재호 314	
	김선임 243 김현준 242	윤창중 443 이현재 445 김상순 446 이승훈 447	김진경 262 김은연 263	최미경 287 김성기 283 임상현 313	장재필 302	박지현 362 김혜경 363 강원혁 364
	김덕봉 246 지우석 244 성문성 245	김종선 448		이치훈 284	양현정 303 이주현 304	이철민 365 전현명 366
	김병수 248	이수빈 449 조채영 450		최예영 285 한정예 286	박주현 305 안승현 306	권산 367
관리운영직 및 기타						
FAX	711-6537			711-6535		253-5581

과	재산법인세과		조사과			납세자보호담당관	
과장	양철근 400		신언수 640			권영록 210	
계	재산	법인	조사관리	조사	세원정보	납세자보호	민원봉사실
계장	임채일 481	김상영 401	김호 641	박태원 651	윤성환 691	이영태 211	강태규 221
국세조사관	김찬중 482	김동건 402	양은주 642	전병운 661 이형석 671	황흥모 692		
	최학선 483 김권하 484	이계훈 403 이상언 404 김현목 405		박성환 672 오지연 662 진효영 652 강병진 663	박건태 693	이경진 212	김세운 222 김미현 223
	위지혜 485	장성욱 406 김경우 407	조용현 643	박효진 653 권순한 664 김현정 654		박하영 213	고상희 224 박지현 225
		안혜령 408 손정화 409		최수진 673			
관리운영직 및 기타							
FAX	240-0419		711-6538			240-0628	

해운대세무서

대표전화: 051-6609-200 / DID: 051-6609-OOO

서장: **이 슬**
DID: 051-6609-201

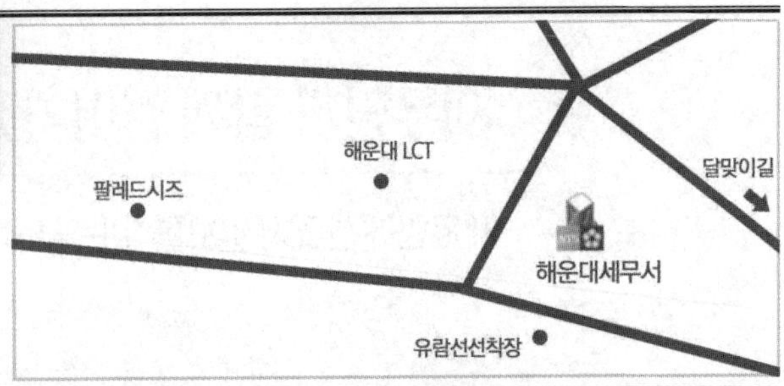

주소	부산광역시 해운대구 달맞이길 62번길 38 4,5F (중동) (우) 48098				
코드번호	623	계좌번호	025470	사업자번호	
관할구역	부산광역시 해운대구			이메일	

과	체납징세과			부가가치세과		소득세과	
과장	양정일 240			정영덕 280		허인영 360	
계	운영지원	체납추적	징세	부가1	부가2	소득1	소득2
계장	신웅기 241	김미영 441	이화범 261	박영진 281	윤병용 301	권병선 361	김이회 621
국세조사관	이묘금 242	김동오 442 한대섭 443	정정애 262	김정도 282 김은연 283	김동환 302 정태옥 303 김명훈 311		김필순 622
	김명수 243 박희종 246	양회종 444 문성철 445 최윤정 692 진채영 447 강정대 448	김옥진 263 윤영자 264	유옥근 284 강미영 289 한윤주 285 장상원 287	고지원 305 진성은 306	김동한 362 정부원 363 김민정 364 권익현 365	이호영 623 정선경 624
	김초이 옥수빈 244	강성룡 449 박가영 450		박지영 286	이민영 307	정선두 366	최혜미 625
	한시윤 245 하창길 247	여효정 451 최고은 452 이수연 453		최지은 288	옥건주 308	김효진 367	최수아 626 박유진 627
관리 운영직 및 기타							
FAX	512-3917						

과	재산법인세과			조사과			납세자보호담당관	
과장	김용정 400			김길호 640			백영상 210	
계	재산1	재산2	법인	조사관리	조사	세원정보	납세자 보호실	민원봉사실
계장	이선철 481	신성만 501	신용대 401	이성호 641	김성홍 651	염왕기 691	최창수 211	진일현 221
국세 조사관		조재화 504	송창언 402		윤상동 654 조재성 657			곽충균 222
	윤석중 482 민경진 483 장혜민 484 박세준 485	채규욱 502 김도곤 503 강양동 505 안민경 506	강담연 403 최성준 404	조상래 642	민연배 652 정유진 658 윤현식 660 강길순 661	김유리 693	최호성 212 장주영 213	김민수 223 김환진 224
	조은해 486 전지혜 487 서유리 488		이은정 405 옥호근 406 임정진 407	양효진 643 권진아 644	박지민 653 심정보 655 이청림 656 이채호 659		김보경 214	전하나 225 류호림 226
	정성훈 489 박성희 490		남예나 408 김희애 409 이승걸 410		김다혜 662			
관리 운영직 및 기타								
FAX								

동울산세무서

대표전화: 052-2199-200 / DID: 052-2199-OOO

서장: **이 상 락**
DID: 052-2199-201

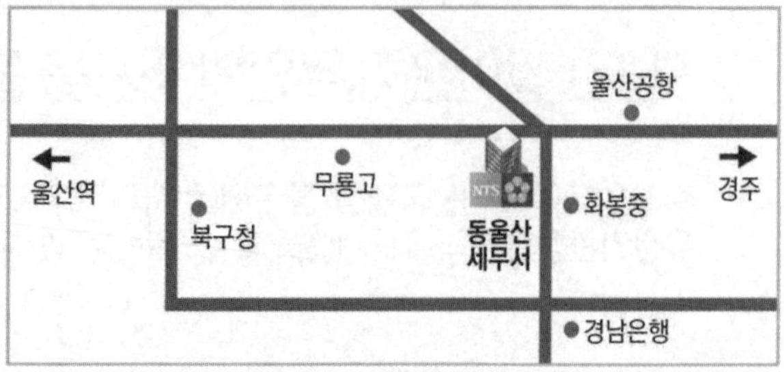

주소	울산광역시 북구 사청2길 7 (화봉동) (우) 44239				
코드번호	620	**계좌번호**	001601	**사업자번호**	610-83-05315
관할구역	울산광역시 중구, 동구, 북구, 울주군(언양읍, 범서읍, 두동면, 두서면, 상북면, 삼남면, 삼동면)			**이메일**	dongulsan@webmail.nts.go.kr

과	체납징세과				부가가치세과		소득세과	
과장	이홍환 240				정문수 280		김순줄 360	
계	운영지원	체납추적1	체납추적2	징세	부가1	부가2	소득1	소득2
계장	김분숙 241	신용도 441	박윤범 461	강경태 261	유진희 281	이성락 301	손민영 361	이부열 621
국세 조사관	유미영 242	박문호 442 주성민 443	한종창 469 노경관 462 진종희 463	진은주 262	김부일 282 이태진 283	이은희 302 윤정훈 303	곽원일 362 김기업 363	박현순 630 김정수 622
	김은주 243 김영미 244 엄태준 245 이정애 200	제재호 444 박미영 445 황경호 446	김장석 464 김준호 465 허규석 466	정경임 263	김미옥 284 김명철 285 우정순 286 전국화 287 박치호 288 차기숙 289	허명화 304 노태건 315 박복자 305 김수진 306 배영태 307 김현미 308 정수희 309	김영진 364	백승연 623 김미경 237 이소영 624 하현주 625
	이위형 248 이정걸 247 고주환 246	안은주 447 강희정 448	황현 467	엄수민 264	이선화 290 장미진 291 정주희 292	유희진 310 박미라 311 문예지 312	김현아 365 엄새얀 366 이기정 237	박정은 626 최성임 627
		김민지 449	고윤학 468		최보윤 293	이강현 316 정혜윤 313 이진수 314	하태영 367 김동현 368 조연주 369	이찬희 628 안은미 629
관리 운영직 및 기타								
FAX	713-5173				289-8367		289-8375	

1등 조세회계 경제신문 조세일보

과	재산법인세과			조사과			납세자보호담당관	
과장	김정명 400			정지윤 640			김용주 210	
계	재산신고	재산조사	법인	조사관리	조사	세원정보	납세자 보호	민원봉사
계장	강연태 481	조석주 501	류진열 401	이선호 641	김도암 651	황규설 691	최인식 211	남권효 221
국세 조사관	임선기 482	김종오 502	안부환 402		박종수 661 김진영 671		김경화 212	신미옥 222
	권지혜 483 추병일 484 조성래 485 박주희 486 박준성 487 류장식 488	김종명 503 이종배 504 주선돈 505	박용섭 403 김성기 404	윤민희 642 이정규 643	박진관 681 손이슬 662 박민우 682 김지현 652 이재석 672	우인영 692 조재천 693	정재현 213	이희정 223 박수경 224
	박선희 489 유정욱 490		이효진 405 김슬빛 406 천혜미 407 김동현 408		김윤주 683 엄제현 663 정영록 653 이상욱 송인경 673		이미진 214	정혜경 225
	백제흠 491 황나래 492		김효민 409 정인철 410 김민정 411					김계향 226 민병현 227 이재연 228
관리 운영직 및 기타								
FAX	287-0729		289-8368	289-8369			289-8370	289-8371

울산세무서

대표전화: 052-2590-200 / DID: 052-2590-OOO

서장: **이 재 영**

DID: 052-2590-201

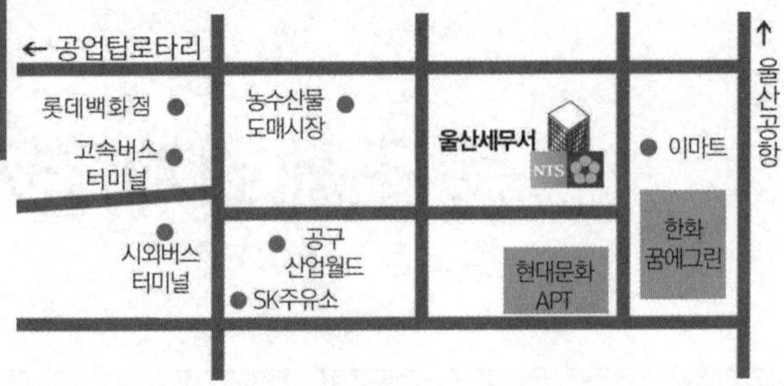

주소	울산광역시 남구 갈밭로 49(삼산동 1632-1번지) (우) 44715				
코드번호	610	계좌번호	160021	사업자번호	
관할구역	울산광역시 남구, 울산광역시 울주군(웅촌,온산,온양,청량,서생)			이메일	ulsan@nts.go.kr

과	체납징세과				부가가치세과		소득세과	
과장	김선민 240				박성민 280		강헌구 360	
계	업무지원	체납추적1	체납추적2	징세	부가1	부가2	소득1	소득2
계장	장세철 241	최주영 441	홍충훈 461	이상근 261	김부석 281	서경심 301	서덕수 361	김효숙 621
국세조사관		지광민 442	김진원 462	공미경 262		김국진 302 조숙현 311	김금주 362	
	장광택 242 김우형 243 이수정 244	김연희 443 김선희 444 최근식 445 김양욱 446 이배삼 447	정명환 463 노동율 464 강인숙 465 정설아 466	권미정 263	김기범 282 이소영 283 김호진 284 손진혜 285	황종하 303 안수연 312	노진명 363	양문석 622 김민정 623
	이형근 245 최동석 246 남인제 247	양영선 448 임나영 449	김석민 467 김혜은 468 정승현 469	김해은 264	허윤형 286 김정은 287 진선미 288 안지영 289	이정은 304 김효정 305 엄기동 306 구상은 307	최원우 364	정우수 624 손주희 625
					정진호 290 김민희 291 이연수 292	강수연 308 문아현 309 윤주민 310	전용준 365 윤혜정 366 최은수 367	이창훈 626 최진영 627 김현진 512
관리운영직 및 기타								
FAX	266-2135				266-2136		257-9435	

과	재산법인세과				조사과			납세자보호담당관	
과장	송인범 400				임종훈 640			장석현 210	
계	재산1	재산2	법인1	법인2	조사관리	조사	세원정보	납세자 보호	민원봉사실
계장	이기용 481	김진도 501	허성준 401	문경덕 421	장호철 641	손해진 651	김갑이 691	이정은 211	박동기 221
국세 조사관	석준기 482		이승진 402	장유진 422		김경우 655	김종요 692	신상수 212	
	이진희 483 김선기 484 송주현 485 안지현 486 김미옥 519	서기석 502 김현기 503 곽영근 504	임우철 403 이정필 404	김연진 423 김상우 424	박상길 642 고은경 644	강병문 658 이정호 656 임영희 661 신병준 652 고은 659 전성곤 662		최항호 213	하예숙 253 김구환 222
		박숙현 505	박하나 405 이한솔 406	김재민 425 김현주 426	이미진 644	하선우 663 김나래 653 노민욱 김보현 654 김일희 660 곽소라 657	편지현 693	김선광 214	최제환 223 이아람 224 권나영 229 이희령 225
	이승훈 487		이재열 407 한정현 408	강슬아 427 김태완 428				이은진 215	박영철 226 이성은 227 이다솜 228
관리 운영직 및 기타									
FAX	257-9434				266-2139		273-1636	266-2140	273-2100

거창세무서

대표전화: 055-9400-200 / DID: 055-9400-OOO

서장: **김 용 진**
DID: 055-9400-201

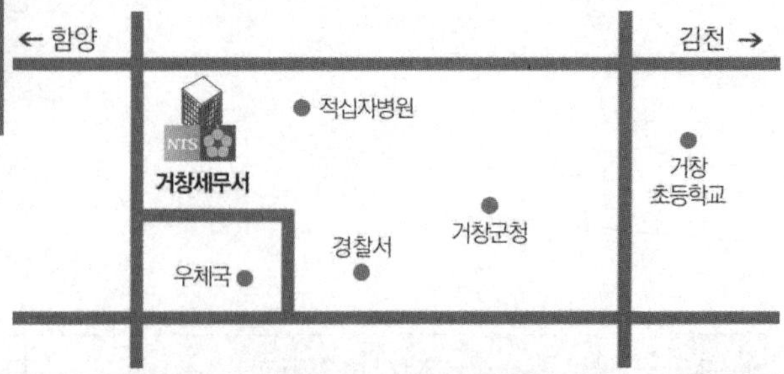

주소	경상남도 거창군 거창읍 상동2길 14 (상림리) (우) 50132				
코드번호	611	계좌번호	950419	사업자번호	611-83-00123
관할구역	경상남도 거창군, 함양군, 합천군			이메일	geochang@nts.go.kr

과	체납징세과		
과장	오성현 240		
계	운영지원	체납추적	조사
계장	정재록 241	김지현 441	이우석 651
국세 조사관		김세현 442	이동진 652
	박호용 242 김순구 245 이준희 246	이영일 443	한임철 653 김태수 654
	김경은 243	손찬희 444 박미혜 445	강민준 655
	백상훈 245		
관리 운영직 및 기타			
FAX	942-3616		

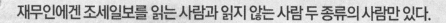

과	세원관리과				납세자보호담당관	
과장	조선제 280				이창수 210	
계	부가소득		재산법인		납세자보호	민원봉사실
	부가	소득	재산	법인		
계장	김충일 281		서정학 481		두영배 211	조강래 221
국세조사관	이병훈(소비) 283	김원희 290		정태환 402		전우현 221 윤영수 224
	이균진 염인균 282 배정환 284 박선남 285	권경숙 291	박태성 482 조재형 483 박주영 484	이용수 403 서재필 404 권은정 405		김경승 222 김한신 964-2100
	고진수 286	김양희 292 유재학 293	김은호 485 이명호 486			
관리운영직 및 기타						
FAX	944-0382		944-5448		944-0381	

김해세무서

대표전화: 055-3206-200 / DID: 055-3206-OOO

서장: **이 동 준**
DID: 055-3206-201

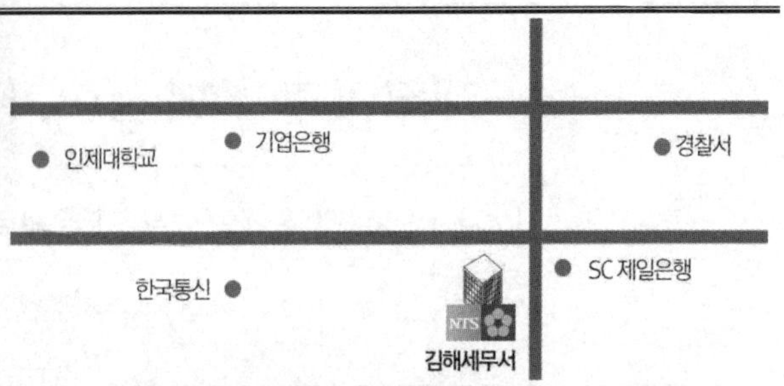

주소	경상남도 김해시 호계로 440 (부원동) (우) 50922 밀양지서: 경남 밀양시 중앙로 235 (삼문동 141-2번지) (우) 50440				
코드번호	615	**계좌번호**	000178	**사업자번호**	
관할구역	경상남도 김해시, 밀양시 전체			**이메일**	gimhae@nts.go.kr

과	체납징세과				부가가치세과			소득세과		재산세과	
과장	강경배 240				김대중 280			조미숙 360		김진태 480	
계	운영지원	체납추적 1	체납추적 2	징세	부가1	부가2	부가3	소득1	소득2	신고	조사
계장	이상곤 241	김일규 441	김보경 461	이종면 261	김풍겸 281	장호천 301	박점룡 321	권종인 361	천종강 621	장준 481	
국세 조사관	조준영 242	선병우 442	이유만 462	조미애 262	민승기 282	문성배 302	조용호 330	김주홍 362 소현아 363	김계영 622 박흥수 623	이송우 482	고영조 501
	윤덕희 243 추병욱 244	윤봉한 443 김성희 444 박지혜 445	김태인 463 정호진 464 이우정 465 박선하 466	오승희 263	김주영 이현진 283 주선영 284	김상희 303	이준혁 322 안준식 323	김대원 364 배선미 365	윤은미 624	조경진 정해연 483 이재성 484	박수성 502 박건영 503 박종민 504 안경호 505
		이현정 446 류서현 447 박미화 448	이혜령 467 최혜리 468	박유나 264	송세미 285 김경옥 286	오진옥 304 백지훈 305 지현민 306	백종욱 331 문지민 324	안성태 366 민정 367	박상미 625	김미정 485 최희숙 486 안정화 487 서민혜 488 강기완 489	이광재 506
	서유진 245 정은이 246 김명섭 247 김민재 248	박모영 449 전윤지 450	김태훈 469 박다정 470		황현석 287 이지영 288 장수연 289	김유정 307 김은영 308 김승훈 309	정성윤 325 허준영 326 김진영 327 박지영 328	임규빈 368 김경이 369	김진수 626 최안욱 627 배소희 628	이제연 490	
관리 운영직 및 기타											
FAX	335-2250	349-3471		335-2250	329-4904			329-3473		329-4902	

과	법인세과		조사과			납세자보호담당관		밀양지서		
과장	우영진 400		전길영 640			김병수 210		하필태 359-0201		
계	법인1	법인2	관리	조사	정보	납세자 보호	민원 봉사실	납세자 보호	부가소득	재산법인
계장	박경민 401	손길규 421	변주섭 641		백주현 691	윤성조 211	김성수 221	문명식 211	양현근 300	이진섭 400
국세 조사관	한창용 전종태 402	최영선 422	이원섭 642	오철록 651 마혜진 652 김병우 653		천호철 212	김슬기론 222			김유진 401 배기득 512
	이주현 403 김두식 404 안혜영 405 이성훈 406	손영미 423 신영승 424 서준영 425	강선실 644	전영수 654 이동훈 655 박순찬 662 임병훈 656 김명윤 661 공민석 663 김인경 664 이정숙 665 김미영 674 전수진 666	조승연 692	김성훈 213	변숙자 223 이세훈 서성덕 224	홍기성 212	김장관 301 이성웅 305 이수길 308 조현진 309 하회성 302 최정웅 306	이우성 402
	김지원 407 조미주 408	정미선 426 문혜리 427	남창희 643 오현아 645	남연주 671		이현실 214	김지희 이경민 225	이채은 213	김수현 303	주지훈 513 박일호 514 이현도 403
	김보민 409	박홍제 428 정대교 429		권대호 673 박용훈 672	최성민	송다성 215	서미영 226 조원희 227	류선아 214 이우형 215 박지원 615	김민규 304 장다혜 307 박명애 310	
관리 운영직 및 기타										
FAX	329-3477		329-4303		329 -3472	335 -2100	329 -4901	359 -0612	3535 -2228	355 -8462

마산세무서

대표전화: 055-2400-200 / DID: 055-2400-OOO

서장: **조 영 탁**
DID: 055-2400-201

주소	경상남도 창원시 마산합포구 3.15대로 211 (중앙동3가 3-8) (우) 51265				
코드번호	608	계좌번호	140672	사업자번호	
관할구역	경상남도 창원시 마산합포구, 마산회원구, 함안군, 의령군, 창녕군			이메일	masan@nts.go.kr

과	체납징세과				부가가치세과			소득세과	
과장	김용오 240				김상훈 280			이정훈 360	
계	업무지원	체납추적1	체납추적2	징세	부가1	부가2	부가3	소득1	소득2
계장	임지은 241	우용범 441	임상현 461	서영호 261	조민경 281	이상호 301	조웅규 321	장백용 361	이화석 381
국세조사관		임창수 442	이병국 462	최경희 262		윤간오 302	하재현 324 윤한필 322	이병준 362 김태균 363	심순보 382
	서상율 242 이지현 243 김태숙 246 김태철 247	송대섭 443 노재진 444 최정애 445 김용백 446	이병관 463 이재웅 464 김회정 465 서윤경 466	윤정미 263 김정이 264 변은희 265	김창윤 282 강대현 283 김봉재 272 박종군 284 임수정 285 문영미 290	박해경 303 최수식 304 이영미 305 이인혁 306	이효영 323 김윤진 325 정대희 326	허종구 364 강곡지 369	김세영 383 문두열 384 황성택 385
	김도형 244 김경태 245		김준수 467		이부경 286 박인홍 287 정유진 288	김가은 307	이동윤 327 강수원 328 김규민 329	임병섭 365 권보란 273 정유영 366	최은경 386 황규현 387
	김중훈 248	박지은 447 최인영 448	박인애 468			박수인 308	김대현 330	이상민 367	황지언 388 이순욱 273 박성준 389
관리운영직 및 기타									
FAX	223-6881				241-8634			245-4883	

과	재산법인세과				조사과			납세자보호담당관	
과장	김필근 400				구석연 640			최익수 210	
계	재산1	재산2	법인1	법인2	조사관리	조사	세원정보	납세자보호	민원봉사실
계장	전태회 481	윤봉원 501	임희택 401	문병찬 421	박욱상 641	정경주 651	김대엽 691	박호갑 211	양종원 221
국세 조사관	허종주 482	김태호 502	하구식 402	김정국 422		윤선태 652	강성호 692	성희찬 212	이상현 222 김창석 231 배광한 223
	김영주 483 정은진 274 어윤필 484 윤진명 485 박은경 486 황혜경 490	조미희 503 윤정원 504	문승준 403 이윤미 404 박보경 405 문숙미 410	홍은아 423 우현하 424 이희진 425 곽다혜 426	김병철 642 장명수 643	임상조 653 이정옥 654 최호영 655 이주석 656 황성업 657 하민혜 658 오은주 659 정창국 662 최윤혁 660 김민정 661 문병국 662	김태수 693	안대철 213	권영철 224 홍지영 225
	서학근 487		채여정 406 김성택 407	김예정 427 강호윤 428	전지민 644	김수진 663 김형민 664 진현덕 665		안재현 215 서기정 214	강민정 226 김나영 227 김나현 229 유지향 228
	홍고은 488					신동근 666			
관리 운영직 및 기타									
FAX	223-6911		245-4885		244-0850			223-6880	240-0238

양산세무서

대표전화: 055-3896-200 / DID: 055-3896-OOO

서장: **권 태 윤**

DID: 055-3896-201

주소	경상남도 양산시 물금읍 증산역로 135, 9층, 10층 (가촌리1296-1) (우) 50653 웅상지역민원실 : 경상남도 양산시 진등길 40 (주진동) (우) 50519				
코드번호	624	계좌번호	026194	사업자번호	
관할구역	경상남도 양산시			이메일	

과	체납징세과			부가소득세과			재산세과	
과장	김성호 240			박영언 280			강경구 480	
계	운영지원	체납추적	징세	부가1	부가2	소득	재산1	재산2
계장	안정희 241	김연주 441	김홍수 261	이수미 281	이금대 301	강보길 321	이수원 481	정현주 501
국세조사관		장인철 442			노영기 302		박현정 482	
	안상재 242 백상인 245	서진선 443 정정민 444 박수경 445	남수빈 264 김희정 262	이정관 282 이택건 283	김동영 303 정종근 308 정슬기 304	김상덕 322 김상욱 323 장해미 324	김경민 483 조형석 484	한정민 503 조현진 504
	이현진 243	노미향 446 주아라 447 이규호 448 강병수 449	김지현 263	서솔지 284	송인출 305	이채은 325 김희선 326 김성수 327	전봄내 275 김형진 485	김병창 502
	장성근 246 김지용 244	김준현 450		조미란 285 최윤아 286 문영곤 288 황영 287	김민지 306 이동연 307	박세웅 328 김명선 329 최주연 330	김세은 486	
관리운영직 및 기타								
FAX	389-6602	389-6603		389-6604			389-6605	

과	법인세과		조사과			납세자보호담당관	
과장	최정식 400		임영주 640			이영환 210	
계	법인1	법인2	조사관리	조사	세원정보	납세자보호	민원봉사실
계장	장영호 401	권윤호 421	정해룡 641	윤현아 651	민병기 691	이한경 211	장지무 221
국세조사관				김동원 654	천공순 693		
	이태호 402 구경아 403	황은영 422	황미경 642	배승현 652 이수진 656		임주영 212	김윤경 222 김주훈 781-2268 최경은 224 김라은 781-2267
	이정호 405 이창호 404	김창영 423	문희준 643	서충석 657	문홍섭 692	이혜림 213	옥경훈 225
		이예영 424		문민지 653 박수빈 655			이정미 781-2268 이길재 226
관리운영직 및 기타							
FAX	389-6606		389-6607		389-6608	389-6609	389-6610

진주세무서

대표전화: 055-7510-200 / DID: 055-7510-OOO

서장: **공 병 규**
DID: 055-7510-201

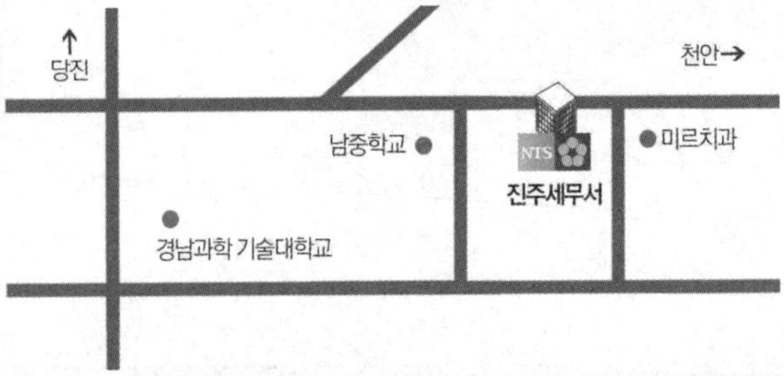

주소	경상남도 진주시 진주대로908번길 15 (칠암동) (우) 52724 사천지서: 경상남도 사천시 용현면 시청2길 27-20 (우) 52539 하동지서: 경상남도 하동군 하동읍 하동공원길 8 (우) 52331				
코드번호	613	**계좌번호**	950435	**사업자번호**	
관할구역	경상남도 진주시, 사천시, 하동군			**이메일**	jinju@nts.go.kr

과	체납징세과			부가소득세과			재산법인세과			
과장	박진석 240			정흥기 280			유진호 400			
계	운영지원	체납추적	징세	부가1	부가2	소득	재산1	재산2	법인1	법인2
계장	하병욱 241	김귀현 441	김인화 261	장은영 281	김병수 301	강호준 361	김용대 481		이철승 401	조완석 421
국세조사관		김성혁 442		정유진 282	김현열 295 이존원 302	강동수 362	손은경 482 여정민 483	이병숙 501 강신태 502 최대경 503	허치환 402	김수영 422
	손해진 243 이전승 242 이정례 246 박화순 200 박용선 247	이성규 443 정옥상 444 김병기 445 안원기 446 곽진우 447 김현우 448	김민정 262 강홍경 264 류태경 263	김동호 283 강민호 284 김은주 285	김태식 303 신재원 304	이은순 363 조미경 364 이환선 365	이보라 484	오성현 504 이설희 505 최욱경 506	김영민 403 장승일 404 김재환 405 여리화 406	하민수 423 임원희 424 정호성 425
	박지용 244 정연국 613 박준태 245	허지영 449		정은미 286 진현탁 287	천승리 305 김수연 306 정성원 296 정소영 307	김준호 366 윤경현 367	최정연 485		김난영 407 송효진 408	이경구 426
		구경택 450 이미희 451		이영채 288 이진주 289	이현우 308 천민아 309 김나영 310	현경석 368 김영화 369 신기한 370	서금주 486 김지현 487		장윤화 409	김경미 427
관리운영직 및 기타										
FAX	서장실 751-0203 운영과 753-9009			752-2100		761-3478	762-1397			

1등 조세회계 경제신문 조세일보

과	조사과			납세자보호담당관		하동지서			사천지서		
과장	신준기 640			박종헌 210		권병일 8684-201			김남배 8685-201		
계	조사 관리	조사	세원 정보	납세자 보호	민원 봉사실	납세자 보호	부가소득	재산	납세자 보호	부가소득	재산
계장	최은호 641		고병렬 691	하영설 211	오영권 221		최해인 300	정용민 400		송기홍 301	모규인 401
국세 조사관	배준철 642	이대균 651 박병규 652 이동희 653 강상원 654			정병수 222 김용원 223	하철호 211 최진관 863-2341	권성표 304 화종원 301 천승민 306	박철 401	오병환 970-6207 윤연갑 211	강욱중 302 김양수 303 정준규 304	
	임상만 643	조현용 661 김경인 662 윤중해 663 여명철 664 우동훈 672	임태수 692	김재철 212 조기현 213 김아영 214	정하정 224 이상혁 225		전영철 302 유민호 307	김인수 402	김진 212 김규진 213	이인재 305 이진경 307 김재준 306 홍성기 308	김영훈 402 류정훈 403
		이은미 671 최승훈 673 공보선 674	정경민 693		강경옥 226	서형선 212				양은지 309	
						황미정 (남해) 863-2346 김영민 213	김상훈 303 서민재 305			이근우 310 이예미 311 김준영 312	석대겸 404
관리 운영직 및 기타											
FAX	758-9060			납보실 753-9269 민원실 758-9061 민원용 752-4105		납보실 883-9931 재산 882-9627 남해민원실 863-2343			납보실 835-2105 재산 835-0571 개인 835-0570		

창원세무서

대표전화: 055-2390-200 / DID: 055-2390-OOO

서장: **하 영 식**

DID: 055-2390-201

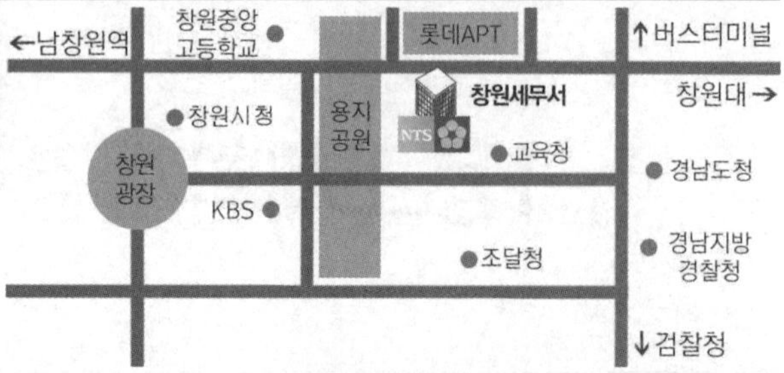

주소	경상남도 창원시 의창구 중앙대로 209번길 16 (용호동) (우) 51430 진해민원실 : 경상남도 창원시 진해구 진해대로 719 진해상공회의소 1층 (우) 51582				
코드번호	609	계좌번호	140669	사업자번호	
관할구역	창원시 성산구, 의창구, 진해구			이메일	changwon@nts.go.kr

과	체납징세과				부가가치세과			소득세과	
과장	박양운 240				손성주 280			문병엽 360	
계	업무지원	징세	체납추적1	체납추적2	부가1	부가2	부가3	소득1	소득2
계장	조형나 241	김종진 261	김희준 441	박석규 461	오세은 281	정성호 301	이창훈 321	김창현 361	박성규 381
국세조사관	문선희 243 정성욱 242	김정분 262	곽봉신 443	정부섭 462 정수환 463 김희문 464	권태훈 282	송우용 302	하경혜 322	이승규 362	이중호 383
	안수진 245 이소은 244 이기영 247	배미영 263 최진숙 264 김경혜 265	이창희 442 임현진 444 유송화 445 최혜선 446	송미연 465 곽용석 466 주혜진 467	강경래 283 이진호 284 안종규 285 김현정 286 강희 291	이현정 303 김도헌 304 김미진 305 허수범 306	남동현 323 임지혜 324 정다운 325 박진우 326 김가은 327	이봉화 364 김혜원 366 권은경 365 박희숙 391	곽윤영 382
	유정우 248		김지희 447 한정필 448	옥채순 468	이은미 235 남송이 287 심시온 235	박현경 307 오정민 308 김영수 309	차민식 328 강혜진 329	최은진 367 전종호 365	강대석 384 권수경 385
	김성훈 246 임종필 249		서예주 449	이대현 469 양재영 470	이아름 288 이은상 289	서가은 310 김성범 311	김민후 330	곽은미 368 진현호 369 김신혜 370	김혜린 386 이성혜 387 박구슬 388
관리운영직 및 기타									
FAX	287-1394				285-0161	285-0162		285-0163	285-0164

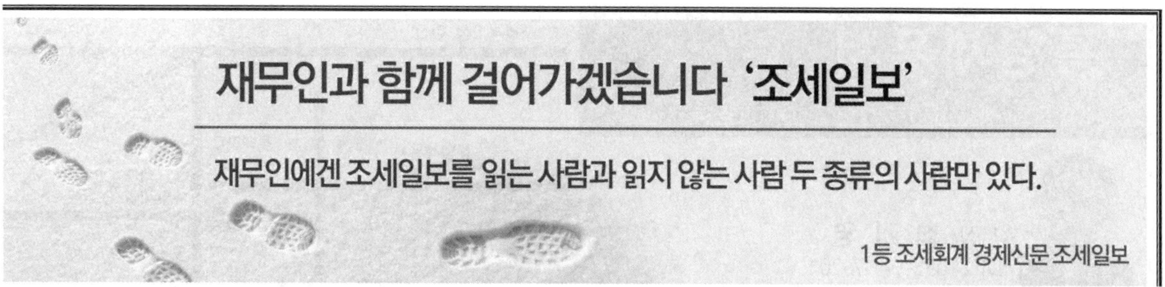
재무인과 함께 걸어가겠습니다 '조세일보'
재무인에겐 조세일보를 읽는 사람과 읽지 않는 사람 두 종류의 사람만 있다.
1등 조세회계 경제신문 조세일보

과	재산세과		법인세과		조사과			납세자보호담당관	
과장	신기준 480		김유신 400		공명호 640			강승구 210	
계	재산1	재산2	법인1	법인2	조사관리	조사	세원정보	납세자보호	민원봉사실
계장	노재동 481	박승호 501	안희식 401	백성경 421	이진환 641	홍덕희 651	신성원 691	이상미 211	김구수 221
국세조사관	조주호 482	이장호 502 구본 503	류현철 402 곽지은 403	이봉철 422		이재관 654 이강우 657 정월선 671 최대림 674			장효윤 222 정성우 223
국세조사관	심연주 노미혜 483 이경미 484 명영빈 485 양예진 486	우재경 504 전홍미 505 최인아 506	윤정아 404 정지현 405 이현희 410	이점순 423 배선경 424 김미숙 425 이소애 426 박동홍 427	황민훈 642	신성용(파견) 이성훈 652 김형두 655 조병환 658 이현우 672 김진수 675 전창석 681 강정선 682	정성훈 692	안승훈 212 구현진 213 이혜경 214	김종식 224 황미옥 225
국세조사관	장혜원 최윤정 487 김태경 488 정승아 489		최혜선 406 오지현 407	김기용 428 조현아 429	이영수 643 송승리 644	손병열 653 박주희 656 박미숙 659 강민규 673 이은주 683	박윤경 693	강효경 215 황선주 216	윤재련 228 김승미 226
국세조사관	박상우 490 서민경 491		김령언 408 윤태영 409	김현정 430		박세린 676			김영혜 227 배지홍 228 우재진 229 유도권 230
관리운영직 및 기타									
FAX	285-0165		287-1332		285-0166			266-9155	

통영세무서

대표전화: 055-6407-200 / DID: 055-6407-OOO

서장: **최 기 영**
DID: 055-6407-201

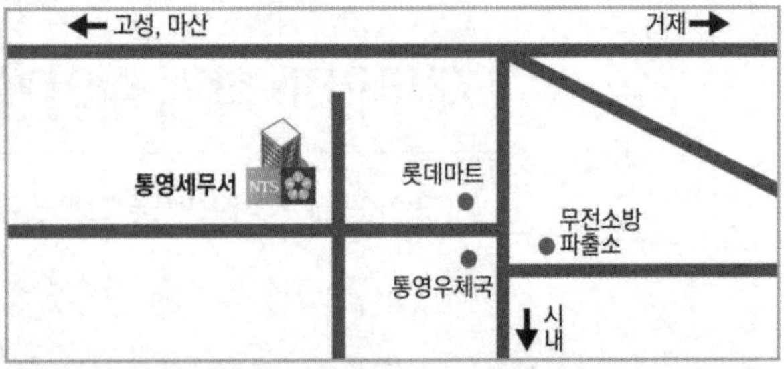

주소	경상남도 통영시 무전5길 20-9 (무전동) (우) 53036 거제지서: 거제시 계룡로11길 9 (고현동) (우) 53257				
코드번호	612	계좌번호	140708	사업자번호	
관할구역	경상남도 통영시, 거제시, 고성군			이메일	tongyeong@nts.go.kr

과	체납징세과					세원관리과			
과장	현경훈 240					김윤석 280			
계	운영지원	체납추적	징세	조사	세원정보	부가	소득	재산법인	
								재산	법인
계장	오대석 241	김재년 441	박재완 261	김현철 651	이재평 691	최용훈 281	정용섭 361	이상호 401	
국세조사관			이승희 262	전종원 652 김민규 653 이도경 654 김혜영 655		정희봉 286 박진용 282	이화영 362	김현구 482	
국세조사관	허진호 242 최은경 243 최선우 244 김기웅 245	진호근 442 허춘도 443 조경혜 444 김혜영 445	성지혜 263	임수정 656 강호현 657 이병철 658 정성화 659	박용희 692	강철구 283	서호성 363	이종욱 483 서형숙 484	이동규 402 정연욱 403 이현주 404 최서윤 405
국세조사관		김행은 446 서지원 447		안세희 660		정인구 285 이승록 287	안태영 364 서화영 365 김민준 366 조은서 367	추상미 485	구영범 406 한명진 407 김민정 408
국세조사관	김광덕 247 김동건 246	이현아 448				서명진 288 백선우 289 최현빈 290	정수진 368 정희숙 369	오초롱 486	남지은 409
관리운영직 및 기타									
FAX	644-1814		645-7283	645-0397	642-5117	644-4010		648-2748	649-5117

과	납세자보호담당관		거제지서				
과장	최병태 210		이광호 201				
계	납세자보호	민원봉사실	체납추적	납세자보호	부가소득		재산
					부가	소득	
계장	최명환 211	최윤섭 221	윤승호 441	김문수 211	김정면 300		신용현 401
국세조사관			형만우 442		김형천 301	조영수 311	권영록 402
	김화영 212	서수정 222 이영숙 226 권준혁 223	서용오 443 김명희 444	임인섭 213	김병수 302 김경숙 310	이정훈 312 박상도 313	박성준 403
	윤호영 213		임종근 445	이정은 214	조윤주 303 정찬호 304	박정운 314	성미로 404 송치호 405 김동민 406
		최재혁 225 김마리아 224	김경민 446	문라형 215 최지선 216 정해식 217	박성환 305 김혜빈 306	김효진 315 이미선 317 윤미현 316	허준호 407
관리운영직 및 기타							
FAX	645-7287	646-9420		635-5002	636-5456		636-5457

제주세무서

대표전화: 064-7205-200 / DID: 064-7205-OOO

서장: **박 국 진**
DID: 064-7205-201

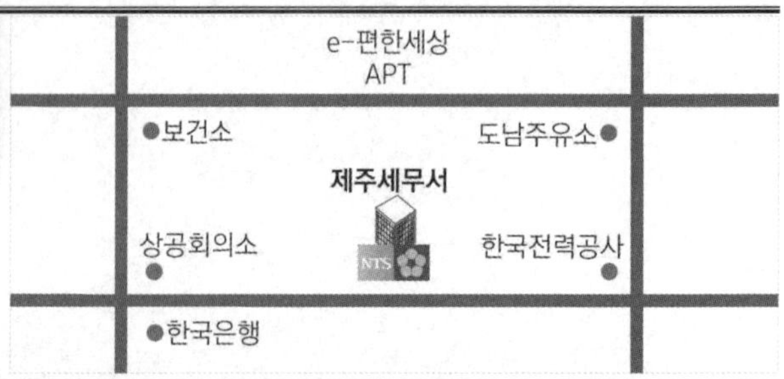

주소	제주특별자치도 제주시 청사로 59 (도남동, 정부제주지방합동청사) (우) 63219 서귀포지서: 제주도 서귀포시 신중로55 서귀포시청 제2청사 1층 (우) 63565				
코드번호	616	**계좌번호**	120171	**사업자번호**	
관할구역	제주특별자치도 (제주시, 서귀포시)			**이메일**	jeju@nts.go.kr

과	체납징세과				부가가치세과		소득세과		재산세과	
과장	한순국 240				강상염 280		이영숙 360		박진홍 480	
계	운영지원	체납추적1	체납추적2	징세	부가1	부가2	소득1	소득2	재산1	재산2
계장	최경수 241	조영심 441	이창림 461	강동균 261	문기창 281	홍성수 301	김유철 361	박명철 381	장영삼 481	부상석 521
국세 조사관		문현국 442 정희종 443	노인섭 462 강희언 463 백종렬 464	김시철 264	김영창 282 김정훈 283 김정실 284	변시철 302			박순민 482 진경희 483 한창림 484	강보성 522 박길훈 523
	이경상 242	이대구 444 양영혁 445 김성면 446 김재환 447 김현수 450	이창언 465 이창환 466 황현정 467 이부형 468	강해영 262 고영배 263	이승환 285 오진수 286 좌용준 287	지현철 303 박은화 304 양제문 315	김완철 362 김양수 363 김대훈 364 차정우 365	좌종훈 382 송대근 383 이민영 384	문영수 485 이상희 486	심상길 524 강복희 525 김우석 526 고정은 527
	김시연 243 김준섭 244 강형수 246				고지은 (오전) 288 강가에 289 김호 294	이계봉 305 허윤숙 306 변혜정 307 김민규 316	이혜지 366 변경옥 367	김성주 385 송정민 386	김원경 487	
	이종률 245	김태환 448 도진주 449	서현경 469		임성아 290 김나영 291 김혜림 292 신민서 293	조은영 308 박진형 309 김수민 310	박연주 368	문혜정 387 이수경 388 변태민 389	김연순 488 고희주 489 김문정 490	
관리 운영직 및 기타										
FAX	724-1107(운영), 724-2271(체납)				724-2272		724-2274		724-2273	

과	법인세과		조사과			납세자보호담당관		서귀포지서		
과장	김성오 400		오세두 640			김양수 210		노정민 201		
계	법인1	법인2	조사관리	조사	세원정보	납세자보호	민원봉사실	납세자보호	부가소득	재산
계장	김영민 401	이욱배 421	조용문 641	김동업 651	김광석 691	정희문 211	최희경 221		고영남 220	임정훈 250
국세조사관	강영진 402	홍영균 422	고창기 642	김봉조 656 정덕주 657 오창곤 653 최지영 654 김성호 655	고규진 692	고봉국 212 송병훈 213	강영식 222	최재훈 210	정재조 240 한민수 221	
	부종철 403 양진혁 404	양원혁 423 강상임 424 김진열 425	고창우 643	김임년 658 김형익 657 장성근 659	정진우 693	고원정 214	양석재 223 곽민석 224 조형래 225	안예지 211	이승주 222 노기숙 223 최은미 224 이원경 230 김지호 225 석민구 231	고계명 251 이선우 252 박정오 253
	이진선 405 신영화 409 신담호 406 홍수은 407	고경균 426					현창훈 227 김진호 228 강창희 229 김은경 230 이재성 231		이희윤 226 박석훈 241 이지환 227 김남규 242	
	장익준 408	고민하 427 이하림 428 김한솔 429		주은진 660 곽한울 661			강정인 226		김수남 232 박지혜 228 조윤서 233	김세기 254
관리운영직 및 기타										
FAX	724-2276		724-2280			720-5217		730-9280		

관세청

■ 관세청 481

본청 국·과 482

서울본부세관 485

인천본부세관 489

부산본부세관 493

대구본부세관 497

광주본부세관 499

관 세 청

주소	대전광역시 서구 청사로 189 정부대전청사 1동 (우) 35208
대표전화	1577-8577
팩스	042-472-2100
당직실	042-481-8849
고객지원센터	125
홈페이지	www.customs.go.kr

청장 노석환

(D) 042-481-7600, 02-510-1600 (FAX) 042-481-7609

비 서 관 남성훈 042-481-7601
비 서 최재원 042-481-7602
비 서 김혜림 042-481-7603

차장 이찬기

(D) 042-481-7610, 02-510-1610 (FAX) 042-481-7619

비 서 우제국 042-481-7611

비 서 박은지 042-481-7612

관세청

대표전화: 042-481-4114 DID: 042-481-OOOO

청장: **노 석 환**
DID: 042-481-7600

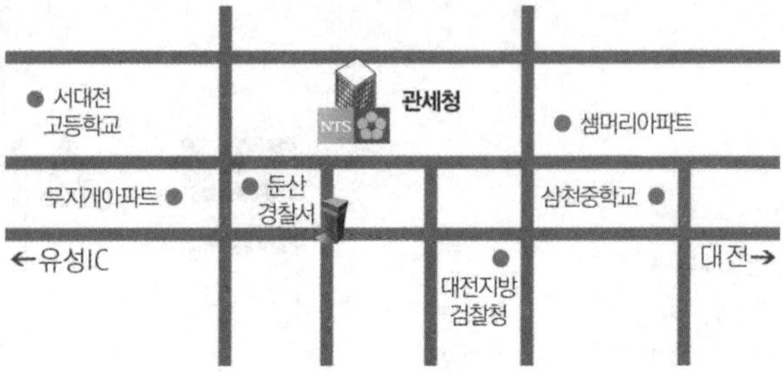

과	대변인	관세국경위험관리센터	관세청빅데이터추진단	운영지원과장
과장	하변길 042-481-7615	김희리 042-481-1160	조한진 042-481-3290	황승호 042-481-7620

국실	기획조정관			
국장	이종우 042-481-7640			
과	혁신기획재정담당관	인사관리담당관	규제개혁법무담당관	비상안전담당관
과장	강연호 7660	박헌 7670	이상욱 7680	이병호 7690

국실	감사관		통관지원국		
국장	최능하 042-481-7700		이석문 042-481-7800		
과	감사담당관	감찰팀장	통관기획과	수출입물류과	특수통관과
과장	유태수 7710	양승혁 7720	한민 7810	김동수 7820	김기동 7830

국실	자유무역협정집행기획관			심사정책국			
국장	성태곤 042-481-3200			주시경 042-481-7850			
과	FTA집행기획 담당관	원산지지원 담당관	FTA협력 담당관	심사정책과	세원심사과	법인심사과	기획심사팀장
과장	김태영 3210	임현철 3220	오현진 3230	하유정 7860	김현정 7870	김재홍 7980	김현석 7880

국실	조사감시국			
국장	김용식 042-481-7900			
과	조사총괄과	관세국경감시과	외환조사과	국제조사팀
과장	유영한 7910	문행용 7920	정기섭 7930	백형민 02-510-1630

1등 조세회계 경제신문 조세일보

국실	정보협력국				
국장	고석진 042-481-7950				
과	정보기획과	정보관리과	교역협력과	국제협력팀장	정보개발팀장
과장	최연수 7760	현명진 7790	채봉규 7960	임주연 7970	나종태 3250

관세국경관리연수원				중앙관세분석소			
원장 : 조은정 / DID : 041-410-8500				소장 : 임병복 / DID : 055-792-7300			
충청남도 천안시 동남구 병천면 충절로 1687 (병천리 331) (우) 31254				경상남도 진주시 동진로 408 (충무공동 16-1) (우) 52851			
과	교육지원과	인재개발과	탐지견훈련 센터담당관	총괄분석과	분석1관	분석2관	분석3관
과장	김재식 8510	이해진 8530	임용견 032-722-4850	김학규 7310	양진철 7320	김영희 7330	정재하 7340

관세평가분류원				평택직할세관		
원장 : 이진희 / DID : 042-714-7500				세관장 : 이갑수 / DID : 031-8054-7001		
대전광역시 유성구 테크노2로 214 (탑림동 693) (우) 34027				경기도 평택시 포승읍 평택항만길 45 (만호리 340-3) (우) 17962		
과	관세평가과	품목분류1과	품목분류2과	통관지원과	수입과	납세심사과
과장	노지선 7501	최형권 7521	한규희 7541	김민세 7020	남창훈 7050	조강식 7100

과	품목분류 3과	품목분류 4과	수출입안전 심사1과	수출입안전 심사2과	조사과	감시과	휴대품과
과장	이승연 7551	곽승만 7560	이득수 7570	이학보 7590	김상연 7170	장상기 7200	고광규 7250

서울본부세관

주소	서울특별시 강남구 언주로 721 (논현2동 71) (우) 06050
대표전화	02-510-1114
팩스	02-548-1381
당직실	02-510-1999
고객지원센터	125
홈페이지	www.customs.go.kr/seoul/

세관장 김광호

(D) 02-510-1000 (FAX) 02-548-1922

비 서 최두나 02-510-1002

통관국장	**오상훈**	(D) 02-510-1100
FTA집행국장	**심재현**	(D) 02-510-1300
심사국장	**장웅요**	(D) 02-510-1200
조사1국장	**손문갑**	(D) 02-2015-1400
조사2국장	**이동현**	(D) 02-510-1700
안양세관장	**김완조**	(D) 031-596-2001
천안세관장	**한용우**	(D) 041-640-2300
청주세관장	**전민식**	(D) 043-717-5700
성남세관장	**원용택**	(D) 031-697-2570
파주세관장	**윤영배**	(D) 031-934-2800
구로비즈니스센터장	**장광현**	(D) 02-2107-2501
충주비즈니스센터장	**박정해**	(D) 043-720-5691
의정부비즈니스센터장	**서용택**	(D) 031-540-2610
도라산비즈니스센터장	**차상두**	(D) 031-950-2900

서울본부세관

대표전화: 02-510-1114 / DID: 02-510-OOOO

청장: **김 광 호**
DID: 02-510-1000

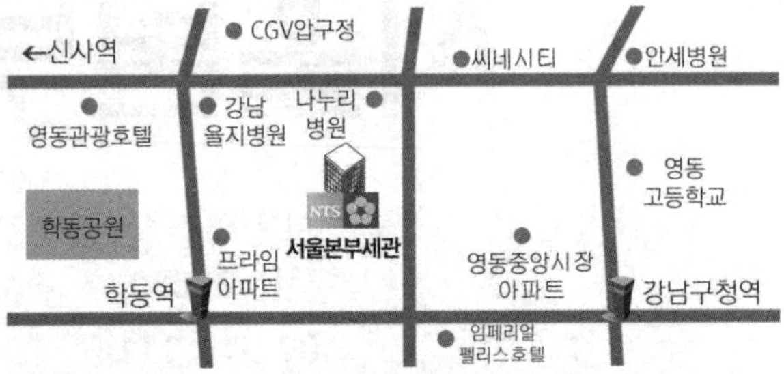

과	세관운영과	감사담당관	수출입기업지원센터장
과장	마순덕 1030	이영도 1010	김흥주 1370

국실	통관국			
국장	오상훈 02-510-1100			
과	통관지원과	수출과	수입과	이사화물과
과장	도기봉 1110	손요나 1130	이정우 1150	노병필 1180

국실	심사국					
국장	장웅요 02-510-1200					
과	심사총괄과	심사1관	심사2관	심사3관	심사4관	심사5관
과장	최천식 1210	김상우 1240	류기석 1250	박수영 1270	신숙경 1290	박성주 1940

과	심사6관	심사7관	심사8관	심사정보과	체납관리과	환급심사과	분석실장
과장	김성수 1960	장영민 1550	최영주 1970	선영임 1310	김원석 1330	황남재 1350	곽재석 1390

국실	조사1국			조사2국		
국장	손문갑 02-2015-1400			이동현 02-510-1700		
과	조사총괄과	특수조사과	사이버조사과	외환조사과	외환검사과	외환조사1관
과장	김규진 1410	이옥재 1910	강경아 1510	전성배 1710	문을열 1650	유정환 1730

과	조사정보과	조사관	외환조사2관	외환조사3관
과장	이정희 1770	황일규 1540	신승호 1750	이철옥 1470

국실	FTA집행국				안양세관	
국장	심재현 02-510-1300				김완조 031-596-2001	
과	FTA1과	FTA2과	FTA3과	FTA4과	통관지원과	조사심사과
과장	양을수 1560	박병옥 1480	김경태 1580	김태봉 1860	송진근 2050	정민숙 2010

세관	천안세관		청주세관		
세관장	한용우 041-640-2300		전민식 043-717-5700		
과	통관지원과	조사심사과	통관지원과	조사심사과	휴대품과
과장	박상준 2350	이병용 2320	이동수 5710	권오성 5730	오지훈 5750

세관	성남세관	파주세관	구로비즈니스센터
세관장	원용택 031-697-2570	윤영배 031-934-2800	장광현 02-2107-2501

세관	충주비즈니스센터	의정부비즈니스센터	도라산비즈니스센터
세관장	박정해 043-720-5691	서용택 031-540-2610	차상두 031-950-2900

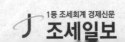

인천본부세관

주소	인천광역시 중구 서해대로 339 (항동7가 1-18) (우) 22346
대표전화	032-452-3114
팩스	032-452-3149
당직실	032-452-3535
고객지원센터	125
홈페이지	www.customs.go.kr/incheon/

세관장 김윤식

(D) 032-452-4000 (FAX) 032-722-4039

비 서 이주안 032-452-4002

비 서 윤다희 032-452-4003

항만통관감시국장	**정승환**	(D) 032-452-3200
공항통관감시국장	**강성철**	(D) 032-722-4110
휴대품통관1국장	**이철재**	(D) 032-722-4400
휴대품통관2국장	**박계하**	(D) 032-723-5100
특송통관국장	**정호창**	(D) 032-722-4300
심사국장	**김종덕**	(D) 032-452-3300
조사국장	**김철수**	(D) 032-452-3400
김포공항세관장	**이범주**	(D) 02-6930-4900
인천공항국제우편세관장	**박희규**	(D) 032-720-7410
수원세관장	**박종일**	(D) 031-547-3910
안산세관장	**김기재**	(D) 031-8085-3800
부평비즈니스센터장	**이봉원**	(D) 032-509-3700

인천본부세관

대표전화: 032-452-3114/ DID: 032-452-OOOO

청장: **김 윤 식**
DID: 032-452-4000

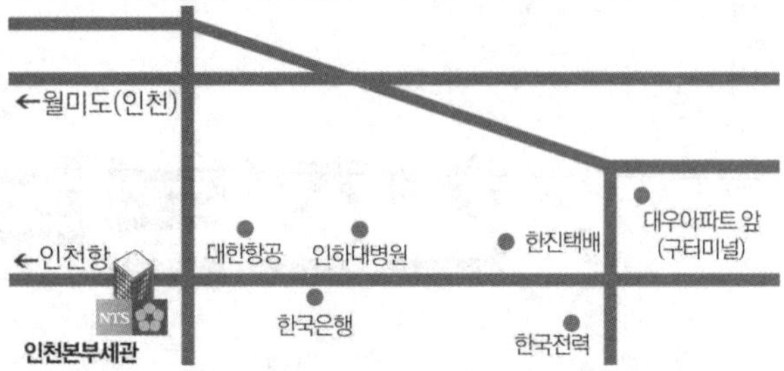

과	세관운영과		감사담당관	수출입기업지원센터	협업검사센터
과장	윤선덕 3100		염승열 4702	김영준 3630	김성진 3680
팀	인사팀	기획팀			
팀장	장용호 3120	최영훈 3110			

국실	항만통관감시국							
국장	정승환 032-452-3200							
과	인천항통관 지원1과	인천항운영 팀장	인천항통관 지원2과	인천항 수출과	인천항 수입1과	인천항 수입2과	인천항 수입3과	자유무역 협정총괄
과장	유승정 3210	김용익 3205	류성현 3650	김원섭 3220	최현정 3240	채정균 3280	김가웅 3270	박세윤 5910
과	자유무역 협정1과	자유무역 협정2과	자유무역 협정3과	감시총괄과	감시총괄팀	화물검사과	인천항 감시과	
과장	김종철 3170	김민호 4010	최훈균 3020	오세현 3490	류승하 3447	문성환 3230	정용훈 3480	

국실	심사국							
국장	김종덕 032-452-3300							
과	심사총괄과	심사1관	심사2관	심사3관	심사정보 1관	심사정보 2관	분석실	분석관
과장	이종호 3310	김동철 3390	박상원 3340	김재홍 3570	이상수 3350	김진갑 4340	정원일 3380	양승준 4390

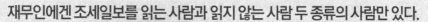

국실	휴대품통관1국						
국장	이철재 032-722-4400						
과	공항휴대품 1과	여행자 정보분석과	공항휴대품 검사1관	공항휴대품 검사2관	공항휴대품 검사3관	공항휴대품 검사4관	공항휴대품 검사5관
과장	최형균 4410	장세창 4470	김대길	배국호	김성희	주성렬	박헌욱
			(B)4520 (C)4530 (D)4540 (E)4550				

과	공항휴대품 검사6관	공항휴대품 검사7관	공항휴대품 검사8관	공항휴대품 검사9관	인천항 휴대품과	인천항휴대품 검사관
과장	곽기복	황영철	이의상	심기현 4450	권대호 3460	김수복 3520
	(B)4520 (C)4530 (D)4540 (E)4550					

국실	휴대품통관2국							
국장	박계하 032-723-5100							
과	공항휴대품 2과	공항휴대품 검사1관	공항휴대품 검사2관	공항휴대품 검사3관	공항휴대품 검사4관	공항휴대품 검사5관	공항휴대품 검사6관	공항휴대품 검사7관
과장	이현주 5110	여환준	피상철	윤동규	김진원	이돈변	임대룡	이종범 5180
		(A)5160 (B)5170						

국실	조사국									
국장	김철수 032-452-3400									
과	조사 총괄과	조사1관	조사2관	조사3관	조사4관	조사5관	조사6관	조사 정보과	외환 조사과	마약 조사과
과장	박남기 3410	이근영 3040	윤해욱 3440	송웅호 3430	정신수 4610	신동윤 4670	김영기 5040	김범준 3420	문진규 3450	어태룡 4650

국실	공항통관감시국							
국장	강성철 032-722-4110							
과	공항통관 지원과	공항 수출과	공항 수입1과	공항 수입2과	공항 감시과	공항 감시관	장비과	전산정보 관리과
과장	지성근 4105	오영진 4190	성행제 4210	정병건 4250	박병용 4730	이창희 5810	신진일 4780	신효상 4790

세관	특송통관국				김포공항세관		
세관장	정호창 032-722-4300				이범주 02-6930-4900		
과	특송통관1	특송통관2	특송통관3	특송통관4	통관지원과	조사심사과	휴대품과
과장	이상목 4320	이재훈 4800	강봉철 4880	임활규 4310	심평식 4910	4940	조진용 4970

세관	인천공항국제우편세관		수원세관		안산세관		부평비즈니스센터
세관장	박희규 032-720-7410		박종일 031-547-3910		김기재 031-8085-3800		이봉원 032-509-3700
과	우편통관과	우편검사과	통관지원과	조사심사과	통관지원과	조사심사과	
과장	박정우 7420	표동삼 7440	안준 3920	방기준 3950	문미호 3850	민병조 3810	

부산본부세관

주소	부산광역시 중구 충장대로 20 (중앙로 4가 17) (우) 48940
대표전화	051-620-6114
팩스	051-620-1115
당직실	051-620-6666
고객지원센터	125
홈페이지	customs.go.kr/busan/

세관장 이명구

(D) 051-620-6000 (FAX) 051-620-1100

비 서 최서연 051-620-6001

통관국장	이근후	(D) 051-620-6100
신항통관국장	최재관	(D) 051-620-6200
심사국장	이민근	(D) 051-620-6300
조사국장	김영우	(D) 051-620-6400
감시국장	하남기	(D) 051-620-6700
김해공항세관장	김영환	(D) 051-899-7201
용당세관장	정윤성	(D) 055-240-7101
양산세관장	이원상	(D) 055-783-7300
창원세관장	박철완	(D) 055-210-7600
마산세관장	김종웅	(D) 055-240-7000
경남남부세관	이동훈	(D) 055-639-7500
경남서부세관	권대선	(D) 055-750-7900
통영비즈니스센터	이상성	(D) 055-733-8000
부산국제우편비즈니스센터	장준영	(D) 055-783-7400
진해비즈니스센터	이한선	(D) 055-210-7680
사천비즈니스센터	송해기	(D) 055-830-7800

부산본부세관

대표전화: 051-620-6114/ DID : 051-620-OOOO

청장: **이 명 구**

DID: 051-620-6000

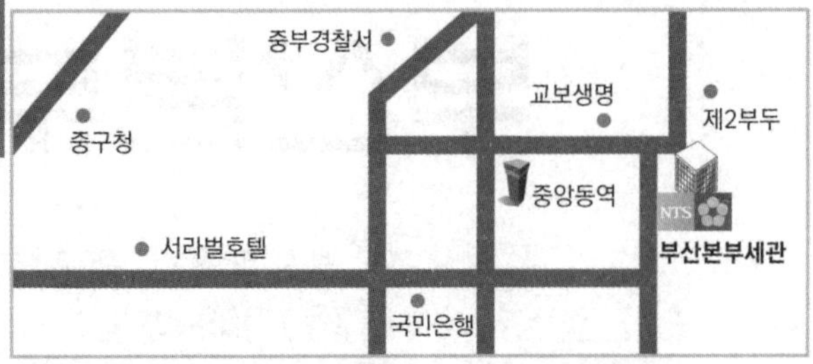

과	세관운영과	감사담당관	수출입기업지원센터	협업검사센터
과장	김원식 6030	방대성 6010	강경훈 6950	곽경훈 6570

국실	통관국							
국장	이근후 051-620-6100							
과	통관지원	수출	수입	자유무역협정	부두통관1	부두통관2	휴대품	휴대품검사
과장	류경주 6110	서승현 6170	김기현 6210	장경호 6630	박언종 6240	김영경 6260	6730	고장우 6750

국실	신항통관국장		
국장	최재관 051-620-6200		
과	신항통관지원	신항수입	신항부두통관
과장	박천정 6202	윤인철 6150	석창휴 6280

국실	심사국						
국장	이민근 051-620-6300						
과	심사총괄	심사1관	심사2관	심사정보과	체납관리	분석실	분석관
과장	문흥호 6440	홍석헌 6330	정중희 6350	유명재 6370	안병윤 6390	성원식 6650	김정욱 6660

국실	조사국							
국장	김영우 051-620-6400							
과	조사총괄	외환조사	조사정보과	조사1관	조사2관	조사3관	조사4관	외환조사관
과장	김성복 6410	김용진 6480	박부열 6420	노경환 6460	최현오 6430	채희열 6440	이종필 6450	전경수 6490

국실	감시국							
국장	하남기 051-620-6700							
과	감시총괄	화물검사	감시정보	감시1관	감시2관	감시3관	감시4관	감시장비
과장	윤청운 6710	신각성 6510	김동옥 6760	이병기 6790	김동영 6810	공성회 6830	양두열 6840	백형관 6850

세관	김해공항세관			용당세관		양산세관	
세관장	김영환 051-899-7201			정윤성 055-240-7101		이원상 055-783-7300	
과	통관지원	조사심사	휴대품	통관지원	조사심사	통관지원	조사심사
과장	오동재 7210	김국만 7260	박준희 7240	최병웅 7130	노근홍 7110	이익재 7304	정연오 7303

세관	창원세관		마산세관		경남남부세관	
세관장	박철완 055-210-7600		김종웅 055-240-7000		이동훈 055-639-7500	
과	통관지원과	조사심사과	통관지원	조사심사	통관지원	조사심사
과장	임길호 7610	김병헌 7630	이은호 7003	송현남 7004	김영현 7510	신용철 7520

세관	경남서부세관	통영비즈니스센터	부산국제우편 비즈니스센터	진해비즈니스센터	사천비즈니스센터
세관장	권대선 055-750-7900	이상성 055-733-8000	장준영 055-783-7400	이한선 055-210-7680	송해기 055-830-7800

대구본부세관

주소	대구광역시 달서구 화암로 301 정부대구지방합동청사 4층, 5층 (우) 42768
대표전화	053-230-5114
팩스	053-230-5611
당직실	053-230-5130
고객지원센터	125
홈페이지	www.customs.go.kr/daegu/

세관장 김재일

(D) 053-230-5000 (FAX) 053-230-5129

비 서 김희정 053-230-5001

울산세관	**김 정**	(D) 052-278-2200
구미세관	**김종기**	(D) 054-469-5600
포항세관	**이소면**	(D) 054-720-5700
속초세관	**이승필**	(D) 033-820-2100
동해세관	**김 혁**	(D) 033-539-2650
온산비즈니스센터	**조종필**	(D) 052-278-2340
고성비즈니스센터	**김상훈**	(D) 033-820-2180
원주비즈니스센터	**이윤택**	(D) 033-811-2850

대구본부세관

대표전화: 053-230-5114/ DID: 053-230-OOOO

청장: **김 재 일**
DID: 053-230-5000

과	세관운영과	감사담당관	수출입기업 지원센터	통관지원과	자유무역 협정과	납세심사과	조사과	휴대품과
과장	강병로 5100	김덕종 5050	김익헌 5180	박규창 5200	김명섭 5201	신태섭 5300	김남섭 5400	김용국 5500

세관	울산세관				구미세관	
세관장	김정 052-278-2200				김종기 054-469-5600	
과	통관지원과	조사심사과	감시과	감시관	통관지원과	조사심사과
과장	최연재 2230	임종덕 2260	류재철 2290	정연우 2300	권신희 5610	김달수 5630

세관	포항세관		속초세관		동해세관	온산 비즈니스 센터	고성 비즈니스 센터	원주 비즈니스 센터
세관장	이소면 054-720-5700		이승필 033-820-2100		김혁 033-539-2650	조종필 052-278-2340	김상훈 033-820-2180	이윤택 033-811-2850
과	통관지원과	조사심사과	통관지원과	조사심사과				
과장	정용환 5710	조철 5730	강민석 2120	박병철 2140				

광주본부세관

주소	광주광역시 북구 첨단과기로208번길 43 정부광주지방합동청사 10층, 11층 (우) 61011
대표전화	062-975-8114
팩스	062-975-3102
당직실	062-975-8114
고객지원센터	125
홈페이지	www.customs.go.kr/gwangju/

세관장 김종호

(D) 062-975-8000 (FAX) 062-975-3101

비 서 김경하 062-975-8003

광양세관장	백도선	(D) 061-797-8400
목포세관장	김성원	(D) 061-460-8500
대전세관장	박철웅	(D) 042-717-2200
여수세관장	김정만	(D) 061-660-8601
군산세관장	김재권	(D) 063-730-8701
제주세관장	윤동주	(D) 064-797-8801
전주세관장	진운용	(D) 063-710-8951
보령센터장	손을호	(D) 041-419-2751
완도비즈니스센터	박해준	(D) 061-460-8570
대산비즈니스센터	김원희	(D) 041-419-2700
익산비즈니스센터	서정년	(D) 063-720-8901

광주본부세관

대표전화: 062-975-8114 / DID: 062-975-OOOO

청장: **김 종 호**

DID: 062-975-8000

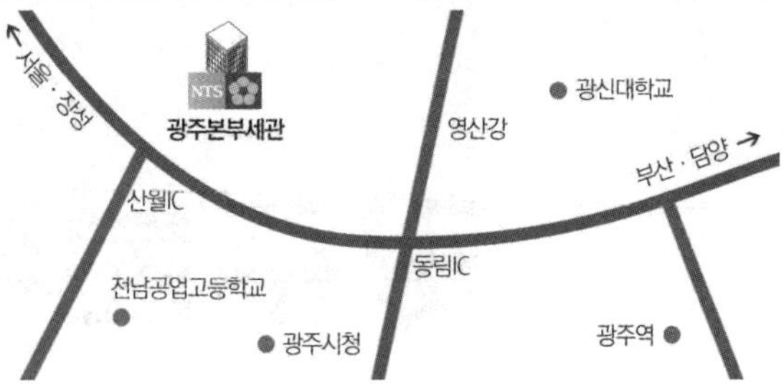

과	세관운영과	감사담당관	수출입기업 지원센터	통관지원과	납세심사과	조사과	휴대품과
과장	노시교 8020	민정기 8010	정진호 8190	양술 8040	김양관 8060	양병택 8080	박종호 8200

세관	광양세관		목포세관		대전세관	
세관장	백도선 061-797-8400		김성원 061-460-8500		박철웅 042-717-2200	
과	통관지원과	조사심사과	통관지원과	조사심사과	통관지원과	조사심사과
과장	김용섭 8410	유현종 8430	허윤영 8510	신동현 8540	김소연 2220	이규본 2250

세관	여수세관		군산세관		제주세관		
세관장	김정만 061-660-8601		김재권 063-730-8701		윤동주 064-797-8801		
과	통관지원과	조사심사과	통관지원과	조사심사과	통관지원과	조사심사과	휴대품과
과장	김익현 8610	장유용 8650	심상수 8710	정연교 8730	강봉구 8810	나두영 8850	양성국 8830

세관	전주세관	완도비즈니스센터	대산비즈니스센터	보령센터	익산비즈니스센터
세관장	진운용 063-710-8951	박해준 061-460-8570	김원희 041-419-2700	손을호 041-419-2751	서정년 063-720-8901

행정안전부 지방재정경제실

대표전화: 02-2100-3399/ DID: 044-205-OOOO

실장: **박 재 민**
DID: 044-205-3600

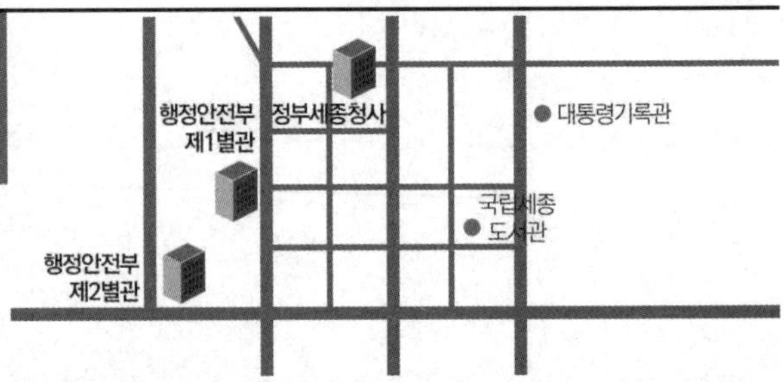

주소	세종특별자치시 정부2청사로 13(나성동) (우) 30128 제1별관: 세종특별자치시 한누리대로 411(어진동) (우) 30116 제2별관: 세종특별자치시 가름로 143(어진동) (우)30116

	지방재정정책관				지방세정책관			
	오병권 044-205-3700				이우종 044-205-3800			
과	재정정책과	재정협력과	교부세과	회계제도과	지방세 정책과	부동산 세제과	지방소득 소비세제과	지방세특례 제도과
과장	김한수 3702	이현정 3731	황순조 3751	김경태 3771	하종목 3802	서정훈 3831	홍삼기 3871	김정선 3851
서기관	서상우 1861 이보람 3703 장강혁 3710			신종필 3772 이경수 3772 진수일 3777	오경석 3803	박성근 3835 서은주 3834	오영곤 3883 임보미 3875 한송희 3872	
사무관	강대민 1865 권순현 3705 김도영 3704 이재경 1863 이준민 3720 임성범 3721 주영욱 3711 차재현 1864 허정 3715 강민철 3706 신승보 3716	김하영 3733 정유희 3769 고현웅 3738 김태범 3732	김일 3760 나기홍 3752 명삼수 3753 홍성권 3763 김효빈 3754	김경옥 3799 김민정 3783 김종갑 3785 양현진 3776 예병찬 3782 임남순 3790 정창기 3786 최교신 3781	김정구 3811 김한경 3821 손은경 3815 위형원 3808 장혜민 3818 조석훈 3804 최우성 3810 김광필 3816 홍성우 3812	김우성 3846 김종택 3848 류병욱 3842 박현정 3839 손민지 3843 이광영 3836	백외조 3876 정솔희 3878 하정권 3885 한수덕 3881	오정의 3858 장현석 3852 전제범 3856
주무관	고진영 3718 김영규 3717 남소정 3712 박인숙 3701 이문배 3707 이해창 3708 최민지 3722 전지현 3709 이명주 1862	안수진 3735 이준호 3734 김영임 3739 김정현 3736 김혜민 3770 이창일 3737	김성중 3761 문성훈 3756 양필수 3758 이선경 3755 이혜림 3759 정성실 3757 김연석 3764	강성현 3778 류경옥 3779 박경숙 3798 윤채원 3784 이상욱 3787 이재우 3773 이화영 3774 윤찬섭 3789	서원주 3809 김민준 3805 신인섭 3817 이수호 3822 조아라 3806	김성기 3838 나병진 3837 조익현 3840 서정주 3841 안명환 3844 정유진 3847 엄세열 3833	김정훈 3880 황진하 3886 김영호 3873 김민경 3887 김예수 3884 신진주 3882 이태훈 3874 이광일 3877	공지훈 3860 황인산 3853 남건욱 3857 송유니 3855 조용식 3854
행정 실무원	조선영 3601			김은성 3775				
기타				이동인 3794 방래혁 3795 정은화 3797 주진광 3796 이서홍 3793				

	지역경제지원관					**차세대지방세입정보화추진단**				
	구본근 044-205-3900					안병윤 02-2100-4200				
과	지역일자리 경제과	지방규제 혁신과	지역금융 지원과	공기업 정책과	공기업 지원과	총괄 기획과	재정 정보화 사업과	세외수입 보조금정 보과	지방세정보 화사업과	인프라 구축과
과장	이화진 3902	김문호 3937	홍성철 3941	박정주 3961	이준식 3981	김영빈 4202	김수희 4141	홍성완 4161	정민선 4181	권창현 4211
서기관		원충희 3935	이광용 3942	김우철 3971 이용수 3969	조한섭 3985		강찬우 4145	김수정 4166	김해숙 4182	
사무관	강인주 3914 권오영 3918 박영주 3904 백진걸 3908 안성기 3922 이병권 3920 이윤경 3912 장경림 3921 천혜원 3903 한성일 3919	강말순 3933 박삼범 3997 박효성 3935 심상수 3998 이현종 3932 정병진 3936	김재예 3943 송동식 3947 전지원 3944 정동화 3955 주현민 3954	박현우 3962 이두원 3963 이상로 3967 채현숙 3970	고준석 3986 김길수 3992 김만봉 3982 손동주 3984 오정열 3991 이동훈 3990	강혜경 4147 성고운 4222 이경수 4203 정진욱 4204 이도원 4209 김종권 4210	김동희 4227 김현경 4228 배준 4226 백경은 4146 이관석 4148 이지은 4179 한명애 4176	정양기 4162 민선미 4167	김기명 4191 송희라 4184	이수진 4212 노광래 4214 양석모 4216 심상욱 4213
주무관	문정의 3911 박영진 3905 윤희문 3913 이동건 3906 박지연 3923 백선희 3907 박재정 3910	김선 3940 현정원 3934 권슬기 3938 김윤호 3996	강경희 3950 진판곤 3948 김민경 3945	고완순 3964 김윤태 3968 전예제 3966 박선재 3965	최창완 3983 신재환 3987 이재호 3988 조원희 3989	박여훈 4170 신소은 4207 이현우 4223 구슬 4222 김효정 4208 황성일 4205 최혜림 4206	서유식 4149	고복인 4168 최미자 4164 구해리 4163 김동영 4165	강윤정 4190 전인열 4188 정인기 4194 정혜영 4192 조형진 4187 홍이정 4189 김성완 4195 김혜진 4186 신현민 4197 조성범 4196 신채원 4193	김승회 4219 김효주 4215 이다일 4217 이호찬 4218 송현하 3399
행정 실무원	이민아 3901		심규현 3953			이민지 4201				
기타				황판희 3973						

국무총리실 조세심판원

대표전화: 044-200-1800 / DID: 044-200-OOOO

원장: **이 상 율**
DID: 044-200-1700~2

주소	세종특별자치시 다솜3로 95 정부세종청사2동 4층 조세심판원 (우) 30108 서울(별관): 서울특별시 종로구 종로1길 42, 3층 301호 (이마빌딩) (우) 03152

원장실	
박선임(비서) 1703 황재호(기사) 1715	
FAX	044-200-1705
행정실	
행정실장	
박태의 1710(1720)	

구분	행 정	기 획	운 영	조정1	조정2	조정3
서기관						
사무관	박석민 1711	김신철 1731	성호승 1735 송기영 1712	정진욱 1721	배병윤 1741	김종윤 1725
주무관	문수영 1713 박수혜 1717 최유미 1716 박천호 1744 장효숙 1800 문정우 1714	이현우 1732 모재완 1733 마준성 1734	이정희 1719 최진현 1736 김온식 1704 송하나 1718	이창훈 1722 홍승연 1723 송동훈 1724 ※서울별관 이희복 02) 722-8801 Fax) 725-6400	허광욱 1742 김필한 1743	이유진 1726
	전산1, 전산2(1728), 상황실(044-865-1121)					
FAX	200-1706(행정실) 200-1707(민원실)					

심판부	1심판부	2심판부(일반.소액·관세)	3심판부
심판관	이상헌 1801(1811)	이기태(代)	황정훈 1805(1815)
비서	송혜림 1817		김연진 1837

심판조사관	1조	2조	3조	4조	5조	6조	7조
	이주한 1750	정정회 1770	이기태 1844	은희훈 1850	곽상민 1840	김병철 1860	박정민 1870
서기관	이재균 1751		임홍규 1845	이종철 1851			
사무관	이성호 1752 박희수 1753 박재혁 1754	송현탁 1771 김효남 1772 조광래 1773 한나라 1774	윤연원 1846 오대근 1856 한종건 1847	이은하 1852 조혜정 1854 김성기 1855	지영근 1841 강용규 1842 안중관 1843	정해빈 1861 송현 1862 김재천 1863 신정민 1864	남연화 1871 고창보 1872 배주형 1873 전연진 1874
주무관	김수정 1759		박미란 1858			이승희 1869	

FAX	1심판부	2심판부	3심판부
조사관실	200-1758, 1768	200-1848	200-1868
심판관실	200-1818	200-1828	200-1838

심판부	4심판부		5심판부		6심판부(지방세)		7심판부(지방세)		8심판부(지방세)	
심판관	김충호 1804(1814)		박춘호 1802(1812)		류양훈 1803(1813)		송경주 1806(1816)		이동혁 1808(1818)	
비서	윤승희 1827		송혜림 1817		윤승희 1827		김연진 1837		송혜림 1817	
심판 조사관	8조	9조	10조	11조	12조	13조	14조	15조	16조	17조
	이용형 1820	김기영 1830	최영준 1790	지장근 1780	조용민 1760	오인석 1766	최선재 1880	김천희 1890	권순태 1894	
서기관			우동욱 1791				최경민 1881	조용도 1891		강필구 1895
사무관	김기범 1821 이지훈 1822 백재민 1823 손대균 1824	장태희 1831 전성익 1832 김상진 1833 박인혜 1834	황성혜 1792 김성환 1793 이승훈 1794	김정오 1781 곽충험 1782 서지용 1783 김상곤 1784	김병호 1761 김성엽 1763 윤근희 1764 강경관 1762	현희성 1769 김동형 1853 이정화 1765 김보람 1767	현기수 1883 류시현 1884	김두섭 1886 심우돈 1893	김선엽 1885 최창원 1896 박천수 1897	홍순태 1882 윤석환 1892
주무관	박혜숙 1829		임윤정 1789		강혜란 1745		강경애 1899		전경선 1729	
FAX 조사관실	200-1788		200-1778		200-1778		200-1898		200-1898	
FAX 심판관실	200-1828		200-1818		200-1828		200-1838		200-1818	

한국조세재정연구원

대표전화:044-414-2114/DID: 044-414-OOOO

원장: **김 유 찬**
DID: 044-414-2100

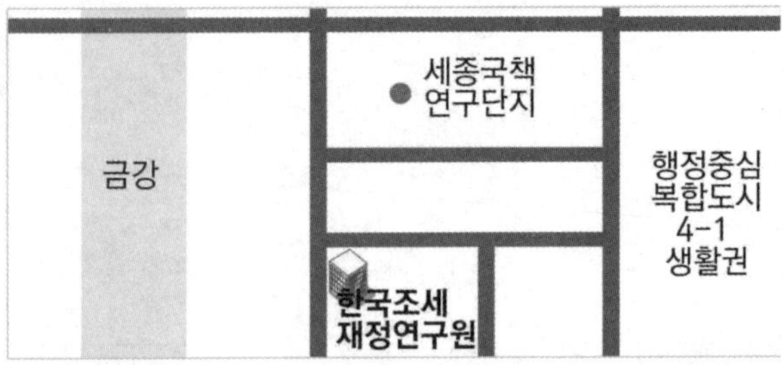

소속	성명/원내
부원장	
원장실	
선임전문원	홍유남 2100
정부청년인턴	권나영 2103
선임연구원	이순향 2105
감사실	
실장	이희수 2118
감사역	김정현 2117
감사역	신영철 2119
특수전문직3급	정훈 2485
연구기획실	
실장	홍범교 2120
선임연구원	서주영 2471
기획예산팀	
팀장	최윤용 2121
선임연구원	유재민 2127
선임연구원	정은경 2122
행정원	배지호 2128
행정원	오승민 2126
정부청년인턴	최예령
성과확산팀	
팀장	송경호 2520
선임전문원	박주희 2521
선임전문원	신지원 2522
전문원	이슬기 2524
위촉연구원	김선화 2512
위촉연구원	박지은 2513
정부청년인턴	최예령 2125
연구사업팀	
팀장	안상숙 2500
선임연구원	김정원 2504
선임연구원	송진민 2501
선임연구원	정빛나 2502
선임연구원	현하영 2510
행정원	김영화 2505
연구원	성유경 2503
연구원	이서희 2502
전문원	정경순 2506
위촉연구원	이승철 2508
정부청년인턴	배윤정 2516
정부청년인턴	송미진 2517
연구출판팀	
팀장	장정순 2133
명예책임전문원	최병규 2130
선임행정원	김선정 2132
선임전문원	장은정 2100
전문원	김서영 2134
전문원	손유진 2135
위촉전문원	조우리 2137
인사혁신팀	
선임행정원	전승진 2162
선임행정원	정찬영 2164
행정원	공요환 2165
행정원	김태은 2163
행정원	나영 2167
행정원	문지영 2168
행정원	박소연
위촉행정원	한명주 2166
경영지원실	
실장	성주석 2160
재무회계팀	
팀장	박현옥 2180
선임행정원	최영란 2181
행정원	강성훈 2186
행정원	이지혜 2183
행정원	임상미 2187
정부청년인턴	이승종 2188
총무팀	
팀장	배현호 2170
선임행정원	강신중 2173
선임행정원	손동준 2177
선임행정원	신수미 2171
선임행정원	윤여진 2176
선임행정원	이현영 2172
행정원	한용균 2174
부행정원	한유미 2175
정부청년인턴	이한준 2178
전산팀	
팀장	김성동 2150
선임전문원	이창호 2153
전문원	김민영 2151
전문원	김인아 2154
전문원	홍서진 2155
정부청년인턴	한수연 2157
시설구매팀	
팀장	노걸현 2190
선임행정원	강민주 2011
행정원	김범수 2192
행정원	박정훈 2193
위촉연구원	강선희
정부청년인턴	차세영 2194
정보관리팀	
팀장	심수희 2140
선임전문원	권정애 2142
선임전문원	김석운 2141
정부청년인턴	박신영 2145
조세정책연구본부	
본부장	전병목 2200
선임행정원	변경숙 2252
선임연구위원	이상엽 2257
선임연구위원	정재호 2233
명예선임연구위원	안종석 2210
연구위원	오종현
연구위원	한종석 2415
부연구위원	강동익 2575
부연구위원	권성오 2248
부연구위원	권성준 2360
부연구위원	김빛마로
부연구위원	우진희
부연구위원	정다운
부연구위원	정재현
부연구위원	최인혁 2446
선임연구원	권선정 2263
선임연구원	김현숙 2277
선임연구원	노지영 2246
선임연구원	이준성 2348
선임연구원	조은빛 2416
선임연구원	하에스더 2326
연구원	김학효 2482
연구원	노수경 2405
연구원	변이슬 2294
연구원	황미연 2369
정부청년인턴	김태연 2436

소속	성명/원내
세법연구센터	
센터장	홍성희
선임행정원	변경숙
정부청년인턴	이인철 2434
세제연구팀	
팀장	홍성희 2418
책임연구원	송은주 2262
선임연구원	강문정 2237
특수전문직3급	박수진 2412
특수전문직3급	이형민 2201
선임연구원	허윤영 2308
연구원	김효림 2239
연구원	양지영 2278
연구원	이서현 2283
특수전문직4급	서동연 2215
특수전문직4급	이성현 2347
위촉연구원	이화령 2486
관세연구팀	
팀장	정재현 2218
특수전문직3급	김다랑 2331
선임연구원	노영예 2335
선임연구원	박지우 2292
특수전문직3급	이재선 2419
연구원	김미정 2371
위촉연구원	손다혜 2487
세정연구센터	
센터장	한창목
선임행정원	변경숙
명예선임연구위원	김재진 2400
특수전문직3급	김선재 2579
연구원	김세인 2349
연구원	김효은 2328
연구원	오현빈 2334
위촉연구원	백기홍 2402
위촉연구원	함민정
세정연구팀	
팀장	정훈 2485
선임연구원	김민경 2325
특수전문직3급	홍민옥 2484
특수전문직4급	김재경 2216
연구원	박하얀 2466
특수전문직4급	서희진 2276
위촉연구원	김치율 2212
위촉연구원	변정윤 2324
조세지출성과관리센터	
센터장	김용대 2238
선임행정원	최미영
책임연구원	이은경 2273
책임연구원	강미정 2261
선임연구원	김상현 2376

소속	성명/원내
특수전문직3급	이슬기 2403
연구원	허현정 2236
정부청년인턴	한주혜 2444
조세재정전망센터	
센터장	오종현 2289
선임행정원	권나현
선임연구원	김평강 2329
재정전망팀	
팀장	고창수 2370
부연구위원	강동익 2575
부연구위원	우진희 2341
선임연구원	권미연 2374
선임연구원	백가영 2454
선임연구원	손지훈 2490
선임연구원	오소연 2205
선임연구원	오수정 2307
연구원	정상기 2287
세수추계팀	
팀장	정다운 2243
부연구위원	권성준
선임연구원	김신정 2291
선임연구원	김은정 2303
선임연구원	조혜진 2488
연구원	김영직 2318
연구원	오은혜 2302
연구원	임연빈
재정패널DB팀	
팀장	김빛마로 2339
선임연구원	오지연 2225
연구원	김유현 2473
위촉연구원	최은아 2394
재정정책연구본부	
본부장	김현아 2214
선임행정원	권나현 2284
선임연구위원	김종면 2211
선임연구위원	박노욱 2267
선임연구위원	원종학 2234
선임연구위원	최성은 2288
선임연구위원	최준욱 2221
연구위원	윤성주
연구위원	이은경 2231
부연구위원	고창수
부연구위원	김우현
부연구위원	김문정 2342
부연구위원	송경호
부연구위원	조희평 2455
책임전문원	최병규
선임연구원	박지혜 2244
선임연구원	신동준 2364
선임연구원	이수연 2336
선임연구원	임현정 2275
선임연구원	정보름 2332
연구원	주재민 2320
정부청년인턴	조남욱 2417

소속	성명/원내
재정지출분석센터	
센터장	윤성주 2220
선임행정원	권나현
선임연구원	구윤모 2452
선임연구원	김인유 2280
선임연구원	김진아 2343
선임연구원	김정은 2235
선임연구원	최경진 2476
경제재정분석팀	
팀장	송경호 2247
선임연구원	강민채 2458
선임연구원	김선미 2477
선임연구원	엄동욱 2368
선임연구원	이정인 2478
선임연구원	한혜란 2463
연구원	서동규 2496
복지사회재정분석팀	
팀장	김우현 2338
선임연구원	김은숙 2453
선임연구원	박신아 2253
선임연구원	이정은 2475
선임연구원	장준희 2474
선임연구원	황보경 2367
연구원	이재원 2352
아태재정협력센터	
센터장	허경선 2241
선임행정원	최미영
선임연구원	김나리 2387
선임연구원	김다은 2392
선임연구원	김윤옥 2385
선임연구원	이재영 2384
선임연구원	최승훈 2340
연구원	김윤지
연구원	김의주 2389
연구원	허윤지 2297
정부청년인턴	편주영 2390
재정성과평가센터	
소장	장우현 2286
선임행정원	윤혜순 2264
선임연구위원	박노욱
선임연구원	전예원 2399
정부청년인턴	장유진 2408
성과관리팀	
팀장	강희우 2224
선임연구원	김인애 2327
선임연구원	박선영 2251
선임연구원	박창우 2344
선임연구원	백종선 2333
선임연구원	우지은 2351
선임연구원	이홍범 2232
선임연구원	장민혜 2382
선임연구원	장운정 2365

소속	성명/원내
선임연구원	정경화 2310
선임연구원	최윤미 2449
선임연구원	한경진 2330
선임연구원	허미혜 2316
연구원	곽원욱 2223
연구원	심백교 2438
연구원	이은아 2472
평가제도팀	
팀장	이환웅 2219
선임연구원	김경훈 2447
선임연구원	안새롬 2293
선임연구원	이보화 2245
선임연구원	장낙원 2456
선임연구원	장문석 2448
연구원	강영현 2311
성과분석팀	
팀장	김창민 2350
선임연구원	봉재연 2323
선임연구원	임소영 2290
선임연구원	허영미 2381
연구원	심태완 2461
국가계약TFT	
팀장	강희우 2224
연구원	이아름 2270
연구원	이형석 2407
정부투자분석센터	
센터장	박한준 2353
선임행정원	윤혜순
선임연구원	박은정 2378
선임연구원	신헌태 2317
선임연구원	이남주 2565
선임연구원	장광남 2295
선임연구원	최미선 2391
연구원	김종혁 2393
연구원	박유미 2442
특수전문직4급	이근행 2301
정부청년인턴	장유진 2408
공공기관연구센터	
소장	배근호 2550
부소장	하세정
책임행정원	조종읍 2561
연구위원	허경선 2241
부연구위원	배진수 2440
초빙연구위원	임홍래 2375
정부청년인턴	김혜진 2322

소속	성명/원내
공공정책연구팀	
팀장	민경률 2256
선임연구원	박화영 2357
선임연구원	이강신 2459
선임연구원	홍소정 2279
선임연구원	홍윤진 2361
연구원	서영빈 2455
연구원	소병욱 2282
위촉연구원	이효주
경영혁신연구팀	
팀장	한동숙 2312
선임연구원	김준성 2573
선임연구원	민경석 2204
선임연구원	임희영 2208
선임연구원	정예슬 2358
연구원	남지현 2574
특수전문직4급	안윤선 2498
위촉연구원	강선희
경영혁신연구팀 보수TFT	
팀장	한동숙
특수전문직4급	김도훈 2281
선임연구원	김종원 2362
연구원	허민영 2479
평가연구팀	
팀장	하세정 2091
선임연구원	나진희 2460
선임연구원	박성훈 2213
선임연구원	봉우리 2355
선임연구원	서니나 2396
선임연구원	유효정 2363
선임연구원	임미화 2272
연구원	강석훈 2356
연구원	윤다솜 2298
평가연구팀 평가사무국	
선임연구원	장정윤 2544
선임연구원	정혜진 2587
연구원	서영빈 2455
행정원	심재경 2543
계량평가팀	
팀장	이진관 2559
특수전문직3급	강초롱 2337
특수전문직3급	남승오 2551
특수전문직3급	현지용 2572
특수전문직4급	김재민 2345
특수전문직4급	임형수 2209
특수전문직4급	장원석 2319
특수전문직4급	전형진
특수전문직4급	허경필 2507
위촉연구원	오소영

소속	성명/원내
정책사업팀	
팀장	변민정 2306
선임연구원	송남영 2240
선임연구원	오윤미 2377
선임연구원	유승현 2457
선임연구원	이슬 2366
선임연구원	이주경 2266
연구원	김정은 2435
국가회계재정통계센터	
소장	김완희 2560
부소장	문창오 2305
선임행정원	최미영 2265
정부청년인턴	전혜연 2409
국가회계팀	
팀장	한소영 2554
특수전문직3급	임정혁 2553
특수전문직3급	진태호 2552
특수전문직4급	이은경 2437
연구원	양은주 2373
연구원	최은혜 2493
결산교육팀	
팀장	문창오 2305
특수전문직3급	윤성호 2562
특수전문직3급	이명인 2555
특수전문직4급	오가영 2567
특수전문직4급	임종권 2581
행정원	정현석 2462
특수전문직4급	정유경 2258
특수전문직4급	한은미 2556
재정통계팀	
팀장	박윤진 2569
특수전문직3급	방민식 2489
특수전문직3급	유귀운 2566
특수전문직3급	최금주 2558
특수전문직3급	최지영 2577
선임연구원	엄기중 2578
특수전문직4급	유영찬 2576
특수전문직4급	이기돈 2492
특수전문직4급	장지원 2557
특수전문직4급	최중갑 2582
회계연구TFT	
선임연구원	이정미 2259

전 국 세 무 관 서 주소록

세무서	주 소	우편번호	전화번호	팩스번호	코드	계좌
국세청	세종특별자치시 국세청로 8-14 국세청 (정부세종2청사 국세청동)	30128	044-204-2200	02-732-0908	100	011769
서울청	서울특별시 종로구 종로5길 86 (수송동)	03151	02-2114-2200	02-722-0528	100	011895
강남	서울특별시 강남구 학동로 425 (청담동)	06068	02-519-4200	02-512-3917	211	180616
강동	서울특별시 강동구 천호대로 1139 (길동)	05355	02-2224-0200	02-489-3251	212	180629
강서	서울특별시 강서구 마곡서1로 60 (마곡동)	07799	02-2630-4200	02-2679-8777	109	012027
관악	서울특별시 관악구 문성로 187(신림동 438-2)	08773	02-2173-4200	02-2173-4269	145	024675
구로	서울특별시 영등포구 경인로 778 (문래동1가)	07363	02-2630-7200	02-2679-6394	113	011756
금천	서울특별시 금천구 시흥대로152길 11-21 (독산동)	08536	02-850-4200	02-861-1475	119	014371
남대문	서울특별시 중구 삼일대로 340 (저동1가) 나라키움저동빌딩	04551	02-2260-0200	02-755-7114	104	011785
노원	서울특별시 도봉구 노해로69길 14 (창동)	01415	02-3499-0200	02-992-1485	217	001562
도봉	서울특별시 강북구 도봉로 117 (미아동)	01177	02-944-0200	02-984-2580	210	011811
동대문	서울특별시 동대문구 약령시길 159 (청량리1동)	02489	02-958-0200	02-967-7593	204	011824
동작	서울특별시 영등포구 대방천로 259 (신길동)	07432	02-840-9200	02-831-4137	108	000181
마포	서울특별시 마포구 독막로 234(신수동)	04090	02-705-7200	02-717-7255	105	011840
반포	서울특별시 서초구 방배로 163 (방배동)	06573	02-590-4200	02-536-4083	114	180645
삼성	서울특별시 강남구 테헤란로 114 (역삼동) 1,5,6,9,10층 삼성세무서	06233	02-3011-7200	02-564-1129	120	181149
서대문	서울특별시 서대문구 충정로 60 (KT&G 서대문타워 13,14층)	03740	02-2287-4200	02-379-0552	110	011879
서초	서울특별시 강남구 테헤란로 114 (역삼동) 역삼빌딩 3,4층	06233	02-3011-6200	02-563-8030	214	180658
성동	서울특별시 성동구 광나루로 297 (송정동)	04802	02-460-4200	02-468-0016	206	011905
성북	서울 성북구 삼선교로 16길 13	02863	02-760-8200	02-744-6160	209	011918
송파	서울특별시 송파구 강동대로 62 (풍납동)	05506	02-2224-9200	02-409-8329	215	180661
양천	서울특별시 양천구 목동동로 165 (신정동)	08013	02-2650-9200	02-2652-0058	117	012878
역삼	서울특별시 강남구 테헤란로 114 (역삼동) 역삼빌딩 7,8층 및 9층 일부	06233	02-3011-8200	02-561-6684	220	181822
영등포	서울특별시 영등포구 선유동1로 38 (당산동3가)	07261	02-2630-9200	02-2678-4909	107	011934
용산	서울특별시 용산구 서빙고로24길15 (한강로3가)	04388	02-748-8200	02-792-2619	106	011947
은평	서울특별시 은평구 서오릉로7 (응암동84-5)	03460	02-2132-9200	02-2132-9501	147	026165
잠실	서울특별시 송파구 강동대로 62 (풍납2동 388-6)	05506	02-2055-9200	02-475-0881	230	019868
종로	서울특별시 종로구 삼일대로 30길 22	03133	02-760-9200	02-744-4939	101	011976
중랑	서울특별시 중랑구 망우로 176(상봉동 137-1)	02118	02-2170-0200	02-493-7315	146	025454
중부	서울 중구 소공로 70(충무로1가 21-1)	04535	02-2260-9200	02-2268-0582	201	011989

세무서	주 소	우편번호	전화번호	팩스번호	코드	계좌
중부청	경기도 수원시 장안구 경수대로 1110-17(파장동)	16206	031-888-4200	031-888-7612	200	000165
강릉	강원도 강릉시 수리골길 65 (교동)	25473	033-610-9200	033-641-4186	226	150154
경기광주	경기도 광주시 문화로 127	12752	031-880-9200	031-769-0417	233	023744
구리	경기도 구리시 안골로 36 (교문동)	11934	031-326-7200	031-326-7249	149	027290
기흥	경기도 용인시 기흥구 흥덕2로117번길15(영덕동)	16953	031-8007-1200	031-895-4902	236	026178
남양주	경기도 남양주시 화도읍 경춘로 1807(묵현리) 쉼터빌딩	12167	031-550-3200	031-566-1808	132	012302
동수원	경기도 수원시 영통구 청명남로 13 (영통동)	16704	031-695-4200	031-273-2416	135	131157
동안양	경기도 안양시 동안구 관평로202번길 27(관양동)	14054	031-389-8200	0503-112-9375	138	001591
분당	경기도 성남시 분당구 황새울로 311번길 11	13595	031-219-9200	031-781-6851	144	018364
삼척	강원도 삼척시 교동로 148 (교동)	25924	033-570-0200	033-574-5788	222	150167
성남	경기도 성남시 수정구 희망로 480 (단대동)	13148	031-730-6200	031-736-1904	129	130349
속초	강원도 속초시 수복로 28 (교동)	24855	033-639-9200	033-633-9510	227	150170
수원	경기도 수원시 팔달구 매산로 61 (매산로3가 28)	16456	031-250-4200	031-258-9411	124	130352
시흥	경기도 시흥시 마유로 368 (정왕동)	15055	031-310-7200	02-314-3973	140	001588
안산	경기도 안산시 단원구 화랑로 350(고잔동 517)	15354	031-412-3200	031-412-3268	134	131076
안양	경기도 안양시 만안구 냉천로 83 (안양동)	14090	031-467-1200	031-467-1300	123	130365
영월	강원도 영월군 영월읍 하송안길 49	26235	033-370-0200	033-373-1315	225	150183
용인	경기도 용인시 처인구 중부대로1161번길 71 (삼가동)	17019	031-329-2200	031-329-2328	142	002846
원주	강원도 원주시 북원로 2325 (단계동)	26411	033-740-9200	033-746-4791	224	100269
이천	경기도 이천시 부악로 47 (중리동)	17380	031-644-0200	031-634-2103	126	130378
춘천	강원도 춘천시 중앙로 115 (중앙로3가)	24358	033-250-0200	033-252-3589	221	100272
평택	경기도 평택시 죽백6로6 (죽백동 796)	17862	031-650-0200	031-658-1116	125	130381
홍천	강원도 홍천군 홍천읍 생명과학관길 50	25142	033-430-1200	033-433-1889	223	100285
화성	경기도 화성시 봉담읍 참샘길 27 (와우리)	18321	031-8019-1200	031-8019-8247	143	018351
인천청	인천광역시 남동구 남동대로 763(구월동)	21556	032-718-6200	032-718-6021	800	027054
남인천	인천광역시 남동구 인하로 548 (구월동)	21582	032-460-5200	032-463-5778	131	110424
북인천	인천광역시 계양구 효서로244(작전동 422-1)	21120	032-540-6200	032-545-0411	122	110233
서인천	인천광역시 서구 서곶로369번길 17 (연희동)	22721	032-560-5200	032-561-5777	137	111025
인천	인천광역시 동구 우각로 75 (창영동)	22564	032-770-0200	032-777-8104	121	110259
부천	경기도 부천시 원미구 계남로 227 (중동)	14535	032-320-5200	032-328-6931	130	110246
고양	경기도 고양시 일산동구 중앙로1275번길 14-43 (장항동)	10401	031-900-9200	031-901-9177	128	012014
광명	경기도 광명시 철산로 3-12(철산동 251)	14235	02-2610-8200	02-3666-0611	235	025195
김포	경기도 김포시 김포한강1로 22 (장기동)	10087	031-980-3200	031-987-9932	234	023760
동고양	경기도 고양시 덕양구 화중로 104번길 16(화정동)	10497	031-900-6200	031-963-2979	232	023757
연수	인천광역시 연수구 인천타워대로 323(송소동)	22007	032-670-9200	032-858-7351	150	027300

세무서	주 소	우편번호	전화번호	팩스번호	코드	계좌
의정부	경기도 의정부시 의정로 77 (의정부동)	11622	031-870-4200	031-875-2736	127	900142
파주	경기도 파주시 금릉역로 62 (금촌동)	10915	031-956-0200	031-957-0315	141	001575
포천	경기도 포천시 소흘읍 송우로 75	11177	031-538-7200	031-544-6090	231	019871
대전청	대전광역시 서구 한밭대로 809 사학연금회관	35209	042-615-2200	042-621-4552	300	080499
공주	충청남도 공주시 봉황로 113 (반죽동)	32545	041-850-3200	041-850-3692	307	080460
논산	충청남도 논산시 논산대로241번길 6 (강산동)	32959	041-730-8200	041-730-8270	308	080473
대전	대전광역시 중구 보문로 331 (선화동)	34851	042-229-8200	042-253-4990	305	080486
동청주	충청북도 청주시 청원구 1순환로 44(율량동)	28322	043-229-4200	043-229-4601	317	002859
보령	충청남도 보령시 옥마로 56 (명천동)	33482	041-930-9200	041-936-7289	313	930154
북대전	대전광역시 유성구 북유성대로 188	34097	042-603-8200	042-823-9662	318	023773
서대전	대전광역시 서구 둔산서로 70 (둔산동)	35239	042-480-8200	042-486-8067	314	081197
서산	충청남도 서산시 덕지천로 145-6 (석림동)	32003	041-660-9200	041-660-9259	316	000602
세종	세종특별자치시 가름로 232, B동 6층 (어진동, SBC빌딩)	30121	044-850-8200	044-850-8431	320	025467
아산	충청남도 아산시 배방읍 배방로 57-29(공수리 282-15)	31486	041-536-7200	041-533-1351	319	024688
영동	충청북도 영동군 영동읍 계산로2길 10	29145	043-740-6200	043-740-6250	302	090311
예산	충청남도 예산군 오가면 윤봉길로 1883	32425	041-330-5305	041-335-2003	311	930167
제천	충청북도 제천시 복합타운1길 78(신월동)	27157	043-649-2200	043-648-3586	304	090324
천안	충청남도 천안시 동남구 청수14로 80 (청당동)	31198	041-559-8200	041-559-8600	312	935188
청주	충청북도 청주시 흥덕구 죽천로 151 (복대동)	28583	043-230-9200	043-235-5417	301	090337
충주	충청북도 충주시 충원대로 724 (금릉동)	27338	043-841-6200	043-845-3320	303	090340
홍성	충청남도 홍성군 홍성읍 홍덕서로 32	32216	041-630-4200	041-630-4249	310	930170
광주청	광주광역시 북구 첨단과기로208번길 43 (오룡동)	61011	062-236-7200	062-716-7215	400	060707
광주	광주광역시 동구 중앙로 154 (호남동)	61484	062-605-0200	062-716-7232	408	060639
광산	광주광역시 광산구 하남대로 83(하남동 1276)	62232	062-970-2200	062-970-2209	419	027313
군산	전라북도 군산시 미장13길 49(미장동)	54096	063-470-3200	063-468-2100	401	070399
나주	전라남도 나주시 재신길 33 (송월동)	58262	061-330-0200	061-332-8570	412	060642
남원	전라북도 남원시 광한북로 94-23 (동충동)	55762	063-630-2200	063-632-7302	407	070412
목포	전라남도 목포시 호남로 58번길 19 (대안동)	58723	061-241-1200	061-244-5915	411	050144
북광주	광주광역시 북구 금호로 70 (운암동)	61114	062-520-9200	062-716-7280	409	060671
북전주	전라북도 전주시 덕진구 벚꽃로 33 (진북동)	54937	063-249-1200	063-249-1680	418	002862
서광주	광주광역시 서구 상무민주로 6번길 31(쌍촌동)	61969	062-380-5200	062-716-7260	410	060655
순천	전라남도 순천시 연향번영길 64 (연향동)	57980	061-720-0200	061-723-6677	416	920300
여수	전라남도 여수시 좌수영로 948-5 (봉계동)	59631	061-688-0200	061-682-1649	417	920313
익산	전라북도 익산시 익산대로52길 19 (남중동)	54619	063-840-0200	063-851-0305	403	070425
전주	전라북도 전주시 완산구 서곡로 95 (효자동3가)	54956	063-250-0200	063-277-7708	402	070438
정읍	전라북도 정읍시 중앙1길 93 (수성동)	56163	063-530-1200	063-533-9101	404	070441
해남	전라남도 해남군 해남읍 중앙1로 18	59027	061-530-6200	061-536-6074	415	050157

세무서	주 소	우편번호	전화번호	팩스번호	코드	계좌
대구청	대구광역시 달서구 화암로 301(대곡동)	42768	053-661-7200	053-661-7052	500	040756
경산	경상북도 경산시 박물관로 3 (사동)	38583	053-819-3200	053-802-8300	515	042330
경주	경상북도 경주시 원화로 335 (성동동)	38138	054-779-1200	054-743-4408	505	170176
구미	경상북도 구미시 수출대로 179 (공단동)	39269	054-468-4200	054-464-0537	513	905244
김천	경상북도 김천시 평화길 128 (평화동)	39610	054-420-3200	054-430-6605	510	905257
남대구	대구광역시 남구 대명로 55 (대명동)	42479	053-659-0200	053-627-0157	514	040730
동대구	대구광역시 동구 국채보상로 895 (신천동)	41253	053-749-0200	053-756-8837	502	040769
북대구	대구광역시 북구 원대로 118 (침산동)	41590	053-350-4200	053-354-4190	504	040772
상주	경상북도 상주시 경상대로 3173-11 (만산동)	37161	054-530-0200	054-534-9026	511	905260
서대구	대구광역시 달서구 당산로 38길 33	42645	053-659-1200	053-627-6121	503	040798
수성	대구광역시 수성구 달구벌대로 2362(수성동3가)	42115	053-749-6200	035-749-6602	516	026181
안동	경상북도 안동시 서동문로 208	36702	054-851-0200	054-859-6177	508	910365
영덕	경상북도 영덕군 영덕읍 영덕로 35-11	36441	054-730-2200	054-730-2504	507	170189
영주	경상북도 영주시 중앙로 15 (가흥동)	36099	054-639-5200	054-633-0954	512	910378
포항	경상북도 포항시 북구 중앙로346	37727	054-245-2200	054-248-4040	506	170192
부산청	부산광역시 연제구 연제로 12 (연산동)	47605	051-750-7200	051-759-8400	600	030517
거창	경상남도 거창군 거창읍 상동2길 14	50132	055-940-0200	055-944-0381	611	950419
금정	부산광역시 금정구 중앙대로 1636 (부곡동)	46272	051-580-6200	051-516-8272	621	031794
김해	경상남도 김해시 호계로 440 (부원동)	50922	055-320-6200	055-335-2250	615	000178
동래	(본관)부산광역시 연제구 월드컵대로 125, 더웰타워 (별관)부산광역시 연제구 중앙대로 1091, 제세빌딩	(본관)47596 (별관)47540	051-860-2200	051-711-2657	607	030481
동울산	울산광역시 북구 사청2길 7 (화봉동)	44239	052-219-9200	052-289-8365	620	001601
마산	경상남도 창원시 마산합포구 3.15대로 211 (중앙동3가 3-8)	51265	055-240-0200	055-223-6881	608	140672
부산진	부산광역시 동구 진성로 23 (수정동 247-7)	48781	051-461-9200	051-464-9552	605	030520
북부산	부산광역시 사상구 학감대로 263(감전동)	46984	051-310-6200	051-711-6379	606	030533
서부산	부산광역시 서구 대영로 10(서대신동2가 288-2)	49228	051-250-6200	051-241-7004	603	030546
수영	부산광역시 수영구 남천동로 19번길 28 (남천동)	48306	051-620-9200	051-621-2593	617	030478
양산	경상남도 양산시 물금읍 증산역로135, 9층, 10층 (가촌리 1296-1)	50653	055-389-6200	055-389-6602	624	026194
울산	울산광역시 남구 갈밭로 49 (삼산동)	44715	052-259-0200	052-266-2135	610	160021
제주	제주특별자치도 제주시 청사로 59 (도남동)	63219	064-720-5200	064-724-1107	616	120171
중부산	부산광역시 중구 흑교로 64 (보수동1가)	48962	051-240-0200	051-241-6009	602	030562
진주	경상남도 진주시 진주대로908번길 15 (칠암동)	52724	055-751-0200	055-753-9009	613	950435
창원	경상남도 창원시 의창구 중앙대로209번길 16 (용호동)	51430	055-239-0200	055-287-1394	609	140669
통영	경상남도 통영시 무전5길 20-9 (무전동)	53036	055-640-7200	055-644-1814	612	140708
해운대	부산광역시 해운대구 달맞이길62번길 38 4,5F (중동)	48098	051-660-9200	051-660-9610	623	025470

색인

ㄱ

가성원 부천서 309
가순봉 기재부 94
가완순 서울청 163
가재윤 아산서 342
가준섭 부천서 309
간종화 서울청 153
감경탁 부산청 436
감다예 서부산서 453
감동윤 관악서 176
강가에 제주서 478
강가윤 종로서 221
강건희 중랑서 222
강경관 조세심판 505
강경구 양산서 470
강경근 수원서 252
강경덕 북인천서 294
강경래 창원서 474
강경렬 인천서 298
강경묵 대전청 323
강경미 성동서 202
강경미 대구청 401
강경민 동래서 446
강경배 김해서 466
강경보 대현회계 15
강경보 부산청 441
강경수 마포서 192
강경수 순천서 380
강경식 중부청 237
강경아 용인서 263
강경아 서울세관 486
강경애 조세심판 505
강경옥 진주서 473
강경완 북광주서 373
강경인 동고양서 306
강경진 분당서 248
강경진 광주청 367
강경태 동울산서 460
강경하 국세주류 140
강경호 광명서 302
강경훈 부산세관 494
강경희 북광주서 372
강경희 지방재정 503
강계현 구리서 238
강곡지 마산서 468
강관호 국세청 135
강구남 여수서 383
강규철 동작서 191
강근영 성남서 250
강금숙 서대전서 331
강금여 관악서 176
강기덕 국세상담 142
강기모 부산청 440
강기석 국세청 125
강기석 남인천서 293
강기수 동안양서 246
강기영 영월서 277
강기완 김해서 466
강기진 서대전서 331
강기철 예산서 345
강기헌 서울청 159
강기호 북광주서 372
강기훈 서초서 201
강길순 해운대서 459
강길원 삼정회계 23
강길주 광산서 368
강나영 구로서 178
강나영 북광주서 372
강남규 공주서 332
강남영 동작서 190
강남진 영등포서 213
강남호 부산진서 449
강다영 마포서 192
강다영 양천서 208
강다은 이천서 265
강다현 성남서 250
강다희 평택서 266
강담연 해운대서 459
강대규 중랑서 222
강대민 지방재정 502
강대석 창원서 474
강대선 서울청 166
강대성 동안양서 247
강대식 국세청 125
강대영 예일회계 24
강대일 중랑서 222
강대일 서대구서 413
강대현 기재부 92
강대현 마산서 468
강대호 북대구서 411
강덕성 대전청 320
강덕수 분당서 248
강덕우 성북서 204
강덕우 동대구서 409
강덕주 수성서 415
강덕훈 구미서 420
강도영 기재부 93
강도현 국세상담 142
강동균 제주서 478
강동근 기재부 94
강동석 분당서 248
강동수 진주서 472
강동우 영등포서 212
강동익 조세재정 506
강동익 조세재정 507
강동인 분당서 248
강동진 서울청 155
강동호 경주서 419
강동효 역삼서 211
강동훈 국세청 132
강동훈 춘천서 280
강동휘 구로서 179
강동희 부산청 442
강동희 북부산서 451
강말순 지방재정 503
강명부 강남서 171
강명수 상공회의 118
강명수 국세청 124
강명수 국세청 131
강명은 은평서 216
강명준 성남서 250
강명호 원주서 278
강문석 서울청 154
강문성 동수원서 244
강문승 북광주서 372
강문자 영등포서 212
강문자 중부청 237
강문정 조세재정 507
강문현 서울청 153
강문현 서초서 200
강문희 강동서 172
강미경 서울청 153
강미나 서울청 149
강미성 반포서 194
강미수 노원서 184
강미순 동대문서 189
강미애 중부청 231
강미애 안양서 261
강미영 서대문서 199
강미영 경기광주 256
강미영 천안서 346
강미영 해운대서 458
강미자 기재부 93
강미정 경기광주 257
강미정 김천서 422
강미정 조세재정 507
강미진 강서서 174
강미진 구미서 420
강미현 동작서 190
강미화 광주청 367
강미화 구미서 420
강민구 서대전서 330
강민국 국회정무 76
강민규 영등포서 212
강민규 부산청 443
강민규 창원서 475
강민균 성북서 204
강민기 기재부 86
강민석 동대문서 189
강민석 대전청 321
강민석 대구세관 498
강민수 국세청 134
강민수 국세청 135
강민수 관악서 176
강민수 의정부서 313
강민승 국회정무 76
강민아 감사원 77
강민아 국세청 122
강민완 성북서 205
강민재 동수원서 245
강민정 마포서 193
강민정 성동서 203
강민정 부천서 309
강민정 논산서 334
강민정 마산서 469
강민종 국세청 138
강민주 분당서 249
강민주 의정부서 312
강민주 조세재정 506
강민준 거창서 464
강민지 더택스 45
강민지 원주서 278
강민지 의정부서 312
강민채 국세청 126
강민채 조세재정 507
강민철 지방재정 502
강민하 서현이현 7
강민형 송파서 207
강민호 감사원 78
강민호 서울청 166
강민호 진주서 472
강방숙 강서서 175
강백근 연수서 310
강병관 나주서 376
강병구 기재부 97
강병구 분당서 248
강병극 용인서 262
강병로 대구세관 498
강병문 울산서 463
강병성 강릉서 271
강병수 중부청 232
강병수 대전청 324
강병수 북광주서 372
강병수 양산서 470
강병조 영동서 353
강병중 기재부 83
강병진 중부산서 457
강병철 부산진서 448
강병희 북대전서 328
강보경 안산서 259
강보경 부산청 441
강보길 양산서 470
강보라 평택서 266
강보성 제주서 478
강복길 중랑서 223
강복남 중부청 228
강복희 제주서 478
강봉구 광주세관 500
강봉선 국세청 124
강봉철 인천세관 492
강부덕 용인서 263
강삼원 국세청 131
강상길 국세상담 142
강상모 삼성서 197
강상식 국세청 132
강상식 연수서 311
강상영 제주서 478
강상우 서울청 150
강상원 진주서 473
강상임 제주서 479
강상주 구미서 420
강상현 서울청 161
강상희 평택서 266
강새롬 서울청 169
강석 군산서 386
강석관 반포서 195
강석구 상공회의 117
강석구 역삼서 210
강석구 해남서 385
강석규 태평양 65
강석민 금융위 101
강석순 노원서 184
강석원 세무다솔 44
강석원 경기광주 257
강석윤 인천청 290
강석제 해남서 384
강석종 서울청 159
강석훈 기재부 87
강석훈 인천청 286
강석훈 조세재정 508
강선경 중부청 236
강선규 천안서 346
강선기 삼덕회계 18
강선대 여수서 383
강선미 잠실서 219
강선미 부산청 441
강선민 기재부 82
강선실 김해서 467
강선양 남원서 389
강선영 관악서 177
강선영 서인천서 297
강선이 남양주서 242
강선주 송파서 207
강선홍 국세청 125
강선홍 국세청 134
강선희 마포서 193
강선희 중부청 236
강선희 구리서 239
강선희 조세재정 506
강선희 조세재정 508
강성구 중부청 233
강성권 서울청 164
강성기 광주청 364
강성대 서대전서 331
강성덕 감사원 78
강성룡 해운대서 458
강성모 서울청 166
강성문 북부산서 450
강성민 인천서 299
강성민 부산청 441
강성빈 기재부 96
강성식 순천서 381
강성우 중부청 233
강성원 서현이현 6
강성원 순천서 381
강성은 서울청 155
강성준 기재부 83
강성준 광주청 366
강성철 상주서 425
강성철 인천세관 489
강성철 인천세관 492
강성태 서부산서 452
강성팔 중부청 229
강성필 시흥서 254
강성헌 국세청 139
강성현 시흥서 254
강성현 시흥서 254
강성현 광산서 368
강성현 지방재정 502
강성호 마산서 469
강성화 국세청 138
강성환 삼성서 196
강성훈 은평서 216
강성훈 수성서 414
강성훈 조세재정 506
강성희 전주서 394
강세정 인천청 289
강세희 서울청 154
강소라 서울청 151
강소라 중부청 229
강소라 김포서 305
강소령 충주서 359
강소여 서인천서 297
강소연 중랑서 222
강소영 여수서 383
강소정 남원서 388
강소희 안산서 258
강송현 노원서 184
강수련 포항서 433
강수림 이천서 264
강수미 중부청 234
강수민 국세청 132
강수빈 관악서 176
강수빈 동안양서 246
강수성 군산서 386
강수연 울산서 462
강수원 국세청 134
강수원 마산서 468
강수정 강남서 171
강수지 천안서 347
강수현 홍천서 283
강순열 경산서 416
강순원 안동서 426
강순택 구리서 238
강슬기 포천서 316
강슬아 울산서 463
강승구 서대문서 198
강승구 창원서 475
강승룡 고양서 300
강승묵 남대구서 406
강승묵 북부산서 450
강승원 감사원 79
강승윤 국세청 137
강승조 경기광주 257
강승준 기재부 83
강승현 국세청 122
강승훈 안동서 426
강승희 성동서 202
강신걸 의정부서 312
강신국 분당서 249
강신웅 국세청 132
강신준 북인천서 294
강신중 조세재정 506
강신충 북부산서 451
강신태 의정부서 313
강신태 진주서 472
강신혁 국회정무 76
강아람 홍성서 349
강안나 안산서 258
강양구 천안서 347
강양구 서울청 164
강양우 원주서 278
강양욱 동래서 446
강여정 수원서 253
강역종 역삼서 210
강연성 서울청 151
강연우 포천서 317
강연태 동울산서 461
강연호 관세청 482
강영구 중부청 235
강영구 중부청 235
강영기 영동서 353
강영묵 중부서 224
강영미 서부산서 453
강영식 제주서 479
강영자 대전청 321
강영중 대원세무 168
강영중 대원세무 171
강영진 국세청 128
강영진 제주서 479
강영현 조세재정 508
강영화 춘천서 280
강영희 부산진서 449
강오라 북인천서 295
강옥향 부천서 309
강옥희 서울청 153
강완구 기재부 81
강용 서인천서 296
강용구 북광주서 372
강용규 조세심판 504
강용명 광산서 369
강용석 잠실서 218
강용수 구미서 420
강우룡 법무화우 66
강우진 서울청 166
강욱중 진주서 473
강원 정진세림 27
강원경 국세청 123
강원일 법무지평 64
강원혁 중부산서 456
강유나 국세청 128
강유나 화성서 268
강유림 고양서 301
강유미 구로서 179
강유미 역삼서 210
강유신 북부산서 450
강유정 부천서 309
강유진 안산서 258
강유진 남인천서 292
강유진 파주서 315
강윤경 용인서 263
강윤성 서광주서 374
강윤숙 기흥서 240
강윤영 서대문서 199
강윤정 충주서 358
강윤정 지방재정 503
강윤지 광주서 371
강윤학 대전청 322
강은비 동대구서 409
강은선 금정서 445

강은숙 종로서 220
강은순 부산진서 449
강은실 금천서 181
강은실 삼성서 197
강은실 아산서 342
강은아 부산청 442
강은영 기재부 84
강은영 금천서 181
강은영 경기광주 256
강은진 남대구서 407
강은혜 양천서 209
강은호 서울청 157
강의순 인천서 298
강이근 광주청 364
강이슬 익산서 393
강이은 반포서 195
강인근 서산서 338
강인석 북전주서 390
강인성 공주서 333
강인소 서대문서 198
강인숙 울산서 462
강인순 북대구서 410
강인식 세무다솔 44
강인욱 중부청 230
강인주 지방재정 503
강인태 서울청 163
강인한 부천서 309
강인행 고양서 301
강인호 세무다솔 44
강일용 수영서 455
강임현 북광주서 372
강장욱 동대문서 188
강장환 은평서 216
강재근 대전서 326
강재원 기재부 86
강재원 의정부서 312
강재형 서울청 156
강재희 동래서 446
강전일 남대구서 407
강정구 서울청 160
강정구 강남서 170
강정규 구로서 179
강정님 해남서 385
강정대 해운대서 458
강정림 국세상담 142
강정모 서울청 152
강정목 금천서 181
강정민 원주서 279
강정민 의정부서 312
강정석 남대구서 406
강정선 용인서 263
강정선 창원서 475
강정수 삼성서 196
강정숙 대전청 322
강정연 부산청 437
강정원 남인천서 293
강정인 제주서 479
강정필 서현이현 7
강정현 예산서 345
강정호 국세교육 145
강정호 동수원서 244
강정호 영덕서 429
강정화 동작서 190
강정화 남대구서 406
강정환 부산청 442
강정훈 국세청 123
강정희 국세청 135
강정희 서광주서 374
강종근 북부산서 451
강종만 광주청 363
강종식 서울청 157
강종원 세무다솔 44
강종훈 국세청 126
강주연 중부청 232
강주영 중랑서 222
강주영 수원서 253
강주원 포항서 433
강주은 성동서 202
강주은 종로서 220
강주현 중부청 235
강준 분당서 249
강준모 기재부 94
강준오 서부산서 453
강준원 서울청 155
강준이 기재부 93
강준천 군산서 387
강준희 기재부 92
강중호 기재부 92
강중희 순천서 381
강지만 해남서 384
강지선 잠실서 219
강지선 북전주서 391
강지선 서부산서 452
강지성 국세청 137
강지수 성동서 203
강지수 인천청 288
강지수 김포서 304
강지안 춘천서 281
강지연 서대전서 330
강지연 천안서 346
강지연 부산청 436
강지용 중기회 119
강지용 대구청 402
강지원 국세청 125
강지원 국세청 134
강지원 중부청 234
강지윤 중부청 229
강지은 중랑서 222
강지은 중랑서 223
강지은 기흥서 240
강지은 세종서 341
강지현 법무광장 60
강지현 종로서 221
강지현 동수원서 244
강지현 포천서 317
강지현 구미서 421
강지훈 마포서 193
강지훈 부산진서 448
강진 광주청 363
강진명 기재부 91
강진선 세종서 341
강진성 국세상담 142
강진아 서울청 160
강진영 안산서 259
강진영 상주서 424
강진욱 세무하나 49
강진화 삼덕회계 18
강찬 법무화우 66
강찬우 지방재정 503
강찬종 중부청 235
강찬호 서울청 155
강창규 세원세무 51
강창식 동고양서 306
강창호 서울청 155
강창희 제주서 479
강채업 광주청 362
강천희 삼성서 196
강철구 통영서 476
강체윤 관악서 177
강초롱 조세재정 508
강춘구 북광주서 373
강탁수 성동서 203
강태경 동안양서 246
강태곤 예산서 344
강태규 강릉서 270
강태규 중부산서 457
강태길 경기광주 256
강태민 순천서 381
강태완 고양서 300
강태욱 세무고시 33
강태욱 국세청 124
강태윤 서대구서 412
강태진 원주서 278
강태진 익산서 393
강태헌 인천청 286
강태호 은평서 216
강표계 천안서 347
강필구 조세심판 505
강하규 서울청 167
강하연 구미서 420
강한솔 경주서 419
강한수 분당서 248
강한얼 남인천서 292
강한영 공주서 333
강해영 제주서 478
강헌구 울산서 462
강현 동안양서 247
강현구 예일회계 24
강현구 북대구서 410
강현삼 세무고시 33
강현순 기재부 83
강현아 순천서 381
강현애 서대전서 331
강현영 대전서 326
강현우 서울청 152
강현웅 서울청 163
강현정 기재부 84
강현정 도봉서 186
강현정 북대전서 328
강현주 강남서 170
강현주 강동서 173
강현주 노원서 185
강현주 인천청 290
강현주 천안서 346
강현주 정읍서 397
강현진 북인천서 294
강현창 인천서 298
강현철 성동서 202
강형규 북대구서 410
강형덕 중기회 119
강형미 서울청 153
강형석 동작서 191
강형수 제주서 478
강형탁 서광주서 374
강형택 동작서 190
강혜경 성동서 202
강혜경 세종서 341
강혜경 지방재정 503
강혜란 조세심판 505
강혜련 부천서 309
강혜린 광주청 367
강혜림 중부서 225
강혜미 광산서 368
강혜민 택스홈 50
강혜성 성동서 202
강혜수 속초서 275
강혜숙 기재부 86
강혜연 중부서 224
강혜연 분당서 249
강혜영 평택서 267
강혜월 강남서 170
강혜윤 청주서 356
강혜은 서초서 200
강혜인 분당서 249
강혜인 인천청 286
강혜정 여수서 382
강혜지 서울청 156
강혜지 성북서 205
강혜진 동안양서 246
강혜진 경기광주 257
강혜진 김포서 304
강혜진 창원서 474
강호민 상공회의 117
강호윤 마산서 469
강호인 서부산서 453
강호종 서울청 148
강호준 진주서 472
강호창 북부산서 451
강호현 통영서 476
강홍경 진주서 472
강홍일 동대구서 408
강화수 동작서 191
강화영 기재부 84
강회영 부산청 442
강효경 창원서 475
강효석 기재부 86
강효숙 용산서 214
강효정 김포서 304
강흥수 마포서 193
강흥수 연수서 311
강희 역삼서 211
강희 창원서 474
강희경 서울청 154
강희경 수영서 455
강희다 해남서 385
강희석 논산서 335
강희수 대전청 321
강희언 제주서 478
강희우 조세재정 507
강희우 조세재정 508
강희웅 노원서 185
강희웅 충주서 359
강희정 의정부서 312
강희정 광주청 364
강희정 동울산서 460
강희진 기재부 91
강희호 평택서 267
거시과 기재부 89
견주필 관세사회 54
경기영 삼성서 196
경사 상공회의 117
경수현 북부산서 451
경재찬 분당서 249
경준호 한국세무 31
경지수 포천서 316
경지은 송파서 206
계강훈 기재부 84
계구봉 서울청 168
계봉성 삼정회계 23
계준범 서울청 151
계현희 부천서 309
고경균 제주서 479
고경만 고양서 300
고경미 서울청 157
고경미 삼성서 197
고경수 도봉서 187
고경아 남양주서 242
고경아 동수원서 245
고경진 종로서 220
고경진 안산서 259
고경희 여성세무 35
고경희 광교세무 36
고계명 제주서 479
고광규 관세청 483
고광남 예일세무 52
고광남 기재부 92
고광덕 서울청 158
고광민 기재부 93
고광철 수영서 454
고광현 구미서 420
고광효 기재부 87
고규진 제주서 479
고균석 해남서 385
고근수 국세청 134
고근희 국세상담 142
고기석 포항서 433
고기태 북대구서 410
고길현 순천서 380
고다혜 안산서 259
고당훈 청주서 356
고대식 익산서 393
고대영 순천서 380
고대윤 더택스 45
고대현 기재부 86
고대홍 서울청 161
고덕상 서인천서 297
고덕환 서울청 157
고도경 화성서 269
고돈흠 동작서 191
고동현 포천서 317
고동환 국세교육 144
고만수 서울청 166
고명준 부산청 437
고명현 인천서 299
고명효 삼성서 197
고명훈 인천청 287
고무원 성북서 205
고문수 나주서 376
고미경 의정부서 312
고미순 종로서 220
고미애 수원서 252
고민경 경기광주 257
고민경 의정부서 312
고민석 마포서 192
고민수 인천서 298
고민지 종로서 220
고민철 논산서 334
고민하 제주서 479
고배영 인천청 286
고병덕 중부청 230
고병렬 진주서 473
고병석 마포서 193
고병열 북대구서 411
고병재 국세청 137
고병준 대전서 327
고병찬 구로서 178
고복님 북광주서 373
고복인 지방재정 503
고봉국 제주서 479
고봉균 인천청 289
고부경 북광주서 373
고빛나 기흥서 241
고상권 김포서 305
고상기 서대전서 331
고상덕 기재부 88
고상범 금융위 101
고상석 성동서 203
고상용 포천서 317
고상원 택스홈 50
고상현 기재부 95
고상현 마포서 192
고상희 중부산서 457
고서연 서광주서 374
고석봉 광주서 371
고석중 북전주서 390
고석진 관세청 483
고석철 서인천서 297
고석춘 서울청 157
고석희 서대전서 330
고선주 정읍서 396
고선하 국세청 127
고선혜 인천청 286
고설민 인천서 299
고성렬 북대구서 410
고성순 서울청 148
고성헌 서울청 162
고성호 서울청 153
고성희 국세청 131
고세훈 법무지평 64
고수석 국회법제 74
고수영 동청주서 350
고수영 광주서 370
고숙경 택스홈 50
고순섭 영주서 430
고순용 북광주서 372
고순임 송파서 206
고순태 포항서 433
고승모 서대문서 199
고승욱 중부청 229
고아라 삼성서 197
고아라 종로서 220
고아영 서울청 148
고양숙 국세교육 145
고영경 북대전서 329
고영남 제주서 479
고영록 기재부 93
고영배 제주서 478
고영상 서울청 155
고영상 동수원서 244
고영석 서대구서 413
고영수 강동서 172
고영숙 구로서 178
고영욱 기재부 90
고영욱 중부청 237
고영일 대구청 399
고영일 대구청 404
고영일 대구청 405
고영임 북대전서 328
고영조 김해서 466
고영주 인천청 290
고영준 수영서 454
고영지 삼성서 197
고영철 중부청 228
고영춘 영동서 353
고영필 중부청 228
고영호 경주서 418
고영환 김포서 304
고영훈 동대문서 189
고예지 국세청 127
고완구 반포서 195
고완병 동작서 191
고완순 지방재정 503
고용진 국회재정 72
고우성 금천서 180
고운이 화성서 268
고운지 이천서 264
고원정 제주서 479
고유경 부천서 308
고유경 북대전서 329
고유나 영등포서 212
고유나 전주서 394
고유영 구리서 239
고윤석 동안양서 247
고윤정 역삼서 210
고윤하 국세청 128
고윤학 동울산서 460
고은 울산서 463
고은경 한국세무 31
고은경 세무다솔 44
고은경 울산서 463

고은미 중부청 236
고은별 기흥서 240
고은비 국세청 139
고은비 서인천서 297
고은선 중부청 230
고은정 국세청 135
고은주 양천서 209
고은지 잠실서 218
고은혜 안산서 259
고은희 중부청 231
고은희 인천청 288
고의환 대전청 322
고의환 군산서 386
고인수 영주서 430
고인영 서부산서 453
고일명 대전청 322
고임형 송파서 207
고장우 부산세관 494
고재국 역삼서 211
고재근 대구청 402
고재민 역삼서 211
고재민 인천청 287
고재봉 북대구서 410
고재성 해남서 384
고재신 기재부 94
고재우 세종서 340
고재윤 중부청 236
고재화 세무하나 49
고재환 목포서 379
고정란 중부서 225
고정민 기재부 93
고정삼 기재부 84
고정선 부천서 309
고정수 용산서 215
고정애 북부산서 451
고정연 서대전서 330
고정은 제주서 478
고정주 인천청 290
고정진 서울청 164
고정희 기재부 92
고종관 북인천서 295
고종섭 중기회 119
고종우 중랑서 222
고종철 세종서 340
고주석 서울청 167
고주석 대전서 326
고주연 충주서 359
고주환 동울산서 460
고준석 의정부서 313
고준석 전주서 394
고준석 지방재정 503
고지원 해운대서 458
고지은 제주서 478
고지현 동수원서 244
고지환 동고양서 307
고진곤 남인천서 293
고진수 군산서 387
고진수 거창서 465
고진숙 수원서 252
고진영 지방재정 502
고진효 평택서 267
고창기 제주서 479
고창보 조세심판 504
고창수 조세재정 507
고창수 조세재정 507
고창우 제주서 479
고철호 대전서 326
고태영 서울청 163
고태일 서초서 201
고태혁 국세청 127
고택수 국세교육 144
고한일 이천서 264
고혁준 강남서 171
고현 인천청 290
고현숙 용인서 262
고현숙 광명서 303
고현식 세무다솔 44
고현웅 동대문서 189
고현웅 지방재정 502
고현재 이천서 264
고현주 국세청 124
고현주 부산진서 449
고현준 종로서 220
고현호 서울청 165
고현호 원주서 278
고형관 서울청 156
고혜진 대전청 323
고혜진 광주서 370
고호석 금정서 444
고희경 중부청 231
고희선 영등포서 213
고희주 제주서 478
공기영 관악서 177
공대귀 광주청 362
공동준 기재부 87
공명호 창원서 475
공미경 울산서 462
공미자 군산서 386
공민석 김해서 467
공민지 북인천서 295
공병국 목포서 379
공병규 진주서 472
공석환 중부청 228
공선미 성남서 251
공선영 국세주류 140
공선영 서울청 163
공성웅 서대구서 412
공성원 여수서 382
공성회 부산세관 494
공숙영 기재부 83
공신혜 화성서 269
공영국 기재부 97
공영원 강릉서 271
공영은 평택서 266
공요환 조세재정 506
공용성 인천청 291
공원재 인천서 298
공원택 국세교육 145
공유진 국세청 123
공윤미 경주서 418
공윤선 은평서 216
공은주 동작서 190
공을상 북부산서 450
공익성 세원세무 51
공자빈 반포서 194
공정민 시흥서 255
공제단 중기회 119
공주희 서대전서 331
공준기 용산서 214
공지훈 지방재정 502
공진배 서울청 151
공진하 고양서 300
공창석 포항서 432
공태운 종로서 221
공태웅 동고양서 306
공항납 인천청 286
공현주 서울청 164
공현철 기재부 85
공효신 삼성서 197
공효정 강남서 170
공휘람 수영서 454
공희현 인천청 287
곽가은 동작서 190
곽경미 동수원서 244
곽경훈 부산세관 494
곽귀명 부산청 442
곽기복 인천세관 491
곽노일 동청주서 350
곽다혜 마산서 469
곽동대 서울청 148
곽동윤 금천서 181
곽동훈 서인천서 297
곽락원 춘천서 280
곽만권 시흥서 255
곽명숙 대구청 402
곽명환 광주서 371
곽문희 북대전서 329
곽미경 반포서 194
곽미나 서울청 152
곽미선 광주청 365
곽미송 수원서 253
곽민경 대구청 402
곽민석 제주서 479
곽민성 광명서 302
곽민욱 기재부 85
곽민정 강서서 174
곽민정 역삼서 210
곽민혜 국세청 124
곽민혜 국세청 131
곽민호 남원서 389
곽병길 성동서 202
곽병철 중부청 230
곽복률 국회정무 76
곽봉섭 송파서 206
곽봉신 창원서 474
곽봉화 서대구서 413
곽상민 국회법제 74
곽상민 조세심판 504
곽상은 부산청 438
곽새미 목포서 379
곽성용 의정부서 312
곽성준 강릉서 270
곽세운 관악서 176
곽소라 울산서 463
곽수연 동대문서 189
곽승만 관세청 483
곽승현 잠실서 219
곽승훈 고양서 301
곽영경 서울청 169
곽영국 태평양 65
곽영근 울산서 463
곽영미 마포서 193
곽용석 창원서 474
곽용은 잠실서 219
곽용재 순천서 380
곽원욱 조세재정 508
곽원일 동울산서 460
곽유진 서인천서 296
곽윤영 창원서 474
곽윤정 고양서 300
곽윤희 금천서 180
곽은미 창원서 474
곽은선 기흥서 240
곽은정 양천서 209
곽은희 경기광주 257
곽인송 세무다솔 44
곽인수 기재부 85
곽임섭 용인서 263
곽장운 김앤장 59
곽재석 서울세관 486
곽재승 중부청 235
곽재원 여수서 382
곽재형 인천청 291
곽정수 수원서 253
곽정은 잠실서 219
곽정환 기재부 94
곽종욱 서울청 153
곽주권 잠실서 219
곽주희 송파서 206
곽준옥 수원서 252
곽지수 포천서 317
곽지은 서울청 154
곽지은 창원서 475
곽지훈 반포서 195
곽진섭 부천서 309
곽진우 부천서 308
곽진우 진주서 472
곽진희 국세청 127
곽철규 구미서 420
곽춘희 상주서 425
곽충균 해운대서 459
곽충험 조세심판 505
곽태훈 법무율촌 63
곽한능 남인천서 292
곽한민 예산서 345
곽한식 부산청 440
곽한울 제주서 479
곽현숙 금정서 444
곽현주 성동서 202
곽형신 대전청 320
곽혜원 강남서 171
곽혜정 중부청 230
곽호현 중부청 228
곽훈 구리서 239
곽희경 서울청 162
곽희원 북부산서 450
구경렬 감사원 78
구경식 부산청 443
구경아 양산서 471
구경임 동래서 446
구경택 진주서 472
구광모 남대구서 406
구규완 동수원서 245
구근랑 대구청 405
구남주 예일세무 52
구대중 서광주서 374
구대현 인천청 286
구동욱 마포서 192
구명옥 서울청 159
구명옥 북대전서 329
구명희 안산서 259
구문주 국세청 129
구미선 구로서 178
구민성 서울청 160
구병모 서대구서 413
구보경 서울청 169
구본 창원서 475
구본균 기재부 97
구본균 분당서 249
구본근 지방재정 503
구본기 서울청 163
구본녕 기재부 92
구본수 중부청 232
구본옥 기재부 83
구본윤 광교세무 38
구상모 강남서 171
구상수 법무지평 64
구상은 울산서 462
구상호 강남서 170
구석연 마산서 469
구선영 구로서 178
구선영 용산서 215
구선희 부산진서 448
구섭본 관세사회 54
구성민 파주서 314
구성본 북광주서 373
구성진 서울청 154
구세진 용산서 214
구세현 금정서 445
구수목 경산서 416
구수연 부산청 440
구수정 인천청 287
구순옥 서울청 151
구순옥 전주서 395
구슬 지방재정 503
구승권 정진세림 27
구승민 동작서 191
구승완 영동서 353
구승현 동래서 446
구승회 삼정회계 22
구아림 인천서 298
구아현 분당서 249
구양훈 서현이현 7
구영대 관악서 176
구영민 강남서 170
구영범 통영서 476
구영진 국세청 132
구옥선 서울청 153
구옥선 남대문서 182
구우형 서대문서 199
구윤모 조세재정 507
구윤희 나주서 376
구은숙 홍성서 348
구은주 강동서 172
구응서 기흥서 241
구인서 국세상담 142
구인선 삼성서 196
구자연 남대문서 182
구자옥 동대문서 188
구자율 서울청 153
구자호 중부청 232
구재본 상공회의 117
구재효 반포서 194
구재흥 국세청 122
구정대 기재부 84
구정서 용산서 214
구정숙 경주서 419
구정환 김포서 305
구종본 북인천서 294
구종식 수성서 414
구종현 동고양서 306
구지은 김포서 305
구진선 동안양서 246
구진아 서초서 200
구진영 반포서 195
구태경 서울청 159
구태환 동수원서 245
구태효 동래서 447
구태훈 상주서 425
구판서 군산서 386
구표수 인천청 290
구한석 용인서 263
구해리 지방재정 503
구현영 안양서 261
구현지 서울청 149
구현진 창원서 475
구현철 성동서 203
구혜란 부천서 308
구혜림 서대구서 412
구홍림 중부청 233
구화린 북부산서 451
구훈모 영등포서 213
국경호 중부청 233
국명래 목포서 379
국방 기재부 86
국봉균 인천청 291
국승미 광산서 369
국승원 구로서 179
국승훈 세무삼륭 46
국예름 구로서 178
국우진 서울청 156
국윤미 서대전서 330
국중현 북인천서 295
권갑선 대구청 405
권경란 서울청 162
권경미 서대전서 330
권경범 서울청 157
권경숙 공주서 332
권경숙 거창서 465
권경해 서울청 149
권경환 국세청 128
권경훈 동안양서 246
권경희 포항서 432
권교범 노원서 184
권구성 동안양서 246
권규종 분당서 249
권기대 감사원 78
권기봉 대구청 400
권기수 중부서 225
권기완 남인천서 292
권기정 기재부 93
권기정 중부청 230
권기중 기재부 92
권기창 안양서 260
권기태 딜로이트 16
권기현 서울청 149
권기홍 중부서 224
권기환 기재부 84
권나영 북부산서 451
권나영 울산서 463
권나영 조세재정 506
권나예 서대문서 199
권나현 삼성서 196
권나현 조세재정 507
권나현 조세재정 507
권나현 조세재정 507
권다혜 홍천서 283
권달오 광교세무 38
권대근 충주서 359
권대명 국세청 130
권대선 부산세관 495
권대영 금융위 102
권대영 국세청 128
권대웅 동수원서 245
권대호 김해서 467
권대호 인천세관 491
권대훈 대구청 402
권도균 신대동 56
권도열 북광주서 373
권도영 전주서 394
권동민 경산서 416
권동한 기재부 85
권명윤 동청주서 351
권명자 강남서 170
권모순 수성서 414
권묘향 서울청 153
권문연 기재부 98
권미경 기재부 90
권미경 반포서 194
권미경 속초서 274
권미라 기재부 96
권미애 경기광주 256
권미연 조세재정 507
권미자 전주서 394
권미정 울산서 462
권민경 동안양서 247
권민규 남대구서 406
권민선 경기광주 256
권민수 서울청 153
권민수 성남서 250

권민정	기재부	83
권민정	서울청	167
권민정	북대구서	411
권민정	부산청	437
권민지	관악서	176
권민지	송파서	207
권민철	국세교육	144
권민형	대전청	323
권범준	서울청	168
권병묵	서인천서	296
권병선	해운대서	458
권병일	진주서	473
권보란	마산서	468
권보성	관악서	176
권보현	송파서	207
권부환	송파서	207
권산	중부산서	456
권상빈	영주서	430
권상수	부산청	440
권상원	홍천서	283
권상일	광주청	362
권서영	서인천서	297
권석용	제천서	354
권석주	서울청	151
권석진	국세상담	142
권석현	홍천서	282
권선재	부산진서	448
권선정	조세재정	506
권선주	동래서	446
권선화	기흥서	240
권설진	안양서	260
권성구	북대구서	411
권성미	인천청	291
권성오	조세재정	506
권성우	서대구서	412
권성주	동래서	446
권성준	부산청	438
권성준	조세재정	506
권성준	조세재정	507
권성철	기재부	83
권성표	진주서	473
권성호	북부산서	451
권성훈	서울청	166
권세혁	포천서	317
권소연	대구청	403
권소현	중부청	236
권수경	창원서	474
권수중	예산서	344
권수현	안동서	426
권순근	천안서	346
권순락	중부청	237
권순모	대구청	402
권순배	기재부	86
권순식	동대구서	409
권순엽	반포서	194
권순영	기재부	92
권순일	국세청	138
권순일	세종서	341
권순재	도봉서	186
권순찬	서울청	164
권순태	조세심판	505
권순필	기재부	99
권순한	중부산서	457
권순현	지방재정	502
권순형	대구청	400
권순호	마포서	192
권순홍	대구청	403
권슬기	지방재정	503
권승민	국세청	135
권승비	상주서	425
권승욱	서울청	152
권승희	경기광주	257
권신희	대구세관	498
권아영	국회법제	73
권안석	미래회계	17
권영규	수영서	454
권영균	서인천서	297
권영대	법무광장	61
권영대	수성서	415
권영란	안동서	426
권영록	중부산서	457
권영록	통영서	477
권영림	서울청	150
권영명	안동서	426
권영민	기재부	86
권영빈	동수원서	244
권영선	북대전서	329
권영숙	수성서	415
권영승	서울청	169
권영신	서대문서	198
권영은	춘천서	280
권영인	동안양서	247
권영조	서대전서	331
권영주	동대문서	188
권영진	성북서	204
권영진	용인서	262
권영진	화성서	269
권영창	삼덕회계	18
권영철	마산서	469
권영춘	남양주서	242
권영칠	동고양서	307
권영한	안동서	427
권영호	안양서	260
권영훈	파주서	315
권영훈	서광주서	374
권영희	서울청	167
권예리	청주서	356
권예지	도봉서	187
권오광	동작서	190
권오교	이천서	265
권오규	안동서	426
권오남	잠실서	218
권오방	북인천서	294
권오복	감사원	78
권오봉	서산서	338
권오상	서울청	156
권오석	용산서	214
권오성	영등포서	213
권오성	청주서	356
권오성	서울세관	487
권오승	마포서	193
권오신	부산청	442
권오영	기재부	94
권오영	인천서	299
권오영	지방재정	503
권오윤	상공회의	118
권오정	마포서	192
권오준	도봉서	186
권오직	용인서	263
권오진	중부청	231
권오찬	포천서	316
권오찬	충주서	358
권오철	예일세무	52
권오평	국세청	123
권오혁	법무광장	61
권오현	강서서	174
권오현	서초서	201
권오형	영주서	430
권오훈	세종서	341
권옥기	시흥서	254
권용덕	대구청	401
권용상	도봉서	186
권용승	금정서	444
권용우	동대구서	409
권용익	성북서	205
권용준	기재부	89
권용준	잠실서	219
권용학	영등포서	213
권용현	관세사회	54
권용훈	국세청	124
권우건	서울청	156
권우철	서현이현	7
권우태	국세청	128
권우택	강남서	171
권원호	대전청	320
권유경	원주서	279
권유림	기재부	93
권유미	서울청	161
권유빈	충주서	359
권유이	금융위	101
권윤구	예산서	345
권윤호	양산서	471
권윤회	은평서	216
권윤희	삼성서	196
권윤희	동청주서	350
권은경	은평서	216
권은경	남인천서	292
권은경	전주서	394
권은경	경주서	418
권은경	창원서	474
권은민	김앤장	59
권은숙	전주서	395
권은순	영주서	430
권은영	기재부	90
권은영	서초서	200
권은정	감사원	78
권은정	남양주서	243
권은정	거창서	465
권은지	서초서	200
권은진	북대구서	410
권은희	국회정무	76
권은희	이천서	264
권이혁	경기광주	256
권익근	국세청	138
권익성	동수원서	244
권익찬	상주서	424
권익현	해운대서	458
권인숙	대전청	321
권일홍	영주서	430
권재관	기재부	93
권재서	춘천서	280
권재선	서울청	159
권재영	상주서	424
권재효	국세청	131
권정기	종로서	221
권정석	경기광주	257
권정숙	인천청	289
권정순	국세청	124
권정애	조세재정	506
권정용	서광주서	375
권정운	강서서	175
권정인	중부서	224
권정훈	잠실서	218
권정희	서울청	157
권종욱	강남서	171
권종인	김해서	466
권주희	서초서	201
권준경	대전청	322
권준혁	영덕서	428
권준혁	통영서	477
권중각	기재부	92
권중훈	안산서	259
권지숙	포항서	433
권지용	용인서	263
권지원	딜로이트	16
권지은	영등포서	212
권지은	부산청	437
권지혜	동울산서	461
권진록	서울청	168
권진솔	강릉서	271
권진아	해운대서	459
권진영	천안서	346
권진혁	국세청	126
권창위	동안양서	247
권창현	지방재정	503
권창호	인천청	291
권창호	서인천서	296
권채윤	안양서	260
권철균	아산서	342
권춘식	동수원서	245
권충구	김포서	304
권충숙	국세교육	144
권태경	감사원	78
권태연	기재부	94
권태영	법무광장	61
권태우	성현회계	14
권태윤	양산서	470
권태인	구로서	179
권태준	관악서	177
권태혁	대구청	402
권태훈	창원서	474
권태희	원주서	278
권택만	강릉서	271
권한조	예일회계	24
권해영	서울청	165
권혁	서울청	162
권혁규	안동서	427
권혁기	딜로이트	16
권혁노	강서서	175
권혁대	상공회의	118
권혁도	수성서	414
권혁란	서울청	153
권혁빈	의정부서	313
권혁성	국세청	129
권혁수	천안서	346
권혁순	기재부	85
권혁순	서울청	149
권혁용	원주서	279
권혁윤	세무화우	67
권혁준	서울청	151
권혁준	서울청	169
권혁준	고양서	300
권혁찬	기재부	83
권혁찬	동대문서	188
권혁찬	원주서	278
권혁희	대전청	322
권현라	국회법제	73
권현목	대구청	402
권현서	서울청	151
권현식	역삼서	211
권현신	구로서	179
권현옥	국세청	125
권현정	용인서	263
권현주	서대구서	413
권현지	남대구서	407
권현회	남양주서	242
권현희	서울청	161
권혜량	성북서	204
권혜련	부천서	309
권혜미	잠실서	218
권혜민	화성서	268
권혜수	서부산서	453
권혜연	서울청	153
권혜영	영등포서	212
권혜영	성남서	251
권혜원	천안서	347
권혜정	국세청	135
권혜정	영등포서	213
권혜지	관악서	176
권혜화	서인천서	296
권호경	김천서	423
권호용	용산서	215
권효은	대구청	400
권효정	서인천서	296
권효준	국세청	122
권훈	국회법제	74
권흥일	성남서	250
권희갑	연수서	310
권희숙	이천서	264
권희숙	서부산서	452
권희정	김천서	422
금경래	영덕서	428
금기준	세종서	340
금기태	대전서	327
금대호	영주서	431
금도미	이천서	264
금도훈	부산서	436
금동화	삼척서	273
금동희	대전청	322
금병호	부산청	436
금봉호	성북서	205
금승수	서초서	201
금영송	영동서	352
금윤순	익산서	392
금인숙	수영서	454
금현정	서울청	169
기금과	기재부	97
기금헌	북광주서	372
기남국	북광주서	372
기노선	국세청	138
기대원	북광주서	373
기동민	국회재정	72
기두현	중부청	237
기민아	화성서	269
기상도	김앤장	59
기승연	익산서	393
기승호	부천서	308
기아람	고양서	300
기양호	더택스	45
기연희	광주청	362
기영준	인천서	298
기은진	중부서	224
기재희	강동서	172
기정림	잠실서	219
기중화	서울청	149
기회훈	천안서	346
길기혁	국회재정	71
길미정	시흥서	255
길미정	고양서	300
길성구	동대구서	408
길수정	인천청	287
길요한	인천서	299
길웅섭	공주서	332
길은영	북인천서	294
길익찬	도봉서	187
길혜선	성북서	204
길혜전	광교세무	36
김가람	인천청	290
김가람	광주서	370
김가령	동래서	446
김가연	송파서	206
김가연	중부서	225
김가연	수원서	252
김가연	북인천서	295
김가영	부천서	308
김가영	파주서	314
김가웅	인천세관	490
김가은	마산서	468
김가은	창원서	474
김가이	서울청	164
김가인	동안양서	247
김가혜	기흥서	240
김가희	삼성서	197
김갑수	서울청	155
김갑심	송파서	207
김갑이	울산서	463
김강	남양주서	243
김강록	화성서	269
김강미	안산서	258
김강산	법무지평	64
김강산	국회정무	75
김강산	화성서	268
김강수	순천서	381
김강인	상주서	424
김강주	중부청	232
김강진	여수서	382
김강훈	금천서	181
김강훈	역삼서	210
김강훈	포항서	432
김건영	김포서	305
김건우	국세청	126
김건우	구리서	239
김건웅	중랑서	223
김건중	국세상담	143
김건중	제천서	354
김건중	제천서	355
김건중	수영서	454
김건호	강서서	175
김건호	동수원서	244
김겸순	한국세무	31
김겸순	세무다솔	44
김경곤	송파서	206
김경곤	광산서	368
김경구	삼일회계	21
김경국	기재부	81
김경국	잠실서	219
김경남	구미서	421
김경달	중부서	225
김경대	금정서	445
김경덕	서울청	153
김경돈	춘천서	280
김경동	구미서	420
김경라	의정부서	313
김경란	경기광주	256
김경란	원주서	278
김경랑	중부청	236
김경례	광주청	363
김경록	기재부	89
김경록	국세청	123
김경록	마포서	192
김경록	원주서	278
김경린	경기광주	257
김경림	수성서	414
김경만	평택서	266
김경만	세종서	340
김경무	부산청	437
김경미	삼정회계	23
김경미	양천서	209
김경미	동수원서	244
김경미	연수서	311
김경미	연수서	311
김경미	논산서	334
김경미	영덕서	428
김경미	진주서	472
김경민	국세청	123
김경민	국세청	126
김경민	남대문서	183
김경민	서초서	201
김경민	남양주서	242
김경민	용인서	262

김경민 인천청 289
김경민 양산서 470
김경민 통영서 477
김경복 은평서 216
김경선 국세청 124
김경선 도봉서 186
김경선 부산청 439
김경수 기재부 86
김경수 구미서 421
김경숙 관악서 176
김경숙 남대문서 183
김경숙 용인서 263
김경숙 이천서 265
김경숙 원주서 279
김경숙 인천청 291
김경숙 부산청 438
김경숙 통영서 477
김경승 거창서 465
김경식 서울청 163
김경식 북대구서 410
김경아 국세청 125
김경아 국세청 134
김경아 송파서 206
김경아 강릉서 270
김경아 고양서 301
김경애 기재부 94
김경애 국세청 135
김경애 안양서 261
김경애 부천서 308
김경애 수영서 455
김경업 동고양서 306
김경연 기재부 84
김경연 경기광주 256
김경연 해남서 385
김경열 경기광주 257
김경오 북대전서 328
김경옥 성동서 203
김경옥 김해서 466
김경옥 지방재정 502
김경우 중부산서 457
김경우 울산서 463
김경욱 고양서 300
김경원 도봉서 187
김경원 남양주서 243
김경은 동안양서 246
김경은 정읍서 397
김경은 거창서 464
김경이 시흥서 255
김경이 김해서 466
김경익 도봉서 186
김경인 송파서 207
김경인 진주서 473
김경일 중부청 233
김경임 광주청 363
김경자 동대문서 188
김경자 동수원서 244
김경자 남대구서 406
김경주 순천서 381
김경주 여수서 382
김경중 기재부 92
김경진 강서서 175
김경진 중부청 237
김경진 인천청 291
김경진 북부산서 450
김경진 서부산서 453
김경철 기재부 83
김경철 대전청 325
김경태 대현회계 15
김경태 법무광장 60
김경태 동대문서 189
김경태 안양서 261
김경태 북인천서 295
김경태 부산청 436
김경태 마산서 468
김경태 서울세관 487
김경태 지방재정 502
김경택 서대구서 412
김경필 부산청 437
김경하 여성세무 35
김경하 성동서 203
김경하 광주세관 499
김경한 대구청 400
김경해 부천서 309
김경해 대구청 401
김경향 동수원서 244
김경현 이천서 265
김경현 순천서 381
김경현 동대구서 408
김경협 국회재정 72
김경혜 영등포서 213
김경혜 창원서 474
김경호 삼일회계 20
김경호 감사원 77
김경호 감사원 79
김경호 서울청 165
김경호 강서서 174
김경호 구리서 238
김경호 시흥서 254
김경호 서산서 338
김경화 부산청 440
김경화 동울산서 461
김경환 서울청 164
김경환 파주서 314
김경환 대전서 326
김경환 전주서 394
김경훈 송파서 207
김경훈 수원서 253
김경훈 경기광주 256
김경훈 대구청 403
김경훈 조세재정 508
김경희 기재부 86
김경희 국세청 131
김경희 강동서 173
김경희 강서서 175
김경희 구로서 179
김경희 금천서 181
김경희 양천서 209
김경희 성남서 250
김경희 광명서 303
김경희 익산서 393
김경희 경주서 419
김계영 동대문서 189
김계영 김해서 466
김계정 의정부서 313
김계향 동울산서 461
김계희 국세청 124
김고은 동작서 190
김고은 역삼서 211
김고은 부산청 437
김고환 은평서 217
김고희 수원서 252
김공해 북광주서 372
김관균 한국세무 31
김관수 동청주서 351
김관오 대전청 325
김관용 논산서 334
김관우 인천청 289
김관태 영덕서 428
김광괄 익산서 393
김광규 세무다솔 44
김광대 국세청 122
김광덕 통영서 476
김광래 상주서 424
김광래 상주서 425
김광렬 동대구서 409
김광록 노원서 185
김광묵 영월서 276
김광미 역삼서 211
김광미 은평서 216
김광민 서울청 160
김광복 화성서 269
김광석 수성서 414
김광석 제주서 479
김광섭 원주서 279
김광섭 광주서 371
김광성 광산서 369
김광성 남원서 388
김광수 삼일회계 20
김광수 서울청 167
김광수 동수원서 245
김광수 고양서 301
김광수 수영서 454
김광순 대전청 321
김광식 강릉서 271
김광식 삼척서 272
김광식 북인천서 294
김광연 마포서 193
김광영 서울청 167
김광용 국세청 128
김광제 기재부 99
김광준 포천서 317
김광천 인천청 287
김광칠 종로서 220
김광태 중부청 229
김광필 지방재정 502
김광현 구로서 179
김광현 영등포서 212
김광현 중부청 232
김광현 서광주서 375
김광현 해남서 384
김광현 남대구서 406
김광혜 중부청 229
김광호 중부서 224
김광호 구미서 420
김광호 서울세관 485
김광호 서울세관 486
김광환 중랑서 222
김광희 북전주서 391
김교성 중부청 235
김교열 기재부 99
김교태 삼정회계 22
김구년 기재부 91
김구름 서울청 167
김구봉 대전청 320
김구수 창원서 475
김구하 대구청 401
김구호 경기광주 256
김구호 세종서 341
김구환 울산서 463
김국만 부산세관 495
김국성 중부청 233
김국진 서울청 169
김국진 홍성서 348
김국진 울산서 462
김국현 중부청 234
김국현 중부청 235
김국현 기흥서 240
김국현 수원서 252
김국현 충주서 359
김권 성북서 204
김권일 기재부 91
김권하 중부산서 457
김귀범 기재부 89
김귀종 북전주서 391
김귀현 진주서 472
김귀희 남인천서 292
김규동 법무율촌 63
김규리 노원서 184
김규리 종로서 221
김규민 마산서 468
김규석 태평양 65
김규성 강서서 174
김규성 구로서 178
김규수 동대구서 409
김규식 경산서 416
김규완 서울청 152
김규완 서대전서 330
김규인 금천서 180
김규주 동수원서 245
김규진 대구청 401
김규진 진주서 473
김규진 서울세관 486
김규태 광주서 370
김규표 광산서 368
김규한 경기광주 257
김규한 수영서 455
김규혁 화성서 269
김규호 강남서 171
김규호 부천서 308
김규환 강동서 173
김규훈 기재부 95
김규희 서울청 154
김규희 경기광주 257
김균열 서광주서 374
김균태 논산서 334
김극돈 고양서 300
김근경 화성서 269
김근수 서울청 158
김근수 중부청 229
김근아 서산서 338
김근영 인천청 286
김근용 국회정무 76
김근우 동고양서 307
김근우 광주청 366
김근우 북대구서 410
김근익 금감원 103
김근익 금감원 104
김근재 법무율촌 63
김근하 논산서 334
김근한 평택서 266
김근형 서광주서 374
김근화 서울청 150
김근환 대전청 324
김금비 기재부 85
김금순 여성세무 35
김금순 수영서 455
김금영 여수서 382
김금자 분당서 248
김금주 울산서 462
김금호 세무다솔 44
김기남 양천서 208
김기덕 서울청 162
김기덕 이천서 264
김기동 서울세무 32
김기동 세무다솔 44
김기동 기재부 86
김기동 분당서 248
김기동 아산서 343
김기동 북전주서 390
김기동 관세청 482
김기랑 서부산서 453
김기만 영등포서 213
김기명 지방재정 503
김기목 법무바른 1
김기무 수성서 414
김기문 기재부 85
김기문 중기회 119
김기미 반포서 195
김기미 북대전서 329
김기배 안산서 259
김기범 울산서 462
김기범 조세심판 505
김기복 법무바른 1
김기쁨 동대문서 188
김기석 국회정무 76
김기석 영등포서 212
김기석 연수서 310
김기선 금천서 181
김기선 동대문서 188
김기선 성동서 203
김기성 서산서 339
김기송 시흥서 255
김기수 상공회의 117
김기수 분당서 248
김기수 예산서 344
김기숙 서울청 153
김기숙 영동서 352
김기식 중부청 228
김기식 김포서 305
김기아 광산서 368
김기업 동울산서 460
김기연 종로서 221
김기열 국세청 135
김기영 감사원 77
김기영 평택서 266
김기영 조세심판 505
김기옥 광산서 368
김기완 서울청 158
김기완 중부청 229
김기완 원주서 278
김기용 창원서 475
김기웅 통영서 476
김기은 구로서 178
김기은 중부청 234
김기재 인천세관 489
김기재 인천세관 492
김기정 나주서 376
김기준 대전청 323
김기중 성동서 203
김기중 부산청 436
김기진 서울청 165
김기천 서울청 157
김기철 용산서 215
김기철 분당서 248
김기태 서초서 201
김기태 충주서 358
김기현 서울청 168
김기현 부산세관 494
김기형 남대구서 407
김기홍 기재부 92
김기홍 동작서 191
김기홍 이천서 264
김기환 종로서 220
김기환 동안양서 247
김기환 부산진서 449
김기훈 동수원서 245
김기훈 인천청 286
김기훈 경주서 419
김길남 기재부 86
김길문 기재부 92
김길수 지방재정 503
김길영 경산서 417
김길용 국세청 135
김길호 해운대서 459
김나나 강동서 173
김나래 양천서 209
김나래 용인서 262
김나래 울산서 463
김나리 동작서 190
김나리 안산서 258
김나리 조세재정 507
김나리아 충주서 358
김나연 서울청 168
김나연 강서서 175
김나연 삼성서 196
김나연 성북서 204
김나영 택스홈 50
김나영 관악서 176
김나영 송파서 206
김나영 중부청 233
김나영 구리서 239
김나영 동안양서 247
김나영 북대구서 410
김나영 마산서 469
김나영 진주서 472
김나영 제주서 478
김나윤 기재부 96
김나윤 구리서 238
김나은 노원서 184
김나은 반포서 194
김나현 국세주류 140
김나현 안산서 259
김나현 마산서 469
김나형 은평서 216
김낙용 성동서 203
김낙현 기재부 85
김낙회 법무율촌 63
김난경 송파서 206
김난경 영동서 352
김난미 서울청 167
김난숙 기재부 88
김난영 경기광주 257
김난영 진주서 472
김난주 상주서 425
김난형 강동서 173
김난희 서울청 157
김난희 부산청 443
김남교 서초서 200
김남구 국세청 131
김남국 서현이현 7
김남국 국회법제 74
김남규 제주서 479
김남균 강서서 174
김남균 용산서 215
김남덕 군산서 387
김남배 진주서 473
김남선 마포서 192
김남섭 대구세관 498
김남수 광주서 370
김남연 동대구서 409
김남영 예일세무 52
김남영 동수원서 245
김남영 동래서 446
김남용 국세청 125
김남이 안양서 260
김남이 서광주서 375
김남주 관악서 176
김남주 원주서 279
김남준 국세상담 143
김남중 동수원서 244
김남중 세종서 341
김남헌 동안양서 247
김남호 동안양서 246
김남효 기재부 85
김남훈 국세청 123
김남훈 대전청 323
김남희 기재부 86
김남희 구로서 179
김남희 동작서 190
김남희 서초서 200

김남희	김천서	422
김남희	부산청	436
김내리	금천서	181
김년성	경산서	417
김년호	대전서	326
김노섭	국세상담	142
김녹영	상공회의	117
김다람	중부청	228
김다랑	조세재정	507
김다미	서대구서	413
김다민	국세청	137
김다솔	서대문서	198
김다솔	송파서	206
김다솜	동수원서	244
김다연	대전청	323
김다영	중부청	230
김다영	강릉서	270
김다영	북인천서	295
김다예	서광주서	374
김다원	남대문서	182
김다은	국세청	136
김다은	화성서	268
김다은	부천서	309
김다은	조세재정	507
김다이	동안양서	247
김다현	기재부	85
김다현	삼성서	196
김다현	청주서	357
김다형	인천서	298
김다혜	기재부	98
김다혜	광주서	370
김다혜	정읍서	396
김다혜	해운대서	459
김다희	안양서	260
김단비	분당서	248
김단비	평택서	267
김단아	금천서	181
김달님	춘천서	281
김달수	대구세관	498
김대관	양천서	208
김대관	서인천서	296
김대권	영등포서	212
김대규	아산서	342
김대길	성동서	202
김대길	인천세관	491
김대범	인천청	290
김대범	파주서	315
김대성	동수원서	245
김대수	전주서	395
김대식	세무토은	42
김대식	에이블	47
김대식	충주서	358
김대업	대구청	403
김대연	기재부	88
김대연	노원서	184
김대연	서인천서	296
김대연	북부산서	450
김대엽	마산서	469
김대영	서울청	165
김대영	서인천서	296
김대영	대구청	401
김대옥	국세청	138
김대옥	동래서	446
김대용	용산서	214
김대용	대전청	323
김대우	강동서	172
김대우	마포서	193
김대운	공주서	332
김대원	기재부	83
김대원	동수원서	244
김대원	익산서	393
김대원	북부산서	451
김대원	김해서	466
김대윤	강서서	175
김대은	기재부	91
김대일	국세청	133
김대일	동고양서	306
김대일	광주청	362
김대정	의정부서	312
김대준	서울청	163
김대중	국세청	138
김대중	서울청	158
김대중	김해서	466
김대지	국세청	121
김대지	국세청	122
김대진	세무삼륭	46

김대진	대전청	320
김대철	국세청	136
김대철	부산진서	448
김대혁	안양서	260
김대현	세무고시	33
김대현	이안세무	53
김대현	기재부	82
김대현	금융위	101
김대현	서울청	148
김대현	서울청	166
김대현	도봉서	186
김대현	서광주서	375
김대현	마산서	468
김대호	법무화우	66
김대호	서울청	164
김대환	강남서	171
김대환	수원서	252
김대훈	광교세무	36
김대훈	광교세무	160
김대훈	광교세무	203
김대훈	기재부	97
김대훈	용산서	214
김대훈	대구청	400
김대훈	제주서	478
김대희	서울청	152
김대희	관악서	176
김대희	순천서	380
김대희	부산청	436
김덕규	기흥서	240
김덕기	양천서	208
김덕봉	중부산서	456
김덕성	동래서	446
김덕수	세무다솔	44
김덕수	익산서	393
김덕연	상공회의	118
김덕영	강동서	173
김덕영	공주서	332
김덕원	동대문서	188
김덕원	서부산서	453
김덕은	서울청	152
김덕종	대구세관	498
김덕중	법무화우	66
김덕진	서초서	201
김덕진	정읍서	396
김덕현	기재부	98
김덕호	목포서	379
김덕환	남대구서	406
김도경	삼정회계	22
김도경	기재부	96
김도경	강남서	170
김도경	용인서	262
김도곤	해운대서	459
김도광	수성서	415
김도균	국세청	132
김도년	북부산서	450
김도민	국세상담	142
김도숙	대구청	401
김도암	동울산서	461
김도애	포천서	316
김도연	여성세무	35
김도연	동대문서	188
김도연	동작서	191
김도연	송파서	207
김도연	중부청	233
김도연	용인서	263
김도연	동청주서	350
김도연	나주서	376
김도연	대구청	404
김도연	부산청	437
김도연	부산청	443
김도엽	법무세종	62
김도엽	송파서	206
김도영	기재부	83
김도영	마포서	192
김도영	서초서	200
김도영	중부청	228
김도영	부산청	442
김도영	지방재정	502
김도원	중부청	228
김도유	수성서	414
김도윤	중부청	233
김도윤	이천서	264
김도윤	부산진서	449
김도은	서울청	164
김도인	금감원	103
김도인	금감원	109

김도헌	중부청	237
김도헌	삼척서	273
김도헌	부산진서	449
김도헌	창원서	474
김도현	서울청	152
김도현	용인서	263
김도협	서인천서	297
김도형	성현회계	14
김도형	기재부	83
김도형	서울청	159
김도형	동대문서	189
김도형	구리서	239
김도형	북인천서	295
김도형	광산서	369
김도형	포항서	432
김도형	마산서	468
김도훈	경기광주	257
김도훈	김천서	422
김도훈	조세재정	508
김도희	기재부	92
김도희	용산서	214
김도희	분당서	248
김도희	의정부서	312
김동건	수영서	454
김동건	중부산서	457
김동건	통영서	476
김동겸	동래서	446
김동곤	기재부	98
김동구	평택서	266
김동근	국세청	134
김동근	서울청	148
김동근	남양주서	242
김동길	북부산서	451
김동련	국세상담	142
김동만	중랑서	223
김동민	용산서	214
김동민	수원서	253
김동민	통영서	477
김동범	동대문서	189
김동범	구미서	420
김동빈	국세청	122
김동석	감사원	79
김동석	기재부	91
김동석	삼척서	273
김동선	광명서	303
김동선	순천서	380
김동성	금감원	103
김동성	금감원	107
김동소	김앤장	59
김동수	법무율촌	63
김동수	국세청	128
김동수	기흥서	241
김동수	서인천서	296
김동수	광명서	303
김동수	동래서	447
김동수	관세청	482
김동식	동고양서	307
김동신	서광주서	374
김동신	부산청	436
김동언	안양서	260
김동업	제주서	479
김동연	고양서	301
김동열	화성서	268
김동열	인천청	287
김동엽	서울청	152
김동엽	김포서	305
김동영	국회재정	72
김동영	구로서	179
김동영	양산서	470
김동영	부산세관	494
김동영	지방재정	503
김동오	해운대서	458
김동옥	부산세관	494
김동완	영등포서	212
김동우	중부청	234
김동우	이천서	264
김동우	인천서	298
김동우	인천서	299
김동우	부산청	440
김동욱	기재부	90
김동욱	기재부	96
김동욱	국세청	139
김동욱	서울청	154
김동욱	서울청	156
김동욱	서울청	160
김동욱	기흥서	240

김동욱	평택서	267
김동욱	대구청	400
김동욱	부산청	437
김동욱	부산진서	448
김동원	기재부	82
김동원	국세청	128
김동원	강서서	174
김동원	삼성서	197
김동원	서초서	201
김동원	북대구서	411
김동원	양산서	471
김동윤	국세청	124
김동윤	국세청	131
김동윤	동안양서	247
김동윤	강릉서	271
김동은	양천서	209
김동이	금융위	101
김동익	기재부	94
김동일	기재부	82
김동일	국세청	126
김동일	국세청	127
김동일	국세청	128
김동일	북대전서	328
김동일	광주서	370
김동일	부산청	438
김동재	중부서	225
김동조	의정부서	312
김동준	안산서	258
김동준	김포서	304
김동준	부천서	308
김동준	영주서	430
김동직	국세청	126
김동진	은평서	216
김동진	잠실서	219
김동진	성남서	250
김동진	인천청	290
김동진	김포서	305
김동찬	용산서	215
김동찬	안동서	426
김동철	중부서	224
김동철	인천세관	490
김동춘	안동서	427
김동하	중부서	225
김동하	군산서	387
김동한	수영서	454
김동한	해운대서	458
김동현	태평양	65
김동현	기재부	88
김동현	서울청	167
김동현	강동서	172
김동현	구로서	179
김동현	중부청	234
김동현	구리서	238
김동현	남인천서	293
김동현	남인천서	293
김동현	대전청	320
김동현	아산서	342
김동현	제천서	355
김동현	동대구서	408
김동현	동래서	446
김동현	동울산서	460
김동현	동울산서	461
김동형	북대전서	328
김동형	조세심판	505
김동호	강남서	171
김동호	중부청	232
김동호	진주서	472
김동환	기재부	89
김동환	금융위	102
김동환	국세청	138
김동환	서울청	166
김동환	종로서	220
김동환	남대구서	407
김동환	포항서	432
김동환	해운대서	458
김동회	금감원	103
김동회	금감원	109
김동훈	삼정회계	23
김동훈	기재부	89
김동훈	국세청	123
김동훈	서울청	149
김동훈	송파서	206
김동훈	남대구서	407
김동휘	김포서	304
김동희	구리서	238
김동희	수원서	253

김동희	지방재정	503
김두곤	상주서	424
김두관	국회재정	72
김두리	춘천서	281
김두섭	대전청	323
김두섭	조세심판	505
김두성	성북서	205
김두수	구리서	239
김두수	춘천서	280
김두수	포천서	316
김두식	김해서	467
김두연	서울청	156
김두연	세종서	341
김두영	삼척서	273
김두찬	삼척서	272
김두현	포항서	433
김두환	서울청	166
김두환	청주서	356
김득수	대구청	403
김득중	송파서	206
김득화	인천서	299
김라영	영등포서	212
김라은	양산서	471
김라희	서인천서	297
김란	세무다솔	44
김란	서울청	148
김란미	국회법제	73
김란주	시흥서	255
김령도	은평서	217
김령언	창원서	475
김록수	부산청	439
김리나	기재부	83
김리아	북대전서	329
김리영	서울청	168
김린	동수원서	244
김마리아	통영서	477
김만기	기재부	87
김만덕	김포서	304
김만래	대전서	327
김만복	예산서	344
김만봉	지방재정	503
김만석	감사원	78
김만성	광주청	367
김만수	기재부	82
김만수	기재부	86
김만식	분당서	248
김만헌	동대구서	408
김만호	서현이현	7
김말숙	국세청	139
김명경	인천청	290
김명경	대구청	405
김명국	김천서	422
김명규	딜로이트	16
김명규	기재부	90
김명규	상공회의	118
김명규	속초서	275
김명규	고양서	300
김명규	남대구서	406
김명도	영등포서	213
김명돌	광교세무	38
김명렬	부산청	441
김명미	동래서	446
김명선	기재부	96
김명선	안산서	258
김명선	부천서	308
김명선	북광주서	372
김명선	포항서	432
김명선	양산서	470
김명섭	광교세무	36
김명섭	김해서	466
김명섭	대구세관	498
김명수	인천청	286
김명수	해운대서	458
김명숙	동대문서	188
김명숙	송파서	206
김명숙	중부청	230
김명숙	광주청	364
김명숙	익산서	392
김명순	성동서	202
김명순	대전청	321
김명신	동작서	191
김명실	기재부	92
김명열	강남서	171
김명엽	순천서	381
김명옥	기재부	84
김명운	감사원	77

김명원 국세청 124
김명윤 김해서 467
김명자 강서서 174
김명제 국세청 133
김명주 관악서 176
김명주 구로서 179
김명준 인천청 287
김명진 반포서 195
김명진 영등포서 213
김명진 남인천서 292
김명진 남인천서 293
김명진 대전청 320
김명진 서대구서 413
김명철 동울산서 460
김명하 여성세무 35
김명호 잠실서 219
김명호 충주서 358
김명화 남대문서 183
김명환 기재부 88
김명환 서울청 153
김명환 기흥서 241
김명훈 해운대서 458
김명희 여성세무 35
김명희 서울청 168
김명희 성동서 203
김명희 성동서 203
김명희 제천서 355
김명희 광주청 363
김명희 북광주서 373
김명희 통영서 477
김몽경 국세교육 145
김묘성 서울청 159
김묘연 부산청 436
김묘정 안산서 258
김무남 인천청 286
김무수 수원서 252
김무열 부산청 436
김무영 영월서 277
김문건 기재부 87
김문경 서울청 158
김문경 삼성서 197
김문기 중부청 234
김문길 경기광주 257
김문성 양천서 208
김문수 기재부 83
김문수 논산서 335
김문수 천안서 347
김문수 통영서 477
김문숙 성북서 205
김문영 중부서 224
김문자 김포서 304
김문재 부산진서 448
김문정 부산청 436
김문정 제주서 478
김문정 조세재정 507
김문철 제천서 355
김문태 상공회의 117
김문호 지방재정 503
김문환 택스홈 50
김문환 강남서 170
김문환 시흥서 254
김문훈 노원서 185
김문희 동안양서 247
김문희 북광주서 372
김문희 순천서 381
김문희 대구청 399
김문희 대구청 401
김문희 대구청 402
김미경 여성세무 35
김미경 강남서 171
김미경 관악서 176
김미경 노원서 185
김미경 마포서 192
김미경 서대문서 199
김미경 역삼서 211
김미경 용산서 214
김미경 중부청 229
김미경 춘천서 280
김미경 동고양서 306
김미경 논산서 335
김미경 보령서 337
김미경 광주청 363
김미경 영주서 430
김미경 동래서 446
김미경 동울산서 460
김미나 서울청 148
김미나 중랑서 223
김미나 중부청 229
김미나 중부청 230
김미덕 성북서 204
김미라 기재부 82
김미라 중부청 235
김미라 서대전서 331
김미라 북전주서 391
김미란 용산서 214
김미란 기흥서 240
김미래 화성서 268
김미량 대구청 402
김미례 강남서 171
김미리 광산서 368
김미림 반포서 194
김미미 인천서 299
김미선 기재부 97
김미선 서초서 201
김미선 구리서 238
김미선 구리서 239
김미선 인천청 286
김미선 서인천서 297
김미선 대전청 325
김미선 북광주서 372
김미소 동작서 190
김미소 은평서 216
김미숙 서울청 149
김미숙 동작서 190
김미숙 마포서 193
김미숙 구미서 420
김미숙 서부산서 453
김미숙 창원서 475
김미순 금천서 181
김미아 부산청 443
김미애 서울청 163
김미애 도봉서 186
김미애 수원서 252
김미애 아산서 343
김미애 충주서 359
김미애 광주청 363
김미애 광주서 370
김미애 대구청 404
김미연 국세청 125
김미연 국세청 134
김미연 금천서 181
김미연 도봉서 186
김미연 영등포서 213
김미연 중부서 224
김미연 서인천서 297
김미연 남대구서 406
김미영 서울청 153
김미영 서울청 153
김미영 노원서 184
김미영 삼성서 197
김미영 화성서 268
김미영 서인천서 297
김미영 북광주서 372
김미영 여수서 382
김미영 북부산서 450
김미영 해운대서 458
김미영 김해서 467
김미옥 남대문서 182
김미옥 삼성서 196
김미옥 인천청 291
김미옥 동울산서 460
김미옥 울산서 463
김미원 금천서 180
김미자 대전청 322
김미재 서대구서 412
김미정 서울청 156
김미정 강남서 171
김미정 삼성서 196
김미정 삼성서 196
김미정 성동서 202
김미정 중부서 225
김미정 경기광주 256
김미정 인천청 286
김미정 포천서 317
김미정 김해서 466
김미정 조세재정 507
김미주 반포서 195
김미지 서부산서 453
김미진 기재부 90
김미진 서울청 166
김미진 동대문서 189
김미진 양천서 208
김미진 정읍서 396
김미진 창원서 474
김미해 광주청 362
김미향 수원서 252
김미향 군산서 387
김미현 동대구서 409
김미현 서대구서 413
김미현 중부산서 457
김미화 세무다솜 44
김미화 택스홈 50
김미화 광산서 368
김미희 서울청 153
김미희 잠실서 218
김미희 시흥서 254
김미희 서부산서 452
김민 서울청 168
김민경 여성세무 35
김민경 국세청 125
김민경 국세상담 142
김민경 노원서 184
김민경 동대문서 188
김민경 마포서 193
김민경 서초서 200
김민경 서초서 201
김민경 잠실서 219
김민경 동수원서 245
김민경 평택서 266
김민경 평택서 267
김민경 인천청 291
김민경 광주서 370
김민경 금정서 445
김민경 지방재정 502
김민경 지방재정 503
김민경 조세재정 507
김민계 인천청 288
김민광 서울청 169
김민국 구미서 421
김민규 기재부 93
김민규 이천서 264
김민규 보령서 336
김민규 김해서 467
김민규 통영서 476
김민규 제주서 478
김민균 시흥서 254
김민기 서울청 164
김민기 중부청 228
김민들레 금융위 100
김민래 서초서 200
김민비 춘천서 281
김민상 북인천서 295
김민상 서인천서 296
김민석 기재부 86
김민석 서울청 157
김민석 강동서 172
김민석 강서서 174
김민석 김포서 305
김민석 광주청 367
김민석 부산청 438
김민석 금정서 445
김민선 서울청 158
김민선 용산서 215
김민선 동수원서 244
김민선 동수원서 244
김민선 강릉서 270
김민선 김포서 305
김민선 청주서 356
김민섭 구리서 238
김민성 동대문서 189
김민성 구리서 238
김민세 관세청 483
김민수 국회법제 74
김민수 기재부 89
김민수 국세청 132
김민수 서울청 154
김민수 노원서 184
김민수 동작서 191
김민수 서초서 201
김민수 구리서 238
김민수 안양서 260
김민수 인천청 286
김민수 김포서 304
김민수 나주서 376
김민수 남대구서 407
김민수 부산청 437
김민수 수영서 454
김민수 해운대서 459
김민숙 서울청 153
김민숙 북부산서 451
김민식 포항서 432
김민아 서울청 160
김민아 강서서 174
김민아 서대문서 199
김민아 파주서 314
김민애 남인천서 292
김민양 부천서 309
김민영 도봉서 187
김민영 서대문서 198
김민영 용산서 214
김민영 세종서 340
김민영 동청주서 350
김민영 동래서 447
김민영 조세재정 506
김민옥 국회정무 75
김민완 인천청 291
김민우 구로서 178
김민우 송파서 206
김민욱 국회재정 72
김민욱 고양서 300
김민웅 국세청 128
김민재 익산서 392
김민재 부산청 436
김민재 김해서 466
김민정 세무화우 67
김민정 기재부 83
김민정 국세상담 142
김민정 남대문서 183
김민정 마포서 192
김민정 성동서 203
김민정 잠실서 219
김민정 중부청 233
김민정 중부청 234
김민정 구리서 238
김민정 기흥서 240
김민정 남양주서 242
김민정 성남서 251
김민정 평택서 266
김민정 속초서 274
김민정 남인천서 292
김민정 남인천서 293
김민정 북인천서 295
김민정 인천서 299
김민정 김포서 305
김민정 대전청 322
김민정 아산서 342
김민정 예산서 344
김민정 천안서 346
김민정 동청주서 350
김민정 서광주서 375
김민정 나주서 377
김민정 대구청 402
김민정 동래서 446
김민정 수영서 454
김민정 해운대서 458
김민정 동울산서 461
김민정 울산서 462
김민정 마산서 469
김민정 진주서 472
김민정 통영서 476
김민정 지방재정 502
김민제 국세청 136
김민제 홍성서 348
김민조 고양서 300
김민주 여성세무 35
김민주 여성세무 35
김민주 국회재정 72
김민주 기재부 85
김민주 기재부 94
김민주 국세청 128
김민주 서울청 151
김민주 서울청 154
김민주 강남서 171
김민주 남대문서 182
김민주 영등포서 212
김민주 구리서 239
김민주 원주서 279
김민주 인천서 298
김민주 남대구서 407
김민주 서대구서 412
김민주 동래서 446
김민준 서울청 164
김민준 북대전서 329
김민준 구미서 420
김민준 통영서 476
김민준 지방재정 502
김민중 기재부 86
김민지 기재부 94
김민지 기재부 96
김민지 서울청 157
김민지 노원서 184
김민지 동작서 191
김민지 송파서 206
김민지 종로서 220
김민지 부천서 309
김민지 익산서 393
김민지 동울산서 460
김민지 양산서 470
김민진 기재부 96
김민진 기재부 99
김민진 역삼서 210
김민진 금정서 444
김민진 수영서 454
김민창 구미서 421
김민철 구리서 238
김민철 광주청 366
김민철 북대구서 411
김민태 구리서 239
김민표 중부청 237
김민형 기재부 93
김민형 남인천서 293
김민호 중부청 236
김민호 대구청 404
김민호 인천세관 490
김민후 법무광장 61
김민후 광주청 362
김민후 창원서 474
김민희 양천서 208
김민희 남양주서 243
김민희 인천청 289
김민희 의정부서 313
김민희 울산서 462
김반디 동안양서 246
김반석 국세교육 144
김방민 부산청 438
김백규 중부청 229
김범구 기재부 88
김범석 세무고시 33
김범석 기재부 90
김범석 고양서 300
김범수 삼척서 273
김범수 조세재정 506
김범순 기재부 83
김범재 의정부서 313
김범전 국세청 126
김범준 동대문서 189
김범준 인천세관 491
김범채 삼척서 272
김범철 북대전서 328
김별나 남대문서 183
김별아 안산서 259
김별진 서울청 159
김병구 원주서 278
김병국 삼정회계 22
김병국 삼정회계 22
김병규 인천청 289
김병규 파주서 314
김병기 서울청 168
김병기 평택서 266
김병기 서광주서 375
김병기 진주서 472
김병래 도봉서 186
김병래 포천서 317
김병로 금천서 181
김병만 강서서 175
김병모 북대구서 410
김병묵 삼일회계 21
김병삼 북전주서 391
김병삼 부산청 442
김병석 삼성서 196
김병석 남대구서 406
김병선 북부산서 451
김병섭 분당서 248
김병성 서울청 148
김병성 북전주서 390
김병수 감사원 78
김병수 중기회 119
김병수 관악서 176
김병수 파주서 314
김병수 영덕서 429

김병수 중부산서 456
김병수 김해서 467
김병수 진주서 472
김병수 통영서 477
김병순 정진세림 27
김병식 국세청 125
김병식 서대전서 331
김병옥 서울청 148
김병우 동작서 190
김병우 김해서 467
김병욱 국회정무 76
김병욱 북대구서 411
김병욱 경산서 416
김병윤 관악서 177
김병윤 금정서 445
김병인 부산진서 448
김병일 성남서 251
김병일 대전서 327
김병조 동수원서 244
김병주 중부청 233
김병주 서대전서 330
김병주 북전주서 390
김병준 법무광장 60
김병준 금천서 181
김병준 동대구서 409
김병진 강서서 175
김병찬 은평서 216
김병찬 인천청 291
김병찬 부산청 440
김병창 양산서 470
김병철 기재부 85
김병철 기재부 88
김병철 국세청 139
김병철 서대전서 330
김병철 천안서 347
김병철 영덕서 429
김병철 마산서 469
김병철 조세심판 504
김병헌 부산세관 495
김병현 서울청 163
김병현 포천서 317
김병호 동수원서 245
김병호 조세심판 505
김병홍 국세청 122
김병환 서현이현 7
김병환 기재부 98
김병환 동수원서 244
김병활 동래서 446
김병훈 동수원서 245
김병훈 대전서 326
김병훈 경주서 418
김병훈 구미서 420
김병휘 서울청 164
김병희 포천서 317
김보경 기재부 99
김보경 서울청 152
김보경 관악서 176
김보경 마포서 193
김보경 수원서 252
김보경 서인천서 297
김보경 청주서 357
김보경 나주서 376
김보경 해운대서 459
김보경 김해서 466
김보균 국세상담 143
김보균 남인천서 292
김보근 국세청 128
김보나 인천청 289
김보남 여성세무 35
김보남 광교세무 37
김보라 도봉서 186
김보라 종로서 221
김보라 중부서 224
김보람 원주서 278
김보람 인천청 287
김보람 제천서 354
김보람 순천서 380
김보람 조세심판 505
김보미 서울청 161
김보미 영등포서 212
김보미 용산서 214
김보미 중부청 237
김보미 안양서 260
김보미 화성서 268
김보미 화성서 268
김보미 화성서 268
김보미 영월서 277
김보미 대전서 326
김보미 군산서 387
김보민 기재부 96
김보민 기재부 99
김보민 김해서 467
김보석 양천서 208
김보석 부산청 438
김보성 서초서 200
김보성 동안양서 247
김보성 동고양서 307
김보성 동대구서 408
김보송 종로서 220
김보연 서울청 162
김보연 강남서 171
김보연 양천서 208
김보연 중부서 224
김보영 구로서 179
김보영 북대전서 329
김보운 서울청 153
김보원 김포서 305
김보윤 서울청 150
김보정 경산서 417
김보현 광주청 363
김보현 울산서 463
김보혜 국세청 134
김보혜 천안서 347
김보희 시흥서 254
김복기 북전주서 391
김복선 북대전서 328
김복선 익산서 392
김복성 포항서 432
김복임 인천청 289
김복현 국회정무 75
김복현 동고양서 306
김복희 송파서 207
김봄 중부청 235
김봄 용인서 262
김봉규 서울청 166
김봉기 홍성서 349
김봉범 강남서 171
김봉석 기재부 98
김봉섭 인천청 287
김봉섭 파주서 314
김봉수 경기광주 257
김봉수 포항서 432
김봉수 부산청 443
김봉승 대구청 404
김봉식 북인천서 295
김봉애 수성서 414
김봉완 서인천서 297
김봉임 남원서 388
김봉재 국세청 129
김봉재 서울청 156
김봉재 부천서 308
김봉재 서광주서 374
김봉재 마산서 468
김봉조 중랑서 222
김봉조 제주서 479
김봉준 부산청 440
김봉진 예산서 345
김봉진 부산청 438
김봉찬 서울청 164
김봉호 남인천서 293
김봉희 종로서 220
김부석 울산서 462
김부일 동울산서 460
김부자 대구청 401
김부한 대구청 400
김분숙 동울산서 460
김분희 부천서 308
김붕호 청주서 356
김비주 서초서 201
김빛누리 동고양서 306
김빛마로 조세재정 506
김빛마로 조세재정 507
김사라 북부산서 451
김사성 김천서 422
김산 삼척서 273
김삼규 수성서 414
김삼수 대전청 323
김삼용 서초서 201
김삼원 익산서 393
김삼중 종로서 221
김상걸 서대문서 198
김상경 화성서 268
김상경 부천서 309
김상곤 의정부서 313
김상곤 조세심판 505
김상구 여수서 382
김상균 북인천서 294
김상균 고양서 300
김상균 동대구서 408
김상균 경산서 417
김상근 도봉서 187
김상근 안동서 426
김상길 관악서 177
김상덕 용인서 262
김상덕 양산서 470
김상돈 택스홈 50
김상동 국세청 135
김상련 포항서 433
김상록 안산서 259
김상린 예산서 345
김상만 인천서 298
김상목 역삼서 210
김상무 남대구서 406
김상문 감사원 79
김상문 구리서 239
김상민 기재부 90
김상민 국세청 136
김상민 화성서 269
김상민 서인천서 296
김상민 북광주서 373
김상배 국세청 134
김상범 강릉서 270
김상범 경주서 419
김상분 동대구서 408
김상선 관악서 177
김상섭 국세교육 145
김상숙 국세청 126
김상순 중부산서 456
김상아 동안양서 247
김상연 서울청 167
김상연 관세청 483
김상엽 기재부 91
김상엽 국세청 127
김상엽 동래서 447
김상영 중부산서 457
김상옥 동수원서 244
김상온 남대구서 407
김상우 남양주서 243
김상우 대구청 401
김상우 북부산서 451
김상우 울산서 463
김상우 서울세관 486
김상욱 서울청 159
김상욱 북전주서 390
김상욱 전주서 394
김상욱 양산서 470
김상운 삼일회계 20
김상운 경산서 416
김상원 서울청 151
김상원 성동서 203
김상윤 부천서 309
김상은 반포서 195
김상이 서울청 161
김상인 논산서 334
김상일 국회재정 72
김상일 서울청 167
김상조 북대구서 411
김상진 예일세무 52
김상진 부천서 309
김상진 대전청 321
김상진 조세심판 505
김상천 성동서 202
김상천 인천서 299
김상철 세원세무 51
김상철 삼성서 197
김상철 중부청 230
김상철 파주서 314
김상철 순천서 380
김상철 경산서 416
김상태 대전청 325
김상태 서대구서 412
김상헌 구미서 421
김상혁 성동서 203
김상혁 남양주서 243
김상혁 수원서 253
김상현 국회재정 72
김상현 서대문서 198
김상현 용인서 262
김상현 예산서 344
김상현 순천서 381
김상현 남대구서 406
김상현 부산청 440
김상현 조세재정 507
김상호 영등포서 212
김상호 여수서 382
김상훈 삼정회계 23
김상훈 법무광장 60
김상훈 국세청 128
김상훈 시흥서 255
김상훈 홍성서 349
김상훈 서광주서 374
김상훈 순천서 380
김상훈 마산서 468
김상훈 진주서 473
김상훈 대구세관 497
김상훈 대구세관 498
김상희 송파서 206
김상희 용산서 214
김상희 서대구서 412
김상희 구미서 421
김상희 김해서 466
김새롬 익산서 392
김새미 관악서 176
김새봄 중부청 231
김생분 인천청 290
김서경 시흥서 255
김서란 기재부 86
김서미 시흥서 254
김서연 역삼서 210
김서연 역삼서 211
김서연 평택서 267
김서영 부산청 436
김서영 조세재정 506
김서은 용산서 214
김서은 용산서 215
김서은 안산서 258
김서이 양천서 208
김서정 중부청 237
김서현 기재부 93
김서현 반포서 194
김서현 광주서 370
김서현 부산진서 449
김서형 광산서 368
김서희 남대구서 407
김석규 영등포서 212
김석모 국세청 128
김석민 울산서 462
김석수 동대구서 408
김석우 국세청 133
김석운 조세재정 506
김석원 분당서 249
김석일 원주서 279
김석제 국세청 135
김석주 춘천서 281
김석주 수성서 415
김석준 중부청 230
김석찬 국세상담 142
김석채 제천서 355
김석춘 정읍서 396
김석현 대전서 326
김석호 서대구서 413
김석환 북부산서 450
김석훈 국세청 139
김선 동수원서 245
김선 지방재정 503
김선경 강동서 172
김선경 서대구서 413
김선경 북부산서 451
김선광 울산서 463
김선규 역삼서 210
김선근 중부청 230
김선기 영동서 352
김선기 울산서 463
김선길 기재부 92
김선도 금천서 181
김선돌 서산서 338
김선득 광교세무 38
김선량 은평서 217
김선면 국세교육 144
김선명 세무고시 33
김선문 동청주서 351
김선미 서울청 165
김선미 노원서 184
김선미 동대문서 189
김선미 동안양서 246
김선미 동고양서 306
김선미 대전청 324
김선미 서대구서 413
김선미 부산청 442
김선미 조세재정 507
김선민 울산서 462
김선봉 강동서 172
김선수 국세청 124
김선아 기재부 90
김선아 서대문서 198
김선아 서초서 200
김선아 송파서 206
김선아 양천서 208
김선아 용인서 263
김선아 서인천서 297
김선애 평택서 266
김선애 광명서 302
김선애 대전서 326
김선엽 조세심판 505
김선영 법무세종 62
김선영 기재부 96
김선영 국세청 128
김선영 동대문서 188
김선영 마포서 193
김선영 중부청 230
김선영 화성서 268
김선영 인천청 289
김선영 파주서 314
김선영 전주서 394
김선영 북대구서 411
김선영 구미서 420
김선용 청주서 356
김선우 남인천서 293
김선웅 구리서 238
김선유 나주서 376
김선율 강남서 170
김선이 용인서 263
김선이 북부산서 450
김선인 국세상담 142
김선일 서울청 157
김선일 부천서 309
김선임 마포서 193
김선임 중부산서 456
김선자 대전청 320
김선장 서울청 166
김선재 홍천서 282
김선재 조세재정 507
김선정 기재부 83
김선정 국세상담 142
김선정 강남서 171
김선정 반포서 194
김선정 조세재정 506
김선주 기재부 85
김선주 서울청 158
김선주 서울청 160
김선주 동작서 191
김선주 영월서 276
김선주 김포서 305
김선주 세종서 341
김선준 세무다솔 44
김선중 딜로이트 16
김선중 시흥서 254
김선중 구미서 421
김선진 도봉서 186
김선진 광산서 368
김선하 국세청 136
김선학 논산서 335
김선한 강남서 171
김선항 남대문서 182
김선혜 파주서 314
김선호 잠실서 219
김선호 북전주서 391
김선화 서울청 153
김선화 남대문서 183
김선화 서초서 200
김선화 중부청 231
김선화 인천청 286
김선화 조세재정 506
김선희 국세청 124
김선희 국세청 131
김선희 은평서 217
김선희 동수원서 245
김선희 시흥서 254
김선희 남인천서 292
김선희 북광주서 372

김선희 울산서 462
김설화 신대동 56
김성곤 동안양서 247
김성국 세무하나 49
김성규 기재부 85
김성균 국세교육 145
김성균 성동서 202
김성균 경주서 419
김성근 국세교육 145
김성근 중부청 236
김성근 군산서 386
김성기 중부청 236
김성기 부천서 308
김성기 파주서 314
김성기 중부산서 456
김성기 동울산서 461
김성기 지방재정 502
김성기 조세심판 504
김성길 동수원서 245
김성길 안양서 261
김성남 역삼서 210
김성대 서울청 156
김성대 북대구서 411
김성덕 마포서 192
김성덕 송파서 207
김성덕 종로서 220
김성도 동작서 190
김성동 인천청 291
김성동 조세재정 506
김성두 영등포서 213
김성래 서울청 151
김성렬 광산서 368
김성록 부천서 308
김성룡 동수원서 244
김성면 제주서 478
김성묵 은평서 216
김성문 서울청 157
김성문 중부청 233
김성미 강남서 171
김성미 잠실서 218
김성미 중부청 230
김성미 수원서 252
김성미 용인서 263
김성민 국세청 126
김성민 국세청 132
김성민 국세상담 143
김성민 홍천서 283
김성민 천안서 346
김성민 광주청 362
김성민 남대구서 406
김성민 서부산서 453
김성범 국세청 139
김성범 창원서 474
김성복 부산세관 494
김성봉 관세사회 54
김성부 광주청 362
김성선 성동서 203
김성수 예일세무 52
김성수 국회재정 72
김성수 기재부 87
김성수 국세청 126
김성수 성북서 204
김성수 안산서 258
김성수 속초서 274
김성수 북광주서 373
김성수 동대구서 408
김성수 김해서 467
김성수 양산서 470
김성수 서울세관 486
김성숙 용산서 215
김성순 상주서 424
김성식 남대구서 407
김성실 동대문서 189
김성연 인천서 299
김성연 천안서 346
김성연 수영서 455
김성열 상공회의 117
김성열 노원서 185
김성열 안산서 258
김성열 경산서 417
김성엽 국세청 136
김성엽 보령서 336
김성엽 조세심판 505
김성영 삼일회계 20
김성영 국회정무 76
김성영 국세청 122
김성오 북대전서 329
김성오 제주서 479
김성완 지방재정 503
김성용 기재부 92
김성용 동작서 191
김성용 익산서 393
김성우 기재부 88
김성우 서울청 164
김성우 남양주서 243
김성우 상주서 424
김성욱 기재부 82
김성욱 기재부 94
김성욱 기재부 95
김성욱 서울청 154
김성욱 강동서 173
김성욱 역삼서 211
김성웅 목포서 379
김성원 광주세관 499
김성원 광주세관 500
김성율 삼성서 196
김성은 서울청 167
김성은 분당서 249
김성은 대구청 400
김성이 부산진서 448
김성일 국세청 125
김성일 구로서 179
김성재 인천청 288
김성제 대구청 404
김성종 영덕서 429
김성주 국세청 139
김성주 성동서 203
김성주 중부서 224
김성주 제주서 478
김성준 관세사회 54
김성준 국회법제 74
김성준 인천청 286
김성준 김포서 304
김성준 광주청 364
김성준 부산청 437
김성준 수영서 454
김성중 지방재정 502
김성진 감사원 78
김성진 기재부 93
김성진 기재부 94
김성진 기재부 99
김성진 국세청 132
김성진 국세청 135
김성진 서울청 160
김성진 서울청 160
김성진 도봉서 186
김성진 동대문서 188
김성진 화성서 269
김성진 연수서 310
김성진 순천서 380
김성진 구미서 421
김성진 부산청 437
김성진 부산청 441
김성진 부산진서 448
김성진 인천세관 490
김성찬 서부산서 453
김성채 기재부 88
김성철 광교세무 38
김성철 기재부 94
김성철 부산청 436
김성철 북부산서 450
김성택 마산서 469
김성표 금천서 181
김성필 서울청 167
김성하 영주서 430
김성학 기재부 84
김성한 국세청 123
김성한 국세청 127
김성향 서울청 162
김성향 도봉서 187
김성혁 진주서 472
김성현 삼정회계 23
김성현 서초서 200
김성현 수원서 252
김성현 홍천서 282
김성협 서대구서 412
김성혜 북인천서 294
김성호 국세청 131
김성호 국세청 131
김성호 서울청 164
김성호 서초서 200
김성호 잠실서 218
김성호 중부청 229
김성호 시흥서 255
김성호 광주서 371
김성호 대구청 403
김성호 양산서 470
김성호 제주서 479
김성홍 포항서 432
김성홍 해운대서 459
김성환 법무광장 60
김성환 서울청 152
김성환 서울청 162
김성환 성동서 202
김성환 부산진서 449
김성환 조세심판 505
김성훈 세무다솔 44
김성훈 중부청 229
김성훈 영월서 276
김성훈 부산진서 448
김성훈 김해서 467
김성훈 창원서 474
김성희 기재부 96
김성희 기재부 97
김성희 서울청 150
김성희 동안양서 246
김성희 파주서 314
김성희 광주청 367
김성희 경주서 418
김성희 김해서 466
김성희 인천세관 491
김세곤 광주청 362
김세권 구미서 421
김세기 제주서 479
김세라 국세청 125
김세라 국세청 134
김세령 아산서 342
김세리 기재부 88
김세린 금천서 180
김세린 해남서 384
김세명 성북서 205
김세민 국세교육 144
김세빈 관악서 176
김세빈 동대문서 189
김세식 안양서 261
김세연 공주서 332
김세연 북전주서 391
김세영 고양서 300
김세영 마산서 468
김세온 서대구서 412
김세욱 대전서 326
김세운 중부산서 457
김세움 송파서 207
김세웅 전주서 395
김세은 기재부 84
김세은 양산서 470
김세인 조세재정 507
김세일 국세상담 142
김세종 종로서 220
김세진 남양주서 243
김세진 부산청 441
김세철 구미서 420
김세하 역삼서 211
김세한 세무다솔 44
김세현 중부서 224
김세현 수성서 414
김세현 거창서 464
김세호 원주서 278
김세호 청주서 356
김세환 세무다솔 44
김세환 서울청 153
김세환 중랑서 222
김세훈 서울청 167
김세훈 안산서 258
김세훈 상주서 425
김세희 청주서 357
김소나 영등포서 213
김소담 서초서 200
김소라 남대문서 182
김소리 국세청 132
김소리 서울청 155
김소리 평택서 266
김소망 순천서 380
김소민 세종서 341
김소연 기재부 93
김소연 서울청 157
김소연 강남서 171
김소연 성동서 202
김소연 영등포서 213
김소연 영등포서 213
김소연 중부서 225
김소연 동수원서 244
김소연 동수원서 245
김소연 평택서 267
김소연 남인천서 292
김소연 의정부서 313
김소연 천안서 346
김소연 북대구서 411
김소연 김천서 423
김소연 부산청 439
김소연 수영서 454
김소연 광주세관 500
김소영 국세청 126
김소영 서울청 149
김소영 관악서 176
김소영 안산서 258
김소영 광명서 302
김소영 전주서 394
김소영 금정서 444
김소영 북부산서 450
김소윤 삼척서 272
김소윤 서인천서 296
김소윤 제천서 355
김소정 국세청 123
김소정 양천서 208
김소정 용인서 262
김소정 안동서 426
김소현 택스홈 50
김소현 원주서 278
김소현 부천서 309
김소희 서울청 168
김소희 강동서 172
김소희 성동서 203
김소희 송파서 206
김소희 역삼서 210
김소희 대구청 405
김솔 동작서 190
김솔 동래서 447
김송경 중부청 232
김송심 북광주서 373
김송연 남대구서 406
김송원 남대구서 406
김송이 분당서 248
김송이 분당서 249
김송이 안산서 259
김송정 인천서 299
김송주 안양서 261
김수경 강남서 171
김수경 금천서 180
김수경 익산서 392
김수경 정읍서 396
김수경 남대구서 406
김수남 제주서 479
김수량 영동서 352
김수미 종로서 220
김수미 속초서 274
김수민 도봉서 186
김수민 서대문서 199
김수민 서인천서 296
김수민 서산서 338
김수민 광주서 370
김수민 수성서 415
김수민 제주서 478
김수복 인천세관 491
김수빈 성북서 204
김수빈 고양서 300
김수상 화성서 269
김수섭 서울청 154
김수아 수원서 252
김수아 북인천서 295
김수연 서울청 157
김수연 구로서 178
김수연 반포서 195
김수연 서초서 200
김수연 역삼서 210
김수연 역삼서 211
김수연 수원서 252
김수연 안산서 258
김수연 화성서 269
김수연 광주청 367
김수연 동래서 447
김수연 수영서 454
김수연 진주서 472
김수열 국세청 128
김수영 기재부 94
김수영 서울청 153
김수영 구로서 179
김수영 도봉서 187
김수영 구리서 239
김수영 김포서 305
김수영 대전청 321
김수영 해남서 384
김수영 금정서 444
김수영 진주서 472
김수옥 북대전서 328
김수용 국세상담 142
김수용 서울청 167
김수용 반포서 195
김수원 서울청 168
김수원 북인천서 294
김수월 북대전서 329
김수인 동수원서 244
김수인 충주서 359
김수재 국세청 139
김수정 강동서 172
김수정 강동서 173
김수정 삼성서 196
김수정 성동서 202
김수정 동안양서 246
김수정 성남서 250
김수정 성남서 251
김수정 부천서 308
김수정 대전서 327
김수정 안동서 427
김수정 영주서 430
김수정 지방재정 503
김수정 조세심판 504
김수종 동수원서 245
김수지 서울청 167
김수지 강남서 171
김수지 동안양서 246
김수지 수원서 253
김수지 용인서 262
김수지 파주서 314
김수진 더택스 45
김수진 기재부 97
김수진 강서서 174
김수진 금천서 181
김수진 남대문서 182
김수진 반포서 195
김수진 성동서 203
김수진 은평서 216
김수진 중부청 232
김수진 구리서 238
김수진 구리서 238
김수진 기흥서 240
김수진 수원서 253
김수진 수원서 253
김수진 안양서 261
김수진 평택서 266
김수진 대전청 323
김수진 북대구서 411
김수진 영주서 430
김수진 동울산서 460
김수진 마산서 469
김수창 부산청 440
김수한 국세청 133
김수현 국세청 128
김수현 서울청 158
김수현 성북서 204
김수현 양천서 209
김수현 양천서 209
김수현 중부서 224
김수현 중부청 230
김수현 경기광주 256
김수현 경기광주 257
김수현 안산서 258
김수현 북대전서 328
김수현 예산서 345
김수현 대구청 402
김수현 수영서 455
김수현 김해서 467
김수형 종로서 221
김수호 금융위 101
김수호 대전서 327
김수홍 국회재정 72
김수희 광주청 362
김수희 지방재정 503
김숙 기재부 94
김숙경 경기광주 257

김숙기 서울청 148
김숙례 금정서 445
김숙영 중부청 231
김숙자 성동서 202
김숙희 국세청 126
김숙희 평택서 266
김숙희 금정서 444
김순구 거창서 464
김순근 양천서 208
김순남 영주서 430
김순복 대전청 320
김순석 인천청 287
김순석 서대구서 413
김순아 동수원서 244
김순열 김천서 422
김순영 서울청 152
김순영 중부청 230
김순영 북인천서 295
김순옥 기재부 87
김순옥 서울청 157
김순옥 성남서 251
김순자 순천서 380
김순자 순천서 380
김순자 서대구서 412
김순정 북부산서 450
김순줄 동울산서 460
김순중 도봉서 187
김순화 세무고시 33
김순희 서대구서 412
김슬기 국세청 123
김슬기 서울청 160
김슬기 도봉서 186
김슬기 도봉서 187
김슬기론 김해서 467
김슬빛 동울산서 461
김슬아 안양서 261
김슬아 동래서 446
김슬지 부산청 438
김승구 용산서 215
김승국 국세청 126
김승국 분당서 248
김승권 강동서 173
김승년 구미서 421
김승룡 용산서 214
김승모 삼정회계 22
김승미 중부청 234
김승미 창원서 475
김승민 국세청 137
김승범 화성서 269
김승범 광주서 370
김승석 송파서 207
김승수 여수서 382
김승연 기재부 89
김승영 익산서 392
김승용 북부산서 450
김승욱 서대문서 199
김승욱 중부청 235
김승원 화성서 268
김승일 강서서 174
김승임 김포서 305
김승주 대전청 320
김승진 해남서 385
김승철 경기광주 256
김승철 부산진서 448
김승태 기재부 90
김승태 국세청 122
김승태 파주서 315
김승태 대전청 323
김승하 국세청 123
김승현 예일세무 52
김승현 국세청 127
김승현 충주서 359
김승혜 국세청 128
김승혜 종로서 221
김승호 태평양 65
김승호 동작서 190
김승환 관악서 176
김승환 대전청 323
김승환 수영서 454
김승회 지방재정 503
김승훈 중부청 233
김승훈 청주서 356
김승훈 김해서 466
김승희 인천청 289
김승희 남인천서 293
김승희 고양서 301
김승희 동대구서 408
김시곤 국세주류 140
김시광 국회정무 76
김시균 세무다솔 44
김시근 영주서 430
김시백 국세청 125
김시아 동작서 190
김시연 제주서 478
김시영 강남서 171
김시욱 종로서 220
김시윤 강릉서 270
김시은 포천서 316
김시재 세무토은 42
김시재 세무토은 138
김시정 중부청 230
김시철 제주서 478
김시태 서울청 167
김시현 부산청 437
김시현 중부산서 456
김시형 국세청 128
김시홍 안양서 260
김신규 구미서 420
김신덕 중부청 234
김신애 국회재정 71
김신애 성동서 203
김신애 분당서 248
김신애 수원서 253
김신언 서울세무 32
김신우 국세청 128
김신우 서울청 152
김신자 마포서 192
김신정 조세재정 507
김신철 조세심판 504
김신혜 창원서 474
김신홍 국세청 122
김아경 동청주서 351
김아란 서광주서 375
김아람 동수원서 244
김아람 광주청 365
김아람 광주서 370
김아름 국세주류 140
김아름 노원서 184
김아름 이천서 264
김아름 인천서 298
김아름 청주서 356
김아영 성남서 250
김아영 안양서 260
김아영 대전서 326
김아영 북대구서 411
김아영 진주서 473
김아정 파주서 315
김안나 노원서 185
김안나 구미서 420
김안순 이천서 264
김안철 목포서 379
김애란 부산청 439
김애령 익산서 392
김애리 기재부 89
김애숙 동안양서 247
김애숙 남원서 388
김애숙 남원서 389
김애심 서광주서 374
김애영 대구청 404
김애진 서대구서 412
김애진 경주서 418
김약수 청주서 356
김양관 광주세관 500
김양근 역삼서 211
김양래 보령서 336
김양래 보령서 337
김양미 대전청 321
김양수 마포서 193
김양수 송파서 206
김양수 아산서 342
김양수 진주서 473
김양수 제주서 478
김양수 제주서 479
김양욱 울산서 462
김양희 기재부 96
김양희 동안양서 246
김양희 거창서 465
김억주 삼척서 272
김언선 부산진서 448
김언희 수영서 454
김엘리야 광주청 365
김여경 중부청 228
김여경 수성서 414
김여진 은평서 217
김여진 동수원서 245
김여진 광주청 364
김연미 기재부 91
김연석 지방재정 502
김연선 상공회의 118
김연수 고양서 301
김연숙 서울청 153
김연숙 대전청 321
김연숙 대구청 402
김연순 제주서 478
김연신 남대문서 183
김연실 국세상담 143
김연이 동청주서 351
김연일 기흥서 240
김연자 강동서 172
김연재 서대문서 199
김연정 남양주서 242
김연종 법무율촌 63
김연종 동래서 447
김연주 국세청 122
김연주 금천서 180
김연주 양산서 470
김연준 금융위 101
김연지 강릉서 270
김연지 파주서 314
김연진 울산서 463
김연진 조세심판 504
김연진 조세심판 505
김연태 기재부 95
김연홍 서대문서 198
김연화 삼척서 272
김연화 청주서 357
김연희 강동서 172
김연희 대구청 403
김연희 서대구서 413
김연희 안동서 426
김연희 울산서 462
김열호 군산서 387
김영 성북서 204
김영간 세종서 341
김영건 국세청 134
김영걸 세종서 341
김영경 중부청 235
김영경 부산청 438
김영경 북부산서 451
김영경 부산세관 494
김영관 군산서 387
김영교 대전청 324
김영국 김포서 305
김영권 부산진서 448
김영규 잠실서 218
김영규 연수서 311
김영규 북전주서 390
김영규 지방재정 502
김영균 서울청 148
김영균 예산서 345
김영근 광교세무 36
김영근 용인서 263
김영근 광명서 303
김영근 홍성서 348
김영근 홍성서 349
김영기 T&P 43
김영기 T&P 138
김영기 서울청 149
김영기 남대문서 183
김영기 노원서 185
김영기 중부청 236
김영기 대전청 321
김영기 포항서 432
김영기 인천세관 491
김영길 중기회 119
김영길 서산서 338
김영남 도봉서 186
김영남 반포서 195
김영남 아산서 342
김영남 영주서 430
김영노 기재부 86
김영노 인천청 288
김영달 제천서 355
김영대 안산서 258
김영덕 청주서 357
김영도 동작서 190
김영도 경산서 417
김영돈 기재부 83
김영동 영등포서 213
김영두 천안서 347
김영란 국세교육 144
김영란 서울청 156
김영례 정읍서 396
김영만 안동서 427
김영면 강동서 172
김영목 순천서 381
김영무 종로서 221
김영문 의정부서 312
김영미 법무바른 1
김영미 기재부 92
김영미 서울청 153
김영미 관악서 176
김영미 은평서 217
김영미 잠실서 218
김영미 동수원서 245
김영미 인천청 291
김영미 광주청 363
김영미 나주서 377
김영미 북대구서 410
김영미 부산청 439
김영미 동울산서 460
김영민 기재부 90
김영민 서울청 149
김영민 마포서 192
김영민 성북서 204
김영민 동수원서 245
김영민 수원서 253
김영민 광주청 363
김영민 진주서 472
김영민 진주서 473
김영민 제주서 479
김영보 해남서 384
김영복 동청주서 350
김영빈 국세청 132
김영빈 서울청 148
김영빈 지방재정 503
김영삼 이천서 264
김영삼 홍성서 348
김영상 서울청 166
김영석 서울청 158
김영석 동작서 191
김영석 삼성서 196
김영석 중부청 233
김영석 구리서 239
김영석 목포서 379
김영선 중랑서 223
김영선 안산서 259
김영선 고양서 301
김영선 대전청 321
김영선 대전청 321
김영선 순천서 380
김영섭 남대구서 406
김영성 중부서 225
김영세 동안양서 247
김영수 대현회계 15
김영수 기재부 95
김영수 서울청 153
김영수 성동서 202
김영수 송파서 206
김영수 영등포서 213
김영수 김포서 305
김영수 창원서 474
김영숙 서울청 153
김영숙 금천서 180
김영숙 노원서 185
김영숙 송파서 206
김영숙 강릉서 271
김영숙 인천청 289
김영숙 광명서 302
김영숙 서광주서 374
김영숙 남대구서 406
김영숙 부산청 438
김영숙 부산진서 449
김영순 국세청 129
김영순 국세청 130
김영순 광산서 368
김영순 순천서 381
김영승 잠실서 219
김영식 남양주서 243
김영식 동청주서 350
김영신 감사원 78
김영신 삼성서 196
김영신 영등포서 213
김영신 중부서 224
김영신 동청주서 351
김영심 의정부서 312
김영심 광산서 368
김영아 노원서 184
김영아 영등포서 212
김영아 연수서 311
김영아 예산서 344
김영아 상주서 424
김영애 화성서 268
김영엽 수성서 415
김영오 광주청 363
김영옥 삼일회계 20
김영옥 기재부 83
김영옥 서울청 153
김영옥 구로서 178
김영옥 노원서 184
김영우 부산세관 494
김영욱 기재부 83
김영웅 기재부 93
김영웅 금천서 180
김영은 기재부 93
김영은 북인천서 294
김영은 구미서 421
김영은 서부산서 453
김영익 포천서 316
김영인 세무다솔 44
김영인 대구청 400
김영일 서울청 168
김영일 강서서 175
김영일 제천서 354
김영임 기재부 84
김영임 지방재정 502
김영자 기재부 83
김영자 순천서 381
김영자 수영서 454
김영재 서울청 151
김영재 강남서 170
김영재 인천서 299
김영재 고양서 301
김영조 서인천서 297
김영종 구로서 179
김영종 중부서 225
김영주 삼일회계 20
김영주 국세청 123
김영주 국세교육 144
김영주 마포서 193
김영주 서대문서 199
김영주 성북서 204
김영주 성북서 204
김영주 종로서 220
김영주 삼척서 273
김영주 경주서 419
김영주 부산청 439
김영주 마산서 469
김영준 서초서 200
김영준 용산서 214
김영준 인천청 289
김영준 서광주서 375
김영준 인천세관 490
김영중 동대구서 409
김영지 대전청 320
김영지 나주서 377
김영직 조세재정 507
김영진 기재부 84
김영진 시흥서 254
김영진 평택서 267
김영진 인천청 287
김영진 부산청 440
김영진 동울산서 460
김영찬 서울청 168
김영찬 은평서 217
김영찬 의정부서 313
김영찬 대전청 324
김영창 제주서 478
김영천 삼성서 197
김영철 화성서 268
김영철 충주서 359
김영철 군산서 386
김영춘 광교세무 36
김영칠 신대동 56
김영필 딜로이트 16
김영필 성동서 202
김영하 국세청 127
김영하 종로서 220
김영하 광주서 371
김영하 서광주서 374

김영하	경산서	416
김영한	국세청	122
김영한	금천서	181
김영현	기재부	88
김영현	부산세관	495
김영혜	창원서	475
김영호	국회법제	74
김영호	노원서	185
김영호	남양주서	242
김영호	인천청	291
김영호	광산서	369
김영호	나주서	377
김영호	지방재정	502
김영화	종로서	221
김영화	북대구서	411
김영화	진주서	472
김영화	조세재정	506
김영환	국세청	130
김영환	서울청	154
김영환	서울청	169
김영환	성북서	204
김영환	기흥서	240
김영환	이천서	264
김영환	포천서	317
김영환	부산세관	495
김영효	금천서	180
김영훈	기재부	89
김영훈	평택서	267
김영훈	북인천서	294
김영훈	경주서	418
김영훈	진주서	473
김영희	중부청	234
김영희	천안서	346
김영희	서대구서	412
김영희	관세청	483
김예린	강서서	174
김예림	안양서	260
김예빈	대구청	401
김예솔	중부청	230
김예수	지방재정	502
김예숙	안산서	259
김예슬	기재부	95
김예슬	서울청	162
김예슬	동수원서	245
김예슬	북인천서	294
김예슬	전주서	395
김예연	성남서	251
김예원	양천서	208
김예원	동안양서	247
김예원	북광주서	372
김예은	기재부	95
김예정	마산서	469
김예주	영등포서	213
김예준	북인천서	294
김예준	북광주서	373
김예지	중부청	236
김예진	고양서	300
김예진	광주청	364
김오곤	역삼서	210
김오미	서초서	201
김오순	동래서	446
김오중	서대문서	199
김옥경	화성서	269
김옥단	잠실서	219
김옥동	기재부	92
김옥분	서울청	153
김옥분	김포서	304
김옥선	삼척서	272
김옥연	중부청	231
김옥자	영주서	430
김옥재	서초서	201
김옥진	안양서	261
김옥진	해운대서	458
김옥천	광산서	369
김옥현	광주청	364
김옥현	포항서	433
김옥환	서울청	148
김옥희	광주청	363
김온식	조세심판	504
김완	안산서	259
김완구	대전청	323
김완범	마포서	192
김완석	고양서	301
김완섭	기재부	85
김완섭	대구청	402
김완수	기재부	92
김완수	서울청	168
김완일	서울세무	32
김완조	서울세관	485
김완조	서울세관	487
김완종	중부청	228
김완주	대전서	327
김완주	북광주서	373
김완철	제주서	478
김완태	북대구서	410
김완희	조세재정	508
김왕성	중부청	233
김외숙	부산청	439
김요대	김앤장	59
김요수	성동서	203
김요왕	평택서	267
김요한	기재부	96
김요한	국세청	124
김요환	광주서	371
김용	구로서	178
김용곤	구리서	238
김용관	동대문서	188
김용국	남인천서	292
김용국	대구세관	498
김용균	서현이현	6
김용극	국세청	125
김용기	대전서	327
김용기	구미서	420
김용길	목포서	379
김용남	전주서	394
김용대	진주서	472
김용대	조세재정	507
김용덕	안산서	258
김용련	청주서	356
김용례	익산서	393
김용만	용산서	214
김용문	부산진서	449
김용민	국회법제	74
김용민	서울청	162
김용민	성남서	251
김용민	파주서	315
김용민	경주서	419
김용배	마포서	193
김용백	마산서	468
김용범	기재부	81
김용범	기재부	82
김용범	기재부	83
김용범	정읍서	397
김용보	대전청	323
김용분	인천청	289
김용삼	마포서	193
김용석	부천서	309
김용석	북대전서	329
김용석	영주서	430
김용선	서울청	163
김용선	중부청	228
김용선	용인서	263
김용선	전주서	395
김용섭	광주세관	500
김용수	태평양	65
김용수	금천서	180
김용수	전주서	395
김용숙	동안양서	246
김용승	서현이현	7
김용식	관세청	482
김용연	안산서	259
김용오	마산서	468
김용우	중기회	119
김용우	역삼서	210
김용우	인천청	289
김용우	북광주서	373
김용웅	연수서	310
김용원	잠실서	219
김용원	진주서	473
김용익	세무다솔	44
김용익	인천세관	490
김용일	분당서	248
김용일	광산서	369
김용재	국세상담	143
김용재	성동서	202
김용재	서인천서	296
김용전	영동서	352
김용정	강서서	174
김용정	해운대서	459
김용제	포항서	432
김용제	서부산서	452
김용주	광주청	366
김용주	북부산서	450
김용주	동울산서	461
김용준	기재부	95
김용준	국세주류	140
김용준	삼성서	197
김용진	국세청	122
김용진	중부청	232
김용진	천안서	346
김용진	제천서	354
김용진	거창서	464
김용진	부산세관	494
김용찬	서울청	150
김용찬	서울청	151
김용찬	서울청	152
김용철	세무하나	49
김용철	동대문서	188
김용철	중부청	230
김용철	삼척서	272
김용철	인천서	299
김용철	북대전서	328
김용태	광주청	367
김용태	남원서	388
김용태	부산청	440
김용택	법무화우	66
김용학	김포서	305
김용한	서대구서	413
김용현	서울청	155
김용현	서울청	164
김용현	제천서	354
김용현	수영서	454
김용호	성동서	202
김용호	대전서	327
김용환	동안양서	247
김용훈	구로서	178
김용희	광명서	302
김용희	부천서	308
김우경	화성서	268
김우리	부천서	308
김우리	대구청	400
김우석	서초서	200
김우석	제주서	478
김우섭	기재부	98
김우성	강동서	172
김우성	보령서	337
김우성	북광주서	373
김우성	지방재정	502
김우수	영등포서	213
김우신	해남서	385
김우정	강동서	173
김우정	도봉서	187
김우정	순천서	380
김우주	성동서	203
김우진	강서서	175
김우찬	금감원	103
김우찬	금감원	109
김우철	지방재정	503
김우태	기재부	83
김우현	김포서	305
김우현	조세재정	507
김우현	조세재정	507
김우형	울산서	462
김우호	성동서	203
김우환	인천서	299
김욱진	고양서	301
김운걸	안산서	258
김운기	광주청	363
김운섭	광교세무	37
김운주	대전청	320
김운중	시흥서	254
김웅	기재부	87
김웅	영등포서	212
김웅	서인천서	296
김웅진	익산서	392
김원경	중부청	228
김원경	제주서	478
김원기	예일세무	52
김원대	택스홈	50
김원대	기재부	97
김원덕	대전청	320
김원명	삼척서	272
김원모	국회정무	75
김원석	서울세관	486
김원섭	인천세관	490
김원식	부산세관	494
김원욱	부천서	308
김원정	반포서	194
김원종	반포서	195
김원주	북광주서	373
김원중	동안양서	247
김원철	감사원	78
김원택	화성서	268
김원필	중랑서	223
김원형	감사원	79
김원형	서울청	149
김원호	국회법제	74
김원호	서울청	152
김원호	동청주서	351
김원화	은평서	216
김원희	거창서	465
김원희	광주세관	499
김원희	광주세관	500
김월웅	인천청	288
김월하	포항서	432
김위정	기재부	85
김유경	기재부	93
김유경	중부청	228
김유경	중부청	231
김유경	남인천서	292
김유경	부천서	309
김유경	세종서	340
김유군	영등포서	212
김유나	서울세무	32
김유나	국세청	125
김유나	마포서	192
김유나	영등포서	213
김유나	구리서	238
김유나	광명서	303
김유나	아산서	342
김유나	익산서	393
김유라	천안서	346
김유라	제천서	354
김유리	국세상담	142
김유리	서대문서	198
김유리	성남서	250
김유리	용인서	262
김유리	의정부서	312
김유리	부산청	438
김유리	해운대서	459
김유림	세종서	340
김유미	기재부	92
김유미	기재부	96
김유미	서울청	159
김유미	동작서	191
김유미	삼성서	196
김유미	영등포서	212
김유미	시흥서	254
김유미	인천청	286
김유빈	기재부	83
김유빈	대전서	326
김유선	국세상담	142
김유선	여수서	382
김유성	동수원서	244
김유식	영동서	352
김유신	서울청	166
김유신	남대문서	183
김유신	창원서	475
김유영	삼척서	273
김유이	기재부	94
김유정	기재부	86
김유정	국세청	135
김유정	서산서	338
김유정	북광주서	372
김유정	김해서	466
김유진	기재부	92
김유진	강서서	175
김유진	금천서	181
김유진	서초서	201
김유진	영등포서	212
김유진	용산서	214
김유진	안산서	258
김유진	용인서	262
김유진	부천서	309
김유진	대전서	326
김유진	군산서	387
김유진	수성서	414
김유진	김해서	467
김유찬	조세재정	506
김유창	이천서	264
김유철	남인천서	292
김유철	제주서	478
김유태	보령서	336
김유학	국세청	130
김유현	수원서	252
김유현	조세재정	507
김유혜	서울청	154
김육곤	국세청	125
김육노	서인천서	297
김윤	기재부	87
김윤	서울청	148
김윤	서울청	159
김윤경	서울청	153
김윤경	구로서	178
김윤경	파주서	315
김윤경	경주서	418
김윤경	양산서	471
김윤미	서울청	158
김윤미	관악서	177
김윤미	영등포서	213
김윤서	의정부서	312
김윤석	통영서	476
김윤선	중랑서	222
김윤성	은평서	216
김윤수	기재부	95
김윤수	북대구서	410
김윤식	광주서	371
김윤식	인천세관	489
김윤식	인천세관	490
김윤옥	대구청	400
김윤옥	조세재정	507
김윤완	금정서	445
김윤용	용인서	263
김윤용	수성서	414
김윤우	포항서	433
김윤이	중랑서	222
김윤정	여성세무	35
김윤정	국세청	130
김윤정	서울청	164
김윤정	서울청	167
김윤정	강남서	170
김윤정	반포서	194
김윤정	성동서	202
김윤정	성북서	205
김윤정	순천서	380
김윤정	안동서	427
김윤정	북부산서	451
김윤주	중부청	232
김윤주	의정부서	312
김윤주	나주서	376
김윤주	동울산서	461
김윤지	조세재정	507
김윤진	마산서	468
김윤태	지방재정	503
김윤한	이천서	264
김윤호	역삼서	210
김윤호	대구청	402
김윤호	지방재정	503
김윤환	전주서	395
김윤희	기재부	83
김윤희	기재부	94
김윤희	역삼서	210
김윤희	기흥서	241
김윤희	동수원서	245
김윤희	분당서	248
김윤희	용인서	262
김윤희	용인서	262
김윤희	남인천서	293
김윤희	대전서	326
김윤희	북광주서	373
김율희	성동서	203
김은경	금감원	103
김은경	금감원	112
김은경	국세상담	142
김은경	노원서	184
김은경	도봉서	187
김은경	서초서	200
김은경	역삼서	211
김은경	시흥서	254
김은경	이천서	264
김은경	북대전서	328
김은경	공주서	332
김은경	논산서	334
김은경	청주서	356
김은경	경산서	417
김은경	안동서	427
김은경	부산진서	448
김은경	제주서	479
김은규	천안서	346
김은기	국세청	124

김은기 인천청 288
김은기 동청주서 350
김은덕 충주서 359
김은령 기흥서 240
김은미 서울청 152
김은미 성북서 204
김은미 잠실서 218
김은미 광주청 365
김은미 광산서 368
김은미 익산서 392
김은비 부산진서 448
김은서 안산서 258
김은석 금천서 180
김은석 구미서 420
김은선 서울청 164
김은설 의정부서 312
김은성 성남서 250
김은성 지방재정 502
김은솔 정읍서 397
김은송 북인천서 294
김은수 서초서 201
김은수 중부청 230
김은수 광주서 371
김은수 북부산서 451
김은숙 서울청 149
김은숙 서울청 158
김은숙 동작서 190
김은숙 동작서 191
김은숙 중부청 236
김은숙 동수원서 245
김은숙 북광주서 372
김은숙 조세재정 507
김은순 남양주서 242
김은실 동대문서 188
김은실 마포서 192
김은실 용인서 263
김은아 기재부 97
김은아 국세청 122
김은아 서울청 148
김은아 서울청 152
김은애 성동서 203
김은애 화성서 268
김은애 서부산서 453
김은연 중부산서 456
김은연 해운대서 458
김은영 국세상담 142
김은영 강남서 170
김은영 남대문서 182
김은영 삼성서 197
김은영 성북서 204
김은영 속초서 274
김은영 인천청 289
김은영 서인천서 296
김은영 광주청 363
김은영 북광주서 372
김은영 전주서 395
김은영 포항서 432
김은영 동래서 446
김은영 김해서 466
김은오 서인천서 297
김은옥 천안서 346
김은옥 군산서 386
김은윤 포항서 432
김은자 국세교육 144
김은자 종로서 221
김은자 광주청 363
김은정 국세청 136
김은정 서울청 169
김은정 금천서 181
김은정 도봉서 187
김은정 성동서 203
김은정 성북서 204
김은정 성북서 204
김은정 용산서 215
김은정 평택서 267
김은정 인천청 288
김은정 고양서 300
김은정 광주서 371
김은정 나주서 377
김은정 북전주서 391
김은정 동대구서 408
김은정 조세재정 507
김은주 서울청 156
김은주 마포서 193
김은주 중부청 233
김은주 안양서 260
김은주 용인서 263
김은주 인천청 289
김은주 연수서 311
김은주 보령서 336
김은주 아산서 342
김은주 광주서 370
김은주 북대구서 411
김은주 부산청 439
김은주 금정서 444
김은주 동울산서 460
김은주 진주서 472
김은중 성동서 203
김은지 동작서 191
김은지 중부서 224
김은지 북전주서 390
김은진 국세청 124
김은진 국세청 124
김은진 국세청 132
김은진 서대문서 199
김은진 서초서 200
김은진 송파서 206
김은진 중부청 229
김은진 여수서 383
김은진 대구청 402
김은채 기재부 95
김은철 서대전서 330
김은태 인천청 290
김은하 성동서 202
김은하 부천서 308
김은하 아산서 342
김은향 인천청 289
김은혜 금천서 180
김은혜 마포서 192
김은혜 시흥서 255
김은혜 안양서 260
김은혜 충주서 359
김은호 구로서 179
김은호 분당서 248
김은호 거창서 465
김은화 노원서 184
김은화 노원서 184
김은희 서울청 157
김은희 서울청 160
김은희 금천서 180
김은희 서초서 201
김은희 송파서 206
김은희 홍천서 283
김은희 대전청 321
김은희 광주청 363
김은희 서대구서 413
김은희 동래서 447
김을령 북인천서 294
김응남 북대전서 328
김의구 상공회의 117
김의동 시흥서 255
김의영 평택서 266
김의주 조세재정 507
김의중 도봉서 186
김의철 북전주서 391
김의택 기재부 99
김의환 김앤장 59
김이곤 세무다솔 44
김이규 부산청 440
김이레 대구청 401
김이섭 서인천서 297
김이수 천안서 346
김이영 북전주서 391
김이원 남대구서 406
김이준 서울청 155
김이한 기재부 91
김이현 기재부 83
김이현 서대전서 330
김이회 해운대서 458
김익남 영등포서 212
김익상 부산청 442
김익왕 김포서 305
김익태 김익태 154
김익태 김익태 157
김익태 김익태 160
김익태 김익태 164
김익태 김익태 289
김익태 김익태 291
김익태 구미서 421
김익현 대구세관 498
김익현 광주세관 500
김익환 관악서 176
김인 상주서 424
김인겸 서울청 148
김인겸 중부청 233
김인경 영주서 431
김인경 수영서 454
김인경 김해서 467
김인기 김포서 304
김인덕 대구청 401
김인성 인천서 298
김인수 세무다솔 44
김인수 서울청 152
김인수 서울청 161
김인수 진주서 473
김인숙 성동서 203
김인숙 양천서 208
김인숙 기흥서 241
김인숙 인천청 289
김인숙 북부산서 450
김인승 북광주서 373
김인아 국회법제 74
김인아 기재부 97
김인아 조세재정 506
김인애 경기광주 256
김인애 조세재정 507
김인영 기재부 96
김인유 조세재정 507
김인자 남대구서 407
김인재 수영서 454
김인정 남인천서 293
김인제 북광주서 372
김인중 서울청 160
김인중 광주서 370
김인찬 포천서 316
김인천 국세청 126
김인철 평택서 267
김인태 영동서 352
김인혜 시흥서 254
김인호 서대문서 198
김인호 대전청 322
김인홍 강동서 173
김인화 잠실서 219
김인화 북부산서 450
김인화 진주서 472
김인환 서인천서 296
김인희 인천청 287
김일 기재부 85
김일 지방재정 502
김일국 분당서 249
김일권 부산청 442
김일규 김해서 466
김일도 국세청 139
김일동 서대문서 198
김일두 양천서 208
김일석 순천서 380
김일섭 광교세무 37
김일용 파주서 315
김일우 영주서 430
김일우 영주서 431
김일한 부산청 436
김일환 국세청 133
김일희 울산서 463
김임경 삼성서 196
김임년 제주서 479
김임순 순천서 380
김자경 논산서 334
김자림 서인천서 297
김자영 경주서 418
김자헌 수성서 415
김자현 구로서 179
김자회 서광주서 375
김자희 광주서 371
김장관 김해서 467
김장근 종로서 221
김장년 국세청 124
김장석 동울산서 460
김장수 천안서 347
김장수 포항서 433
김장용 천안서 347
김장훈 기재부 86
김재경 부천서 308
김재경 광주서 371
김재경 북광주서 373
김재경 조세재정 507
김재곤 시흥서 255
김재광 국세청 139
김재구 대전서 327
김재국 서대구서 413
김재권 북인천서 294
김재권 광주세관 499
김재권 광주세관 500
김재규 성동서 202
김재균 서울청 152
김재근 대현회계 15
김재년 통영서 476
김재락 대구청 401
김재련 영등포서 213
김재만 북광주서 372
김재만 전주서 394
김재미 포항서 433
김재민 중부청 230
김재민 동고양서 307
김재민 서대전서 331
김재민 동대구서 409
김재민 울산서 463
김재민 조세재정 508
김재백 서울청 156
김재산 국세청 134
김재석 국세청 126
김재석 인천청 290
김재석 북인천서 295
김재석 목포서 379
김재선 서인천서 297
김재섭 대구청 400
김재성 동대문서 189
김재성 서대문서 199
김재식 관세청 483
김재신 감사원 79
김재실 전주서 395
김재연 성북서 204
김재연 서대구서 412
김재연 포항서 433
김재열 부산청 442
김재영 기재부 84
김재영 영월서 276
김재영 익산서 393
김재예 지방재정 503
김재오 기재부 86
김재완 중랑서 223
김재완 대전서 326
김재용 영월서 277
김재우 서초서 201
김재욱 국세청 125
김재욱 서울청 148
김재욱 안산서 259
김재욱 파주서 315
김재욱 남원서 388
김재웅 법무광장 60
김재웅 서울청 148
김재원 기재부 92
김재원 서광주서 374
김재윤 안양서 261
김재윤 수성서 414
김재율 예일회계 24
김재융 대전청 321
김재은 동대문서 189
김재은 광산서 369
김재은 북광주서 372
김재인 수원서 252
김재일 시흥서 255
김재일 경기광주 257
김재일 대구세관 497
김재일 대구세관 498
김재준 원주서 278
김재준 북인천서 294
김재준 부산청 443
김재준 진주서 473
김재중 인천청 291
김재중 광명서 303
김재중 부산청 440
김재진 중기회 119
김재진 서울청 158
김재진 조세재정 507
김재집 기재부 95
김재찬 여수서 382
김재천 천안서 347
김재천 조세심판 504
김재철 국세교육 145
김재철 서울청 160
김재철 서울청 161
김재철 서울청 162
김재철 서울청 163
김재철 인천청 291
김재철 대전청 320
김재철 북부산서 451
김재철 진주서 473
김재춘 북광주서 373
김재하 역삼서 211
김재한 서울청 149
김재현 기재부 92
김재현 국세청 125
김재현 국세청 128
김재현 국세청 134
김재현 강서서 175
김재현 도봉서 186
김재현 삼성서 196
김재현 양천서 208
김재현 중부서 225
김재현 보령서 336
김재현 경주서 418
김재형 서울청 164
김재형 역삼서 211
김재형 중부청 235
김재형 속초서 274
김재형 영덕서 428
김재형 서부산서 453
김재호 서울청 149
김재호 강릉서 271
김재호 인천청 289
김재호 부천서 309
김재홍 이천서 265
김재홍 대구청 403
김재홍 관세청 482
김재홍 인천세관 490
김재환 기재부 90
김재환 기재부 91
김재환 의정부서 312
김재환 해남서 385
김재환 대구청 401
김재환 진주서 472
김재환 제주서 478
김재훈 중랑서 223
김재훈 의정부서 312
김재훈 포천서 316
김재휘 국세청 132
김재희 중부서 224
김재희 수원서 252
김전창 광명서 303
김점동 딜로이트 16
김점준 서부산서 452
김정 기재부 86
김정 대구세관 497
김정 대구세관 498
김정각 금융위 101
김정건 중부청 234
김정관 중부청 232
김정구 지방재정 502
김정국 북대구서 410
김정국 마산서 469
김정근 서울청 165
김정근 공주서 333
김정근 포항서 432
김정기 인천서 299
김정길 춘천서 281
김정남 국세청 124
김정남 국세상담 143
김정남 광명서 303
김정남 부산청 439
김정대 북인천서 295
김정대 서부산서 452
김정도 해운대서 458
김정동 송파서 207
김정동 남인천서 292
김정란 기재부 94
김정란 동대구서 408
김정래 경기광주 256
김정륜 서울청 155
김정림 중부청 229
김정만 광주세관 499
김정만 광주세관 500
김정면 통영서 477
김정명 동울산서 461
김정목 대구청 400
김정미 여성세무 35
김정미 서울청 168
김정미 강동서 172
김정미 강서서 174
김정미 성북서 205
김정미 중부서 224

김정미 수성서 415
김정미 동래서 446
김정민 국세청 122
김정민 동작서 190
김정민 삼성서 197
김정민 부천서 309
김정배 잠실서 219
김정범 구리서 238
김정범 대전서 327
김정복 세무하나 49
김정분 창원서 474
김정삼 은평서 217
김정석 대구청 404
김정선 국회법제 74
김정선 국세청 124
김정선 영등포서 213
김정선 서광주서 374
김정선 지방재정 502
김정섭 서울청 149
김정섭 동고양서 306
김정섭 대전청 323
김정섭 경산서 416
김정수 기재부 85
김정수 국세청 121
김정수 서울청 168
김정수 서울청 169
김정수 대전서 327
김정수 아산서 342
김정수 김천서 422
김정수 동울산서 460
김정숙 서울청 149
김정숙 금천서 180
김정숙 반포서 194
김정숙 동수원서 244
김정숙 서산서 338
김정숙 서광주서 374
김정숙 수성서 414
김정숙 김천서 423
김정식 영월서 277
김정식 고양서 301
김정실 제주서 478
김정아 기재부 84
김정아 인천서 298
김정아 북광주서 372
김정아 순천서 380
김정아 포항서 432
김정애 기재부 82
김정연 송파서 206
김정열 국세청 134
김정열 구미서 420
김정엽 국세상담 142
김정영 경주서 419
김정오 조세심판 505
김정옥 홍성서 349
김정옥 북대구서 410
김정우 서울청 152
김정우 평택서 267
김정욱 북부산서 450
김정욱 부산세관 494
김정운 세무화우 67
김정운 광주청 367
김정원 북인천서 294
김정원 북전주서 390
김정원 조세재정 506
김정유 P&B 41
김정윤 세무고시 33
김정윤 서울청 157
김정윤 서울청 166
김정은 삼정회계 23
김정은 강서서 174
김정은 분당서 248
김정은 수원서 253
김정은 안양서 261
김정은 북광주서 372
김정은 북전주서 391
김정은 울산서 462
김정은 조세재정 507
김정은 조세재정 508
김정이 북인천서 295
김정이 마산서 468
김정인 동대문서 188
김정인 서부산서 453
김정일 홍성서 348
김정임 광주청 363
김정주 국세청 123
김정주 서초서 201
김정주 부산청 440
김정준 법무바른 1
김정중 시흥서 255
김정중 국세청 128
김정진 기재부 83
김정진 중부청 235
김정진 광주청 367
김정진 광주서 370
김정철 대구청 401
김정태 국세청 127
김정태 안산서 258
김정태 포천서 316
김정태 금정서 444
김정학 국세청 122
김정한 서울청 152
김정한 북인천서 294
김정혁 파주서 315
김정현 노원서 184
김정현 중부청 236
김정현 제천서 354
김정현 순천서 381
김정현 동래서 447
김정현 지방재정 502
김정현 조세재정 506
김정협 김천서 422
김정혜 화성서 269
김정혜 수영서 454
김정호 의정부서 313
김정호 북광주서 373
김정호 부산청 442
김정호 수영서 455
김정화 서울청 154
김정화 동수원서 245
김정화 서광주서 375
김정환 대구청 400
김정환 대구청 401
김정환 북부산서 451
김정효 동안양서 247
김정효 인천청 286
김정훈 기재부 96
김정훈 국세교육 144
김정훈 서울청 148
김정훈 동안양서 247
김정훈 안양서 261
김정훈 서대전서 330
김정훈 동대구서 409
김정훈 제주서 478
김정훈 지방재정 502
김정흠 서울청 168
김정희 국세청 126
김정희 종로서 220
김정희 종로서 220
김정희 동수원서 245
김정희 이천서 265
김정희 삼척서 272
김정희 인천청 289
김정희 순천서 380
김정희 경주서 419
김제대 북대구서 410
김제민 국세청 132
김제봉 포천서 316
김제석 국세청 129
김제성 서울청 149
김제성 동래서 446
김제우 용산서 215
김제은 금천서 180
김제헌 인천청 291
김조겸 세무고시 33
김종각 국세청 138
김종갑 지방재정 502
김종곤 서울청 163
김종국 서울청 168
김종국 송파서 207
김종권 지방재정 503
김종근 대구청 400
김종기 대구세관 497
김종기 대구세관 498
김종길 부산청 441
김종덕 인천세관 489
김종덕 인천세관 490
김종두 양천서 208
김종락 기재부 88
김종률 인천청 291
김종만 국세청 129
김종만 성동서 202
김종만 영등포서 213
김종만 동수원서 245
김종면 조세재정 507
김종명 광산서 368
김종명 동울산서 461
김종무 남인천서 292
김종묵 원주서 279
김종문 마포서 192
김종문 포천서 317
김종문 북대전서 329
김종문 광주청 363
김종민 국회법제 74
김종민 금감원 103
김종민 금감원 104
김종민 중부청 234
김종민 충주서 358
김종민 구미서 421
김종배 서부산서 452
김종복 춘천서 280
김종봉 더택스 45
김종빈 서산서 339
김종삼 강동서 173
김종석 국회정무 76
김종석 기재부 85
김종석 서울청 167
김종석 경주서 419
김종석 영덕서 429
김종선 분당서 249
김종선 중부산서 456
김종성 기재부 96
김종성 서초서 201
김종성 서대전서 330
김종수 국세청 129
김종수 강남서 171
김종수 대구청 401
김종숙 목포서 379
김종식 강서서 175
김종식 창원서 475
김종신 신대동 56
김종연 정진세림 27
김종영 성남서 251
김종오 시흥서 254
김종오 동울산서 461
김종완 기재부 87
김종완 고양서 301
김종요 울산서 463
김종우 경기광주 256
김종욱 기재부 83
김종욱 국세청 139
김종욱 남대구서 407
김종운 감사원 79
김종운 중부청 235
김종운 순천서 380
김종웅 부산청 436
김종웅 부산세관 495
김종원 조세재정 508
김종월 부산청 436
김종윤 국세청 128
김종윤 조세심판 504
김종율 순천서 380
김종의 국세청 132
김종인 북전주서 390
김종인 수성서 415
김종일 국세청 128
김종일 국세상담 142
김종일 대전청 322
김종임 기재부 93
김종재 세무하나 49
김종주 국세청 127
김종주 고양서 301
김종진 마포서 192
김종진 천안서 347
김종진 부산청 441
김종진 창원서 474
김종철 여수서 382
김종철 부산진서 449
김종철 수영서 454
김종철 인천세관 490
김종태 상공회의 117
김종태 상공회의 117
김종태 안산서 258
김종태 서인천서 297
김종택 영주서 431
김종택 지방재정 502
김종필 제천서 355
김종학 국세청 128
김종학 중랑서 222
김종한 북대구서 411
김종헌 노원서 185
김종헌 부산청 440
김종혁 영주서 430
김종혁 조세재정 508
김종현 택스홈 50
김종현 기재부 98
김종현 강남서 170
김종현 도봉서 187
김종현 동청주서 350
김종현 남대구서 407
김종협 서울청 160
김종호 국세주류 140
김종호 분당서 248
김종호 정읍서 396
김종호 동래서 447
김종호 광주세관 499
김종호 광주세관 500
김종화 세원세무 51
김종화 고양서 300
김종화 광주청 362
김종훈 금융위 102
김종훈 안산서 258
김종훈 평택서 266
김종훈 인천청 288
김종훈 북광주서 372
김종훈 대구청 403
김종희 기재부 92
김좌근 영주서 430
김주덕 삼일회계 20
김주란 중부청 230
김주란 중부청 232
김주명 부천서 308
김주미 청주서 357
김주민 기재부 90
김주생 서울청 159
김주선 북대전서 329
김주섭 남인천서 293
김주수 금천서 180
김주수 금정서 444
김주식 국세청 122
김주신 삼성서 197
김주아 반포서 194
김주아 남인천서 292
김주애 남대문서 183
김주애 동작서 190
김주애 구리서 239
김주연 국회정무 76
김주연 국세청 127
김주연 구로서 179
김주연 중부청 233
김주연 화성서 268
김주연 의정부서 312
김주엽 관악서 176
김주영 국회재정 72
김주영 국세청 124
김주영 삼성서 196
김주영 잠실서 219
김주영 동안양서 246
김주영 공주서 332
김주영 대구청 400
김주영 북부산서 450
김주영 김해서 466
김주옥 잠실서 218
김주옥 안산서 258
김주옥 화성서 268
김주완 안동서 426
김주완 부산청 437
김주원 기재부 97
김주원 중부청 229
김주원 평택서 267
김주원 서대구서 412
김주원 포항서 432
김주일 기재부 92
김주일 광주서 371
김주찬 서울청 149
김주찬 속초서 274
김주하 의정부서 313
김주헌 의정부서 312
김주현 서울세무 32
김주현 국세상담 142
김주현 금천서 180
김주현 동작서 191
김주현 성동서 202
김주현 속초서 275
김주현 광주서 371
김주현 순천서 381
김주현 전주서 394
김주형 남양주서 242
김주혜 서울청 166
김주호 서현이현 7
김주홍 삼성서 196
김주홍 김포서 305
김주홍 김해서 466
김주환 평택서 267
김주훈 양산서 471
김주희 중랑서 222
김주희 평택서 266
김주희 남인천서 293
김주희 고양서 300
김주희 서대전서 330
김준 국세청 132
김준 금천서 180
김준기 세무고시 33
김준기 서울청 168
김준동 서현이현 7
김준범 기재부 82
김준범 평택서 266
김준석 광주청 365
김준석 북전주서 391
김준섭 제주서 478
김준성 기재부 89
김준성 북광주서 373
김준성 조세재정 508
김준수 남대문서 183
김준수 해남서 385
김준수 마산서 468
김준식 구미서 421
김준연 노원서 185
김준연 종로서 221
김준연 전주서 394
김준연 김천서 422
김준연 금정서 445
김준영 중기회 119
김준영 서울청 148
김준영 안산서 259
김준영 부천서 308
김준영 영동서 353
김준영 진주서 473
김준오 이천서 264
김준용 국세상담 143
김준우 국세청 135
김준우 서울청 163
김준우 용산서 214
김준우 서대구서 412
김준이 동수원서 245
김준익 아산서 342
김준철 기재부 91
김준철 고양서 301
김준태 세무삼륭 46
김준태 안산서 259
김준평 부산청 438
김준하 기재부 87
김준하 성동서 203
김준현 양산서 470
김준형 포천서 317
김준호 법무바른 1
김준호 세무다솔 44
김준호 국세청 127
김준호 성남서 250
김준호 시흥서 254
김준호 안산서 259
김준호 평택서 266
김준호 서인천서 296
김준호 동울산서 460
김준호 진주서 472
김준희 기흥서 240
김중규 파주서 314
김중규 대전서 326
김중근 경기광주 256
김중남 경산서 416
김중래 딜로이트 16
김중삼 중부청 230
김중석 전주서 394
김중영 안동서 427
김중우 예일세무 52
김중재 북인천서 295
김중현 서울청 169
김중현 중부청 233
김중화 포천서 317
김중훈 마산서 468
김중휘 군산서 386

김지동 서인천서 296
김지만 송파서 206
김지미 용산서 214
김지민 기재부 87
김지민 국세청 132
김지민 국세청 135
김지민 국세교육 145
김지민 서울청 152
김지민 중부청 232
김지민 정읍서 396
김지민 김천서 423
김지민 금정서 444
김지범 구로서 179
김지석 기재부 86
김지선 기재부 83
김지선 역삼서 211
김지선 영등포서 212
김지선 종로서 221
김지선 인천서 299
김지선 파주서 314
김지성 국회정무 76
김지성 역삼서 211
김지수 세무삼륭 46
김지수 국회재정 71
김지수 기재부 83
김지수 기재부 89
김지수 기재부 91
김지수 잠실서 218
김지수 분당서 249
김지수 김포서 305
김지수 부천서 309
김지수 경주서 419
김지숙 북인천서 294
김지숙 서대구서 413
김지아 택스홈 50
김지아 북인천서 294
김지안 부산진서 449
김지암 동안양서 247
김지애 부천서 308
김지언 국세상담 143
김지언 동안양서 246
김지언 안산서 259
김지연 국세청 135
김지연 서울청 150
김지연 서울청 152
김지연 서울청 153
김지연 서울청 167
김지연 마포서 192
김지연 송파서 206
김지연 양천서 209
김지연 영등포서 212
김지연 종로서 220
김지연 시흥서 254
김지연 평택서 267
김지연 김포서 305
김지연 포천서 316
김지연 홍성서 348
김지연 서대구서 413
김지연 금정서 444
김지엽 광명서 303
김지영 기재부 95
김지영 국세청 130
김지영 서울청 148
김지영 서울청 149
김지영 서울청 155
김지영 구로서 179
김지영 성동서 202
김지영 성동서 203
김지영 영등포서 212
김지영 안양서 260
김지영 안양서 260
김지영 용인서 262
김지영 강릉서 270
김지영 고양서 300
김지영 부천서 309
김지영 순천서 380
김지용 양산서 470
김지우 국세청 128
김지운 국세상담 142
김지웅 대전청 320
김지웅 포항서 432
김지원 세무다솔 44
김지원 기재부 93
김지원 은평서 217
김지원 중랑서 223
김지원 중부청 228
김지원 동청주서 350
김지원 김해서 467
김지유 전주서 395
김지윤 국세청 134
김지윤 강서서 174
김지윤 남대문서 183
김지윤 노원서 185
김지윤 동수원서 245
김지윤 경기광주 256
김지윤 동청주서 350
김지윤 대구청 405
김지윤 부산청 441
김지은 법무바른 1
김지은 기재부 96
김지은 국세청 137
김지은 성북서 205
김지은 송파서 207
김지은 중부서 224
김지은 안산서 258
김지은 북인천서 295
김지은 인천서 298
김지은 인천서 299
김지은 안동서 427
김지은 부산청 436
김지인 의정부서 313
김지인 대구청 402
김지태 은평서 217
김지학 용산서 214
김지향 용인서 263
김지향 경산서 417
김지헌 중부서 225
김지현 성현회계 14
김지현 딜로이트 16
김지현 기재부 92
김지현 서울청 153
김지현 서울청 169
김지현 강서서 174
김지현 노원서 185
김지현 반포서 195
김지현 성동서 202
김지현 성동서 203
김지현 영등포서 212
김지현 중부서 224
김지현 중부청 232
김지현 중부청 233
김지현 구리서 238
김지현 평택서 267
김지현 인천서 298
김지현 고양서 300
김지현 광명서 303
김지현 동고양서 307
김지현 의정부서 312
김지현 대전청 323
김지현 서대전서 330
김지현 순천서 380
김지현 영주서 431
김지현 부산청 436
김지현 부산청 439
김지현 부산청 439
김지현 동래서 446
김지현 동울산서 461
김지현 거창서 464
김지현 양산서 470
김지현 진주서 472
김지혜 택스홈 50
김지혜 강남서 170
김지혜 동작서 191
김지혜 마포서 193
김지혜 양천서 208
김지혜 중부서 225
김지혜 중부청 234
김지혜 안양서 260
김지혜 홍천서 283
김지혜 서인천서 296
김지혜 서인천서 297
김지혜 의정부서 313
김지혜 파주서 315
김지혜 광주청 366
김지혜 서부산서 453
김지호 국세청 124
김지호 군산서 387
김지호 제주서 479
김지홍 전주서 394
김지훈 국세청 127
김지훈 국세청 139
김지훈 강서서 174
김지훈 중부청 229
김지훈 중부청 230
김지훈 이천서 264
김지훈 동고양서 307
김지훈 부산청 441
김지훈 부산청 443
김지희 기재부 90
김지희 김해서 467
김지희 창원서 474
김진 진주서 473
김진갑 기흥서 240
김진갑 인천세관 490
김진건 대구청 400
김진경 서울청 161
김진경 북대구서 410
김진경 중부산서 456
김진곡 상공회의 117
김진곡 상공회의 117
김진곤 강동서 173
김진관 속초서 275
김진광 용인서 263
김진교 인천청 288
김진국 국회법제 73
김진국 감사원 77
김진규 서울청 168
김진규 동대구서 408
김진기 반포서 195
김진기 고양서 300
김진기 천안서 346
김진남 국회법제 74
김진달래 종로서 220
김진덕 용인서 263
김진도 김포서 304
김진도 서대구서 413
김진도 경산서 417
김진도 울산서 463
김진동 잠실서 218
김진만 속초서 275
김진모 안동서 426
김진몽 종로서 220
김진문 천안서 347
김진미 서울청 159
김진및 광주청 362
김진배 동청주서 351
김진범 충주서 358
김진삼 분당서 248
김진삼 북부산서 451
김진상 기재부 99
김진상 부산진서 448
김진석 국세청 126
김진석 국세교육 145
김진석 안산서 259
김진석 부천서 309
김진석 부산청 442
김진섭 의정부서 313
김진성 성북서 205
김진성 춘천서 280
김진세 세무고시 33
김진수 삼덕회계 18
김진수 예일세무 52
김진수 기재부 84
김진수 기재부 92
김진수 강동서 173
김진수 강서서 174
김진수 종로서 220
김진수 분당서 248
김진수 춘천서 281
김진수 남원서 388
김진수 김해서 466
김진수 창원서 475
김진숙 중부청 234
김진숙 북대구서 411
김진술 대전청 323
김진슬 예산서 344
김진식 서울청 167
김진식 홍성서 348
김진식 광주서 371
김진아 역삼서 211
김진아 동안양서 246
김진아 시흥서 254
김진아 의정부서 312
김진아 보령서 336
김진아 서산서 338
김진아 조세재정 507
김진업 대구청 404
김진열 남대문서 183
김진열 제주서 479
김진영 기재부 89
김진영 국세청 124
김진영 서울청 161
김진영 마포서 193
김진영 동수원서 245
김진영 춘천서 281
김진영 청주서 356
김진영 광주서 370
김진영 해남서 384
김진영 대구청 403
김진영 동울산서 461
김진영 김해서 466
김진오 평택서 266
김진옥 영등포서 212
김진옥 시흥서 255
김진우 송파서 206
김진우 중부청 229
김진우 중부청 232
김진우 인천청 290
김진우 해남서 385
김진우 구미서 420
김진우 부산진서 448
김진웅 기재부 85
김진웅 아산서 342
김진원 동고양서 307
김진원 울산서 462
김진원 인천세관 491
김진재 광주청 364
김진주 역삼서 210
김진주 성남서 250
김진주 포천서 317
김진주 청주서 356
김진철 익산서 392
김진태 서현이현 7
김진태 서현이현 7
김진태 성남서 250
김진태 김해서 466
김진한 남대구서 407
김진현 삼정회계 22
김진현 국세청 122
김진현 국세청 123
김진형 시흥서 254
김진형 청주서 357
김진호 삼일회계 20
김진호 국세청 137
김진호 마포서 193
김진호 성동서 202
김진호 안산서 258
김진호 목포서 379
김진호 제주서 479
김진홍 기재부 87
김진홍 금융위 101
김진홍 중부서 224
김진홍 부산청 438
김진화 예산서 345
김진환 세무고시 33
김진환 동작서 190
김진환 평택서 266
김진환 서대전서 331
김진환 전주서 395
김진환 대구청 405
김진희 광교세무 37
김진희 세무하나 49
김진희 서울청 155
김진희 강동서 172
김진희 삼성서 197
김진희 서초서 201
김진희 성동서 202
김진희 잠실서 219
김진희 화성서 268
김진희 강릉서 271
김진희 인천청 289
김진희 서인천서 296
김진희 서인천서 297
김진희 대전서 327
김진희 순천서 380
김진희 북대구서 411
김진희 안동서 426
김차남 강동서 173
김찬 서울청 156
김찬 화성서 268
김찬규 삼일회계 20
김찬규 영월서 277
김찬규 예산서 345
김찬미 익산서 392
김찬섭 중부청 233
김찬수 감사원 79
김찬수 경기광주 256
김찬우 동안양서 246
김찬우 파주서 314
김찬웅 서울청 149
김찬일 성북서 205
김찬일 서부산서 452
김찬주 반포서 194
김찬중 중부산서 457
김찬태 안동서 427
김찬희 송파서 206
김찬희 영덕서 428
김찬희 부산진서 449
김창구 북대구서 411
김창권 국세청 129
김창근 강서서 175
김창기 기재부 99
김창기 중부청 227
김창기 중부청 228
김창명 송파서 207
김창미 남대문서 183
김창미 청주서 357
김창민 조세재정 508
김창범 송파서 206
김창석 마산서 469
김창섭 예일세무 52
김창섭 서울청 163
김창수 양천서 209
김창수 부산청 438
김창순 영동서 352
김창신 구미서 421
김창억 속초서 275
김창연 정읍서 397
김창영 북대전서 329
김창영 양산서 471
김창오 국세청 127
김창우 기흥서 240
김창욱 수원서 253
김창윤 분당서 249
김창윤 마산서 468
김창일 부산청 440
김창주 수원서 252
김창진 세림세무 181
김창진 남원서 389
김창현 인천서 298
김창현 여수서 382
김창현 창원서 474
김창호 법무세종 62
김창호 영등포서 213
김창호 남인천서 292
김창환 서대전서 331
김창환 구미서 420
김창훈 해남서 384
김창희 국세청 136
김창희 세종서 341
김채린 동청주서 351
김채원 역삼서 211
김채원 중랑서 223
김채윤 노원서 184
김채율 수성서 414
김채현 반포서 195
김채현 상주서 424
김천섭 영주서 430
김천수 중부청 233
김천희 조세심판 505
김철 서울청 151
김철 부산청 436
김철권 종로서 220
김철민 서울청 156
김철민 서초서 201
김철수 포천서 316
김철수 남원서 388
김철수 인천세관 489
김철수 인천세관 491
김철연 상주서 425
김철웅 금감원 103
김철웅 금감원 112
김철웅 국세청 123
김철태 북부산서 451
김철현 기재부 86
김철현 은평서 216
김철호 예일세무 52
김철호 남양주서 242
김철호 동안양서 246
김철호 광주청 365

김철호	북광주서	372
김철홍	부천서	309
김철환	법무세종	62
김청일	서울청	149
김초이	해운대서	458
김초혜	대전서	326
김초희	평택서	266
김춘경	잠실서	218
김춘경	구미서	420
김춘광	전주서	394
김춘동	동고양서	307
김춘례	삼성서	197
김춘만	경주서	418
김춘배	전주서	394
김춘식	국회법제	74
김춘화	시흥서	254
김충국	신승회계	19
김충만	서울청	165
김충모	안산서	258
김충배	이천서	264
김충상	남대문서	182
김충섭	국회재정	71
김충일	거창서	465
김충현	영등포서	212
김충호	조세심판	505
김치곤	양천서	209
김치우	영등포서	212
김치율	조세재정	507
김치헌	역삼서	211
김치호	국세청	139
김치호	인천청	290
김탁현	감사원	79
김태건	천안서	347
김태겸	남대구서	407
김태경	법무광장	61
김태경	감사원	78
김태경	기재부	86
김태경	기재부	89
김태경	기재부	89
김태경	역삼서	210
김태경	삼척서	273
김태경	홍천서	283
김태경	창원서	475
김태곤	기재부	85
김태규	청주서	356
김태균	태평양	65
김태균	역삼서	210
김태균	천안서	346
김태균	마산서	468
김태근	부산청	441
김태두	동고양서	306
김태룡	서대구서	413
김태륜	국회정무	76
김태민	서부산서	452
김태범	이천서	264
김태범	영월서	277
김태범	지방재정	502
김태봉	서울세관	487
김태서	대전청	321
김태서	북광주서	372
김태석	감사원	79
김태석	국세청	122
김태석	서울청	152
김태섭	평택서	267
김태성	감사원	78
김태성	국세청	139
김태성	군산서	386
김태성	포항서	432
김태수	서울청	159
김태수	서울청	161
김태수	거창서	464
김태수	마산서	469
김태숙	마산서	468
김태순	기재부	89
김태순	대전청	321
김태순	수영서	455
김태승	김포서	304
김태식	기재부	93
김태식	진주서	472
김태언	서울청	163
김태연	기재부	89
김태연	상공회의	117
김태연	반포서	194
김태연	서대문서	199
김태연	수원서	253
김태연	세종서	340
김태연	조세재정	506
김태열	서광주서	374
김태영	국세주류	140
김태영	동대문서	188
김태영	서초서	200
김태영	동수원서	244
김태영	파주서	315
김태영	순천서	380
김태영	서대구서	413
김태영	동래서	447
김태영	관세청	482
김태오	용산서	215
김태완	국세청	124
김태완	북인천서	295
김태완	김천서	423
김태완	울산서	463
김태용	중부청	228
김태용	남인천서	293
김태우	감사원	79
김태우	서울청	155
김태우	성동서	203
김태우	동안양서	246
김태우	인천청	285
김태우	인천청	291
김태우	포천서	317
김태우	동대구서	409
김태우	부산청	438
김태욱	대현회계	15
김태욱	국세교육	145
김태운	국세청	122
김태운	구미서	421
김태웅	기재부	91
김태원	국세청	126
김태원	광주청	363
김태원	순천서	380
김태윤	서울청	158
김태윤	양천서	209
김태은	성동서	203
김태은	동수원서	244
김태은	청주서	356
김태은	부산청	438
김태은	조세재정	506
김태이	기재부	94
김태인	국세상담	142
김태인	김해서	466
김태정	부산청	443
김태주	삼정회계	23
김태주	기재부	86
김태준	삼정회계	23
김태준	국세청	129
김태준	전주서	394
김태중	기재부	99
김태진	중부청	233
김태진	중부청	233
김태진	서광주서	374
김태철	마산서	468
김태춘	정읍서	396
김태헌	청주서	357
김태헌	안동서	427
김태현	금융위	100
김태현	삼성서	197
김태현	서초서	201
김태현	역삼서	211
김태현	화성서	269
김태형	법무지평	64
김태형	국세청	126
김태형	서울청	167
김태형	송파서	207
김태형	파주서	315
김태형	대구청	400
김태형	경산서	417
김태호	이안세무	53
김태호	기재부	95
김태호	국세청	122
김태호	국세청	123
김태호	국세청	135
김태호	국세청	136
김태호	국세상담	142
김태호	목포서	379
김태호	동대구서	409
김태호	부산청	438
김태호	마산서	469
김태화	남원서	389
김태환	동고양서	306
김태환	대전청	320
김태환	익산서	392
김태환	북대구서	410
김태환	제주서	478
김태효	강릉서	270
김태훈	미래회계	17
김태훈	기재부	98
김태훈	국세청	126
김태훈	서울청	164
김태훈	삼성서	197
김태훈	서초서	200
김태훈	종로서	221
김태훈	중부청	229
김태훈	속초서	275
김태훈	광명서	303
김태훈	포천서	317
김태훈	청주서	356
김태훈	순천서	380
김태훈	영주서	430
김태훈	포항서	432
김태훈	부산청	441
김태훈	김해서	466
김태흠	국회재정	72
김태희	서울청	167
김태희	인천서	298
김태희	인천서	298
김태희	대구청	400
김태희	북부산서	451
김택근	수원서	253
김택범	서울청	155
김택우	국세청	135
김택창	서산서	339
김판신	부산진서	449
김판준	국세청	122
김평강	조세재정	507
김평섭	서울청	165
김평섭	부산청	440
김평호	동작서	190
김평화	국세상담	142
김푸른솔	김포서	305
김푸름	서울청	154
김푸름	남대문서	183
김풍겸	김해서	466
김필곤	수영서	454
김필근	마산서	469
김필선	삼척서	272
김필선	광산서	369
김필수	대전서	327
김필순	해운대서	458
김필식	서울청	159
김필종	은평서	217
김필한	조세심판	504
김하강	안산서	258
김하나	김천서	422
김하늘	삼성서	197
김하림	서울청	169
김하림	평택서	267
김하성	인천청	290
김하수	영덕서	429
김하얀	고양서	301
김하연	서현이현	7
김하연	동대문서	189
김하연	은평서	217
김하영	동안양서	247
김하영	남대구서	406
김하영	지방재정	502
김하원	부천서	309
김하중	서울청	163
김학관	동안양서	246
김학규	인천청	291
김학규	관세청	483
김학민	전주서	395
김학선	영등포서	212
김학송	중부청	232
김학수	서현이현	6
김학수	순천서	381
김학수	전주서	394
김학연	성현회계	14
김학영	중랑서	222
김학욱	동래서	446
김학주	삼정회계	22
김학진	안양서	260
김학진	북대전서	328
김학효	조세재정	506
김한결	서울청	156
김한경	지방재정	502
김한국	예일세무	52
김한규	삼성서	197
김한근	성동서	203
김한기	딜로이트	16
김한기	속초서	274
김한나	인천청	291
김한림	순천서	380
김한민	세종서	341
김한범	북인천서	295
김한별	포천서	317
김한상	성남서	251
김한석	국세청	136
김한선	중부청	235
김한성	강남서	171
김한솔	부천서	308
김한솔	부천서	308
김한솔	제주서	479
김한수	남양주서	243
김한수	지방재정	502
김한식	세무다솔	44
김한신	거창서	465
김한울	김포서	305
김한용	세종서	341
김한일	종로서	220
김한정	국회정무	76
김한종	제천서	354
김한준	법무광장	61
김한진	인천청	287
김한진	북인천서	295
김한태	마포서	193
김한필	기재부	84
김항년	기재부	83
김항로	서울청	156
김항범	서울청	164
김항중	김포서	305
김해강	익산서	393
김해경	분당서	249
김해년	영월서	276
김해리	성동서	202
김해림	강남서	170
김해마중	김앤장	59
김해숙	서울청	153
김해숙	지방재정	503
김해아	인천청	291
김해영	서울청	160
김해영	동래서	447
김해옥	분당서	249
김해운	성북서	205
김해은	울산서	462
김해인	남대문서	182
김해진	동수원서	245
김해철	법무광장	61
김햇님	수원서	252
김행곤	남원서	388
김행순	마포서	192
김행은	통영서	476
김향미	중부청	229
김향숙	성북서	204
김향숙	북인천서	295
김향일	국세청	137
김향주	남인천서	292
김헌국	서초서	200
김헌국	부산청	442
김헌규	양천서	208
김헌숙	동작서	190
김헌우	경기광주	257
김혁	노원서	185
김혁	고양서	301
김혁	대구세관	497
김혁동	대구청	403
김혁세	대구세관	498
김혁주	태평양	65
김혁준	기재부	96
김혁준	대구청	404
김혁희	삼성서	196
김현	강남서	171
김현	평택서	266
김현경	강서서	175
김현경	영등포서	213
김현경	용산서	215
김현경	시흥서	255
김현경	인천청	287
김현경	지방재정	503
김현구	통영서	476
김현근	반포서	194
김현기	울산서	463
김현길	금정서	445
김현도	북부산서	451
김현두	국세청	138
김현두	남대구서	407
김현만	삼정회계	23
김현목	중부산서	457
김현미	중부청	233
김현미	기흥서	240
김현미	동수원서	244
김현미	동울산서	460
김현민	송파서	207
김현민	중부서	224
김현민	김포서	305
김현배	세무고시	33
김현배	중부산서	456
김현범	동래서	446
김현보	역삼서	210
김현서	분당서	248
김현서	파주서	315
김현석	법무바른	1
김현석	국세청	131
김현석	수원서	252
김현석	경기광주	257
김현석	관세청	482
김현선	중랑서	222
김현섭	대구청	402
김현성	광주청	362
김현성	북광주서	373
김현성	부산청	436
김현수	예일회계	24
김현수	국회법제	73
김현수	기재부	86
김현수	상공회의	117
김현수	인천서	299
김현수	순천서	381
김현수	북대구서	411
김현수	수성서	415
김현수	제주서	478
김현숙	노원서	184
김현숙	중랑서	222
김현숙	중부청	231
김현숙	대전서	326
김현숙	동청주서	351
김현숙	광산서	368
김현숙	대구청	404
김현숙	서대구서	412
김현숙	경주서	418
김현숙	동래서	447
김현숙	조세재정	506
김현승	국세청	123
김현승	동수원서	245
김현아	반포서	194
김현아	홍성서	349
김현아	동울산서	460
김현아	조세재정	507
김현열	진주서	472
김현영	강동서	172
김현옥	세무다솔	44
김현옥	강동서	173
김현우	서울청	164
김현우	동작서	190
김현우	은평서	216
김현우	진주서	472
김현욱	영주서	431
김현웅	기재부	99
김현응	대전청	320
김현일	예일회계	24
김현자	서광주서	374
김현재	강남서	171
김현재	원주서	279
김현정	서울청	153
김현정	서울청	164
김현정	동대문서	188
김현정	마포서	193
김현정	반포서	194
김현정	반포서	194
김현정	반포서	195
김현정	역삼서	211
김현정	안양서	260
김현정	강릉서	270
김현정	강릉서	270
김현정	동고양서	306
김현정	북광주서	373
김현정	순천서	380
김현정	대구청	405
김현정	동대구서	409
김현정	중부산서	457
김현정	창원서	474

김현정 창원서 475
김현정 관세청 482
김현종 대전청 320
김현종 대전청 324
김현주 세무고시 33
김현주 국세상담 142
김현주 서울청 150
김현주 강남서 170
김현주 중부청 231
김현주 중부청 235
김현주 광주청 365
김현주 익산서 393
김현주 북대구서 410
김현주 서대구서 412
김현주 울산서 463
김현준 세무고시 33
김현준 서울청 154
김현준 종로서 221
김현준 안산서 259
김현준 중부산서 456
김현중 서대전서 331
김현지 국세청 132
김현지 국세청 137
김현지 서울청 150
김현지 마포서 192
김현지 중부서 224
김현지 분당서 248
김현지 아산서 342
김현지 서광주서 375
김현진 택스홈 50
김현진 법무세종 62
김현진 강남서 171
김현진 강동서 172
김현진 마포서 193
김현진 중부청 228
김현진 기흥서 240
김현진 연수서 311
김현진 광산서 369
김현진 정읍서 397
김현진 포항서 433
김현진 부산청 439
김현진 울산서 462
김현철 감사원 79
김현철 서울청 148
김현철 기흥서 240
김현철 경기광주 256
김현철 파주서 314
김현철 서광주서 375
김현철 해남서 384
김현철 경주서 419
김현철 통영서 476
김현태 국회정무 76
김현태 기재부 95
김현태 금천서 180
김현태 대전청 321
김현하 국세청 126
김현호 서울청 149
김현호 금천서 180
김현호 중부청 232
김현후 기재부 96
김현희 반포서 194
김현희 은평서 216
김현희 분당서 248
김현희 동대구서 408
김현희 수영서 454
김형건 서산서 338
김형걸 부산청 436
김형경 광주청 364
김형구 기재부 90
김형국 강릉서 270
김형국 경주서 418
김형규 경기광주 257
김형근 포천서 316
김형기 성동서 202
김형기 부산청 440
김형두 창원서 475
김형래 서울청 152
김형래 노원서 184
김형래 부산청 436
김형묵 성남서 251
김형미 인천청 289
김형민 평택서 267
김형민 마산서 469
김형배 법무율촌 63
김형봉 부천서 308
김형석 서울청 162
김형석 강서서 175
김형선 중부청 229
김형섭 국회재정 71
김형섭 서울청 168
김형섭 부산청 440
김형섭 서부산서 452
김형수 서울청 166
김형수 강릉서 271
김형수 부산청 440
김형숙 나주서 377
김형식 국회재정 72
김형식 서인천서 296
김형연 서광주서 375
김형우 법무지평 64
김형우 남양주서 242
김형욱 기재부 85
김형욱 서울청 164
김형욱 춘천서 281
김형욱 서대구서 413
김형운 택스홈 50
김형원 법무세종 62
김형은 기재부 85
김형익 제주서 479
김형일 강서서 175
김형일 은평서 216
김형정 서울청 148
김형종 부산청 441
김형주 강동서 172
김형주 광주청 365
김형준 국세청 138
김형준 강서서 174
김형준 시흥서 255
김형준 이천서 265
김형준 원주서 278
김형준 포항서 432
김형준 포항서 432
김형진 관악서 177
김형진 중부서 225
김형진 양산서 470
김형찬 포항서 432
김형천 통영서 477
김형철 국세청 123
김형태 서울청 153
김형태 서울청 168
김형태 강동서 172
김형후 은평서 217
김형훈 기재부 92
김형훈 부산청 441
김혜경 서울청 152
김혜경 중부서 224
김혜경 평택서 267
김혜경 순천서 380
김혜경 김천서 423
김혜경 중부산서 456
김혜란 종로서 220
김혜란 수원서 253
김혜란 광주청 366
김혜랑 강동서 172
김혜련 기재부 90
김혜령 중부청 228
김혜령 경기광주 257
김혜령 서인천서 296
김혜리 서울청 155
김혜리 서울청 161
김혜리 서대전서 331
김혜리 경주서 418
김혜린 서울청 169
김혜린 전주서 394
김혜린 창원서 474
김혜림 서대문서 199
김혜림 남대구서 406
김혜림 영주서 431
김혜림 제주서 478
김혜림 관세청 481
김혜미 서울청 163
김혜미 서울청 164
김혜미 반포서 195
김혜미 세종서 340
김혜민 지방재정 502
김혜빈 강남서 171
김혜빈 강서서 174
김혜빈 중부서 225
김혜빈 북인천서 294
김혜빈 통영서 477
김혜선 평택서 266
김혜성 삼성서 197
김혜성 북인천서 295
김혜수 서초서 201
김혜수 포천서 316
김혜숙 동대문서 188
김혜숙 성동서 202
김혜숙 동고양서 306
김혜숙 동고양서 307
김혜연 마포서 192
김혜연 분당서 248
김혜연 의정부서 313
김혜영 도봉서 187
김혜영 마포서 193
김혜영 성동서 203
김혜영 성북서 204
김혜영 양천서 208
김혜영 구리서 238
김혜영 광주청 363
김혜영 북대구서 410
김혜영 서대구서 413
김혜영 서부산서 452
김혜영 통영서 476
김혜영 통영서 476
김혜원 강서서 175
김혜원 종로서 220
김혜원 시흥서 254
김혜원 대전청 321
김혜원 여수서 382
김혜원 창원서 474
김혜윤 강서서 174
김혜윤 인천청 288
김혜은 기재부 86
김혜은 인천청 287
김혜은 연수서 310
김혜은 광주서 370
김혜은 울산서 462
김혜인 세무다솔 44
김혜인 역삼서 211
김혜인 서인천서 296
김혜인 전주서 395
김혜정 국세청 123
김혜정 국세청 128
김혜정 국세상담 142
김혜정 서울청 149
김혜정 강서서 174
김혜정 구리서 239
김혜정 남인천서 293
김혜정 연수서 310
김혜정 서광주서 374
김혜정 순천서 381
김혜정 남대구서 407
김혜지 경주서 418
김혜지 경주서 418
김혜진 역삼서 211
김혜진 영등포서 213
김혜진 시흥서 255
김혜진 인천청 286
김혜진 인천청 287
김혜진 남대구서 407
김혜진 서대구서 413
김혜진 부산청 438
김혜진 부산청 440
김혜진 북부산서 450
김혜진 지방재정 503
김혜진 조세재정 508
김혜현 성동서 203
김호 서초서 201
김호 부천서 308
김호 부산청 436
김호 중부산서 457
김호 제주서 478
김호경 남대구서 406
김호국 춘천서 281
김호근 청주서 357
김호복 강동서 173
김호승 서부산서 453
김호업 세무하나 49
김호영 국세청 126
김호영 종로서 220
김호영 구리서 238
김호원 경산서 417
김호준 서울청 168
김호진 송파서 206
김호진 울산서 462
김호현 중부청 236
김홍경 연수서 311
김홍경 경산서 416
김홍균 중부청 228
김홍근 대전청 321
김홍기 서초서 201
김홍기 부산청 441
김홍남 중부청 231
김홍란 대전청 321
김홍래 남대문서 182
김홍렬 구로서 179
김홍석 부산청 441
김홍수 양산서 470
김홍식 국회재정 72
김홍식 부천서 309
김홍영 의정부서 312
김홍주 예일세무 52
김홍태 서대구서 412
김홍현 삼일회계 20
김화도 남대문서 183
김화선 북부산서 450
김화숙 서울청 149
김화숙 역삼서 211
김화숙 영주서 430
김화영 광주서 371
김화영 남대구서 407
김화영 통영서 477
김화완 춘천서 280
김화윤 기재부 96
김화은 동작서 190
김화정 인천청 288
김화준 동대문서 189
김환 광주청 362
김환국 정읍서 397
김환규 국세청 137
김환석 구로서 178
김환옥 전주서 394
김환중 부산청 440
김환진 용인서 262
김환진 해운대서 459
김환희 기흥서 240
김황 남대구서 407
김황경 의정부서 312
김황경 홍성서 349
김황식 광주서 370
김회광 전주서 395
김회연 북인천서 294
김회정 마산서 468
김회창 광산서 369
김효경 기재부 97
김효경 국세교육 145
김효경 남대구서 406
김효근 보령서 336
김효근 광산서 368
김효남 조세심판 504
김효동 서울청 152
김효림 종로서 221
김효림 조세재정 507
김효미 성남서 250
김효민 동울산서 461
김효빈 지방재정 502
김효삼 대구청 402
김효상 도봉서 186
김효상 종로서 220
김효상 영월서 276
김효선 동작서 191
김효선 충주서 358
김효섭 성동서 203
김효수 용산서 214
김효숙 안양서 260
김효숙 울산서 462
김효순 대전청 325
김효영 잠실서 219
김효영 동안양서 246
김효원 북광주서 372
김효은 서인천서 296
김효은 조세재정 507
김효일 중부청 233
김효정 기재부 95
김효정 서울청 149
김효정 남대문서 182
김효정 동작서 190
김효정 동작서 191
김효정 반포서 195
김효정 잠실서 219
김효정 이천서 265
김효정 인천청 291
김효정 예산서 344
김효정 여수서 382
김효정 울산서 462
김효정 지방재정 503
김효주 지방재정 503
김효진 국세청 124
김효진 구로서 178
김효진 남대문서 182
김효진 동작서 191
김효진 중부서 224
김효진 동수원서 245
김효진 남인천서 292
김효진 북인천서 295
김효진 익산서 392
김효진 해운대서 458
김효진 통영서 477
김효희 광산서 368
김후영 북부산서 450
김후희 부천서 308
김훈 중부청 228
김훈 인천청 286
김훈 인천청 286
김훈 광주청 366
김훈 경산서 416
김훈구 성동서 203
김훈기 남양주서 242
김훈민 평택서 266
김훈수 서산서 339
김훈중 예일세무 52
김훈태 분당서 248
김휘영 서울청 150
김휘영 서울청 151
김휘태 인천서 298
김흥곤 노원서 185
김흥주 서울세관 486
김희겸 국세청 138
김희경 성동서 203
김희경 용산서 215
김희경 부천서 309
김희경 부산청 439
김희곤 국회정무 76
김희관 해남서 384
김희대 국세청 136
김희락 종로서 221
김희란 아산서 342
김희리 관세청 482
김희명 포천서 317
김희문 창원서 474
김희범 수영서 454
김희봉 아산서 342
김희석 광주서 371
김희선 국세교육 144
김희선 강동서 172
김희선 성북서 205
김희선 잠실서 218
김희선 중부청 230
김희선 의정부서 313
김희선 양산서 470
김희숙 강남서 171
김희숙 중부청 228
김희숙 광주청 363
김희숙 전주서 394
김희애 강남서 171
김희애 해운대서 459
김희연 삼성서 197
김희연 중부청 230
김희영 국세청 130
김희영 동고양서 307
김희영 의정부서 313
김희영 대전청 323
김희운 기재부 83
김희원 동청주서 351
김희윤 송파서 207
김희재 국세청 124
김희재 강릉서 270
김희정 서울청 149
김희정 서울청 152
김희정 서울청 153
김희정 강동서 172
김희정 노원서 185
김희정 동대문서 188
김희정 잠실서 218
김희정 잠실서 219
김희정 의정부서 313
김희정 대구청 405
김희정 양산서 470
김희정 대구세관 497
김희준 기재부 90

김희준 서초서 200
김희준 창원서 474
김희중 기재부 83
김희중 중기회 119
김희중 삼성서 196
김희지 관악서 176
김희진 서울청 166
김희진 서대문서 199
김희진 인천서 298
김희진 김포서 305
김희진 남원서 388
김희진 동대구서 408
김희찬 국세교육 145
김희창 김포서 304
김희창 충주서 359
김희창 광산서 369
김희철 세무고시 33
김희철 더택스 45
김희철 김앤장 59
김희태 기재부 85
김희태 세종서 341
김희태 북전주서 390
김희현 안산서 258
김희화 중부청 232
김희환 부천서 309
깁복래 인천청 287

ㄴ

나가영 서울청 149
나경미 세종서 340
나경아 서울청 156
나경영 서대문서 199
나경태 화성서 268
나경훈 포천서 317
나교석 김포서 304
나기석 용인서 262
나기홍 지방재정 502
나덕희 동안양서 247
나동욱 원주서 278
나동일 마포서 193
나두영 광주세관 500
나명균 보령서 337
나명수 광교세무 38
나명호 서울청 163
나미선 순천서 380
나민수 서울청 152
나민지 북인천서 294
나병진 지방재정 502
나상률 기재부 97
나상민 기재부 98
나상일 경주서 418
나석환 삼정회계 22
나선 용인서 263
나선영 북광주서 372
나선일 동고양서 306
나선희 의정부서 312
나송현 중부청 230
나수정 강서서 174
나승도 삼일회계 20
나승운 국세청 125
나승운 국세청 134
나승창 광주청 362
나양선 정읍서 396
나영 부천서 308
나영 조세재정 506
나영미 은평서 217
나영수 경기광주 256
나영주 강남서 171
나영희 정읍서 396
나예영 이천서 265
나용선 국세상담 143
나용호 충주서 359
나우영 중부서 224
나원주 기재부 92
나유림 김포서 304
나유민 북광주서 373
나유빈 안산서 259
나유선 나주서 376
나유숙 충주서 358
나유진 북대전서 328
나윤미 순천서 380
나윤수 안양서 260
나윤정 기재부 92
나은주 충주서 359
나인엽 광주청 364
나재섭 종로서 220
나정아 평택서 267
나정주 마포서 192
나정학 송파서 207
나정현 동청주서 351
나정희 영동서 352
나정희 영동서 353
나종선 나주서 376
나종엽 익산서 392
나종태 관세청 483
나종현 동작서 190
나주범 기재부 93
나지윤 경주서 418
나진순 서울청 154
나진주 전주서 395
나진희 서울청 149
나진희 북광주서 373
나진희 조세재정 508
나찬영 남대문서 182
나찬주 인천청 288
나채용 광주청 367
나철호 재정회계 26
나태운 서인천서 296
나한결 강남서 170
나한솔 기재부 84
나한태 북광주서 373
나향미 국세청 125
나현숙 서대구서 412
나형욱 중부청 230
나형채 서광주서 374
나혜경 목포서 379
나혜영 분당서 248
나혜진 영동서 353
나환영 삼척서 272
나환웅 서대문서 199
나효훈 구미서 421
나희선 시흥서 255
남가영 감사원 78
남건욱 지방재정 502
남경민 마포서 193
남경민 홍천서 283
남경일 동작서 190
남경자 양천서 209
남경철 기재부 92
남경호 부산청 442
남경희 시흥서 254
남경희 화성서 269
남관길 수영서 455
남관덕 인천서 298
남광우 북대전서 329
남궁민 국세청 131
남궁서정 서울청 157
남궁재욱 노원서 185
남궁준 경기광주 257
남궁향 기재부 91
남궁화순 북광주서 372
남궁훈 고양서 300
남권효 동울산서 461
남근 성동서 203
남기범 기재부 84
남기범 천안서 347
남기석 국회법제 74
남기선 이천서 264
남기연 영등포서 212
남기은 북인천서 294
남기인 기재부 89
남기인 인천청 286
남기정 광주서 370
남기태 예일세무 52
남기태 동청주서 351
남기현 중부청 230
남기형 강서서 174
남기홍 고양서 300
남기훈 서울청 154
남기훈 서울청 157
남꽃별 반포서 195
남다미 분당서 249
남덕현 정읍서 396
남덕희 용인서 262
남도경 인천청 288
남도영 용인서 263
남도욱 광산서 368
남동국 더택스 45
남동균 영등포서 213
남동오 기재부 86
남동우 금융위 101
남동우 대구청 400
남동진 삼일회계 20
남동현 창원서 474
남동환 포천서 316
남동훈 서초서 201
남명규 포천서 317
남명균 부천서 308
남명기 중부청 230
남무정 국세청 138
남미라 서대문서 198
남미숙 북대구서 410
남미정 동수원서 244
남민기 국세청 135
남보라 동청주서 350
남보영 고양서 300
남봉근 국세청 123
남상균 국세청 139
남상두 세무다솔 44
남상웅 동안양서 246
남상준 중부청 233
남상진 순천서 381
남상헌 수성서 415
남상호 북대구서 410
남상훈 광산서 368
남석주 김포서 304
남선애 중부청 228
남성식 부산청 442
남성우 천안서 347
남성윤 양천서 208
남성현 서부산서 452
남성훈 관세청 481
남소정 지방재정 502
남송이 서울청 169
남송이 창원서 474
남수경 기재부 96
남수빈 양산서 470
남수주 성동서 203
남수진 강남서 170
남수진 중부청 235
남수환 감사원 78
남숙경 안양서 261
남순옥 기재부 82
남승규 서울청 155
남승오 조세재정 508
남승원 해남서 384
남승호 반포서 195
남아주 중부청 233
남애숙 북광주서 372
남연규 해남서 385
남연주 김해서 467
남연화 조세심판 504
남영안 서대구서 412
남영우 광명서 302
남영우 동고양서 306
남영철 서울청 152
남영호 구미서 420
남예나 해운대서 459
남옥희 포항서 432
남왕주 광산서 368
남용우 중부청 233
남용휘 고양서 300
남용희 노원서 185
남우점 감사원 79
남우창 국세청 124
남원우 기재부 87
남유승 중부청 234
남유진 국세청 134
남유현 용인서 262
남윤석 부산진서 448
남윤수 중랑서 223
남윤정 양천서 209
남윤종 영등포서 213
남윤현 이천서 265
남은빈 인천서 299
남은숙 공주서 332
남은영 송파서 207
남은영 남인천서 292
남인제 울산서 462
남인천 인천청 286
남일현 부천서 308
남자세 광주청 362
남장현 택스홈 50
남전우 강서서 174
남정근 동대구서 408
남정민 구미서 420
남정식 인천청 290
남정임 춘천서 280
남정현 서울청 158
남정화 양천서 209
남정휘 중부청 236
남주희 북전주서 390
남중경 남양주서 243
남중화 안양서 261
남지연 서울청 150
남지원 북대구서 410
남지윤 분당서 248
남지은 통영서 476
남지현 조세재정 508
남찬환 영월서 276
남창현 한국세무 31
남창현 부산청 439
남창환 서울청 168
남창훈 관세청 483
남창희 김해서 467
남칠현 서초서 201
남태연 김앤장 59
남태호 서울청 161
남택원 예산서 344
남택진 미래회계 17
남한샘 기재부 87
남해용 안동서 427
남현두 이천서 264
남현승 서울청 149
남현우 동청주서 350
남현정 기흥서 240
남현주 양천서 208
남현희 국세청 125
남형석 삼일회계 20
남형주 파주서 315
남형철 중랑서 223
남혜경 동청주서 351
남혜윤 안양서 260
남호규 춘천서 280
남호성 서울청 163
남호진 구로서 178
남호철 영등포서 213
남화영 은평서 216
남효주 안동서 426
노강원 잠실서 218
노건호 청주서 357
노걸현 조세재정 506
노경관 동울산서 460
노경민 동작서 191
노경민 원주서 278
노경수 서울청 160
노경환 부산세관 494
노계연 서울청 164
노광래 지방재정 503
노광수 중부청 228
노광환 포천서 317
노구영 서울청 158
노규현 동고양서 306
노근석 부산청 437
노근홍 부산세관 495
노금기 상공회의 117
노금기 상공회의 118
노기숙 제주서 479
노기우 북대전서 329
노기원 광교세무 36
노기주 용산서 215
노기항 강남서 171
노남규 인천청 290
노남종 여수서 382
노도영 군산서 386
노동균 광주청 364
노동렬 구리서 238
노동승 관악서 177
노동영 동대구서 408
노동율 울산서 462
노동호 북전주서 390
노명진 북전주서 390
노명환 인천청 291
노명희 성동서 203
노미경 광주청 364
노미란 양천서 208
노미선 강남서 170
노미향 양산서 470
노미현 삼성서 197
노미혜 창원서 475
노민경 서광주서 375
노민욱 울산서 463
노민정 은평서 217
노병근 국회정무 76
노병필 서울세관 486
노병현 금천서 181
노상우 인천청 287
노상윤 중기회 119
노석봉 성북서 205
노석환 관세청 481
노석환 관세청 482
노성모 서초서 201
노성은 남원서 389
노세영 인천청 287
노세현 금정서 444
노소영 삼성서 197
노수경 영등포서 213
노수경 조세재정 506
노수연 동대문서 189
노수정 서울청 158
노수진 성남서 251
노수창 이천서 264
노수현 중부서 224
노순정 서광주서 375
노승옥 용산서 214
노승진 동수원서 245
노승환 성북서 205
노시교 광주세관 500
노시열 여수서 382
노시인 안양서 260
노신남 중부청 235
노아령 인천청 289
노아영 동작서 190
노아영 서부산서 452
노연섭 관악서 176
노연숙 인천서 299
노영기 양산서 470
노영래 기재부 85
노영배 서울청 156
노영석 삼일회계 20
노영실 대전청 324
노영애 에이블 47
노영예 조세재정 507
노영우 성현회계 14
노영인 성남서 251
노영일 부산청 436
노영하 대전청 324
노영훈 남인천서 293
노영희 구로서 178
노예순 기재부 87
노용래 대전청 322
노용승 강릉서 270
노우성 광산서 369
노우정 국세청 128
노운성 부산청 443
노원준 서초서 201
노원철 국세청 137
노유 세무다솔 44
노유선 남원서 388
노윤주 동래서 446
노윤희 부산진서 449
노은미 북대구서 410
노은복 중부청 231
노은실 기재부 83
노은아 천안서 346
노은영 의정부서 313
노은주 나주서 377
노은지 구리서 238
노은진 김천서 422
노은호 금천서 181
노익환 광교세무 37
노익환 김포서 305
노인선 용산서 214
노인섭 제주서 478
노일도 인천청 291
노일호 남대문서 183
노재동 창원서 475
노재원 동고양서 306
노재윤 노원서 184
노재진 마산서 468
노재호 관악서 176
노재훈 인천서 298
노재희 안산서 258
노정민 춘천서 280
노정민 제주서 479
노정석 국세청 138

노정석 국세청 139
노정애 서울청 153
노정운 광주서 370
노정윤 중부청 230
노정택 서울청 155
노정하 부산진서 448
노정환 강동서 172
노정환 제천서 354
노종근 서부산서 452
노종대 남인천서 292
노종영 경산서 417
노종욱 중랑서 223
노주아 안양서 261
노주연 보령서 336
노주호 분당서 249
노준호 청주서 356
노중권 이천서 265
노중현 기재부 92
노지선 관세청 483
노지영 조세재정 506
노지현 서초서 200
노지형 서울청 156
노지혜 서대문서 198
노지희 기재부 87
노진명 울산서 462
노진철 구미서 421
노충모 서울청 148
노충환 서울청 152
노태건 동울산서 460
노태경 수원서 252
노태송 공주서 333
노태순 경기광주 257
노태천 국세청 122
노파라 서울청 154
노하나 잠실서 218
노하진 은평서 216
노학종 아산서 342
노한가람 동대구서 408
노한나 잠실서 218
노현민 화성서 268
노현서 중부청 229
노현선 성동서 203
노현숙 은평서 216
노현정 서울청 148
노현정 광주서 371
노현정 안동서 426
노현주 기흥서 240
노현주 서인천서 296
노현진 남대구서 406
노현탁 순천서 381
노형철 법무세종 62
노혜련 반포서 194
노혜선 구리서 238
노화정 군산서 387
노희관 감사원 78
노희구 세무다솔 44
노희옥 동래서 446

ㄷ

당만기 영월서 276
도경민 서초서 201
도규상 금융위 100
도기봉 서울세관 486
도기원 구로서 178
도명선 남대구서 406
도명준 중랑서 222
도미선 천안서 346
도미영 서초서 201
도민지 서대구서 412
도보미 여성세무 35
도보은 국회정무 76
도상옥 서울청 168
도선정 북대구서 411
도성희 북대구서 410
도세영 수성서 414
도연정 구미서 420
도영림 은평서 217
도영만 남인천서 293
도영수 국세청 134
도예린 북전주서 390
도유정 성남서 250
도의태 기재부 83
도이광 구미서 420
도인현 대구청 402
도정미 강남서 170
도종록 기재부 83
도종호 평택서 267
도종화 기재부 94
도주연 수영서 454
도주현 이천서 264
도주희 중부청 236
도진주 제주서 478
도창현 서울청 149
도하정 광주서 370
도해구 서산서 338
도해민 대구청 402
도현종 동래서 447
도형우 종로서 221
도혜순 마포서 193
도혜정 경기광주 257
동고양 인천청 286
동남일 노원서 184
동소연 서울청 169
동철호 성북서 204
두영균 경기광주 257
두영배 거창서 465
두진국 대전서 327

ㄹ

라기정 천안서 346
라영채 중부청 230
라용기 익산서 392
라원선 국세청 124
라유성 국세청 124
라지영 서울청 165
류경아 의정부서 313
류경옥 지방재정 502
류경주 부산세관 494
류경탁 잠실서 218
류계영 국세청 132
류관선 성동서 203
류광현 반포서 194
류기석 서울세관 486
류기수 관악서 177
류기수 중랑서 222
류기현 노원서 184
류기환 경주서 418
류나리 동작서 191
류남욱 기재부 94
류다현 천안서 347
류대현 이천서 264
류동균 강동서 172
류동현 강동서 173
류두형 성남서 250
류득현 예일세무 52
류명옥 삼성서 196
류명지 국세청 127
류문환 안양서 261
류미경 부산청 439
류미순 동안양서 246
류민경 부천서 309
류민하 분당서 248
류병욱 지방재정 502
류병하 광교세무 37
류병호 용산서 214
류상민 기재부 95
류상민 기재부 96
류상효 대구청 403
류서현 김해서 466
류선아 김해서 467
류선주 잠실서 219
류성걸 국회재정 72
류성권 홍성서 348
류성돈 대전청 322
류성무 삼일회계 20
류성백 순천서 381
류성주 순천서 381
류성주 서대구서 412
류성현 법무광장 61
류성현 인천세관 490
류세진 세무다솔 44
류세현 북대전서 329
류소윤 기재부 90
류송 인천청 290
류수현 동작서 190
류수현 인천청 288
류숙현 여수서 383
류순영 강남서 171
류승남 송파서 207
류승수 기재부 96
류승우 국세청 133
류승우 포항서 433
류승윤 경주서 418
류승중 국세청 127
류승진 동고양서 307
류승하 인천세관 490
류승현 양천서 208
류승혜 이천서 264
류시현 조세심판 505
류신우 서울청 165
류아영 전주서 395
류양훈 조세심판 505
류연엽 부천서 308
류연호 서울청 157
류영기 세무토은 42
류영길 순천서 380
류영리 김포서 305
류영상 국세청 139
류영선 서부산서 452
류예림 기흥서 240
류오진 서울청 152
류옥희 서울청 158
류용운 부산청 437
류용현 삼정회계 22
류원석 아산서 342
류유선 동대문서 188
류은미 순천서 381
류은선 기재부 91
류인철 관악서 176
류임정 북부산서 450
류자영 의정부서 312
류장곤 도봉서 186
류장식 동울산서 461
류장훈 북전주서 391
류재경 홍천서 282
류재리 국세청 124
류재무 대구청 403
류재영 김앤장 59
류재일 에이블 47
류재철 대구세관 498
류재탁 부산진서 449
류재현 기재부 85
류재현 서대구서 413
류재희 중부청 233
류정금 기재부 91
류정모 국세청 122
류정훈 진주서 473
류정희 서부산서 452
류제형 광산서 368
류종규 전주서 394
류종성 서울청 152
류종수 평택서 267
류중성 강서서 175
류지연 동수원서 244
류지용 남양주서 242
류지윤 해남서 384
류지현 반포서 195
류지혜 서울청 163
류지호 서초서 200
류지호 익산서 392
류지화 택스홈 50
류지훈 강릉서 271
류진 국세청 135
류진 구로서 178
류진규 도봉서 186
류진수 인천청 291
류진수 북부산서 451
류진열 동울산서 461
류진영 북광주서 373
류천호 시흥서 255
류충선 국세청 130
류태경 진주서 472
류풍년 딜로이트 16
류필수 전주서 395
류한상 관악서 177
류한술 기재부 91
류해상 노원서 184
류현수 서울청 157
류현준 강남서 170
류현철 창원서 475
류형근 세무다솔 44
류형대 서울청 154
류형주 상공회의 118
류혜미 부산청 440
류혜영 기흥서 241
류호균 국세청 136
류호림 해운대서 459
류호민 삼성서 196
류호정 구리서 239
류호진 광주청 367
류훈민 역삼서 211
류희식 제천서 354
류희열 경주서 419
류희정 노원서 185

ㅁ

마경진 역삼서 211
마광열 감사원 77
마광열 감사원 79
마동운 동수원서 244
마명희 서대구서 412
마민화 서초서 200
마삼호 대전청 322
마선희 잠실서 218
마성혜 김천서 422
마숙룡 서현이현 7
마숙연 동청주서 350
마순덕 서울세관 486
마순옥 동래서 447
마승진 청주서 356
마옥현 법무광장 60
마용재 기재부 83
마일명 영덕서 429
마재정 파주서 314
마정윤 서울청 156
마정훈 중부청 232
마준성 국세상담 143
마준성 조세심판 504
마준호 국세상담 142
마진우 해남서 385
마창훈 정진세림 27
마케팅 중기회 119
마현주 북광주서 373
마혜진 김해서 467
마희영 국세교육 145
망강화 기재부 99
맹기성 강동서 172
맹선애 은평서 216
맹송섭 중부청 231
맹수업 북부산서 450
맹지윤 노원서 185
맹창호 북대전서 328
맹충호 관악서 177
맹환준 중부청 235
명경자 성남서 250
명경철 포천서 316
명국빈 순천서 381
명기룡 대구청 400
명삼수 지방재정 502
명상희 서부산서 452
명승철 서울청 159
명영빈 창원서 475
명영준 세무다솔 44
명인범 남대문서 182
명재호 신대동 56
명현욱 서울청 160
모규인 진주서 473
모두열 서울청 168
모상용 동대문서 189
모성하 서광주서 374
모옥순 남원서 388
모재완 조세심판 504
모충서 파주서 315
목영주 목포서 379
목완수 서울청 149
목완수 서초서 201
문가나 군산서 386
문가은 동수원서 244
문강기 기재부 86
문강민 북부산서 450
문강수 천안서 347
문건주 서울청 158
문경덕 울산서 463
문경록 정진세림 27
문경미 국회정무 75
문경애 광주서 371
문경옥 서울청 153
문경은 부천서 308
문경준 남원서 389
문경호 서울청 151
문경환 기재부 95
문경희 금정서 445
문광섭 용산서 214
문교병 익산서 393
문교현 서울청 164
문권주 성동서 203
문규환 남인천서 293
문극필 동작서 191
문근기 기재부 85
문근나 용산서 215
문금식 삼성서 196
문기섭 상공회의 118
문기조 목포서 379
문기창 제주서 478
문다영 삼성서 197
문대우 금천서 181
문도형 중부청 235
문동배 대전청 321
문동호 전주서 395
문두열 마산서 468
문라형 통영서 477
문만수 기재부 99
문명선 기재부 91
문명식 김해서 467
문묘연 이천서 264
문미경 금천서 181
문미나 익산서 392
문미라 강동서 172
문미란 북대전서 329
문미선 해남서 384
문미영 북대전서 329
문미호 인천세관 492
문미희 천안서 347
문민규 서울청 154
문민숙 반포서 194
문민지 양산서 471
문민호 이천서 264
문바롬 서울청 158
문병갑 국세청 131
문병국 마산서 469
문병권 대전청 323
문병남 서울청 149
문병대 원주서 279
문병무 미래회계 17
문병엽 창원서 474
문병찬 마산서 469
문보경 동청주서 350
문보라 서울청 150
문보라 북광주서 372
문삼식 인천청 286
문상균 대전청 325
문상영 부산진서 448
문상철 서울청 165
문서연 부산청 436
문서윤 동고양서 307
문석권 택스홈 50
문석준 국세청 138
문선미 부천서 308
문선영 은평서 216
문선우 시흥서 254
문선희 화성서 268
문선희 창원서 474
문성배 김해서 466
문성연 포항서 433
문성운 용인서 263
문성윤 강서서 174
문성은 의정부서 312
문성인 포천서 317
문성진 서울청 148
문성찬 포항서 432
문성철 해운대서 458
문성호 기재부 82
문성호 국세청 124
문성호 공주서 332
문성환 인천세관 490
문성훈 지방재정 502
문성희 북인천서 295
문세련 중부청 230

문소웅 인천서 299
문소원 수영서 455
문소진 양천서 209
문수영 조세심판 504
문숙미 마산서 469
문숙자 국세청 124
문숙현 서울청 153
문숙현 강남서 171
문순철 서울청 168
문승구 부산청 439
문승덕 중부청 234
문승민 서울청 159
문승식 해남서 384
문승준 마산서 469
문승진 서울청 167
문승현 서대문서 199
문시현 시흥서 254
문식 광주청 364
문아현 울산서 462
문여리 강동서 172
문영건 기흥서 240
문영곤 양산서 470
문영권 광주청 366
문영규 광주서 371
문영미 부천서 309
문영미 마산서 468
문영수 제주서 478
문영순 국세상담 142
문영은 동대문서 188
문영임 대전청 321
문영재 국회법제 74
문영준 북전주서 390
문영한 국세청 133
문예슬 금천서 180
문예지 동울산서 460
문오석 세무토은 42
문용식 마포서 193
문용원 강서서 175
문원수 북부산서 450
문유선 분당서 248
문윤정 중랑서 222
문윤진 광주청 366
문윤호 강동서 173
문은성 북광주서 373
문은수 군산서 386
문은진 역삼서 211
문은진 연수서 311
문은하 중부청 234
문은희 군산서 387
문을열 서울세관 486
문인섭 연수서 311
문일식 인천청 287
문재창 서울청 149
문전안 이천서 264
문정기 세무다솔 44
문정기 충주서 358
문정미 북전주서 390
문정민 송파서 207
문정오 서울청 159
문정우 고양서 300
문정우 조세심판 504
문정의 지방재정 503
문정혁 삼성서 196
문정현 서울청 155
문정현 천안서 346
문정희 강동서 172
문정희 수원서 252
문종구 북인천서 294
문종빈 반포서 195
문주경 국세상담 142
문주란 역삼서 210
문주연 광주청 363
문주현 국회정무 76
문주희 원주서 278
문주희 인천서 299
문준검 국세교육 144
문준규 북광주서 373
문준연 택스홈 50
문준영 법무율촌 63
문준웅 국세주류 140
문지만 서대문서 199
문지민 김해서 466
문지선 안산서 259
문지선 용인서 262
문지영 영등포서 212
문지영 대전서 326
문지영 조세재정 506
문지원 목포서 379
문지윤 상주서 425
문지은 동수원서 245
문지혁 서울청 148
문지현 파주서 315
문지현 상주서 424
문지혜 강남서 171
문지환 중부청 231
문진규 인천세관 491
문진선 북부산서 450
문진영 대전서 327
문진혁 서울청 152
문진희 남인천서 292
문진희 북인천서 295
문찬식 북대전서 328
문찬영 전주서 394
문찬웅 남인천서 292
문창규 북대구서 411
문창수 수원서 252
문창오 조세재정 508
문창오 조세재정 508
문창전 중부청 227
문창환 종로서 221
문창환 평택서 267
문철주 동대문서 189
문철홍 중기회 119
문태범 수원서 253
문태욱 기재부 98
문태웅 기재부 83
문태정 국세청 139
문태형 노원서 185
문태호 정진세림 27
문태홍 용산서 214
문하윤 북부산서 450
문한별 국세청 135
문한솔 여수서 382
문해수 광산서 368
문행용 관세청 482
문혁 화성서 268
문현 인천청 288
문현경 안산서 258
문현경 이천서 265
문현국 제주서 478
문현희 마포서 192
문형민 서울청 152
문형민 서울청 169
문형민 해남서 384
문형빈 종로서 220
문형일 순천서 381
문형진 국세청 138
문혜경 화성서 268
문혜령 남대구서 406
문혜리 김해서 467
문혜림 국세청 123
문혜미 수원서 252
문혜정 제주서 478
문호승 강동서 172
문호영 보령서 337
문호영 구미서 420
문홍규 서울청 169
문홍배 광주청 367
문홍섭 양산서 471
문홍승 중부청 233
문효상 대구청 400
문흥호 부산세관 494
문희영 기재부 85
문희원 기재부 96
문희원 수원서 253
문희원 군산서 387
문희제 안산서 258
문희준 양산서 471
문희진 동래서 447
문희철 국세청 121
민갑승 대구청 404
민강 서울청 154
민경률 조세재정 508
민경미 기흥서 240
민경삼 서인천서 296
민경상 잠실서 218
민경서 김앤장 59
민경석 용인서 263
민경석 조세재정 508
민경옥 광주서 371
민경원 김포서 304
민경은 동작서 190
민경준 동고양서 307
민경준 부천서 308
민경진 화성서 268
민경진 해운대서 459
민경하 강남서 171
민경화 서울청 152
민경훈 서울청 148
민경훈 전주서 394
민경희 서울청 154
민규홍 중부청 233
민규홍 북부산서 451
민근혜 서울청 158
민기원 송파서 207
민덕기 수원서 252
민동준 기재부 99
민동준 광주청 364
민백기 남양주서 242
민병걸 서울청 155
민병기 양산서 471
민병덕 국회정무 76
민병려 부산청 440
민병웅 서울청 167
민병조 인천세관 492
민병현 동울산서 461
민상원 서울청 152
민새울 서울청 166
민샘 강동서 172
민석기 기재부 92
민선미 지방재정 503
민선희 서부산서 453
민성기 북인천서 294
민성림 송파서 206
민성원 평택서 267
민소윤 인천서 298
민수진 고양서 300
민순기 서광주서 375
민승기 영등포서 213
민승기 김해서 466
민애희 동수원서 244
민양기 천안서 347
민연배 해운대서 459
민영규 춘천서 280
민영선 부산진서 448
민예지 남인천서 292
민옥자 세종서 341
민용우 성북서 205
민우기 삼정회계 23
민우기 삼정회계 23
민윤기 딜로이트 16
민윤선 파주서 315
민윤식 마포서 192
민으뜸 성북서 204
민은규 서울청 155
민은연 대구청 404
민재영 동수원서 244
민재영 남대구서 406
민정 김해서 466
민정기 노원서 185
민정기 광주세관 500
민정대 서울청 153
민정원 인천서 298
민정하 서울세무 32
민종권 인천청 290
민종인 서인천서 297
민주영 기재부 94
민주원 서울청 152
민주원 서울청 153
민준기 나주서 377
민준식 대전서 326
민지은 반포서 194
민지홍 광산서 369
민진기 삼성서 197
민진기 역삼서 211
민차형 서울청 166
민천일 경기광주 256
민철기 기재부 82
민철기 남인천서 292
민태규 구미서 420
민택기 김천서 422
민필순 서부산서 452
민현석 중부청 228
민현순 서울청 149
민형배 국회정무 76
민혜민 광주청 367
민혜선 잠실서 219
민혜수 기재부 92
민혜아 서울청 163
민호성 북광주서 372
민호정 반포서 195
민홍기 기재부 99
민회준 광주청 364
민효정 북전주서 390
민훈기 국세청 139
민희경 기재부 99
민희망 서울청 164
및이현 광주서 370

ㅂ

박가람 경산서 417
박가영 익산서 393
박가영 부산진서 449
박가영 해운대서 458
박가은 종로서 221
박가을 서울청 157
박가희 서울청 155
박강수 광산서 368
박건 금정서 445
박건규 부천서 308
박건대 부산진서 449
박건영 김해서 466
박건우 경기광주 256
박건우 고양서 301
박건웅 잠실서 218
박건준 중부청 235
박건태 중부산서 457
박건혜 북광주서 372
박경 택스홈 50
박경균 보령서 336
박경근 서울청 164
박경남 경주서 418
박경단 해남서 384
박경란 김포서 304
박경란 북광주서 373
박경련 대구청 402
박경렬 금천서 180
박경미 중기회 119
박경미 춘천서 280
박경미 광주서 371
박경미 대구청 402
박경민 구리서 238
박경민 수원서 252
박경민 김해서 467
박경복 관악서 176
박경석 서부산서 453
박경수 감사원 78
박경수 강서서 174
박경수 중부청 235
박경수 정읍서 397
박경수 동래서 446
박경숙 구로서 178
박경숙 북부산서 450
박경숙 지방재정 502
박경애 강남서 170
박경오 삼성서 197
박경옥 경기광주 257
박경완 북인천서 294
박경용 시흥서 254
박경원 금정서 444
박경윤 세무토은 42
박경은 남양주서 242
박경은 광명서 302
박경은 부천서 309
박경은 연수서 311
박경인 서울청 154
박경일 평택서 266
박경주 부산진서 449
박경진 동수원서 245
박경춘 김천서 422
박경춘 김천서 423
박경호 포항서 433
박경화 강서서 175
박경화 동래서 447
박경훈 기재부 83
박경휘 시흥서 254
박경희 서울청 164
박경희 부산청 436
박계하 인천세관 489
박계하 인천세관 491
박고은 남대구서 407
박관준 시흥서 255
박관중 중부청 233
박광과 금융위 101
박광덕 성동서 203
박광룡 국세청 129
박광석 안양서 261
박광수 인천청 285
박광수 인천청 288
박광수 인천청 289
박광수 서산서 339
박광식 국세청 122
박광온 국회정무 76
박광용 용산서 215
박광욱 인천서 299
박광전 충주서 359
박광종 국세청 130
박광종 국세청 131
박광진 포천서 316
박광천 여수서 383
박광춘 서울청 154
박광태 안산서 258
박구슬 창원서 474
박구영 동작서 191
박국진 제주서 478
박권조 삼성서 197
박권진 순천서 381
박귀숙 순천서 380
박귀영 포항서 432
박귀자 광주청 363
박귀화 서울청 155
박규동 영주서 430
박규미 용산서 215
박규빈 강남서 170
박규빈 광명서 302
박규서 예산서 344
박규진 구미서 420
박규창 대구세관 498
박규철 북대구서 410
박규훈 국세청 132
박균득 서울청 160
박근서 성현회계 14
박근식 강서서 175
박근애 동대문서 188
박근열 수성서 415
박근엽 연수서 311
박근영 종로서 220
박근용 수원서 253
박근우 삼정회계 22
박근윤 남대구서 407
박근재 국세청 121
박금규 익산서 393
박금단 광주청 363
박금배 성동서 203
박금세 국세청 134
박금숙 국회정무 75
박금숙 남대문서 183
박금숙 북대전서 328
박금아 서광주서 374
박금옥 서울청 154
박금옥 서광주서 374
박금옥 경산서 417
박금지 서초서 201
박금찬 성남서 251
박금철 기재부 82
박금철 동안양서 247
박금희 상주서 425
박기룡 인천서 299
박기범 종로서 221
박기봉 경기광주 257
박기식 부산청 437
박기업 국회정무 76
박기영 국회재정 72
박기영 포항서 432
박기오 기재부 90
박기우 감사원 78
박기우 중부청 236
박기운 삼일회계 20
박기정 중랑서 222
박기정 보령서 337
박기탁 구미서 420
박기태 서울청 161
박기태 속초서 275
박기택 동안양서 247
박기학 기재부 95
박기현 시흥서 255

박기호 광주청 367
박기호 남대구서 407
박기호 구미서 420
박기홍 나주서 376
박기환 서울청 162
박길대 경기광주 256
박길우 국세주류 140
박길원 세종서 340
박길훈 제주서 478
박꽃보라 기재부 98
박나영 구리서 239
박나정 청주서 356
박남규 강서서 175
박남규 삼척서 272
박남기 인천세관 491
박남숙 화성서 268
박남주 광주청 364
박남중 서광주서 374
박남진 북대구서 410
박내천 세무공감 219
박노성 서부산서 453
박노승 인천청 287
박노욱 청주서 357
박노욱 조세재정 507
박노욱 조세재정 507
박노준 의정부서 313
박노진 경주서 418
박노헌 반포서 194
박노훈 천안서 347
박누리 여수서 382
박다빈 동안양서 247
박다슬 영등포서 213
박다영 서인천서 297
박다정 김해서 466
박달영 서울청 152
박대경 국세청 130
박대광 중부서 225
박대순 의정부서 312
박대열 기재부 90
박대영 서울청 167
박대윤 남대문서 182
박대은 대전청 323
박대중 서울청 161
박대현 서울청 162
박대협 북인천서 294
박대희 국세청 124
박덕수 원주서 278
박도영 여수서 383
박도훈 시흥서 254
박동규 한국세무 31
박동규 대전서 326
박동균 경기광주 256
박동균 춘천서 281
박동기 관세사회 54
박동기 울산서 463
박동민 상공회의 117
박동민 상공회의 118
박동민 용인서 262
박동수 서울청 151
박동열 북대구서 410
박동일 경기광주 257
박동일 천안서 346
박동진 군산서 386
박동진 부산진서 449
박동찬 서울청 148
박동철 남대문서 183
박동철 부산진서 449
박동현 안산서 258
박동호 남대구서 406
박동홍 창원서 475
박동훈 속초서 275
박동희 김앤장 59
박두순 서울청 159
박두용 청주서 357
박두원 부천서 309
박두제 부산청 436
박득란 수원서 252
박득서 감사원 78
박득연 북광주서 373
박란수 삼성서 196
박란영 남원서 388
박란희 원주서 278
박래용 평택서 266
박래용 속초서 275
박래인 삼성서 196
박마래 남대문서 183
박만기 국세청 123
박만기 영덕서 428
박만용 상주서 424
박만욱 구로서 179
박만재 이안세무 53
박말남 안동서 426
박매라 천안서 346
박명수 안산서 258
박명숙 중부청 231
박명순 인천서 298
박명식 해남서 385
박명아 부천서 309
박명애 김해서 467
박명열 성동서 203
박명우 서대구서 412
박명원 군산서 387
박명익 경산서 416
박명진 서초서 200
박명철 정읍서 396
박명철 제주서 478
박명하 서울청 152
박명화 분당서 248
박명훈 강서서 175
박명희 강남서 171
박모영 김해서 466
박무성 대구청 400
박무수 광산서 369
박문규 반포서 195
박문상 여수서 383
박문수 서울청 154
박문수 부천서 308
박문수 안동서 427
박문숙 영등포서 212
박문영 서울청 153
박문주 부산진서 449
박문철 도봉서 186
박문호 동울산서 460
박미경 기재부 92
박미경 기재부 97
박미경 국세청 125
박미경 중부청 229
박미경 북인천서 294
박미경 세종서 341
박미경 천안서 346
박미나 북인천서 295
박미라 안양서 260
박미라 동울산서 460
박미란 부천서 309
박미란 논산서 335
박미란 조세심판 504
박미래 인천청 291
박미리 구리서 238
박미리 북대전서 328
박미선 서울청 166
박미선 화성서 268
박미선 부천서 309
박미선 광주청 363
박미선 남원서 388
박미성 동안양서 246
박미소 인천청 289
박미숙 국세청 126
박미숙 동대문서 189
박미숙 중부청 230
박미숙 북대전서 328
박미숙 광주서 371
박미숙 김천서 422
박미숙 창원서 475
박미애 목포서 379
박미연 구로서 179
박미연 영등포서 213
박미연 고양서 300
박미연 광명서 303
박미연 부산청 436
박미영 성동서 202
박미영 성동서 203
박미영 경기광주 256
박미영 남인천서 293
박미영 광명서 302
박미영 의정부서 312
박미영 부산청 438
박미영 부산진서 449
박미영 동울산서 460
박미옥 원주서 278
박미정 국회재정 71
박미정 서울청 153
박미정 서울청 164
박미정 동작서 190
박미정 삼척서 272
박미정 대전청 322
박미정 동대구서 409
박미주 중부서 225
박미주 북대구서 410
박미진 성동서 202
박미진 송파서 206
박미진 북인천서 295
박미진 부천서 308
박미진 의정부서 312
박미진 대전청 323
박미진 세종서 340
박미진 군산서 387
박미현 시흥서 255
박미혜 화성서 268
박미혜 거창서 464
박미화 부산진서 449
박미화 김해서 466
박미회 부산청 440
박미희 강동서 173
박미희 포항서 433
박민 여수서 383
박민구 국회재정 72
박민국 순천서 380
박민규 마포서 193
박민규 남양주서 242
박민규 안산서 259
박민규 김포서 305
박민기 부산청 440
박민서 서울청 149
박민서 포천서 317
박민선 분당서 248
박민수 역삼서 210
박민수 세종서 340
박민아 부천서 309
박민아 예산서 345
박민영 금정서 444
박민우 금융위 102
박민우 성동서 203
박민우 성북서 205
박민우 서산서 338
박민우 동울산서 461
박민욱 경기광주 256
박민원 서울청 159
박민원 해남서 385
박민재 강남서 171
박민정 서초서 200
박민정 용인서 263
박민정 수성서 415
박민주 기재부 90
박민주 관악서 176
박민주 광주청 367
박민주 구미서 420
박민주 북부산서 450
박민준 동고양서 306
박민중 중부서 225
박민지 서울청 154
박민채 국세상담 143
박민호 대전서 327
박민호 서대구서 413
박민후 대전서 326
박민희 기재부 83
박민희 북인천서 295
박배근 역삼서 210
박범규 동작서 190
박범석 서울청 158
박범석 동안양서 246
박범식 대전청 324
박범수 인천청 290
박범수 대전청 322
박범진 국세청 132
박범진 구로서 178
박병곤 인천청 289
박병관 국세교육 144
박병관 평택서 267
박병권 북대구서 410
박병규 국회재정 71
박병규 진주서 473
박병남 중부청 228
박병문 동청주서 351
박병민 이천서 264
박병민 인천청 290
박병민 서광주서 375
박병선 동안양서 247
박병수 충주서 359
박병연 남양주서 243
박병영 서울청 154
박병옥 서울세관 487
박병용 인천세관 492
박병일 북광주서 372
박병정 세무다솔 44
박병주 강서서 175
박병주 대전청 322
박병진 국세청 135
박병철 분당서 248
박병철 북부산서 450
박병철 대구세관 498
박병태 북인천서 294
박병헌 남양주서 243
박병호 감사원 79
박병화 세종서 341
박병환 국세청 128
박병환 해남서 384
박병훈 중부청 231
박병희 안동서 426
박보경 서울청 161
박보경 북인천서 295
박보경 의정부서 312
박보경 마산서 469
박보영 중부청 234
박보중 북부산서 451
박보화 송파서 206
박복수 북대구서 410
박복심 나주서 377
박복영 남대문서 183
박복자 동울산서 460
박봉근 전주서 394
박봉기 영등포서 213
박봉선 광산서 369
박봉순 원주서 278
박봉용 기재부 92
박봉주 광주서 370
박봉철 안산서 258
박봉현 북광주서 372
박부열 부산세관 494
박삼범 지방재정 503
박삼용 서광주서 375
박삼채 성북서 204
박상곤 경주서 419
박상구 부산청 439
박상국 포항서 433
박상규 북인천서 295
박상기 기재부 87
박상기 국세청 122
박상기 서울청 165
박상길 울산서 463
박상도 통영서 477
박상돈 서울청 167
박상미 노원서 185
박상미 서초서 201
박상미 김해서 466
박상민 국세청 138
박상민 평택서 267
박상민 여수서 383
박상범 광주청 364
박상별 국세청 129
박상봉 서울청 156
박상봉 동고양서 306
박상선 남양주서 242
박상선 김포서 304
박상순 감사원 78
박상식 구로서 178
박상아 서인천서 296
박상언 택스홈 50
박상언 양천서 209
박상언 삼척서 273
박상열 서대구서 412
박상영 기재부 83
박상영 기재부 87
박상영 인천청 291
박상옥 제천서 354
박상용 반포서 195
박상용 부산청 440
박상우 기재부 84
박상우 중부청 230
박상우 분당서 248
박상우 정읍서 396
박상우 창원서 475
박상욱 금감원 103
박상욱 금감원 106
박상욱 천안서 347
박상욱 동청주서 351
박상운 기재부 95
박상원 기재부 98
박상원 인천세관 490
박상율 국세청 122
박상은 광산서 368
박상을 광산서 368
박상일 중부청 230
박상일 광산서 368
박상정 서울청 161
박상종 전주서 394
박상주 서현이현 7
박상주 남인천서 292
박상준 서초서 201
박상준 성북서 205
박상준 서대전서 330
박상준 북광주서 373
박상준 부산진서 448
박상준 서울세관 487
박상태 속초서 275
박상필 국회정무 76
박상혁 택스홈 50
박상혁 안동서 426
박상현 기재부 96
박상현 서울청 155
박상현 영월서 276
박상현 목포서 378
박상현 부산진서 449
박상호 택스홈 50
박상호 북대구서 411
박상훈 삼정회계 23
박상훈 서울청 166
박상훈 양천서 209
박상훈 경기광주 256
박상희 강서서 174
박상희 광주청 363
박상희 영덕서 429
박새롬 기재부 81
박새미 성동서 202
박새봄 북광주서 373
박새얀 정읍서 396
박샛별 영등포서 212
박서규 남대구서 407
박서빈 서초서 200
박서연 서울청 149
박서연 서울청 155
박서연 동수원서 244
박서우 남인천서 292
박서정 서울청 156
박서진 국세청 125
박서현 서울청 160
박서형 경주서 418
박석규 창원서 474
박석민 조세심판 504
박석환 광주청 366
박석훈 제주서 479
박석흠 수성서 414
박선경 기재부 94
박선규 서울청 152
박선남 거창서 465
박선례 양천서 209
박선미 원주서 279
박선미 아산서 342
박선미 광산서 368
박선민 관악서 176
박선민 충주서 358
박선범 중부청 237
박선수 포천서 316
박선숙 광산서 369
박선아 서울청 152
박선애 부산청 439
박선애 서부산서 452
박선양 안양서 261
박선연 동래서 446
박선열 동안양서 247
박선영 기재부 85
박선영 기재부 91
박선영 구로서 179
박선영 삼성서 197
박선영 역삼서 211
박선영 용산서 214
박선영 중부서 225
박선영 중부청 232
박선영 안양서 260
박선영 논산서 334
박선영 동청주서 351

박선영 서광주서 374
박선영 군산서 386
박선영 부산청 443
박선영 부산진서 448
박선영 조세재정 507
박선옥 남양주서 242
박선옥 김천서 422
박선용 의정부서 313
박선우 영등포서 212
박선임 조세심판 504
박선재 지방재정 503
박선주 기재부 93
박선주 서울청 166
박선하 김해서 466
박선혜 대구청 404
박선화 안산서 259
박선화 광주청 364
박선희 국세청 131
박선희 노원서 184
박선희 고양서 301
박선희 구미서 420
박선희 동울산서 461
박설화 순천서 381
박설희 순천서 380
박성경 홍성서 348
박성구 북인천서 294
박성국 동대문서 189
박성권 기재부 83
박성규 상주서 425
박성규 창원서 474
박성근 강남서 170
박성근 지방재정 502
박성기 서울청 150
박성대 감사원 79
박성란 군산서 386
박성룡 대전청 323
박성만 감사원 79
박성미 국세청 124
박성민 구로서 179
박성민 서인천서 297
박성민 부산청 438
박성민 수영서 454
박성민 울산서 462
박성배 중부청 230
박성섭 강동서 172
박성수 은평서 217
박성수 중랑서 222
박성수 북전주서 390
박성순 성남서 250
박성신 서초서 200
박성애 서울청 169
박성열 광주청 366
박성용 중부청 235
박성용 광주서 371
박성우 동청주서 351
박성우 금정서 445
박성욱 영주서 430
박성원 기재부 91
박성원 보령서 336
박성은 국세청 124
박성은 국세청 124
박성은 국세청 131
박성은 중부청 229
박성은 분당서 248
박성은 경기광주 256
박성일 도봉서 186
박성자 강릉서 270
박성재 예산서 345
박성재 금정서 444
박성정 광주청 362
박성종 전주서 395
박성주 북전주서 391
박성주 서울세관 486
박성준 국회법제 74
박성준 기재부 85
박성준 서울청 155
박성준 강남서 171
박성준 영등포서 213
박성준 중랑서 223
박성준 안산서 259
박성준 마산서 468
박성준 통영서 477
박성진 정읍서 396
박성진 서부산서 453
박성찬 노원서 185
박성찬 영등포서 213
박성찬 연수서 310
박성창 기재부 91
박성철 법무지평 64
박성탄 송파서 206
박성태 인천청 286
박성하 노원서 185
박성학 중부서 224
박성학 상주서 424
박성한 딜로이트 16
박성한 법무광장 61
박성혁 김포서 305
박성현 기재부 85
박성현 화성서 269
박성현 대구청 402
박성혜 역삼서 210
박성호 법무바른 1
박성호 서초서 201
박성호 중랑서 223
박성호 인천청 286
박성환 중부산서 457
박성환 통영서 477
박성훈 역삼세무 164
박성훈 역삼세무 211
박성훈 기재부 83
박성훈 남양주서 243
박성훈 부산청 443
박성훈 조세재정 508
박성희 국세상담 142
박성희 서울청 155
박성희 세종서 340
박성희 영주서 430
박성희 해운대서 459
박세건 서울청 166
박세국 공주서 333
박세라 중부청 231
박세라 부천서 309
박세린 창원서 475
박세민 종로서 221
박세민 성남서 251
박세웅 기재부 91
박세웅 은평서 217
박세웅 양산서 470
박세윤 인천세관 490
박세인 서초서 201
박세일 서울청 167
박세일 김천서 422
박세종 예일세무 52
박세준 해운대서 459
박세진 노원서 184
박세진 노원서 185
박세진 화성서 268
박세하 영등포서 213
박세현 서대문서 198
박세환 노원서 185
박세환 북대전서 328
박세훈 법무율촌 63
박세희 국세상담 143
박세희 남대문서 183
박소미 강남서 170
박소미 익산서 392
박소민 강서서 175
박소연 국세청 126
박소연 국세청 136
박소연 강서서 174
박소연 도봉서 187
박소연 마포서 193
박소연 성동서 203
박소연 서인천서 296
박소연 대전서 327
박소연 북대전서 329
박소연 조세재정 506
박소영 법무바른 1
박소영 국세청 128
박소영 서울청 158
박소영 서초서 201
박소영 양천서 208
박소영 수원서 253
박소영 대전청 322
박소영 청주서 357
박소영 북광주서 372
박소영 해남서 384
박소영 서부산서 452
박소은 중부서 225
박소정 대구청 404
박소정 금정서 444
박소현 기재부 89
박소현 서초서 200
박소현 기흥서 240
박소현 성남서 250
박소현 고양서 300
박소현 광주청 362
박소현 남원서 388
박소혜 북인천서 294
박소희 남대문서 182
박소희 서대문서 198
박소희 인천서 298
박소희 전주서 394
박송이 동고양서 306
박수경 동수원서 245
박수경 아산서 342
박수경 부산청 437
박수경 동울산서 461
박수경 양산서 470
박수금 인천서 298
박수련 화성서 269
박수미 인천서 298
박수민 기재부 95
박수민 강동서 173
박수민 수영서 455
박수범 화성서 268
박수범 동대구서 409
박수복 대구청 399
박수복 대구청 403
박수복 대구청 404
박수빈 세무고시 33
박수빈 천안서 346
박수빈 양산서 471
박수선 남대구서 406
박수성 김해서 466
박수아 북대전서 329
박수안 중부청 232
박수연 삼일회계 20
박수연 동작서 191
박수연 서초서 201
박수연 충주서 359
박수열 시흥서 255
박수영 국회정무 76
박수영 기재부 90
박수영 국세청 138
박수영 서부산서 452
박수영 서울세관 486
박수용 동수원서 244
박수용 안산서 259
박수인 광주서 371
박수인 마산서 468
박수정 서울청 155
박수정 서울청 162
박수정 인천청 289
박수정 전주서 394
박수정 대구청 401
박수지 금천서 181
박수지 서초서 201
박수지 안산서 258
박수지 동고양서 306
박수진 양천서 209
박수진 동수원서 245
박수진 수원서 252
박수진 파주서 315
박수진 익산서 392
박수진 북부산서 451
박수진 조세재정 507
박수철 대구청 400
박수춘 김포서 304
박수태 이천서 264
박수한 서울청 165
박수현 기재부 85
박수현 서울청 168
박수현 관악서 177
박수현 동대문서 188
박수현 성북서 204
박수현 부천서 308
박수현 대구청 400
박수혜 조세심판 504
박수홍 안산서 259
박숙영 역삼서 210
박숙정 국세청 125
박숙정 국세청 135
박숙현 울산서 463
박숙희 강동서 172
박숙희 남원서 389
박순규 서산서 338
박순남 분당서 248
박순득 북인천서 294
박순민 제주서 478
박순애 강동서 173
박순영 기흥서 241
박순영 인천청 287
박순웅 시흥서 254
박순정 천안서 346
박순주 서울청 159
박순준 경기광주 256
박순진 마포서 192
박순찬 김해서 467
박순천 영월서 277
박순철 화성서 268
박순출 대구청 405
박순희 관악서 176
박순희 광주청 367
박슬기 서대문서 198
박슬기 부천서 309
박승권 대전서 326
박승권 충주서 358
박승규 양천서 208
박승규 남양주서 242
박승문 강남서 170
박승연 원주서 279
박승용 경산서 417
박승욱 중부청 230
박승욱 충주서 359
박승원 금천서 180
박승원 세종서 341
박승재 국세청 136
박승종 서부산서 453
박승주 춘천서 280
박승찬 금정서 445
박승철 안산서 259
박승현 국세청 124
박승현 역삼서 210
박승혜 국세청 128
박승호 성동서 202
박승호 역삼서 210
박승호 포항서 433
박승호 창원서 475
박승환 기재부 94
박승효 영동서 352
박승훈 강릉서 271
박승훈 북전주서 390
박승희 동작서 191
박승희 북부산서 451
박시연 나주서 377
박시용 서울청 153
박시원 서광주서 374
박시윤 부산청 440
박시준 성북서 204
박시현 용인서 262
박시현 북대구서 410
박시현 경주서 418
박시현 북부산서 450
박시형 청주서 356
박시후 국세청 126
박신아 북광주서 373
박신아 조세재정 507
박신애 역삼서 211
박신영 국세청 125
박신영 의정부서 312
박신영 조세재정 506
박신우 인천서 298
박신정 천안서 347
박신해 노원서 185
박아름 강서서 174
박아름별 김포서 304
박아연 송파서 206
박안제라 서울청 167
박애경 서울청 153
박애리 원주서 279
박애슬 서울청 153
박애심 의정부서 312
박애자 도봉서 187
박애자 양천서 208
박양규 기재부 91
박양규 국세청 134
박양규 북대구서 411
박양숙 안산서 258
박양운 창원서 474
박양희 이천서 264
박양희 포천서 316
박언종 부산세관 494
박여경 기재부 91
박여훈 지방재정 503
박연 동청주서 350
박연 북전주서 390
박연근 한국세무 31
박연미 수원서 253
박연서 광주청 363
박연수 홍천서 283
박연수 수성서 414
박연숙 이천서 265
박연주 국세교육 144
박연주 반포서 194
박연주 삼성서 197
박연주 제주서 478
박연진 예산서 345
박연희 천안서 346
박영 용산서 214
박영건 이천서 264
박영건 이천서 265
박영곤 논산서 334
박영곤 부산청 442
박영규 평택서 267
박영규 북부산서 450
박영기 법무광장 61
박영길 부천서 308
박영란 노원서 185
박영래 서울청 152
박영문 평택서 266
박영미 국회법제 74
박영민 광명서 302
박영민 아산서 342
박영민 익산서 393
박영석 정읍서 397
박영선 대전서 326
박영성 태평양 65
박영수 남인천서 293
박영수 여수서 382
박영수 익산서 392
박영숙 동작서 190
박영순 금정서 444
박영식 기재부 86
박영식 서울청 152
박영식 금천서 180
박영실 중부청 230
박영애 남대문서 182
박영애 성동서 202
박영언 양산서 470
박영용 의정부서 312
박영우 영덕서 428
박영욱 법무광장 60
박영웅 화성서 268
박영은 성남서 250
박영인 중부청 237
박영일 서산서 339
박영임 관악서 176
박영임 제천서 354
박영종 분당서 248
박영주 법무지평 64
박영주 대전청 325
박영주 서대구서 412
박영주 지방재정 503
박영준 관세사회 54
박영준 서울청 164
박영지 기재부 82
박영진 평택서 267
박영진 수성서 414
박영진 해운대서 458
박영진 지방재정 503
박영철 부산진서 448
박영철 울산서 463
박영호 인천청 291
박영호 대구청 404
박영훈 이천서 264
박영훈 금정서 445
박예규 청주서 356
박예나 기재부 82
박예람 인천서 288
박예린 인천청 291
박예림 동작서 190
박예은 고양서 300
박옥련 서울청 161
박옥연 서대구서 412
박옥임 국세청 133
박옥주 구로서 178
박옥진 서울청 164
박옥희 강서서 174
박완기 감사원 78

박완식 경기광주 256
박요나 강남서 171
박요안나 아산서 342
박요철 동수원서 244
박용 고양서 301
박용관 중부서 225
박용남 수영서 455
박용만 상공회의 117
박용만 중기회 119
박용문 순천서 381
박용범 북인천서 295
박용석 삼성서 196
박용선 진주서 472
박용섭 동울산서 461
박용업 서초서 201
박용우 금천서 180
박용우 순천서 380
박용우 포항서 433
박용운 부천서 309
박용원 포천서 316
박용주 동고양서 306
박용준 감사원 78
박용진 국회정무 76
박용진 국세청 126
박용진 서울청 160
박용진 금정서 445
박용태 삼성서 197
박용태 인천청 289
박용현 분당서 249
박용호 서인천서 297
박용훈 중부청 233
박용훈 김해서 467
박용희 통영서 476
박우성 영등포서 213
박우영 고양서 300
박우용 아산서 342
박우현 서울청 157
박욱상 마산서 469
박욱현 동래서 447
박운영 국세청 135
박웅 서울청 159
박웅 대전청 323
박웅종 부산청 440
박원경 동수원서 245
박원경 안산서 259
박원규 이천서 265
박원규 화성서 268
박원균 서울청 169
박원기 속초서 274
박원돈 남대구서 407
박원서 수성서 414
박원석 기재부 97
박원석 광주서 371
박원열 포항서 433
박원영 강서서 174
박원준 국세상담 143
박원준 서울청 167
박원진 세무다솔 44
박원진 아산서 342
박원호 금정서 445
박원희 서울청 152
박유경 부산진서 448
박유광 의정부서 313
박유나 광주서 371
박유나 김해서 466
박유라 부천서 308
박유라 서광주서 375
박유리 세무고시 33
박유미 강서서 174
박유미 은평서 217
박유미 종로서 221
박유미 광주서 370
박유미 조세재정 508
박유신 시흥서 254
박유열 수성서 415
박유자 대전서 327
박유정 동작서 191
박유정 용인서 263
박유진 순천서 381
박유진 해운대서 458
박유천 평택서 267
박윤경 고양서 301
박윤경 창원서 475
박윤규 전주서 394
박윤미 파주서 314
박윤배 수원서 252
박윤범 동울산서 460
박윤석 남양주서 242
박윤수 서울청 162
박윤수 동수원서 244
박윤우 기재부 82
박윤이 성남서 250
박윤정 서울청 153
박윤정 서울청 160
박윤정 동대구서 408
박윤주 서울청 158
박윤주 북대전서 329
박윤지 인천청 290
박윤진 양천서 208
박윤진 조세재정 508
박윤하 동고양서 306
박윤형 대구청 400
박윤환 관악서 176
박윤희 부산진서 449
박으뜸 은평서 217
박은결 기재부 95
박은경 강동서 172
박은경 서초서 201
박은경 마산서 469
박은미 기재부 92
박은미 용산서 214
박은미 김포서 305
박은미 파주서 314
박은비 분당서 248
박은비 평택서 266
박은선 서울청 168
박은수 보령서 337
박은숙 수원서 253
박은순 광명서 302
박은실 충주서 359
박은심 기재부 96
박은아 중부청 232
박은영 반포서 194
박은영 삼성서 197
박은영 홍성서 349
박은영 광주청 364
박은영 서광주서 374
박은영 남대구서 406
박은영 부산진서 448
박은재 광주청 365
박은정 기재부 96
박은정 노원서 185
박은정 노원서 185
박은정 삼성서 196
박은정 성남서 251
박은정 평택서 266
박은정 광명서 302
박은정 대전청 323
박은정 청주서 357
박은정 조세재정 508
박은주 마포서 192
박은주 송파서 207
박은주 기흥서 241
박은주 수원서 252
박은주 남인천서 292
박은주 부산청 436
박은지 역삼서 210
박은지 종로서 221
박은지 경기광주 256
박은지 정읍서 396
박은지 관세청 481
박은진 성남서 250
박은혜 강동서 172
박은혜 반포서 194
박은화 중부서 225
박은화 제주서 478
박은희 국세교육 144
박은희 서울청 160
박은희 서울청 167
박은희 동작서 191
박은희 동안양서 247
박은희 홍천서 282
박은희 부천서 308
박을기 강릉서 270
박의현 수원서 252
박이진 여수서 382
박익상 제천서 354
박인 광주청 367
박인국 서울청 149
박인국 홍성서 348
박인규 서울청 158
박인배 의정부서 312
박인선 부천서 308
박인선 북대전서 328
박인수 인천청 286
박인수 천안서 347
박인수 광산서 369
박인숙 군산서 386
박인숙 전주서 394
박인숙 지방재정 502
박인순 파주서 314
박인애 마산서 468
박인제 인천청 291
박인철 안양서 260
박인혁 북부산서 450
박인혜 조세심판 505
박인호 중부청 232
박인홍 종로서 221
박인홍 마산서 468
박인환 동청주서 351
박인환 나주서 376
박인희 중랑서 223
박인희 원주서 279
박일규 반포서 194
박일병 대전청 322
박일수 인천서 299
박일수 고양서 301
박일영 성현회계 14
박일영 기재부 95
박일주 동수원서 244
박일찬 춘천서 280
박일호 김해서 467
박일환 제천서 354
박자영 용산서 215
박자윤 경주서 419
박자임 대구청 401
박잠득 성북서 205
박장기 국세주류 140
박장미 서울청 157
박장수 인천서 299
박장호 국회법제 73
박장훈 부산청 440
박재갑 상주서 424
박재곤 천안서 346
박재광 청주서 356
박재국 영월서 277
박재규 경산서 417
박재근 상공회의 117
박재근 국세청 125
박재민 대현회계 15
박재민 지방재정 502
박재석 김앤장 59
박재석 기재부 87
박재성 서울청 148
박재성 서울청 157
박재성 강남서 170
박재숙 동작서 190
박재신 국세청 135
박재억 세무하나 49
박재영 성현회계 14
박재영 태평양 65
박재영 기재부 82
박재영 서울청 160
박재영 동대문서 188
박재완 통영서 476
박재우 법무화우 66
박재우 안산서 259
박재우 동청주서 351
박재우 부산청 436
박재욱 충주서 358
박재원 세무다솔 44
박재원 서울청 163
박재윤 분당서 248
박재은 기재부 90
박재정 지방재정 503
박재진 기재부 91
박재진 동대구서 408
박재찬 김앤장 59
박재찬 경주서 419
박재철 부산청 440
박재춘 마포서 192
박재한 금정서 445
박재혁 조세심판 504
박재현 기재부 96
박재현 마포서 192
박재현 서초서 200
박재현 성동서 202
박재현 동고양서 306
박재형 기재부 90
박재형 국세청 132
박재형 국세청 133
박재형 강동서 172
박재형 대구청 400
박재형 서부산서 453
박재호 국세청 131
박재홍 김앤장 59
박재홍 기재부 93
박재홍 서울청 167
박재홍 양천서 209
박재홍 이천서 264
박재홍 동고양서 306
박재환 금융위 100
박재환 남원서 388
박재훈 동안양서 246
박재희 서울청 153
박재희 부산청 442
박점룡 김해서 466
박점숙 포항서 432
박정건 서울청 167
박정곤 노원서 184
박정국 해남서 384
박정권 서울청 167
박정기 더택스 45
박정기 성동서 203
박정길 남대구서 407
박정길 경산서 417
박정남 국세청 124
박정란 송파서 206
박정례 서울청 160
박정린 포천서 316
박정미 서울청 150
박정미 중부청 235
박정민 삼정회계 23
박정민 기재부 90
박정민 서울청 158
박정민 관악서 176
박정민 구로서 178
박정민 동작서 191
박정민 은평서 216
박정민 중부청 230
박정민 기흥서 240
박정민 서산서 339
박정민 정읍서 397
박정민 조세심판 504
박정배 안양서 260
박정상 기재부 89
박정섭 삼성서 197
박정성 동대구서 409
박정수 세무다솔 44
박정수 세무다솔 44
박정수 법무화우 66
박정수 속초서 274
박정수 충주서 359
박정수 수성서 414
박정수 동래서 446
박정숙 기재부 97
박정숙 잠실서 219
박정숙 대전청 322
박정숙 전주서 394
박정숙 상주서 425
박정순 서울청 154
박정순 강서서 174
박정순 구로서 179
박정식 정읍서 396
박정신 중부산서 456
박정아 여성세무 35
박정아 익산서 393
박정애 정읍서 396
박정언 반포서 194
박정연 관악서 177
박정연 반포서 194
박정연 대전서 326
박정열 기재부 91
박정열 국세청 127
박정오 제주서 479
박정옥 시흥서 255
박정완 고양서 301
박정용 기흥서 241
박정용 구미서 420
박정우 서대문서 198
박정우 금정서 444
박정우 인천세관 492
박정욱 남원서 388
박정운 통영서 477
박정원 서인천서 296
박정윤 인천서 298
박정은 기재부 88
박정은 강동서 173
박정은 동울산서 460
박정의 부산청 438
박정이 중부산서 456
박정인 국세상담 143
박정일 김앤장 59
박정일 북광주서 373
박정임 구로서 178
박정임 삼성서 197
박정재 북전주서 391
박정주 기재부 91
박정주 지방재정 503
박정준 인천청 291
박정진 남인천서 292
박정태 동래서 447
박정하 부산청 436
박정한 동작서 191
박정해 서울세관 485
박정해 서울세관 487
박정현 여성세무 35
박정현 세무다솔 44
박정현 기재부 84
박정현 서울청 161
박정현 역삼서 210
박정현 용인서 262
박정현 홍천서 282
박정현 의정부서 313
박정현 서대구서 412
박정현 서부산서 452
박정혜 안양서 260
박정혜 의정부서 313
박정호 서울청 167
박정호 고양서 301
박정호 동래서 447
박정화 서울청 161
박정화 삼성서 196
박정화 동대구서 409
박정화 부산진서 448
박정환 서현이현 7
박정환 광산서 368
박정환 북광주서 372
박정환 수성서 414
박정훈 용인서 262
박정훈 서광주서 375
박정훈 조세재정 506
박정희 강동서 172
박정희 서초서 201
박정희 정읍서 396
박정희 동대구서 409
박제린 춘천서 280
박제상 동수원서 244
박제영 청주서 356
박제웅 중부청 236
박제효 수원서 253
박종갑 국회정무 76
박종갑 상공회의 117
박종경 광명서 303
박종경 청주서 356
박종국 이천서 265
박종국 포항서 432
박종국 부산진서 449
박종군 마산서 468
박종규 파주서 315
박종근 광주청 364
박종근 나주서 377
박종렬 서울청 162
박종률 동고양서 307
박종무 서울청 149
박종무 금정서 444
박종민 서현이현 7
박종민 성동서 203
박종민 북부산서 451
박종민 김해서 466
박종빈 예산서 344
박종석 기재부 97
박종석 중랑서 222
박종석 중부청 233
박종석 인천청 289
박종성 광교세무 36
박종성 평택서 266
박종성 북인천서 295
박종수 인천청 287
박종수 광주서 370

박종수	동울산서	461
박종연	남대구서	407
박종영	서산서	338
박종오	남대문서	182
박종완	화성서	268
박종우	딜로이트	16
박종욱	포항서	432
박종욱	서부산서	452
박종원	김포서	304
박종원	전주서	394
박종원	대구청	405
박종익	중부서	225
박종인	국세청	135
박종인	대전청	324
박종일	강서서	174
박종일	중부청	228
박종일	인천세관	489
박종일	인천세관	492
박종주	국세청	132
박종주	서인천서	296
박종진	국회법제	74
박종진	고양서	300
박종찬	국세청	136
박종태	서울청	152
박종필	관악서	176
박종필	보령서	336
박종헌	진주서	473
박종현	김앤장	59
박종현	기재부	86
박종현	국세청	126
박종현	서대문서	198
박종현	나주서	377
박종현	순천서	380
박종형	서초서	201
박종호	구로서	179
박종호	중부청	232
박종호	안산서	258
박종호	대전청	324
박종호	보령서	336
박종호	북전주서	390
박종호	광주세관	500
박종화	강동서	172
박종화	경기광주	256
박종환	경기광주	257
박종훈	기재부	97
박종훈	금정서	444
박종흠	은평서	216
박종희	서울청	149
박좌준	인천청	289
박주담	구로서	178
박주리	경기광주	256
박주미	안산서	259
박주민	국회법제	74
박주범	화성서	268
박주범	금정서	444
박주선	기재부	85
박주성	안동서	426
박주언	수성서	415
박주연	국회정무	75
박주연	남대문서	183
박주연	동수원서	244
박주연	연수서	311
박주연	포항서	433
박주열	서울청	159
박주열	성남서	250
박주열	경기광주	256
박주영	금융위	102
박주영	서초서	200
박주영	영등포서	213
박주영	동안양서	246
박주영	부천서	308
박주영	거창서	465
박주오	대전청	323
박주원	성남서	251
박주의	삼일회계	20
박주일	서현이현	7
박주철	금천서	181
박주항	대전청	324
박주현	서울청	152
박주현	중부청	231
박주현	서인천서	296
박주현	대구청	400
박주현	경산서	416
박주현	부산청	440
박주현	중부산서	456
박주혜	용산서	214
박주호	부천서	308
박주환	국세청	125
박주효	중부청	236
박주훈	성현회계	14
박주희	성동서	202
박주희	연수서	311
박주희	수영서	454
박주희	동울산서	461
박주희	창원서	475
박주희	조세재정	506
박준	상공회의	117
박준규	서울청	152
박준규	안양서	261
박준규	서산서	338
박준규	북광주서	372
박준모	기재부	82
박준배	국세청	130
박준범	국세교육	144
박준범	남양주서	242
박준서	국세교육	144
박준서	노원서	185
박준석	기재부	95
박준석	성북서	205
박준선	광주청	366
박준선	광주서	371
박준성	서울청	151
박준성	동울산서	461
박준수	기재부	95
박준수	동대구서	408
박준식	삼성서	197
박준식	인천청	288
박준영	기재부	87
박준영	기재부	93
박준영	강서서	175
박준영	중부청	228
박준영	부천서	309
박준영	포항서	432
박준영	금정서	444
박준용	서울청	155
박준용	서울청	165
박준우	도봉서	186
박준욱	남대구서	406
박준원	송파서	206
박준원	이천서	264
박준태	진주서	472
박준하	기재부	94
박준현	수원서	252
박준현	부산청	440
박준형	중부청	229
박준형	대전청	321
박준호	기재부	82
박준호	기재부	84
박준호	중랑서	222
박준홍	서울청	154
박준홍	삼성서	197
박준희	기흥서	240
박준희	부산세관	495
박중근	국세교육	144
박중기	중부청	230
박중민	기재부	95
박중석	관세사회	54
박지명	군산서	386
박지민	인천서	298
박지민	수성서	415
박지민	해운대서	459
박지선	화성서	268
박지선	파주서	314
박지성	반포서	195
박지성	동수원서	244
박지수	삼성서	196
박지수	동안양서	247
박지수	대전청	324
박지숙	서울청	169
박지숙	은평서	217
박지숙	구미서	420
박지숙	동래서	447
박지암	인천청	288
박지애	원주서	278
박지언	광주청	363
박지연	해남서	384
박지연	대구청	400
박지연	경산서	416
박지연	지방재정	503
박지영	기재부	87
박지영	서울청	149
박지영	서울청	152
박지영	서울청	157
박지영	도봉서	187
박지영	용산서	215
박지영	경기광주	256
박지영	서대전서	331
박지영	서부산서	452
박지영	해운대서	458
박지영	김해서	466
박지예	경기광주	256
박지용	이천서	265
박지용	진주서	472
박지우	부산청	436
박지우	조세재정	507
박지웅	법무율촌	63
박지원	마포서	193
박지원	중부청	233
박지원	인천청	290
박지원	고양서	300
박지원	전주서	394
박지원	김해서	467
박지윤	수원서	252
박지윤	서대전서	331
박지은	구로서	178
박지은	중부청	228
박지은	동안양서	247
박지은	부천서	308
박지은	부천서	308
박지은	세종서	340
박지은	아산서	343
박지은	북광주서	373
박지은	목포서	379
박지은	익산서	393
박지은	마산서	468
박지은	조세재정	506
박지철	영덕서	428
박지해	북인천서	294
박지현	딜로이트	16
박지현	기재부	91
박지현	서울청	167
박지현	성동서	203
박지현	구리서	238
박지현	경기광주	257
박지현	인천청	291
박지현	서광주서	375
박지현	나주서	376
박지현	중부산서	456
박지현	중부산서	457
박지혜	기재부	94
박지혜	남대문서	183
박지혜	도봉서	186
박지혜	은평서	217
박지혜	중부청	229
박지혜	기흥서	241
박지혜	용인서	262
박지혜	김포서	305
박지혜	대전청	322
박지혜	광주청	364
박지혜	광산서	368
박지혜	부산청	442
박지혜	김해서	466
박지혜	제주서	479
박지혜	조세재정	507
박지호	광주청	363
박지환	관악서	177
박지훈	기재부	88
박지훈	성동서	202
박지훈	연수서	310
박지훈	부산청	442
박지희	영등포서	213
박지희	정읍서	397
박진갑	여수서	383
박진관	동울산서	461
박진규	중부청	228
박진규	정읍서	396
박진서	연수서	311
박진석	인천청	290
박진석	진주서	472
박진선	서대구서	412
박진성	구리서	238
박진솔	서울청	148
박진수	예일회계	24
박진수	국세청	132
박진수	시흥서	255
박진수	경기광주	257
박진수	동고양서	307
박진수	북부산서	451
박진숙	기재부	89
박진숙	대전청	321
박진숙	대전청	324
박진습	서울청	168
박진실	연수서	310
박진아	양천서	209
박진아	인천청	286
박진아	광명서	303
박진영	기재부	92
박진영	서울청	157
박진영	기흥서	241
박진영	용인서	262
박진영	구미서	420
박진영	부산청	443
박진영	북부산서	451
박진용	예일회계	24
박진용	통영서	476
박진우	국회정무	76
박진우	국세청	126
박진우	강남서	170
박진우	남양주서	242
박진우	창원서	474
박진웅	광주청	365
박진원	국세청	128
박진원	서울청	164
박진찬	광주청	363
박진하	구로서	178
박진하	동래서	447
박진혁	국세청	123
박진혁	중부청	233
박진현	강남서	171
박진형	제주서	478
박진호	기재부	89
박진호	경기광주	257
박진호	부산진서	449
박진홍	제주서	478
박진훈	기재부	85
박진흥	중부청	228
박진희	기재부	99
박진희	서울청	169
박진희	강서서	175
박진희	도봉서	186
박진희	용인서	262
박진희	대구청	403
박진희	부산진서	448
박찬경	서울청	153
박찬규	기재부	96
박찬규	동대문서	188
박찬노	남대구서	407
박찬만	서울청	164
박찬만	수영서	454
박찬민	서울청	152
박찬민	동안양서	246
박찬순	국세주류	140
박찬승	중부청	236
박찬열	국세청	136
박찬영	춘천서	280
박찬오	아산서	342
박찬우	김포서	304
박찬욱	P&B	41
박찬욱	국세청	129
박찬욱	역삼서	211
박찬욱	잠실서	219
박찬웅	국세청	123
박찬웅	서울청	169
박찬익	중부청	230
박찬정	구리서	238
박찬주	국세청	123
박찬택	고양서	300
박찬호	동작서	190
박찬효	기재부	91
박찬후	남원서	388
박찬희	성동서	202
박찬희	포천서	316
박찬희	대전청	320
박창길	광명서	302
박창선	화성서	269
박창수	인천청	291
박창언	관세사회	54
박창열	국세청	128
박창오	국세교육	145
박창용	국세청	128
박창용	광산서	368
박창우	의정부서	313
박창우	조세재정	507
박창원	서초서	201
박창준	서부산서	453
박창진	세무다솔	44
박창현	잠실서	218
박창화	대현회계	15
박창환	기재부	84
박창환	인천청	287
박채웅	상공회의	117
박채원	인천서	299
박천수	조세심판	505
박천왕	기흥서	240
박천정	부산세관	494
박천주	여수서	383
박천호	조세심판	504
박철	중기회	119
박철	국세청	135
박철	진주서	473
박철규	이천서	265
박철민	서울청	149
박철수	국세청	128
박철순	서광주서	375
박철순	안동서	426
박철완	부산세관	495
박철우	서대문서	198
박철우	목포서	379
박철웅	광주세관	499
박철웅	광주세관	500
박철한	세종서	340
박철호	국회법제	73
박철호	기재부	97
박철희	기재부	92
박청진	경주서	418
박초롱	성동서	202
박초아	서울청	166
박추옥	북대전서	329
박춘규	기재부	94
박춘목	기재부	86
박춘석	춘천서	281
박춘영	동대구서	408
박춘자	세종서	340
박춘호	조세심판	505
박충열	성남서	251
박충원	한국세무	31
박치원	양천서	209
박치현	은평서	217
박치호	동울산서	460
박칠군	기재부	84
박태구	서초서	201
박태구	논산서	334
박태성	거창서	465
박태신	익산서	393
박태완	인천청	287
박태완	정읍서	396
박태원	중부산서	457
박태윤	춘천서	280
박태의	조세심판	504
박태정	세종서	340
박태준	여수서	383
박태진	삼일회계	20
박태진	삼일회계	20
박태진	영월서	276
박태호	성동서	202
박태훈	국회법제	74
박태훈	국세청	129
박태훈	파주서	315
박태훈	북광주서	373
박태훈	서부산서	453
박판기	서부산서	452
박판식	동대구서	408
박평식	강서서	175
박필규	포항서	432
박필근	동래서	446
박필동	국회정무	76
박필성	기재부	89
박하나	기재부	95
박하나	울산서	463
박하늬	중부청	233
박하니	종로서	221
박하란	중부서	224
박하송	동대문서	189
박하얀	조세재정	507
박하연	김포서	305
박하영	중부산서	457
박하홍	동수원서	244
박학일	세종서	341
박한나	강남서	170
박한빛	종로서	221

박한상 역삼서 210
박한석 대전서 327
박한수 보령서 337
박한승 서초서 201
박한준 조세재정 508
박한중 부천서 309
박해경 마산서 468
박해근 국세청 133
박해란 안양서 260
박해리 부천서 308
박해연 광산서 369
박해영 경산서 416
박해영 부산청 442
박해영 부산청 443
박해용 기재부 83
박해원 잠실서 218
박해정 남대구서 406
박해준 광주세관 499
박해준 광주세관 500
박행옥 부산진서 449
박행진 여수서 383
박향기 국세청 123
박향미 서울청 159
박향숙 광주청 363
박헌 관세청 482
박헌숙 수영서 455
박헌욱 인천세관 491
박혁 서광주서 374
박현경 서울청 152
박현경 도봉서 186
박현경 동대구서 408
박현경 창원서 474
박현구 서인천서 296
박현규 성동서 202
박현배 보령서 337
박현서 고양서 300
박현석 천안서 346
박현선 서울청 148
박현수 국세청 132
박현수 국세청 135
박현수 노원서 185
박현수 안양서 261
박현수 화성서 268
박현수 북전주서 391
박현숙 서울청 153
박현순 동울산서 460
박현신 서대구서 412
박현아 양천서 209
박현아 은평서 216
박현아 보령서 336
박현애 기재부 86
박현영 도봉서 186
박현옥 안산서 259
박현옥 조세재정 506
박현우 기재부 82
박현우 동안양서 247
박현우 남인천서 292
박현우 지방재정 503
박현자 영등포서 212
박현정 강남서 170
박현정 동작서 190
박현정 성남서 251
박현정 안산서 258
박현정 인천서 298
박현정 대전서 326
박현정 동청주서 351
박현정 남대구서 406
박현정 양산서 470
박현정 지방재정 502
박현종 서초서 201
박현주 국세청 124
박현주 서울청 157
박현주 반포서 195
박현주 원주서 278
박현주 남대구서 406
박현주 동대구서 408
박현주 포항서 432
박현주 북부산서 450
박현준 잠실서 218
박현준 중부청 235
박현준 서광주서 374
박현지 중부산서 456
박현진 성동서 203
박현진 북전주서 390
박현하 대구청 401
박현혜 구로서 178
박현희 청주서 356
박형규 동안양서 246
박형기 중부청 234
박형민 기재부 85
박형민 국세청 133
박형민 인천청 291
박형민 광주청 364
박형배 서울청 169
박형선 송파서 207
박형수 국회재정 72
박형우 금천서 181
박형우 동대구서 408
박형주 중부청 232
박형주 춘천서 281
박형준 김포서 304
박형지 서광주서 374
박형진 포천서 317
박형철 춘천서 281
박형호 영등포서 212
박형호 부산진서 448
박형희 광주서 371
박혜강 기재부 86
박혜경 서울청 163
박혜경 종로서 220
박혜경 시흥서 254
박혜경 천안서 346
박혜경 부산청 441
박혜근 종로서 221
박혜기 인천서 298
박혜란 금정서 444
박혜림 반포서 195
박혜미 금천서 181
박혜민 기재부 95
박혜민 삼성서 196
박혜민 서광주서 375
박혜선 국세상담 142
박혜선 북인천서 295
박혜숙 홍성서 349
박혜숙 조세심판 505
박혜신 양천서 208
박혜영 평택서 267
박혜원 동래서 446
박혜인 금천서 181
박혜인 남양주서 243
박혜인 인천서 299
박혜정 서대문서 198
박혜정 원주서 278
박혜진 구로서 178
박혜진 반포서 195
박혜진 성동서 202
박혜진 동안양서 246
박혜진 성남서 250
박혜진 강릉서 270
박혜진 동고양서 306
박혜진 대전청 324
박혜현 광주청 362
박호갑 마산서 469
박호빈 부천서 309
박호성 기재부 85
박호용 거창서 464
박호일 삼성서 196
박홍규 동수원서 244
박홍균 광주청 364
박홍근 국회재정 72
박홍기 대전청 322
박홍립 국세교육 144
박홍배 의정부서 313
박홍범 광주청 362
박홍수 서대구서 413
박홍일 순천서 380
박홍자 동안양서 247
박홍제 김해서 467
박화선 중기회 119
박화순 진주서 472
박화영 조세재정 508
박환 전주서 394
박환택 서현이현 7
박환협 동대구서 408
박회경 의정부서 313
박회숙 중부청 231
박효근 부산진서 448
박효서 중부청 229
박효성 지방재정 503
박효숙 송파서 206
박효신 북대전서 328
박효영 기재부 99
박효은 기재부 96
박효은 서인천서 297
박효임 남대구서 406
박효정 익산서 392
박효진 강동서 173
박효진 종로서 220
박효진 군산서 386
박효진 중부산서 457
박후진 광주청 364
박훈미 안산서 258
박훈수 수원서 252
박흥수 김해서 466
박희경 삼성서 196
박희경 중부청 230
박희경 중부청 235
박희경 부산진서 449
박희규 인천세관 489
박희규 인천세관 492
박희근 성동서 202
박희달 서울청 149
박희도 노원서 184
박희동 금융위 101
박희령 서부산서 452
박희상 양천서 209
박희선 국세상담 143
박희수 은평서 217
박희수 조세심판 504
박희숙 강릉서 270
박희숙 창원서 474
박희술 북부산서 451
박희영 중부청 230
박희원 해남서 384
박희윤 성동서 202
박희정 서울청 151
박희정 양천서 208
박희정 서대전서 331
박희정 북광주서 373
박희종 해운대서 458
박희주 서현이현 7
박희진 강서서 174
박희진 북부산서 450
박희창 이천서 264
반기홍 서울세무 32
반미경 잠실서 218
반병권 영월서 277
반승민 동수원서 244
반아성 경기광주 257
반장윤 익산서 392
반재욱 김포서 304
반재훈 국세청 133
반정원 안산서 259
반종복 의정부서 312
반홍찬 기흥서 240
방경섭 성남서 250
방귀범 전주서 395
방기선 기재부 82
방기준 인천세관 492
방대성 부산세관 494
방래혁 지방재정 502
방문용 성북서 204
방미경 남인천서 292
방미경 부천서 309
방미숙 중부청 230
방미주 김천서 422
방민식 남양주서 242
방민식 조세재정 508
방민주 원주서 278
방선미 구리서 239
방선아 국세청 131
방선우 반포서 195
방성자 연수서 310
방성혜 세무다솔 44
방성훈 군산서 387
방수민 천안서 346
방아현 청주서 357
방양석 나주서 377
방영화 북광주서 372
방예진 용산서 214
방용익 춘천서 281
방원석 강서서 174
방유진 부산청 437
방윤희 인천청 287
방은미 화성서 269
방은정 종로서 221
방재필 서산서 338
방정기 의정부서 312
방정원 광주청 366
방준석 북부산서 450
방지연 반포서 195
방진영 태평양 65
방창률 상공회의 118
방춘식 기재부 83
방치권 안양서 261
방해준 북광주서 372
방현정 역삼서 210
방형석 강서서 175
방혜경 반포서 194
방혜선 동고양서 307
배가야 경산서 416
배건한 대구청 405
배건한 안동서 427
배경순 동대구서 408
배경은 기재부 84
배경은 인천청 288
배경직 서울청 166
배경희 청주서 356
배광한 마산서 469
배국호 인천세관 491
배근호 조세재정 508
배금숙 대구청 401
배기득 김해서 467
배기연 익산서 392
배기윤 금정서 445
배달환 부산청 437
배대근 북대구서 411
배덕렬 서초서 201
배동노 안동서 427
배두진 반포서 194
배리라 경주서 418
배명선 파주서 314
배명우 국세청 122
배명한 북부산서 450
배문경 서울청 153
배문수 대전청 321
배미애 부산청 439
배미영 세무고시 33
배미영 창원서 474
배미일 서울청 160
배미현 기재부 97
배민경 대구청 405
배민예 광주청 363
배민정 마포서 193
배민정 수성서 414
배병석 분당서 249
배병식 기재부 91
배병윤 조세심판 504
배삼동 정읍서 396
배상미 노원서 184
배상용 김포서 305
배상원 경기광주 257
배상윤 중부서 225
배상진 광교세무 37
배상철 용산서 214
배서현 영덕서 428
배석 송파서 206
배석관 안동서 426
배석준 관악서 177
배선경 창원서 475
배선미 북부산서 450
배선미 김해서 466
배설희 강릉서 270
배성관 목포서 379
배성수 인천청 289
배성심 인천청 286
배성연 서울청 153
배성원 북부산서 450
배성진 포천서 316
배성한 은평서 217
배성혜 인천청 289
배세령 대구청 402
배세영 반포서 195
배소영 북대구서 410
배소희 김해서 466
배수 세무하나 49
배수민 경산서 417
배수영 안양서 261
배수일 서초서 200
배수지 화성서 269
배수진 영등포서 212
배수진 금정서 445
배숙희 순천서 381
배순출 서울청 150
배슬지 광주청 362
배승현 양산서 471
배시환 경산서 416
배영섭 국세청 131
배영애 부산청 442
배영옥 북대구서 411
배영진 서울청 154
배영태 군산서 387
배영태 동울산서 460
배영호 부산청 437
배영환 서대구서 412
배옥현 금천서 180
배용현 수영서 455
배우리 국세청 132
배우철 경산서 417
배욱환 고양서 300
배웅준 안동서 427
배원기 예일회계 24
배원만 삼성서 197
배원준 중부청 228
배원희 성동서 202
배유리 수성서 415
배유진 기흥서 240
배윤숙 중부청 231
배윤정 인천서 299
배윤정 조세재정 506
배윤제 경주서 419
배윤진 안양서 260
배은경 중부서 224
배은경 대전청 323
배은경 서대구서 412
배은상 인천서 298
배은선 광주청 363
배은아 종로서 220
배은율 서울청 165
배은주 강동서 173
배을주 마포서 192
배이화 마포서 192
배익준 대구청 401
배인성 서부산서 453
배인수 법무광장 61
배인수 남대문서 182
배인수 남대문서 183
배인수 인천청 291
배인숙 여성세무 35
배인순 국세청 124
배인애 김포서 305
배인자 순천서 380
배인희 이천서 265
배일규 서울청 168
배자강 안양서 261
배장완 은평서 217
배재연 부산청 438
배재일 감사원 79
배재철 서대전서 331
배재학 중부청 229
배재현 대구청 405
배재호 남인천서 293
배재호 포항서 432
배재호 포항서 433
배재홍 금천서 180
배재홍 대구청 400
배정민 시흥서 254
배정숙 성남서 251
배정원 서울청 149
배정인 서대구서 413
배정주 해남서 385
배정현 금천서 180
배정현 구리서 238
배정화 동청주서 350
배정환 반포서 194
배정환 거창서 465
배정훈 기재부 86
배정훈 전주서 395
배제섭 광주청 366
배종복 속초서 274
배종섭 노원서 185
배종일 순천서 381
배종진 전주서 395
배주섭 성동서 203
배주애 광주청 365
배주원 서부산서 452
배주현 금천서 180
배주형 조세심판 504
배주환 서울청 156
배준 북대전서 328

배준 지방재정 503
배준용 연수서 310
배준철 진주서 473
배준혜 기재부 90
배준환 감사원 78
배지민 은평서 216
배지영 마포서 193
배지영 순천서 381
배지원 평택서 266
배지원 수영서 454
배지호 조세재정 506
배지홍 창원서 475
배진 분당서 249
배진경 서울청 161
배진교 국회정무 76
배진근 서울청 158
배진령 천안서 347
배진만 부산청 438
배진수 조세재정 508
배진우 서광주서 375
배진우 대구청 402
배진호 용산서 214
배진희 구로서 178
배진희 대구청 403
배창경 부산청 438
배창식 서대구서 413
배철숙 남대문서 182
배태호 남대구서 407
배택현 세무다솔 44
배한국 남대구서 407
배향순 중부청 231
배현경 부산진서 448
배현숙 북대구서 410
배현옥 해남서 384
배현우 관악서 176
배현정 중부서 225
배현호 조세재정 506
배형기 서대전서 330
배형수 포항서 432
배형은 고양서 300
배형철 북부산서 450
배혜진 북대구서 411
배호기 국세상담 142
배홍기 서현이현 7
배효정 남인천서 292
배효창 북대전서 328
배휘정 김포서 305
배희경 부천서 308
배희연 택스홈 50
백가영 조세재정 507
백경령 서산서 339
백경모 용인서 263
백경미 서울청 167
백경엽 남대구서 406
백경원 기재부 87
백경은 수성서 414
백경은 지방재정 503
백경훈 서울청 156
백계민 광주청 365
백고은 동청주서 350
백광민 수영서 454
백광호 북광주서 372
백귀숙 속초서 274
백귀순 논산서 334
백규현 이천서 264
백근허 국세청 124
백금실 시흥서 254
백기량 중부서 225
백기현 세무다솔 44
백기호 순천서 381
백기홍 조세재정 507
백길현 택스홈 50
백남중 북광주서 373
백남현 동수원서 245
백남훈 성북서 205
백누리 기재부 83
백다정 북인천서 294
백도선 광주세관 499
백도선 광주세관 500
백동욱 중기회 119
백동욱 마포서 192
백동훈 인천청 286
백두산 의정부서 313
백두열 강남서 170
백명륜 관세사회 54
백문순 이천서 264
백미선 서현이현 7
백미주 서대구서 413
백민열 대전서 326
백민웅 수원서 253
백민정 서대전서 330
백봉준 삼일회계 21
백상규 원주서 279
백상순 동래서 447
백상인 양산서 470
백상준 국회법제 73
백상현 동래서 446
백상훈 거창서 464
백선기 부산청 441
백선아 서대전서 331
백선애 인천청 291
백선우 통영서 476
백선자 세종서 340
백선주 국세청 130
백선희 지방재정 503
백설희 강남서 170
백성경 창원서 475
백성기 정읍서 396
백성옥 천안서 346
백성종 국세청 138
백성철 김천서 423
백성태 강남서 171
백소이 고양서 300
백송이 서대전서 330
백송희 서울청 169
백수경 성동서 202
백수빈 중부청 232
백수아 청주서 357
백수진 동고양서 307
백수희 마포서 193
백순복 노원서 185
백순옥 포항서 432
백순종 동래서 446
백승권 국세청 130
백승목 삼정회계 23
백승민 기재부 99
백승민 예산서 344
백승범 강동서 172
백승연 동울산서 460
백승옥 수영서 454
백승우 중부청 236
백승원 남대문서 182
백승윤 부천서 308
백승주 기재부 83
백승주 기재부 84
백승학 서울청 158
백승학 전주서 394
백승한 수영서 454
백승현 삼정회계 23
백승현 성동서 203
백승혜 서울청 150
백승호 송파서 207
백승화 안산서 258
백승훈 서울청 149
백승훈 수성서 415
백승희 서울청 169
백신기 부산청 438
백아름 동래서 447
백아영 서대문서 199
백애숙 원주서 278
백연비 익산서 393
백연심 서산서 338
백연주 양천서 208
백연하 강남서 171
백영규 부산청 436
백영상 해운대서 459
백영선 의정부서 312
백영신 동청주서 351
백영일 서울청 166
백오숙 대전서 326
백오영 성동서 202
백외조 지방재정 502
백용태 서부산서 452
백우현 김앤장 59
백우현 부천서 309
백운기 서부산서 452
백운영 군산서 386
백운효 논산서 334
백원기 김앤장 59
백원길 전주서 395
백원철 북전주서 391
백유기 안동서 427
백유림 마포서 193
백유영 서울청 154
백유정 북대구서 411
백유진 성동서 202
백윤용 원주서 278
백윤정 기재부 97
백윤헌 삼성서 196
백은경 마포서 193
백은경 서대문서 198
백은미 서대전서 330
백은실 용산서 214
백은주 동래서 447
백은혜 안산서 259
백인숙 광주서 371
백인억 서대전서 330
백인원 북전주서 390
백인정 보령서 336
백인희 중부청 233
백일홍 중부청 233
백장미 인천청 288
백재민 조세심판 505
백정숙 부산진서 448
백정태 부산진서 449
백정하 서인천서 296
백정현 세무고시 33
백정화 동수원서 244
백정훈 강남서 170
백정훈 안산서 258
백제흠 김앤장 59
백제흠 동울산서 461
백종규 북대구서 411
백종덕 서울청 150
백종렬 제주서 478
백종민 남대구서 407
백종복 부산청 440
백종선 조세재정 507
백종섭 서울청 154
백종열 대구청 400
백종욱 김해서 466
백종준 군산서 386
백종찬 북대구서 410
백종철 기재부 88
백종헌 북대구서 410
백종현 전주서 394
백주현 김해서 467
백준호 영월서 277
백지원 여수서 383
백지원 포항서 432
백지은 국세청 131
백지혜 삼성서 197
백지혜 대구청 400
백지혜 북대구서 410
백지훈 김해서 466
백진걸 지방재정 503
백진원 시흥서 254
백진주 춘천서 280
백진현 삼척서 272
백진화 파주서 315
백찬주 인천청 288
백찬진 남원서 389
백창현 관세사회 54
백창현 기재부 93
백철주 북광주서 373
백태훈 역삼서 211
백하나 광명서 303
백하영 여성세무 35
백한나 고양서 300
백해정 수원서 253
백현기 강서서 175
백현자 삼성서 196
백형관 부산세관 494
백형민 관세청 482
백혜련 국회법제 74
백혜진 성동서 202
백홍교 광주청 362
백효정 북대구서 410
백희태 수성서 415
범수만 반포서 195
범정원 송파서 207
범주현 세무다솔 44
범지호 북인천서 295
변가람 금천서 180
변경숙 조세재정 506
변경숙 조세재정 507
변경숙 조세재정 507
변경옥 제주서 478
변관우 국세교육 144
변광욱 기재부 87
변금수 노원서 184
변다연 서대전서 331
변대원 남양주서 242
변동석 금천서 181
변명미 영덕서 429
변문건 대전청 320
변민석 부산청 436
변민영 원주서 279
변민정 북대구서 410
변민정 조세재정 508
변상권 논산서 335
변상미 예산서 345
변성경 인천청 288
변성구 영등포서 213
변성미 금천서 180
변성용 동수원서 244
변성욱 서울청 152
변성익 서울청 166
변수민 동작서 190
변숙자 김해서 467
변승철 국세청 132
변시철 제주서 478
변애정 마포서 193
변영자 익산서 392
변영철 수성서 414
변영한 감사원 79
변영환 기재부 85
변영희 국세청 129
변우환 서울청 160
변월수 구미서 421
변유경 금천서 180
변유솔 국세청 132
변유호 기재부 88
변은진 기재부 94
변은희 마산서 468
변이슬 조세재정 506
변인영 수원서 253
변재만 기재부 90
변재만 광주청 367
변재서 신대동 56
변재완 북대구서 410
변정 역삼서 210
변정기 강남서 170
변정안 구미서 421
변정연 안동서 426
변정윤 조세재정 507
변제호 금융위 101
변종철 아산서 343
변종환 기재부 98
변종희 평택서 266
변주섭 김해서 467
변지아 강남서 170
변지현 도봉서 187
변지흠 대구청 401
변진형 김포서 305
변태민 제주서 478
변한준 이천서 264
변행열 강동서 173
변현수 충주서 359
변현영 국세상담 143
변혜림 강동서 172
변혜정 은평서 217
변혜정 제주서 478
변호춘 남대구서 407
변환철 서부산서 453
변희찬 법무세종 62
보화 국세청 124
복경아 광명서 302
복권과 기재부 97
복권일 성동서 202
복소정 구미서 420
복용근 서인천서 297
복은주 도봉서 186
복지민 화성서 269
복지현 인천서 299
복현경 동대구서 409
봉선영 고양서 301
봉수현 남대문서 182
봉재연 조세재정 508
봉재현 국회재정 72
봉준혁 서울청 165
봉지영 부산청 438
봉진숙 기재부 95
봉현준 서인천서 297
부길환 국회정무 75
부나리 원주서 279
부명현 중부서 225
부상석 제주서 478
부성진 관악서 176
부윤신 동작서 190
부종철 제주서 479
부혜숙 양천서 209
빈수진 서울청 158
빈승주 구미서 420
빈효준 양천서 208

ㅅ

사명환 은평서 216
사현민 대전청 323
사혜원 영등포서 213
산업혁 기재부 98
상황실 조세심판 504
서가은 창원서 474
서가현 동안양서 246
서강현 역삼서 211
서경덕 연수서 310
서경무 광주서 370
서경석 인천청 290
서경심 울산서 462
서경영 구미서 421
서경원 용산서 215
서경원 중부청 234
서경자 동안양서 246
서경진 중부서 225
서경철 도봉서 187
서경하 광주서 370
서경희 관악서 177
서계영 국세상담 142
서계주 대구청 402
서광기 순천서 380
서광열 동고양서 307
서광원 삼성서 196
서국환 세무삼륭 46
서귀자 수영서 454
서귀환 동작서 191
서규식 기재부 98
서규은 금정서 444
서규호 홍성서 348
서근석 서광주서 374
서금석 중랑서 222
서금주 진주서 472
서기석 울산서 463
서기열 마포서 193
서기열 인천청 288
서기영 시흥서 254
서기원 중부청 236
서기원 부산청 440
서기정 마산서 469
서나윤 북대전서 328
서남이 국세청 136
서니나 조세재정 508
서대성 공주서 333
서대영 수성서 414
서덕성 용인서 262
서덕수 울산서 462
서덕호 상공회의 118
서돈영 인천서 298
서동건 성현회계 14
서동경 시흥서 254
서동규 조세재정 507
서동근 예산서 344
서동민 국세청 122
서동선 평택서 267
서동연 조세재정 507
서동옥 구리서 239
서동우 강동서 172
서동욱 서울청 159
서동욱 부천서 308
서동원 강릉서 270
서동원 대구청 405
서동정 순천서 380
서동진 기재부 92
서동진 전주서 395
서동천 안산서 258
서두환 안양서 260
서래훈 남양주서 243

서명국 인천청 290
서명권 익산서 392
서명남 중부서 225
서명숙 남대구서 407
서명옥 서대전서 330
서명준 부산진서 449
서명진 서울청 159
서명진 반포서 194
서명진 통영서 476
서문교 서울청 162
서문석 대전청 323
서문영 연수서 310
서문지영 서울청 157
서미 성동서 202
서미네 국세청 128
서미래 영등포서 213
서미리 서울청 167
서미리 양천서 208
서미선 부산진서 448
서미숙 중부청 231
서미순 순천서 380
서미애 서대문서 198
서미연 국세청 124
서미영 동래서 447
서미영 김해서 467
서미정 남대구서 406
서민경 대전청 322
서민경 창원서 475
서민덕 서대전서 330
서민성 국세청 128
서민수 딜로이트 16
서민수 대구청 403
서민아 기재부 95
서민우 국세교육 145
서민자 서울청 160
서민자 중부서 224
서민재 진주서 473
서민정 서울청 157
서민지 연수서 310
서민철 국세상담 142
서민하 국세청 130
서민혜 세무다솔 44
서민혜 김해서 466
서백영 삼일회계 20
서범석 기재부 88
서범석 정읍서 396
서병관 기재부 91
서병권 서대전서 330
서병수 국회재정 72
서병식 기흥서 240
서보경 북전주서 390
서보림 국세청 138
서보림 인천청 286
서보미 동작서 190
서보연 부산청 440
서봉규 김앤장 59
서봉수 예일세무 52
서봉우 성동서 202
서빛나 서울청 167
서삼미 광주서 371
서상범 대구청 403
서상순 북대구서 411
서상우 지방재정 502
서상율 마산서 468
서석제 기재부 83
서석천 파주서 315
서석태 김천서 422
서성덕 김해서 467
서성일 중랑서 223
서성철 화성서 268
서세우 수영서 455
서소담 대구청 401
서소진 북인천서 295
서솔지 양산서 470
서수아 동수원서 244
서수정 통영서 477
서수현 금정서 444
서숙은 남대문서 183
서순기 순천서 380
서순연 동래서 447
서승경 구리서 238
서승숙 서울청 153
서승원 상공회의 117
서승원 중기회 119
서승원 서울청 168
서승원 용산서 214
서승원 속초서 275
서승의 북대전서 328
서승현 삼성서 196
서승현 부산세관 494
서승혜 강서서 175
서승화 구리서 238
서승화 동안양서 246
서승희 국세청 135
서신자 기재부 89
서아름 의정부서 313
서여진 양천서 208
서연정 삼일회계 20
서연주 대전서 327
서연지 안산서 259
서연진 국세주류 140
서영교 동대구서 409
서영국 구미서 421
서영미 중부청 232
서영빈 조세재정 508
서영빈 조세재정 508
서영삼 국세청 125
서영삼 국세청 134
서영상 중랑서 222
서영수 기재부 83
서영순 성북서 204
서영우 광주청 365
서영윤 경산서 416
서영일 서울청 151
서영조 북광주서 372
서영준 국세청 138
서영지 대구청 402
서영철 북광주서 373
서영춘 수원서 252
서영호 마산서 468
서예림 서울청 148
서예주 창원서 474
서옥기 해남서 385
서옥배 홍성서 349
서용범 삼일회계 21
서용석 평택서 267
서용오 통영서 477
서용준 경산서 416
서용택 서울세관 485
서용택 서울세관 487
서용하 아산서 342
서용훈 남인천서 293
서우석 광주청 362
서우형 포항서 433
서운용 양천서 209
서원상 시흥서 254
서원식 국세청 138
서원식 서울청 162
서원식 서인천서 296
서원주 지방재정 502
서위숙 북인천서 295
서유리 해운대서 459
서유미 서울청 164
서유빈 국세청 136
서유식 안산서 259
서유식 지방재정 503
서유진 삼정회계 23
서유진 삼정회계 23
서유진 북인천서 295
서유진 김해서 466
서유희 금정서 445
서윤경 마산서 468
서윤석 경기광주 257
서윤식 세무다솔 44
서윤식 용산서 214
서윤원 법무화우 66
서윤정 기재부 86
서윤희 중부청 230
서은미 부천서 308
서은미 부천서 308
서은숙 마포서 193
서은영 청주서 356
서은우 포항서 432
서은원 서울청 164
서은정 동작서 191
서은주 서울청 158
서은주 지방재정 502
서은지 서인천서 296
서은지 광산서 369
서은철 역삼서 211
서은파 용산서 215
서은혜 기재부 87
서은혜 대구청 400
서은혜 북부산서 451
서은호 동대구서 408
서은화 중부청 234
서의성 삼척서 272
서이현 구미서 420
서익준 서울청 150
서인기 성동서 202
서인숙 종로서 221
서인천 인천청 286
서일영 딜로이트 16
서일준 국회재정 72
서자영 부산진서 448
서자원 부산청 442
서장은 경주서 419
서재균 부산청 443
서재기 영등포서 213
서재운 삼성서 197
서재윤 중기회 119
서재은 부산청 440
서재익 예일세무 52
서재필 남대문서 183
서재필 거창서 465
서재훈 김앤장 59
서정규 국세청 122
서정균 부산청 441
서정년 광주세관 499
서정년 광주세관 500
서정석 영등포서 213
서정숙 나주서 376
서정식 금융위 101
서정아 금융위 101
서정아 평택서 267
서정애 해남서 384
서정연 성동서 202
서정우 서울청 160
서정우 경기광주 257
서정우 안동서 427
서정운 국세청 125
서정원 청주서 356
서정은 동작서 191
서정은 구미서 420
서정이 성북서 204
서정주 지방재정 502
서정철 광교세무 37
서정학 거창서 465
서정현 서대문서 199
서정호 성북서 205
서정훈 기재부 95
서정훈 수원서 252
서정훈 지방재정 502
서정희 동래서 447
서종율 부산청 436
서종해 기재부 84
서주영 북부산서 451
서주영 조세재정 506
서주원 중부산서 456
서주현 남인천서 292
서주희 부산진서 448
서준 평택서 266
서준섭 국회재정 72
서준영 북부산서 451
서준영 김해서 467
서지나 대구청 404
서지민 남양주서 242
서지민 이천서 264
서지상 속초서 275
서지선 수원서 252
서지연 국회재정 72
서지연 기재부 82
서지영 국세청 125
서지영 서울청 152
서지용 조세심판 505
서지우 북인천서 294
서지원 예일세무 52
서지원 서울청 154
서지원 통영서 476
서지현 광교세무 36
서지형 인천서 299
서지훈 대구청 405
서진 기흥서 240
서진선 양산서 470
서진혜 영월서 277
서진호 반포서 194
서창덕 인천청 286
서창완 서산서 339
서철호 국세청 139
서충석 양산서 471
서태웅 수원서 252
서하영 성동서 202
서학근 마산서 469
서한도 서광주서 374
서한원 순천서 381
서해나 구로서 178
서현경 제주서 478
서현문 강서서 175
서현석 북인천서 294
서현순 정읍서 397
서현영 동수원서 244
서현주 부산청 436
서현준 중부청 234
서현지 남대구서 406
서현희 연수서 311
서형렬 서울청 151
서형민 중부청 229
서형선 진주서 473
서형숙 통영서 476
서혜경 기재부 84
서혜경 동대구서 409
서혜란 성동서 202
서혜림 북인천서 294
서혜수 평택서 267
서혜숙 청주서 356
서혜영 기재부 91
서혜진 예일세무 52
서호성 통영서 476
서홍석 중부청 233
서화영 통영서 476
서효우 원주서 278
서효진 부산청 443
서흥원 북인천서 295
서희원 기재부 96
서희진 조세재정 507
석대겸 진주서 473
석란 기재부 82
석미애 서대구서 412
석민구 제주서 479
석상훈 기재부 83
석성윤 국세청 124
석수현 북대구서 410
석승운 서초서 201
석영일 국세청 128
석용길 북대구서 410
석용훈 시흥서 254
석원영 제천서 354
석이선 부산청 439
석장수 중부청 230
석종국 대구청 402
석종훈 의정부서 312
석준기 울산서 463
석지영 서울청 164
석지원 기재부 89
석지혜 광주청 364
석진안 경주서 419
석진영 분당서 248
석진훈 상주서 424
석창휴 부산세관 494
석혜숙 홍성서 348
석혜원 수원서 252
석혜조 송파서 207
석호정 구리서 239
선경미 광주청 362
선경숙 광산서 369
선경식 동고양서 306
선규성 목포서 378
선기영 안양서 260
선명우 대전청 321
선민준 중부청 230
선병오 삼일회계 20
선병우 김해서 466
선봉관 동대문서 188
선봉래 인천청 288
선석현 용산서 215
선수아 수원서 252
선승민 이천서 264
선승아 기흥서 241
선양기 서광주서 374
선연자 광명서 303
선영임 서울세관 486
선용규 국회정무 76
선욱 금융위 101
선유정 북인천서 294
선은미 서부산서 452
선의현 대전청 321
선종국 연수서 310
선지혜 강남서 171
선창규 파주서 314
선화영 화성서 269
선희 성동서 202
선희숙 광주청 367
설경양 광주청 364
설관수 국세주류 140
설그린 국회법제 73
설도환 동래서 446
설미숙 마포서 193
설미현 서울청 168
설병환 서인천서 296
설수미 중부청 229
설영석 나주서 377
설재형 서울청 168
설전 부산청 438
설정란 서초서 201
설종훈 기흥서 240
설진 광주청 364
설진우 경주서 418
설진원 전주서 394
설환우 인천청 291
섭지수 동고양서 307
성경옥 반포서 195
성경진 서울청 166
성고운 지방재정 503
성광민 동수원서 244
성광현 서울청 157
성기동 중기회 119
성기동 도봉서 186
성기영 동작서 190
성기오 홍성서 349
성기웅 기재부 85
성기원 평택서 267
성기일 서부산서 452
성기창 중기회 119
성낙진 대구청 400
성낙현 세무다솔 44
성노주 세무하나 49
성대경 동대문서 189
성대경 서부산서 453
성도현 남대구서 406
성동연 광주청 364
성명재 광주서 371
성문성 중부산서 456
성미경 전주서 394
성미라 동래서 446
성미숙 파주서 314
성민영 법무율촌 63
성민주 서부산서 452
성민지 세종서 340
성민혁 기재부 89
성백경 충주서 359
성병규 부산청 436
성병모 중부청 228
성보경 대전청 321
성봉준 부산진서 448
성봉진 김포서 305
성삼옥 대전청 322
성상진 동래서 447
성상현 인천청 286
성석언 기재부 85
성수미 동수원서 244
성수지 기재부 99
성승용 국세청 125
성시우 구로서 179
성시현 예일세무 52
성아영 국세청 128
성연일 성동서 202
성영순 구미서 421
성옥희 동대구서 409
성완유 서대구서 412
성용욱 기재부 88
성우진 서울청 156
성원식 부산세관 494
성원용 안동서 427
성유경 조세재정 506
성유미 동수원서 244
성은경 용인서 262
성은숙 충주서 358
성은영 북대전서 328
성은정 안산서 259
성이택 국세청 135

성익수	동안양서	246
성인석	부산청	440
성인영	기재부	85
성인용	기재부	84
성일종	국회정무	76
성장부	중기회	119
성재영	인천청	291
성정은	포천서	317
성종만	인천청	287
성종호	구미서	420
성주경	서울청	155
성주석	조세재정	506
성주연	대구청	403
성준경	기재부	88
성준범	북대구서	410
성준희	송파서	206
성지연	역삼서	210
성지은	수원서	253
성지혜	통영서	476
성지환	대전청	323
성진규	기재부	90
성진아	기재부	95
성진혁	청주서	356
성창경	세종서	341
성창미	서대전서	331
성창석	삼일회계	20
성창익	세무다솔	44
성창임	서초서	201
성창화	동안양서	247
성태곤	관세청	482
성태선	북부산서	450
성한기	대구청	400
성해리	부천서	309
성행제	인천세관	492
성현성	북대구서	411
성현일	제천서	354
성현주	국세청	122
성현진	남인천서	293
성혜경	송파서	206
성혜리	동래서	447
성혜전	성북서	205
성혜정	서울청	153
성혜진	국세청	128
성호경	보령서	337
성호승	조세심판	504
성화진	국세청	124
성화진	국세청	131
성환석	부산청	440
성효경	정진세림	27
성희찬	마산서	469
세원정	국세청	124
세지원	인천청	286
소규철	안산서	258
소기형	기흥서	240
소민	동대문서	189
소병권	세종서	341
소병욱	조세재정	508
소병인	북전주서	391
소병철	국회법제	74
소병혁	예산서	345
소병화	기재부	94
소본영	광명서	303
소서희	남인천서	293
소선희	수원서	252
소섭	서울청	159
소수정	수원서	253
소수현	전주서	395
소수혜	전주서	394
소순무	법무율촌	63
소연	서울청	160
소영석	영등포서	212
소유섭	동안양서	246
소윤섭	군산서	386
소재성	청주서	357
소재연	중랑서	223
소재준	마포서	193
소재준	동안양서	247
소종태	국세청	122
소진수	법무율촌	63
소찬일	남대문서	183
소찬희	서광주서	374
소충섭	안동서	427
소태섭	익산서	393
소현아	김해서	466
소현철	남대구서	407
손가영	상주서	424
손가희	역삼서	211
손경근	광주서	370
손경선	고양서	300
손경수	서대구서	412
손경숙	북대전서	329
손경식	세종서	341
손경아	동청주서	350
손경진	양천서	209
손광민	서광주서	374
손광섭	마포서	193
손국	성북서	205
손권호	아산서	342
손규리	동청주서	350
손근희	포항서	432
손금주	분당서	248
손기만	국세청	123
손기혜	성동서	203
손길규	김해서	467
손길진	역삼서	210
손다솜	광명서	302
손다영	부산청	440
손다혜	조세재정	507
손대균	조세심판	505
손동민	대구청	402
손동영	금천서	181
손동우	포항서	433
손동주	수영서	454
손동주	지방재정	503
손동준	조세재정	506
손동진	김천서	422
손동칠	김포서	304
손명	포천서	316
손명수	은평서	216
손명숙	부산청	439
손명주	서대구서	412
손명희	순천서	380
손문갑	서울세관	485
손문갑	서울세관	486
손미량	구로서	178
손미숙	부산진서	449
손미옥	동수원서	244
손미홍	군산서	386
손민	인천서	299
손민영	천안서	346
손민영	동울산서	460
손민자	역삼서	210
손민정	서울청	167
손민정	부산진서	449
손민지	남대구서	406
손민지	지방재정	502
손병석	용산서	214
손병양	국세교육	145
손병열	창원서	475
손병준	법무광장	60
손병중	남양주서	243
손병환	부산청	438
손보경	금정서	445
손삼락	법무바른	1
손삼락	포항서	433
손삼석	광산서	368
손상영	관악서	176
손상영	관악서	177
손상익	서울세무	32
손상익	역삼서	211
손상필	해남서	384
손상현	강서서	175
손상호	감사원	79
손석민	부산청	436
손석주	부산청	441
손석호	이천서	265
손선미	성동서	202
손선미	광주서	370
손선아	잠실서	218
손선영	기재부	83
손선영	안산서	259
손선화	역삼서	210
손선희	북부산서	450
손성국	마포서	193
손성규	국세청	125
손성락	부산진서	448
손성수	의정부서	312
손성웅	북부산서	450
손성원	중기회	119
손성은	금융위	102
손성자	부산청	436
손성주	창원서	474
손성진	강남서	170
손성탁	국세청	135
손성환	서울청	164
손세규	북대구서	411
손세민	순천서	380
손세영	익산서	392
손세종	중부청	228
손세희	동수원서	244
손소희	북대구서	410
손수아	순천서	381
손수정	금천서	181
손승모	마포서	192
손승재	해남서	384
손승진	서울청	164
손승희	성동서	203
손승희	동고양서	307
손신혜	대전청	324
손신혜	경주서	419
손아름	기재부	88
손안상	전주서	395
손연숙	금정서	444
손연진	인천서	299
손영균	남양주서	242
손영대	서울청	156
손영대	시흥서	254
손영락	강릉서	270
손영란	서울청	169
손영례	동고양서	306
손영미	경기광주	256
손영미	김해서	467
손영이	서초서	200
손영진	충주서	358
손영희	국세청	139
손예정	남대구서	406
손오석	광주청	363
손옥주	서울청	151
손완수	부산청	440
손요나	서울세관	486
손우승	기재부	85
손원우	반포서	195
손유승	국세청	125
손유진	조세재정	506
손윤령	대구청	401
손윤섭	김포서	304
손윤숙	대구청	402
손윤정	시흥서	255
손은경	진주서	472
손은경	지방재정	502
손은숙	대구청	402
손은식	경산서	416
손은정	서울청	157
손은태	서대문서	198
손은하	구리서	238
손을호	광주세관	499
손을호	광주세관	500
손의철	연수서	311
손이슬	동울산서	461
손인권	수성서	414
손인준	경기광주	257
손장식	기재부	83
손장우	기재부	91
손재락	국세청	122
손재명	광주청	364
손재원	원주서	278
손재하	강남서	171
손정갑	국회재정	72
손정빈	삼성서	197
손정숙	안산서	258
손정아	서울청	154
손정연	제천서	354
손정완	대구청	404
손정욱	강서서	175
손정은	대전청	323
손정준	기재부	91
손정혁	기재부	89
손정현	북전주서	391
손정화	충주서	359
손정화	중부산서	457
손정훈	대구청	405
손정희	경기광주	256
손종대	인천청	290
손종욱	국세청	121
손종현	전주서	395
손종희	서대문서	198
손주연	기재부	92
손주영	김포서	305
손주희	중부서	224
손주희	울산서	462
손준성	금천서	180
손준표	북대구서	410
손준혁	국세청	137
손준호	구미서	420
손증렬	안동서	427
손지나	송파서	206
손지선	송파서	207
손지아	중부청	232
손지훈	조세재정	507
손진락	수영서	455
손진욱	서울청	165
손진이	천안서	347
손진철	기재부	99
손진혜	울산서	462
손진호	국세청	133
손찬희	거창서	464
손창동	감사원	77
손창범	기재부	83
손창수	동작서	191
손창용	서울세무	32
손창호	국세청	130
손창환	태평양	65
손채은	수영서	454
손춘희	서대구서	412
손충식	광주청	362
손태영	아산서	258
손태우	경산서	417
손태욱	영등포서	213
손태욱	포항서	433
손택영	안산서	259
손한준	국세청	132
손해리	수원서	252
손해수	부산청	436
손해원	서울청	156
손해진	울산서	463
손해진	진주서	472
손현명	북인천서	295
손현숙	영등포서	212
손현숙	수영서	454
손현신	잠실서	218
손현정	청주서	356
손현주	북전주서	391
손현지	남인천서	292
손현진	인천서	298
손현태	남원서	388
손형미	평택서	267
손혜림	국세청	137
손혜자	구리서	238
손혜정	잠실서	219
손호익	포천서	317
손화승	천안서	346
손효정	남인천서	293
손효현	국세청	125
손희경	수영서	454
손희영	동래서	447
손희정	중부청	230
송경덕	아산서	343
송경령	고양서	300
송경선	대전서	327
송경원	서초서	201
송경주	조세심판	505
송경진	청주서	356
송경학	세무다솔	44
송경호	조세재정	506
송경호	조세재정	507
송경호	조세재정	507
송경희	광주청	365
송고운	송파서	206
송광선	서울청	148
송광조	법무세종	62
송광혁	성현회계	14
송권호	국세교육	144
송규호	국세청	122
송금란	안동서	426
송금순	여성세무	35
송기동	삼성서	197
송기봉	광주청	361
송기봉	광주청	362
송기삼	경주서	418
송기선	기재부	85
송기선	남대문서	182
송기순	수원서	253
송기영	조세심판	504
송기원	금천서	180
송기원	평택서	267
송기익	북대구서	411
송기헌	국회법제	74
송기홍	진주서	473
송기화	서초서	200
송남영	조세재정	508
송노용	영등포서	213
송다성	김해서	467
송다은	관악서	176
송대근	제주서	478
송대섭	삼성서	196
송대섭	마산서	468
송도관	구로서	179
송도영	중랑서	223
송동복	광교세무	36
송동식	지방재정	503
송동춘	기재부	83
송동훈	조세심판	504
송만수	남원서	388
송명림	삼성서	197
송명섭	중부청	237
송명진	고양서	300
송명철	대구청	404
송미나	동안양서	247
송미나	서산서	338
송미소	광주청	363
송미연	이천서	264
송미연	창원서	474
송미원	성동서	202
송미원	중부청	231
송미정	부산청	437
송미진	조세재정	506
송민국	부산진서	448
송민섭	분당서	248
송민수	구로서	179
송민숙	중부청	237
송민영	서울청	159
송민우	북대전서	328
송민익	기재부	83
송민정	부산청	442
송민준	서대구서	413
송민진	광명서	302
송민철	동안양서	246
송바우	서울청	154
송바우	서울청	155
송바우	서울청	156
송방의	북전주서	390
송병섭	강서서	175
송병욱	국회재정	72
송병철	국회재정	71
송병호	성북서	204
송병훈	제주서	479
송병희	성동서	202
송보경	북부산서	450
송보라	인천청	288
송보섭	성남서	250
송보혜	안양서	261
송봉선	광주청	363
송상목	기재부	95
송상우	법무율촌	63
송상우	화성서	268
송석중	청주서	356
송석창	삼덕회계	18
송석철	부천서	308
송석현	기재부	99
송선경	북대전서	329
송선영	성현회계	14
송선영	경기광주	257
송선영	파주서	314
송선용	서울청	151
송선주	고양서	300
송선태	성동서	203
송설희	도봉서	186
송성권	딜로이트	16
송성근	구미서	421
송성심	남인천서	292
송성욱	중부산서	456
송성일	기재부	84
송성철	양천서	208
송성호	국세청	124
송세미	김해서	466
송송이	북전주서	391
송수빈	충주서	359
송수인	동청주서	350
송수현	잠실서	218
송수희	서울청	155

송숙희 영등포서 213
송순화 동작서 190
송숭 의정부서 313
송승리 창원서 475
송승미 서울청 160
송승용 인천서 299
송승재 수원서 252
송승철 서울청 156
송승한 안산서 258
송승한 파주서 314
송승호 서산서 338
송시운 대구청 404
송신애 인천청 290
송신호 분당서 248
송안나 서울청 164
송알이 남대문서 183
송연서 북대전서 329
송연주 반포서 194
송연호 제천서 354
송영민 미래회계 17
송영석 서현이현 7
송영석 서울청 162
송영석 중부청 233
송영아 부산청 439
송영우 인천청 286
송영욱 동고양서 307
송영인 인천청 286
송영주 여성세무 35
송영주 국세청 124
송영진 국세청 129
송영진 안동서 426
송영찬 청주서 357
송영채 서울청 164
송영춘 국세청 125
송영춘 국세청 134
송영태 서울청 160
송영화 청주서 357
송예체 영등포서 212
송오은 분당서 249
송옥연 국세청 129
송옥현 기재부 92
송용기 광주서 371
송용호 충주서 358
송우경 김포서 304
송우락 안양서 260
송우람 평택서 267
송우용 창원서 474
송우진 광교세무 36
송우진 부산진서 449
송우철 태평양 65
송웅호 인천세관 491
송원기 분당서 248
송원배 역삼서 211
송원호 광산서 369
송유경 기재부 85
송유니 지방재정 502
송유란 성남서 251
송유민 기재부 86
송유석 도봉서 186
송유승 강남서 171
송유정 마포서 192
송유진 국세청 124
송유진 국세청 131
송윤민 광주청 366
송윤선 영주서 430
송윤섭 안양서 261
송윤식 구리서 238
송윤정 포천서 316
송윤주 기재부 94
송윤호 서울청 167
송윤화 예일회계 24
송윤희 북부산서 450
송은선 광주서 370
송은영 수원서 253
송은영 서광주서 374
송은영 북부산서 450
송은우 강남서 170
송은정 반포서 194
송은주 서울청 151
송은주 광산서 368
송은주 조세재정 507
송은지 마포서 193
송은호 동안양서 247
송은희 동안양서 247
송의미 영등포서 212
송이순 익산서 393
송익범 서산서 338
송인경 동울산서 461
송인광 대전서 327
송인규 인천청 288
송인범 울산서 463
송인석 삼덕회계 18
송인숙 북부산서 450
송인순 포항서 433
송인옥 관악서 177
송인용 서울청 167
송인용 강남서 171
송인용 대전청 324
송인우 중부청 232
송인우 대전서 326
송인준 수성서 414
송인춘 서울청 149
송인춘 동작서 190
송인출 양산서 470
송인한 서대전서 331
송인형 서울청 153
송인화 파주서 315
송인희 대전청 321
송일훈 원주서 279
송재경 북부산서 450
송재민 북대구서 410
송재성 인천청 286
송재윤 대전청 322
송재윤 광주청 363
송재익 관세사회 54
송재준 대구청 402
송재중 광주청 364
송재천 안동서 427
송재하 서산서 338
송재현 대현회계 15
송재호 국회정무 76
송재호 대전서 326
송정금 포천서 317
송정민 제주서 478
송정복 광교세무 38
송정선 광주서 371
송정숙 중부청 228
송정현 서울청 151
송정화 서대문서 199
송정희 성북서 204
송종민 경기광주 257
송종범 관악서 177
송종철 서울청 152
송종호 구로서 178
송종훈 양천서 209
송주규 부천서 309
송주민 동작서 190
송주영 성북서 204
송주은 세종서 341
송주은 북부산서 451
송주한 평택서 266
송주현 성동서 203
송주현 남대구서 406
송주현 울산서 463
송주형 서인천서 297
송주희 화성서 269
송준승 서울청 164
송준오 국세상담 143
송준현 인천서 299
송지미 동작서 191
송지선 강동서 173
송지선 구리서 238
송지아 강동서 173
송지연 서울청 151
송지영 서대전서 331
송지우 서대문서 198
송지원 국세청 130
송지원 국세청 139
송지원 연수서 311
송지윤 삼성서 197
송지은 서울청 160
송지은 동안양서 247
송지은 평택서 267
송지은 아산서 343
송지현 기재부 89
송지혜 강서서 175
송지혜 중부서 225
송지훈 서초서 200
송지훈 북인천서 295
송진근 서울세관 487
송진미 서울청 168
송진민 조세재정 506
송진수 서대문서 198
송진영 용산서 214
송진용 익산서 392
송진욱 중부산서 456
송진호 송파서 206
송진호 부산청 436
송진희 서울청 169
송진희 광주서 370
송찬규 서울청 158
송찬미 강동서 172
송찬빈 남인천서 293
송찬양 강서서 175
송찬주 강릉서 271
송창녕 순천서 381
송창식 구로서 179
송창언 해운대서 459
송창용 안산서 258
송창인 서인천서 296
송창호 나주서 376
송창훈 안산서 258
송창훈 부산청 439
송창희 부산청 440
송채성 논산서 335
송채영 서인천서 297
송채원 잠실서 219
송청자 마포서 193
송춘희 서울청 157
송충종 인천서 298
송충호 인천청 286
송치호 통영서 477
송칠선 청주서 357
송태정 예산서 344
송태준 국세청 127
송평근 국세청 122
송필재 서현이현 7
송하균 기재부 95
송하나 조세심판 504
송해기 부산세관 495
송해숙 인천청 289
송해영 관악서 177
송향기 북부산서 451
송향희 대전청 321
송현 조세심판 504
송현권 포천서 316
송현남 부산세관 495
송현수 동작서 190
송현정 수원서 252
송현주 삼성서 196
송현주 춘천서 281
송현주 동래서 446
송현철 분당서 248
송현탁 조세심판 504
송현하 지방재정 503
송현호 서울청 155
송현화 중부서 225
송현희 아산서 343
송형희 대전청 322
송혜리 청주서 356
송혜림 조세심판 504
송혜림 조세심판 505
송혜림 조세심판 505
송혜영 기재부 90
송혜원 구로서 178
송혜인 기흥서 241
송혜정 동대구서 408
송호근 국세교육 144
송호연 고양서 300
송호필 관악서 176
송화영 서울청 159
송환용 서울청 154
송효선 파주서 314
송효주 구미서 420
송효진 진주서 472
송휘종 기흥서 240
송흥철 수원서 253
송희라 지방재정 503
송희성 동대문서 188
송희정 원주서 279
송희조 북광주서 373
송희진 해남서 384
송희진 금정서 444
시종원 남대문서 182
시진기 구미서 421
시현기 부산청 437
신각성 부산세관 494
신갑상 광주서 371
신갑수 반포서 195
신거련 고양서 301
신건묵 상주서 424
신경섭 서인천서 296
신경수 잠실서 218
신경식 국세상담 142
신경아 기재부 85
신경아 강서서 175
신경열 김천서 422
신경우 서대구서 413
신경희 천안서 347
신계희 천안서 346
신고 수영서 455
신고 김해서 466
신관호 부산청 436
신광재 대전서 326
신광철 대전청 324
신구호 강남서 171
신규명 광교세무 37
신규승 삼척서 272
신규용 군산서 386
신근모 서울청 156
신근수 북대구서 410
신기력 딜로이트 16
신기룡 인천청 290
신기선 법무율촌 63
신기섭 서인천서 297
신기주 인천청 289
신기준 창원서 475
신기철 제천서 354
신기탁 서울세무 32
신기태 기재부 89
신기한 진주서 472
신기환 기재부 93
신나리 북인천서 294
신나영 강릉서 271
신나혜 연수서 311
신남숙 강동서 172
신담호 제주서 479
신대수 대전서 327
신대용 대현회계 15
신대원 기재부 99
신대환 포항서 433
신덕수 해남서 385
신도현 부산진서 449
신동규 서초서 201
신동균 기재부 82
신동근 국회법제 74
신동근 마산서 469
신동림 국회정무 76
신동배 남인천서 292
신동복 서현이현 6
신동선 기재부 91
신동식 북대구서 410
신동연 국세청 133
신동엽 김천서 422
신동영 의정부서 312
신동용 남원서 388
신동우 북대전서 328
신동욱 김포서 305
신동윤 인천세관 491
신동익 국세청 130
신동주 천안서 347
신동준 북인천서 294
신동준 조세재정 507
신동진 북인천서 295
신동표 정진세림 27
신동한 중랑서 222
신동혁 관악서 177
신동현 기재부 89
신동현 광주세관 500
신동호 서울청 148
신동호 강서서 175
신동훈 서울청 167
신동훈 송파서 206
신동훈 파주서 314
신동훈 금정서 444
신동희 성남서 251
신래철 강서서 175
신만호 양천서 209
신명곤 여수서 383
신명도 성북서 205
신명록 기재부 90
신명섭 고양서 300
신명수 중랑서 222
신명숙 기재부 95
신명숙 양천서 209
신명식 북대전서 328
신명진 강릉서 271
신명희 광주청 363
신무성 동안양서 246
신문정 기흥서 241
신미경 부천서 308
신미경 금정서 444
신미라 역삼서 211
신미라 세종서 341
신미리 중부청 236
신미선 남대문서 182
신미숙 광주청 363
신미순 금천서 180
신미식 시흥서 254
신미애 동수원서 244
신미영 중부서 225
신미영 대전서 326
신미영 북대구서 410
신미옥 동울산서 461
신미자 북광주서 372
신미정 영월서 276
신미정 금정서 444
신민경 기재부 85
신민경 잠실서 219
신민규 동안양서 246
신민기 서부산서 452
신민서 제주서 478
신민섭 국세청 122
신민수 수원서 253
신민아 중부청 232
신민채 국세청 130
신민철 연수서 310
신민혜 부산청 442
신민호 강릉서 271
신방인 대전청 322
신범하 광명서 302
신병전 북부산서 450
신병준 울산서 463
신보경 아산서 342
신보미 중랑서 222
신복희 강남서 170
신봉식 서울청 152
신봉일 세무다솔 44
신상덕 여수서 382
신상례 대전청 321
신상모 서울청 150
신상수 논산서 334
신상수 울산서 463
신상연 중랑서 222
신상우 남대구서 407
신상욱 송파서 206
신상은 서울청 155
신상일 서울청 168
신상현 보령서 336
신상홍 중기회 119
신상훈 감사원 79
신상훈 기재부 95
신상훈 북인천서 294
신상훈 대전청 325
신상희 영월서 277
신새벽 송파서 206
신서연 국세청 129
신석균 관악서 176
신석주 남대구서 406
신선 동대문서 189
신선미 파주서 314
신선주 김포서 304
신선희 대전청 321
신성근 서울청 152
신성만 해운대서 459
신성봉 서초서 200
신성용 대구청 403
신성용 창원서 475
신성원 창원서 475
신성일 북부산서 450
신성철 포천서 317
신성호 홍성서 348
신성환 포천서 317
신세용 부산청 441
신소라 서울청 167
신소은 지방재정 503
신소희 성남서 250
신솔지 순천서 381
신수남 북대전서 328
신수령 중부청 231

신수미 부산청 440
신수미 조세재정 506
신수범 고양서 300
신수연 여성세무 35
신수영 서대문서 199
신수용 기재부 83
신수원 에이블 47
신수정 분당서 248
신수정 여수서 382
신수창 광명서 302
신수철 국회법제 74
신숙경 서울세관 486
신숙희 반포서 194
신숙희 청주서 357
신순영 아산서 342
신승보 지방재정 502
신승수 중부청 230
신승수 용인서 263
신승애 강남서 170
신승연 성동서 202
신승우 동청주서 350
신승일 삼일회계 21
신승철 삼일회계 21
신승태 세종서 341
신승학 딜로이트 16
신승헌 기재부 96
신승현 구리서 239
신승현 경산서 416
신승호 서울세관 486
신승환 영동서 352
신승환 금정서 444
신승훈 영월서 277
신승훈 광산서 369
신아름 화성서 268
신아영 광명서 302
신아영 대구청 402
신안수 서초서 201
신언수 중부산서 457
신언순 충주서 359
신연숙 포항서 433
신연순 연수서 310
신연정 부산청 441
신연주 서울청 157
신연희 서인천서 296
신열석 대전청 323
신영남 북광주서 373
신영두 안양서 261
신영미 경산서 416
신영민 이천서 265
신영빈 은평서 217
신영선 인천청 287
신영섭 송파서 206
신영수 시흥서 255
신영승 삼척서 272
신영승 김해서 467
신영심 양천서 208
신영아 광주서 371
신영웅 서울청 167
신영일 감사원 79
신영재 부산청 437
신영주 기재부 96
신영주 서울청 164
신영준 서울청 159
신영준 수성서 415
신영진 북대구서 411
신영천 북대전서 328
신영철 남양주서 243
신영철 조세재정 506
신영호 수원서 253
신영화 제주서 479
신영희 서울청 157
신예민 성동서 202
신예슬 삼척서 272
신예원 남인천서 293
신옥미 구로서 179
신옥희 경산서 416
신요한 동안양서 246
신용규 포천서 317
신용대 해운대서 459
신용도 동울산서 460
신용범 영등포서 213
신용석 동작서 190
신용석 남대구서 406
신용섭 김포서 304
신용순 기재부 83
신용식 천안서 347
신용직 영동서 352
신용철 부산세관 495
신용하 북부산서 451
신용현 통영서 477
신용호 광주청 362
신우교 동대문서 188
신우열 천안서 346
신우영 북광주서 372
신우용 남대구서 407
신우현 예일세무 52
신웅기 해운대서 458
신웅식 택스홈 50
신웅식 택스홈 251
신원영 대전서 326
신원정 원주서 278
신원철 충주서 359
신유경 구로서 178
신유라 고양서 301
신유미 중부청 236
신유미 분당서 248
신유진 송파서 206
신유하 동안양서 247
신유환 안동서 426
신유환 안동서 427
신윤경 강남서 171
신윤섭 삼일회계 20
신윤숙 동대구서 409
신윤철 예일세무 52
신은경 동대문서 188
신은숙 기흥서 240
신은숙 금정서 444
신은우 국세청 125
신은정 안양서 261
신은정 대구청 402
신은주 서울청 164
신은주 천안서 347
신은지 파주서 314
신은화 광주청 362
신의현 인천청 289
신이길 강남서 170
신이나 중부서 224
신인란 미래회계 17
신인섭 지방재정 502
신재봉 서울청 164
신재완 서울청 148
신재원 진주서 472
신재은 남대구서 407
신재평 동고양서 306
신재화 홍천서 282
신재환 지방재정 503
신재희 춘천서 280
신정곤 부산청 438
신정무 중부청 228
신정미 춘천서 281
신정민 안양서 260
신정민 조세심판 504
신정석 서대구서 413
신정숙 서울청 163
신정아 성북서 204
신정아 용인서 262
신정연 북대구서 410
신정용 광주청 366
신정현 중랑서 222
신정환 도봉서 186
신정환 시흥서 254
신정훈 국세청 132
신정훈 연수서 311
신종무 수원서 252
신종범 광교세무 38
신종수 속초서 274
신종식 나주서 377
신종웅 송파서 206
신종필 지방재정 502
신종훈 강남서 171
신주령 동대문서 188
신주영 구미서 421
신주영 수영서 454
신주철 연수서 310
신주현 중랑서 222
신주현 논산서 334
신준규 성남서 250
신준기 진주서 473
신준철 강동서 172
신준호 기재부 95
신준호 부천서 308
신중현 강남서 170
신지명 국세청 133
신지선 평택서 266
신지성 잠실서 219
신지수 북인천서 294
신지수 익산서 392
신지숙 성북서 204
신지애 동대구서 409
신지연 동작서 190
신지연 구리서 238
신지연 수원서 252
신지연 남대구서 407
신지영 국세청 128
신지우 강남서 171
신지원 조세재정 506
신지은 고양서 300
신지은 부천서 308
신지혜 용산서 215
신지혜 안산서 258
신지혜 동래서 447
신지환 부천서 309
신지훈 안양서 260
신진규 전주서 395
신진균 종로서 221
신진아 천안서 347
신진영 북부산서 450
신진우 동청주서 351
신진우 남대구서 407
신진욱 기재부 86
신진일 인천세관 492
신진주 지방재정 502
신진호 동래서 447
신찬호 여수서 383
신창영 인천청 291
신창환 딜로이트 16
신창훈 국세청 123
신채영 마포서 192
신채영 인천청 289
신채용 기재부 89
신채원 지방재정 503
신철승 서울청 151
신철원 반포서 195
신철주 시흥서 254
신치원 파주서 314
신태섭 기재부 89
신태섭 대구세관 498
신학순 세원세무 51
신한철 대현회계 15
신해규 고양서 300
신해진 상공회의 117
신향식 서울청 169
신헌철 서대전서 331
신헌태 조세재정 508
신혁 충주서 358
신현국 국세청 131
신현국 국세교육 144
신현근 중랑서 223
신현민 지방재정 503
신현범 세무다솔 44
신현삼 잠실서 218
신현서 대전서 327
신현석 서울청 157
신현영 강남서 171
신현우 동래서 446
신현원 부천서 309
신현일 용인서 262
신현일 아산서 343
신현준 서울청 163
신현중 대현회계 15
신현중 수원서 253
신현진 남인천서 292
신현창 삼일회계 20
신현철 동대문서 189
신현호 성동서 203
신형승 감사원 78
신형원 청주서 356
신형진 기재부 84
신혜경 구미서 420
신혜란 북인천서 294
신혜민 분당서 248
신혜선 대전청 320
신혜숙 서울청 160
신혜인 서대전서 331
신혜정 평택서 266
신혜조 기재부 83
신혜주 고양서 300
신혜진 부산청 440
신호균 이천서 265
신호석 서현이현 7
신호석 서현이현 7
신호정 기재부 95
신호철 부산진서 449
신홍영 서초서 200
신화섭 고양서 301
신효경 국세청 124
신효경 중부청 229
신효상 인천세관 492
신희명 인천청 286
신희웅 서울청 169
신희철 서울청 168
신희철 서울청 169
심경연 도봉서 187
심경자 기재부 92
심경희 기재부 82
심광식 북인천서 294
심규민 경기광주 257
심규연 종로서 220
심규열 기재부 99
심규진 기재부 89
심규찬 태평양 65
심규현 지방재정 503
심기현 인천세관 491
심동순 광주서 371
심란주 영등포서 213
심만식 대전서 327
심명진 광산서 368
심미선 익산서 392
심미현 이천서 264
심민경 서울청 156
심민정 동작서 190
심민정 중부청 232
심백교 조세재정 508
심별 의정부서 313
심상길 제주서 478
심상동 남원서 388
심상미 서울청 169
심상수 광주세관 500
심상수 지방재정 503
심상우 도봉서 187
심상욱 중기회 119
심상욱 지방재정 503
심상운 구미서 421
심상형 수영서 455
심새별 성남서 250
심서현 부산청 437
심선미 구로서 178
심선화 분당서 248
심선희 구리서 239
심성연 순천서 380
심성환 순천서 380
심세라 보령서 336
심소영 파주서 315
심소윤 북대구서 411
심수경 감사원 78
심수빈 반포서 194
심수연 은평서 216
심수한 서울청 165
심수현 기재부 95
심수현 제천서 354
심수희 조세재정 506
심순보 마산서 468
심승미 기재부 91
심승현 기재부 95
심시온 창원서 474
심아미 서울청 169
심연수 마포서 192
심연주 창원서 475
심연택 동대문서 188
심영 금융위 100
심영민 구로서 178
심영일 은평서 217
심영주 부산청 436
심영찬 논산서 334
심영창 삼척서 273
심예진 잠실서 218
심완수 평택서 267
심용주 보령서 336
심용훈 분당서 248
심우돈 조세심판 505
심우용 부산청 441
심우택 용인서 262
심우홍 춘천서 280
심유정 기재부 83
심윤미 평택서 266
심윤보 영등포서 212
심윤상 김앤장 59
심윤성 국세청 136
심윤정 잠실서 219
심은경 수영서 454
심은정 국세상담 142
심은진 서울청 153
심재걸 서울청 161
심재경 조세재정 508
심재곤 감사원 78
심재광 영등포서 213
심재도 서울청 148
심재옥 익산서 393
심재용 세무고시 33
심재운 광주서 371
심재일 고양서 300
심재진 법무광장 61
심재진 대전청 322
심재현 서울세관 485
심재현 서울세관 487
심재훈 대구청 403
심재희 영등포서 213
심정규 동청주서 350
심정미 부산청 438
심정보 서울청 155
심정보 해운대서 459
심정석 은평서 217
심정식 국세청 136
심정은 서울청 151
심종기 원주서 279
심종보 북광주서 373
심종숙 강서서 175
심주영 평택서 266
심주용 인천청 286
심주호 노원서 185
심준 서대문서 199
심준보 국세청 122
심준석 청주서 357
심지섭 도봉서 186
심지숙 남대문서 183
심지애 기재부 96
심지은 용산서 215
심지헌 국회정무 75
심진영 청주서 356
심진용 금천서 181
심창현 서울청 168
심창훈 부산진서 448
심철수 세무다솔 44
심태석 동래서 447
심태완 조세재정 508
심평식 인천세관 492
심한보 고양서 300
심현 마포서 192
심현석 광주청 363
심현수 시흥서 254
심현우 기재부 95
심현이 북대전서 329
심현정 송파서 207
심현희 노원서 184
심형섭 북인천서 294
심혜경 국세상담 142
심혜정 충주서 358
심혜진 익산서 393
심호정 마포서 192
심효진 반포서 194
심희선 양천서 208
심희열 구로서 178
심희정 부천서 308
심희정 부산청 440
심희준 중부청 232

ㅇ

안가혜 강남서 170
안건희 기재부 90
안경우 기재부 91
안경호 김해서 466
안경화 성북서 204
안광민 동수원서 244
안광선 기재부 84
안광용 감사원 79
안광원 부산청 442

안광인	구리서	238
안광훈	감사원	78
안구임	광주서	370
안국형	국회정무	76
안규상	송파서	207
안근옥	기재부	95
안금숙	포항서	432
안금순	인천서	298
안기영	강동서	173
안기용	기재부	95
안기웅	남원서	388
안기호	제천서	354
안기회	중부청	234
안남진	보령서	337
안다경	종로서	221
안대엽	삼성서	197
안대엽	동수원서	245
안대철	마산서	469
안대호	동래서	446
안덕수	중부청	232
안덕수	중부청	233
안도걸	기재부	84
안도걸	기재부	85
안도걸	기재부	86
안도형	국세청	124
안동민	고양서	300
안동상	경산서	416
안동섭	택스홈	50
안동섭	강동서	173
안동섭	동작서	191
안동숙	서울청	148
안동주	국세상담	142
안래본	광산서	368
안만식	서현이현	7
안만식	세무대학	35
안명순	시흥서	254
안명환	지방재정	502
안모세	노원서	184
안무혁	동고양서	306
안문철	성남서	251
안미경	시흥서	255
안미경	서대구서	412
안미라	강남서	170
안미선	양천서	209
안미수	안산서	258
안미숙	경산서	416
안미영	서울청	159
안미영	파주서	314
안미진	광명서	302
안미환	안양서	260
안민경	해운대서	459
안민규	은평서	216
안민숙	여수서	382
안민주	법무바른	1
안민지	국세청	122
안민희	인천청	289
안병만	북부산서	451
안병수	대구청	401
안병옥	서울청	149
안병용	시흥서	254
안병윤	부산세관	494
안병윤	지방재정	503
안병일	서울청	160
안병주	기재부	97
안병준	감사원	78
안병진	중부청	235
안병철	북인천서	294
안병태	서울청	157
안병현	서울청	158
안복수	삼성서	196
안봉임	북광주서	372
안부환	동울산서	461
안상숙	조세재정	506
안상순	영등포서	213
안상언	광산서	368
안상영	강릉서	271
안상욱	구로서	178
안상원	국세청	125
안상재	양산서	470
안상진	국세청	128
안상춘	서현이현	7
안상현	구로서	179
안새롬	조세재정	508
안석원	기재부	92
안선	동고양서	307
안선미	부천서	308
안선일	대전청	321
안선표	북전주서	391
안선희	영등포서	212
안성경	인천청	288
안성기	지방재정	503
안성덕	수성서	414
안성민	양천서	208
안성빈	도봉서	186
안성선	안양서	261
안성엽	대구청	401
안성은	구로서	179
안성준	잠실서	219
안성진	강서서	174
안성진	관악서	176
안성태	김해서	466
안성호	상공회의	118
안성호	관악서	177
안성호	남인천서	293
안성희	기재부	92
안성희	서울청	166
안세식	대전청	323
안세연	인천청	291
안세영	아산서	342
안세은	연수서	310
안세희	통영서	476
안소라	서울청	166
안소연	서대문서	198
안소연	남인천서	292
안소연	정읍서	397
안소영	은평서	216
안소영	중랑서	223
안소정	국세상담	142
안소진	서울청	167
안소현	안양서	261
안소형	영덕서	429
안수경	안동서	426
안수남	세무다솔	44
안수림	국세청	126
안수만	부산청	438
안수민	서울청	165
안수민	영월서	277
안수아	국세청	138
안수연	울산서	462
안수용	충주서	358
안수정	법무율촌	63
안수정	강남서	171
안수정	구로서	179
안수지	서인천서	296
안수진	구미서	420
안수진	창원서	474
안수진	지방재정	502
안순주	중부청	231
안순호	삼성서	196
안슬기	북대전서	328
안슬비	고양서	301
안승연	천안서	346
안승용	강남서	171
안승우	국세청	125
안승진	예일세무	52
안승진	성동서	202
안승현	기재부	91
안승현	마포서	193
안승현	속초서	274
안승현	중부산서	456
안승호	대전서	327
안승화	중랑서	223
안승훈	창원서	475
안승희	영동서	353
안신영	서울청	162
안애선	연수서	310
안양순	홍천서	283
안양후	동래서	446
안언형	북부산서	451
안연광	중부청	232
안연숙	잠실서	218
안연찬	강서서	174
안영길	동대구서	409
안영서	북부산서	450
안영선	영등포서	212
안영준	수영서	454
안영채	용산서	214
안영환	기재부	92
안영훈	기재부	98
안영희	대전서	326
안예지	제주서	479
안옥자	세무토은	42
안요한	나주서	377
안용	삼척서	272
안용수	삼척서	273
안우형	대구청	402
안원기	진주서	472
안유라	양천서	208
안유미	화성서	269
안유정	목포서	379
안유진	용인서	262
안유현	서울청	167
안유희	서울청	153
안윤미	동고양서	306
안윤선	조세재정	508
안윤섭	전주서	395
안윤정	기재부	83
안은경	대전서	326
안은경	북대전서	328
안은미	동울산서	460
안은정	서울청	158
안은정	인천청	291
안은주	서울청	156
안은주	동울산서	460
안은향	대전청	321
안응석	속초서	275
안의진	동수원서	245
안이슬	전주서	395
안인기	원주서	279
안인엽	구로서	178
안일환	기재부	81
안일환	기재부	83
안자영	광산서	368
안장열	기흥서	241
안재근	남대구서	406
안재문	북대전서	329
안재영	기재부	85
안재욱	천안서	346
안재원	부산청	441
안재진	대전청	322
안재필	부산진서	449
안재학	파주서	314
안재혁	김앤장	59
안재현	중부청	235
안재현	시흥서	255
안재현	마산서	469
안재형	광주청	367
안재홍	고양서	301
안재훈	영주서	431
안재희	역삼서	210
안정미	잠실서	218
안정민	서울청	163
안정민	동수원서	244
안정민	수영서	454
안정섭	역삼서	211
안정수	종로서	220
안정심	광주청	363
안정은	중랑서	223
안정은	군산서	386
안정진	택스홈	50
안정호	의정부서	313
안정화	김해서	466
안정환	김천서	423
안정훈	강서서	174
안정희	양산서	470
안제은	논산서	334
안종규	창원서	474
안종근	인천서	299
안종석	조세재정	506
안종은	춘천서	280
안종일	기재부	91
안종임	잠실서	218
안종호	양천서	208
안주영	서울청	156
안주영	관악서	176
안주환	기재부	95
안주훈	세종서	340
안주희	파주서	315
안준	김포서	305
안준	인천세관	492
안준건	서부산서	453
안준수	국세청	126
안준식	김해서	466
안준연	중기회	119
안준영	기재부	86
안준철	국회법제	74
안중관	조세심판	504
안중우	국회법제	74
안중현	시흥서	255
안중호	국세청	127
안중훈	반포서	195
안지민	남대구서	407
안지선	북인천서	294
안지섭	순천서	381
안지연	북대전서	329
안지연	북대구서	411
안지연	부산청	436
안지영	국세청	128
안지영	송파서	206
안지영	중부청	229
안지영	남양주서	243
안지영	고양서	300
안지영	대전청	321
안지영	울산서	462
안지윤	포천서	316
안지은	도봉서	186
안지은	구리서	239
안지은	수원서	252
안지은	경기광주	256
안지은	파주서	315
안지현	서울청	159
안지현	안산서	258
안지현	울산서	463
안지혜	서울청	164
안지혜	강서서	174
안지훈	수원서	253
안진경	영등포서	213
안진모	국회법제	74
안진모	강남서	171
안진성	노원서	184
안진수	국세청	138
안진술	강남서	171
안진아	서울청	152
안진영	서울청	167
안진영	의정부서	313
안진영	동청주서	351
안진영	나주서	376
안진용	김천서	422
안진우	동대구서	408
안진환	서울청	169
안진흥	중부청	230
안진희	성남서	250
안진희	구미서	421
안창국	금융위	101
안창남	송파서	207
안창모	기재부	84
안창한	부산진서	448
안창현	국회정무	76
안창현	부산청	438
안창희	동수원서	244
안초희	경주서	418
안춘자	북전주서	390
안치영	남원서	389
안태균	남인천서	292
안태길	삼척서	272
안태동	인천서	298
안태명	국세청	123
안태수	성동서	202
안태영	통영서	476
안태유	예산서	345
안태일	서울청	167
안태준	분당서	248
안태진	서울청	163
안태훈	국세청	131
안현록	양천서	208
안현수	중부청	233
안현승	예일세무	52
안현자	동안양서	246
안현정	대전서	327
안현준	수원서	253
안형민	국세청	137
안형선	부천서	309
안형수	국세청	125
안형숙	군산서	387
안형식	대전서	326
안형자	기재부	94
안형준	세무하나	49
안형진	서울청	155
안형태	국세청	139
안혜령	중부산서	457
안혜숙	삼성서	196
안혜영	서울청	153
안혜영	김해서	467
안혜은	국세청	125
안혜정	여성세무	35
안혜정	국세청	132
안혜정	동대문서	188
안혜정	해남서	385
안호정	북전주서	391
안호진	예산서	345
안홍갑	포천서	316
안홍서	상주서	425
안효진	서울청	157
안희석	반포서	194
안희식	창원서	475
양가은	강릉서	271
양강진	파주서	314
양경렬	인천청	285
양경렬	인천청	287
양경모	기재부	86
양경숙	국회재정	72
양경애	인천서	298
양경영	강서서	174
양경화	국회재정	71
양고운	기재부	83
양광식	국세청	136
양광준	도봉서	187
양구철	부천서	309
양국현	서울청	169
양규복	부산진서	448
양규원	김앤장	59
양근성	잠실서	219
양근우	수원서	252
양금영	안산서	259
양기정	서울청	169
양기혁	동래서	447
양기현	강남서	171
양기화	금정서	445
양길영	세무다솔	44
양길호	북광주서	372
양나연	서초서	201
양다희	용인서	263
양대식	서산서	338
양덕열	경기광주	257
양동구	국세청	129
양동구	구리서	239
양동규	송파서	207
양동규	성남서	250
양동길	성남서	250
양동석	동안양서	247
양동원	도봉서	186
양동준	서초서	200
양동혁	포천서	317
양동혁	서광주서	375
양동현	예산서	344
양동훈	국세청	124
양동훈	중부청	236
양동훈	중부청	237
양동희	국세상담	142
양두열	부산세관	494
양명숙	삼성서	196
양명호	중부청	235
양명희	나주서	376
양문석	울산서	462
양문희	역삼서	210
양미경	서초서	200
양미경	안동서	426
양미덕	서울청	154
양미례	남대구서	406
양미선	국세청	133
양미선	서울청	158
양미선	관악서	176
양미숙	노원서	185
양미영	도봉서	186
양병권	금융위	100
양병문	북대전서	328
양병열	영덕서	429
양병택	광주세관	500
양봉규	서부산서	452
양상원	양천서	208
양상원	아산서	342
양서안	서대구서	412
양서영	기재부	87
양서영	서부산서	453
양서용	안산서	258
양서진	동수원서	245
양석모	지방재정	503
양석범	국세청	132
양석재	서울청	156
양석재	제주서	479

양석진	마포서	193
양선미	국세청	124
양선미	국세청	132
양선숙	서대전서	330
양선욱	용산서	214
양성국	광주세관	500
양성민	국회법제	73
양성봉	중부청	228
양성욱	중부청	234
양성철	인천청	291
양성철	연수서	310
양성철	익산서	392
양성현	태평양	65
양세영	구미서	420
양세희	예산서	344
양소라	논산서	335
양소라	부산진서	449
양소영	동안양서	246
양송이	서울청	154
양수미	충주서	359
양수원	수원서	253
양숙진	인천청	288
양숙진	인천서	298
양순관	부산청	443
양순석	인천청	289
양순영	송파서	207
양순필	기재부	87
양순희	삼성서	196
양술	광주세관	500
양승규	안양서	260
양승민	기흥서	240
양승민	수영서	454
양승범	북광주서	373
양승복	삼성서	197
양승용	예일세무	52
양승우	경기광주	256
양승정	광주청	365
양승종	김앤장	59
양승준	인천세관	490
양승철	북부산서	450
양승혁	관세청	482
양승혜	양천서	208
양승훈	인천청	286
양승희	화성서	268
양시범	중부청	236
양시은	북광주서	372
양시준	중부청	237
양신	노원서	185
양심영	서대문서	199
양아름	정읍서	396
양아열	서울청	152
양연화	서울청	168
양영경	삼성서	197
양영규	부천서	309
양영동	영등포서	212
양영선	울산서	462
양영진	국세청	138
양영진	남양주서	243
양영진	보령서	336
양영철	중랑서	223
양영혁	제주서	478
양영훈	익산서	392
양예람	수원서	252
양예주	경주서	418
양예진	창원서	475
양옥선	서울청	152
양옥석	중기회	119
양옥철	광주서	370
양요섭	대현회계	15
양용산	대전청	322
양용석	국세상담	142
양용선	중부청	235
양용환	국세청	138
양용환	남원서	388
양용희	광주청	365
양우근	기재부	99
양웅	성북서	205
양원봉	법무율촌	63
양원석	성북서	205
양원혁	제주서	479
양월숙	중부청	236
양유나	포항서	433
양유미	청주서	356
양윤모	관악서	176
양윤선	영등포서	212
양윤성	순천서	381
양은영	역삼서	211
양은정	마포서	193
양은정	광주서	370
양은주	중부산서	457
양은주	조세재정	508
양은지	성남서	250
양은지	진주서	473
양은진	정읍서	396
양은혜	부천서	308
양을수	서울세관	487
양응석	북대전서	329
양이곤	북인천서	294
양이지	중부청	232
양인경	마포서	192
양인병	삼일회계	20
양인영	서울청	163
양일환	송파서	206
양재림	택스홈	50
양재영	용산서	215
양재영	창원서	474
양재우	중부청	235
양재준	안양서	260
양재중	중랑서	223
양재호	포천서	316
양재훈	북광주서	372
양재흥	안산서	258
양전옥	공주서	333
양정미	남인천서	293
양정숙	정읍서	397
양정아	대전청	322
양정인	서인천서	296
양정일	해운대서	458
양정주	안양서	260
양정필	남대문서	182
양정화	마포서	193
양정화	경주서	418
양정희	북전주서	391
양제문	제주서	478
양종렬	의정부서	312
양종명	전주서	394
양종선	관악서	177
양종열	성북서	204
양종원	마산서	469
양종혁	대전청	323
양종훈	성남서	251
양주원	안양서	260
양주희	북대전서	328
양준권	서초서	201
양준모	삼척서	272
양준석	안산서	258
양준호	수성서	415
양지상	마포서	193
양지선	북인천서	294
양지영	조세재정	507
양지유	기재부	92
양지윤	인천청	290
양지현	구리서	239
양지현	북대전서	328
양지혜	상주서	424
양진근	강남서	170
양진숙	세무다솔	44
양진철	관세청	483
양진혁	제주서	479
양진호	광주청	362
양찬영	영등포서	212
양찬회	중기회	119
양창헌	광주서	370
양창혁	강서서	174
양창호	국세청	136
양천일	북전주서	391
양철근	중부산서	457
양철민	남원서	388
양철승	남대구서	407
양철원	강남서	170
양태식	남대문서	183
양태영	기재부	99
양태용	삼척서	272
양태호	동고양서	307
양필수	지방재정	502
양필희	북대구서	411
양하섭	나주서	376
양한별	북광주서	373
양한철	잠실서	218
양해만	제천서	354
양해숙	서대전서	330
양향열	익산서	393
양향임	포천서	317
양향자	국회재정	72
양현근	김해서	467
양현모	중부청	236
양현숙	서울청	160
양현식	북인천서	294
양현아	남대문서	182
양현열	인천서	298
양현정	기재부	91
양현정	중부산서	456
양현준	성동서	202
양현진	지방재정	502
양현황	부산진서	449
양형란	역삼서	210
양혜령	안산서	259
양혜민	분당서	248
양혜선	삼성서	197
양혜진	대구청	402
양호정	동래서	447
양홍석	서울청	156
양홍철	인천청	287
양환준	광주서	370
양회수	공주서	332
양회종	해운대서	458
양효진	해운대서	459
양희국	반포서	195
양희상	양천서	209
양희석	중랑서	222
양희석	서인천서	297
양희승	삼성서	197
양희연	대전청	322
양희욱	서울청	159
양희재	국세상담	143
양희정	노원서	184
양희정	동대구서	408
어경윤	천안서	347
어기선	강남서	170
어명진	노원서	185
어영준	안산서	259
어우주	기재부	94
어원경	동고양서	307
어윤제	수원서	253
어윤필	마산서	469
어이슬	춘천서	281
어재경	삼성서	196
어정아	북인천서	295
어지환	기재부	95
어태룡	인천세관	491
어혜경	서울청	153
엄경애	대구청	401
엄경학	성동서	202
엄기동	울산서	462
엄기범	북대구서	410
엄기붕	청주서	357
엄기중	조세재정	508
엄기황	국세청	138
엄남식	시흥서	255
엄동욱	조세재정	507
엄명주	서울청	153
엄미라	북부산서	450
엄병섭	동래서	447
엄봉준	홍천서	283
엄상섭	법무지평	64
엄상원	북부산서	450
엄상헌	감사원	78
엄상혁	국세청	137
엄새얀	동울산서	460
엄선호	중부청	235
엄성용	상공회의	118
엄세열	지방재정	502
엄세영	영주서	430
엄세진	성동서	202
엄소정	서대전서	330
엄수민	서대구서	412
엄수민	동울산서	460
엄수빈	택스홈	50
엄승욱	기재부	93
엄애화	북부산서	451
엄연희	남인천서	292
엄영석	남양주서	242
엄영옥	서울청	153
엄영진	성동서	203
엄유섭	북대구서	410
엄은주	영월서	276
엄의성	인천청	291
엄익춘	종로서	220
엄인성	서부산서	453
엄인영	평택서	267
엄인찬	중부청	233
엄일선	서울청	149
엄일해	인천청	291
엄장원	인천서	298
엄정상	서울청	167
엄제현	동울산서	461
엄종덕	춘천서	281
엄주원	남양주서	242
엄준호	포항서	432
엄준희	서울청	157
엄지명	수영서	455
엄지원	기재부	90
엄지원	수영서	455
엄지은	논산서	334
엄지환	수영서	454
엄지희	중부청	232
엄채연	동청주서	351
엄청분	강동서	172
엄태선	국세청	139
엄태성	북대전서	328
엄태영	수원서	253
엄태자	중부서	224
엄태준	동울산서	460
엄태진	서대전서	331
엄하얀	북광주서	373
엄형태	남대문서	182
엄호만	광산서	369
엄황용	청주서	356
엄희권	동청주서	350
엄희진	광명서	302
여경숙	서울청	153
여경훈	국회재정	72
여길동	구리서	238
여동구	경산서	416
여동준	김앤장	59
여리화	진주서	472
여명철	진주서	473
여미라	대전청	322
여선	동고양서	307
여세영	영덕서	429
여소정	북대구서	410
여수민	금정서	445
여우주	남인천서	292
여원선	용인서	263
여윤수	북대전서	329
여은수	동작서	191
여의주	연수서	311
여인순	대전청	320
여인훈	반포서	195
여정민	진주서	472
여정주	성북서	205
여정현	수성서	415
여제현	남대구서	406
여종구	고양서	300
여종엽	서초서	200
여주연	영등포서	212
여주희	종로서	221
여중구	북대전서	328
여지수	기흥서	240
여지은	부산청	440
여지현	고양서	300
여진동	안양서	261
여진임	서울청	168
여진혁	중부청	236
여창숙	동대구서	408
여태환	서울청	166
여현정	인천청	291
여혜진	마포서	192
여호종	금천서	180
여호철	서울청	161
여환준	인천세관	491
여효정	성동서	202
여효정	해운대서	458
연경태	대전청	324
연규천	수원서	253
연근영	이천서	264
연덕현	동작서	191
연명희	동수원서	244
연상훈	경산서	417
연소정	대전청	323
연송이	안양서	260
연수민	아산서	342
연승현	세무다솔	44
연영민	기재부	85
연정현	북인천서	294
연제관	세원세무	51
연제민	국세청	122
연제석	천안서	347
연제열	기흥서	241
연지연	서울청	168
연태석	제천서	354
연혜정	기재부	83
염경진	국세청	122
염관진	화성서	269
염귀남	서울청	162
염기분	서대전서	330
염길선	경산서	416
염나래	동청주서	350
염대성	전주서	395
염문환	대전청	321
염미숙	천안서	346
염미정	은평서	216
염보규	기재부	93
염보름	익산서	393
염보희	서울청	155
염삼열	광주청	362
염상미	삼성서	196
염선경	성남서	251
염성희	서울청	149
염세환	삼성서	196
염승열	인천세관	490
염시웅	국세청	125
염예나	잠실서	219
염왕기	해운대서	459
염유섭	중부청	232
염인균	거창서	465
염정식	시흥서	255
염정은	김포서	304
염주선	국세청	126
염준호	국세청	125
염지영	광주청	363
염지훈	강서서	175
염진옥	성북서	204
염철민	기재부	96
염철웅	남인천서	293
염태섭	예산서	345
염현주	광주청	363
염호열	감사원	78
염환이	부산청	439
염훈선	역삼서	211
예동희	경주서	419
예미석	서울청	153
예병찬	지방재정	502
예상국	남인천서	293
예상우	성현회계	14
예성미	부산청	439
예성민	안산서	258
예정욱	서울청	168
예종옥	부산진서	449
예찬순	서초서	200
오가영	조세재정	508
오가원	북광주서	372
오강재	삼성서	197
오건우	대전청	324
오경란	수영서	454
오경미	남양주서	242
오경민	중랑서	222
오경석	지방재정	502
오경선	경기광주	257
오경선	인천서	298
오경애	반포서	195
오경자	구로서	179
오경태	여수서	382
오경택	기흥서	240
오경택	인천청	286
오경환	광명서	302
오경훈	의정부서	313
오고은	파주서	315
오관택	의정부서	312
오관택	서산서	338
오광석	동청주서	350
오광선	성동서	203
오광철	국세청	137
오광현	중부청	228
오규열	경주서	418
오규용	국세청	132
오규진	연수서	310
오규철	삼성서	196
오근님	북광주서	372
오근선	동대문서	188

오금선 나주서 376
오금탁 목포서 379
오금홍 북광주서 372
오기남 기재부 93
오기범 군산서 387
오기일 국세청 126
오기철 김포서 304
오기현 세무다솔 44
오기형 국회정무 76
오길재 광주청 364
오길춘 평택서 266
오나현 동수원서 245
오남교 삼일회계 20
오남임 동작서 191
오다은 기재부 89
오다혜 서울청 167
오대규 해남서 384
오대근 조세심판 504
오대석 통영서 476
오대성 서울청 148
오대창 영등포서 213
오대철 도봉서 187
오덕근 인천청 285
오덕근 인천청 286
오덕희 관악서 176
오도열 서울청 152
오도영 기재부 84
오도훈 반포서 194
오동구 포천서 316
오동기 광교세무 37
오동문 역삼서 210
오동석 노원서 185
오동석 수원서 252
오동재 부산세관 495
오동호 남양주서 243
오두현 기재부 83
오두환 광산서 369
오로지 인천서 298
오명준 서울청 154
오명진 인천청 290
오문수 영동서 353
오문탁 전주서 395
오미경 익산서 392
오미선 포항서 432
오미숙 서대구서 412
오미순 대전청 324
오미순 대전청 325
오미영 기재부 86
오미영 기재부 88
오미영 대전서 326
오미정 부천서 309
오미화 기재부 85
오민경 대전청 324
오민서 예일세무 52
오민석 양천서 209
오민선 중부청 235
오민수 광산서 369
오민숙 서울청 148
오민철 북인천서 295
오배석 서울청 149
오백진 대전청 325
오병걸 평택서 266
오병관 동수원서 245
오병권 지방재정 502
오병태 동고양서 306
오병환 진주서 473
오보람 서부산서 452
오봉신 종로서 220
오부성 대전서 327
오상범 삼정회계 23
오상범 삼정회계 23
오상식 기재부 84
오상엽 파주서 314
오상우 기재부 97
오상욱 중부서 225
오상원 광주청 362
오상은 동청주서 351
오상준 김포서 305
오상택 동수원서 245
오상현 파주서 314
오상훈 국세청 126
오상훈 서울청 166
오상훈 인천청 285
오상훈 인천청 289
오상훈 인천청 290
오상훈 서울세관 485
오상훈 서울세관 486
오상휴 국세청 136
오서영 마포서 192
오서영 부산진서 449
오서주 서초서 200
오서진 아산서 342
오선경 수원서 253
오선주 남원서 389
오선지 남대문서 182
오성진 기재부 99
오성철 서울청 169
오성태 기재부 91
오성택 서울청 148
오성필 중부청 233
오성현 거창서 464
오성현 진주서 472
오세덕 동청주서 350
오세두 제주서 479
오세민 인천청 287
오세민 동청주서 351
오세민 대구청 403
오세열 대전서 326
오세윤 대전청 324
오세은 창원서 474
오세정 성남서 250
오세찬 성동서 203
오세철 광주서 370
오세혁 서울청 168
오세현 인천세관 490
오소라 홍천서 282
오소연 조세재정 507
오소영 조세재정 508
오소진 충주서 359
오송민 성현회계 14
오쇄행 부산청 437
오수경 중부청 234
오수미 인천청 288
오수복 영동서 352
오수빈 중부청 233
오수연 국세주류 140
오수연 중부청 230
오수연 북대전서 329
오수영 안양서 260
오수정 조세재정 507
오수지 국세청 122
오수진 국세상담 142
오수진 잠실서 219
오수진 인천서 299
오수진 대전청 325
오수진 광주청 365
오수현 서울청 155
오승민 조세재정 506
오승배 의정부서 312
오승상 기재부 96
오승연 국세상담 143
오승연 안산서 258
오승준 서울청 159
오승준 삼성서 197
오승진 천안서 347
오승찬 중부청 234
오승철 남양주서 243
오승필 구로서 179
오승필 고양서 300
오승현 부산진서 449
오승현 북부산서 451
오승협 광산서 368
오승호 대전청 324
오승훈 북대전서 329
오승훈 동대구서 408
오승희 천안서 346
오승희 김해서 466
오시원 양천서 208
오신영 익산서 392
오신형 파주서 315
오아람 중부청 232
오아름 송파서 206
오애란 북부산서 450
오연경 분당서 248
오연관 삼일회계 20
오연균 서대전서 330
오연우 성남서 251
오연호 용산서 215
오영 인천청 286
오영곤 지방재정 502
오영권 진주서 473
오영금 동고양서 306
오영빈 남대구서 406
오영석 법무율촌 63
오영석 국세청 137
오영우 나주서 377
오영주 서현이현 7
오영주 부산진서 449
오영진 인천세관 492
오영철 안산서 258
오용규 예일세무 52
오용락 천안서 347
오용주 포천서 317
오용현 세무다솔 44
오용호 여수서 382
오우진 의정부서 312
오원균 청주서 356
오원정 속초서 274
오원화 대전청 320
오유나 중부청 232
오유미 광명서 302
오유빈 중부서 225
오유석 남대문서 183
오유정 기재부 95
오유진 전주서 394
오윤경 분당서 248
오윤미 조세재정 508
오윤섭 감사원 79
오윤이 서울청 153
오윤정 해남서 385
오윤주 서현이현 7
오윤화 서울청 152
오은경 종로서 220
오은경 중부청 228
오은경 동래서 446
오은비 구미서 420
오은실 기재부 97
오은영 익산서 392
오은정 국세청 125
오은정 국세청 134
오은주 북광주서 372
오은주 마산서 469
오은지 마포서 193
오은진 동작서 190
오은혜 조세재정 507
오은희 구리서 238
오은희 부천서 308
오의식 서울세무 32
오이탁 서부산서 453
오익수 북부산서 451
오익환 삼정회계 23
오인석 조세심판 505
오인섭 관악서 176
오인자 광주청 363
오인철 순천서 380
오인택 화성서 269
오인화 서인천서 297
오임순 서대문서 198
오자영 동작서 190
오자은 북광주서 373
오잔디 국세청 122
오재경 연수서 310
오재경 아산서 342
오재구 서현이현 6
오재길 남대구서 407
오재성 기재부 94
오재억 경산서 417
오재우 기재부 95
오재헌 동작서 191
오재현 국세청 132
오재홍 충주서 358
오재환 남대구서 407
오점순 춘천서 280
오정근 서울청 169
오정민 잠실서 219
오정민 창원서 474
오정식 포천서 317
오정열 지방재정 503
오정은 인천서 298
오정의 지방재정 502
오정일 연수서 311
오정임 부산청 437
오정탁 서대전서 331
오정현 분당서 248
오정환 강동서 173
오정환 이천서 264
오정훈 포항서 433
오조섭 영주서 431
오종민 고양서 300
오종민 북부산서 451
오종수 광주서 370
오종식 나주서 377
오종진 삼일회계 21
오종현 조세재정 506
오종현 조세재정 507
오종호 광주서 370
오종화 딜로이트 16
오종희 상공회의 117
오주경 서대구서 413
오주석 서대구서 413
오주영 국세상담 143
오주영 관악서 177
오주영 동래서 446
오주원 상공회의 118
오주원 송파서 206
오주하 금정서 445
오주한 도봉서 186
오주해 구리서 239
오주희 잠실서 218
오준석 감사원 78
오준영 북인천서 294
오지상 국회법제 74
오지숙 익산서 393
오지연 고양서 300
오지연 중부산서 457
오지연 조세재정 507
오지은 마포서 193
오지철 송파서 207
오지현 동수원서 244
오지현 용인서 263
오지현 창원서 475
오지혜 화성서 269
오지혜 북인천서 295
오지훈 종로서 220
오지훈 서울세관 487
오진명 국세청 138
오진선 기흥서 240
오진성 영동서 352
오진수 제주서 478
오진숙 중부청 231
오진옥 김해서 466
오진용 제천서 354
오진욱 수원서 253
오진택 포천서 317
오찬현 서대구서 413
오창곤 제주서 479
오창기 서울청 159
오창열 반포서 195
오창옥 여수서 383
오창은 동작서 190
오창주 서울청 165
오철규 동청주서 351
오철록 김해서 467
오철민 관악서 176
오철환 서산서 338
오청은 국세청 126
오초롱 통영서 476
오춘식 대구청 404
오춘택 목포서 379
오충용 세무하나 49
오태진 서울청 148
오태진 서인천서 296
오태환 법무화우 66
오푸른 양천서 209
오하경 삼성서 197
오하라 천안서 347
오한솔 정읍서 396
오항우 중부청 236
오해정 마포서 192
오향아 동대구서 408
오혁 법무광장 61
오혁기 금정서 444
오현 서산서 339
오현경 기재부 91
오현경 포천서 316
오현경 북대구서 410
오현미 중부청 230
오현민 대전서 327
오현빈 조세재정 507
오현석 강남서 171
오현석 서대전서 331
오현수 남양주서 243
오현숙 삼성서 196
오현순 노원서 184
오현식 서초서 201
오현아 김해서 467
오현정 서울청 153
오현정 서울청 164
오현정 동수원서 244
오현주 강남서 171
오현주 서대문서 199
오현주 수원서 253
오현준 노원서 185
오현지 파주서 314
오현직 서대구서 412
오현진 관세청 482
오현창 광주서 371
오형석 기재부 99
오형주 서대구서 412
오형진 서울청 167
오혜경 광산서 368
오혜란 은평서 216
오혜미 수원서 252
오혜실 강서서 174
오호석 김천서 422
오호선 서울청 164
오호선 서울청 165
오호선 서울청 166
오홍희 서초서 201
오화섭 동대문서 188
오효정 동안양서 246
오흥수 국세청 126
오희정 대전청 322
오희준 서울청 168
옥건주 해운대서 458
옥경민 안산서 259
옥경훈 양산서 471
옥민석 서현이현 7
옥석봉 국세상담 143
옥수빈 해운대서 458
옥수진 남대구서 407
옥승 영주서 431
옥지연 기재부 92
옥지웅 동청주서 350
옥진경 서대전서 331
옥창의 서울청 164
옥채순 창원서 474
옥혁규 은평서 216
옥호근 해운대서 459
온상준 반포서 195
왕관호 수원서 252
왕금좌 서울청 153
왕기현 세무다솔 44
왕성국 대전청 325
왕수안 기재부 87
왕수현 천안서 347
왕윤미 서울청 158
왕지영 청주서 356
왕지은 노원서 185
왕춘근 중부청 235
왕태선 파주서 314
왕한길 서현이현 7
왕홍곤 국회정무 76
왕훈희 성동서 203
용경희 영덕서 428
용수화 중부서 224
용승환 성북서 204
용연훈 잠실서 218
용옥선 서울청 155
용진숙 인천청 286
용혜인 국회재정 72
용혜인 기재부 85
용환희 중부청 230
우경화 북부산서 451
우근중 청주서 356
우나경 국세교육 144
우남구 국세상담 143
우남준 여수서 382
우덕규 서울청 150
우도훈 법무세종 62
우동욱 조세심판 505
우동호 감사원 78
우동훈 진주서 473
우동희 안양서 260
우만기 평택서 267
우명주 수성서 415
우문연 원주서 278
우미라 용산서 215
우미라 부산청 440
우병옥 포항서 432

우병재	대구청	405
우병철	중부청	228
우병호	서대구서	413
우보람	안산서	259
우상용	남인천서	292
우상준	대구청	403
우상훈	구미서	421
우성광	성동서	202
우성락	북부산서	450
우성식	용인서	263
우성현	부산청	437
우세진	평택서	266
우수정	고양서	301
우승수	딜로이트	16
우승하	대구청	402
우신동	세무하나	49
우신애	역삼서	210
우연희	국세청	126
우영만	광주서	370
우영재	대구청	400
우영진	김해서	467
우영철	예일세무	52
우용민	상주서	424
우용범	마산서	468
우운하	영주서	430
우원식	국회재정	72
우원준	평택서	266
우원훈	이천서	264
우윤중	부산청	443
우은주	홍성서	349
우은혜	파주서	315
우을숙	동래서	447
우인식	인천청	286
우인영	동울산서	461
우인제	보령서	336
우인호	포항서	432
우재경	창원서	475
우재만	나주서	376
우재은	천안서	346
우재진	창원서	475
우정순	동울산서	460
우정은	구리서	238
우정호	안동서	426
우정화	성동서	203
우정희	부천서	309
우제경	경산서	417
우제국	관세청	481
우제선	국세청	131
우주연	화성서	269
우주원	서울청	169
우준식	예산서	344
우지수	서울청	152
우지수	이천서	264
우지영	구리서	238
우지은	조세재정	507
우지혜	국세청	124
우진하	남인천서	293
우진희	조세재정	506
우진희	조세재정	507
우창수	강릉서	270
우창연	경산서	416
우창영	천안서	346
우창완	국세청	139
우창용	광명서	302
우창제	북대전서	329
우창화	북부산서	451
우철윤	인천청	287
우청자	영월서	276
우태희	상공회의	117
우필구	대현회계	15
우한솔	평택서	266
우해나	중부청	237
우해영	기재부	93
우해영	기재부	94
우현광	관세사회	54
우현구	성북서	204
우현주	동안양서	246
우현하	마산서	469
우형기	부천서	308
우형래	삼성서	197
우형수	경주서	418
우희영	중부청	228
우희정	안산서	259
우희정	영주서	431
원가영	인천서	298
원경희	한국세무	31
원계연	분당서	248
원광호	북대전서	329
원대연	성동서	203
원대한	대전청	321
원대희	남양주서	242
원두진	광주청	362
원범석	김포서	304
원병덕	서울청	167
원상호	노원서	184
원설희	동수원서	244
원성택	부산청	436
원순영	동청주서	350
원시열	도봉서	186
원영일	원주서	278
원용택	서울세관	485
원용택	서울세관	487
원욱	북부산서	451
원유미	중부청	236
원윤아	도봉서	187
원은미	용인서	263
원정윤	강동서	172
원정일	도봉서	186
원정재	국세청	135
원정훈	조세재정	507
원정희	법무광장	60
원종민	화성서	269
원종일	서울청	156
원종학	조세재정	507
원종혁	기재부	90
원종호	국세교육	145
원종훈	남양주서	243
원지연	논산서	335
원지현	중부청	235
원지혜	영등포서	213
원진희	중부청	237
원진희	원주서	279
원충희	지방재정	503
원한규	남대문서	183
원현수	삼성서	197
원호선	안산서	259
원효정	원주서	279
원희경	성동서	203
원희정	기흥서	240
위경진	영등포서	213
위경환	영등포서	213
위광환	남원서	388
위다현	구로서	178
위민국	서울청	165
위부일	동래서	447
위새미	기재부	96
위석	여수서	383
위성호	평택서	266
위승희	마포서	193
위용	국세교육	145
위응복	감사원	78
위장훈	평택서	267
위종	잠실서	219
위주안	서울청	153
위주안	삼성서	197
위지혜	광주청	364
위지혜	중부산서	457
위진성	성동서	203
위찬필	국세청	135
위태홍	대전서	326
위형원	지방재정	502
유가량	강릉서	270
유가연	대전청	320
유가현	분당서	249
유강훈	반포서	195
유경근	국세청	139
유경룡	대전청	324
유경모	서산서	338
유경민	성북서	204
유경선	딜로이트	16
유경숙	서울청	149
유경열	천안서	346
유경원	기재부	96
유경원	강동서	172
유경원	인천청	288
유경은	용산서	215
유경준	국회재정	72
유경진	동안양서	247
유경진	삼척서	273
유경화	기재부	95
유경훈	중부청	233
유경희	청주서	356
유관식	나주서	376
유관호	아산서	343
유관희	대전서	326
유광선	춘천서	280
유광호	나주서	376
유구현	동수원서	244
유귀운	조세재정	508
유극종	남대문서	183
유근만	안양서	261
유근순	전주서	394
유근정	기재부	89
유근조	역삼서	211
유금숙	인천서	299
유기무	역삼서	210
유기선	서울청	165
유기성	중부청	235
유기연	중부청	236
유길웅	인천서	298
유나연	천안서	347
유남렬	국세청	126
유능한	국회법제	74
유다빈	기재부	90
유다영	기재부	82
유달근	평택서	266
유대근	동대문서	189
유대현	북인천서	295
유덕현	중랑서	223
유도권	창원서	475
유동균	서울청	148
유동민	국세청	138
유동석	기재부	93
유동석	성동서	203
유동수	국회정무	76
유동열	춘천서	281
유동완	성동서	203
유동욱	감사원	78
유동원	남대문서	182
유동준	동래서	446
유동철	중랑서	222
유동현	삼덕회계	18
유동훈	기재부	85
유득렬	수원서	253
유래경	동고양서	307
유래연	파주서	315
유로아	반포서	194
유명옥	금천서	180
유명재	부산세관	494
유명한	시흥서	254
유명헌	부산진서	449
유명훈	국세청	122
유무열	세무다솔	44
유문희	금정서	444
유미경	기재부	83
유미경	성동서	202
유미나	서울청	154
유미나	서대구서	413
유미선	동작서	190
유미선	강릉서	270
유미성	마포서	192
유미숙	서산서	339
유미숙	예산서	344
유미연	북인천서	295
유미영	중부청	228
유미영	동울산서	460
유미자	서광주서	374
유미정	북인천서	294
유민설	전주서	394
유민수	영등포서	213
유민자	서부산서	452
유민정	서울청	148
유민정	분당서	249
유민호	진주서	473
유민희	국세청	134
유민희	용산서	214
유민희	목포서	379
유범상	아산서	342
유병관	광교세무	38
유병길	서대구서	413
유병모	김천서	422
유병민	대전서	326
유병서	기재부	93
유병선	화성서	269
유병성	북대구서	410
유병욱	성남서	251
유병임	서울청	153
유병창	영등포서	213
유병철	부산청	436
유병호	감사원	78
유병호	감사원	79
유병호	충주서	358
유보아	서대구서	412
유봉동	국회정무	76
유봉석	삼척서	273
유부형	북대전서	328
유상범	국회법제	74
유상선	부산청	443
유상욱	서울청	156
유상원	순천서	381
유상윤	서울청	153
유상호	인천서	299
유상화	법무바른	1
유상화	중부청	232
유상화	구리서	239
유새라	세무다솔	44
유석모	대전청	323
유선아	평택서	267
유선애	구로서	178
유선영	연수서	310
유선영	연수서	310
유선우	충주서	359
유선정	연수서	310
유선종	영등포서	212
유선화	중부서	225
유선희	기재부	89
유성두	중랑서	222
유성만	포항서	433
유성문	국세청	128
유성안	중부서	224
유성엽	서울청	148
유성영	양천서	209
유성욱	부산청	443
유성운	아산서	342
유성주	수원서	253
유성진	해남서	384
유성춘	안동서	426
유성현	국세상담	142
유성훈	서인천서	296
유성희	서초서	200
유세곤	세종서	341
유세명	동래서	447
유세열	태평양	65
유세용	북전주서	391
유세은	김천서	422
유소연	수원서	252
유소열	강남서	170
유소영	기재부	89
유소정	강서서	175
유소정	도봉서	186
유소진	관악서	177
유소희	동안양서	247
유솔리	포천서	317
유송화	창원서	474
유송희	충주서	359
유수경	도봉서	187
유수권	금천서	181
유수정	국세청	126
유수정	동작서	191
유수지	예산서	345
유수진	고양서	300
유수향	대전청	321
유수현	영등포서	212
유수현	남대구서	407
유수호	광주서	370
유수호	부산진서	448
유순복	강서서	175
유순희	도봉서	186
유승규	마포서	193
유승명	부산청	442
유승아	논산서	335
유승우	기재부	86
유승우	화성서	269
유승원	서대전서	331
유승정	인천세관	490
유승종	노원서	184
유승주	금정서	444
유승천	중부청	236
유승철	해남서	384
유승헌	포항서	432
유승현	중부청	237
유승현	남인천서	293
유승현	조세재정	508
유승환	마포서	193
유승희	삼정회계	23
유시은	평택서	266
유신아	안양서	261
유양현	서대전서	331
유어진	성남서	251
유연숙	서부산서	453
유연우	서산서	338
유연정	기재부	93
유연진	서울청	167
유연찬	예일세무	52
유연혁	관세사회	54
유엽	삼일회계	21
유영	감사원	79
유영	영덕서	428
유영근	경기광주	256
유영근	순천서	381
유영복	부천서	308
유영복	청주서	356
유영섭	기재부	94
유영숙	파주서	314
유영숙	수성서	414
유영욱	서울청	158
유영은	북전주서	391
유영주	대전청	322
유영준	송파서	207
유영진	부산청	441
유영찬	조세재정	508
유영한	관세청	482
유영훈	남원서	389
유영희	서울청	164
유예림	국세청	124
유예림	국세청	132
유예림	서초서	200
유예림	남양주서	242
유예지	세무다솔	44
유옥근	해운대서	458
유완	남양주서	243
유용근	서울청	169
유용환	동작서	191
유운홍	북대전서	328
유원숙	홍천서	282
유원재	마포서	193
유원형	중부서	225
유윤희	구리서	239
유은경	기재부	92
유은미	도봉서	186
유은선	김포서	305
유은숙	강남서	170
유은순	한국세무	31
유은영	천안서	347
유은정	성남서	250
유은주	국세청	123
유은주	서울청	150
유은주	역삼서	210
유은주	북인천서	294
유은주	동고양서	306
유은주	영동서	353
유은지	동작서	190
유은진	성동서	202
유은혜	논산서	335
유은희	영등포서	212
유의동	국회정무	76
유의상	서인천서	296
유이슬	기재부	86
유이슬	용산서	214
유인성	서초서	200
유인숙	국세상담	142
유인식	대전청	320
유인식	이천서	264
유인용	마포서	193
유인재	감사원	78
유인혜	서울청	158
유인호	속초서	275
유장혁	송파서	206
유장현	북대전서	328
유장현	청주서	357
유재남	아산서	343
유재랑	안동서	426
유재룡	군산서	386
유재민	조세재정	506
유재복	중부청	233
유재상	성남서	250
유재석	서울청	149
유재식	북인천서	294
유재연	서울청	157
유재웅	국세상담	142

유재원 대전청 324
유재은 의정부서 313
유재철 의정부서 312
유재학 거창서 465
유재현 경주서 418
유정곤 딜로이트 16
유정림 송파서 207
유정미 기재부 85
유정미 서울청 151
유정분 국회법제 73
유정선 서대문서 199
유정식 파주서 315
유정아 기재부 92
유정아 연수서 311
유정우 창원서 474
유정욱 동울산서 461
유정은 안양서 260
유정현 도봉서 187
유정호 삼정회계 22
유정화 송파서 207
유정화 용산서 214
유정환 군산서 386
유정환 서울세관 486
유정훈 성동서 203
유정훈 인천서 299
유정희 강남서 171
유정희 중부청 230
유제근 영등포서 212
유제석 익산서 393
유제연 수원서 253
유제희 서울청 153
유종선 북전주서 390
유종일 서울청 149
유종현 고양서 300
유종호 대구청 403
유주만 강동서 173
유주미 광주서 371
유주민 서울청 152
유주상 대구청 400
유주연 국세청 132
유주희 용산서 214
유주희 중부청 231
유준 해남서 385
유준상 김포서 305
유준영 서울청 149
유준호 반포서 194
유준호 평택서 266
유지민 서울청 154
유지수 용산서 214
유지숙 서초서 201
유지영 서울청 148
유지영 남대문서 183
유지영 노원서 184
유지은 서울청 159
유지향 마산서 469
유지현 택스홈 50
유지현 국세청 128
유지현 연수서 310
유지현 제천서 355
유지현 부산청 438
유지혜 기재부 83
유지혜 서부산서 452
유지화 북전주서 390
유지환 성남서 250
유지희 용산서 214
유지희 아산서 343
유진 종로서 221
유진선 수원서 253
유진선 광주청 363
유진아 금천서 181
유진영 부천서 309
유진옥 은평서 216
유진우 서울청 164
유진우 서대문서 199
유진우 의정부서 313
유진호 동수원서 244
유진호 진주서 472
유진희 도봉서 187
유진희 구리서 238
유진희 동울산서 460
유찬영 세원세무 51
유창경 동래서 446
유창석 대구청 403
유창성 동작서 191
유창수 고양서 300
유창인 안산서 258
유창현 택스홈 50
유채연 기재부 96
유철 구리서 239
유철형 태평양 65
유춘선 광주청 367
유치현 북부산서 450
유탁 서울청 149
유탁균 은평서 217
유태수 관세청 482
유태우 양천서 208
유태웅 대전서 327
유태정 광산서 368
유태호 경기광주 257
유판종 광주청 365
유하선 대전청 320
유하수 서울청 169
유하영 예일세무 52
유한순 삼성서 197
유한진 서울청 148
유항수 익산서 392
유해진 에이블 47
유행철 군산서 386
유현 서울청 167
유현경 북광주서 372
유현상 시흥서 255
유현석 부천서 308
유현수 인천청 287
유현수 북전주서 390
유현숙 대구청 401
유현순 전주서 394
유현아 도봉서 186
유현인 동고양서 306
유현정 삼성서 197
유현정 중부청 236
유현정 춘천서 280
유현종 북대구서 411
유현종 광주세관 500
유현준 청주서 357
유현진 포천서 317
유형래 반포서 195
유형선 기재부 85
유형진 경기광주 257
유형철 기재부 83
유혜경 국세청 123
유혜경 서초서 201
유혜란 금천서 180
유혜리 국세청 139
유혜리 수원서 252
유혜민 서대전서 330
유혜영 시흥서 254
유혜정 기재부 89
유혜진 안동서 426
유호경 강남서 171
유호근 신대동 56
유호영 국세상담 142
유호정 홍천서 283
유홍선 평택서 266
유홍재 중부청 232
유홍주 부산청 438
유화윤 부산진서 448
유화진 안산서 258
유환동 북인천서 294
유환문 관악서 177
유환성 노원서 184
유환일 김포서 305
유효정 조세재정 508
유효진 안동서 426
유후양 종로서 220
유훈식 남원서 388
유훈주 정읍서 396
유휘곤 용산서 214
유희경 광주청 362
유희경 광주청 363
유희근 부천서 309
유희민 서초서 200
유희상 감사원 77
유희수 논산서 335
유희정 서울청 164
유희준 서울청 159
유희진 동울산서 460
유희태 경기광주 257
육강일 삼척서 272
육경아 예산서 345
육규한 국세청 128
육영란 서울청 153
육영찬 대전서 326
육재하 서산서 339
육정섭 대전청 324
육현수 기재부 85
육현수 경기광주 257
윤가연 안양서 260
윤가영 부산진서 448
윤간오 마산서 468
윤강로 남대구서 406
윤건 청주서 357
윤경 동수원서 245
윤경림 중부청 229
윤경선 파주서 314
윤경옥 서초서 200
윤경주 인천청 291
윤경출 서부산서 452
윤경현 중부청 230
윤경현 진주서 472
윤경호 광주청 366
윤경희 동작서 191
윤경희 중부서 224
윤경희 순천서 380
윤공자 종로서 220
윤관석 국회정무 75
윤관석 국회정무 76
윤광섭 동수원서 244
윤광진 인천청 291
윤광철 수영서 455
윤광현 의정부서 313
윤권욱 종로서 221
윤규섭 삼일회계 21
윤근호 세무다솔 44
윤근희 대구청 403
윤근희 조세심판 505
윤금남 금정서 445
윤기성 성동서 202
윤기송 보령서 337
윤기숙 잠실서 218
윤기순 화성서 268
윤기영 국회재정 71
윤기찬 국세청 125
윤기철 서울청 153
윤기철 동안양서 247
윤길남 해남서 385
윤길배 성현회계 14
윤길성 금천서 181
윤길성 광주청 366
윤나래 경기광주 257
윤낙중 동청주서 351
윤난영 강서서 174
윤난희 인천서 298
윤남식 부산청 436
윤노영 부산진서 449
윤다솜 조세재정 508
윤다영 인천청 290
윤다희 광산서 369
윤다희 인천세관 489
윤달영 부산청 438
윤대열 금융위 100
윤대이 남대문서 182
윤대호 중부청 229
윤덕희 김해서 466
윤도란 중부청 228
윤도식 남양주서 243
윤동규 서울청 165
윤동규 홍천서 283
윤동규 천안서 346
윤동규 인천세관 491
윤동석 서울청 156
윤동수 국세청 136
윤동숙 중부서 225
윤동주 광주세관 499
윤동주 광주세관 500
윤동준 국회재정 71
윤동춘 성현회계 14
윤동현 성북서 204
윤동형 기재부 85
윤동호 중부청 228
윤동환 강서서 175
윤두현 국회정무 76
윤만성 국세상담 142
윤만식 동고양서 306
윤명덕 서울청 148
윤명로 성남서 250
윤명자 북광주서 372
윤명준 서울청 168
윤명한 북대전서 329
윤명희 관악서 177
윤명희 대전청 321
윤문구 이안세무 53
윤문수 영동서 352
윤문원 영동서 353
윤미 서초서 200
윤미경 강서서 174
윤미경 경기광주 256
윤미경 경기광주 257
윤미경 서인천서 296
윤미라 인천서 299
윤미성 강남서 170
윤미숙 성북서 205
윤미영 서대문서 199
윤미영 용인서 262
윤미옥 북광주서 372
윤미은 구미서 420
윤미자 서울청 157
윤미정 서인천서 296
윤미진 평택서 266
윤미현 통영서 477
윤미혜 국회재정 72
윤미희 도봉서 186
윤민경 성남서 250
윤민경 강릉서 270
윤민수 도봉서 186
윤민숙 광산서 368
윤민아 은평서 216
윤민오 서초서 201
윤민정 기재부 87
윤민정 종로서 221
윤민지 중부서 224
윤민혜 삼성서 196
윤민호 성동서 202
윤민희 동울산서 461
윤범일 서울청 150
윤병용 해운대서 458
윤병원 금융위 102
윤병준 여수서 382
윤병진 강서서 175
윤병현 이천서 264
윤보람 분당서 248
윤보배 동청주서 351
윤봉원 마산서 469
윤봉한 김해서 466
윤상건 성북서 204
윤상기 금융위 101
윤상돈 상공회의 118
윤상동 아산서 343
윤상동 해운대서 459
윤상락 원주서 279
윤상목 화성서 269
윤상봉 국세청 130
윤상섭 국세청 122
윤상아 수성서 415
윤상용 역삼서 210
윤상욱 서울청 167
윤상탁 예산서 345
윤상필 북부산서 450
윤상호 대전서 327
윤상환 경산서 416
윤새롬 동고양서 306
윤서영 성북서 204
윤서진 역삼서 211
윤석 서울청 151
윤석규 기재부 93
윤석미 수영서 455
윤석배 수원서 253
윤석숙 중부청 231
윤석신 전주서 394
윤석주 서울청 154
윤석준 영등포서 213
윤석중 해운대서 459
윤석창 대전서 326
윤석천 북대구서 410
윤석태 국세상담 143
윤석환 성동서 203
윤석환 조세심판 505
윤선기 동대문서 188
윤선덕 인천세관 490
윤선민 남대문서 182
윤선수 춘천서 281
윤선영 서울청 164
윤선영 파주서 315
윤선용 반포서 195
윤선익 서초서 201
윤선중 딜로이트 16
윤선태 마산서 469
윤선화 강동서 173
윤선희 서울청 154
윤설진 서울청 169
윤성귀 고양서 300
윤성규 예산서 344
윤성기 북부산서 450
윤성두 광주서 370
윤성미 국세청 124
윤성식 안산서 259
윤성아 수성서 415
윤성양 인천서 299
윤성열 서울청 169
윤성욱 북대구서 411
윤성조 김해서 467
윤성주 조세재정 507
윤성주 조세재정 507
윤성준 강서서 174
윤성준 익산서 393
윤성중 동고양서 307
윤성태 인천청 291
윤성호 국세청 131
윤성호 조세재정 508
윤성환 중부산서 457
윤성훈 북부산서 450
윤세영 금융위 100
윤세정 송파서 206
윤세진 노원서 184
윤소라 구로서 179
윤소영 국세청 125
윤소영 국세청 134
윤소영 강남서 171
윤소월 서울청 167
윤소윤 용산서 215
윤소현 시흥서 255
윤소희 국세청 129
윤솔 서울청 161
윤송희 중부청 228
윤수경 기흥서 241
윤수빈 구리서 239
윤수연 광산서 369
윤수열 금천서 180
윤수정 세무고시 33
윤수향 성북서 205
윤수환 대전청 323
윤숙영 서산서 339
윤숙현 북부산서 451
윤순녀 동대문서 188
윤순상 서울청 168
윤순영 영동서 353
윤순옥 은평서 216
윤슬기 용산서 214
윤승갑 대전청 325
윤승기 감사원 79
윤승미 국세청 138
윤승철 광주청 366
윤승출 국세청 138
윤승필 기재부 88
윤승호 통영서 477
윤승희 조세심판 505
윤승희 조세심판 505
윤아름 수원서 252
윤애림 인천청 286
윤양호 고양서 300
윤여관 광주청 363
윤여용 대전청 322
윤여중 아산서 342
윤여진 서울청 166
윤여진 조세재정 506
윤여찬 서광주서 374
윤연갑 진주서 473
윤연광 중부청 234
윤연심 동청주서 350
윤연원 조세심판 504
윤연자 광주청 362
윤연주 화성서 268
윤영경 구로서 179
윤영규 동작서 190
윤영근 부산청 441
윤영길 서울청 159
윤영민 중랑서 222
윤영배 서울세관 485
윤영배 서울세관 487
윤영상 중부청 236
윤영선 법무광장 60

윤영섭	고양서	300
윤영수	거창서	465
윤영숙	도봉서	186
윤영순	서울청	153
윤영순	삼성서	197
윤영순	원주서	279
윤영승	국회재정	72
윤영식	양천서	209
윤영식	부천서	308
윤영우	국세청	136
윤영원	남원서	388
윤영일	국세청	135
윤영일	용인서	262
윤영자	해운대서	458
윤영재	천안서	346
윤영준	기재부	95
윤영준	보령서	337
윤영진	경기광주	256
윤영진	안산서	259
윤영택	안산서	259
윤영현	인천서	298
윤영호	북전주서	391
윤영훈	관악서	177
윤옥현	상공회의	117
윤용	중랑서	222
윤용구	서대문서	198
윤용우	송파서	206
윤용일	동안양서	246
윤용준	삼정회계	23
윤용호	용인서	263
윤용화	북대전서	329
윤용훈	국세청	139
윤우찬	양천서	209
윤웅희	구미서	420
윤원정	북대구서	410
윤위상	중기회	119
윤유라	김포서	304
윤유선	여수서	383
윤윤숙	동수원서	244
윤윤식	분당서	249
윤윤오	경산서	417
윤은	북인천서	294
윤은미	도봉서	186
윤은미	송파서	206
윤은미	광주청	367
윤은미	김해서	466
윤은숙	노원서	185
윤은지	국세청	122
윤은지	서초서	201
윤은택	대전청	321
윤인경	중부청	231
윤인자	성남서	250
윤인철	부산세관	494
윤인형	기재부	86
윤일식	북대구서	411
윤일주	화성서	268
윤일한	동수원서	245
윤일호	반포서	194
윤자영	서울청	151
윤장원	마포서	192
윤장원	중부청	234
윤장현	연수서	311
윤재갑	영주서	430
윤재길	잠실서	219
윤재두	서산서	339
윤재량	원주서	278
윤재련	창원서	475
윤재복	대구청	403
윤재연	중부청	234
윤재옥	국회정무	76
윤재웅	화성서	268
윤재원	인천청	286
윤재원	파주서	314
윤재현	잠실서	219
윤재현	인천청	291
윤점희	남대문서	182
윤정기	서울세무	32
윤정도	원주서	279
윤정미	강서서	175
윤정미	마산서	468
윤정민	기재부	91
윤정민	용산서	214
윤정민	잠실서	219
윤정민	동청주서	351
윤정배	국회정무	76
윤정선	마포서	192
윤정식	기재부	99
윤정아	창원서	475
윤정욱	인천서	298
윤정원	마산서	469
윤정은	영등포서	213
윤정익	광주청	365
윤정인	기재부	95
윤정재	잠실서	218
윤정필	여수서	382
윤정현	고양서	301
윤정호	국세청	133
윤정호	서광주서	374
윤정화	동작서	190
윤정환	경기광주	257
윤정훈	동울산서	460
윤조아	광주서	370
윤종근	수원서	252
윤종상	노원서	185
윤종식	부산청	441
윤종율	중부청	235
윤종현	서울청	163
윤종현	중부청	236
윤종현	구미서	420
윤종호	순천서	381
윤종환	부산진서	448
윤종훈	서대문서	199
윤종훈	경산서	417
윤주련	서부산서	452
윤주민	울산서	462
윤주영	구로서	178
윤주영	은평서	216
윤주영	기흥서	240
윤주영	경기광주	257
윤주영	파주서	315
윤주호	국세청	139
윤주휘	동수원서	244
윤주희	기흥서	240
윤준식	성동서	202
윤준영	북광주서	372
윤준웅	이천서	264
윤준호	동안양서	247
윤준호	안산서	259
윤중해	진주서	473
윤중호	북대구서	410
윤지미	도봉서	187
윤지수	동작서	191
윤지수	의정부서	313
윤지연	파주서	315
윤지연	북대구서	411
윤지연	북부산서	451
윤지열	국회법제	74
윤지영	세무고시	33
윤지영	국세청	128
윤지영	중부청	228
윤지영	서인천서	296
윤지영	부산진서	448
윤지예	용인서	262
윤지원	기재부	85
윤지원	금천서	181
윤지원	김포서	305
윤지윤	은평서	216
윤지은	시흥서	255
윤지현	국세상담	143
윤지현	서초서	201
윤지현	북인천서	295
윤지현	서인천서	297
윤지혜	성동서	203
윤지혜	중부청	230
윤지환	국세청	137
윤지희	인천청	288
윤지희	공주서	332
윤진	기재부	95
윤진고	역삼서	211
윤진규	법무세종	62
윤진명	마산서	469
윤진우	용산서	214
윤진일	중부청	230
윤진한	성동서	202
윤진희	강서서	174
윤차용	성동서	202
윤찬규	분당서	249
윤찬섭	지방재정	502
윤창	수원서	252
윤창복	국세청	138
윤창식	안양서	260
윤창용	종로서	221
윤창인	국세청	125
윤창중	중부산서	456
윤창현	국회정무	76
윤창호	금융위	101
윤채린	서광주서	374
윤채원	지방재정	502
윤철규	동대문서	189
윤철민	상공회의	117
윤철민	잠실서	218
윤철수	관세사회	54
윤철수	신대동	56
윤철원	홍성서	348
윤청연	용산서	215
윤청운	부산세관	494
윤충식	법무율촌	63
윤태경	도봉서	187
윤태경	북대전서	329
윤태수	기재부	96
윤태식	기재부	82
윤태영	예일회계	24
윤태영	대구청	403
윤태영	창원서	475
윤태요	서대전서	330
윤태우	금정서	444
윤태인	김포서	304
윤태준	서울청	159
윤태철	세무다솔	44
윤태호	기재부	99
윤태훈	마포서	192
윤태희	서대구서	412
윤판호	경주서	419
윤하영	김포서	304
윤하정	삼척서	272
윤학섭	삼정회계	22
윤한	금정서	444
윤한미	수원서	253
윤한수	삼척서	272
윤한슬	북광주서	372
윤한철	춘천서	280
윤한표	나주서	377
윤한필	마산서	468
윤한홍	국회법제	74
윤해욱	인천세관	491
윤해진	해남서	384
윤혁	남대문서	183
윤혁진	서대구서	413
윤현경	구로서	179
윤현경	동수원서	244
윤현경	동고양서	306
윤현곤	기재부	89
윤현미	기재부	86
윤현미	금천서	180
윤현미	잠실서	218
윤현숙	서울청	149
윤현숙	서울청	167
윤현숙	동청주서	350
윤현식	성동서	203
윤현식	해운대서	459
윤현아	양산서	471
윤현웅	목포서	379
윤현재	수성서	414
윤현정	고양서	300
윤현화	국세상담	142
윤형길	광주청	364
윤형석	서울청	154
윤형식	인천청	286
윤혜경	부산진서	448
윤혜미	동대문서	188
윤혜미	연수서	311
윤혜민	국세청	132
윤혜수	마포서	192
윤혜숙	강서서	175
윤혜숙	관악서	177
윤혜순	조세재정	507
윤혜순	조세재정	508
윤혜영	김포서	304
윤혜원	수원서	253
윤혜원	경기광주	256
윤혜정	구리서	239
윤혜정	울산서	462
윤혜진	중부청	229
윤호연	중부청	230
윤호영	통영서	477
윤호중	국회법제	73
윤호중	국회법제	74
윤호현	경산서	417
윤홍규	부산청	441
윤홍기	기재부	86
윤홍덕	대전청	322
윤홍분	서울청	155
윤환	화성서	269
윤효준	분당서	249
윤후덕	국회재정	71
윤후덕	국회재정	72
윤휘연	기재부	94
윤희겸	광주청	363
윤희경	성남서	250
윤희경	평택서	266
윤희경	광주청	363
윤희관	노원서	184
윤희만	구리서	238
윤희문	지방재정	503
윤희민	대전청	324
윤희범	남대구서	406
윤희상	이천서	264
윤희선	동고양서	307
윤희수	의정부서	312
윤희숙	국회재정	72
윤희영	서울청	148
윤희정	성동서	202
윤희진	북대구서	410
윤희창	충주서	359
윤희철	동수원서	245
은경례	대구청	401
은기남	북부산서	451
은성수	금융위	100
은성수	금융위	101
은종온	경주서	418
은지현	강동서	173
은진수	광교세무	36
은진용	역삼서	210
은하얀	강남서	170
은희도	목포서	379
은희훈	조세심판	504
음지영	광산서	368
음홍식	구리서	238
의정부	인천청	286
이가령	용산서	214
이가연	국세청	124
이가연	국세청	131
이가연	서초서	200
이가연	공주서	332
이가영	반포서	194
이가영	대구청	400
이가희	대전청	320
이가희	대전서	326
이갑수	관세청	483
이강경	송파서	206
이강구	서초서	200
이강무	용인서	262
이강민	법무율촌	63
이강민	상공회의	117
이강상	성동서	203
이강석	중부청	234
이강석	용인서	263
이강석	경주서	418
이강식	부산청	436
이강신	조세재정	508
이강연	구로서	178
이강영	광주청	364
이강오	세무다솔	44
이강우	창원서	475
이강욱	부산청	443
이강욱	수영서	454
이강원	안산서	258
이강원	충주서	358
이강윤	금천서	181
이강일	서울청	167
이강일	고양서	300
이강혁	파주서	314
이강현	국세청	125
이강현	동울산서	460
이강훈	대구청	402
이강희	동수원서	244
이건구	서울청	148
이건도	인천서	299
이건석	분당서	249
이건술	서울청	149
이건옥	영덕서	428
이건우	서대전서	331
이건웅	기재부	98
이건일	서초서	201
이건주	순천서	380
이건준	국세상담	142
이건호	서울청	163
이건호	천안서	346
이건호	북광주서	373
이건훈	법무광장	60
이건흥	대전청	320
이걸	원주서	278
이견희	김포서	304
이경	서울청	161
이경구	진주서	472
이경권	동고양서	307
이경근	이안세무	53
이경근	법무율촌	63
이경달	기재부	82
이경란	성남서	250
이경록	인천서	299
이경모	양천서	209
이경미	동작서	191
이경미	창원서	475
이경민	관악서	177
이경민	성동서	202
이경민	동안양서	246
이경민	대구청	401
이경민	김해서	467
이경분	서울청	153
이경빈	동고양서	306
이경상	상공회의	117
이경상	제주서	478
이경석	인천청	289
이경선	국세청	138
이경선	강서서	175
이경선	북대전서	329
이경선	전주서	395
이경섭	익산서	393
이경수	강동서	172
이경수	영등포서	213
이경수	중부청	231
이경수	광명서	303
이경수	지방재정	502
이경수	지방재정	503
이경숙	기재부	87
이경숙	강남서	171
이경숙	마포서	192
이경숙	중부청	230
이경숙	서대전서	330
이경숙	천안서	347
이경숙	서대구서	413
이경순	중부청	232
이경순	청주서	356
이경순	구미서	420
이경식	이천서	264
이경식	이천서	264
이경심	수원서	252
이경아	기재부	82
이경아	기재부	92
이경아	서울청	157
이경아	안산서	258
이경아	예산서	345
이경아	대구청	400
이경애	동대문서	188
이경애	용산서	214
이경연	기재부	91
이경열	중부청	232
이경열	부산청	438
이경열	부산청	439
이경옥	동작서	191
이경옥	잠실서	218
이경옥	동대구서	409
이경옥	경산서	416
이경욱	충주서	359
이경원	기재부	91
이경원	충주서	358
이경은	강동서	172
이경이	용인서	262
이경임	서초서	201
이경자	삼성서	196
이경자	홍천서	282
이경자	충주서	359
이경재	금정서	444
이경준	서대구서	412
이경진	법무화우	66
이경진	세무화우	67
이경진	군산서	387
이경진	중부산서	457
이경철	성현회계	14

이경철	영덕서	428
이경태	서울청	150
이경표	동대문서	189
이경하	영등포서	212
이경한	국세청	126
이경향	북대구서	411
이경헌	국세청	126
이경현	역삼서	210
이경현	속초서	274
이경혜	인천서	298
이경호	국회재정	72
이경호	성동서	202
이경호	종로서	220
이경화	기재부	95
이경화	남원서	389
이경환	광주청	367
이경환	여수서	382
이경훈	부산진서	449
이경희	미래회계	17
이경희	여성세무	35
이경희	여성세무	35
이경희	기재부	93
이경희	서울청	153
이경희	평택서	266
이경희	나주서	376
이경희	남대구서	406
이경희	북부산서	450
이계봉	제주서	478
이계숙	안양서	261
이계승	도봉서	186
이계승	은평서	216
이계호	종로서	221
이계홍	아산서	343
이계훈	중부산서	457
이고운	송파서	206
이고은	기재부	92
이고은	수영서	454
이고훈	서초서	201
이공후	천안서	346
이관노	서울청	162
이관범	삼정회계	22
이관석	지방재정	503
이관수	아산서	342
이관순	세종서	340
이관열	남양주서	243
이관재	인천서	298
이관희	안양서	261
이광	북인천서	294
이광무	구미서	421
이광민	구미서	420
이광선	북전주서	391
이광섭	천안서	347
이광섭	금정서	445
이광성	삼성서	197
이광수	삼성서	197
이광순	남대문서	182
이광식	동작서	191
이광열	군산서	387
이광영	지방재정	502
이광오	상주서	424
이광용	인천청	286
이광용	영덕서	429
이광용	지방재정	503
이광은	역삼서	211
이광의	국세청	131
이광일	지방재정	502
이광자	대전청	321
이광재	국회재정	72
이광재	관악서	177
이광재	경주서	418
이광재	김해서	466
이광전	국회법제	73
이광정	영덕서	429
이광준	대현회계	15
이광철	화성서	269
이광태	기재부	88
이광호	서울청	149
이광호	통영서	477
이광환	연수서	311
이광희	동수원서	244
이광희	인천청	288
이광희	서대구서	412
이교진	성남서	251
이구현	북부산서	451
이국근	서울청	159
이국성	화성서	268
이권명	익산서	393
이권승	서울청	154
이권식	성북서	205
이권형	서울청	150
이권희	동고양서	307
이귀병	송파서	206
이귀영	성동서	203
이규	광주청	362
이규림	천안서	346
이규미	남대문서	182
이규민	천안서	347
이규본	광주세관	500
이규석	부천서	308
이규석	파주서	314
이규선	평택서	266
이규섭	세무하나	49
이규성	국세청	128
이규수	국세교육	144
이규열	인천청	290
이규완	분당서	248
이규완	천안서	347
이규웅	서울청	154
이규원	역삼서	210
이규은	종로서	221
이규의	인천청	290
이규종	인천청	288
이규진	국세청	139
이규태	동작서	190
이규태	서대구서	413
이규혁	관악서	176
이규현	성동서	202
이규형	영등포서	212
이규형	부산청	443
이규호	김앤장	59
이규호	인천청	288
이규호	양산서	470
이규화	국세청	126
이규환	용인서	262
이규활	포항서	432
이규홍	동청주서	350
이균진	거창서	465
이근석	구로서	179
이근수	논산서	335
이근애	동대구서	409
이근영	인천세관	491
이근우	삼정회계	22
이근우	성동서	202
이근우	진주서	473
이근웅	서울청	164
이근재	남원서	388
이근행	조세재정	508
이근혁	포항서	432
이근호	인천청	286
이근호	포천서	317
이근환	북부산서	450
이근후	부산세관	494
이근희	고양서	301
이금대	양산서	470
이금동	기흥서	240
이금란	관악서	176
이금석	기재부	93
이금숙	용산서	214
이금순	동대구서	408
이금연	홍천서	283
이금옥	마포서	193
이금자	양천서	209
이금조	삼성서	196
이금주	세무열림	48
이금희	동작서	190
이기각	국세청	126
이기덕	국세청	138
이기돈	조세재정	508
이기동	대구청	405
이기동	안동서	427
이기련	인천청	287
이기병	인천청	288
이기복	삼일회계	21
이기섭	분당서	248
이기수	인천청	287
이기수	대전서	326
이기숙	송파서	206
이기순	국세상담	143
이기순	홍성서	348
이기순	목포서	379
이기언	용인서	262
이기업	국세청	124
이기연	성남서	250
이기연	북대구서	410
이기영	삼덕회계	18
이기영	동작서	191
이기영	반포서	194
이기영	창원서	474
이기용	울산서	463
이기웅	기재부	84
이기웅	군산서	386
이기원	서현이현	7
이기원	전주서	394
이기정	김포서	305
이기정	동울산서	460
이기주	국세청	128
이기주	남대문서	183
이기중	중기회	119
이기철	광교세무	38
이기철	북대구서	411
이기태	금정서	445
이기태	조세심판	504
이기태	조세심판	504
이기헌	종로서	221
이기혁	분당서	248
이기현	서현이현	7
이기현	구로서	179
이기현	남양주서	242
이기활	영동서	352
이기훈	기재부	84
이기훈	안동서	426
이길녀	안산서	258
이길석	경주서	418
이길용	중부청	230
이길자	의정부서	312
이길재	양산서	471
이길채	노원서	184
이길형	강남서	170
이길호	경기광주	257
이나경	은평서	216
이나래	송파서	206
이나미	세종서	341
이나영	구로서	178
이나영	북대구서	411
이나영	부산청	440
이나원	기재부	90
이나홈	동안양서	246
이낙영	중부청	236
이난영	송파서	206
이난희	삼성서	197
이난희	고양서	300
이남경	서울청	152
이남곤	중부청	236
이남기	서울청	161
이남길	동안양서	246
이남범	북부산서	450
이남영	서산서	338
이남정	충주서	359
이남주	법무세종	62
이남주	화성서	268
이남주	조세재정	508
이남진	중부청	228
이남형	서초서	201
이남호	삼척서	272
이남호	서부산서	453
이남희	기재부	92
이내길	영주서	430
이노을	동안양서	246
이다경	영등포서	212
이다미	북광주서	372
이다민	광명서	302
이다빈	아산서	342
이다솔	기흥서	240
이다솜	동수원서	244
이다솜	울산서	463
이다연	아산서	342
이다영	국세청	138
이다영	양천서	208
이다영	인천서	299
이다예	마포서	193
이다운	성남서	251
이다운	안산서	258
이다원	서대전서	330
이다은	용인서	263
이다일	지방재정	503
이다현	군산서	387
이다혜	인천서	298
이다혜	남원서	389
이다훈	관악서	176
이단비	충주서	359
이대건	서울청	151
이대구	제주서	478
이대규	한국세무	31
이대균	진주서	473
이대근	반포서	194
이대근	은평서	217
이대식	서울청	166
이대연	아산서	342
이대영	영주서	430
이대우	택스홈	50
이대웅	남양주서	243
이대일	광명서	303
이대중	기재부	95
이대현	창원서	474
이대호	동대구서	408
이대훈	동수원서	245
이대훈	평택서	267
이대희	기재부	90
이대희	이천서	264
이대희	남대구서	407
이덕원	서대구서	412
이덕종	삼척서	272
이덕형	충주서	358
이덕화	서울청	168
이도경	서울청	169
이도경	삼성서	196
이도경	대구청	401
이도경	부산청	436
이도경	통영서	476
이도연	국세청	138
이도영	북인천서	294
이도영	동대구서	408
이도원	지방재정	503
이도은	시흥서	255
이도헌	국세상담	142
이도헌	동수원서	244
이도현	기흥서	240
이도현	서대구서	413
이도현	경주서	418
이도현	포항서	433
이도혜	서울청	159
이도회	기재부	86
이도희	광명서	303
이돈변	인천세관	491
이돈일	기재부	83
이돌신	서대전서	330
이동각	기재부	92
이동건	노원서	185
이동건	지방재정	503
이동곤	서울청	150
이동곤	대구청	401
이동관	용인서	262
이동광	연수서	311
이동구	노원서	185
이동구	대전청	320
이동규	감사원	79
이동규	노원서	185
이동규	충주서	358
이동규	북전주서	390
이동규	수성서	414
이동규	부산청	441
이동규	통영서	476
이동균	서대문서	199
이동균	서인천서	297
이동균	남대구서	407
이동근	중기회	119
이동근	파주서	315
이동근	북대전서	329
이동기	남양주서	242
이동기	대전청	320
이동남	강남서	170
이동락	인천청	289
이동목	부산진서	449
이동민	북대구서	410
이동민	서대구서	412
이동민	동래서	446
이동백	서울청	152
이동범	영덕서	428
이동복	삼일회계	20
이동석	기재부	93
이동석	북인천서	294
이동선	이안세무	53
이동수	송파서	207
이동수	안산서	259
이동수	서울세관	487
이동연	영등포서	213
이동연	양산서	470
이동열	삼일회계	20
이동열	강남서	171
이동엽	금융위	100
이동엽	중부청	229
이동엽	광산서	368
이동영	북전주서	390
이동우	종로서	221
이동우	서대구서	413
이동우	동래서	446
이동욱	원주서	279
이동욱	동청주서	351
이동욱	경주서	418
이동욱	부산청	438
이동운	성현회계	14
이동운	국세교육	144
이동운	중부청	230
이동운	중부청	231
이동운	중부청	232
이동원	서울청	149
이동원	포항서	433
이동윤	마산서	468
이동은	천안서	347
이동인	지방재정	502
이동일	한국세무	31
이동일	은평서	217
이동일	경주서	418
이동주	송파서	207
이동준	용인서	263
이동준	청주서	356
이동준	남대구서	406
이동준	부산청	437
이동준	김해서	466
이동진	남대문서	182
이동진	화성서	269
이동진	북광주서	373
이동진	거창서	464
이동찬	고양서	300
이동찬	대구청	399
이동찬	대구청	401
이동철	부산진서	448
이동출	서울청	156
이동하	서대구서	412
이동한	서울청	167
이동혁	부산청	436
이동혁	조세심판	505
이동현	국세상담	143
이동현	노원서	185
이동현	역삼서	211
이동현	남양주서	243
이동현	광주청	364
이동현	서울세관	485
이동현	서울세관	486
이동형	동래서	447
이동호	중부청	237
이동호	북대구서	410
이동화	속초서	274
이동환	서대전서	330
이동환	동래서	447
이동훈	세무하나	49
이동훈	기재부	83
이동훈	기재부	91
이동훈	금융위	101
이동훈	중부청	235
이동훈	인천청	286
이동훈	김포서	304
이동훈	나주서	376
이동훈	경주서	419
이동훈	구미서	420
이동훈	김해서	467
이동훈	부산세관	495
이동운	지방재정	503
이동희	서울청	164
이동희	서초서	200
이동희	대구청	403
이동희	포항서	433
이동희	진주서	473
이두근	북인천서	294
이두원	경기광주	256
이두원	대전청	321
이두원	지방재정	503
이두호	북전주서	390
이득규	고양서	300
이득수	관세청	483

이래경 반포서 195
이래하 서울청 149
이련주 상공회의 117
이령조 안산서 259
이로아 광주서 371
이루리 북인천서 294
이루안 수원서 253
이류기 강서서 175
이만구 기재부 86
이만식 이천서 265
이만준 천안서 346
이만호 국세청 134
이명건 국세청 139
이명구 은평서 216
이명구 부산세관 493
이명구 부산세관 494
이명규 국세청 137
이명기 반포서 195
이명길 시흥서 254
이명례 국세상담 143
이명문 국세청 128
이명석 보령서 336
이명선 기재부 91
이명선 서초서 200
이명섭 종로서 220
이명수 금천서 180
이명수 경기광주 256
이명수 남대구서 406
이명숙 춘천서 280
이명순 금융위 101
이명식 세무하나 49
이명용 성남서 251
이명용 금정서 444
이명욱 성남서 250
이명원 세무하나 49
이명원 송파서 207
이명인 조세재정 508
이명자 포항서 433
이명재 서울청 155
이명주 인천서 298
이명주 대구청 403
이명주 지방재정 502
이명준 북전주서 391
이명진 기재부 95
이명진 서울청 166
이명하 안산서 259
이명하 익산서 392
이명한 대전서 326
이명해 대전청 325
이명행 도봉서 186
이명호 거창서 465
이명환 대전서 327
이명훈 평택서 266
이명훈 인천서 298
이명희 세무하나 49
이명희 서울청 149
이명희 서울청 159
이명희 서울청 168
이명희 양천서 208
이명희 포천서 316
이명희 북대구서 411
이모성 천안서 346
이묘금 해운대서 458
이묘진 삼성서 197
이묘환 강서서 174
이무황 아산서 342
이무훈 국세청 125
이문미 잠실서 219
이문배 지방재정 502
이문수 강남서 171
이문숙 춘천서 280
이문영 상공회의 117
이문영 파주서 315
이문원 국세청 135
이문원 중부청 231
이문태 대구청 401
이문한 안동서 426
이문형 원주서 278
이문호 북부산서 451
이문환 은평서 217
이문희 중부청 229
이문희 동수원서 245
이미경 택스홈 50
이미경 서울청 153
이미경 남대문서 182
이미경 서초서 201
이미경 송파서 206
이미경 인천청 289
이미경 남인천서 292
이미경 대전청 323
이미경 수영서 454
이미나 중부청 229
이미남 남대구서 407
이미녀 노원서 184
이미라 서울청 157
이미라 서울청 168
이미란 김포서 304
이미령 남양주서 243
이미림 경기광주 257
이미선 국회재정 71
이미선 반포서 194
이미선 영등포서 213
이미선 안산서 259
이미선 서대전서 330
이미선 익산서 392
이미선 경주서 419
이미선 구미서 420
이미선 포항서 432
이미선 통영서 477
이미소 의정부서 312
이미숙 기재부 85
이미숙 국세청 139
이미숙 잠실서 218
이미숙 서대전서 331
이미숙 대구청 401
이미숙 서부산서 452
이미승 서울청 151
이미애 국세청 132
이미애 인천청 286
이미애 동고양서 307
이미애 북부산서 450
이미연 동안양서 246
이미연 안산서 258
이미연 동래서 446
이미영 서울청 160
이미영 노원서 184
이미영 송파서 207
이미영 인천청 291
이미영 남인천서 292
이미영 대전청 321
이미영 서대전서 330
이미영 서대구서 413
이미영 북부산서 451
이미자 기재부 82
이미자 서광주서 374
이미자 나주서 377
이미자 안동서 426
이미정 노원서 185
이미정 마포서 192
이미정 서초서 200
이미정 종로서 221
이미정 분당서 248
이미정 서대전서 330
이미정 제천서 355
이미주 서대전서 330
이미주 부산청 437
이미진 동안양서 246
이미진 동안양서 247
이미진 경기광주 257
이미진 인천청 290
이미진 남인천서 293
이미진 동울산서 461
이미진 울산서 463
이미향 동래서 446
이미현 양천서 209
이미현 수원서 252
이미현 북대전서 329
이미형 성북서 204
이미화 성북서 205
이미희 기재부 95
이미희 경기광주 256
이미희 북대전서 328
이미희 진주서 472
이민경 서울청 149
이민경 은평서 217
이민경 아산서 342
이민경 서부산서 452
이민구 익산서 392
이민규 법무율촌 63
이민규 중부서 225
이민규 시흥서 254
이민규 김포서 304
이민규 보령서 336
이민근 부산세관 494
이민병 화성서 269
이민선 중부청 231
이민수 중부청 232
이민수 부산청 440
이민순 서초서 200
이민아 고양서 300
이민아 지방재정 503
이민영 예일세무 52
이민영 관악서 177
이민영 구로서 179
이민영 이천서 264
이민영 해운대서 458
이민영 제주서 478
이민용 서울청 160
이민우 경기광주 257
이민우 대구청 404
이민우 부산청 443
이민욱 서울청 159
이민의 분당서 249
이민재 성현회계 14
이민재 서울청 149
이민정 예일세무 52
이민정 동작서 190
이민정 중부서 225
이민정 남인천서 292
이민정 북부산서 450
이민지 서울청 155
이민지 남인천서 293
이민지 북인천서 294
이민지 연수서 310
이민지 파주서 314
이민지 남대구서 406
이민지 지방재정 503
이민창 서울청 155
이민철 중부서 224
이민철 중부청 236
이민철 남인천서 293
이민철 서인천서 297
이민표 연수서 310
이민해 구미서 420
이민현 법무세종 62
이민형 택스홈 50
이민호 평택서 267
이민호 군산서 386
이민훈 북인천서 294
이민희 삼성서 196
이민희 중부청 234
이민희 안산서 259
이민희 광명서 303
이민희 여수서 382
이민희 부산청 436
이방원 서울청 166
이방훈 동수원서 244
이배삼 울산서 462
이배인 서울청 154
이백용 광산서 368
이백춘 남대구서 407
이범구 안동서 427
이범규 성북서 205
이범락 대구청 401
이범석 서울청 156
이범수 동수원서 245
이범주 중부청 233
이범주 안산서 258
이범주 인천세관 489
이범주 인천세관 492
이범준 서울청 163
이범철 남대구서 406
이범한 기재부 93
이범희 안산서 259
이법진 수원서 252
이병곤 서대문서 198
이병관 마산서 468
이병국 마산서 468
이병권 홍성서 348
이병권 지방재정 503
이병규 춘천서 281
이병기 부산세관 494
이병길 성동서 203
이병노 김포서 304
이병도 양천서 208
이병두 기재부 97
이병두 서초서 201
이병로 인천청 287
이병만 강서서 175
이병만 구로서 179
이병수 강동서 173
이병숙 진주서 472
이병안 세무다솔 44
이병억 기재부 91
이병영 수성서 415
이병오 국세청 135
이병옥 동작서 191
이병용 인천청 286
이병용 대전청 320
이병용 서울세관 487
이병욱 세종서 341
이병욱 구미서 420
이병원 기재부 90
이병인 북인천서 295
이병재 군산서 387
이병주 국세청 123
이병주 서울청 155
이병주 중랑서 223
이병주 수성서 414
이병준 기재부 89
이병준 금천서 181
이병준 마산서 468
이병진 경기광주 256
이병철 삼성서 197
이병철 역삼서 210
이병철 북대전서 329
이병철 통영서 476
이병탁 국세청 130
이병택 북부산서 451
이병하 법무광장 61
이병현 서울청 160
이병호 관세청 482
이병훈 거창서 465
이병희 동안양서 247
이병희 포항서 433
이보라 국세청 137
이보라 양천서 208
이보라 용인서 262
이보라 김포서 304
이보라 동청주서 350
이보라 북대구서 411
이보라 진주서 472
이보람 서울청 148
이보람 남대구서 406
이보람 지방재정 502
이보름 역삼서 211
이보미 동고양서 306
이보배 기재부 99
이보배 강동서 172
이보배 도봉서 186
이보영 기재부 90
이보영 국세상담 143
이보영 군산서 386
이보영 영덕서 429
이보은 부산청 442
이보인 기재부 99
이보현 도봉서 186
이보화 조세재정 508
이복남 영주서 430
이복순 종로서 221
이복식 분당서 249
이복자 서울청 153
이복재 부산청 439
이봉근 서울청 152
이봉근 서울청 153
이봉기 북부산서 451
이봉남 마포서 192
이봉림 동안양서 247
이봉선 북부산서 450
이봉숙 도봉서 186
이봉숙 분당서 248
이봉열 도봉서 187
이봉원 인천세관 489
이봉원 인천세관 492
이봉철 창원서 475
이봉현 대전청 322
이봉형 기흥서 240
이봉화 창원서 474
이봉희 성동서 203
이부경 마산서 468
이부열 동울산서 460
이부자 원주서 279
이부창 종로서 220
이부형 제주서 478
이빈 평택서 266
이빛나 시흥서 255
이사영 익산서 392
이삼기 동안양서 247
이삼만 감사원 79
이삼문 성동서 203
이삼섭 동안양서 247
이상건 경주서 418
이상걸 노원서 184
이상걸 남대구서 406
이상경 안동서 427
이상곤 영등포서 213
이상곤 북인천서 294
이상곤 김해서 466
이상관 관세사회 54
이상국 중부청 230
이상규 국회법제 74
이상규 기재부 91
이상규 수원서 252
이상근 이천서 264
이상근 울산서 462
이상금 북대전서 329
이상기 법무광장 60
이상기 성동서 203
이상길 삼정회계 22
이상길 삼정회계 22
이상길 국세청 126
이상길 종로서 221
이상덕 서울청 162
이상덕 이천서 265
이상덕 금정서 445
이상도 삼일회계 20
이상도 부산진서 448
이상두 전주서 395
이상락 김포서 305
이상락 동울산서 460
이상로 지방재정 503
이상만 서부산서 453
이상명 부산청 438
이상목 잠실서 219
이상목 인천세관 492
이상무 삼정회계 22
이상무 삼정회계 23
이상무 국세교육 144
이상무 분당서 249
이상묵 김앤장 59
이상묵 서울청 167
이상묵 부산청 442
이상문 서초서 201
이상미 국세청 122
이상미 서초서 201
이상미 중부서 225
이상미 창원서 475
이상민 기재부 94
이상민 기재부 99
이상민 국세청 139
이상민 동작서 190
이상민 종로서 220
이상민 중부청 230
이상민 남양주서 243
이상민 인천청 287
이상민 홍성서 349
이상민 상주서 425
이상민 마산서 468
이상범 안산서 258
이상복 금융위 100
이상봉 대전청 322
이상봉 제천서 354
이상석 공주서 332
이상선 의정부서 312
이상성 부산세관 495
이상수 예일세무 52
이상수 기재부 99
이상수 국세청 124
이상수 국세청 133
이상수 인천서 299
이상수 전주서 395
이상수 인천세관 490
이상숙 강동서 172
이상순 전주서 394
이상식 역삼서 210
이상아 기재부 91
이상언 국세청 138
이상언 중부산서 457
이상열 서대문서 199
이상엽 조세재정 506

이상영 기재부 93
이상영 중부청 236
이상왕 서인천서 296
이상요 북대전서 328
이상용 중부청 233
이상용 서인천서 296
이상용 세종서 341
이상우 김앤장 59
이상우 법무율촌 63
이상우 평택서 267
이상욱 감사원 78
이상욱 동안양서 247
이상욱 홍성서 348
이상욱 충주서 358
이상욱 포항서 432
이상욱 동울산서 461
이상욱 관세청 482
이상욱 지방재정 502
이상운 부산청 440
이상웅 세무다솔 44
이상원 기재부 91
이상원 중부청 232
이상원 대구청 400
이상윤 기재부 96
이상윤 중랑서 222
이상윤 분당서 249
이상윤 이천서 265
이상율 조세심판 504
이상은 평택서 266
이상익 잠실서 219
이상일 화성서 268
이상재 국세청 139
이상재 아산서 342
이상조 도봉서 187
이상조 부산진서 448
이상준 국세청 129
이상준 광주청 362
이상준 광산서 369
이상준 부산진서 449
이상진 국세상담 142
이상진 서초서 200
이상천 잠실서 218
이상철 감사원 78
이상철 순천서 381
이상표 중부산서 456
이상필 서대문서 199
이상하 반포서 195
이상학 청주서 356
이상헌 상공회의 117
이상헌 상공회의 117
이상헌 강서서 175
이상헌 동대문서 188
이상헌 구미서 421
이상헌 부산청 442
이상헌 조세심판 504
이상혁 감사원 79
이상혁 진주서 473
이상현 강동서 173
이상현 용인서 263
이상현 평택서 267
이상현 대전서 327
이상현 마산서 469
이상협 기재부 93
이상협 대구청 401
이상호 동대문서 188
이상호 대구청 401
이상호 마산서 468
이상호 통영서 476
이상홍 기재부 89
이상후 기재부 95
이상훈 서울청 157
이상훈 강동서 172
이상훈 노원서 184
이상훈 동작서 191
이상훈 수원서 253
이상훈 서대전서 331
이상훈 목포서 379
이상훈 구미서 421
이상훈 포항서 433
이상훈 부산청 440
이상훈 금정서 445
이상훈 동래서 447
이상훈 북부산서 450
이상희 기재부 84
이상희 경기광주 257
이상희 인천서 298
이상희 구미서 420
이상희 제주서 478
이샘나 기재부 95
이서구 국세청 125
이서연 서초서 201
이서연 김포서 304
이서연 의정부서 313
이서영 강남서 170
이서원 성북서 205
이서은 광명서 303
이서재 익산서 393
이서정 광산서 369
이서진 전주서 395
이서행 구리서 238
이서현 강동서 172
이서현 구로서 178
이서현 이천서 264
이서현 조세재정 507
이서홍 지방재정 502
이서희 마포서 193
이서희 조세재정 506
이석규 딜로이트 16
이석균 기재부 99
이석기 서산서 338
이석동 양천서 209
이석란 금융위 101
이석문 관세청 482
이석봉 서울청 158
이석영 제천서 354
이석원 기재부 87
이석원 연수서 311
이석원 북대전서 328
이석임 이천서 265
이석재 서울청 168
이석재 강동서 172
이석재 서대전서 331
이석정 세무고시 33
이석준 삼성서 196
이석중 부산청 438
이석진 상주서 425
이석한 기재부 82
이석화 분당서 248
이선 양천서 209
이선 인천서 299
이선경 동대문서 188
이선경 성동서 202
이선경 익산서 393
이선경 지방재정 502
이선구 잠실서 218
이선규 부산청 442
이선기 부천서 308
이선림 대전서 327
이선림 전주서 395
이선미 여성세무 35
이선미 국세교육 144
이선미 마포서 192
이선미 반포서 194
이선미 양천서 208
이선미 안양서 261
이선미 북인천서 295
이선미 천안서 346
이선미 동대구서 408
이선민 서울청 161
이선민 강서서 175
이선민 충주서 359
이선민 여수서 382
이선아 서울청 152
이선아 강서서 174
이선아 서초서 200
이선아 북인천서 294
이선아 서인천서 297
이선영 세무하나 49
이선영 기재부 90
이선영 동작서 191
이선영 마포서 193
이선영 성동서 202
이선영 영등포서 212
이선영 대전서 327
이선영 청주서 356
이선영 대구청 400
이선영 남대구서 407
이선영 수성서 415
이선옥 중부청 235
이선우 국세청 139
이선우 서울청 152
이선우 남대문서 183
이선우 대전청 321
이선우 제주서 479
이선유 양천서 209
이선욱 상주서 424
이선의 중부청 230
이선이 남대구서 407
이선자 동래서 446
이선재 양천서 208
이선정 서울청 153
이선정 김천서 422
이선주 예일세무 52
이선주 국세상담 142
이선주 영등포서 213
이선주 종로서 220
이선준 국세청 123
이선진 서울청 166
이선철 해운대서 459
이선태 서대전서 330
이선하 서울청 157
이선행 인천청 291
이선호 기재부 86
이선호 구미서 421
이선호 동울산서 461
이선화 보령서 336
이선화 동울산서 460
이선훈 세무하나 49
이선희 국회정무 75
이선희 분당서 249
이선희 북대구서 410
이설아 포천서 317
이설이 아산서 342
이설희 진주서 472
이섭 서울청 148
이성 의정부서 312
이성 광주청 363
이성 남원서 389
이성곤 국회재정 71
이성구 용산서 215
이성국 기재부 84
이성규 영등포서 212
이성규 용산서 214
이성규 진주서 472
이성근 광주청 365
이성글 국세청 139
이성기 영동서 353
이성도 대전서 326
이성락 동울산서 460
이성렬 택스홈 50
이성만 성남서 250
이성묵 광주서 370
이성민 기재부 84
이성민 서울청 157
이성민 경기광주 256
이성민 대전청 320
이성민 광주청 364
이성민 북부산서 451
이성복 서울청 148
이성복 용산서 215
이성삼 춘천서 280
이성수 금천서 180
이성수 춘천서 280
이성숙 서대구서 412
이성식 북전주서 390
이성실 순천서 381
이성애 서울청 164
이성애 성북서 204
이성엽 서울청 149
이성엽 부천서 308
이성영 서산서 339
이성옥 강동서 173
이성용 해남서 384
이성우 택스홈 50
이성우 상공회의 117
이성우 상공회의 117
이성욱 삼정회계 23
이성욱 삼정회계 23
이성욱 국세청 124
이성욱 동작서 190
이성웅 김해서 467
이성원 기재부 85
이성원 기재부 98
이성원 고양서 301
이성윤 보령서 336
이성은 마포서 193
이성은 북전주서 391
이성은 울산서 463
이성인 의정부서 313
이성일 서울청 163
이성재 딜로이트 16
이성재 금감원 103
이성재 금감원 108
이성재 강동서 173
이성재 중부청 233
이성재 부산청 436
이성재 부산청 442
이성재 동래서 447
이성종 삼척서 272
이성준 노원서 184
이성준 영등포서 213
이성준 의정부서 312
이성준 북전주서 390
이성준 동래서 447
이성진 서울청 167
이성진 남대문서 182
이성진 마포서 193
이성진 역삼서 210
이성진 기흥서 240
이성진 나주서 376
이성창 김앤장 59
이성창 순천서 381
이성철 금정서 444
이성태 삼정회계 22
이성태 삼정회계 23
이성택 기재부 85
이성필 여수서 383
이성한 기재부 92
이성한 영덕서 429
이성현 삼성서 196
이성현 조세재정 507
이성협 원주서 279
이성혜 동작서 190
이성혜 의정부서 313
이성혜 창원서 474
이성호 국세청 125
이성호 국세청 135
이성호 국세청 137
이성호 서울청 168
이성호 구로서 179
이성호 안양서 261
이성호 예산서 344
이성호 천안서 346
이성호 여수서 382
이성호 포항서 433
이성호 북부산서 450
이성호 해운대서 459
이성호 조세심판 504
이성환 서울청 159
이성환 수성서 414
이성환 구미서 420
이성환 구미서 421
이성효 남대구서 406
이성훈 감사원 78
이성훈 도봉서 186
이성훈 중부청 231
이성훈 이천서 264
이성훈 남인천서 292
이성훈 남인천서 293
이성훈 대구청 401
이성훈 김해서 467
이성훈 창원서 475
이성희 기재부 96
이성희 성북서 205
이성희 속초서 275
이세나 국세청 125
이세나 국세청 134
이세라 순천서 380
이세란 남양주서 243
이세리 익산서 393
이세미 기재부 94
이세미 기흥서 241
이세민 마포서 193
이세연 서울청 168
이세열 법무광장 61
이세인 용산서 214
이세정 동대문서 189
이세정 성남서 250
이세주 관악서 177
이세진 삼성서 197
이세진 종로서 221
이세진 중부서 224
이세풍 서울청 149
이세협 중부청 236
이세호 제천서 355
이세호 동래서 446
이세환 기재부 96
이세환 서울청 167
이세훈 금융위 101
이세훈 김해서 467
이소라 속초서 275
이소면 대구세관 497
이소면 대구세관 498
이소민 삼성서 196
이소애 창원서 475
이소연 경기광주 256
이소연 안산서 258
이소연 서광주서 375
이소영 기재부 83
이소영 중부청 236
이소영 안산서 258
이소영 인천서 299
이소영 정읍서 396
이소영 대구청 401
이소영 동울산서 460
이소영 울산서 462
이소원 국세청 125
이소원 동수원서 244
이소은 전주서 395
이소은 창원서 474
이소정 동대문서 189
이소정 성동서 203
이소정 광명서 303
이소정 부산진서 449
이소진 국세상담 142
이소진 포천서 317
이소현 동대문서 189
이소형 김포서 304
이솔 삼성서 197
이솔 용산서 214
이솔 충주서 358
이솔지 평택서 266
이송 정진세림 27
이송미 보령서 337
이송연 광주서 370
이송우 김해서 466
이송이 수원서 253
이송이 이천서 265
이송이 인천청 289
이송하 의정부서 312
이송향 관악서 176
이송화 역삼서 211
이송희 춘천서 281
이송희 서광주서 375
이수경 법무바른 1
이수경 영등포서 213
이수경 용산서 215
이수경 동고양서 306
이수경 서대구서 413
이수경 동래서 446
이수경 제주서 478
이수길 김해서 467
이수덕 서인천서 297
이수라 서광주서 374
이수락 금천서 180
이수란 금천서 181
이수란 중부서 224
이수련 강서서 174
이수미 세무하나 49
이수미 국세청 125
이수미 국세청 134
이수미 종로서 221
이수미 상주서 424
이수미 양산서 470
이수민 국세청 135
이수민 서울청 149
이수민 은평서 217
이수민 수원서 252
이수민 북대전서 329
이수민 아산서 342
이수복 전주서 394
이수빈 국세청 122
이수빈 중부청 236
이수빈 기흥서 240
이수빈 성남서 251
이수빈 시흥서 254
이수빈 원주서 279
이수빈 서대전서 331
이수빈 나주서 376
이수빈 중부산서 456

이수아	부천서	308
이수안	강남서	170
이수연	감사원	79
이수연	국세청	125
이수연	국세청	127
이수연	서울청	168
이수연	도봉서	187
이수연	삼성서	196
이수연	역삼서	211
이수연	중부청	235
이수연	대전서	326
이수연	북대전서	328
이수연	북광주서	372
이수연	순천서	381
이수연	해운대서	458
이수연	조세재정	507
이수영	금융위	101
이수영	동안양서	247
이수영	대전청	321
이수영	충주서	359
이수영	대구청	400
이수영	금정서	444
이수영	서부산서	453
이수용	화성서	268
이수용	동래서	447
이수원	금천서	181
이수원	양산서	470
이수은	이천서	265
이수인	노원서	184
이수인	안산서	259
이수임	부산진서	449
이수정	서울청	164
이수정	서울청	169
이수정	구로서	179
이수정	금천서	180
이수정	중부서	225
이수정	이천서	265
이수정	북인천서	295
이수정	울산서	462
이수종	성남서	250
이수지	기재부	93
이수지	동작서	191
이수지	동수원서	244
이수진	국세청	122
이수진	서초서	200
이수진	역삼서	211
이수진	성남서	251
이수진	부천서	309
이수진	대전청	323
이수진	광주청	367
이수진	북광주서	372
이수진	양산서	471
이수진	지방재정	503
이수창	해남서	384
이수철	반포서	194
이수현	예일회계	24
이수현	기재부	90
이수현	송파서	207
이수현	경기광주	257
이수현	고양서	300
이수현	군산서	387
이수현	북전주서	390
이수형	국세청	139
이수형	중부청	232
이수호	지방재정	502
이수화	마포서	192
이숙	서울청	164
이숙경	기재부	86
이숙경	정읍서	397
이숙영	서울청	167
이숙희	남대구서	406
이순기	상주서	425
이순길	서산서	338
이순남	영덕서	428
이순모	서인천서	296
이순민	국세청	138
이순민	여수서	382
이순복	중부청	234
이순아	안산서	258
이순엽	서울청	158
이순영	서초서	200
이순영	서초서	200
이순영	대전서	326
이순영	북부산서	450
이순옥	홍천서	283
이순우	여성세무	35
이순욱	마산서	468
이순임	기흥서	240
이순임	남대구서	407
이순정	영월서	276
이순주	금정서	444
이순철	중부청	236
이순향	조세재정	506
이순화	서울청	153
이순희	영등포서	212
이슬	서울청	155
이슬	고양서	301
이슬	남대구서	407
이슬	해운대서	458
이슬	조세재정	508
이슬기	강동서	172
이슬기	강서서	174
이슬기	역삼서	211
이슬기	파주서	315
이슬기	조세재정	506
이슬기	조세재정	507
이슬린	서울청	159
이슬비	중부청	236
이슬비	북인천서	295
이슬비	연수서	311
이슬이	평택서	266
이승걸	해운대서	459
이승곤	전주서	394
이승괄	대구청	402
이승구	관악서	177
이승규	중부청	229
이승규	창원서	474
이승근	해남서	384
이승도	기재부	86
이승래	순천서	380
이승록	통영서	476
이승리	고양서	301
이승명	대구청	403
이승모	영덕서	429
이승미	국세교육	144
이승민	여성세무	35
이승민	여성세무	35
이승민	세무하나	49
이승민	기재부	92
이승민	기재부	94
이승민	도봉서	187
이승민	역삼서	211
이승민	서부산서	452
이승배	안양서	260
이승범	구리서	238
이승석	동청주서	351
이승수	국세청	122
이승수	중부청	228
이승수	평택서	266
이승신	중부청	231
이승아	부천서	309
이승아	경주서	419
이승연	기재부	83
이승연	역삼서	210
이승연	관세청	483
이승엽	경산서	416
이승엽	상주서	424
이승완	북전주서	391
이승용	수원서	252
이승용	전주서	395
이승우	기재부	85
이승우	인천서	298
이승욱	기재부	83
이승원	기재부	91
이승원	기재부	92
이승원	강동서	172
이승윤	국세청	130
이승은	국세청	122
이승은	수성서	415
이승익	포항서	432
이승일	송파서	207
이승일	전주서	395
이승재	경기광주	256
이승재	의정부서	312
이승재	충주서	359
이승재	정읍서	396
이승재	경주서	419
이승종	구로서	179
이승종	조세재정	506
이승주	노원서	185
이승주	광주서	371
이승주	부산진서	448
이승주	제주서	479
이승준	미래회계	17
이승준	서울청	149
이승준	강서서	174
이승준	광산서	368
이승준	해남서	384
이승준	수성서	414
이승준	서부산서	453
이승진	강남서	170
이승진	동래서	446
이승진	울산서	463
이승찬	국세청	136
이승찬	시흥서	255
이승철	국세청	137
이승철	서울청	163
이승철	노원서	184
이승철	성남서	251
이승철	조세재정	506
이승택	동수원서	244
이승택	대전서	326
이승택	경주서	419
이승필	도봉서	187
이승필	대구세관	497
이승필	대구세관	498
이승하	서울청	161
이승하	전주서	394
이승학	성동서	203
이승현	국회정무	76
이승현	구로서	179
이승현	중랑서	223
이승현	남양주서	243
이승현	광주청	365
이승현	금정서	445
이승형	고양서	300
이승호	법무율촌	63
이승호	서울청	165
이승호	강남서	170
이승호	삼성서	197
이승호	영등포서	212
이승호	기흥서	241
이승호	북인천서	294
이승환	삼일회계	21
이승환	분당서	248
이승환	인천서	299
이승환	부천서	309
이승환	아산서	342
이승환	광주청	364
이승환	수성서	415
이승환	제주서	478
이승훈	국세청	130
이승훈	서울청	156
이승훈	강서서	175
이승훈	양천서	209
이승훈	영등포서	212
이승훈	은평서	216
이승훈	이천서	264
이승훈	광산서	368
이승훈	군산서	386
이승훈	북전주서	390
이승훈	대구청	400
이승훈	경주서	418
이승훈	중부산서	456
이승훈	울산서	463
이승훈	조세심판	505
이승휘	서대구서	412
이승희	성북서	204
이승희	역삼서	210
이승희	성남서	251
이승희	광주청	363
이승희	통영서	476
이승희	조세심판	504
이시성	국회정무	76
이시연	중부청	237
이시은	영등포서	213
이시형	정읍서	397
이시형	경주서	419
이시형	경주서	419
이시호	수영서	454
이시화	국세청	124
이신규	부천서	309
이신숙	의정부서	312
이신애	동래서	447
이신열	논산서	334
이신영	기재부	86
이신영	북대전서	328
이신정	강릉서	271
이신정	영동서	352
이신혜	서대문서	199
이신호	딜로이트	16
이신화	반포서	194
이신화	용인서	263
이아라	광주서	370
이아람	울산서	463
이아름	중부청	233
이아름	북인천서	294
이아름	순천서	381
이아름	포항서	433
이아름	창원서	474
이아름	조세재정	508
이아림	서광주서	375
이아연	남인천서	292
이아영	인천서	298
이안나	서울청	169
이안섭	서대구서	412
이안수	북대전서	329
이안희	서대전서	330
이애경	서울청	158
이애님	광주서	370
이애란	서울청	148
이애신	노원서	184
이양래	남인천서	292
이양로	천안서	346
이양우	서울청	158
이양원	동수원서	244
이양원	순천서	381
이양호	동청주서	351
이언양	용산서	214
이언종	양천서	208
이여경	동고양서	307
이여성	안산서	259
이여진	강동서	173
이연경	성동서	202
이연경	서대구서	413
이연경	경산서	417
이연미	서울청	153
이연서	인천서	298
이연석	중부청	230
이연선	중부청	228
이연수	인천서	298
이연수	울산서	462
이연숙	서대구서	412
이연숙	금정서	444
이연실	구로서	178
이연우	금천서	181
이연주	원주서	278
이연주	김포서	304
이연주	충주서	358
이연지	평택서	267
이연호	국세청	128
이연호	관악서	176
이연화	중부청	233
이연희	공주서	333
이연희	정읍서	396
이염휘	관세사회	54
이영	남양주서	243
이영	대전서	326
이영경	남대문서	182
이영구	대전청	321
이영권	남인천서	292
이영규	안동서	426
이영균	원주서	278
이영근	서부산서	452
이영길	인천청	289
이영길	서대구서	412
이영도	인천청	286
이영도	서울세관	486
이영득	광교세무	36
이영락	서대전서	330
이영란	부산진서	448
이영례	북인천서	295
이영미	기재부	85
이영미	국세청	126
이영미	강동서	172
이영미	종로서	221
이영미	경기광주	256
이영미	영월서	277
이영미	마산서	468
이영민	성북서	205
이영민	종로서	221
이영민	연수서	310
이영민	광산서	368
이영민	북전주서	391
이영빈	반포서	194
이영석	서울청	157
이영석	송파서	206
이영석	종로서	221
이영선	기재부	93
이영선	마포서	193
이영선	인천청	286
이영수	국세청	135
이영수	양천서	209
이영수	부천서	309
이영수	남대구서	407
이영수	창원서	475
이영숙	기재부	92
이영숙	기재부	95
이영숙	인천청	286
이영숙	인천서	298
이영숙	부천서	308
이영숙	통영서	477
이영숙	제주서	478
이영순	기재부	99
이영순	아산서	342
이영신	삼일회계	20
이영신	영등포서	213
이영신	부산청	439
이영아	안양서	260
이영애	서대구서	412
이영옥	국세상담	142
이영옥	서울청	164
이영옥	고양서	300
이영옥	동래서	447
이영우	서울청	164
이영우	반포서	194
이영우	경산서	417
이영욱	기재부	83
이영욱	고양서	301
이영운	가현택스	163
이영운	가현택스	189
이영웅	감사원	79
이영은	광교세무	38
이영은	동수원서	244
이영은	광주청	365
이영일	거창서	464
이영임	기재부	90
이영자	의정부서	312
이영재	국세청	139
이영재	안산서	259
이영재	서인천서	297
이영재	북대전서	329
이영재	포항서	433
이영재	서부산서	452
이영정	청주서	356
이영조	경산서	416
이영주	기재부	87
이영주	기재부	88
이영주	서울청	148
이영주	강동서	173
이영주	반포서	195
이영주	성동서	203
이영주	성북서	204
이영주	중부청	230
이영주	보령서	337
이영주	대구청	400
이영주	부산청	440
이영준	대전청	320
이영중	세무신명	197
이영중	세무신명	505
이영지	김천서	422
이영직	충주서	358
이영진	구로서	178
이영진	동대문서	189
이영진	삼성서	197
이영진	인천청	290
이영진	서부산서	452
이영찬	예산서	344
이영채	종로서	221
이영채	진주서	472
이영철	대구청	402
이영철	구미서	420
이영태	안양서	261
이영태	남인천서	293
이영태	남원서	388
이영태	중부산서	457
이영하	감사원	78
이영학	연수서	311
이영호	국세청	122
이영호	강서서	174

이영호 시흥서 255
이영호 서대전서 330
이영호 동청주서 350
이영환 시흥서 254
이영환 양산서 471
이영회 반포서 194
이영훈 기재부 84
이영훈 용산서 215
이영훈 광주청 364
이영휘 국세청 135
이영휘 북인천서 295
이영희 관악서 176
이영희 북부산서 450
이예담 동래서 447
이예림 중부청 233
이예미 진주서 473
이예솔 기재부 83
이예슬 동대문서 189
이예슬 인천서 299
이예슬 구미서 420
이예영 양산서 471
이예지 서초서 201
이예지 중부청 235
이예지 영월서 277
이예지 광명서 302
이예지 남대구서 406
이예진 국세청 126
이오나 서울청 158
이오령 충주서 359
이오섭 안양서 261
이오혁 이천서 265
이오형 화성서 269
이옥녕 금천서 181
이옥선 서울청 166
이옥임 동래서 446
이옥재 서울세관 486
이옥진 남원서 389
이옥현 여수서 382
이옥희 영등포서 212
이온유 남인천서 292
이완배 양천서 208
이완식 남대구서 406
이완주 동대문서 189
이완표 대전청 322
이완희 국세청 135
이왕수 서산서 338
이왕재 연수서 310
이요섭 논산서 334
이요원 동작서 190
이용 삼일회계 20
이용광 국세청 128
이용국 국회정무 76
이용권 성동서 202
이용규 동작서 190
이용규 부산청 442
이용균 천안서 346
이용균 동대구서 408
이용만 도봉서 187
이용모 삼덕회계 18
이용문 서울청 164
이용문 평택서 267
이용배 구리서 238
이용범 삼성서 197
이용석 강서서 174
이용성 동안양서 246
이용수 양천서 208
이용수 거창서 465
이용수 지방재정 503
이용식 구로서 178
이용안 기재부 99
이용안 중부청 232
이용연 광교세무 36
이용우 국회정무 76
이용우 기재부 99
이용우 성북서 204
이용우 김포서 304
이용욱 경기광주 257
이용욱 순천서 381
이용재 기재부 85
이용재 중부청 231
이용재 인천청 290
이용정 부산청 436
이용제 잠실서 218
이용주 광명서 303
이용준 국회정무 75
이용준 기재부 94
이용진 국세청 138
이용진 역삼서 210
이용진 성남서 251
이용진 부산청 441
이용찬 딜로이트 16
이용철 서대전서 331
이용철 여수서 382
이용출 익산서 393
이용혁 광주청 363
이용현 딜로이트 16
이용형 조세심판 505
이용호 기재부 85
이용호 기재부 95
이용호 은평서 216
이용화 순천서 381
이용환 서대전서 330
이용후 공주서 333
이용희 연수서 310
이용희 의정부서 312
이우경 남양주서 243
이우근 동작서 191
이우남 인천서 298
이우람 공주서 332
이우석 기재부 96
이우석 서울청 165
이우석 강동서 173
이우석 거창서 464
이우섭 평택서 266
이우성 관악서 177
이우성 이천서 265
이우성 김해서 467
이우영 홍천서 283
이우용 대전청 322
이우재 강남서 170
이우재 광명서 302
이우정 구리서 238
이우정 김해서 466
이우종 지방재정 502
이우주 기재부 97
이우진 국세청 139
이우진 서울청 152
이우철 기재부 83
이우철 송파서 206
이우태 기재부 91
이우현 성남서 250
이우현 원주서 278
이우형 김해서 467
이욱배 제주서 479
이운형 종로서 221
이웅진 부산청 442
이웅희 경산서 416
이원 북대구서 410
이원경 북대전서 328
이원경 제주서 479
이원교 북전주서 390
이원구 중부청 236
이원규 논산서 334
이원근 대전청 325
이원기 잠실서 219
이원나 동대문서 188
이원남 평택서 266
이원도 강서서 175
이원락 화성서 268
이원만 도봉서 186
이원명 포항서 432
이원복 서대문서 198
이원복 경주서 419
이원상 수성서 414
이원상 부산세관 495
이원섭 중부청 235
이원섭 김해서 467
이원영 삼성서 197
이원우 영덕서 428
이원우 영덕서 429
이원익 강서서 174
이원일 법무바른 1
이원일 국세청 124
이원자 기흥서 241
이원재 기재부 92
이원재 기재부 94
이원정 종로서 220
이원종 동청주서 350
이원주 기재부 99
이원주 국세청 136
이원주 국세청 138
이원준 기재부 87
이원준 국세청 124
이원진 중부청 236
이원형 국세청 123
이원형 포항서 432
이원호 수영서 455
이원희 역삼서 211
이원희 원주서 278
이원희 북대구서 411
이위형 동울산서 460
이유강 서울청 152
이유경 중부서 225
이유근 광산서 368
이유라 중부청 236
이유리 서울청 165
이유리 중부청 234
이유만 김해서 466
이유미 평택서 267
이유미 인천청 289
이유민 구리서 238
이유빈 강서서 175
이유상 잠실서 218
이유상 경주서 419
이유선 구로서 179
이유선 중부서 224
이유안 홍천서 283
이유영 강남서 170
이유영 은평서 217
이유영 북인천서 295
이유원 의정부서 312
이유정 서울청 155
이유정 양천서 208
이유정 잠실서 219
이유정 천안서 346
이유조 북대구서 411
이유지 구미서 420
이유진 기재부 89
이유진 강남서 171
이유진 반포서 194
이유진 서초서 201
이유진 중랑서 222
이유진 중부청 228
이유진 평택서 266
이유진 경산서 416
이유진 조세심판 504
이윤경 서울청 169
이윤경 금천서 181
이윤경 노원서 184
이윤경 시흥서 255
이윤경 순천서 381
이윤경 서부산서 453
이윤경 지방재정 503
이윤금 북부산서 451
이윤미 마산서 469
이윤서 동래서 447
이윤석 노원서 185
이윤선 수원서 253
이윤선 정읍서 396
이윤성 세무다솔 44
이윤수 금천서 181
이윤수 김포서 304
이윤숙 중부청 231
이윤숙 천안서 346
이윤애 인천청 290
이윤영 의정부서 312
이윤옥 안양서 261
이윤우 김포서 305
이윤우 대전청 323
이윤재 서초서 201
이윤정 국회재정 72
이윤정 기재부 91
이윤정 금천서 180
이윤정 중랑서 222
이윤정 중부청 231
이윤정 분당서 248
이윤정 북전주서 391
이윤정 수성서 414
이윤주 서울청 159
이윤주 강서서 175
이윤주 동작서 190
이윤주 삼성서 197
이윤주 중부청 233
이윤주 안동서 427
이윤진 역삼서 210
이윤태 기재부 91
이윤태 김천서 422
이윤택 대구세관 497
이윤택 대구세관 498
이윤하 마포서 192
이윤호 김포서 305
이윤호 북광주서 373
이윤희 국세교육 145
이윤희 서울청 149
이윤희 서울청 150
이윤희 서울청 153
이윤희 노원서 184
이윤희 종로서 221
이율배 인천청 287
이융건 동대문서 188
이융희 서초서 201
이은 종로서 221
이은경 서울청 149
이은경 강동서 172
이은경 중부청 228
이은경 중부청 229
이은경 수원서 253
이은경 시흥서 254
이은경 서인천서 297
이은경 부천서 308
이은경 북전주서 390
이은경 조세재정 507
이은경 조세재정 507
이은경 조세재정 508
이은광 광산서 368
이은교 분당서 248
이은규 국세청 123
이은규 국세청 135
이은규 춘천서 281
이은기 북인천서 295
이은길 종로서 220
이은미 서울청 161
이은미 동작서 191
이은미 안양서 260
이은미 의정부서 312
이은미 진주서 473
이은미 창원서 474
이은배 중랑서 223
이은비 서울청 169
이은상 서울청 153
이은상 창원서 474
이은석 국회정무 76
이은선 관악서 177
이은선 용인서 263
이은설 북인천서 295
이은섭 인천청 288
이은성 중부청 235
이은성 시흥서 254
이은성 파주서 314
이은송 인천청 290
이은수 국세상담 142
이은수 구리서 239
이은수 수원서 252
이은수 부천서 309
이은숙 기재부 86
이은숙 서울청 164
이은숙 대전청 321
이은숙 북대전서 328
이은숙 아산서 343
이은순 진주서 472
이은실 삼성서 196
이은실 서초서 201
이은실 중부청 228
이은아 노원서 184
이은아 조세재정 508
이은애 용인서 262
이은영 기재부 88
이은영 서울청 153
이은영 서울청 168
이은영 강남서 170
이은영 서대문서 198
이은영 중랑서 222
이은영 중랑서 223
이은영 파주서 315
이은영 보령서 336
이은영 서대구서 413
이은영 서대구서 413
이은옥 파주서 314
이은용 서대문서 198
이은우 기재부 95
이은자 세무다솔 44
이은장 서울청 156
이은정 국세청 125
이은정 국세청 134
이은정 서울청 148
이은정 송파서 206
이은정 송파서 206
이은정 양천서 209
이은정 용산서 214
이은정 종로서 220
이은정 종로서 221
이은정 중부청 231
이은정 용인서 263
이은정 화성서 268
이은정 북인천서 294
이은정 광주서 370
이은정 동대구서 408
이은정 구미서 420
이은정 부산청 437
이은정 수영서 454
이은정 해운대서 459
이은제 구로서 179
이은종 동안양서 247
이은주 국세청 135
이은주 서울청 153
이은주 중부청 234
이은주 중부청 235
이은주 논산서 334
이은주 대구청 402
이은주 부산청 440
이은주 창원서 475
이은준 남대문서 182
이은지 부천서 309
이은지 의정부서 312
이은지 청주서 357
이은지 북대구서 410
이은진 반포서 194
이은진 구리서 238
이은진 인천청 291
이은진 광산서 368
이은진 여수서 383
이은진 경주서 419
이은진 울산서 463
이은총 김앤장 59
이은하 조세심판 504
이은행 순천서 381
이은형 중부청 235
이은혜 서울청 156
이은혜 충주서 359
이은호 포항서 432
이은호 부산세관 495
이은홍 태평양 65
이은화 기재부 85
이은희 강동서 172
이은희 삼성서 197
이은희 서초서 200
이은희 송파서 206
이은희 양천서 209
이은희 포항서 433
이은희 서부산서 452
이은희 동울산서 460
이응구 천안서 347
이응기 송파서 206
이응기 송파서 207
이응봉 중부청 228
이응석 중기회 119
이응석 남대문서 183
이응선 중부서 224
이응수 성북서 205
이응찬 서대문서 198
이응찬 중부청 230
이의상 인천세관 491
이의신 천안서 347
이의진 세원세무 51
이의태 동대문서 189
이이건 대현회계 15
이이네 서울청 169
이익재 부산세관 495
이익중 동청주서 350
이익진 인천청 291
이익훈 영등포서 212
이인권 서울청 158
이인권 동래서 446
이인근 서대전서 331
이인기 예일세무 52
이인기 서산서 338
이인선 서울청 157
이인섭 세종서 340
이인수 법무광장 60
이인수 상주서 424

이인숙	서울청	151
이인숙	동작서	190
이인숙	중부청	232
이인숙	서대전서	330
이인숙	광주서	370
이인영	국회재정	72
이인우	국세청	135
이인우	상주서	424
이인원	경주서	418
이인이	김포서	304
이인자	서울청	152
이인재	마포서	193
이인재	진주서	473
이인철	조세재정	507
이인하	성북서	204
이인하	종로서	221
이인혁	마산서	468
이인형	법무광장	60
이인호	상주서	424
이인희	국세청	123
이일구	서부산서	453
이일생	서울청	148
이일성	국세교육	144
이일영	성북서	204
이일재	광주청	362
이일환	인천서	298
이임동	서울청	165
이임순	서울청	168
이임주	택스홈	50
이자연	반포서	194
이자영	영월서	277
이자원	동래서	447
이장근	광주서	371
이장원	광주청	364
이장호	창원서	475
이장환	용인서	263
이장환	대구청	403
이장환	수영서	454
이장훈	도봉서	187
이재갑	순천서	380
이재강	강남서	171
이재강	논산서	334
이재경	삼덕회계	18
이재경	삼성서	196
이재경	수성서	415
이재경	경주서	418
이재경	지방재정	502
이재곤	용인서	263
이재관	창원서	475
이재구	신대동	56
이재규	동안양서	246
이재균	포천서	316
이재균	조세심판	504
이재근	서울청	149
이재근	동대구서	408
이재남	시흥서	254
이재남	광주청	362
이재덕	서현이현	6
이재락	수성서	415
이재룡	분당서	249
이재만	춘천서	280
이재면	기재부	87
이재명	대전청	323
이재명	대전청	324
이재민	예일회계	24
이재민	택스홈	50
이재민	부천서	308
이재민	연수서	310
이재민	나주서	376
이재복	서울청	166
이재복	수성서	414
이재봉	동청주서	351
이재상	강서서	174
이재상	반포서	195
이재석	관세사회	54
이재석	기재부	94
이재석	용산서	215
이재석	동울산서	461
이재선	북부산서	451
이재선	조세재정	507
이재성	서울청	156
이재성	서울청	159
이재성	서울청	169
이재성	평택서	266
이재성	화성서	269
이재성	천안서	346
이재성	정읍서	397
이재성	안동서	426
이재성	김해서	466
이재성	제주서	479
이재수	파주서	315
이재수	동래서	446
이재숙	삼성서	197
이재숙	영동서	352
이재승	북대전서	328
이재식	국세청	131
이재식	김포서	304
이재식	부산청	436
이재아	여수서	382
이재연	서울청	168
이재연	구로서	178
이재연	동울산서	461
이재열	양천서	208
이재열	대전서	326
이재열	금정서	445
이재열	울산서	463
이재영	예일회계	24
이재영	서울청	159
이재영	남대문서	183
이재영	안산서	258
이재영	안산서	259
이재영	연수서	310
이재영	포항서	432
이재영	부산청	440
이재영	울산서	462
이재영	조세재정	507
이재완	기재부	94
이재완	남대문서	182
이재완	나주서	377
이재용	서울청	166
이재우	딜로이트	16
이재우	기재부	94
이재우	기재부	94
이재우	인천청	291
이재우	인천서	298
이재우	지방재정	502
이재욱	양천서	209
이재욱	안산서	258
이재욱	예산서	344
이재욱	남대구서	407
이재운	여수서	382
이재웅	마산서	468
이재원	중기회	119
이재원	강서서	175
이재원	관악서	177
이재원	분당서	249
이재원	북대전서	328
이재원	경산서	416
이재원	금정서	445
이재원	조세재정	507
이재은	국세청	128
이재일	은평서	216
이재일	대전서	326
이재준	수원서	253
이재준	의정부서	313
이재진	중부청	236
이재철	기재부	94
이재철	국세청	138
이재철	동래서	447
이재춘	부산청	437
이재택	중부청	235
이재평	통영서	476
이재하	역삼서	210
이재학	기재부	92
이재한	부천서	308
이재향	삼성서	196
이재혁	삼일회계	21
이재혁	반포서	195
이재혁	중부청	230
이재혁	용인서	262
이재혁	대구청	404
이재현	기재부	96
이재현	이천서	264
이재현	화성서	268
이재현	청주서	356
이재현	북광주서	373
이재현	구미서	421
이재호	국회정무	76
이재호	중랑서	223
이재호	중부서	225
이재호	지방재정	503
이재홍	김앤장	59
이재홍	기재부	90
이재홍	시흥서	254
이재홍	서대구서	412
이재환	기재부	84
이재환	포천서	316
이재훈	금천서	180
이재훈	평택서	266
이재훈	인천청	291
이재훈	경주서	419
이재훈	인천세관	492
이재흥	관세사회	54
이재희	예일세무	52
이재희	화성서	268
이재희	북대전서	328
이재희	정읍서	396
이전봉	역삼서	211
이전승	진주서	472
이점수	용인서	263
이점순	창원서	475
이점희	해남서	384
이정	중부청	232
이정	서광주서	375
이정걸	동수원서	245
이정걸	부천서	309
이정걸	동울산서	460
이정관	광주청	367
이정관	양산서	470
이정구	성남서	250
이정국	포항서	432
이정규	동울산서	461
이정균	분당서	248
이정균	고양서	301
이정근	세무다솔	44
이정근	충주서	359
이정기	국회정무	76
이정기	의정부서	312
이정기	포천서	316
이정기	서산서	339
이정길	북대전서	328
이정길	정읍서	397
이정남	대구청	403
이정노	용산서	214
이정노	서대구서	412
이정례	진주서	472
이정로	서울청	151
이정로	동작서	190
이정룡	논산서	335
이정림	강서서	174
이정묵	동대문서	188
이정문	국회정무	76
이정문	김포서	305
이정미	강동서	173
이정미	성동서	203
이정미	성동서	203
이정미	화성서	268
이정미	대전청	321
이정미	광주서	370
이정미	양산서	471
이정미	조세재정	508
이정민	국세청	127
이정민	국세청	128
이정민	국세청	139
이정민	서울청	161
이정민	영등포서	212
이정민	안양서	261
이정민	김포서	305
이정민	의정부서	312
이정민	광주청	363
이정민	금정서	444
이정범	국세청	133
이정복	북광주서	372
이정상	광명서	302
이정석	광주서	370
이정선	대전청	322
이정선	서대전서	331
이정선	서대구서	412
이정섭	세무삼륭	46
이정수	동안양서	247
이정수	익산서	392
이정숙	서울청	149
이정숙	서울청	153
이정숙	삼성서	197
이정숙	서대문서	198
이정숙	부산진서	449
이정숙	김해서	467
이정순	은평서	217
이정순	대전청	324
이정식	서울세무	32
이정식	강릉서	271
이정식	서대구서	412
이정아	기재부	94
이정아	국세청	134
이정아	삼성서	196
이정아	송파서	207
이정아	대전청	321
이정애	중부청	231
이정애	군산서	387
이정애	부산청	439
이정애	동울산서	460
이정언	기흥서	240
이정연	기재부	90
이정연	서울청	153
이정영	북대구서	410
이정옥	성동서	203
이정옥	삼척서	272
이정옥	삼척서	272
이정옥	마산서	469
이정우	북대전서	329
이정우	천안서	347
이정우	나주서	376
이정우	서울세관	486
이정욱	관악서	176
이정욱	고양서	301
이정운	대전청	320
이정운	북전주서	391
이정웅	종로서	220
이정웅	서부산서	453
이정원	국회법제	74
이정원	남양주서	243
이정원	부천서	309
이정윤	노원서	184
이정윤	양천서	209
이정윤	중부청	234
이정윤	경기광주	257
이정은	기재부	99
이정은	서울청	153
이정은	서울청	166
이정은	삼성서	196
이정은	중부서	224
이정은	중부서	225
이정은	대전서	327
이정은	전주서	394
이정은	수영서	454
이정은	울산서	462
이정은	울산서	463
이정은	통영서	477
이정은	조세재정	507
이정인	부천서	308
이정인	세종서	340
이정인	조세재정	507
이정일	대전청	324
이정임	동청주서	351
이정임	포항서	432
이정자	서울청	169
이정주	국세청	122
이정주	은평서	217
이정철	순천서	380
이정태	인천청	286
이정표	반포서	195
이정표	분당서	249
이정필	울산서	463
이정하	도봉서	186
이정학	기재부	83
이정학	서초서	200
이정한	포천서	316
이정현	서울청	149
이정현	중부청	233
이정현	동안양서	246
이정현	의정부서	312
이정현	파주서	315
이정형	남양주서	242
이정혜	연수서	311
이정호	법무바른	1
이정호	광산서	368
이정호	익산서	393
이정호	수성서	415
이정호	울산서	463
이정호	양산서	471
이정화	세무삼륭	46
이정화	국세청	124
이정화	강남서	170
이정화	서대문서	199
이정화	동안양서	246
이정화	광주청	364
이정화	부산청	442
이정화	조세심판	505
이정환	평택서	266
이정환	서광주서	375
이정훈	삼일회계	21
이정훈	기재부	82
이정훈	구로서	178
이정훈	마포서	192
이정훈	남양주서	243
이정훈	대전청	325
이정훈	동청주서	350
이정훈	해남서	385
이정훈	상주서	424
이정훈	동래서	447
이정훈	마산서	468
이정훈	통영서	477
이정희	국회재정	72
이정희	서울청	155
이정희	동대문서	189
이정희	삼성서	196
이정희	원주서	279
이정희	연수서	311
이정희	아산서	343
이정희	경산서	416
이정희	서울세관	486
이정희	조세심판	504
이제연	김앤장	59
이제연	김해서	466
이제욱	남대구서	406
이제현	대전청	323
이제훈	기재부	93
이조은	예일세무	52
이조은	역삼서	210
이존열	도봉서	187
이존원	진주서	472
이종건	부산청	436
이종경	동대문서	188
이종관	북인천서	295
이종광	김앤장	59
이종국	김앤장	59
이종국	포항서	432
이종국	수영서	455
이종권	송파서	207
이종근	삼덕회계	18
이종근	안양서	261
이종기	부천서	309
이종길	서대전서	331
이종남	동수원서	244
이종록	분당서	249
이종룡	성북서	205
이종률	제주서	478
이종면	김해서	466
이종명	김앤장	59
이종명	상공회의	117
이종명	상공회의	117
이종민	기재부	89
이종민	상공회의	117
이종민	국세청	136
이종민	잠실서	219
이종민	원주서	278
이종민	영덕서	429
이종배	동울산서	461
이종범	인천세관	491
이종복	동안양서	246
이종석	관세사회	54
이종섭	부천서	308
이종성	기재부	83
이종성	잠실서	218
이종수	기재부	97
이종숙	서대구서	412
이종순	강동서	172
이종신	대전청	324
이종영	국세청	129
이종영	화성서	268
이종완	홍천서	283
이종우	서울청	168
이종우	중부청	228
이종우	인천청	291
이종우	대구청	400
이종우	관세청	482
이종욱	통영서	476
이종운	군산서	387
이종원	시흥서	255
이종윤	서울청	161

이종인	서현이현	7
이종준	국세교육	145
이종철	국세청	139
이종철	조세심판	504
이종태	북대전서	329
이종필	순천서	380
이종필	부산세관	494
이종하	구리서	238
이종학	서울청	157
이종혁	법무율촌	63
이종혁	기재부	93
이종현	강서서	174
이종현	반포서	194
이종현	김포서	305
이종현	김포서	305
이종현	전주서	395
이종현	북대구서	411
이종현	금정서	444
이종형	삼일회계	20
이종호	관세사회	54
이종호	홍천서	282
이종호	대전청	324
이종호	북전주서	391
이종호	부산청	440
이종호	인천세관	490
이종환	국회법제	74
이종훈	기재부	96
이종훈	서울청	151
이종훈	홍천서	283
이종훈	남인천서	293
이종훈	포항서	433
이종휘	서대구서	413
이종희	동청주서	350
이주경	서초서	201
이주경	부산청	440
이주경	조세재정	508
이주광	국회재정	71
이주미	마포서	193
이주미	중부청	236
이주미	상주서	424
이주빈	강서서	175
이주석	국세청	137
이주석	서대구서	412
이주석	마산서	469
이주선	금천서	180
이주선	서초서	200
이주성	서울세무	32
이주성	남양주서	242
이주성	서대전서	330
이주안	남대구서	407
이주안	인천세관	489
이주연	서울청	163
이주연	강서서	174
이주연	중부청	232
이주연	동안양서	246
이주연	서산서	338
이주연	부산청	439
이주엽	북대전서	328
이주영	강남서	171
이주영	성동서	203
이주영	동수원서	244
이주영	인천청	287
이주영	대전청	324
이주영	대전서	327
이주영	부산청	436
이주우	국세상담	143
이주원	서울청	165
이주윤	기재부	87
이주은	여성세무	35
이주은	인천청	287
이주은	북전주서	390
이주일	부천서	309
이주한	강서서	174
이주한	잠실서	219
이주한	김포서	304
이주한	천안서	346
이주한	홍성서	348
이주한	조세심판	504
이주헌	법무율촌	63
이주혁	국회정무	75
이주현	기재부	88
이주현	서초서	201
이주현	양천서	209
이주현	동수원서	244
이주현	고양서	300
이주현	북광주서	372
이주현	나주서	376
이주현	중부산서	456
이주현	김해서	467
이주협	용산서	215
이주형	국세청	122
이주형	동대문서	188
이주형	서산서	338
이주형	동청주서	351
이주형	전주서	395
이주형	김천서	422
이주형	포항서	433
이주혜	동래서	447
이주호	기재부	93
이주화	수원서	252
이주환	세무화우	67
이주환	서울청	155
이주환	남인천서	293
이주환	공주서	332
이주환	포항서	433
이주희	국세청	128
이주희	동대문서	188
이주희	영등포서	213
이주희	중부청	235
이주희	부천서	308
이주희	의정부서	312
이준	중부청	236
이준건	남대구서	407
이준규	구로서	179
이준규	이천서	265
이준길	부산진서	448
이준년	김포서	304
이준무	중부청	232
이준민	지방재정	502
이준배	서울청	148
이준범	기재부	89
이준서	금융위	100
이준서	이천서	264
이준석	강동서	172
이준석	서산서	338
이준석	영주서	430
이준성	중부청	228
이준성	조세재정	506
이준식	수성서	414
이준식	지방재정	503
이준영	국세청	138
이준영	동수원서	244
이준영	동고양서	307
이준영	동고양서	307
이준용	중부청	230
이준우	기재부	89
이준우	성남서	250
이준우	부천서	309
이준우	부산청	436
이준욱	여성세무	35
이준익	대구청	403
이준재	감사원	78
이준탁	대전청	321
이준표	노원서	184
이준표	경기광주	257
이준학	마포서	193
이준혁	강남서	171
이준혁	동래서	446
이준혁	김해서	466
이준현	대전청	323
이준호	국세청	127
이준호	서울청	148
이준호	동래서	447
이준호	지방재정	502
이준홍	용인서	263
이준홍	서부산서	452
이준희	국세청	134
이준희	관악서	177
이준희	성동서	202
이준희	화성서	268
이준희	인천청	288
이준희	거창서	464
이중구	대구청	403
이중승	동대문서	189
이중재	잠실서	218
이중진	기재부	89
이중한	이천서	264
이중현	삼일회계	20
이중현	삼일회계	20
이중호	금천서	181
이중호	창원서	474
이중훈	용산서	214
이지민	국세청	126
이지민	서울청	153
이지민	서울청	166
이지민	천안서	346
이지민	북대구서	411
이지민	부산청	442
이지민	수영서	455
이지백	국회재정	72
이지상	국세청	128
이지석	금정서	445
이지선	국회법제	73
이지선	국세청	124
이지선	서울청	152
이지선	도봉서	186
이지선	동대문서	188
이지선	인천청	290
이지수	김앤장	59
이지수	서울청	164
이지수	강남서	171
이지수	도봉서	187
이지수	성남서	250
이지수	안산서	258
이지수	영월서	276
이지수	동래서	446
이지숙	강동서	173
이지숙	삼성서	197
이지숙	역삼서	210
이지숙	평택서	267
이지숙	인천청	289
이지안	남인천서	293
이지안	수성서	414
이지연	감사원	79
이지연	강남서	170
이지연	강동서	172
이지연	강동서	173
이지연	남대문서	182
이지연	중부청	237
이지연	구리서	239
이지연	분당서	248
이지연	안양서	261
이지연	남인천서	292
이지연	나주서	376
이지연	정읍서	396
이지연	수성서	414
이지영	국세청	132
이지영	서울청	148
이지영	서울청	151
이지영	서대문서	198
이지영	양천서	208
이지영	영등포서	213
이지영	용산서	214
이지영	동고양서	306
이지영	광주청	365
이지영	광산서	369
이지영	경산서	417
이지영	구미서	421
이지영	서부산서	452
이지영	김해서	466
이지예	서울청	153
이지우	기재부	92
이지우	성동서	203
이지우	기흥서	240
이지원	국세청	122
이지원	서울청	166
이지원	성동서	202
이지원	은평서	217
이지원	기흥서	240
이지원	평택서	266
이지윤	반포서	194
이지윤	역삼서	210
이지윤	보령서	336
이지윤	충주서	358
이지은	기재부	90
이지은	기재부	92
이지은	국세청	122
이지은	노원서	184
이지은	동작서	190
이지은	삼성서	197
이지은	송파서	206
이지은	잠실서	218
이지은	동고양서	306
이지은	북대전서	328
이지은	천안서	346
이지은	광주청	365
이지은	부산청	441
이지은	부산진서	448
이지은	지방재정	503
이지응	구로서	178
이지하	부산청	436
이지헌	국세청	125
이지헌	역삼서	210
이지헌	동안양서	246
이지현	서울청	156
이지현	서울청	168
이지현	노원서	184
이지현	성동서	202
이지현	역삼서	210
이지현	영등포서	213
이지현	동수원서	244
이지현	용인서	262
이지현	영주서	430
이지현	수영서	454
이지현	마산서	468
이지형	대현회계	15
이지형	서울청	149
이지혜	세무다솔	44
이지혜	택스홈	50
이지혜	기재부	89
이지혜	기재부	94
이지혜	기재부	96
이지혜	강서서	174
이지혜	노원서	185
이지혜	삼성서	197
이지혜	은평서	216
이지혜	중랑서	222
이지혜	평택서	266
이지혜	원주서	279
이지혜	조세재정	506
이지호	서울청	160
이지호	중부서	225
이지호	영동서	352
이지환	국회재정	72
이지환	제주서	479
이지훈	기재부	86
이지훈	종로서	220
이지훈	인천청	290
이지훈	동고양서	307
이지훈	조세심판	505
이지희	국세청	122
이지희	서울청	149
이지희	익산서	392
이진	남대문서	182
이진	잠실서	218
이진	시흥서	254
이진	부산청	437
이진경	기재부	91
이진경	서울청	156
이진경	부산청	438
이진경	부산청	439
이진경	진주서	473
이진관	조세재정	508
이진구	서초서	200
이진규	더택스	45
이진규	잠실서	218
이진규	동수원서	245
이진규	서대구서	413
이진균	서초서	200
이진례	부천서	308
이진명	경기광주	256
이진문	중랑서	222
이진서	평택서	266
이진석	법무화우	66
이진석	금감원	103
이진석	금감원	105
이진석	아산서	342
이진선	기재부	88
이진선	인천청	291
이진선	제주서	479
이진섭	김해서	467
이진수	세무다솔	44
이진수	기재부	86
이진수	서울청	158
이진수	북대전서	328
이진수	북대전서	329
이진수	동울산서	460
이진숙	국세청	135
이진숙	연수서	310
이진실	성동서	202
이진아	강남서	171
이진아	구로서	179
이진아	인천청	286
이진열	감사원	79
이진영	에이블	47
이진영	서울청	149
이진영	구로서	179
이진영	강릉서	270
이진영	인천서	298
이진영	북부산서	451
이진용	관세사회	54
이진우	금천서	180
이진우	금천서	181
이진우	동대문서	188
이진우	분당서	248
이진우	서인천서	297
이진우	순천서	381
이진욱	법무광장	60
이진욱	중랑서	223
이진욱	대구청	404
이진재	용산서	214
이진재	광주청	363
이진주	강서서	175
이진주	영등포서	213
이진주	서대전서	330
이진주	진주서	472
이진택	광주청	366
이진하	반포서	195
이진혁	서울청	151
이진호	강서서	174
이진호	마포서	193
이진호	성북서	205
이진호	분당서	248
이진호	안산서	258
이진호	인천청	290
이진호	창원서	474
이진홍	북부산서	451
이진화	반포서	195
이진화	부산청	441
이진환	국세청	128
이진환	창원서	475
이진희	국세청	123
이진희	남양주서	242
이진희	동수원서	245
이진희	대전청	324
이진희	홍성서	348
이진희	울산서	463
이진희	관세청	483
이차웅	기재부	89
이찬	서울청	154
이찬	관악서	177
이찬	은평서	217
이찬기	관세청	481
이찬무	성동서	202
이찬민	상공회의	117
이찬석	구미서	420
이찬송	원주서	278
이찬우	구미서	420
이찬주	반포서	194
이찬형	종로서	221
이찬호	기재부	88
이찬희	서울청	157
이찬희	파주서	315
이찬희	동울산서	460
이창건	도봉서	187
이창관	포항서	433
이창구	경산서	417
이창권	북대전서	329
이창규	경주서	419
이창근	광주서	370
이창근	남대구서	406
이창남	구로서	178
이창남	서초서	201
이창남	공주서	332
이창렬	부산청	442
이창림	제주서	478
이창민	종로서	220
이창민	포천서	316
이창민	남대구서	406
이창석	세무하나	49
이창석	서울청	160
이창선	기재부	95
이창수	기재부	88
이창수	중부청	234
이창수	동안양서	246
이창수	남인천서	292
이창수	포항서	433
이창수	거창서	465
이창식	세무고시	33
이창언	노원서	185

이창언	제주서	478
이창열	중부청	234
이창오	서울청	156
이창용	북부산서	450
이창우	서울청	155
이창우	홍천서	283
이창우	안동서	427
이창욱	국세청	125
이창원	중부청	232
이창인	금정서	444
이창일	지방재정	502
이창주	광주청	367
이창준	서울청	162
이창준	서울청	168
이창준	고양서	300
이창학	인천청	289
이창한	삼성서	197
이창한	경기광주	256
이창한	김천서	423
이창현	평택서	267
이창현	인천청	287
이창현	고양서	301
이창현	순천서	381
이창현	북대구서	410
이창호	국세청	135
이창호	춘천서	280
이창호	양산서	471
이창호	조세재정	506
이창홍	예산서	345
이창환	제주서	478
이창훈	법무세종	62
이창훈	국세상담	142
이창훈	역삼서	210
이창훈	동수원서	244
이창훈	순천서	381
이창훈	울산서	462
이창훈	창원서	474
이창훈	조세심판	504
이창흠	노원서	184
이창희	기재부	92
이창희	중기회	119
이창희	경기광주	256
이창희	인천청	286
이창희	창원서	474
이창희	인천세관	492
이채곤	영등포서	213
이채린	국세청	131
이채민	서대전서	331
이채민	청주서	356
이채아	도봉서	187
이채연	강서서	174
이채영	기재부	94
이채원	영월서	277
이채윤	대전청	321
이채윤	대구청	403
이채은	김해서	467
이채은	양산서	470
이채현	인천서	298
이채현	전주서	395
이채호	해운대서	459
이철	서울청	149
이철	용산서	214
이철	순천서	381
이철경	서울청	163
이철규	기재부	94
이철균	광교세무	37
이철민	의정부서	312
이철민	중부산서	456
이철수	국세상담	142
이철수	서초서	200
이철승	나주서	376
이철승	진주서	472
이철영	기재부	82
이철옥	서울세관	486
이철용	국세상담	143
이철우	세무하나	49
이철우	용인서	263
이철우	남인천서	292
이철우	대전청	325
이철웅	나주서	376
이철원	중부청	231
이철원	이천서	265
이철재	서울청	166
이철재	인천세관	489
이철재	인천세관	491
이철주	제천서	355
이철형	춘천서	281
이철형	동고양서	306
이철호	잠실서	219
이철호	북전주서	390
이철호	북부산서	451
이철환	수원서	253
이철효	예산서	345
이청룡	대전청	319
이청룡	대전청	320
이청림	해운대서	459
이청하	전주서	394
이초록	삼성서	197
이초롱	평택서	267
이춘근	관악서	176
이춘복	동대구서	408
이춘식	동대문서	189
이춘우	경주서	418
이춘주	서인천서	297
이춘하	삼성서	197
이춘형	남원서	389
이춘호	춘천서	280
이춘희	북대구서	411
이춘희	포항서	432
이충구	국세청	122
이충근	대전서	326
이충섭	금천서	181
이충오	서울청	154
이충원	송파서	206
이충원	인천서	298
이충인	이천서	265
이충일	국세주류	140
이충형	포항서	432
이충호	대구청	403
이충환	중부청	237
이치권	수영서	454
이치욱	북대구서	410
이치웅	화성서	269
이치훈	중부산서	456
이탁수	삼성서	196
이탁신	여수서	383
이탁희	부산진서	448
이태경	예일회계	24
이태경	기재부	95
이태경	기재부	96
이태경	서울청	160
이태곤	남인천서	292
이태균	중부청	232
이태상	서인천서	297
이태수	대현회계	15
이태순	동작서	191
이태연	국세청	138
이태용	부천서	308
이태욱	세무토은	42
이태욱	국세청	128
이태윤	기재부	89
이태진	동울산서	460
이태한	인천청	290
이태현	중랑서	223
이태형	부산진서	448
이태호	국세상담	143
이태호	동래서	446
이태호	북부산서	451
이태호	양산서	471
이태훈	기재부	88
이태훈	금융위	101
이태훈	국세청	134
이태훈	서울청	154
이태훈	분당서	248
이태훈	충주서	359
이태훈	지방재정	502
이태희	중기회	119
이태희	대전청	324
이태희	대구청	401
이택건	양산서	470
이택근	대전청	321
이택민	기재부	95
이택수	인천청	289
이택호	춘천서	281
이평년	서울청	164
이평재	김앤장	59
이평재	경기광주	256
이평호	송파서	207
이평희	청주서	357
이푸르미	수원서	252
이풍훈	국세청	128
이필	종로서	220
이필규	성남서	251
이필용	광주청	362
이하경	인천서	299
이하경	청주서	357
이하경	동래서	446
이하나	동수원서	244
이하나	경기광주	256
이하나	용인서	263
이하나	홍천서	283
이하니	부산진서	448
이하림	서인천서	296
이하림	제주서	479
이하연	북인천서	295
이하은	익산서	393
이하철	대구청	400
이하현	광주청	367
이학곤	강남서	171
이학련	공주서	332
이학보	관세청	483
이학승	중부청	235
이학승	익산서	393
이한결	기재부	90
이한경	양산서	471
이한기	서대전서	330
이한나	딜로이트	16
이한나	동대문서	188
이한나	천안서	347
이한나	동청주서	350
이한돌	국회정무	76
이한동	세무다솔	44
이한배	서울청	149
이한빈	부산청	437
이한상	삼성서	196
이한샘	남대구서	407
이한선	부산세관	495
이한성	대전청	321
이한솔	택스홈	50
이한솔	안산서	259
이한솔	울산서	463
이한송	성동서	203
이한승	대전서	327
이한아	북부산서	451
이한일	익산서	393
이한임	국세청	124
이한종	세무화우	67
이한준	부산청	439
이한준	조세재정	506
이한진	금융위	102
이한철	기재부	86
이한택	파주서	314
이항영	여성세무	35
이해나	광명서	302
이해남	용인서	262
이해미	여성세무	35
이해미	잠실서	219
이해봉	수성서	414
이해석	삼성서	197
이해섭	서울청	166
이해영	시흥서	255
이해옥	파주서	314
이해운	송파서	206
이해웅	부산청	438
이해은	북대구서	411
이해인	기재부	91
이해인	반포서	195
이해자	동수원서	244
이해장	서초서	200
이해중	구리서	238
이해진	국세청	124
이해진	중부청	231
이해진	관세청	483
이해창	지방재정	502
이향규	서울청	150
이향석	포항서	433
이향선	수원서	253
이향옥	수성서	415
이향우	국회법제	73
이향주	삼성서	197
이향화	광주청	363
이헌배	상공회의	118
이헌수	택스홈	50
이헌식	성남서	251
이헌진	천안서	346
이혁섭	부산청	436
이혁재	광주청	362
이현	서울청	149
이현경	동수원서	244
이현규	국세교육	144
이현규	중부청	232
이현규	동고양서	307
이현균	이천서	264
이현기	익산서	392
이현기	금정서	444
이현도	국세청	124
이현도	김해서	467
이현동	부산청	438
이현란	안동서	427
이현무	중부청	228
이현문	원주서	279
이현민	인천청	288
이현범	인천청	286
이현상	대전청	321
이현상	천안서	347
이현석	서대문서	199
이현석	중부청	229
이현석	북인천서	295
이현선	부천서	308
이현성	동작서	191
이현수	종로서	221
이현수	대구청	405
이현수	경주서	419
이현숙	역삼서	211
이현숙	이천서	264
이현숙	삼척서	272
이현순	서울청	153
이현승	성현회계	14
이현승	부산진서	448
이현실	김해서	467
이현아	서울청	168
이현아	파주서	314
이현아	통영서	476
이현애	남인천서	293
이현영	서대문서	199
이현영	대구청	403
이현영	조세재정	506
이현우	국세청	124
이현우	서울청	159
이현우	도봉서	187
이현우	진주서	472
이현우	창원서	475
이현우	지방재정	503
이현우	조세심판	504
이현욱	강서서	175
이현이	중부청	231
이현익	안산서	258
이현임	군산서	387
이현재	충주서	358
이현재	중부산서	456
이현정	국세상담	142
이현정	성북서	205
이현정	용산서	215
이현정	동수원서	245
이현정	동안양서	246
이현정	수원서	252
이현정	용인서	263
이현정	춘천서	280
이현정	북전주서	390
이현정	전주서	394
이현정	동대구서	408
이현정	안동서	426
이현정	김해서	466
이현정	창원서	474
이현정	지방재정	502
이현종	삼일회계	20
이현종	구미서	421
이현종	지방재정	503
이현주	기재부	92
이현주	서울청	155
이현주	반포서	195
이현주	잠실서	219
이현주	분당서	249
이현주	성남서	251
이현주	경기광주	257
이현주	안산서	258
이현주	용인서	263
이현주	광명서	302
이현주	동고양서	306
이현주	군산서	386
이현주	군산서	386
이현주	익산서	392
이현주	통영서	476
이현주	인천세관	491
이현준	기재부	96
이현준	서초서	200
이현준	경기광주	256
이현준	인천청	288
이현지	기재부	95
이현지	동작서	190
이현지	성북서	205
이현지	용산서	214
이현지	수원서	252
이현지	수영서	454
이현진	국세청	124
이현진	분당서	248
이현진	경기광주	257
이현진	안산서	259
이현진	화성서	268
이현진	대전청	325
이현진	금정서	445
이현진	김해서	466
이현진	양산서	470
이현찬	천안서	347
이현채	남인천서	292
이현철	의정부서	313
이현탁	남대구서	406
이현태	기재부	91
이현택	중부청	233
이현혜	중부청	229
이현호	국세청	125
이현호	국세청	134
이현화	서울청	154
이현희	국세청	122
이현희	금천서	181
이현희	서초서	201
이현희	서인천서	296
이현희	부산청	441
이현희	창원서	475
이형경	안양서	261
이형구	국세상담	143
이형권	강서서	174
이형근	원주서	279
이형근	울산서	462
이형동	신대동	56
이형민	구리서	239
이형민	조세재정	507
이형배	부천서	309
이형봉	부천서	308
이형석	속초서	275
이형석	중부산서	457
이형석	조세재정	508
이형섭	마포서	192
이형섭	서대전서	330
이형오	부산진서	448
이형용	광산서	368
이형우	경주서	418
이형욱	수성서	414
이형원	국세청	128
이형원	광명서	302
이형일	기재부	89
이형주	금융위	102
이형준	북대구서	410
이형진	광교세무	37
이형훈	세종서	340
이혜경	인천서	299
이혜경	김포서	304
이혜경	북대전서	329
이혜경	광주청	363
이혜경	광산서	368
이혜경	수성서	414
이혜경	금정서	444
이혜경	창원서	475
이혜규	동안양서	247
이혜란	남대문서	183
이혜란	대구청	402
이혜란	부산청	439
이혜련	동고양서	306
이혜령	부산진서	449
이혜령	김해서	466
이혜리	서대문서	198
이혜린	마포서	192
이혜린	송파서	207
이혜림	기재부	88
이혜림	중부청	232
이혜림	양산서	471
이혜림	지방재정	502
이혜미	여성세무	35
이혜미	고양서	300
이혜미	북부산서	450

이혜민	강서서	174
이혜민	분당서	249
이혜민	안양서	260
이혜민	천안서	346
이혜민	나주서	376
이혜선	남인천서	293
이혜성	반포서	194
이혜승	영등포서	213
이혜연	서울청	148
이혜연	성남서	250
이혜연	천안서	347
이혜영	서울청	154
이혜영	인천서	298
이혜영	동고양서	307
이혜영	북대구서	411
이혜옥	고양서	301
이혜원	동수원서	244
이혜은	국세청	122
이혜인	기재부	93
이혜인	기재부	97
이혜인	서울청	169
이혜인	구로서	178
이혜인	평택서	267
이혜전	종로서	221
이혜정	기재부	83
이혜정	서울청	153
이혜정	잠실서	218
이혜정	부산청	436
이혜정	부산진서	448
이혜지	제주서	478
이혜진	세무다솔	44
이혜진	기재부	86
이혜진	서울청	155
이혜진	구로서	178
이혜진	역삼서	211
이혜진	충주서	359
이혜진	동래서	447
이호	의정부서	313
이호	대전청	320
이호	대전청	324
이호	광주청	366
이호	경산서	417
이호경	국세청	139
이호관	국세청	129
이호광	평택서	266
이호근	기재부	88
이호근	원주서	278
이호길	분당서	249
이호남	광주청	362
이호동	기재부	92
이호범	영동서	352
이호상	부산청	435
이호석	딜로이트	16
이호석	세무다솔	44
이호석	북광주서	373
이호섭	기재부	88
이호성	북부산서	451
이호수	중부청	235
이호승	국세주류	140
이호승	정읍서	397
이호연	서울청	158
이호열	순천서	380
이호열	대구청	403
이호영	대전서	326
이호영	해운대서	458
이호용	은평서	217
이호은	구로서	179
이호인	안동서	427
이호정	마포서	193
이호정	동고양서	306
이호제	영동서	353
이호준	삼정회계	22
이호준	택스홈	50
이호준	택스홈	50
이호준	강동서	173
이호중	서대전서	331
이호찬	지방재정	503
이호철	순천서	381
이호태	법무광장	61
이호필	국세청	131
이홍구	중부청	231
이홍규	대구청	404
이홍로	세무토은	42
이홍범	조세재정	507
이홍석	기재부	95
이홍섭	기재부	81
이홍순	북대전서	328
이홍욱	중랑서	222
이홍재	택스홈	50
이홍조	국세청	125
이홍환	동울산서	460
이화경	평택서	267
이화령	조세재정	507
이화명	국세청	122
이화범	해운대서	458
이화석	마산서	468
이화선	은평서	216
이화섭	광주서	370
이화순	세무토은	42
이화영	관악서	176
이화영	통영서	476
이화영	지방재정	502
이화용	예산서	344
이화용	예산서	345
이화자	대전청	321
이화진	동대문서	189
이화진	수원서	252
이화진	북대전서	328
이화진	지방재정	503
이환	서광주서	374
이환구	법무광장	61
이환규	세종서	341
이환선	진주서	472
이환성	서광주서	374
이환수	분당서	248
이환운	남양주서	243
이환웅	조세재정	508
이환희	서초서	200
이효경	중부청	232
이효성	천안서	346
이효연	광교세무	37
이효영	마산서	468
이효재	의정부서	313
이효정	세무다솔	44
이효정	국세교육	145
이효정	노원서	184
이효정	성북서	205
이효정	시흥서	254
이효정	파주서	315
이효주	조세재정	508
이효진	기재부	93
이효진	서울청	149
이효진	포천서	317
이효진	세종서	340
이효진	서대구서	412
이효진	동울산서	461
이효철	세무다솔	44
이효철	국세상담	142
이효현	금정서	445
이후건	중랑서	222
이후경	기재부	85
이후돈	춘천서	280
이후림	송파서	206
이후인	천안서	346
이훈	서울청	162
이훈	북전주서	390
이훈기	경기광주	257
이훈용	기재부	82
이훈희	대구청	404
이훈희	서부산서	452
이휴련	세종서	340
이희걸	구미서	420
이희경	기재부	87
이희경	관악서	176
이희동	국회정무	76
이희라	강동서	172
이희령	서울청	167
이희령	울산서	463
이희범	청주서	356
이희복	조세심판	504
이희섭	김포서	305
이희수	광명서	302
이희수	조세재정	506
이희숙	도봉서	187
이희열	동대문서	188
이희영	서울청	150
이희영	관악서	176
이희영	양천서	208
이희영	파주서	314
이희영	남대구서	407
이희옥	구미서	421
이희완	중부청	230
이희윤	제주서	479
이희정	성남서	250
이희정	안양서	261
이희정	김포서	304
이희정	부산진서	448
이희정	동울산서	461
이희종	서대전서	330
이희진	구로서	178
이희진	마산서	469
이희창	중부서	224
이희태	삼성서	197
이희행	양천서	208
이희현	중부서	224
이희환	강동서	173
인경훈	동안양서	247
인길성	충주서	358
인길식	시흥서	255
인병춘	법무광장	61
인영수	딜로이트	16
인윤경	인천청	287
인윤희	성동서	202
인정덕	남양주서	243
인찬웅	중부청	235
인한용	동안양서	247
일학습	상공회의	118
임강욱	서울청	169
임강혁	광산서	368
임거성	서울청	149
임건아	시흥서	255
임경남	삼성서	197
임경매	서울청	152
임경미	성북서	204
임경미	잠실서	219
임경석	고양서	300
임경선	광주서	370
임경섭	역삼서	211
임경수	국세청	134
임경수	이천서	264
임경숙	논산서	334
임경순	서인천서	297
임경욱	서울청	151
임경주	부산청	437
임경준	잠실서	218
임경태	서울청	149
임경택	부산청	441
임경환	국세청	131
임경환	서울청	162
임경희	포항서	433
임관수	중부청	230
임광빈	인천서	298
임광섭	북인천서	294
임광열	성동서	203
임광준	서광주서	375
임광혁	김천서	423
임광현	서울청	147
임광현	서울청	148
임광훈	삼성서	196
임교진	동수원서	245
임국빈	북대전서	328
임권택	인천서	299
임규빈	김해서	466
임규성	금천서	180
임근재	국회재정	72
임근재	국세청	124
임근재	국세청	132
임근재	서울청	159
임금자	은평서	216
임기근	기재부	90
임기근	기재부	91
임기문	부천서	309
임기성	인천청	290
임기양	서울청	149
임기준	세무화우	67
임기준	전주서	395
임기향	국세청	124
임길묵	반포서	195
임길수	영등포서	213
임길호	부산세관	495
임나경	북부산서	450
임나영	울산서	462
임남숙	상주서	424
임남순	지방재정	502
임다혜	서울청	167
임다희	기재부	96
임달순	영동서	353
임담윤	반포서	194
임대근	화성서	268
임대룡	인천세관	491
임대승	태평양	65
임덕수	인천청	288
임도성	기재부	97
임도훈	부산진서	448
임돈희	영동서	352
임동구	김앤장	59
임동범	기재부	83
임동영	영등포서	213
임동옥	기재부	85
임동욱	국세청	126
임동욱	부산청	437
임동혁	감사원	78
임득균	부산청	443
임명규	인천청	289
임명숙	부천서	309
임무일	삼척서	272
임문숙	성동서	202
임미라	역삼서	211
임미란	광주청	365
임미선	은평서	217
임미선	부산청	439
임미송	금천서	180
임미숙	속초서	275
임미영	남대문서	182
임미영	동대문서	189
임미정	국세청	125
임미화	조세재정	508
임미희	광산서	369
임민경	중부청	229
임민철	국세청	133
임병국	국회정무	76
임병국	잠실서	218
임병복	관세청	483
임병석	남양주서	242
임병섭	마산서	468
임병수	강남서	171
임병일	노원서	184
임병일	평택서	266
임병주	서대구서	413
임병훈	국세청	138
임병훈	김해서	467
임보라	서울청	148
임보라	세종서	341
임보람	영등포서	213
임보미	지방재정	502
임보영	감사원	78
임보현	중부서	224
임보화	중부청	229
임봉근	감사원	78
임봉숙	용산서	215
임부돌	경주서	419
임부선	구리서	239
임부은	금정서	445
임상규	포천서	316
임상균	기재부	85
임상록	광명서	303
임상만	진주서	473
임상미	조세재정	506
임상민	국세청	126
임상빈	대전청	320
임상조	마산서	469
임상진	서울청	158
임상진	남대문서	183
임상진	수성서	415
임상헌	국세청	123
임상혁	감사원	78
임상현	중부산서	456
임상현	마산서	468
임상훈	중부청	229
임샘터	서울청	166
임서현	국세청	130
임석규	서울청	149
임석민	동대문서	189
임석봉	용산서	215
임석원	연수서	310
임석준	수원서	252
임석현	인천청	289
임석호	인천청	286
임선기	동울산서	461
임선미	광주청	366
임선아	송파서	207
임선영	동대문서	189
임선영	서대전서	331
임선옥	북인천서	294
임선희	기재부	98
임선희	안산서	259
임성균	세무다솔	44
임성도	서울청	158
임성미	동래서	446
임성민	순천서	381
임성범	지방재정	502
임성빈	기재부	85
임성빈	부산청	435
임성빈	부산청	436
임성아	제주서	478
임성애	서울청	166
임성영	삼성서	196
임성옥	청주서	356
임성재	삼일회계	21
임성준	서부산서	453
임성찬	서울청	161
임성혁	원주서	278
임성훈	서대구서	413
임세실	용인서	262
임세창	성동서	203
임세혁	인천청	290
임세희	논산서	335
임소미	북전주서	391
임소연	종로서	221
임소영	양천서	209
임소영	시흥서	254
임소영	조세재정	508
임소현	공주서	332
임송대	김앤장	59
임송빈	천안서	347
임수경	광주청	362
임수경	북대구서	411
임수기	양천서	209
임수미	광산서	368
임수민	대전서	326
임수봉	순천서	381
임수연	노원서	185
임수연	마포서	192
임수연	경산서	416
임수정	서울청	158
임수정	동수원서	245
임수정	충주서	358
임수정	마산서	468
임수정	통영서	476
임수진	강서서	175
임수진	양천서	208
임수혁	법무광장	60
임수현	기재부	96
임수현	국세청	124
임수현	국세청	131
임수현	중부청	233
임수현	화성서	269
임수현	포천서	317
임수현	군산서	386
임숙자	서울청	149
임순길	남인천서	292
임순묵	기재부	90
임순이	평택서	266
임순종	부천서	308
임순하	고양서	300
임슬기	북대전서	329
임승룡	가현택스	201
임승룡	가현택스	210
임승명	중부서	224
임승모	순천서	381
임승빈	중부청	233
임승섭	중부청	232
임승수	중부청	232
임승순	법무화우	66
임승용	평택서	266
임승원	이천서	264
임승주	감사원	79
임승하	동작서	190
임승혁	예일회계	24
임승환	예일세무	52
임시형	남양주서	242
임식용	국세청	129
임신욱	시흥서	254
임신희	서울청	157
임아련	군산서	387
임아름	중랑서	223
임아사	동수원서	244
임안나	북대전서	328
임양건	서울청	151
임양록	김앤장	59

임양주 정읍서 396
임여경 국세청 124
임여울 강동서 172
임여진 여성세무 35
임연빈 조세재정 507
임엽 강서서 175
임영교 동수원서 244
임영미 대전청 325
임영선 종로서 220
임영섭 부산청 436
임영수 성남서 251
임영수 영월서 277
임영신 서울청 152
임영신 서울청 153
임영아 서울청 166
임영욱 성현회계 14
임영운 서울청 156
임영은 서울청 155
임영주 기재부 92
임영주 양산서 471
임영진 기재부 85
임영현 서대문서 199
임영희 울산서 463
임예지 잠실서 219
임옥경 강남서 171
임옥규 국세청 139
임완수 경주서 418
임완진 익산서 393
임완진 서부산서 453
임용걸 동작서 190
임용견 관세청 483
임용규 수성서 415
임용묵 신대동 56
임용주 남인천서 292
임용택 김앤장 59
임우영 동안양서 247
임우철 울산서 463
임우현 안산서 259
임욱 인천청 286
임원경 안산서 258
임원아 중부청 228
임원주 국세청 138
임원희 진주서 472
임유란 논산서 334
임유리 대전서 327
임유선 포항서 433
임유순 기재부 83
임유정 서울청 148
임유진 영등포서 212
임유진 안산서 258
임유화 인천서 299
임윤섭 천안서 346
임윤영 부산진서 449
임윤정 서부산서 452
임윤정 조세심판 505
임윤종 도봉서 186
임윤택 중랑서 222
임은란 기재부 83
임은미 영등포서 213
임은미 서부산서 452
임은식 광명서 303
임은영 인천서 299
임은주 도봉서 186
임은철 영등포서 213
임은형 영등포서 212
임은화 용산서 214
임은효 국세청 122
임의순 종로서 221
임의준 세무다솔 44
임인규 택스홈 50
임인섭 통영서 477
임인수 충주서 359
임인정 서울청 154
임인택 대전서 326
임인택 청주서 357
임인혁 평택서 266
임인혜 남인천서 292
임일택 북광주서 373
임일훈 제천서 355
임자혁 연수서 310
임장섭 중부청 236
임재국 상공회의 118
임재규 영주서 431
임재미 중부청 236
임재석 남인천서 293
임재성 북전주서 390
임재승 중부청 236
임재영 홍천서 282
임재욱 기재부 91
임재은 의정부서 312
임재주 국세교육 145
임재철 아산서 343
임재학 경주서 418
임재혁 경기광주 257
임재현 기재부 86
임재현 기재부 87
임재현 기재부 88
임재현 서울청 148
임정경 안양서 260
임정관 대구청 401
임정근 삼성서 197
임정미 동대문서 188
임정미 서대전서 330
임정미 여수서 383
임정석 서울청 161
임정섭 부산청 436
임정숙 기재부 86
임정숙 서울청 149
임정은 송파서 206
임정은 동수원서 244
임정일 서울청 164
임정진 해운대서 459
임정혁 용인서 263
임정혁 조세재정 508
임정현 포천서 316
임정혜 예산서 344
임정호 서울청 153
임정호 안산서 259
임정환 삼척서 273
임정환 부산청 436
임정훈 법무율촌 63
임정훈 대구청 400
임정훈 동래서 446
임정훈 제주서 479
임정희 반포서 195
임정희 삼성서 196
임종권 조세재정 508
임종근 통영서 477
임종덕 대구세관 498
임종민 역삼서 211
임종수 서울세무 32
임종수 서울청 148
임종수 충주서 359
임종순 동안양서 246
임종안 광산서 369
임종우 서인천서 296
임종진 서울청 156
임종진 부산청 437
임종찬 목포서 378
임종철 대구청 401
임종철 영주서 430
임종필 창원서 474
임종헌 서초서 201
임종혁 충주서 359
임종현 법무세종 62
임종호 국세청 124
임종호 수성서 414
임종화 충주서 359
임종훈 서대문서 199
임종훈 울산서 463
임종희 마포서 193
임주경 부산청 438
임주리 광주청 365
임주연 관세청 483
임주영 양산서 471
임주현 국회법제 73
임주현 기재부 84
임주현 안산서 259
임주환 북대구서 410
임준 수성서 414
임준빈 중부서 225
임준일 인천청 289
임준홍 국회정무 76
임중균 서대구서 413
임지남 잠실서 219
임지민 동대문서 189
임지산 삼일회계 21
임지숙 성북서 205
임지순 동청주서 350
임지아 세종서 340
임지영 서울청 154
임지영 서울청 155
임지원 경주서 418
임지은 세종서 340
임지은 경주서 419
임지은 마산서 468
임지혁 김포서 304
임지현 잠실서 218
임지현 상주서 425
임지형 영등포서 213
임지혜 동작서 191
임지혜 분당서 249
임지혜 대전서 326
임지혜 창원서 474
임지호 기재부 98
임지훈 천안서 346
임지훈 북전주서 390
임진규 영동서 352
임진묵 속초서 274
임진아 광주청 367
임진연 동고양서 306
임진영 대전서 327
임진옥 서울청 149
임진정 광주서 370
임진혁 인천청 291
임진호 강남서 171
임진화 관악서 177
임진환 안동서 427
임찬우 감사원 77
임창관 목포서 379
임창규 서울청 167
임창범 서울청 155
임창빈 서울청 148
임창섭 서울청 149
임창섭 부산청 440
임창수 북대전서 328
임창수 북대구서 410
임창수 마산서 468
임채경 남인천서 293
임채동 광산서 369
임채두 서울청 160
임채문 상공회의 118
임채문 상공회의 118
임채문 상공회의 118
임채문 원주서 279
임채수 가현택스 154
임채수 가현택스 165
임채수 가현택스 219
임채영 순천서 380
임채일 중부산서 457
임채준 국세청 125
임채현 수성서 415
임채홍 안동서 427
임철 상공회의 117
임철우 중부청 233
임철준 성현회계 14
임철진 광주청 364
임춘호 중기회 119
임충현 상공회의 117
임치성 중부청 236
임치수 대구청 402
임칠성 포천서 317
임태수 진주서 473
임태순 부산청 439
임태윤 금천서 180
임태이 세무다솔 44
임태일 서울청 164
임태호 강서서 174
임태호 인천청 286
임하경 잠실서 218
임하나 서울청 167
임하나 수영서 455
임하연 중부청 229
임한경 경산서 417
임한균 역삼서 211
임한섭 이천서 264
임한솔 정읍서 396
임한준 대전청 322
임해숙 인천청 289
임행완 포천서 317
임향숙 여수서 383
임향원 북대구서 411
임향자 중부청 232
임헌정 기재부 82
임헌진 동청주서 351
임현구 남양주서 242
임현석 서울청 160
임현수 동청주서 351
임현숙 국회재정 71
임현숙 국회재정 71
임현영 서울청 160
임현우 은평서 216
임현정 성동서 203
임현정 광명서 302
임현정 조세재정 507
임현종 국회정무 76
임현주 안산서 258
임현진 서울청 159
임현진 창원서 474
임현철 대전청 322
임현철 관세청 482
임현택 순천서 380
임형걸 국세교육 145
임형빈 보령서 336
임형수 양천서 209
임형수 북인천서 294
임형수 조세재정 508
임형우 고양서 300
임형은 아산서 342
임형준 송파서 207
임형철 구로서 179
임형태 국세청 134
임혜경 동래서 447
임혜란 중부청 235
임혜령 서울청 160
임혜미 동수원서 244
임혜빈 서울청 160
임혜연 성동서 203
임혜영 중부청 230
임혜정 금정서 444
임혜진 서울청 167
임혜진 강남서 170
임호진 서울청 167
임홍규 조세심판 504
임홍기 기재부 89
임홍남 딜로이트 16
임홍래 조세재정 508
임홍숙 삼성서 196
임홍철 서초서 201
임화춘 국세청 124
임활규 인천세관 492
임효선 강서서 174
임효선 수원서 253
임효신 남대구서 407
임효정 마포서 193
임흥식 인천청 289
임희건 노원서 184
임희경 중부청 229
임희수 세무고시 33
임희영 조세재정 508
임희운 서울청 160
임희원 양천서 209
임희인 안동서 426
임희정 역삼서 210
임희정 중부청 235
임희택 마산서 469

ㅈ

장강혁 지방재정 502
장건수 동작서 190
장건식 송파서 206
장건형 천안서 347
장건후 포천서 316
장경란 양천서 208
장경림 지방재정 503
장경상 서울세무 32
장경수 충주서 359
장경숙 광명서 303
장경순 중기회 119
장경승 기재부 99
장경애 안양서 260
장경일 중부청 228
장경주 마포서 193
장경호 국세청 126
장경호 부산세관 494
장경화 의정부서 313
장경화 서광주서 374
장경희 평택서 266
장경희 경산서 416
장광남 조세재정 508
장광범 동대구서 408
장광석 국세청 124
장광순 광교세무 38
장광식 영월서 277
장광웅 부산진서 449
장광택 울산서 462
장광현 서울세관 485
장광현 서울세관 487
장권철 중부청 236
장규복 은평서 216
장근식 김포서 305
장근철 남대구서 406
장기승 서인천서 296
장기엽 성북서 204
장기영 북광주서 372
장기웅 서울청 168
장기원 대전청 320
장기현 목포서 379
장길엽 분당서 248
장낙원 조세재정 508
장난주 감사원 78
장남식 부천서 308
장남홍 광교세무 36
장노기 금정서 445
장다혜 김해서 467
장대식 수원서 253
장대완 서울청 148
장덕구 대전청 324
장덕윤 관악서 176
장덕진 영주서 431
장덕희 부산청 438
장동은 광명서 302
장동주 서울청 168
장동환 서울청 161
장동환 충주서 359
장동훈 마포서 193
장두영 중랑서 222
장두진 부산청 438
장명수 마산서 469
장명숙 영등포서 212
장명자 영덕서 429
장명진 남대구서 406
장명화 대전서 326
장문경 중부청 231
장문근 남대문서 183
장문석 조세재정 508
장문수 대전서 326
장미랑 광주서 370
장미선 의정부서 313
장미숙 서울청 149
장미영 논산서 335
장미자 북전주서 390
장미진 이천서 264
장미진 동울산서 460
장미향 파주서 314
장민 반포서 194
장민경 강남서 170
장민근 서울청 155
장민기 경기광주 257
장민석 나주서 376
장민수 홍천서 283
장민영 구로서 178
장민우 서초서 200
장민재 중부청 233
장민혜 조세재정 507
장민환 천안서 347
장백건 국회재정 72
장백용 마산서 468
장병국 도봉서 187
장병수 중부서 224
장병채 양천서 208
장병호 구미서 421
장보영 기재부 85
장보원 세무고시 33
장복동 포천서 316
장상기 관세청 483
장상우 북전주서 390
장상원 해운대서 458
장서라 국세청 128
장서영 남대문서 182
장서윤 금천서 181
장서현 구로서 179
장석립 국회정무 75
장석만 중부청 229
장석문 부산청 439
장석안 아산서 343

장석오 국세청 125
장석원 국회재정 72
장석일 금감원 103
장석일 금감원 111
장석준 중부청 230
장석진 중부청 234
장석현 울산서 463
장선영 서인천서 297
장선우 북부산서 451
장선정 광명서 303
장선희 강남서 171
장설희 파주서 315
장성근 양산서 470
장성근 제주서 479
장성기 국세청 130
장성두 태평양 65
장성미 동청주서 350
장성민 동수원서 244
장성우 국세청 128
장성우 서대문서 198
장성욱 중부산서 457
장성재 의정부서 313
장성주 구미서 421
장성진 인천청 291
장성필 광주청 366
장성하 은평서 217
장성환 중부청 234
장세리 용인서 263
장세연 천안서 347
장세원 속초서 275
장세창 국회법제 74
장세창 인천세관 491
장세철 울산서 462
장소연 시흥서 254
장소영 서울청 164
장소영 경기광주 256
장소영 부천서 308
장소영 천안서 347
장수안 서울청 149
장수연 광주청 363
장수연 수성서 414
장수연 김해서 466
장수영 인천청 288
장수원 삼성서 196
장수은 기재부 97
장수임 예일세무 52
장수정 중부청 232
장수정 동대구서 408
장수진 중랑서 223
장수진 보령서 336
장수환 양천서 209
장수희 북광주서 373
장순남 법무광장 61
장슬미 광주청 364
장승연 태평양 65
장승원 파주서 315
장승일 진주서 472
장승훈 국회법제 73
장승희 중부청 229
장시열 기재부 92
장시원 광주청 362
장시원 경주서 419
장시찬 대전청 324
장신기 국세청 122
장아름미 서울청 164
장엄지 의정부서 312
장연경 포천서 316
장연근 강동서 172
장연숙 화성서 269
장연숙 서대구서 413
장연주 구로서 179
장연택 중부청 228
장연호 법무광장 60
장영 기재부 86
장영규 기재부 87
장영기 법무율촌 63
장영란 삼성서 196
장영림 삼성서 197
장영민 서울세관 486
장영삼 제주서 478
장영서 서초서 200
장영석 대전청 321
장영섭 법무광장 61
장영수 광주청 362
장영애 강동서 173
장영욱 평택서 266
장영일 중부청 237
장영주 군산서 386
장영진 국세주류 140
장영진 남대문서 183
장영철 삼덕회계 18
장영철 전주서 394
장영태 국세상담 142
장영호 양산서 471
장영환 구로서 179
장영훈 기재부 85
장영훈 서울청 167
장영희 순천서 381
장예원 서인천서 296
장완재 북전주서 390
장외자 수성서 414
장용자 중부청 231
장용준 전주서 394
장용호 인천세관 490
장용희 기재부 93
장용희 익산서 393
장우석 파주서 314
장우영 천안서 346
장우인 경기광주 257
장우정 국세청 128
장우현 조세재정 507
장운길 한국세무 31
장운정 조세재정 507
장웅요 서울세관 485
장웅요 서울세관 486
장원국 대구청 405
장원대 부산청 437
장원미 마포서 192
장원석 인천청 291
장원석 조세재정 508
장원식 국세청 124
장원식 국세청 131
장원식 서울청 164
장원용 안산서 259
장원일 국세청 126
장원주 구로서 178
장원창 국세교육 144
장유리 수원서 252
장유민 포항서 433
장유석 기재부 92
장유용 광주세관 500
장유정 수원서 252
장유정 연수서 310
장유진 원주서 279
장유진 울산서 463
장유진 조세재정 507
장유진 조세재정 508
장윤석 대전청 321
장윤성 중기회 119
장윤정 기재부 83
장윤정 기재부 85
장윤정 동수원서 245
장윤호 인천청 287
장윤화 진주서 472
장윤희 동작서 191
장은경 부천서 308
장은경 대구청 400
장은경 부산청 439
장은석 국세청 125
장은수 국세청 130
장은실 용인서 263
장은영 영등포서 213
장은영 포항서 433
장은영 진주서 472
장은용 인천서 299
장은정 구로서 178
장은정 동대문서 189
장은정 조세재정 506
장은주 대전청 322
장의순 기재부 96
장이삭 국세청 124
장익성 분당서 248
장익순 속초서 275
장익준 제주서 479
장인섭 서울청 155
장인섭 평택서 266
장인수 동대문서 189
장인숙 서울청 153
장인숙 부산청 439
장인영 중랑서 222
장인영 동안양서 247
장인영 구미서 420
장인철 양산서 470
장일영 금천서 181
장일웅 고양서 300
장재림 서울청 148
장재민 중부청 235
장재선 부산진서 448
장재수 서울청 168
장재영 서울청 149
장재영 중부서 224
장재영 중부청 233
장재영 광주서 370
장재용 기재부 83
장재웅 연수서 310
장재원 구로서 178
장재윤 부산청 438
장재필 중부산서 456
장재형 법무율촌 63
장재형 김천서 422
장재호 남양주서 242
장재훈 강서서 174
장점선 고양서 301
장정수 남양주서 242
장정순 남인천서 292
장정순 조세재정 506
장정실 익산서 392
장정엽 인천청 290
장정우 천안서 347
장정욱 김포서 305
장정윤 조세재정 508
장정은 서초서 201
장정현 김포서 304
장정혜 남대구서 406
장정환 포천서 316
장제영 파주서 315
장제원 국회법제 74
장종식 속초서 274
장종철 북대구서 411
장종현 화성서 268
장주아 경기광주 257
장주열 고양서 300
장주영 해운대서 459
장주현 강서서 174
장주환 부산진서 448
장주흠 감사원 79
장준 김해서 466
장준경 금감원 103
장준경 금감원 110
장준미 국세청 132
장준엽 군산서 387
장준영 기재부 91
장준영 북부산서 450
장준영 부산세관 495
장준용 대전청 325
장준원 동작서 191
장준재 국세청 138
장준혁 기재부 95
장준환 포항서 432
장준희 기재부 90
장준희 조세재정 507
장지무 양산서 471
장지민 북광주서 373
장지선 순천서 380
장지안 북전주서 390
장지연 동안양서 246
장지영 동래서 446
장지우 강동서 172
장지원 조세재정 508
장지윤 반포서 195
장지은 구로서 179
장지은 분당서 249
장지혜 서대문서 199
장지혜 동수원서 244
장지환 성현회계 14
장지환 정진세림 27
장지환 원주서 279
장지훈 삼정회계 22
장진식 북대구서 410
장진아 김포서 305
장진영 안동서 427
장진욱 종로서 220
장진욱 남대구서 406
장진화 세무다솔 44
장진희 국세상담 142
장찬순 홍성서 349
장찬용 서울청 165
장창걸 포항서 433
장창복 역삼서 211
장창하 중부청 236
장창호 북대구서 410
장창환 은평서 217
장철 남대구서 406
장철성 금천서 180
장철현 중랑서 223
장철현 김천서 422
장철호 중부청 234
장충규 서울청 158
장충길 서광주서 374
장태복 구리서 238
장태성 광명서 303
장태희 조세심판 505
장필효 서인천서 296
장하용 동작서 191
장한별 서울청 156
장한슬 남대구서 406
장한울 충주서 358
장해미 양산서 470
장해성 서울청 164
장해성 원주서 278
장해순 중부청 236
장해영 기재부 83
장해준 전주서 395
장해탁 대구청 404
장행진 나주서 377
장혁민 영주서 431
장혁배 분당서 248
장현기 안산서 258
장현기 대구청 402
장현량 북전주서 390
장현미 경산서 416
장현석 지방재정 502
장현성 양천서 209
장현수 화성서 268
장현수 부천서 309
장현숙 전주서 394
장현옥 원주서 278
장현우 경산서 416
장현정 군산서 387
장현정 대구청 402
장현주 중부청 236
장현주 영주서 431
장현준 삼일회계 20
장현준 전주서 395
장현진 서울청 157
장현진 원주서 279
장현하 아산서 342
장형구 동대문서 188
장형보 중부청 235
장형순 남대구서 406
장형욱 해남서 385
장형원 북인천서 294
장형재 서광주서 374
장형준 영동서 353
장형준 군산서 387
장혜경 서울청 153
장혜경 성동서 203
장혜경 종로서 221
장혜미 서울청 169
장혜미 관악서 177
장혜민 해운대서 459
장혜민 지방재정 502
장혜심 분당서 248
장혜영 국회재정 72
장혜영 중부서 225
장혜원 창원서 475
장혜주 강남서 170
장혜주 수원서 252
장혜진 영등포서 213
장혜진 구리서 238
장호강 이안세무 53
장호우 경산서 416
장호윤 삼척서 272
장호천 김해서 466
장호철 울산서 463
장홍정 북부산서 450
장효섭 서울청 163
장효숙 조세심판 504
장효순 기재부 93
장효영 부산진서 449
장효윤 창원서 475
장훈 국세상담 143
장훈 경산서 416
장희라 국세청 126
장희석 관세사회 54
장희숙 역삼서 211
장희숙 동고양서 307
장희원 서울청 167
장희정 동작서 190
장희정 동작서 191
장희정 종로서 221
장희정 남대구서 407
장희준 경산서 417
장희진 화성서 269
장희철 서울청 158
재정국 기재부 93
전가람 원주서 279
전갑수 경주서 418
전갑종 서현이현 7
전강식 국세청 130
전강희 국세청 135
전건모 김포서 304
전경란 양천서 208
전경선 수원서 253
전경선 조세심판 505
전경수 부산세관 494
전경숙 금정서 445
전경옥 부천서 308
전경옥 부천서 309
전경원 영등포서 213
전경일 북부산서 451
전경호 성동서 202
전경화 기재부 86
전광준 성동서 202
전광철 기재부 82
전광춘 감사원 77
전광현 중부서 225
전광희 청주서 357
전국화 동울산서 460
전국휘 안양서 260
전군표 광교세무 36
전규태 북대구서 410
전근 구미서 421
전근배 삼덕회계 18
전기석 중부청 235
전기승 서울청 158
전기현 성현회계 14
전기희 국세교육 144
전길영 김해서 467
전다영 국세청 137
전다인 구리서 239
전대섭 고양서 300
전대웅 용산서 214
전대진 삼척서 272
전동근 국세청 138
전동길 국세청 126
전동철 중부청 228
전동표 기재부 87
전동현 북전주서 390
전동호 서울청 149
전동흔 법무율촌 63
전만기 서초서 201
전명선 경주서 418
전명진 종로서 221
전명진 대전청 322
전명환 성현회계 14
전문숙 북부산서 451
전미라 중부서 225
전미례 관악서 177
전미애 연수서 311
전미영 고양서 300
전미옥 서울청 153
전미자 남대구서 407
전민균 북인천서 295
전민식 서울세관 485
전민식 서울세관 487
전민재 강서서 175
전민재 동수원서 244
전민정 국세청 124
전민정 삼성서 196
전민휘 금천서 181
전범수 경기광주 256
전범철 중부청 234
전병국 부산진서 448
전병도 부산진서 448
전병두 용산서 215
전병목 조세재정 506
전병순 대전청 321
전병오 국세청 125
전병우 화성서 268

전병운 중부산서 457
전병일 북부산서 450
전병준 강동서 173
전병진 서울청 154
전병천 금천서 181
전병헌 예산서 344
전보람 기재부 83
전보미 기재부 93
전보원 의정부서 312
전보현 서초서 201
전복진 광주청 362
전본희 감사원 79
전봄내 양산서 470
전봉민 동래서 447
전봉준 중부청 232
전봉철 익산서 392
전상규 국세청 126
전상련 동대구서 409
전상미 김천서 422
전상원 성현회계 14
전상은 세무토은 42
전상주 영주서 430
전상현 성북서 204
전상호 파주서 315
전상훈 안산서 259
전샛별 강동서 173
전선빈 동청주서 350
전선영 양천서 209
전선화 노원서 184
전선희 화성서 268
전성곤 울산서 463
전성구 남인천서 292
전성배 서울세관 486
전성수 양천서 208
전성우 김천서 423
전성익 조세심판 505
전성준 청주서 357
전성헌 기재부 84
전성화 부산청 441
전성훈 노원서 184
전세림 인천청 291
전세연 충주서 359
전세영 순천서 380
전세정 용산서 214
전세현 금정서 444
전소연 국세청 126
전소연 수영서 455
전소윤 서인천서 296
전소현 춘천서 281
전소희 평택서 266
전수만 삼척서 272
전수연 이천서 265
전수영 정읍서 397
전수정 기재부 83
전수진 국세청 128
전수진 경산서 417
전수진 김해서 467
전수현 군산서 387
전순호 강동서 172
전순화 북인천서 294
전승배 잠실서 218
전승조 수성서 414
전승진 조세재정 506
전승필 의정부서 312
전승헌 고양서 301
전승현 서울청 162
전승현 경주서 418
전승훈 송파서 206
전시영 대전서 326
전아라 서울청 155
전애진 국세청 139
전양호 구미서 421
전연주 성동서 202
전연주 인천청 290
전연진 조세심판 504
전영 대전서 327
전영균 반포서 195
전영래 법무세종 62
전영무 북인천서 294
전영수 김해서 467
전영신 예산서 344
전영심 동래서 446
전영우 북부산서 451
전영욱 북부산서 450
전영의 서울청 150
전영종 기재부 82
전영준 법무율촌 63
전영준 중부청 228
전영지 용인서 262
전영창 세무하나 49
전영철 진주서 473
전영출 인천청 291
전영현 대구청 400
전영현 북부산서 451
전영호 국세청 125
전영호 동대구서 409
전영훈 춘천서 280
전예원 조세재정 507
전예은 광명서 303
전예제 지방재정 503
전오영 법무화우 66
전옥선 대전청 321
전완규 법무화우 66
전왕기 서울청 148
전요섭 금융위 101
전요찬 군산서 386
전용두 국회법제 74
전용수 서울청 159
전용원 동대문서 189
전용준 울산서 462
전용진 북부산서 451
전용찬 역삼서 210
전용한 삼덕회계 18
전용현 광산서 368
전용훈 중부청 231
전우승 감사원 78
전우식 중랑서 223
전우식 서인천서 296
전우정 영주서 431
전우찬 구로서 179
전우현 거창서 465
전운 성남서 251
전원석 국세청 125
전원실 안산서 258
전원엽 삼일회계 20
전원진 부천서 308
전유광 남인천서 292
전유나 마포서 192
전유리 국세청 139
전유림 동안양서 246
전유민 종로서 221
전유석 기재부 90
전유영 북인천서 295
전유완 부천서 309
전유진 예일세무 52
전유진 전주서 394
전유호 택스홈 50
전윤석 마포서 193
전윤아 남양주서 242
전윤지 김해서 466
전윤현 포항서 432
전윤희 대전청 320
전은미 서대구서 412
전은상 관악서 176
전은상 서광주서 374
전은선 여성세무 35
전은선 파주서 314
전은수 역삼서 210
전은영 중부청 230
전은정 중부청 236
전은지 노원서 184
전은지 구리서 239
전은현 영덕서 428
전이나 전주서 394
전이현 정진세림 27
전익선 국세청 134
전익성 대구청 401
전익표 동안양서 246
전인경 구로서 179
전인복 북대전서 328
전인석 서부산서 452
전인식 상공회의 117
전인열 지방재정 503
전인영 중부서 224
전인지 이천서 264
전인향 서초서 201
전일권 국세청 124
전일수 국세청 139
전재달 국세청 139
전재령 영동서 352
전재수 국회정무 76
전재형 용인서 262
전정영 국세청 134
전정원 성동서 203
전정일 경주서 418
전정호 중부청 230
전정화 잠실서 218
전정훈 노원서 185
전제간 송파서 207
전제범 지방재정 502
전제영 수영서 455
전종경 동대구서 409
전종근 성동서 203
전종상 국세교육 144
전종상 노원서 185
전종선 송파서 206
전종순 광명서 302
전종원 통영서 476
전종태 광주청 364
전종태 김해서 467
전종호 창원서 474
전종희 구리서 238
전주석 인천청 290
전주현 안양서 261
전주혜 국회법제 74
전주화 전주서 395
전주환 포천서 316
전준고 기재부 83
전준일 영등포서 213
전준호 인천청 290
전준희 국세청 130
전중원 국세청 130
전중인 국회정무 75
전지민 서울청 160
전지민 마산서 469
전지선 군산서 386
전지연 강남서 170
전지연 인천서 298
전지영 기재부 86
전지영 서대구서 412
전지용 부산청 437
전지원 구로서 178
전지원 마포서 193
전지원 지방재정 503
전지은 청주서 357
전지현 국세청 124
전지현 국세청 125
전지현 남인천서 293
전지현 서대전서 331
전지현 북부산서 451
전지현 지방재정 502
전지형 포천서 316
전지혜 해운대서 459
전지희 김천서 423
전진관 한국세무 31
전진무 안산서 259
전진수 노원서 185
전진우 중부청 228
전진철 해남서 384
전진향 국회법제 73
전진효 서초서 200
전찬범 김천서 423
전찬희 정읍서 397
전창석 창원서 475
전창선 서인천서 296
전창우 예산서 345
전창훈 경주서 418
전채환 기흥서 240
전철 은평서 217
전충선 국세청 138
전치성 보령서 337
전태규 파주서 314
전태병 동대문서 189
전태수 한국세무 31
전태영 서울청 153
전태원 동작서 191
전태현 북광주서 373
전태호 서대문서 198
전태호 서부산서 453
전태희 마산서 469
전태훈 은평서 217
전필숙 구미서 420
전하나 해운대서 459
전하돈 중부청 234
전하윤 서부산서 453
전하준 인천서 298
전학심 서울청 150
전한식 삼성서 196
전한준 김앤장 59
전해만 세무다솔 44
전해철 나주서 376
전현명 중부산서 456
전현민 서인천서 297
전현숙 제천서 354
전현아 북대전서 328
전현정 서울청 162
전현정 인천청 290
전현정 서대전서 330
전현정 대구청 402
전현주 동청주서 350
전현주 수영서 454
전현진 서대구서 412
전현혜 국세청 135
전형민 서대문서 199
전형용 기재부 85
전형원 중부청 228
전형정 화성서 268
전형진 조세재정 508
전형철 감사원 78
전혜숙 중기회 119
전혜연 조세재정 508
전혜영 서울청 168
전혜영 용인서 263
전혜영 대전청 321
전혜윤 고양서 301
전혜정 동대문서 189
전혜정 인천청 289
전혜진 서대전서 331
전혜진 대구청 403
전호남 예산서 345
전호종 영덕서 429
전홍규 기재부 81
전홍근 파주서 315
전홍미 창원서 475
전홍석 광주서 370
전확 은평서 217
전환진 법무율촌 63
전효선 기재부 86
전후영 국세상담 142
전훈희 강남서 170
전희경 남대문서 182
전희원 북부산서 451
정가희 동안양서 247
정갑성 삼덕회계 18
정강미 중랑서 222
정강영 시흥서 255
정거성 서초서 200
정건 용산서 214
정건제 서울청 164
정건철 광주서 371
정건화 북부산서 450
정경남 경주서 419
정경돈 인천서 298
정경미 동대구서 409
정경미 부산청 440
정경민 분당서 249
정경민 진주서 473
정경석 법무율촌 63
정경숙 강서서 174
정경순 도봉서 186
정경순 송파서 207
정경순 조세재정 506
정경식 여수서 383
정경옥 기재부 89
정경옥 잠실서 218
정경은 중기회 119
정경인 안산서 258
정경일 광주청 364
정경일 수성서 415
정경임 동울산서 460
정경종 광주청 365
정경주 국세상담 142
정경주 마산서 469
정경진 서대문서 198
정경진 중부청 232
정경철 북전주서 390
정경택 노원서 184
정경화 영등포서 213
정경화 중부청 234
정경화 평택서 267
정경화 조세재정 508
정경훈 한국세무 31
정경희 구미서 421
정계승 북대전서 328
정계훈 신대동 56
정관성 마포서 193
정관용 상공회의 117
정광륜 서울청 154
정광명 감사원 78
정광용 중부청 233
정광일 노원서 185
정광조 기재부 96
정광조 서부산서 452
정광주 국회법제 73
정광준 강동서 172
정광진 김앤장 59
정광현 화성서 268
정광호 대전서 327
정교민 강동서 172
정교필 마포서 192
정구수 북인천서 294
정구휘 인천청 289
정국교 강릉서 270
정국일 서울청 152
정권 북부산서 451
정권술 수영서 455
정규남 수원서 252
정규명 서울청 168
정규민 북대전서 329
정규삼 대구청 405
정규석 삼덕회계 18
정규식 서울청 164
정규진 부산청 443
정규호 강서서 175
정규호 수성서 414
정균영 기재부 92
정균호 익산서 392
정근선 북대전서 328
정근영 북인천서 295
정근우 구로서 178
정근욱 서인천서 296
정금미 반포서 195
정금순 북전주서 390
정금자 군산서 386
정금태 전주서 394
정금희 대전서 326
정기선 구로서 178
정기선 구로서 178
정기선 인천청 289
정기섭 관세청 482
정기숙 국세청 125
정기열 북인천서 294
정기온 목포서 379
정기원 국세청 125
정기종 북광주서 372
정기주 북인천서 294
정기중 광주청 363
정기철 기재부 97
정기호 동수원서 244
정기환 국세청 124
정길채 기재부 95
정길호 논산서 334
정나영 강릉서 270
정낙열 삼일회계 21
정난영 구로서 179
정남숙 도봉서 187
정남희 기재부 94
정년숙 동청주서 350
정년숙 북광주서 372
정노진 세무다솔 44
정다겸 국세청 139
정다솔 수원서 252
정다영 종로서 220
정다운 기재부 95
정다운 화성서 269
정다운 북인천서 294
정다운 대구청 405
정다운 창원서 474
정다운 조세재정 506
정다운 조세재정 507
정다원 서울청 150
정다윗 수영서 455
정다은 남양주서 243
정다은 평택서 266
정다이 김포서 305
정다혜 파주서 315
정다희 광산서 369
정대교 김해서 467
정대길 삼정회계 22
정대석 대구청 401

정대섭 경주서 418
정대수 용산서 215
정대영 남대문서 182
정대영 충주서 359
정대혁 은평서 216
정대현 기재부 98
정대화 수영서 454
정대환 중부청 234
정대희 마산서 468
정덕영 기재부 99
정덕주 제주서 479
정도식 부산청 436
정도연 인천서 298
정도영 동대문서 188
정도영 북부산서 451
정도희 서울청 157
정동영 기재부 85
정동욱 관악서 177
정동욱 인천청 291
정동원 한국세무 31
정동재 국세청 139
정동주 국세청 128
정동준 김천서 422
정동진 예일회계 24
정동철 남대구서 406
정동혁 국세청 135
정동현 기재부 95
정동현 기재부 99
정동화 지방재정 503
정동환 국세상담 142
정동환 도봉서 186
정동훈 은평서 217
정두레 송파서 207
정두식 예일세무 52
정두영 중기회 119
정두영 예산서 344
정란 북광주서 372
정록환 기재부 85
정류빈 홍성서 348
정리나 서광주서 375
정만복 광주청 362
정맹헌 국세청 136
정명교 서초서 201
정명기 시흥서 255
정명수 기재부 83
정명수 익산서 393
정명숙 국세청 125
정명숙 충주서 359
정명숙 나주서 376
정명순 동수원서 245
정명주 중부서 225
정명지 기재부 92
정명하 반포서 195
정명하 공주서 332
정명환 울산서 462
정무현 제천서 354
정문수 동울산서 460
정문제 수성서 415
정문현 파주서 315
정문희 양천서 208
정미경 서울청 149
정미경 서울청 167
정미경 관악서 176
정미경 송파서 207
정미경 잠실서 218
정미경 인천청 289
정미경 의정부서 312
정미금 서대구서 412
정미라 광산서 368
정미란 국세청 137
정미란 서울청 158
정미래 서초서 201
정미리 부산청 439
정미선 강남서 171
정미선 북광주서 372
정미선 나주서 377
정미선 목포서 379
정미선 김해서 467
정미애 수원서 252
정미애 경주서 418
정미연 동대구서 408
정미연 부산진서 448
정미영 서울청 156
정미영 은평서 216
정미영 잠실서 218
정미영 인천청 289
정미원 관악서 177
정미정 전주서 394
정미진 광주청 364
정미현 기재부 96
정미현 세종서 341
정미현 영동서 352
정미현 북부산서 450
정미화 마포서 192
정미화 제천서 355
정미희 중랑서 223
정민경 부산청 440
정민국 서울청 157
정민기 기재부 86
정민기 서울청 154
정민석 관악서 176
정민석 북부산서 451
정민선 지방재정 503
정민섭 역삼서 211
정민수 삼일회계 20
정민수 삼일회계 20
정민수 서울청 151
정민수 원주서 279
정민숙 서울세관 487
정민순 남대문서 183
정민양 안산서 258
정민영 공주서 333
정민영 부산진서 448
정민우 마포서 192
정민재 시흥서 254
정민재 의정부서 312
정민주 관악서 176
정민주 구미서 421
정민철 기재부 85
정민철 역삼서 211
정민형 기재부 93
정민혜 부천서 309
정민호 성동서 203
정민호 잠실서 218
정민화 서울청 167
정방현 금천서 180
정범식 상공회의 117
정병건 인천세관 492
정병관 군산서 387
정병록 평택서 266
정병문 김앤장 59
정병수 진주서 473
정병숙 연수서 311
정병식 기재부 94
정병식 기재부 95
정병주 정읍서 397
정병진 남양주서 243
정병진 지방재정 503
정병창 중부청 231
정병철 해남서 385
정병춘 법무광장 60
정병호 국세청 126
정병호 원주서 279
정보근 서울청 151
정보기 서대문서 199
정보람 반포서 195
정보령 서울청 163
정보름 조세재정 507
정보현 광산서 368
정복석 삼일회계 20
정복순 중부청 231
정봉균 서울청 152
정봉석 수원서 252
정봉수 강릉서 271
정봉철 역삼서 211
정봉훈 반포서 195
정부교 송파서 207
정부섭 창원서 474
정부용 상주서 424
정부원 해운대서 458
정빛나 조세재정 506
정사랑 기재부 85
정삼근 부천서 309
정상근 반포서 194
정상기 조세재정 507
정상남 서대전서 330
정상덕 강남서 170
정상미 광주청 366
정상민 서울청 162
정상배 서초서 200
정상봉 부산청 442
정상술 도봉서 187
정상아 동수원서 245
정상암 동대구서 409
정상열 노원서 184
정상오 성남서 251
정상용 경기광주 256
정상우 감사원 77
정상우 감사원 79
정상원 동작서 191
정상원 동청주서 350
정상진 국세청 126
정상천 대전청 322
정상화 기흥서 240
정상훈 북부산서 451
정새하 서광주서 374
정샛별 양천서 208
정서빈 광주서 371
정서연 전주서 394
정서영 강남서 171
정석규 서울청 169
정석우 부산청 440
정석주 중부산서 456
정석철 구미서 420
정석현 기재부 85
정석현 용인서 262
정석호 김천서 422
정석환 춘천서 280
정석훈 서울청 164
정석훈 구로서 178
정석훈 잠실서 218
정선경 해운대서 458
정선균 국세청 125
정선두 해운대서 458
정선례 김포서 304
정선민 동안양서 246
정선아 인천청 287
정선영 영등포서 213
정선영 연수서 310
정선옥 목포서 379
정선이 성남서 250
정선재 서울청 153
정선재 인천청 286
정선태 서광주서 375
정선현 중부청 232
정선화 서울청 149
정선흥 삼일회계 20
정설아 울산서 462
정성곤 화성서 268
정성관 기재부 82
정성관 영동서 352
정성구 기재부 95
정성규 기재부 99
정성균 세무다솔 44
정성만 부산청 436
정성모 서대전서 331
정성무 동청주서 350
정성문 여수서 383
정성민 서울청 152
정성민 기흥서 240
정성민 김천서 423
정성수 순천서 381
정성실 지방재정 502
정성영 중부청 228
정성오 북광주서 372
정성용 수영서 455
정성우 중부청 229
정성우 창원서 475
정성욱 북부산서 451
정성욱 창원서 474
정성원 기재부 84
정성원 진주서 472
정성윤 포항서 432
정성윤 김해서 466
정성은 송파서 206
정성은 용인서 263
정성은 인천청 288
정성의 해남서 384
정성익 인천청 288
정성일 연수서 311
정성일 순천서 381
정성주 삼척서 273
정성주 서부산서 453
정성진 대전청 320
정성택 전주서 394
정성한 서울청 167
정성현 성북서 204
정성호 국회재정 72
정성호 중부청 235
정성호 대구청 400
정성호 창원서 474
정성화 통영서 476
정성훈 반포서 194
정성훈 구리서 239
정성훈 대전청 322
정성훈 부산청 440
정성훈 해운대서 459
정성훈 창원서 475
정성희 국세상담 142
정성희 대구청 402
정세미 평택서 266
정세미 북부산서 450
정세연 잠실서 219
정세영 국세청 126
정세윤 마포서 192
정세훈 북광주서 372
정소라 세종서 341
정소연 구리서 238
정소연 인천서 298
정소영 기재부 99
정소영 서울청 148
정소영 양천서 208
정소영 잠실서 219
정소영 해남서 385
정소영 대구청 403
정소영 북대구서 411
정소영 진주서 472
정소윤 동래서 447
정소정 파주서 314
정소현 삼정회계 23
정솔희 지방재정 502
정수경 남대문서 182
정수길 춘천서 281
정수명 전주서 394
정수미 강동서 173
정수민 역삼서 211
정수빈 도봉서 186
정수연 양천서 208
정수연 포항서 433
정수연 부산청 442
정수엽 성북서 204
정수영 영등포서 212
정수영 북부산서 450
정수용 서대문서 199
정수인 서울청 164
정수인 역삼서 211
정수일 용인서 263
정수자 서광주서 375
정수지 잠실서 219
정수진 기재부 83
정수진 서울청 154
정수진 서울청 165
정수진 광명서 302
정수진 부산청 437
정수진 통영서 476
정수현 국회정무 75
정수현 나주서 377
정수현 수성서 414
정수호 대구청 401
정수환 창원서 474
정수희 동울산서 460
정숙경 나주서 376
정숙자 북전주서 390
정숙희 서울청 153
정숙희 북부산서 450
정순남 안산서 258
정순범 중부청 229
정순범 중부청 230
정순삼 강동서 172
정순애 금정서 444
정순연 기재부 99
정순욱 양천서 209
정순임 서울청 162
정순재 서대구서 413
정순찬 태평양 65
정슬기 춘천서 281
정슬기 동고양서 306
정슬기 양산서 470
정슬아 분당서 248
정승갑 성동서 202
정승기 평택서 266
정승기 인천청 290
정승렬 노원서 185
정승복 국세상담 142
정승식 잠실서 218
정승아 창원서 475
정승오 국세청 133
정승용 평택서 267
정승우 대구청 402
정승우 남대구서 407
정승우 부산청 442
정승욱 세무다솔 44
정승원 강남서 170
정승원 고양서 301
정승재 서산서 338
정승철 부천서 309
정승태 국세청 134
정승태 용산서 214
정승태 대전청 321
정승현 울산서 462
정승호 서초서 200
정승환 부산청 437
정승환 인천세관 489
정승환 인천세관 490
정승훈 부천서 309
정승희 강남서 170
정시온 남양주서 243
정시온 광주서 370
정신수 인천세관 491
정신애 북인천서 294
정신영 용인서 263
정쌍화 동대구서 408
정아가다 인천서 298
정아라 세무하나 49
정아람 서울청 159
정아름 중랑서 223
정아봉 기재부 98
정아영 안산서 259
정안석 영등포서 213
정애라 중부청 234
정애리 전주서 394
정애정 서울청 162
정애진 서울청 164
정양기 지방재정 503
정여명 역삼서 211
정여원 중부서 225
정연경 동작서 190
정연경 동청주서 351
정연교 광주세관 500
정연국 진주서 472
정연득 수원서 252
정연선 광산서 368
정연섭 부천서 309
정연수 서초서 200
정연오 부산세관 495
정연옥 포항서 432
정연우 대구세관 498
정연욱 통영서 476
정연웅 서울청 167
정연주 종로서 220
정연주 성남서 250
정연주 삼척서 272
정연철 동고양서 306
정연호 국회재정 71
정연훈 경주서 419
정영건 강남서 170
정영곤 여수서 383
정영균 금천서 181
정영달 강남서 170
정영덕 해운대서 458
정영록 동울산서 461
정영무 북인천서 295
정영미 구리서 238
정영민 김앤장 59
정영배 부산청 440
정영석 딜로이트 16
정영석 평택서 266
정영석 대전서 327
정영선 영등포서 213
정영숙 광주청 363
정영순 국세청 129
정영순 청주서 357
정영식 서울청 148
정영욱 중부청 230
정영운 국세교육 144
정영웅 천안서 347
정영은 청주서 357
정영일 서대구서 413
정영주 기재부 89
정영주 서대구서 413

정영진	구로서	179
정영진	북대구서	411
정영채	감사원	79
정영천	광산서	368
정영철	청주서	356
정영한	정진세림	27
정영현	경기광주	257
정영현	광주서	371
정영혜	국세청	136
정영호	부산청	437
정영화	신대동	56
정영화	삼성서	196
정영화	포천서	317
정영훈	삼성서	197
정영훈	춘천서	281
정영희	서울청	149
정영희	수원서	253
정영희	부산진서	448
정예린	동안양서	247
정예슬	아산서	342
정예슬	북광주서	372
정예슬	조세재정	508
정예원	구리서	238
정예은	화성서	268
정예지	성남서	250
정예지	서대전서	330
정오영	순천서	380
정오현	중랑서	222
정옥상	진주서	472
정옥진	정읍서	396
정완기	목포서	378
정완수	역삼서	210
정용관	역삼서	210
정용구	안동서	427
정용대	대전청	323
정용대	대전청	324
정용민	수영서	455
정용민	진주서	473
정용석	용인서	262
정용석	의정부서	312
정용선	기흥서	240
정용섭	통영서	476
정용수	서울청	154
정용수	구리서	238
정용주	군산서	387
정용찬	부산진서	449
정용하	부천서	308
정용협	예산서	345
정용환	대구세관	498
정용훈	인천세관	490
정우도	종로서	221
정우방	택스홈	50
정우선	역삼서	210
정우성	전주서	395
정우수	울산서	462
정우영	수영서	454
정우윤	국회법제	74
정우진	전주서	395
정우철	광산서	368
정욱조	중기회	119
정운몽	국회법제	74
정운섭	삼덕회계	18
정운숙	성북서	205
정운월	서대구서	412
정운형	강서서	175
정웅교	중부청	236
정원대	부산청	438
정원미	부산진서	448
정원석	기흥서	240
정원석	강릉서	271
정원석	부산청	441
정원영	서울청	166
정원일	인천세관	490
정원철	국회재정	72
정원호	강동서	173
정원희	기재부	98
정월선	창원서	475
정유경	조세재정	508
정유나	서대구서	412
정유리	기재부	85
정유리	강동서	172
정유리	세종서	340
정유미	강남서	170
정유빈	포천서	316
정유성	광주청	362
정유영	부산청	436
정유영	마산서	468
정유정	국세상담	142
정유정	중부서	225
정유진	구로서	178
정유진	성동서	203
정유진	중부서	225
정유진	시흥서	255
정유진	안양서	261
정유진	춘천서	281
정유진	해운대서	459
정유진	마산서	468
정유진	진주서	472
정유진	지방재정	502
정유철	경주서	418
정유현	기재부	98
정유희	지방재정	502
정윤경	부천서	308
정윤길	중부청	230
정윤미	구로서	178
정윤석	중부청	233
정윤선	중부청	236
정윤성	부산세관	495
정윤수	대전서	327
정윤정	기재부	82
정윤정	시흥서	254
정윤정	대전청	321
정윤철	동고양서	307
정윤철	대구청	403
정윤호	세무하나	49
정윤홍	기재부	84
정윤희	중부청	231
정윤희	경기광주	256
정은경	조세재정	506
정은미	진주서	472
정은성	부산진서	449
정은솔	중부청	236
정은수	국세청	138
정은숙	인천청	291
정은숙	서광주서	374
정은순	동안양서	246
정은아	구로서	179
정은아	동안양서	246
정은아	인천서	298
정은아	포천서	317
정은아	북대전서	328
정은연	북광주서	372
정은영	서광주서	375
정은영	구미서	420
정은영	부산청	436
정은이	반포서	194
정은이	김해서	466
정은재	시흥서	255
정은정	국세청	126
정은정	중랑서	223
정은정	인천청	291
정은정	포항서	432
정은주	기재부	83
정은주	기재부	93
정은주	국세청	137
정은주	안양서	261
정은주	포천서	316
정은주	대구청	403
정은지	서울청	156
정은지	보령서	337
정은진	북대구서	411
정은진	마산서	469
정은하	금천서	181
정은하	종로서	221
정은화	지방재정	502
정은희	북부산서	450
정을영	동안양서	246
정의극	서울청	158
정의남	영월서	276
정의론	기재부	89
정의범	노원서	184
정의성	속초서	275
정의숙	원주서	278
정의재	서울청	151
정의종	감사원	78
정의주	성북서	205
정의지	부산청	439
정의진	국세청	124
정의진	국세청	131
정의철	서울청	161
정의탁	감사원	78
정이열	경산서	417
정이준	국세청	122
정이천	남대구서	406
정인경	기재부	96
정인경	수원서	253
정인과	중기회	119
정인교	평택서	267
정인구	통영서	476
정인기	지방재정	503
정인례	서현이현	7
정인선	서울청	152
정인선	반포서	194
정인선	파주서	315
정인성	세무삼륭	46
정인수	역삼서	210
정인숙	대전청	321
정인순	중부청	228
정인애	청주서	356
정인영	딜로이트	16
정인영	아산서	343
정인월	용산서	214
정인철	동울산서	461
정인태	국세교육	144
정인택	북부산서	451
정인현	수성서	414
정인형	천안서	346
정인화	세무토은	42
정인회	동대구서	408
정일	상공회의	117
정일	순천서	380
정일범	노원서	184
정일상	서광주서	375
정일선	종로서	221
정일영	국회재정	72
정일영	중랑서	222
정자단	반포서	194
정장호	광주청	364
정재경	천안서	347
정재권	광교세무	38
정재기	남대구서	407
정재남	홍성서	349
정재록	거창서	464
정재상	중부청	228
정재성	기재부	92
정재성	수성서	414
정재수	국세청	124
정재수	국세청	125
정재수	국세청	126
정재양	동안양서	246
정재열	딜로이트	16
정재영	강남서	170
정재영	강동서	173
정재영	원주서	278
정재용	홍천서	283
정재용	서대구서	412
정재욱	안산서	259
정재웅	법무화우	66
정재원	광주서	370
정재윤	중부서	224
정재윤	중부청	234
정재일	국세청	124
정재임	서초서	200
정재조	제주서	479
정재철	북부산서	451
정재필	딜로이트	16
정재하	관세청	483
정재학	청주서	357
정재현	기재부	83
정재현	동대구서	409
정재현	동울산서	461
정재현	조세재정	506
정재현	조세재정	507
정재호	북대구서	411
정재호	조세재정	506
정재효	부산청	437
정재훈	법무광장	60
정재훈	기재부	99
정재훈	국세청	128
정재훈	국세청	139
정재훈	화성서	269
정재훈	영월서	276
정재희	역삼서	210
정재희	잠실서	218
정정민	국세청	125
정정민	양산서	470
정정복	광교세무	37
정정섭	인천서	299
정정애	해운대서	458
정정우	고양서	300
정정자	국세청	131
정정제	삼성서	197
정정하	포항서	433
정정화	노원서	185
정정화	북대전서	329
정정회	조세심판	504
정정훈	기재부	87
정정희	강남서	170
정정희	부산청	439
정제득	세무다솔	44
정종국	서울청	148
정종권	경산서	417
정종근	양산서	470
정종대	순천서	381
정종룡	북대전서	329
정종만	삼일회계	20
정종석	국회재정	72
정종오	연수서	310
정종우	서인천서	296
정종욱	국세상담	142
정종원	중부청	235
정종원	분당서	249
정종천	인천청	286
정종철	국세청	137
정종필	정읍서	396
정종화	법무화우	66
정주리	이천서	264
정주연	남대문서	182
정주연	공주서	332
정주영	서울청	151
정주영	강남서	171
정주영	성동서	203
정주영	양천서	209
정주영	영등포서	213
정주영	경주서	418
정주인	서울청	163
정주현	기재부	85
정주현	도봉서	186
정주희	서울청	169
정주희	대전청	321
정주희	북광주서	373
정주희	동울산서	460
정준	중부청	235
정준	익산서	392
정준갑	순천서	380
정준규	진주서	473
정준기	부산청	438
정준모	서울청	148
정준모	북부산서	450
정준영	평택서	266
정준영	부산진서	448
정준용	부산진서	449
정준채	성동서	203
정준호	서울청	152
정준호	서울청	153
정준호	마포서	192
정준희	동청주서	350
정중수	북대구서	410
정중원	영등포서	213
정중현	대구청	400
정중호	서울청	152
정중희	부산세관	494
정지나	안양서	261
정지명	북인천서	295
정지석	충주서	358
정지선	국세청	134
정지수	수원서	252
정지숙	미래회계	17
정지양	대구청	402
정지연	의정부서	312
정지연	의정부서	313
정지연	부산진서	448
정지영	국회법제	73
정지영	국세청	124
정지영	국세청	131
정지영	양천서	208
정지영	용인서	262
정지영	김포서	305
정지예	강남서	171
정지용	용산서	214
정지용	안양서	260
정지우	안산서	258
정지운	기재부	90
정지운	광명서	302
정지운	서광주서	375
정지원	남대문서	182
정지원	목포서	379
정지원	안동서	426
정지윤	김포서	305
정지윤	동울산서	461
정지은	성동서	203
정지은	서인천서	297
정지헌	경주서	418
정지현	종로서	221
정지현	용인서	262
정지현	서부산서	453
정지현	창원서	475
정지혜	노원서	185
정지혜	성북서	204
정지혜	인천서	298
정지홍	기흥서	240
정지환	성남서	251
정지환	수성서	415
정지훈	국세청	125
정지훈	국세청	134
정지훈	광명서	302
정직한	기흥서	241
정진걸	국세청	139
정진곤	딜로이트	16
정진미	북전주서	391
정진범	서울청	150
정진성	금천서	181
정진성	대전청	323
정진수	감사원	79
정진숙	김포서	305
정진아	목포서	379
정진영	서울청	152
정진영	서울청	153
정진영	중부서	224
정진영	수원서	253
정진오	광교세무	38
정진우	제주서	479
정진욱	서울청	154
정진욱	부천서	309
정진욱	지방재정	503
정진욱	조세심판	504
정진웅	서대구서	413
정진원	국세청	135
정진원	중부청	228
정진주	서울청	158
정진주	동래서	447
정진택	세무하나	49
정진학	영등포서	213
정진학	부산진서	448
정진혁	국세청	122
정진혁	서울청	156
정진형	안양서	260
정진호	북대전서	329
정진호	울산서	462
정진호	광주세관	500
정진화	익산서	393
정진환	서울청	152
정진희	대전청	323
정찬성	광주서	371
정찬영	조세재정	506
정찬우	순천서	381
정찬일	여수서	383
정찬조	순천서	381
정찬진	서초서	200
정찬호	법무바른	1
정찬호	통영서	477
정창국	마산서	469
정창근	관악서	177
정창근	분당서	248
정창근	남대구서	407
정창기	지방재정	502
정창렬	광주서	371
정창모	삼덕회계	18
정창성	서부산서	452
정창수	강릉서	270
정창수	동대구서	409
정창우	서울청	167
정창원	부산청	437
정창재	부산청	440
정창후	북부산서	450
정창훈	북대전서	329
정채규	광산서	369
정채환	기재부	86
정철	강동서	173
정철	인천서	299

정철교 기재부 90
정철규 동래서 447
정철기 광주청 362
정철우 국세청 130
정철우 국세청 131
정철우 국세청 132
정철우 서울청 148
정철화 인천청 286
정철환 세무화우 67
정청운 북광주서 372
정초희 북광주서 373
정충우 세무화우 67
정치권 중부청 237
정치은 택스홈 50
정치중 서울청 169
정태경 서울청 167
정태경 남대문서 182
정태민 김포서 304
정태상 마포서 193
정태식 분당서 248
정태영 이천서 265
정태옥 해운대서 458
정태윤 삼성서 197
정태윤 평택서 266
정태형 수원서 253
정태호 북광주서 373
정태환 서울청 153
정태환 거창서 465
정택주 국세상담 143
정택준 평택서 267
정판균 대전서 327
정평조 광교세무 38
정필경 익산서 392
정필규 서울청 154
정필규 인천청 286
정필섭 광주청 364
정필영 대전청 320
정하나 수원서 253
정하나 강릉서 270
정하늘 구로서 179
정하덕 역삼서 210
정하미 남양주서 242
정하석 기재부 87
정하선 금정서 445
정하용 기재부 88
정하정 진주서 473
정학관 광주청 363
정학관 광주청 364
정학기 수성서 415
정학순 서울청 150
정학식 부산청 439
정한 기재부 93
정한길 군산서 387
정한록 북광주서 373
정한슬 국회정무 75
정한신 동작서 190
정한영 천안서 347
정한욱 잠실서 219
정한진 동대문서 188
정한청 파주서 315
정해경 서초서 201
정해동 국세청 138
정해란 기흥서 240
정해란 의정부서 312
정해룡 양산서 471
정해빈 조세심판 504
정해선 북부산서 451
정해시 광명서 303
정해식 통영서 477
정해연 국세상담 142
정해연 김해서 466
정해영 부산청 440
정해욱 세무다솔 44
정해인 서울청 166
정해주 기재부 83
정해진 서울청 148
정해진 구미서 421
정해천 반포서 195
정헌호 대전서 327
정현 중부청 228
정현규 남대구서 406
정현대 인천청 290
정현덕 중부청 235
정현모 북대구서 411
정현미 기재부 93
정현미 서울청 148
정현미 여수서 382
정현민 천안서 346
정현민 대구청 402
정현빈 분당서 248
정현석 조세재정 508
정현수 중부청 229
정현숙 서울청 167
정현숙 강서서 174
정현숙 도봉서 187
정현식 금천서 181
정현아 광주청 362
정현옥 북부산서 450
정현우 예일세무 52
정현우 구로서 179
정현우 동래서 446
정현원 서산서 338
정현위 성남서 250
정현정 성동서 203
정현정 동수원서 244
정현정 수원서 252
정현정 인천청 288
정현정 북대구서 411
정현조 동대구서 409
정현종 서대구서 412
정현주 국세청 126
정현주 국세청 133
정현주 서울청 153
정현주 반포서 195
정현주 중부청 229
정현주 수원서 253
정현주 양산서 470
정현준 중부청 229
정현준 남인천서 292
정현준 대구청 403
정현중 관악서 177
정현중 북대구서 410
정현지 중부서 224
정현지 북인천서 294
정현진 노원서 185
정현진 동대문서 189
정현진 역삼서 211
정현철 국세청 126
정현철 국세청 132
정현철 서대문서 199
정현태 광산서 368
정현표 화성서 269
정현호 광주청 363
정현희 구리서 238
정형 기재부 88
정형범 서초서 201
정형석 김포서 304
정형주 광명서 303
정형준 성동서 202
정형준 해남서 384
정형진 강서서 174
정형태 순천서 380
정형태 남대구서 406
정형필 목포서 379
정혜경 광산서 369
정혜경 동울산서 461
정혜린 연수서 310
정혜림 구로서 179
정혜미 송파서 206
정혜수 부천서 309
정혜영 서울청 153
정혜영 구로서 178
정혜영 용산서 214
정혜영 중부청 235
정혜영 지방재정 503
정혜원 서울청 148
정혜원 삼성서 197
정혜원 동대구서 408
정혜원 금정서 444
정혜윤 금천서 181
정혜윤 서대문서 198
정혜윤 동울산서 460
정혜인 부천서 309
정혜정 은평서 216
정혜정 수원서 252
정혜정 화성서 268
정혜진 기재부 92
정혜진 중부서 225
정혜진 광산서 368
정혜진 서광주서 374
정혜진 포항서 432
정혜진 동래서 446
정혜진 조세재정 508
정혜화 광주서 370
정호근 춘천서 281
정호석 기재부 85
정호선 수성서 415
정호성 동수원서 245
정호성 진주서 472
정호식 남양주서 242
정호연 광산서 368
정호영 인천서 298
정호영 광주서 370
정호용 동대구서 409
정호원 북부산서 451
정호중 세무하나 49
정호진 기재부 87
정호진 김해서 466
정호창 인천세관 489
정호창 인천세관 492
정호태 수성서 415
정호형 역삼서 211
정홍균 삼성서 197
정홍도 국세교육 144
정홍석 국세청 135
정홍선 삼척서 272
정홍섭 광주청 362
정홍주 인천청 289
정화선 강남서 171
정화승 영등포서 212
정화영 성동서 202
정화자 남인천서 292
정화철 기재부 98
정환동 대구청 400
정환수 기재부 97
정환주 상주서 424
정환철 국회정무 75
정환철 파주서 315
정회국 대현회계 15
정회영 부산청 443
정회창 평택서 266
정회훈 구로서 178
정효근 홍성서 348
정효근 경산서 417
정효민 중부청 230
정효상 기재부 85
정효성 북인천서 294
정효숙 서울청 154
정효영 성북서 205
정효주 삼성서 197
정효주 동래서 446
정효주 북부산서 450
정효중 수원서 253
정훈 삼일회계 20
정훈 평택서 267
정훈 북부산서 451
정훈 조세재정 506
정휘섭 중부청 237
정휘언 대구청 405
정휘영 기재부 83
정휴진 동안양서 247
정흥기 진주서 472
정흥식 서울청 159
정흥엽 북전주서 391
정흥자 도봉서 186
정흥진 시흥서 254
정희 동수원서 245
정희경 안산서 259
정희경 여수서 382
정희남 논산서 334
정희도 충주서 358
정희라 서울청 152
정희문 제주서 479
정희봉 통영서 476
정희상 광교세무 38
정희석 평택서 267
정희선 성동서 202
정희선 금정서 445
정희섭 서울청 148
정희섭 광주청 364
정희수 부천서 309
정희숙 용산서 214
정희숙 통영서 476
정희연 종로서 220
정희원 택스홈 50
정희원 구로서 178
정희은 서초서 201
정희정 중부청 231
정희정 구리서 238
정희정 제천서 354
정희종 제주서 478
정희진 기재부 96
정희진 중부서 224
정희진 충주서 358
정희철 기재부 86
제갈융 노원서 185
제갈형 북부산서 451
제갈희진 서울청 157
제민지 광산서 368
제병민 인천서 299
제상훈 부산청 436
제영광 관세사회 54
제우성 서대문서 198
제일한 부산청 439
제재호 동울산서 460
제정임 북부산서 450
제현종 역삼서 210
제홍주 부산청 438
조가람 관악서 176
조가람 부천서 309
조가영 고양서 301
조가윤 북광주서 372
조가을 양천서 209
조강래 거창서 465
조강식 관세청 483
조강우 평택서 267
조강호 상주서 425
조강훈 기재부 86
조강훈 부산청 436
조강희 북인천서 295
조강희 대전청 320
조건희 포천서 317
조경민 서울청 159
조경배 부산청 443
조경숙 영주서 431
조경아 성동서 202
조경윤 해남서 384
조경제 전주서 395
조경진 김해서 466
조경혜 통영서 476
조경호 중부청 237
조경화 이천서 264
조경화 북인천서 295
조계호 춘천서 280
조관운 북부산서 450
조광덕 광주청 366
조광래 송파서 206
조광래 조세심판 504
조광석 금천서 181
조광제 이천서 265
조광진 국세청 124
조광호 중부서 225
조구영 구로서 178
조국환 인천청 287
조규범 딜로이트 16
조규봉 광주서 371
조규상 중부청 232
조규창 노원서 185
조근비 여수서 382
조근식 서울청 154
조근호 군산서 386
조근희 국회재정 72
조금식 중부청 229
조금옥 영덕서 428
조기문 기재부 85
조기정 전주서 394
조기현 진주서 473
조기호 국회정무 76
조길현 영등포서 213
조길현 전주서 395
조나래 남양주서 242
조남건 서울청 157
조남규 서대구서 413
조남명 부천서 309
조남욱 국세상담 143
조남욱 조세재정 507
조남웅 청주서 357
조남철 동작서 190
조남철 서대구서 412
조남혁 국회재정 72
조다인 서인천서 297
조다현 종로서 220
조다혜 의정부서 312
조대규 서인천서 297
조대서 서대전서 330
조대연 대전청 322
조대현 국세청 122
조대회 경기광주 257
조대훈 동작서 190
조덕휘 서산서 339
조덕희 서울세무 32
조동관 세무하나 49
조동규 삼일회계 21
조동석 중기회 119
조동진 도봉서 187
조동표 동대문서 188
조동혁 서울청 149
조라경 동대구서 409
조래성 북대구서 411
조래현 국세청 122
조만호 광주서 370
조명관 북광주서 372
조명기 노원서 184
조명상 영등포서 212
조명상 대전서 327
조명석 광교세무 38
조명석 구미서 421
조명순 국세청 126
조명완 순천서 380
조명익 서부산서 452
조명준 아산서 343
조명희 부천서 308
조무연 태평양 65
조문균 기재부 87
조문현 서초서 201
조미겸 동청주서 351
조미경 동수원서 244
조미경 구미서 421
조미경 진주서 472
조미란 양산서 470
조미선 강릉서 270
조미성 강서서 174
조미숙 김해서 466
조미애 파주서 314
조미애 김해서 466
조미영 관악서 177
조미영 용인서 262
조미옥 용인서 262
조미옥 북전주서 391
조미자 홍성서 348
조미주 김해서 467
조미진 중부청 233
조미현 서인천서 296
조미화 국세청 126
조미희 국세청 129
조미희 마산서 469
조민경 국세청 126
조민경 속초서 275
조민경 마산서 468
조민국 대구청 400
조민규 기재부 82
조민래 금정서 445
조민서 서광주서 374
조민석 서울청 155
조민성 서울청 152
조민성 종로서 221
조민성 동수원서 244
조민숙 구로서 178
조민영 국세청 138
조민영 안산서 258
조민영 인천청 289
조민정 대전청 320
조민제 경주서 419
조민지 마포서 192
조민현 중랑서 222
조민호 북인천서 295
조민희 분당서 249
조민희 북부산서 451
조범기 노원서 184
조범래 강동서 172
조범제 대구청 400
조병규 기재부 85
조병길 충주서 359
조병녕 서부산서 452
조병덕 파주서 314
조병래 포항서 432
조병만 양천서 209
조병민 국세청 132
조병성 동작서 190
조병옥 중부청 232

조병주	국세청	129
조병준	동대문서	189
조병철	국세상담	143
조병호	예일세무	52
조병환	창원서	475
조보연	서울청	165
조복환	대전청	320
조상권	세무하나	49
조상래	해운대서	459
조상미	강릉서	271
조상미	전주서	394
조상연	서울청	151
조상연	서울청	152
조상옥	광주청	364
조상윤	양천서	208
조상진	해남서	385
조상현	삼정회계	23
조상현	국세청	128
조상현	강남서	171
조상현	북광주서	373
조상희	이천서	264
조서연	동작서	191
조서이	강동서	172
조서혜	강남서	170
조석권	수영서	455
조석균	포천서	317
조석보	경주서	418
조석정	북대전서	329
조석주	동울산서	461
조석훈	감사원	78
조석훈	지방재정	502
조선경	광주청	363
조선미	중부청	236
조선영	경기광주	257
조선영	대전청	323
조선영	부산청	437
조선영	지방재정	502
조선제	거창서	465
조선형	기재부	91
조선희	기재부	96
조선희	반포서	195
조선희	용산서	215
조성경	성남서	250
조성광	영등포서	212
조성구	춘천서	280
조성권	김앤장	59
조성덕	인천청	286
조성래	국세청	135
조성래	김천서	422
조성래	동울산서	461
조성목	강서서	175
조성문	마포서	192
조성문	남양주서	242
조성민	북대구서	410
조성범	지방재정	503
조성빈	천안서	346
조성수	국세청	128
조성수	분당서	248
조성수	안산서	259
조성식	중부서	224
조성아	기재부	90
조성애	서광주서	375
조성연	인천서	298
조성오	송파서	207
조성용	서울청	155
조성용	서울청	161
조성용	부산청	438
조성우	국세청	139
조성우	익산서	392
조성욱	삼일회계	20
조성원	삼성서	197
조성원	동안양서	247
조성은	감사원	78
조성익	감사원	79
조성익	서울청	156
조성인	중부청	233
조성재	광산서	368
조성주	강동서	172
조성준	서부산서	452
조성진	세무다솔	44
조성철	국세교육	145
조성철	보령서	336
조성택	북대전서	328
조성현	기재부	86
조성현	마포서	192
조성현	군산서	387
조성호	신대동	56
조성호	서울청	157
조성훈	국세청	122
조성훈	안양서	260
조성훈	익산서	393
조성훈	부산청	438
조성희	국세청	126
조세영	중랑서	222
조세영	수영서	454
조세원	남인천서	293
조세흠	안동서	427
조세희	천안서	347
조소연	구로서	179
조소영	춘천서	280
조소현	영등포서	212
조소현	평택서	266
조소현	북부산서	450
조소희	반포서	194
조송화	고양서	300
조수길	남대구서	406
조수동	동래서	447
조수빈	영등포서	213
조수아	도봉서	187
조수양	수성서	415
조수연	기재부	82
조수연	중부청	231
조수영	택스홈	50
조수영	동안양서	247
조수정	광명서	302
조수진	삼정회계	22
조수진	국회법제	74
조수진	중부청	237
조수현	서울청	153
조수현	강남서	171
조숙연	관악서	176
조숙연	중부청	236
조숙영	용인서	262
조숙의	안양서	260
조숙현	울산서	462
조순행	안동서	427
조승연	김해서	467
조승현	대구청	401
조승호	서울청	161
조식	서산서	339
조아라	서초서	201
조아라	성동서	202
조아라	잠실서	218
조아라	동안양서	247
조아라	분당서	248
조아라	성남서	250
조아라	남인천서	293
조아라	지방재정	502
조아로미	택스홈	50
조아름	송파서	206
조아연	청주서	357
조안나	파주서	314
조양선	부천서	309
조언혜	경주서	419
조연	서산서	339
조연상	종로서	220
조연수	북부산서	451
조연숙	대전청	320
조연우	남양주서	243
조연종	남원서	389
조연주	성동서	202
조연주	동울산서	460
조연화	남인천서	292
조영경	강릉서	271
조영규	국세청	126
조영기	인천청	286
조영두	광주서	370
조영래	평택서	266
조영록	동수원서	244
조영미	국세청	135
조영미	구리서	238
조영미	삼척서	273
조영빈	국세청	134
조영수	남양주서	242
조영수	통영서	477
조영숙	북광주서	373
조영숙	익산서	392
조영순	강동서	173
조영순	파주서	315
조영심	제주서	478
조영우	대전서	327
조영욱	기재부	90
조영익	금감원	103
조영익	금감원	113
조영일	부산청	442
조영재	삼일회계	20
조영종	청주서	357
조영주	마포서	192
조영주	용산서	214
조영주	대전서	327
조영준	상공회의	117
조영준	분당서	248
조영진	금천서	181
조영진	인천청	290
조영진	의정부서	313
조영진	수영서	455
조영탁	강남서	171
조영탁	마산서	468
조영태	대구청	400
조영혁	관악서	176
조영혁	대전청	325
조영현	잠실서	219
조영호	파주서	314
조예림	성동서	203
조예진	여성세무	35
조예현	삼척서	273
조예훈	역삼서	210
조완석	진주서	472
조외숙	부산청	439
조요한	경기광주	256
조용감	기재부	96
조용권	부천서	309
조용길	구미서	421
조용도	조세심판	505
조용래	기재부	86
조용만	노원서	184
조용문	제주서	479
조용민	조세심판	505
조용석	서울청	167
조용석	강남서	170
조용수	기재부	83
조용수	서울청	169
조용식	남인천서	293
조용식	익산서	392
조용식	지방재정	502
조용재	중부청	228
조용진	중부청	236
조용택	북부산서	451
조용한	금융위	101
조용현	중부산서	457
조용호	김앤장	59
조용호	김포서	304
조용호	김해서	466
조용환	기재부	84
조용희	삼덕회계	18
조용희	수영서	455
조우리	조세재정	506
조우숙	강서서	174
조우영	경주서	419
조우진	천안서	347
조운학	성동서	203
조웅규	마산서	468
조원석	인천청	290
조원섭	파주서	315
조원영	딜로이트	16
조원영	성동서	202
조원영	상주서	424
조원준	강서서	175
조원철	역삼서	211
조원희	중부청	233
조원희	김해서	467
조원희	지방재정	503
조위영	청주서	357
조유영	인천서	299
조유정	북광주서	373
조유진	대전서	327
조유흠	서울청	153
조윤경	인천청	290
조윤경	북광주서	373
조윤기	기재부	91
조윤미	국세상담	142
조윤민	북대전서	328
조윤방	속초서	275
조윤서	제주서	479
조윤석	국세청	136
조윤아	국세청	133
조윤영	남양주서	243
조윤영	분당서	248
조윤영	인천서	299
조윤정	감사원	79
조윤정	잠실서	218
조윤정	북대구서	410
조윤주	여성세무	35
조윤주	인천청	290
조윤주	영덕서	428
조윤주	통영서	477
조윤호	시흥서	255
조윤희	법무율촌	63
조윤희	성남서	250
조은경	대구청	402
조은기	노원서	185
조은덕	서초서	201
조은비	중부서	224
조은비	용인서	262
조은빈	경기광주	257
조은빛	남인천서	293
조은빛	조세재정	506
조은상	분당서	249
조은서	통영서	476
조은수	남양주서	243
조은애	대전청	324
조은영	세무다솔	44
조은영	남대구서	406
조은영	제주서	478
조은정	노원서	184
조은정	관세청	483
조은지	국세청	125
조은지	남원서	388
조은하	북부산서	450
조은해	해운대서	459
조은향	나주서	376
조은효	남대문서	183
조은희	서울청	157
조은희	역삼서	211
조은희	용산서	214
조은희	은평서	216
조은희	중부서	224
조은희	속초서	275
조은희	김포서	304
조익수	포항서	432
조익현	지방재정	502
조인국	금정서	445
조인순	부산진서	448
조인영	세무다솔	44
조인영	구로서	179
조인옥	동작서	191
조인정	여성세무	35
조인정	서울청	159
조인찬	부천서	308
조인태	영월서	277
조인혁	서울청	164
조인호	남인천서	292
조일성	북인천서	295
조일숙	서울청	153
조일영	태평양	65
조일제	기흥서	241
조일형	수원서	253
조일훈	중부청	232
조작실	국세주류	140
조재규	대전청	324
조재범	서울청	158
조재범	반포서	194
조재범	북대구서	410
조재성	서부산서	453
조재성	해운대서	459
조재승	부산청	440
조재연	광주서	370
조재영	서대문서	198
조재완	안양서	261
조재웅	서인천서	296
조재원	북대구서	411
조재윤	광명서	303
조재일	대전청	323
조재일	대구청	403
조재천	동울산서	461
조재평	강남서	171
조재형	거창서	465
조재화	해운대서	459
조재훈	구리서	239
조재희	인천청	291
조정국	기재부	90
조정국	기재부	91
조정목	대구청	399
조정목	대구청	400
조정목	부산청	441
조정미	강남서	170
조정미	동대문서	188
조정민	금정서	445
조정연	원주서	278
조정운	세무다솔	44
조정원	삼성서	197
조정은	동수원서	244
조정은	고양서	301
조정은	동고양서	306
조정주	동청주서	351
조정진	강남서	171
조정진	논산서	335
조정철	법무율촌	63
조정혜	동대구서	408
조정화	서울청	149
조정환	삼일회계	20
조정환	안산서	259
조정효	광주청	364
조정훈	구로서	179
조정훈	동고양서	307
조정희	중부청	231
조종래	감사원	79
조종수	남인천서	292
조종식	서인천서	297
조종연	대전서	326
조종필	광주청	362
조종필	대구세관	497
조종필	대구세관	498
조종하	분당서	249
조종호	국세청	125
조주현	동수원서	244
조주호	창원서	475
조주환	서울청	164
조주희	서울청	163
조주희	강동서	172
조준	금천서	180
조준구	국세청	128
조준기	춘천서	281
조준서	수성서	414
조준섭	서울청	168
조준수	공주서	332
조준식	익산서	392
조준영	법무율촌	63
조준영	인천청	288
조준영	아산서	343
조준영	김해서	466
조준우	북부산서	450
조준익	광교세무	38
조준철	북전주서	390
조준호	중기회	119
조준호	중부산서	456
조준환	북대구서	410
조중연	국회재정	72
조중연	기재부	92
조중현	국세상담	142
조지영	국세청	125
조지영	도봉서	187
조지원	역삼서	210
조지현	경기광주	257
조지현	인천청	288
조지훈	예산서	345
조지훈	천안서	346
조진동	인천청	288
조진숙	국회법제	73
조진숙	양천서	208
조진용	국세청	126
조진용	인천세관	492
조진한	한국세무	31
조진형	중기회	119
조진희	기재부	87
조찬우	기재부	89
조창국	중부청	229
조창권	동수원서	245
조창상	기재부	97
조창우	국세청	132
조창일	안산서	258
조창현	국세청	131
조창호	삼일회계	20
조채영	영등포서	212
조채영	중부산서	456
조천령	종로서	220
조철강	대구세관	498
조철호	동대구서	409
조춘	법무세종	62
조춘옥	광명서	302

조춘원	성동서	203
조치상	예산서	344
조치원	세종서	341
조태복	법무광장	61
조태성	부산청	437
조태욱	포천서	316
조태익	인천청	290
조태희	기재부	92
조태희	동청주서	351
조판규	도봉서	187
조풍연	수영서	454
조하나	반포서	195
조하나	수원서	253
조하나	인천서	299
조하람	기재부	96
조하연	북부산서	451
조하영	서대전서	330
조학래	태평양	65
조학래	동래서	447
조한경	성동서	202
조한규	천안서	346
조한규	안동서	427
조한덕	마포서	193
조한민	예산서	344
조한섭	지방재정	503
조한솔	국세청	126
조한송이	성동서	203
조한식	서초서	200
조한아	종로서	220
조한영	금천서	181
조한용	동대문서	189
조한우	안산서	259
조한정	수원서	252
조한진	관세청	482
조한철	삼일회계	20
조항진	서대전서	331
조해동	남인천서	292
조해리	용인서	262
조해영	중랑서	223
조해원	삼척서	272
조해윤	속초서	275
조해일	중부청	232
조해정	기흥서	240
조해정	목포서	379
조해진	국회재정	72
조행순	기흥서	240
조헌일	강서서	175
조현	기재부	94
조현	부산청	438
조현경	구로서	178
조현경	동청주서	351
조현관	법무바른	1
조현관	인천청	287
조현구	국세교육	144
조현구	논산서	334
조현국	김포서	305
조현국	해남서	384
조현덕	남대구서	407
조현두	기재부	92
조현선	국세청	126
조현성	화성서	269
조현수	경기광주	257
조현숙	삼척서	272
조현승	국세청	137
조현아	용산서	214
조현아	창원서	475
조현옥	세무하나	49
조현용	진주서	473
조현우	원주서	279
조현우	북부산서	450
조현은	성북서	204
조현종	북인천서	294
조현주	구리서	239
조현준	반포서	195
조현준	대전청	324
조현준	경산서	416
조현지	인천청	291
조현진	기재부	82
조현진	서울청	157
조현진	안동서	427
조현진	포항서	433
조현진	부산청	442
조현진	김해서	467
조현진	양산서	470
조현철	강서서	175
조현희	대전청	323
조형구	남양주서	242
조형근	국회법제	73
조형나	창원서	474
조형래	세무화우	67
조형래	제주서	479
조형석	양천서	208
조형석	양산서	470
조형오	북전주서	390
조형주	부산청	441
조형준	택스홈	50
조형진	지방재정	503
조혜경	대구청	403
조혜리	성북서	205
조혜민	안산서	258
조혜민	서대전서	331
조혜빈	기재부	93
조혜선	북광주서	373
조혜연	서울청	149
조혜영	군산서	387
조혜원	서초서	200
조혜원	경기광주	256
조혜윤	서부산서	453
조혜정	은평서	216
조혜정	기흥서	240
조혜정	분당서	248
조혜정	고양서	301
조혜정	조세심판	504
조혜진	서울청	160
조혜진	용인서	262
조혜진	북인천서	295
조혜진	순천서	380
조혜진	조세재정	507
조호령	분당서	249
조호연	북광주서	372
조호연	서대구서	412
조호준	강서서	174
조호철	국세주류	140
조호형	광주청	367
조홍규	북부산서	451
조홍기	서울청	169
조홍섭	동래서	447
조홍수	익산서	392
조홍우	서부산서	452
조홍준	성동서	203
조화영	남대구서	406
조환연	용인서	263
조환준	부산진서	448
조효숙	기재부	85
조효신	구리서	238
조효원	연수서	310
조효진	성북서	204
조흥기	용인서	263
조희근	평택서	267
조희선	북부산서	450
조희성	서울청	165
조희성	나주서	376
조희숙	용인서	262
조희원	서울청	166
조희정	분당서	248
조희정	경기광주	256
조희정	이천서	265
조희정	부산청	442
조희주	해남서	384
조희진	종로서	221
조희진	용인서	263
조희평	조세재정	507
종만	논산서	334
좌용준	제주서	478
좌종훈	제주서	478
좌현미	화성서	268
주경관	안산서	258
주경섭	관악서	177
주경탁	구로서	179
주경희	고양서	300
주관종	북대전서	328
주광수	부산청	442
주구종	북대전서	329
주군선	신대동	56
주기영	동수원서	245
주기환	금천서	180
주나라	영등포서	213
주동철	남대문서	182
주란	천안서	347
주맹식	부산청	443
주명오	대구청	403
주명진	대전청	323
주명진	북부산서	451
주명화	서울청	153
주미균	북부산서	451
주미영	국세청	132
주미진	남양주서	242
주민석	국세청	139
주민희	부천서	308
주범준	서울청	157
주병욱	기재부	94
주보영	연수서	311
주보은	부산청	436
주상욱	여수서	382
주상철	예일회계	24
주상희	기재부	85
주선규	삼척서	272
주선돈	동울산서	461
주선미	광주청	363
주선영	서울청	148
주선영	북광주서	373
주선영	김해서	466
주선정	인천청	289
주성렬	인천세관	491
주성민	동울산서	460
주성숙	김포서	304
주성옥	서울청	153
주성용	성동서	202
주성재	강서서	174
주성준	태평양	65
주성진	역삼서	211
주성태	분당서	249
주성희	도봉서	187
주세정	서울청	152
주세훈	기재부	89
주송현	여수서	383
주수미	용산서	214
주승연	서울청	151
주승윤	인천청	288
주승철	원주서	279
주시경	관세청	482
주아라	양산서	470
주아람	남대문서	183
주아름	반포서	195
주애란	동고양서	307
주에나	중부청	230
주연봉	여수서	383
주연섭	보령서	336
주연신	수영서	454
주영군	세무다솔	44
주영상	역삼서	211
주영석	강남서	171
주영욱	지방재정	502
주오식	서부산서	453
주온슬	광주청	367
주용석	중부청	228
주용태	서초서	200
주용호	삼성서	197
주우성	수성서	415
주원숙	안양서	261
주유미	국세청	124
주유미	국세청	131
주윤숙	성동서	203
주윤정	성북서	205
주은경	청주서	357
주은미	성남서	250
주은진	제주서	479
주은희	서울청	150
주자연	평택서	267
주자환	북부산서	451
주재관	송파서	207
주재명	분당서	248
주재민	조세재정	507
주재정	여수서	383
주재철	국세청	124
주재현	중부청	230
주정권	세종서	340
주정숙	구로서	178
주정일	삼일회계	20
주정희	서울청	153
주종기	부산청	437
주종휘	북부산서	450
주지홍	부산청	439
주지훈	김해서	467
주진광	지방재정	502
주진선	경기광주	257
주진수	논산서	335
주진아	안산서	258
주철우	북부산서	450
주충용	화성서	268
주태경	서울청	153
주태영	원주서	279
주태웅	남양주서	243
주태현	기재부	88
주평식	기재부	96
주평하	화성서	268
주하나	안산서	258
주해인	기재부	91
주향미	남양주서	242
주현경	국세상담	142
주현경	성북서	205
주현민	청주서	357
주현민	지방재정	503
주현식	반포서	195
주현아	국세청	124
주현아	종로서	221
주현정	구미서	421
주현준	기재부	94
주현철	서울청	166
주형석	금정서	444
주형열	홍성서	348
주혜령	마포서	193
주혜영	서대문서	199
주혜진	기재부	95
주혜진	창원서	474
주홍민	금융위	101
주홍준	북대구서	411
주환욱	대전청	323
주효종	서울청	162
주희진	서울청	155
지경덕	영월서	276
지광민	울산서	462
지광철	기재부	95
지대진	김포서	304
지대현	대전청	320
지만	부산청	437
지민경	동수원서	244
지민정	택스홈	50
지상근	중랑서	222
지상선	분당서	248
지상수	아산서	343
지상용	송파서	206
지상준	국세청	139
지서연	강남서	171
지석란	국세상담	142
지선영	중부청	236
지성계	국세청	126
지성근	인천세관	492
지성수	마포서	193
지성은	양천서	209
지소영	청주서	357
지수	남인천서	292
지슬찬	대전청	320
지승남	시흥서	255
지승룡	전주서	395
지승환	국세청	124
지신영	종로서	220
지연우	서초서	201
지연주	부산청	438
지영근	조세심판	504
지영미	기재부	94
지영주	파주서	314
지영진	논산서	335
지영환	중부청	236
지영환	화성서	269
지용권	기흥서	240
지용찬	광교세무	38
지우석	중부산서	456
지윤서	기재부	95
지은섭	노원서	184
지은정	예산서	344
지은호	목포서	379
지임구	부산청	437
지장근	국세상담	142
지장근	조세심판	505
지재기	금정서	445
지재영	세무다솔	44
지재홍	평택서	267
지점숙	서울청	153
지정인	안양서	260
지정훈	포천서	317
지창익	이천서	264
지출과	기재부	93
지충환	천안서	347
지표	금감원	107
지현민	김해서	466
지현배	마포서	193
지현철	제주서	478
지혜림	광산서	369
지혜연	광주서	371
지혜조	기재부	91
진강렬	기재부	83
진경	남인천서	292
진경숙	익산서	392
진경준	전주서	395
진경천	상공회의	117
진경천	상공회의	118
진경철	인천서	298
진경화	도봉서	186
진경희	제주서	478
진관수	중부서	225
진근식	관악서	176
진나현	평택서	267
진남식	광주청	362
진누리	인천서	299
진다래	동수원서	244
진덕용	상공회의	117
진덕화	중랑서	222
진동권	전주서	394
진동욱	평택서	266
진동훈	은평서	217
진명구	국회정무	76
진문수	광산서	369
진미란	서대구서	412
진미선	서대문서	198
진민정	잠실서	218
진민혜	동대구서	408
진민희	반포서	195
진병환	서울청	158
진병훈	마포서	192
진보람	원주서	278
진봉균	속초서	275
진봉재	삼일회계	21
진상철	국세교육	145
진선미	울산서	462
진선영	금융위	102
진선조	서울청	169
진선호	동대문서	188
진선홍	기재부	85
진선희	국회법제	73
진성민	남대문서	182
진성욱	동대문서	189
진성은	해운대서	458
진성희	마포서	192
진소영	아산서	342
진솔	수원서	252
진수미	서울청	160
진수민	청주서	356
진수영	국세주류	140
진수일	지방재정	502
진수정	서울청	166
진수진	평택서	267
진수환	서울청	149
진순자	동청주서	350
진승우	기재부	89
진승은	국세상담	142
진승철	남인천서	293
진승하	기재부	88
진승호	시흥서	254
진승환	김앤장	59
진승환	논산서	334
진실화	북전주서	390
진언지	김천서	422
진영근	연수서	310
진영범	기재부	84
진영상	안양서	260
진영석	속초서	275
진영한	남양주서	242
진영희	동청주서	351
진용훈	광주청	367
진우영	금정서	445
진우형	국세청	137
진운용	광주세관	499
진운용	광주세관	500
진유신	부산청	437
진윤영	성남서	250
진윤지	역삼서	211
진은주	동울산서	460
진인수	중부서	224
진일현	해운대서	459

진재경 중부서 224
진재화 중부청 230
진정 여수서 383
진정록 용산서 214
진정욱 동청주서 350
진정호 강남서 170
진종범 춘천서 281
진종호 국세청 139
진종희 동울산서 460
진주연 이천서 265
진주원 남양주서 242
진주희 김포서 304
진준식 수성서 415
진중기 광주서 370
진채영 해운대서 458
진태호 조세재정 508
진판곤 지방재정 503
진평일 국세청 128
진한일 서울청 152
진향미 분당서 248
진혁환 광산서 369
진현덕 마산서 469
진현정 아산서 342
진현탁 진주서 472
진현호 창원서 474
진혜경 마포서 192
진혜정 서울청 162
진혜진 광명서 302
진호근 통영서 476
진호범 부천서 308
진홍탁 송파서 207
진효영 중부산서 457
진훈미 금정서 444
진휘철 삼일회계 21
진희성 서울청 167

ㅊ

차건수 홍성서 349
차경진 광주청 367
차경하 관악서 176
차광섭 국세청 138
차국진 삼덕회계 18
차기숙 동울산서 460
차동희 서울청 157
차무중 은평서 217
차무환 부산청 440
차미선 서울청 149
차민식 창원서 474
차보미 아산서 342
차상두 서울세관 485
차상두 서울세관 487
차상윤 전주서 394
차상진 부산청 436
차상훈 국세청 138
차선영 서울청 168
차선주 중부청 236
차성수 수원서 253
차세영 조세재정 506
차세원 인천서 298
차송근 동수원서 244
차수빈 마포서 192
차수빈 인천청 286
차수빈 고양서 300
차순백 강서서 174
차순조 서울청 152
차순화 분당서 248
차양호 성동서 203
차연수 안산서 258
차연아 부천서 309
차연주 서대문서 199
차연호 기재부 83
차영석 동수원서 245
차영준 전주서 394
차용철 청주서 357
차원영 강서서 175
차유경 성동서 203
차유곤 순천서 380
차유나 동안양서 247
차유라 서울청 169
차유미 영등포서 213
차유해 용산서 215
차윤주 동래서 446
차윤중 남양주서 243
차은규 대전서 326
차은실 남대구서 406
차은영 중부청 233
차은정 노원서 184
차은정 서광주서 374
차인혜 부천서 308
차일규 삼일회계 20
차일현 인천서 298
차재현 지방재정 502
차정우 제주서 478
차정환 대전서 327
차종언 서대구서 412
차주황 세무고시 33
차준형 부천서 309
차중협 남대문서 182
차지연 김포서 304
차지연 여수서 383
차지원 세종서 340
차지현 국세청 134
차지훈 삼척서 272
차지훈 광산서 369
차진선 서울청 151
차현근 서초서 201
차현숙 익산서 393
차혜진 서울청 164
차호현 국세상담 143
차회윤 청주서 357
창보라 수원서 252
채거환 시흥서 254
채경수 법무율촌 63
채경수 국세상담 143
채규산 세무다솔 44
채규욱 해운대서 459
채규일 국세청 129
채규홍 서울청 158
채남기 북광주서 373
채남희 세무다솔 44
채만식 영주서 430
채명석 순천서 380
채명신 북대구서 411
채명훈 부천서 308
채문석 포천서 317
채미연 남대구서 407
채미옥 인천청 287
채민재 시흥서 254
채민정 고양서 300
채민호 도봉서 186
채민화 경주서 418
채봉규 관세청 483
채상윤 동안양서 247
채상조 이천서 265
채상철 국세청 129
채상희 세종서 341
채성운 수성서 415
채성호 분당서 248
채성희 기흥서 240
채송화 서인천서 296
채수민 서대문서 198
채수정 기재부 96
채수정 익산서 392
채수필 국세주류 140
채수향 용산서 214
채숙경 남원서 388
채승완 태평양 65
채아름 익산서 392
채양숙 국세청 137
채여정 마산서 469
채연기 성북서 205
채연식 강릉서 270
채연학 김포서 305
채예지 동고양서 307
채용문 서초서 200
채용찬 노원서 185
채우리 광산서 368
채웅길 국세청 134
채원혁 기재부 94
채유진 부천서 308
채은정 서울청 154
채재덕 인천청 289
채정균 인천세관 490
채정석 의정부서 313
채정현 국회정무 75
채정화 포천서 317
채정환 서초서 200
채정훈 천안서 347
채종성 법무율촌 63
채종철 마포서 192
채주희 대구청 401
채준석 정읍서 396
채중석 성남서 250
채지원 여성세무 35
채진병 인천서 298
채진우 국세교육 145
채충우 포항서 432
채칠용 중부청 236
채한기 서부산서 452
채현경 마포서 192
채현석 서울청 163
채현숙 지방재정 503
채현진 은평서 216
채혜미 연수서 311
채혜숙 강남서 170
채혜인 중부청 232
채혜정 서울청 152
채호정 동안양서 247
채홍선 대전청 321
채화영 서광주서 374
채희문 부천서 308
채희열 부산세관 494
채희영 더택스 45
채희영 군산서 386
채희원 안양서 260
채희주 성동서 202
채희준 평택서 266
채희태 대현회계 15
책임원 조세재정 507
책임원 조세재정 507
책임원 조세재정 507
천경식 광주서 370
천경필 강서서 174
천공순 양산서 471
천광진 의정부서 313
천근영 서울청 167
천금미 서울청 153
천기문 포항서 432
천만진 중부청 228
천명길 세종서 340
천명선 강서서 174
천명일 국세상담 142
천미영 인천서 299
천미진 안산서 258
천민근 구미서 421
천민아 진주서 472
천민지 기재부 85
천병선 중부청 228
천병희 순천서 381
천보건 수영서 455
천상수 구미서 421
천상현 안양서 261
천서정 목포서 379
천선경 국세상담 143
천선희 서대전서 330
천세훈 국세상담 143
천소현 용인서 263
천승리 진주서 472
천승민 진주서 473
천승범 구로서 178
천승현 원주서 278
천아름 에이블 47
천영수 용산서 214
천영익 예일세무 52
천영현 역삼서 210
천영환 성동서 202
천용욱 부산청 437
천우남 남원서 388
천원철 동래서 446
천은영 대전청 321
천재도 인천청 290
천재호 기재부 90
천정희 남대구서 406
천종강 김해서 466
천주석 국세청 137
천지연 기재부 83
천지은 순천서 380
천진해 용산서 214
천진호 중부청 228
천태근 금정서 445
천해령 안산서 259
천해인 서울청 167
천해자 경산서 416
천현식 북인천서 294
천현창 부천서 309
천혜린 기재부 84
천혜미 중부청 233
천혜미 동울산서 461
천혜빈 서초서 200
천혜영 세무고시 33
천혜원 지방재정 503
천혜정 경산서 416
천혜진 성남서 251
천호철 김해서 467
천효순 서부산서 452
최가람 서울청 154
최갑순 북부산서 451
최갑진 북대전서 329
최강식 부산청 436
최강욱 국회법제 74
최강원 중부청 232
최강인 강남서 171
최강현 국세청 139
최건희 전주서 395
최경남 기재부 85
최경락 강릉서 271
최경묵 서울청 148
최경미 포항서 433
최경민 조세심판 505
최경배 북전주서 390
최경수 제주서 478
최경순 기재부 83
최경식 이천서 264
최경아 인천청 291
최경애 포항서 433
최경원 서울청 169
최경은 양산서 471
최경인 서대전서 330
최경준 홍천서 283
최경진 동안양서 246
최경진 조세재정 507
최경철 중랑서 223
최경초 수원서 252
최경하 동청주서 351
최경호 잠실서 219
최경화 원주서 279
최경화 의정부서 312
최경화 경주서 419
최경희 도봉서 186
최경희 마산서 468
최계옥 동대구서 408
최고든 서광주서 374
최고은 관악서 177
최고은 중부청 230
최고은 해운대서 458
최관수 기재부 88
최광민 인천청 289
최광백 태평양 65
최광석 수원서 252
최광식 국세청 125
최광식 제천서 355
최광신 역삼서 211
최교신 지방재정 502
최교학 중부청 236
최국주 딜로이트 16
최권호 광주청 367
최규균 택스홈 50
최규식 서초서 201
최규철 기재부 97
최규태 서인천서 296
최규환 법무율촌 63
최근수 국세청 133
최근식 세무하나 49
최근식 울산서 462
최근영 화성서 268
최근창 강동서 172
최근호 국세청 124
최근호 국세청 131
최근호 홍성서 348
최금년 대전청 321
최금란 서울청 153
최금주 조세재정 508
최금해 서초서 200
최기남 은평서 216
최기상 국회법제 74
최기순 아산서 342
최기영 국세청 137
최기영 중부청 236
최기영 대구청 400
최기영 통영서 476
최기옥 김포서 304
최기용 대구청 401
최기웅 성북서 204
최기웅 송파서 206
최기원 서부산서 453
최기환 북광주서 373
최길만 동고양서 307
최길상 천안서 347
최길숙 서울청 150
최나연 금천서 181
최나영 기재부 93
최나영 경기광주 257
최나은 기재부 96
최낙상 수영서 455
최남규 북전주서 390
최남숙 대구청 400
최남오 기재부 97
최남원 동작서 190
최남철 서울청 167
최누리 평택서 267
최능하 관세청 482
최다영 안양서 260
최다예 동안양서 247
최다혜 고양서 300
최다혜 광주서 370
최달영 감사원 78
최대경 진주서 472
최대림 창원서 475
최대선 기재부 91
최덕선 강릉서 271
최덕희 기재부 83
최도석 용산서 214
최도영 북대구서 410
최돈섭 강릉서 270
최돈순 원주서 278
최돈희 안산서 259
최동균 김포서 304
최동근 평택서 267
최동기 중부청 232
최동락 화성서 268
최동석 울산서 462
최동수 성북서 205
최동일 기재부 98
최동일 서울청 160
최동주 중부청 228
최동찬 대전청 324
최동혁 서울청 165
최동혁 서울청 166
최동호 기재부 85
최동훈 공주서 332
최두나 서울세관 485
최두이 잠실서 218
최두환 북부산서 450
최락진 중부청 235
최린 반포서 194
최만석 부산청 438
최말숙 구미서 420
최명 안산서 258
최명길 부산청 443
최명상 시흥서 255
최명석 인천청 290
최명선 포천서 316
최명숙 중부청 231
최명순 인천청 289
최명식 분당서 248
최명자 북대구서 410
최명준 중부서 225
최명진 수원서 253
최명현 국세청 122
최명호 안산서 258
최명화 동안양서 247
최명환 통영서 477
최무근 중기회 119
최문기 법무바른 1
최문석 동대문서 188
최문영 광주청 364
최문자 북광주서 372
최문희 국회정무 76
최미경 마포서 192
최미경 반포서 194
최미경 중랑서 222
최미경 중부청 231
최미경 군산서 386
최미경 중부산서 456
최미나 북대구서 410
최미녀 서부산서 452

최미란	안양서	260
최미란	북전주서	391
최미란	영주서	430
최미르	수영서	454
최미리	반포서	195
최미리	역삼서	211
최미선	서울청	166
최미선	조세재정	508
최미숙	여성세무	35
최미숙	서울청	155
최미숙	서대문서	198
최미숙	인천서	299
최미숙	대전청	324
최미순	관악서	176
최미애	영덕서	428
최미영	성동서	203
최미영	안산서	258
최미영	인천청	286
최미영	조세재정	507
최미영	조세재정	507
최미영	조세재정	508
최미옥	강남서	170
최미옥	중부청	230
최미자	서대문서	199
최미자	지방재정	503
최미정	화성서	269
최미진	대전서	326
최미혜	나주서	377
최미희	연수서	311
최민	대전청	322
최민경	서울청	154
최민경	연수서	310
최민교	기재부	89
최민규	양천서	209
최민서	화성서	269
최민석	서울청	164
최민석	경기광주	256
최민석	대구청	401
최민수	송파서	206
최민식	부산청	443
최민애	성남서	250
최민애	아산서	343
최민우	대전서	326
최민정	서대문서	198
최민정	송파서	207
최민정	논산서	335
최민준	동래서	446
최민지	성동서	202
최민지	북대전서	329
최민지	지방재정	502
최민혜	동수원서	245
최민혜	동고양서	306
최민희	서울청	166
최방석	정읍서	396
최범식	동대문서	188
최병구	국세청	128
최병구	포항서	432
최병국	마포서	193
최병국	시흥서	255
최병규	조세재정	506
최병규	조세재정	507
최병기	국세청	132
최병달	경산서	416
최병문	포천서	316
최병분	충주서	358
최병석	기재부	96
최병석	서울청	162
최병석	강남서	170
최병열	광교세무	37
최병완	기재부	86
최병용	강릉서	271
최병용	홍천서	282
최병우	안양서	261
최병웅	부산세관	495
최병윤	순천서	380
최병재	인천서	299
최병준	포항서	433
최병철	기재부	92
최병철	부산청	440
최병태	통영서	477
최병하	익산서	392
최병화	기흥서	240
최보경	수영서	454
최보라	의정부서	312
최보람	광주청	362
최보령	남인천서	292
최보문	서울청	156
최보미	인천서	298
최보선	택스홈	50
최보영	분당서	248
최보영	정읍서	396
최보윤	파주서	314
최보윤	동울산서	460
최보학	서대구서	412
최복기	평택서	266
최복례	북전주서	390
최봉렬	양천서	209
최봉석	기재부	95
최봉섭	아산서	342
최봉수	국세청	129
최봉순	광교세무	38
최삼영	중부청	228
최상	서울청	155
최상구	기재부	85
최상권	서현이현	7
최상규	김천서	422
최상대	기재부	84
최상덕	수영서	455
최상림	경기광주	257
최상만	국세청	124
최상만	국세청	131
최상미	평택서	267
최상복	대구청	402
최상선	충주서	358
최상연	서울청	152
최상연	연수서	311
최상연	서광주서	374
최상영	여수서	382
최상운	중부청	228
최상원	세무삼륭	46
최상임	역삼서	210
최상재	중부청	230
최상채	동작서	191
최상혁	관악서	176
최상형	대전청	321
최새록	경기광주	257
최서나	서울청	153
최서연	부산세관	493
최서영	천안서	346
최서우	성동서	202
최서윤	삼성서	196
최서윤	고양서	300
최서윤	통영서	476
최서진	의정부서	312
최서진	공주서	333
최서진	청주서	356
최서현	세종서	340
최석	서광주서	375
최석률	서인천서	297
최석승	광산서	368
최석영	남인천서	293
최석원	안양서	260
최석윤	북인천서	295
최석종	안산서	259
최선	안산서	259
최선경	경기광주	256
최선경	수영서	454
최선균	서울청	149
최선근	수성서	414
최선미	중부청	234
최선미	대전청	322
최선숙	중부서	224
최선우	서울청	161
최선우	통영서	476
최선이	용산서	215
최선재	조세심판	505
최선주	양천서	209
최선학	구로서	178
최선호	서초서	200
최선호	용산서	215
최선희	서울청	149
최선희	노원서	185
최선희	서대구서	412
최설희	안양서	261
최성관	군산서	386
최성규	서울청	148
최성균	서울청	152
최성도	중부청	235
최성례	화성서	268
최성미	마포서	193
최성민	기재부	92
최성민	안양서	260
최성민	김해서	467
최성배	북광주서	372
최성순	종로서	221
최성식	관세사회	54
최성실	북대구서	410
최성열	북인천서	295
최성영	중부청	235
최성용	중부청	228
최성욱	의정부서	312
최성은	조세재정	507
최성일	예일세무	52
최성일	금감원	103
최성일	금감원	107
최성일	서울청	149
최성일	서울청	166
최성임	동울산서	460
최성준	국회법제	74
최성준	해운대서	459
최성진	기재부	97
최성찬	국회재정	71
최성찬	충주서	358
최성한	청주서	357
최성혁	국세청	124
최성호	국세청	122
최성호	서울청	152
최성호	대전청	324
최성화	종로서	221
최성환	광명서	302
최성희	중부청	237
최성희	동래서	446
최세라	서대문서	198
최세미	성동서	202
최세영	세무고시	33
최세영	남양주서	242
최세영	부산청	440
최세운	연수서	311
최세은	동안양서	247
최세진	용산서	214
최세희	동작서	191
최세희	나주서	376
최소라	성동서	203
최소영	잠실서	218
최소영	동안양서	246
최소영	시흥서	254
최소영	평택서	267
최소윤	동래서	446
최솔	서초서	201
최솔잎	택스홈	50
최송아	삼성서	197
최송엽	평택서	267
최수미	강동서	172
최수미	수원서	253
최수민	국세청	133
최수빈	서울청	169
최수식	마산서	468
최수아	해운대서	458
최수연	서울청	159
최수연	도봉서	187
최수연	전주서	395
최수영	국세청	124
최수영	국세청	131
최수인	영등포서	212
최수정	분당서	249
최수정	북인천서	294
최수정	수성서	414
최수종	북대전서	329
최수지	인천청	286
최수진	국세청	131
최수진	중부서	225
최수진	분당서	249
최수진	김천서	423
최수진	중부산서	457
최수현	춘천서	280
최수현	광주청	363
최수현	부산청	436
최숙경	부산청	442
최숙현	반포서	194
최숙희	경주서	419
최순봉	수영서	454
최순영	국회법제	74
최순옥	북광주서	372
최순용	양천서	209
최순희	구로서	179
최순희	북전주서	390
최슬기	국세청	138
최슬기	마포서	193
최슬기	예산서	345
최승규	북인천서	294
최승민	서울청	156
최승복	경기광주	256
최승식	대전청	323
최승영	서울청	165
최승오	북대전서	328
최승웅	딜로이트	16
최승원	국회정무	76
최승일	국세청	128
최승재	북광주서	372
최승철	속초서	275
최승택	구로서	179
최승필	김천서	423
최승혁	역삼서	211
최승훈	중부청	228
최승훈	영주서	430
최승훈	진주서	473
최승훈	조세재정	507
최시영	기재부	87
최시은	대전청	320
최신애	부산청	440
최신호	광주서	370
최아라	부천서	309
최아라	서부산서	452
최아현	서울청	164
최안나	분당서	249
최안욱	김해서	466
최애련	부천서	309
최여은	강동서	173
최연	기재부	91
최연규	기재부	84
최연덕	부산청	438
최연수	서울청	168
최연수	광주청	367
최연수	관세청	483
최연옥	영동서	352
최연우	원주서	279
최연욱	중부청	228
최연재	대구세관	498
최연정	성동서	203
최연정	서산서	338
최연주	중부청	229
최연주	북인천서	294
최연지	인천청	288
최연평	익산서	393
최연하	서울청	153
최연희	영등포서	212
최연희	중부서	224
최연희	중부청	229
최연희	순천서	381
최연희	순천서	381
최영	청주서	357
최영권	대전청	322
최영근	익산서	392
최영둘	대전청	321
최영락	기재부	98
최영란	조세재정	506
최영미	국세청	124
최영봉	서울청	160
최영선	김해서	467
최영수	에이블	47
최영수	서울청	169
최영숙	은평서	217
최영숙	아산서	342
최영실	양천서	209
최영아	구로서	179
최영우	국세청	124
최영윤	안양서	261
최영윤	대구청	404
최영일	시흥서	255
최영임	이천서	265
최영임	광주청	364
최영자	포천서	316
최영조	성남서	251
최영주	중부청	232
최영주	광주청	364
최영주	서울세관	486
최영준	국세상담	143
최영준	천안서	346
최영준	광주청	365
최영준	광주청	366
최영준	조세심판	505
최영지	삼성서	196
최영진	기재부	92
최영진	국세청	126
최영진	종로서	221
최영진	기흥서	240
최영천	기재부	91
최영철	국세청	123
최영철	정읍서	396
최영철	수영서	454
최영학	강동서	173
최영현	국세교육	145
최영현	삼성서	196
최영현	영등포서	212
최영혜	분당서	248
최영호	국세청	122
최영호	서울청	153
최영호	서울청	157
최영호	동작서	190
최영호	수영서	454
최영환	세무고시	33
최영환	서울청	169
최영환	양천서	208
최영환	남인천서	293
최영환	연수서	310
최영훈	국세청	131
최영훈	인천세관	490
최예령	조세재정	506
최예령	조세재정	506
최예린	서광주서	374
최예숙	북인천서	294
최예영	중부산서	456
최예은	삼성서	197
최오동	서울청	149
최오미	국세청	124
최옥구	용인서	262
최옥미	부천서	308
최완규	시흥서	254
최완규	파주서	315
최완숙	나주서	376
최요환	인천청	287
최용	경기광주	257
최용국	부산진서	449
최용규	금천서	181
최용근	잠실서	218
최용민	서초서	201
최용복	강동서	173
최용복	충주서	358
최용선	인천서	299
최용섭	예산서	345
최용세	국세청	130
최용우	강서서	175
최용준	세무다솔	44
최용준	시흥서	254
최용진	중랑서	223
최용진	의정부서	312
최용철	국세청	134
최용태	동수원서	245
최용호	수원서	253
최용화	평택서	267
최용환	법무율촌	63
최용훈	택스홈	50
최용훈	수성서	414
최용훈	구미서	420
최용훈	통영서	476
최우경	세종서	340
최우녕	파주서	315
최우석	중부청	236
최우석	삼척서	272
최우성	국세청	135
최우성	화성서	268
최우성	지방재정	502
최우신	분당서	249
최우영	경기광주	257
최우영	아산서	342
최우영	상주서	424
최우영	부산청	438
최우일	양천서	208
최우정	김포서	305
최우진	충주서	359
최우현	춘천서	280
최욱경	진주서	472
최욱진	안산서	259
최운식	도봉서	187
최운환	서울청	160
최웅	강남서	171
최웅	은평서	216
최원경	성현회계	14
최원규	순천서	381
최원모	서울청	161

최원봉 반포서 194
최원석 종로서 221
최원석 김포서 304
최원선 목포서 379
최원수 대구청 402
최원열 화성서 269
최원영 서초서 200
최원우 택스홈 50
최원우 울산서 462
최원익 홍천서 282
최원정 광주청 362
최원준 영등포서 213
최원진 북부산서 450
최원태 수영서 455
최원택 전주서 395
최원현 국세청 123
최원화 성동서 202
최원희 도봉서 186
최유건 삼성서 197
최유나 고양서 301
최유리 서대전서 331
최유미 인천청 285
최유미 조세심판 504
최유삼 금융위 102
최유성 강릉서 270
최유성 의정부서 313
최유연 용인서 263
최유영 시흥서 254
최유원 국세교육 145
최유정 아산서 342
최유진 역삼서 210
최유진 고양서 300
최유진 서대구서 412
최유철 삼일회계 20
최윤겸 부산청 436
최윤기 성남서 250
최윤미 국세청 125
최윤미 마포서 192
최윤미 부산청 438
최윤미 조세재정 508
최윤석 인천서 299
최윤선 국세상담 142
최윤선 세종서 340
최윤섭 통영서 477
최윤성 용인서 262
최윤실 부산청 439
최윤실 수영서 454
최윤아 양산서 470
최윤영 서울청 167
최윤영 삼성서 196
최윤영 대구청 403
최윤영 구미서 420
최윤용 조세재정 506
최윤정 용산서 215
최윤정 안산서 259
최윤정 인천서 298
최윤정 동청주서 350
최윤정 해운대서 458
최윤정 창원서 475
최윤주 남인천서 292
최윤주 남원서 388
최윤진 중랑서 222
최윤혁 마산서 469
최윤형 경주서 418
최윤호 국세청 124
최윤호 국세청 131
최윤호 서울청 148
최윤회 용인서 263
최윤희 국회재정 71
최윤희 삼성서 196
최은경 이안세무 53
최은경 기재부 95
최은경 국세청 131
최은경 관악서 177
최은경 서인천서 296
최은경 파주서 315
최은경 마산서 468
최은경 통영서 476
최은락 상공회의 117
최은미 서울청 152
최은미 세종서 341
최은미 제주서 479
최은복 의정부서 312
최은비 익산서 393
최은선 안산서 259
최은선 북대구서 411
최은성 국세청 125
최은성 국세청 135
최은수 서울청 167
최은수 동수원서 244
최은수 울산서 462
최은숙 국세청 124
최은숙 국세청 131
최은숙 마포서 193
최은숙 영주서 431
최은아 조세재정 507
최은애 국세청 125
최은애 국세청 134
최은애 노원서 184
최은애 서대구서 412
최은영 삼정회계 22
최은영 기재부 82
최은영 서울청 152
최은영 강동서 173
최은영 강서서 174
최은영 강서서 174
최은영 삼성서 196
최은영 양천서 208
최은영 연수서 310
최은영 광산서 369
최은영 대구청 402
최은영 동대구서 408
최은옥 서인천서 296
최은유 고양서 301
최은정 대현회계 15
최은정 삼성서 197
최은정 중랑서 222
최은정 인천청 287
최은주 서울청 148
최은주 동수원서 244
최은지 금천서 180
최은진 딜로이트 16
최은진 인천서 298
최은진 부천서 309
최은진 창원서 474
최은창 분당서 248
최은태 서부산서 452
최은하 서울청 150
최은혜 서울청 169
최은혜 대전청 321
최은혜 조세재정 508
최은호 경주서 419
최은호 진주서 473
최은화 여성세무 35
최은희 성동서 202
최은희 대전서 326
최을선 이천서 265
최이진 북인천서 294
최이환 서울청 162
최익성 감사원 79
최익성 서울청 167
최익수 마산서 469
최익영 은평서 216
최인경 수원서 252
최인광 북광주서 372
최인귀 구로서 178
최인규 서울청 154
최인규 남양주서 243
최인범 동수원서 245
최인석 관악서 177
최인수 감사원 78
최인순 국세청 127
최인식 동울산서 461
최인실 부산청 443
최인아 노원서 184
최인아 창원서 475
최인애 예산서 344
최인영 국세교육 144
최인영 강서서 174
최인영 중부청 234
최인영 마산서 468
최인옥 서울청 160
최인옥 대전청 321
최인우 대구청 403
최인욱 서광주서 375
최인혁 조세재정 506
최인혜 강남서 170
최인환 동안양서 247
최인효 여수서 382
최일 반포서 195
최일동 감사원 79
최일암 국세청 135
최일환 국세교육 145
최임규 서대전서 330
최임선 서부산서 453
최임정 김앤장 59
최자연 원주서 278
최장규 경산서 417
최장균 북광주서 372
최장영 서인천서 296
최장원 강서서 175
최재관 부산세관 494
최재광 기흥서 240
최재광 안동서 426
최재규 북전주서 390
최재균 국세청 122
최재덕 서울청 154
최재림 의정부서 312
최재명 국세청 123
최재봉 서울청 157
최재봉 서울청 158
최재봉 서울청 159
최재석 딜로이트 16
최재섭 남원서 388
최재성 중부청 231
최재영 구로서 178
최재영 김천서 422
최재우 남대구서 407
최재우 동래서 446
최재원 기재부 94
최재원 관세청 481
최재일 군산서 387
최재진 중부청 235
최재천 이천서 265
최재철 구로서 179
최재필 택스홈 50
최재혁 기재부 96
최재혁 김포서 304
최재혁 서광주서 374
최재혁 대구청 400
최재혁 통영서 477
최재현 서울청 169
최재현 동작서 191
최재협 포항서 432
최재형 감사원 77
최재형 감사원 78
최재형 삼성서 196
최재호 경기광주 256
최재호 중부산서 456
최재화 대구청 401
최재훈 광주청 367
최재훈 제주서 479
최전환 목포서 379
최점식 수성서 414
최정규 삼성서 197
최정림 성북서 205
최정명 인천청 290
최정미 동대구서 409
최정민 강동서 173
최정빈 기재부 89
최정식 양산서 471
최정심 안양서 260
최정애 마산서 468
최정연 용인서 262
최정연 익산서 392
최정연 진주서 472
최정열 서울청 162
최정영 구로서 178
최정완 서인천서 297
최정욱 법무지평 64
최정욱 광주청 365
최정운 부산청 439
최정웅 김해서 467
최정원 중랑서 223
최정원 강릉서 270
최정은 국세상담 143
최정은 중부청 230
최정이 광주청 363
최정인 세무고시 33
최정인 분당서 248
최정임 성동서 202
최정주 북부산서 451
최정현 서울청 157
최정현 서산서 338
최정혜 경주서 418
최정화 경주서 418
최정훈 양천서 209
최정훈 부산청 438
최정훈 서부산서 452
최정희 강남서 171
최정희 광명서 302
최제범 시흥서 254
최제환 울산서 463
최종기 경주서 418
최종묵 연수서 310
최종미 서울청 153
최종민 북광주서 372
최종선 목포서 379
최종수 잠실서 218
최종열 서울청 169
최종욱 북인천서 294
최종운 대구청 404
최종인 은평서 216
최종태 서울청 169
최종헌 성현회계 14
최종현 서대전서 331
최종호 삼성서 196
최종호 수원서 252
최종호 나주서 376
최종환 국세청 139
최종훈 동수원서 244
최주광 북인천서 294
최주연 역삼서 210
최주연 양산서 470
최주영 법무바른 1
최주영 구미서 421
최주영 울산서 462
최주현 동수원서 244
최주희 광명서 303
최준 서울청 153
최준 송파서 206
최준기 마포서 193
최준성 남인천서 293
최준영 청주서 357
최준욱 조세재정 507
최준웅 역삼서 211
최준재 파주서 314
최준호 영덕서 429
최준환 수원서 252
최중갑 조세재정 508
최중진 원주서 278
최지선 김포서 304
최지선 세종서 341
최지선 군산서 386
최지선 통영서 477
최지수 용산서 215
최지숙 대구청 400
최지아 서울청 168
최지안 동대구서 408
최지연 동안양서 247
최지연 북대전서 329
최지연 서대구서 412
최지영 기재부 95
최지영 기재부 96
최지영 성동서 203
최지영 공주서 332
최지영 북전주서 390
최지영 북대구서 411
최지영 부산청 441
최지영 제주서 479
최지영 조세재정 508
최지웅 북인천서 294
최지원 삼성서 197
최지원 남양주서 243
최지윤 서부산서 453
최지은 안양서 260
최지은 용인서 263
최지은 논산서 334
최지은 동대구서 408
최지은 해운대서 458
최지인 익산서 393
최지현 서울청 165
최지현 안산서 258
최지현 김포서 304
최지현 북광주서 372
최지혜 목포서 379
최지훈 국회정무 76
최지훈 기재부 89
최지훈 충주서 359
최지훈 전주서 395
최지희 익산서 392
최진 남대문서 183
최진 수성서 414
최진관 진주서 473
최진광 기재부 90
최진구 법무광장 61
최진규 역삼서 210
최진규 중부청 230
최진남 국세청 132
최진미 동대문서 189
최진민 부산청 439
최진복 중부청 237
최진석 중부청 229
최진선 인천청 286
최진숙 동청주서 351
최진숙 부산청 439
최진숙 창원서 474
최진식 성북서 204
최진영 국세청 122
최진영 서울청 152
최진영 울산서 462
최진옥 논산서 335
최진용 국세청 125
최진원 성북서 204
최진이 서광주서 374
최진혁 부산청 440
최진현 북전주서 390
최진현 조세심판 504
최진호 부산청 437
최진화 분당서 249
최차영 서초서 200
최찬규 중부청 232
최찬민 중부청 234
최찬배 세종서 341
최찬오 태평양 65
최창경 관악서 176
최창근 서울청 165
최창무 북광주서 373
최창배 부산진서 449
최창서 광산서 368
최창선 기재부 84
최창수 세무다솔 44
최창수 용산서 214
최창수 해운대서 459
최창순 동대문서 188
최창열 국회정무 76
최창열 남인천서 292
최창완 지방재정 503
최창욱 광주청 367
최창원 아산서 343
최창원 조세심판 505
최창주 국세상담 142
최창현 인천서 299
최창호 잠실서 219
최창호 부산청 437
최천식 국세상담 142
최천식 서울세관 486
최철승 광주청 362
최청림 중부청 236
최청흠 대전청 321
최청흠 대전청 322
최춘자 남대구서 406
최충의 기흥서 241
최충일 아산서 342
최치권 삼성서 196
최치환 국세청 138
최칠성 익산서 393
최태규 국세주류 140
최태규 동대문서 188
최태영 세무하나 49
최태영 금정서 445
최태용 남대구서 406
최태전 광주청 363
최태주 서초서 201
최태진 삼성서 197
최태현 국세상담 143
최태훈 국세청 131
최파란 충주서 358
최필웅 서울청 150
최하나 양천서 208
최하나 중부청 231
최하나 청주서 357
최하나 북광주서 373
최하늘 택스홈 50
최하연 금천서 180
최학규 국세청 125
최학묵 성북서 205
최학선 중부산서 457
최한근 성동서 203
최한뫼 파주서 314

최한솔 경기광주 256
최한진 천안서 347
최한호 수영서 455
최항 기재부 84
최항호 울산서 463
최해성 부산청 441
최해수 부산진서 449
최해영 동안양서 246
최해욱 대전청 320
최해원 역삼서 210
최해인 진주서 473
최해철 강서서 174
최행용 서울청 158
최향미 광주청 365
최향성 성북서 205
최헌순 고양서 301
최혁 춘천서 280
최혁진 이천서 264
최현 속초서 274
최현 인천청 287
최현규 기재부 82
최현민 법무지평 64
최현민 포항서 433
최현빈 통영서 476
최현석 용산서 214
최현석 은평서 217
최현석 서대구서 412
최현선 국세청 132
최현성 국회정무 76
최현성 고양서 301
최현숙 기흥서 240
최현아 순천서 380
최현영 동대문서 189
최현영 안양서 261
최현영 전주서 394
최현오 부산세관 494
최현옥 서울청 168
최현정 서울청 152
최현정 동수원서 245
최현정 성남서 251
최현정 논산서 334
최현정 인천세관 490
최현주 중부청 234
최현주 대구청 401
최현준 감사원 79
최현진 서울청 157
최현진 광주서 371
최현창 서울청 156
최현택 동래서 446
최현화 기재부 91
최현희 동대구서 408
최형권 원주서 278
최형권 관세청 483
최형균 인천세관 491
최형동 광주서 370
최형석 기재부 96
최형석 강서서 175
최형식 역삼서 211
최형준 북인천서 294
최형지 춘천서 281
최형진 용인서 263
최형화 성동서 202
최혜경 대전서 326
최혜경 북대구서 411
최혜리 김해서 466
최혜림 성남서 251
최혜림 지방재정 503
최혜미 해운대서 458
최혜선 창원서 474
최혜선 창원서 475
최혜승 분당서 248
최혜영 서대구서 412
최혜옥 삼성서 197
최혜원 삼일회계 20
최혜원 고양서 300
최혜원 수성서 414
최혜윤 서부산서 453
최혜정 분당서 249
최혜지 대전서 326
최혜진 기재부 98
최혜진 관악서 177
최혜진 동작서 191
최혜진 송파서 206
최혜진 중부청 234
최혜진 수영서 455
최호상 연수서 311
최호성 예일회계 24
최호성 해운대서 459
최호영 원주서 278
최호영 마산서 469
최호윤 구로서 179
최호재 강서서 174
최호현 인천서 298
최홍서 서대문서 199
최홍신 군산서 386
최홍열 중부청 231
최홍인 구리서 238
최화성 상주서 424
최환규 도봉서 186
최환석 보령서 336
최환석 광주청 363
최환영 화성서 269
최회선 서울청 161
최회윤 고양서 300
최효범 예일세무 52
최효성 김앤장 59
최효영 동작서 191
최효영 나주서 376
최효원 안양서 261
최효임 양천서 209
최효임 남양주서 243
최효진 강서서 174
최효진 도봉서 187
최효진 성남서 251
최훈 금융위 100
최훈 삼척서 273
최훈균 인천세관 490
최흥길 국세청 129
최희경 고양서 301
최희경 논산서 334
최희경 제주서 479
최희권 충주서 359
최희란 북인천서 294
최희숙 김해서 466
최희인 관세사회 54
최희정 서울청 165
최희주 기재부 84
추경호 국회재정 72
추경호 동수원서 244
추교진 법무바른 1
추근식 서울청 148
추근우 춘천서 280
추명운 전주서 395
추문갑 중기회 119
추병욱 김해서 466
추병일 동울산서 461
추상미 통영서 476
추성영 서울청 151
추세웅 서울청 152
추수연 금정서 445
추순호 의정부서 313
추시은 북대구서 410
추여미 기재부 83
추연우 파주서 314
추영언 남대구서 407
추원규 천안서 347
추원득 대전청 324
추원욱 부천서 308
추원희 금정서 444
추은경 서대구서 413
추은정 서인천서 297
추정현 중부청 231
추정화 상공회의 117
추정화 상공회의 117
추종완 부산청 440
추지연 광주청 363
추지희 부산진서 449
추현종 서울청 159
추혜진 포항서 433

ㅌ

탁경석 부천서 309
탁기욱 반포서 195
탁용성 포천서 316
탁정미 강남서 170
탁정수 삼일회계 20
탁정수 삼일회계 21
탁현희 대전서 327
탄정기 강릉서 270
태대환 김포서 304
태상미 대전서 327
태석충 영월서 277
태영연 김포서 304
태원창 기재부 93
태정욱 법무광장 61
태종배 남양주서 242
태혜숙 이천서 264

ㅍ

판현미 서울청 167
편나래 노원서 184
편대수 중부청 236
편무창 국세청 132
편상원 마포서 193
편수진 기흥서 240
편주영 조세재정 507
편지현 울산서 463
편혜란 반포서 194
포렌식 서울청 154
표다은 구리서 238
표동삼 인천세관 492
표미경 공주서 333
표삼미 국세청 134
표석진 중부청 229
표선임 도봉서 187
표성진 평택서 267
표순권 대전청 323
표옥연 동작서 190
표정범 강서서 175
표진숙 부산청 438
풍관섭 역삼서 211
피상철 인천세관 491
피연지 광산서 368

ㅎ

하경섭 안동서 426
하경숙 동대구서 409
하경아 동대문서 189
하경아 광주서 371
하경종 중부청 234
하경혜 창원서 474
하광무 시흥서 254
하광식 기재부 95
하광열 중부청 234
하구식 마산서 469
하기성 중부서 225
하나경 여성세무 35
하나임 안산서 258
하남기 부산세관 494
하남우 서울청 166
하다애 기재부 89
하동순 여성세무 35
하동훈 법무율촌 63
하두영 인천청 287
하령주 마포서 192
하륜광 중부서 224
하명균 국세청 127
하명림 성북서 204
하명선 동고양서 307
하미숙 부천서 308
하민수 진주서 472
하민영 은평서 217
하민용 딜로이트 16
하민정 안산서 258
하민지 동안양서 247
하민혜 마산서 469
하변길 관세청 482
하병욱 동청주서 350
하병욱 진주서 472
하복수 부산청 442
하봉남 광주청 366
하상우 남대구서 406
하상자 세무다솔 44
하상진 천안서 346
하상진 여수서 383
하상철 송파서 207
하상혁 김앤장 59
하서연 부산청 436
하선우 울산서 463
하성균 국세청 122
하성준 금정서 445
하성철 순천서 381
하성호 김천서 422
하세일 국세청 126
하세정 조세재정 508
하세정 조세재정 508
하소영 부산진서 448
하수용 세무고시 33
하수정 김포서 304
하수진 북대구서 411
하수현 서대문서 199
하승민 부산청 442
하승범 대구청 404
하승완 기재부 94
하승원 기재부 85
하승훈 부산진서 449
하승희 북부산서 451
하신행 국세청 139
하신호 서울청 162
하에스더 조세재정 506
하영미 서대구서 413
하영설 진주서 473
하영식 창원서 474
하영태 안산서 258
하예숙 울산서 463
하용홍 동안양서 246
하원경 부산청 438
하원근 남대구서 406
하유정 중부청 229
하유정 관세청 482
하윤경 삼성서 196
하윤정 연수서 311
하윤희 경기광주 256
하은미 부산청 441
하은석 동대구서 408
하은선 기재부 83
하은지 국세청 133
하은혜 서울청 168
하이레 부산청 438
하인선 서부산서 453
하재봉 중부청 228
하재분 구리서 239
하재현 마산서 468
하정권 지방재정 502
하정란 부산진서 449
하정민 춘천서 280
하정영 세종서 341
하정우 대전청 325
하정욱 연수서 310
하정욱 북부산서 451
하종대 법무바른 1
하종목 지방재정 502
하주원 강동서 172
하주희 정읍서 397
하준찬 중부청 228
하지경 부산청 442
하지민 포항서 432
하지영 서광주서 374
하진우 국세청 127
하진호 국세상담 142
하창경 국세청 124
하창균 원주서 278
하창길 해운대서 458
하창수 국세청 139
하철수 나주서 376
하철수 남대구서 406
하철호 진주서 473
하치석 국세교육 145
하치승 기재부 85
하치영 마포서 192
하태상 서울청 157
하태연 도봉서 186
하태영 동울산서 460
하태완 인천청 287
하태욱 기흥서 240
하태운 경주서 418
하태준 익산서 392
하태흥 김앤장 59
하태희 서울청 157
하필태 김해서 467
하한울 동안양서 246
하행수 중랑서 222
하헌욱 대구청 404
하현균 국세청 123
하현균 서대전서 330
하현정 남인천서 292
하현주 동울산서 460
하형철 기재부 90
하회성 김해서 467
하효연 동수원서 244
하효준 수성서 415
하희완 경기광주 257
한경덕 서울청 153
한경란 용인서 262
한경석 삼성서 197
한경선 국세청 138
한경수 대전청 325
한경진 조세재정 508
한경태 안산서 259
한경호 기재부 92
한경화 서울청 168
한경희 안양서 260
한관수 서울청 150
한광우 북대전서 329
한광인 군산서 387
한광일 서초서 201
한광희 서울청 158
한교정 경산서 416
한구환 충주서 358
한국일 서광주서 374
한권수 군산서 386
한귀숙 순천서 380
한규종 광주서 370
한규진 세원세무 51
한규진 국세청 129
한규희 관세청 483
한그루 화성서 268
한근자 평택서 267
한근찬 한국세무 31
한기룡 대전청 324
한기석 화성서 269
한기준 잠실서 219
한기청 북광주서 373
한길완 광주청 364
한길택 의정부서 313
한나라 광산서 369
한나라 조세심판 504
한나영 서울청 153
한누리 동작서 190
한누리 논산서 334
한다은 화성서 269
한다정 광주청 362
한대섭 해운대서 458
한대희 동수원서 244
한덕우 남인천서 293
한덕우 남인천서 293
한덕윤 영등포서 213
한도순 대전청 321
한도흔 서광주서 374
한동석 광주청 362
한동숙 조세재정 508
한동숙 조세재정 508
한동욱 정진세림 27
한동환 광산서 368
한동훈 수원서 252
한동훈 부산청 441
한동희 아산서 343
한란 서산서 338
한만수 김앤장 59
한만준 영등포서 213
한만훈 성북서 204
한면기 동래서 447
한명민 마포서 193
한명수 이천서 264
한명수 세종서 341
한명숙 원주서 278
한명애 지방재정 503
한명주 조세재정 506
한명진 통영서 476
한무현 김포서 305
한문식 포천서 317
한미경 서울청 160
한미영 국세상담 142
한미영 안산서 258
한미자 중부청 228
한미현 마포서 192
한미현 서대전서 331
한민 관세청 482

한민구	기재부	88
한민규	동안양서	247
한민수	기흥서	240
한민수	제주서	479
한민우	시흥서	254
한민지	구로서	178
한민희	기재부	86
한민희	종로서	221
한범희	화성서	268
한병민	북전주서	391
한보경	관악서	176
한보미	중부청	234
한복수	서인천서	296
한봉수	남양주서	242
한비룡	화성서	268
한상교	성동서	202
한상국	영덕서	428
한상룡	목포서	379
한상명	동래서	447
한상민	도봉서	187
한상민	성북서	205
한상민	북전주서	391
한상배	동청주서	350
한상범	중부서	225
한상범	수원서	252
한상범	시흥서	254
한상수	부산청	436
한상영	동수원서	244
한상원	대전청	322
한상윤	평택서	267
한상익	김앤장	59
한상재	인천청	288
한상철	아산서	342
한상춘	광주서	370
한상현	국세청	138
한상화	동수원서	245
한상훈	삼성서	196
한상훈	공주서	333
한상희	세무고시	33
한상희	광명서	303
한서희	청주서	356
한석복	부산청	442
한석영	역삼서	210
한석진	마포서	192
한석희	논산서	334
한선배	서울청	160
한선화	기재부	90
한선희	화성서	268
한설희	북전주서	391
한성경	제천서	354
한성미	화성서	268
한성민	국세상담	143
한성삼	김포서	305
한성옥	동고양서	306
한성욱	구미서	421
한성일	서현이현	7
한성일	관악서	177
한성일	지방재정	503
한성주	순천서	381
한성호	서울청	152
한성희	북전주서	390
한세영	국세청	125
한세영	김포서	305
한세온	국세청	127
한세훈	시흥서	255
한세희	서울청	149
한소라	남대문서	182
한소연	수원서	252
한소영	조세재정	508
한송이	기재부	92
한송이	고양서	300
한송이	북대전서	329
한송이	광주서	371
한송이	서광주서	374
한송희	인천청	287
한송희	공주서	332
한송희	지방재정	502
한수경	전주서	394
한수길	연수서	311
한수덕	지방재정	502
한수민	동안양서	246
한수연	성동서	202
한수연	조세재정	506
한수은	강동서	172
한수이	대전청	320
한수정	동수원서	244
한수지	광명서	302
한수철	화성서	268
한수현	서울청	168
한수현	용산서	214
한수현	성남서	251
한수현	안양서	260
한수현	용인서	262
한수현	광주서	370
한수홍	목포서	379
한숙란	대전청	322
한숙향	양천서	209
한숙희	북전주서	390
한순국	제주서	478
한순규	서울청	154
한순근	중부청	233
한승구	김포서	304
한승기	경기광주	256
한승만	서울청	166
한승민	연수서	310
한승범	국세청	132
한승수	서초서	201
한승완	노원서	184
한승우	수원서	252
한승욱	예일세무	52
한승욱	반포서	194
한승일	원주서	278
한승철	경기광주	257
한승협	남인천서	292
한승훈	반포서	195
한시윤	해운대서	458
한아름	구로서	179
한아름	종로서	221
한아름	동안양서	246
한아름	광주청	363
한아림	동안양서	246
한역옥	기재부	91
한연식	남원서	389
한연주	인천청	289
한연지	기재부	96
한영규	역삼서	210
한영수	서초서	200
한영수	해남서	384
한영임	수원서	252
한영준	구리서	238
한예숙	동대문서	188
한예슬	영등포서	212
한예환	강남서	170
한완상	연수서	311
한용	순천서	380
한용균	조세재정	506
한용석	화성서	268
한용섭	동대구서	408
한용우	서울세관	485
한용우	서울세관	487
한용철	북광주서	372
한용희	여수서	383
한원식	삼정회계	22
한원식	삼정회계	22
한원윤	광주청	362
한원주	대전서	327
한원찬	부천서	308
한유경	서울청	149
한유미	조세재정	506
한유빈	기재부	98
한유정	중부청	235
한유진	분당서	248
한유진	부천서	308
한유현	광주청	362
한윤숙	영등포서	213
한윤숙	용산서	214
한윤정	구로서	179
한윤주	해운대서	458
한윤희	중부청	230
한윤희	목포서	379
한은라	대구청	401
한은미	조세재정	508
한은섭	삼정회계	22
한은숙	동고양서	306
한은숙	부산진서	448
한은우	용인서	263
한은정	잠실서	218
한은정	동수원서	244
한은정	순천서	380
한은정	남원서	388
한은주	서울청	161
한은표	국세교육	144
한이수	종로서	221
한인상	기재부	84
한인수	충주서	359
한인숙	여성세무	35
한인정	북인천서	294
한인철	동수원서	244
한인표	인천청	288
한일수	평택서	267
한일용	서광주서	375
한임철	거창서	464
한자람	북광주서	372
한장혁	종로서	221
한재령	전주서	394
한재식	용산서	215
한재영	국세청	136
한재영	춘천서	280
한재영	인천청	286
한재용	기재부	85
한재원	전주서	395
한재진	대구청	400
한재화	P&B	41
한재희	은평서	217
한정규	광주청	367
한정덕	남대문서	182
한정미	세종서	341
한정민	대전서	327
한정민	양산서	470
한정수	국세청	131
한정식	강서서	174
한정식	역삼서	211
한정아	금천서	181
한정예	중부산서	456
한정용	광주청	362
한정준	청주서	356
한정필	창원서	474
한정현	울산서	463
한정호	수영서	454
한정홍	북부산서	451
한정화	법무세종	62
한정희	서울청	166
한정희	서울청	168
한정희	서초서	201
한정희	공주서	332
한제왕	법무율촌	63
한종건	조세심판	504
한종관	영덕서	428
한종문	용인서	262
한종범	서울청	164
한종석	조세재정	506
한종엽	삼일회계	21
한종우	동수원서	245
한종창	동울산서	460
한종태	예산서	344
한종화	택스홈	50
한종환	남대문서	183
한종훈	동수원서	245
한종훈	영월서	277
한주성	동고양서	306
한주성	광산서	368
한주성	대구청	401
한주연	강남서	170
한주진	삼성서	197
한주혜	조세재정	507
한주호	서현이현	7
한주희	구리서	238
한준영	서울청	165
한준혁	성동서	203
한준희	용인서	262
한준희	수영서	454
한지민	용산서	214
한지숙	노원서	184
한지연	인천서	299
한지영	세무하나	49
한지영	서대문서	199
한지예	영등포서	213
한지우	동안양서	247
한지운	송파서	206
한지웅	국세청	136
한지원	은평서	217
한지원	북인천서	294
한지은	국회재정	71
한지혜	마포서	193
한지호	순천서	380
한지희	동안양서	246
한진규	김포서	304
한진아	중부청	235
한진옥	노원서	184
한진혁	서울청	157
한창규	동고양서	306
한창균	목포서	379
한창림	제주서	478
한창목	조세재정	507
한창수	경주서	419
한창용	부산청	438
한창용	김해서	467
한창우	도봉서	186
한창춘	포천서	317
한창희	안산서	259
한채모	대구청	405
한채윤	북광주서	373
한철희	고양서	300
한청용	중부청	230
한청희	대구청	405
한초롱	국세청	122
한충열	서울청	149
한태임	서대전서	330
한헌춘	한국세무	31
한현국	부산청	441
한현섭	국세청	127
한현숙	송파서	206
한혜란	조세재정	507
한혜린	삼성서	196
한혜미	세종서	340
한혜빈	구로서	178
한혜선	중부청	228
한혜은	종로서	220
한혜진	인천서	299
한호성	삼일회계	21
한홍석	딜로이트	16
한효경	북대전서	329
한효숙	화성서	268
한훈	기재부	85
한휘	경주서	418
한희석	공주서	333
한희석	부산청	439
한희수	포천서	317
한희자	구리서	239
한희정	포천서	316
함광수	북인천서	294
함광주	금천서	180
함귀옥	춘천서	280
함다정	역삼서	210
함두화	마포서	193
함명자	중부청	230
함미란	예산서	344
함민규	부천서	308
함민정	조세재정	507
함상봉	국세상담	143
함상율	은평서	216
함상현	인천서	298
함석광	양천서	208
함선주	국세교육	144
함영록	강릉서	270
함영수	안산서	259
함영은	도봉서	186
함예원	예일회계	24
함용숙	해남서	384
함용식	수원서	253
함은정	중부청	237
함인한	강릉서	271
함주석	원주서	278
함지영	남대문서	182
함지훈	중랑서	222
함진우	기재부	93
함태진	광주청	365
함태희	수원서	252
함희원	구미서	421
허경란	북전주서	390
허경선	조세재정	507
허경선	조세재정	508
허경숙	북광주서	372
허경필	조세재정	508
허곤계	춘천서	281
허광규	인천청	290
허광욱	조세심판	504
허규석	동울산서	460
허남규	강남서	171
허남덕	기재부	91
허남덕	기재부	92
허남승	해남서	385
허남주	서대전서	331
허남현	부산청	438
허노환	안동서	426
허도곤	북부산서	451
허두열	북대구서	410
허두영	분당서	248
허명화	동울산서	460
허문옥	전주서	394
허문정	종로서	221
허미경	홍천서	282
허미나	순천서	381
허미림	용인서	263
허미영	영등포서	213
허미혜	조세재정	508
허민영	조세재정	508
허병덕	평택서	267
허병조	국회법제	73
허비은	서울청	152
허상엽	중부청	230
허석룡	삼성서	197
허선계	서대문서	198
허선덕	서광주서	375
허성구	이안세무	53
허성길	북대구서	411
허성민	인천청	291
허성민	대전서	326
허성용	기재부	85
허성원	경기광주	256
허성은	서대구서	413
허성은	부산청	436
허성준	울산서	463
허성혁	남대구서	406
허세미	고양서	300
허세욱	강서서	174
허소미	국세청	128
허소영	영덕서	428
허송	잠실서	218
허송이	강서서	175
허수범	창원서	474
허수정	수원서	252
허수정	부산청	439
허수진	기재부	90
허수진	중랑서	222
허숙영	세종서	341
허순미	부산진서	449
허순영	제천서	354
허순자	부산진서	448
허승	구리서	239
허승열	동청주서	351
허승철	기재부	86
허승호	의정부서	312
허양원	중부청	228
허영락	기재부	86
허영렬	경기광주	257
허영미	조세재정	508
허영섭	중부청	229
허영수	중랑서	223
허영수	부산청	441
허오영	시흥서	255
허옥란	홍천서	282
허용	동수원서	245
허원갑	제천서	354
허원석	부천서	309
허유경	군산서	386
허유미	의정부서	313
허유정	부산청	436
허윤봉	북전주서	391
허윤숙	제주서	478
허윤영	광주세관	500
허윤영	조세재정	507
허윤제	삼일회계	20
허윤제	강동서	172
허윤지	조세재정	507
허윤태	북부산서	450
허윤형	울산서	462
허은석	서울청	158
허은성	고양서	300
허인규	고양서	300
허인범	동청주서	350
허인순	동안양서	247
허인영	해운대서	458
허일한	국세청	124
허장범	기재부	85
허재	택스홈	50
허재연	잠실서	219
허재영	인천청	287
허재옥	여수서	382
허재혁	공주서	332

허재호 부산진서 448
허재훈 대구청 403
허정 지방재정 502
허정무 이천서 264
허정미 남대구서 407
허정순 북전주서 390
허정윤 성북서 204
허정인 서인천서 296
허정태 기재부 83
허정필 대전청 320
허정환 국회재정 72
허정희 도봉서 186
허종계 부산청 439
허종구 마산서 468
허종주 마산서 469
허준영 국세청 130
허준영 부산청 437
허준영 김해서 466
허준용 인천청 291
허준원 서초서 201
허준혁 기재부 99
허준호 통영서 477
허지연 강서서 175
허지연 성북서 204
허지영 인천서 298
허지영 진주서 472
허지원 강동서 172
허지은 안산서 258
허지혜 동청주서 351
허지혜 해남서 384
허지희 용산서 215
허진 기재부 83
허진 서울청 165
허진 서울청 166
허진성 광주청 362
허진수 중부서 224
허진이 동수원서 244
허진주 경기광주 256
허진혁 반포서 195
허진혁 구리서 239
허진호 통영서 476
허진화 관악서 177
허채연 기흥서 240
허천일 충주서 358
허천회 성북서 205
허춘도 통영서 476
허충회 대전청 322
허치환 진주서 472
허태구 수영서 454
허태민 부산청 436
허태욱 강서서 175
허필주 안양서 261
허현 익산서 392
허현 서부산서 452
허현정 조세재정 507
허형철 의정부서 312
허혜정 국세상담 142
허효선 강남서 171
허훈 구로서 178
현윤진 부산청 439
현경 광산서 368
현경민 부산청 440
현경석 진주서 472
현경훈 통영서 476
현근수 부천서 308
현기수 조세심판 505
현덕진 안산서 258
현명기 서현이현 7
현명진 관세청 483
현미선 안산서 259
현미정 국세상담 142
현민웅 부천서 309
현병연 중부청 236
현보람 부천서 308
현상권 국세상담 142
현상필 국세청 132
현서린 국회법제 73
현석 현석세무 165
현석 현석세무 211
현선영 인천청 288
현소정 서울청 168
현소형 기재부 83
현양미 고양서 301
현완교 감사원 78
현완교 감사원 78
현우정 관악서 177
현원석 기재부 88
현유진 서인천서 296
현은식 부산청 443
현은영 안산서 259
현재민 서울청 168
현정아 세종서 341
현정용 의정부서 312
현정원 지방재정 503
현종원 서인천서 297
현주호 예산서 344
현지용 조세재정 508
현지원 노원서 184
현지희 반포서 195
현진호 이천서 264
현진희 분당서 248
현창훈 경기광주 256
현창훈 제주서 479
현하영 조세재정 506
현한길 더택스 45
현혜은 국세상담 143
현희성 조세심판 505
형만우 통영서 477
형병창 천안서 347
형비오 삼척서 273
형성우 서울청 169
형신애 순천서 381
형유경 부천서 309
홍가영 기재부 96
홍강표 금정서 444
홍건택 동작서 190
홍경 평택서 266
홍경란 경주서 418
홍경옥 중부서 225
홍경원 동작서 191
홍경은 금정서 445
홍경일 광명서 302
홍경표 구미서 420
홍경헌 삼성서 196
홍경희 안양서 260
홍고은 마산서 469
홍광식 마포서 193
홍광원 중부서 225
홍광표 기재부 95
홍규선 성동서 202
홍규표 기재부 83
홍근기 익산서 392
홍근배 용인서 262
홍근표 인천서 299
홍근화 마포서 192
홍기남 원주서 279
홍기범 원주서 279
홍기석 북전주서 391
홍기선 중랑서 222
홍기성 김해서 467
홍기연 삼성서 197
홍기오 충주서 359
홍나경 역삼서 210
홍남기 기재부 81
홍남기 기재부 82
홍다영 북인천서 294
홍다예 반포서 194
홍다원 평택서 267
홍다임 안양서 261
홍단기 기재부 85
홍대근 세무토은 42
홍덕표 강동서 172
홍덕희 창원서 475
홍동기 논산서 334
홍동훈 북대구서 410
홍두선 기재부 96
홍득기 성현회계 14
홍명자 서울청 152
홍명하 국세상담 143
홍문기 노원서 185
홍문선 국세청 135
홍문희 분당서 249
홍미라 서울청 153
홍미라 순천서 380
홍미숙 강남서 170
홍미숙 여수서 382
홍미영 성북서 204
홍민기 서울청 154
홍민기 서울청 157
홍민석 기재부 89
홍민옥 조세재정 507
홍민지 부산청 440
홍민표 부산청 438
홍범교 조세재정 506
홍범식 잠실서 219
홍보희 화성서 269
홍삼기 지방재정 502
홍상기 노원서 185
홍상우 아산서 342
홍서연 분당서 248
홍서윤 군산서 386
홍서준 동고양서 306
홍서진 조세재정 506
홍석광 기재부 96
홍석민 춘천서 281
홍석우 충주서 359
홍석원 서울청 150
홍석의 강릉서 270
홍석주 부산청 442
홍석찬 기재부 95
홍석헌 부산세관 494
홍석희 남인천서 292
홍선아 서울청 155
홍선영 구리서 238
홍성걸 인천청 287
홍성국 국회정무 76
홍성권 수원서 252
홍성권 지방재정 502
홍성기 금융위 101
홍성기 남인천서 292
홍성기 진주서 473
홍성대 원주서 278
홍성도 홍성서 348
홍성미 국세청 139
홍성민 국세청 133
홍성수 천안서 346
홍성수 제주서 478
홍성식 기재부 93
홍성신 국회법제 74
홍성옥 구로서 179
홍성완 지방재정 503
홍성우 지방재정 502
홍성욱 기재부 82
홍성일 서울청 165
홍성자 대전청 324
홍성재 감사원 79
홍성준 서울청 149
홍성준 광명서 302
홍성준 예산서 344
홍성천 서울청 163
홍성철 지방재정 503
홍성표 미래회계 17
홍성표 평택서 266
홍성표 순천서 381
홍성한 성북서 204
홍성현 안산서 259
홍성혜 서울청 152
홍성환 세무다솔 44
홍성훈 국세청 129
홍성훈 서울청 150
홍성훈 시흥서 254
홍성훈 동래서 446
홍성희 삼성서 196
홍성희 서산서 339
홍성희 조세재정 507
홍성희 조세재정 507
홍세미 구리서 238
홍세정 수원서 252
홍세진 강서서 174
홍세희 인천청 289
홍소영 국세청 129
홍소영 국세청 133
홍소정 조세재정 508
홍솔아 동안양서 247
홍수경 서광주서 374
홍수민 수영서 454
홍수은 제주서 479
홍수지 서인천서 297
홍수현 서울청 168
홍순식 국회정무 76
홍순영 서울청 166
홍순원 북대전서 328
홍순준 국세주류 140
홍순진 충주서 358
홍순태 조세심판 505
홍순택 제천서 354
홍순호 성남서 250
홍슬기 서인천서 296
홍승균 기재부 95
홍승모 삼정회계 22
홍승모 삼정회계 23
홍승범 서울청 154
홍승연 조세심판 504
홍승영 강릉서 270
홍승표 반포서 194
홍승희 남대문서 183
홍에스더 기재부 95
홍연주 택스홈 50
홍연희 기재부 92
홍연희 서광주서 374
홍영국 용산서 215
홍영균 제주서 479
홍영남 남양주서 242
홍영민 서울청 155
홍영선 송파서 207
홍영숙 국세청 139
홍영실 중랑서 222
홍영임 수영서 454
홍영준 삼정회계 23
홍영준 강릉서 270
홍영준 서광주서 375
홍영표 광주청 367
홍영호 서인천서 296
홍예령 남인천서 292
홍옥진 세무다솔 44
홍완표 서광주서 374
홍요셉 강릉서 270
홍용길 북광주서 372
홍용석 서울청 156
홍욱기 서초서 201
홍웅표 국회법제 74
홍원의 동래서 447
홍유남 조세재정 506
홍유민 연수서 310
홍유정 역삼서 211
홍유종 역삼서 211
홍윤기 익산서 392
홍윤석 포천서 316
홍윤선 수원서 252
홍윤종 부산청 441
홍윤진 조세재정 508
홍은결 서울청 162
홍은경 천안서 346
홍은기 강남서 171
홍은아 의정부서 312
홍은아 마산서 469
홍은영 순천서 381
홍은정 예산서 344
홍은지 북인천서 294
홍은지 경주서 418
홍이정 지방재정 503
홍인표 서초서 201
홍장희 딜로이트 16
홍장희 용산서 215
홍재옥 춘천서 280
홍재필 포천서 316
홍정기 북광주서 373
홍정민 동대문서 188
홍정민 송파서 206
홍정상 감사원 78
홍정수 고양서 300
홍정수 금정서 444
홍정아 국회법제 73
홍정연 국세청 122
홍정욱 남양주서 242
홍정은 동고양서 307
홍정의 서울청 150
홍정자 부산진서 448
홍정희 서울청 161
홍종민 기재부 82
홍종복 마포서 192
홍종우 세무다솔 44
홍종은 구리서 238
홍종훈 부천서 309
홍주연 기재부 86
홍주연 중부청 232
홍주현 동대문서 188
홍주희 기흥서 241
홍준경 인천청 288
홍준기 삼일회계 21
홍준만 동수원서 245
홍준영 국세청 133
홍준영 부천서 308
홍준일 국회재정 72
홍준혁 포항서 433
홍지민 안산서 259
홍지석 도봉서 186
홍지성 강동서 172
홍지안 김포서 305
홍지연 국세청 124
홍지연 국세청 131
홍지연 서울청 155
홍지영 기재부 97
홍지영 마산서 469
홍지우 중부청 236
홍지혜 동작서 190
홍지혜 천안서 347
홍지화 노원서 184
홍지흔 서초서 201
홍진국 서울청 157
홍진기 수원서 252
홍진영 대전서 327
홍진옥 국회재정 72
홍진표 남대문서 183
홍찬희 강남서 171
홍창규 반포서 194
홍창표 대전서 326
홍창호 영등포서 212
홍창호 영등포서 213
홍창화 서대전서 330
홍철수 국세교육 144
홍춘자 영덕서 429
홍충 예산서 345
홍충훈 울산서 462
홍태영 서울청 149
홍필성 중부청 229
홍학봉 강릉서 270
홍해라 광주서 370
홍혁기 남대문서 183
홍현기 수원서 253
홍현문 기재부 85
홍현승 구로서 178
홍현정 남대구서 407
홍현지 북전주서 390
홍형주 북인천서 294
홍혜령 예산서 345
홍혜영 경기광주 257
홍혜인 인천청 289
홍혜진 노원서 185
홍혜진 은평서 217
홍효숙 역삼서 211
홍후진 춘천서 280
화종원 진주서 473
황경서 북인천서 294
황경숙 인천서 298
황경숙 광주청 363
황경애 대전청 322
황경임 기재부 96
황경호 동울산서 460
황경희 서울청 165
황계숙 도봉서 186
황계순 이천서 265
황광국 서울청 167
황광선 서인천서 297
황교언 순천서 380
황규명 천안서 346
황규봉 인천청 290
황규석 국세청 126
황규설 동울산서 461
황규용 서대전서 331
황규현 마산서 468
황규형 강서서 175
황규홍 관악서 176
황기오 구리서 238
황길례 대구청 400
황길식 인천서 299
황나래 동울산서 461
황남돈 공주서 333
황남욱 삼성서 196
황남재 서울세관 486
황다검 종로서 220
황다빈 종로서 221
황다영 안산서 258
황대근 성동서 203
황대림 충주서 359
황도건 삼도세무 197
황도곤 삼도세무 155
황동수 고양서 300
황동욱 광주청 364
황동율 서대구서 413

황동일	부산청	436
황동형	수원서	253
황두돈	국세청	132
황득현	해남서	384
황말선	안동서	427
황명희	기재부	91
황명희	역삼서	211
황미경	서울청	153
황미경	양산서	471
황미숙	동작서	190
황미숙	송파서	207
황미연	조세재정	506
황미영	동대문서	188
황미영	인천청	288
황미옥	창원서	475
황미정	진주서	473
황미진	북부산서	450
황미화	공주서	333
황민	구리서	239
황민주	부산청	437
황민호	국세청	138
황민훈	창원서	475
황민희	인천서	298
황범석	분당서	249
황병광	국세청	130
황병권	동작서	190
황병규	노원서	185
황병기	기재부	94
황병록	대구청	401
황병석	성동서	202
황병준	군산서	386
황보경	조세재정	507
황보람	기흥서	240
황보승	삼척서	272
황보영곤	삼척서	273
황보영미	중부청	229
황보웅	경산서	416
황보정여	대구청	404
황보주경	서울청	153
황보주연	중부청	231
황보현	서울청	153
황상욱	동작서	191
황상인	금천서	180
황상준	안동서	427
황상준	수영서	454
황상진	중부청	230
황상태	택스홈	50
황서하	강남서	171
황석규	동청주서	350
황석채	기재부	95
황석현	남대구서	407
황선길	서인천서	296
황선우	양천서	208
황선우	광주서	370
황선웅	세무고시	33
황선유	청주서	356
황선익	중부서	225
황선정	서대구서	412
황선주	창원서	475
황선진	마포서	193
황선진	해남서	384
황선태	서광주서	375
황선택	동안양서	246
황선화	영등포서	213
황선화	용산서	215
황선화	남인천서	293
황성기	전주서	395
황성만	대구청	401
황성묵	북인천서	294
황성업	마산서	469
황성연	서울청	155
황성원	국세상담	143
황성윤	부천서	308
황성일	지방재정	503
황성진	북대구서	410
황성택	마산서	468
황성필	국회법제	73
황성필	중랑서	223
황성혜	조세심판	505
황성훈	세무대학	35
황성훈	역삼서	211
황성희	기재부	93
황성희	북대전서	328
황성희	북대구서	411
황세웅	남양주서	242
황세은	종로서	221
황송이	서울청	149
황수문	서대전서	331
황수빈	안양서	261
황수진	남대구서	407
황숙자	여수서	382
황숙현	중랑서	222
황순관	기재부	82
황순금	대전서	326
황순민	부산청	437
황순영	성북서	205
황순영	용인서	262
황순영	수성서	415
황순우	부천서	308
황순이	남대문서	182
황순조	지방재정	502
황순진	중부청	236
황순하	서울청	149
황순호	금천서	181
황순희	동대문서	188
황승미	대전서	326
황승진	순천서	380
황승현	대전서	326
황승호	관세청	482
황시연	삼성서	196
황시윤	성동서	202
황신영	중부청	230
황신원	서초서	200
황신현	기재부	82
황아름	강남서	171
황아름	용산서	215
황연성	부천서	309
황연실	서울청	154
황연주	용인서	262
황연주	북대전서	329
황연희	성동서	203
황영	양산서	470
황영규	서울청	164
황영길	기재부	88
황영남	인천서	298
황영삼	고양서	300
황영숙	남대구서	407
황영순	세무다솔	44
황영이	세종서	341
황영진	경기광주	256
황영철	인천세관	491
황영표	전주서	394
황영헌	국회재정	72
황영훈	중부청	228
황영희	시흥서	255
황예진	기재부	86
황왕규	대구청	404
황용섭	금천서	180
황용연	용인서	262
황용연	삼척서	273
황용철	연수서	310
황용택	용인서	263
황우오	평택서	267
황웅재	강동서	172
황유성	구로서	179
황유솔	광주서	370
황윤섭	서울청	166
황윤수	북대구서	410
황윤숙	서대문서	199
황윤숙	은평서	216
황윤식	구미서	420
황윤자	서울청	153
황윤정	기재부	83
황윤정	구리서	239
황윤철	서대전서	330
황은미	서울청	169
황은서	충주서	359
황은영	서울청	157
황은영	대구청	400
황은영	양산서	471
황은옥	잠실서	218
황은주	기재부	82
황은주	송파서	206
황은지	서대전서	331
황은희	파주서	314
황은희	제천서	355
황인미	서울청	153
황인범	중부청	229
황인범	인천청	289
황인산	지방재정	502
황인아	서울청	150
황인웅	기재부	96
황인자	논산서	335
황인준	서울청	149
황인철	여수서	383
황인태	고양서	300
황인하	중부청	229
황인화	성동서	203
황인환	기재부	96
황인환	의정부서	312
황일규	서울세관	486
황일섭	국세상담	143
황일성	동대구서	409
황장순	반포서	195
황재만	속초서	274
황재민	서울청	154
황재민	부산청	440
황재선	고양서	300
황재섭	대구청	402
황재승	홍성서	348
황재연	서울청	167
황재웅	기재부	95
황재원	국세상담	142
황재중	충주서	359
황재호	조세심판	504
황재홍	중부서	225
황재훈	태평양	65
황정길	동대문서	188
황정록	부천서	309
황정만	구리서	239
황정미	국세청	124
황정미	도봉서	187
황정미	송파서	206
황정미	동수원서	245
황정민	예산서	345
황정민	부산청	436
황정선	영등포서	213
황정숙	반포서	194
황정숙	인천청	289
황정욱	국세청	122
황정태	춘천서	281
황정현	잠실서	219
황정화	영등포서	213
황정훈	조세심판	504
황제헌	국세청	122
황종대	서울청	151
황종욱	동안양서	246
황종하	울산서	462
황주미	대구청	402
황주성	동안양서	247
황주연	서울청	148
황주영	관세사회	54
황주현	서대문서	198
황준성	서대문서	199
황준순	동대구서	409
황지선	기재부	83
황지성	구미서	421
황지아	국세청	130
황지언	마산서	468
황지연	성남서	251
황지연	충주서	358
황지영	도봉서	186
황지영	구리서	238
황지영	분당서	248
황지영	의정부서	313
황지영	경주서	419
황지영	경주서	419
황지원	구미서	420
황지원	구미서	421
황지원	구미서	421
황지유	평택서	266
황지은	기재부	96
황지은	대전청	322
황지현	기재부	96
황지혜	용산서	215
황지혜	동고양서	307
황지환	평택서	267
황지환	서인천서	297
황진구	예산서	345
황진숙	안산서	258
황진영	인천청	287
황진하	영등포서	213
황진하	부산청	438
황진하	지방재정	502
황진희	수영서	454
황찬근	서울청	149
황찬연	김앤장	59
황찬연	역삼서	211
황찬욱	강남서	170
황창기	고양서	300
황창연	서울청	154
황창혁	인천청	289
황창훈	서울청	162
황철환	기재부	89
황춘식	화성서	269
황충연	국회법제	73
황치운	국세청	128
황태건	노원서	184
황태연	마포서	192
황태연	종로서	221
황태영	용산서	214
황태영	인천서	299
황태훈	송파서	207
황태희	북인천서	294
황판희	지방재정	503
황하나	서울청	150
황하늘	경산서	417
황하늬	반포서	195
황한나	남양주서	242
황한수	서대문서	199
황현	동울산서	460
황현서	마포서	192
황현석	김해서	466
황현섭	잠실서	218
황현순	영동서	352
황현정	제주서	478
황현주	서초서	200
황현주	군산서	387
황현진	국회정무	75
황현철	경기광주	257
황현희	수원서	252
황혜경	마산서	469
황혜란	마포서	193
황혜선	분당서	248
황혜영	세무다솔	44
황혜윤	국세상담	142
황혜정	기재부	87
황혜정	마포서	193
황혜정	성북서	205
황혜조	서초서	201
황혜진	분당서	249
황호민	동대문서	188
황호혁	익산서	392
황호현	서울청	148
황효경	평택서	267
황효숙	삼성서	196
황후용	서대전서	330
황훈	국회재정	72
황흥모	중부산서	457
황희상	서울청	168
황희정	북광주서	373
황희진	동작서	190

A-z

A.Everett	법무율촌	63
An	삼일회계	20
Kahng	김앤장	59
Oleson	딜로이트	16
Quigley	김앤장	59
Sung	김앤장	59

2021년 1월 20일 현재

2021 재무인명부

발　　행　2021년 2월 10일
발 행 인　황춘섭
발 행 처　조세일보(주)
주　　소　서울시 서초구 사임당로 32
전　　화　02-737-7004
팩　　스　02-737-7037
조세일보　www.joseilbo.com
정　　가　25,000원
I S B N　978-89-98706-24-1